EXTENDED TEACHER'S EDITION

HEATH
DISCOVERING FRENCH
ROUGE

Jean-Paul Valette
Rebecca M. Valette

Highlights

EXTENDED TEACHER'S EDITION

Introduction to **DISCOVERING FRENCH** p. T6
Unit Walkthrough p. T10

Contents

✓TPR, ✓Cooperative Learning,
✓Critical Thinking, ✓Portfolio Assessment,
✓Multiple Intelligences, ✓Cultural Reference
Guide and more!

McDougal Littell
Evanston, Illinois • Boston • Dallas

Dedication

This book is dedicated to
Caroline, Pierre, Zoé, and Esmé
in the hope that they will grow
to understand and appreciate
their French heritage.

Dear French Teachers and Friends,

We would like to welcome you and your students to the third level of our DISCOVERING FRENCH series. Although this book is the last volume of the BLEU, BLANC, ROUGE trilogy, we hope that it will not mark the end of your students' French studies, but rather that it will further stimulate their interest in French and the culture of the French-speaking world. We hope they will be eager to continue beyond this level, whether in high school or in college.

As we were planning the development of DISCOVERING FRENCH-ROUGE, we wanted to construct a book that would reflect the style and manner in which most French Level Three courses are taught. At this level, the teaching of French is no longer linear, and teachers have great flexibility in choosing the material they want to present and the skills they want to emphasize. Teachers told us they wanted a classroom instrument that could be used as a base for further expansion in the directions of their choice, whether this be communication, vocabulary building, cultural awareness, reading, or grammar. Our aim was to create a book that would give the teacher a maximum of flexibility by offering different strands to build upon: vocabulary, language, and daily-life culture as well as French and francophone literature and civilization.

While the units follow a logical progression in terms of increasing complexity, the book need not necessarily be presented in a linear manner. Rather, each teacher is encouraged to establish a Level Three curriculum on the basis of the skills or outcomes to be emphasized in the course of instruction. A teacher who wants to stress oral communication in daily-life situations may wish to concentrate primarily on the *Français pratique* sections. Another teacher, interested primarily in culture, may allocate much more classroom time to the *Interludes culturels*. Still another teacher, preferring to focus on control of structure and building reading skills, will spend more time with the *Langue et communication* sections and the *Lectures*, and will refer as needed to the information contained in the *Interludes culturels* to elucidate specific points of French and francophone cultural background. Again, the key word to success is <u>flexibility</u>.

DISCOVERING FRENCH-BLEU, BLANC, ROUGE is now complete. We recall the pleasure of working with so many of you across the country, listening to your suggestions, and being prodded on by your words of encouragement. However, our biggest reward lies ahead, for we hope that teachers and students alike will enjoy using the series, and through it will come to a greater love and appreciation of the French language and the beauties of the French-speaking world!

Bon courage à tous!

Jean-Paul Valette   Rebecca M. Valette

Here's what teachers using DISCOVERING FRENCH are saying . . .

"The best materials I have seen for multicultural instruction!"
—A. Burns, St. Thomas, V.I.

"...my teaching and my students' proficiency in French have been totally revitalized."
—F. Amo, Marquette, MI

"*Discovering French* allows my students to use French in real-life situations that are important to them. *Discovering French* gives them confidence to create dialogs using new expressions and vocabulary. They have a positive outlook on learning and speaking French."
—A. Morales, San Marcos, CA

"My students have become revitalized by your exciting new program. They instantly commented on the clarity of presentation. I am particularly thrilled with summary work presented in the *À votre tour* pages. It's exciting to have students work with one another, then proudly and eagerly present what they have created in these exercises... I'm so glad that there is a text like this available."
—V. Sachs, Morgan Hill, CA

"I love the...teaching techniques and suggestions throughout the series. Thanks for the help!"
—D. Wallace, Clover, SC

"*My students are interacting with each other in French. They're having a good time communicating and their parents tell me they hear their children using French at home and on the phone! I love the total program and all the help for the teacher.*"
—F. Meyland, Clarkston, MI

"After 28 years of teaching, this is the first program I've used that is really complete, that has everything at hand, that doesn't require hours of preparing 'fun' and diverse activities or hours of test preparation. My students are enthusiastic and, even in level one, I'm so impressed with their confidence and willingness to speak French."
—P. Price, Sioux City, IA

Discovering French Teacher Network

If you'd like to talk to a current **Discovering French** teacher, or become a member yourself, write to:

World Languages Product Manager
McDougal Littell
1560 Sherman Avenue
Evanston, IL 60201
or e-mail: Lori_Diaz @hmco.com

World Connections Newsletter

As a **Discovering French** teacher, you are eligible to receive, free of charge, copies of our newsletter. The newsletter includes information articles on current pedagogical trends, new program features, teaching tips, and more. Sign up by writing to the address listed to the left.

DISCOVERING FRENCH

Merci!

We would like to thank the many teachers across the country who have responded to surveys and sent suggestions for this new program. In particular, we would like to thank the following people who participated in the development process and provided guidance and encouragement:

Susan Arandjelovic, *Dobson High School, Mesa, AZ*

Joseph Giorgio Arias, *James "Niki" Rowe High School, McAllen, TX*

Pat Barr-Harrison, *Prince George's County Public Schools, Landover, MD*

Beth Bossong, *Vestal High School, Vestal, NY*

Celeste Carr, *Howard County Public Schools, Ellicott City, MD*

Betty C. Clough, *McCallum High School, Austin TX*

Linda Crecca, *Hampton Bays Junior/Senior High School, Hampton Bays, NY*

Kay Dagg, *Washburn Rural High School, Topeka, KS*

Dorothy Davis, *Royal High School, Simi Valley, CA*

Deborah DeMelfi, *Central Columbia High School, Bloomsburg, PA*

Janice Dowd, *Teaneck High School, Teaneck, NJ*

Christiane Fabricant, *The Winsor School, Boston, MA*

Susan Fritz, *Reading Memorial High School, Reading, MA*

Susan Hennessey, *Reading Memorial High School, Reading, MA*

Mary Sue Hoffman, *Upper Moreland High School, Willow Grove, PA*

Barbara Holohan, *Princeton High School, Princeton, NJ*

Sheila (Ray) Hutchinson, *Kimball High School, Dallas, TX*

Belinda Kuck, *Clearfield High School, Clearfield, UT*

Myrella LeBlanc, *Sam Rayburn High School, Pasadena, TX*

Lula Lewis, *Hyde Park Academy, Chicago, IL*

Virginia Mayer, *Padua Academy, Wilmington, DE*

Patricia McCann, *Lincoln-Sudbury High School, Sudbury, MA*

William Price, *Day Junior High School, Newton, MA*

Barbara Reeback, *Albuquerque Academy, Albuquerque, NM*

T. Jeffrey Richards, *Roosevelt High School, Sioux Falls, SD*

Virginia Rossy, *Simi Valley High School, Simi Valley, CA*

Dr. Judith Smith, *Baltimore, MD*

Kathy Withington, *McCluer Senior High School, Florissant, MO*

We would also like to thank the following persons for helping us acquire a better insight into their area of the French-speaking world:

Thierry Gustave, *Martinique*   **Yasmina Hacien-Bey,** *Algeria*

Kouadio Konan, *Ivory Coast*   **Ourida Mostefai,** *Algeria*

Introduction to

DISCOVERING
FRENCH BLEU–
Première partie

DISCOVERING
FRENCH BLEU–
Deuxième partie

First level:
DISCOVERING FRENCH–BLEU

Discovering French will help you

Key Objectives

- Build and reinforce active communication skills
- Develop reading skills and cultural awareness
- Build a strong linguistic base

DISCOVERING FRENCH-ROUGE is a flexible, integrated skills approach to Level Three. It provides extensive reading opportunities, varied writing practice, continuing thematic vocabulary and language development, and a wide range of communication activities.

Key Features

 Multicultural global awareness is developed through presentation of the culture of France and the French-speaking world.

 An emphasis on **daily-life themes** develops and expands effective communication.

 Abundant use of **authentic realia** and illustrative material in support of the text provides cultural context and extends learning opportunities.

 Introduction to literature is provided through short stories, poems, and brief introductions to important works by French and francophone authors.

DISCOVERING FRENCH

Second level:
DISCOVERING FRENCH–BLANC

Third level:
DISCOVERING FRENCH–ROUGE

revitalize your French program!

 A flexible program that allows teachers to teach according to their own style and objectives

 A strong **reading strand** that includes reading for pleasure, reading for content and reading fiction

 Abundant **writing practice** in a variety of formats

 Content-based student-centered activities offer personalization and self-expression in French

A program that allows you to reach **all** your students

 Multiple Intelligences

 Interdisciplinary Connections

 Cooperative practice and Learning Activities

 Critical Thinking

 TPR **Total Physical Response Suggestions**

 Cyclical Re-entry and Review

 Language Games

PRINT

Student Text

Extended Teacher's Edition

A complete resource for point-of-use warm-ups, teaching notes, ancillary keying, multicultural expansion, lesson planning, TPR, critical thinking, cooperative learning and more.

Student Activity Book

Listening, speaking, reading and writing activities are provided to increase student time on task and reinforce classroom presentations.

Video Activity Book

Activities for all video modules provide both reinforcement and extension to encourage active viewing and focus on higher order thinking skills.

Teaching Resources

Supplementary teaching support:

Internet Connection Notes

Professional development materials including technical information, vocabulary, useful addresses and additional activities.

Teacher-to-Teacher (Copymasters)

Classroom-proven games, puzzles, extension activities, and teaching tips in an easy-to-use format.

Lesson Plans

Suggestions for lesson planning, including block scheduling options.

Overhead Visual Copymasters

Complete blackline versions of all four-color overhead visuals. Suggested activities are also included.

Answer Key to the Student Text

Complete Audio Script

Program Components

AUDIOVISUAL

Pas de problème! Video Program
Expansion video modules for each unit re-enter and expand practical vocabulary and cultural background.

Pas de problème! CD-ROM

Audio Cassette Audio CD Program
Audiocassettes and audio CDs contain listening and speaking activities

Overhead Visuals and Copymasters

Writing Templates
(Mac and Windows)
Writing Templates keyed to the Student Text provide additional writing practice including pre- and post-writing activities, and process writing skills development.

TECHNOLOGY

Testing and Assessment Kit

ACHIEVEMENT TESTS

Unit Tests

Unit Quizzes

Reading and Culture Quizzes and Tests

PROFICIENCY TESTS

Listening Comprehension Performance Tests

Speaking Performance Test

Writing Performance Test

Portfolio Assessment

■ The Perfect Balance of Culture, Communication and Grammar

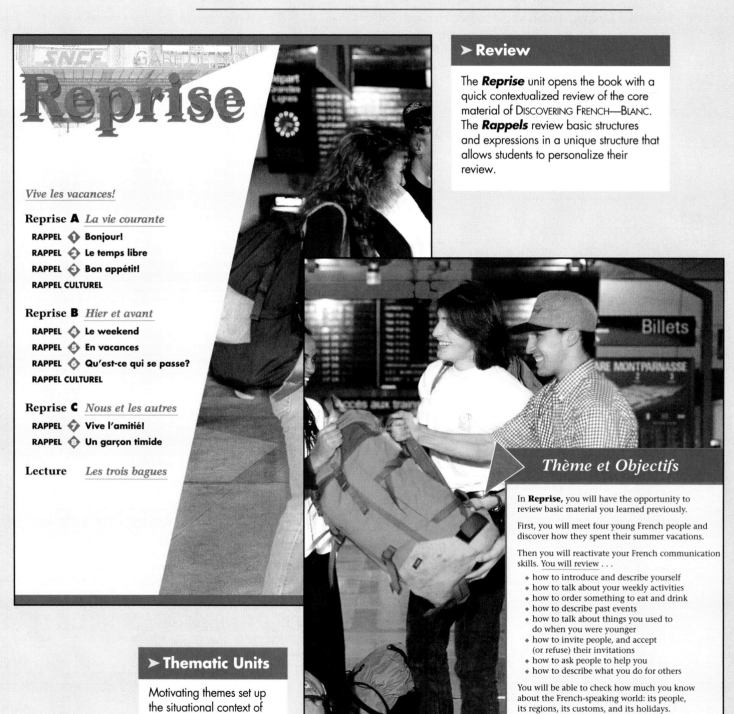

Reprise

Vive les vacances!

Reprise A *La vie courante*

- RAPPEL ① **Bonjour!**
- RAPPEL ② **Le temps libre**
- RAPPEL ③ **Bon appétit!**
- RAPPEL CULTUREL

Reprise B *Hier et avant*

- RAPPEL ④ **Le weekend**
- RAPPEL ⑤ **En vacances**
- RAPPEL ⑥ **Qu'est-ce qui se passe?**
- RAPPEL CULTUREL

Reprise C *Nous et les autres*

- RAPPEL ⑦ **Vive l'amitié!**
- RAPPEL ⑧ **Un garçon timide**

Lecture *Les trois bagues*

➤ Review

The **Reprise** unit opens the book with a quick contextualized review of the core material of DISCOVERING FRENCH—BLANC. The **Rappels** review basic structures and expressions in a unique structure that allows students to personalize their review.

Thème et Objectifs

In **Reprise,** you will have the opportunity to review basic material you learned previously.

First, you will meet four young French people and discover how they spent their summer vacations.

Then you will reactivate your French communication skills. You will review . . .

- ◆ how to introduce and describe yourself
- ◆ how to talk about your weekly activities
- ◆ how to order something to eat and drink
- ◆ how to describe past events
- ◆ how to talk about things you used to do when you were younger
- ◆ how to invite people, and accept (or refuse) their invitations
- ◆ how to ask people to help you
- ◆ how to describe what you do for others

You will be able to check how much you know about the French-speaking world: its people, its regions, its customs, and its holidays.

Finally, a story about an unexpected inheritance will give you the opportunity to activate your reading skills—and discover how much French you really do remember!

➤ Thematic Units

Motivating themes set up the situational context of the language.

Unit Walkthrough

➤ Unit Structure

Every unit contains:
- Introductory thematic readings
- Practical vocabulary and conversational patterns
- Grammatical structures
- A longer fictional reading
- An extended cultural reading

UNITÉ 1 — Au jour le jour

Thème et Objectifs

Culture
In this unit, you will discover . . .
- what French people call "le look" and why it is important to them
- how French teenagers care for their personal appearance
- how different artists have expressed the concept of beauty
- what constitutes the daily routine for different French people

Communication
You will learn how . . .
- to describe what a person looks like
- to explain what you do to make yourself look good
- to talk about your daily activities
- to describe how you feel in different circumstances

Langue
You will learn how . . .
- to describe what people do for themselves
- to describe certain aspects of your daily routine
- to express feelings and changes of mood

➤ Goal-Setting Objectives

The culture, communication, and grammar objectives tell students what they will be able to do at the end of the unit.

Magazine Style Readings Introduce the Unit Theme and Give Students Something to Talk About!

➤ Magazine Format

High-interest readings grab students' attention and hook them into reading.

L'importance du «LOOK»

Il y a deux semaines, Cédric, 16 ans, avait les cheveux longs. Maintenant, il les a courts.° Cédric change de coiffure° tous les° trois mois. Véronique, 17 ans, dépense son argent en «fringues»° qu'elle achète au moment des soldes.° Pour se composer un «look», Sandrine préfère utiliser sa vaste collection d'accessoires.

Pour les jeunes Français, le «look» est extrêmement important. En fait, l'importance du look marque le passage de l'enfance° à l'adolescence. Avant l'âge de 12 ou 13 ans, ils ne s'intéressent° pas beaucoup à leur apparence. Après, ils y font très attention.

Le look, c'est une façon de personnaliser son apparence physique, de se créer un style. S'il est difficile de modifier son corps,° on peut facilement changer son look. Il suffit° de choisir les vêtements, les accessoires, la coupe° de cheveux correspondant à l'impression qu'on veut donner. Voici, par ordre d'importance, les éléments du look pour les «ados» (les adolescents) français.

"C'est la première impression qui compte"

■ Les vêtements

Avec le choix de ses vêtements, on détermine son style général: sport, classique, romantique, etc. . . Pour les ados, les vêtements les plus importants sont d'abord le jean, uniforme de la jeunesse internationale, et ensuite le blouson, le sweat et le tee-shirt. La marque des vêtements est capitale. On n'achète pas un blouson, mais un Naf Naf ou un Chevignon (marques° françaises) ou un Levis (marque américaine). On ne porte pas un sweat, mais un Benetton ou un Kookaï. Parce que la marque coûte cher, les ados mélangent° les vêtements de marque avec des vêtements moins chers qu'ils achètent dans les grandes surfaces.°

■ Les chaussures

Les Français sont les plus grands acheteurs de chaussures d'Europe: ils en achètent en moyenne cinq paires par an. Là aussi, la forme, le style et surtout la marque sont très importants.

KOOKAÏ

La Chausseria

LE LOOK

---

courts *short*   **coiffure** *hairstyle*   **tous les** *every*   **fringues** = *vêtements (slang)*   **soldes** *sales*   **l'enfance** *childhood*   **ne s'intéressent** = *ne sont pas intéressés*
corps *body*   **suffit** = *il est suffisant*   **coupe** *cut*   **marques** *designer (boutique) brand names*   **mélangent** *mix*   **grandes surfaces** *shopping centers*

Unité 1 ■ INFO Magazine   33

Unit Walkthrough

■ Les accessoires

Colliers, bracelets, boucles d'oreille, bijoux, chapeaux permettent aux filles de se créer un look ou d'en changer rapidement. Pour leur look, les garçons utilisent casquettes,° ceintures, bretelles,° et parfois des boucles d'oreilles. Le sac à dos° est un élément du look plus important pour les filles que pour les garçons.

Autre élément du look, le «pin's» est très populaire chez les ados. C'est non seulement un objet décoratif, ma[...] un objet qui permet de s'[...] (par les causes qu'on [...] les marques qu'on ac[...] événements auxquel[...] assisté . . .).

Et n'oublions pas les lunettes. Suivant le[...] et leur couleur, on peut avoir un look [...] intelligent, drôle, rétro . . .

■ La coiffure

La coiffure fait partie° intégrale du look. C'est aussi une façon° de manifester ses opinions. Les cheveux longs des années 1970 ou le style «punk» des années 1980 marquaient le refus de s'intégrer à la société des adultes.

Les ados aujourd'hui sont retournés à un style assez classique de coiffure avec des cheveux ni° trop longs, ni trop courts. Courts ou longs, frisés, bouclés° ou[...] l'important c'est que les cheveux soient p[...] faciles à entretenir.°

■ Le maquillage et les produits de beauté

Aujourd'hui, les jeunes Françaises préfèrent un style naturel. Leur maquillage° et aussi leur parfum restent généralement discrets. Quant° aux jeunes Français, ils utilisent de plus en plus° de produits de beauté: eaux de toilette, crèmes et lotions pour les mains, gels pour les cheveux.

casquettes *caps* **bretelles** *suspenders* **sac à dos** *backpack* [...] **entretenir** *to take care of* **maquillage** *makeup* **Quant** [...] **se sentir** *to feel*

34 Unité 1 ■ INFO Magazine

Les visages de la beauté

Les artistes ont toujours voulu représenter leur idée de la beauté. La beauté a des visages différents à travers les âges et les cultures.

La beauté, c'est . . .

Pour Léonard de Vinci (1452-1519)

. . . un visage tranquille
. . . des traits° réguliers
. . . un sourire° énigmatique
. . . la discrétion et le mystère

Pour ce sculpteur du Moyen Âge

. . . un visage ovale
. . . des cheveux bouclés
. . . un sourire d'ange
. . . la douceur° et la discrétion

Pour Pierre Auguste Renoir (1841-1919)

. . . un visage rond
. . . des joues° pleines°
. . . un teint° frais
. . . la joie de vivre

Pour Amedeo Modigliani (1884-1920)

. . . un visage ovale
. . . un nez long et fin
. . . des traits symétriques
. . . la délicatesse

Pour Paul Gauguin (1848-1903)

. . . un visage rond
. . . des cheveux abondants
. . . une bouche pleine
. . . la bonté° et la générosité

Pour Pablo Picasso (1881-1973)

. . . un regard profond
. . . des traits marqués
. . . une attitude fière
. . . la personnalité

Pour ce sculpteur anonyme du Bénin

. . . une coiffure° élaborée
. . . un visage altier°
. . . des traits fermes
. . . la noblesse° de caractère

Et ça!
C'est le contraire de la beauté!

et vous?

• Parmi les huit visages représentés, lesquels correspondent le mieux à votre idéal de la beauté? Expliquez pourquoi.
• Apportez en classe des photos ou des portraits de personnes que vous considérez être belles. Décrivez ces portraits.

traits *features* **sourire** *smile* **douceur** *kindness* **joues** *cheeks* **pleines** *full* **teint** *complexion* **bonté** *goodness* **coiffure** *hairdo* **altier** *proud* **noblesse** *nobility*

Unité 1 ■ INFO Magazine **35**

➤ Realia

Abundant use of realia gives students confidence that they can understand authentic French.

■ Real-World Vocabulary Makes Conversation Easy

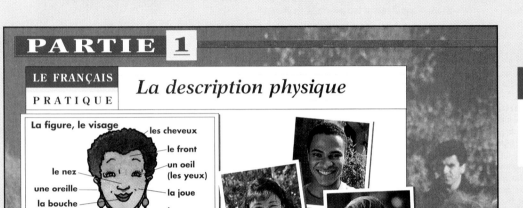

PARTIE 1

LE FRANÇAIS PRATIQUE

La description physique

La figure, le visage

- les cheveux
- le front
- un oeil (les yeux)
- le nez
- une oreille
- la joue
- la bouche
- le menton
- le cou

	Un garçon / une fille . . .	
LES CHEVEUX	est **brun(e)**	
	a les cheveux bruns	
	a les cheveux longs	
		lisses *(s*
LES YEUX	**a les yeux noirs**	
LE VISAGE (LA FIGURE)	**a le visage ovale**	
LA TAILLE	**est grand(e)**	
L'APPARENCE GÉNÉRALE	est **mince** *(thin)* **maigre** *(skinny)*	
	est **athlétique** **fort(e)** *(strong)* **costaud** *(solid, well-*	
LES SIGNES PARTICULIERS	**porte des lunettes**	

▶ À noter **la taille** *(height)* **Je mesu** **le poids** *(weight)* **Je pèse**

36 Unité 1 PARTIE 1

Ce monsieur. . .

 est chauve

 est barbu; a une barbe

 a une moustache

 a une cicatrice *(scar)*

Ce garçon . . . **Cette fille . . .**

 a les cheveux en brosse *(crew-cut)*

 a une queue de cheval *(ponytail)*

 a des taches de rousseur *(freckles)*

 a un grain de beauté *(beauty mark)* sur le menton

Au lycée Descartes, il y a 10 ans

Alice Marc Sophie Isabelle Julien Jérôme

Maintenant

Alice Marc Sophie Isabelle Julien Jérôme

1 Dix ans après

Dix ans séparent ces deux photos. Entre temps, les élèves du lycée Descartes ont beaucoup changé. Choisissez un(e) élève sur la photo de l'école et décrivez-le(la). Votre partenaire va décrire cette personne maintenant.

2 Autoportrait

Faites votre autoportrait en donnant le maximum de détails sur votre aspect physique.

Conversations libres

Avec votre partenaire, choisissez l'une des situations suivantes. Composez le dialogue correspondant et jouez-le en classe.

1 Rendez-vous

Votre partenaire vous propose d'aller au cinéma avec un(e) jeune Français(e) qu'il/elle a rencontré(e) récemment. Vous voulez avoir des détails sur cette personne.

2 Un(e) enfant perdu(e)

Vous faites du shopping aux Galeries Lafayette avec votre petit(e) cousin(e). Pendant que vous êtes au rayon des jouets *(toys)*, votre cousin(e) disparaît *(disappears)*. Faites une description de votre cousin(e) au détective du magasin (votre partenaire). Il va vous demander des détails.

PARTIE 2

LE FRANÇAIS PRATIQUE

La routine quotidienne

> Je me réveille à 7 heures et quart. Je me lève, et puis je me lave.

Il y a beaucoup de choses qu'on fait tous les jours. Ces choses font partie de la routine quotidienne *(daily)*. Ici Stéphanie explique sa routine quotidienne:

Le matin . . .
Je me réveille à 7 heures et quart.
Je me lève.
Je me lave.
Je prends **un bain** (~
Je m'habille.

Après le petit déjeuner
Je me prépare.
Puis, **je me rends** à
Je me dépêche pour
(Si je suis en retard,

En classe . . .
J'étudie.
À midi, **je m'amuse**

L'après-midi, après les
Je me promène en
Je m'arrête parfois
et **je m'achète** une
Je rentre et **je me re**

À sept heures et demie
Je me mets à table
et je dîne avec ma
Puis je fais mes devo

Le soir, **vers** *(at about)* on
Je me déshabille.
Je me couche.

Et finalement **je m'e**

se réveiller	to wake up
se lever	to get up
se laver	to wash

48 Unité 1 PARTIE 2

Verbes comme acheter
se lever, se promener

Révision ▶ pp. R20-21

Pratique ▶ p. 23

① Et vous? ....

Décrivez certains aspects de votre vie. Comparez vos réponses avec celles de votre partenaire.

1. En semaine, je me réveille . . .
   • avant sept heures
   • à sept heures
   • ??

2. Je me rends à l'école . . .
   • à pied
   • en bus
   • à vélo
   • ??

3. Le soir, je me couche . . .
   • avant dix heures
   • après onze heures
   • ??

4. Généralement, je m'endors . . .
   • vite *(fast)*
   • assez vite
   • difficilement
   • ??

5. Le dimanche, je ne me lève jamais . . .
   • avant huit heures
   • avant neuf heures
   • ??

6. Quand j'ai du temps libre, je préfère . . .
   • me reposer
   • me promener en ville
   • me rendre chez mes amis
   • ??

7. Quand je me promène en ville, j'aime mieux m'arrêter . . .
   • dans les magasins
   • dans un fast-food
   • ??

8. Avec mon argent, je préfère m'acheter . . .
   • des cassettes
   • des vêtements
   • des magazines
   • ??

9. Je me dépêche le plus pour aller . . .
   • à l'école
   • à un rendez-vous
   • à un concert
   • ??

10. En général, je m'excuse quand . . .
    • j'ai tort
    • je suis en retard
    • ??

Conversations libres

Avec votre partenaire, choisissez l'une des situations suivantes. Composez le dialogue correspondant et jouez-le en classe.

1 Camarade de chambre

Vous êtes étudiant(e) à l'université de Montréal. Vous cherchez un(e) camarade de chambre pour le trimestre prochain. Expliquez votre routine quotidienne à un(e) autre étudiant(e) (votre partenaire). Ensuite, posez-lui des questions sur sa routine.

Activités du dimanche

Vous avez invité un(e) camarade français(e) (votre partenaire) à passer le weekend chez vous. Expliquez-lui ce que vous faites le dimanche. Demandez-lui s'il/si elle fait les mêmes choses.

DISCOVERING FRENCH

■ *The Perfect Blend of Communication and Grammar*

➤ Langue et Communication

Provides grammar support so students can activate thematic vocabulary.

LANGUE ET **COMMUNICATION**

A. Le passé composé des verbes réfléchis

The PASSÉ COMPOSÉ of reflexive verbs is formed with **être**.

AFFIRMATIVE	je **me suis** lavé	je **me suis** lavée
	tu **t'es** lavé	tu **t'es** lavée
	il/on **s'est** lavé	elle **s'est** lavée
	nous **nous sommes** lavés	nous **nous sommes** lavées
	vous **vous êtes** lavé(s)	vous **vous êtes** lavée(s)
	ils **se sont** lavés	elles **se sont** lavées
NEGATIVE	je ne me suis pas lavé	je ne me suis pas lavée
INTERROGATIVE	est-ce que tu t'es lavé?	est-ce que tu t'es lavée?

Usually, but not always, the p

    Éric s'est promené.   A

➡ There is no agreement wh
    Stéphanie **s'est lavée**.

Note also:
    Catherine et Sophie **se**

① Samedi dernier

Demandez à votre partena
les choses suivantes samed
Votre partenaire peut donn
précisions correspondant

  ▶ se lever tard (à quelle he

      1. se promener (
      2. s'acheter des v
         vêtements?)
      3. s'acheter autre
      4. s'amuser (com
      5. se reposer (qu
      6. se coucher tar

50 Unité 1 PARTIE 2

② Qu'est-ce qu'ils ont fait?

Informez-vous sur les personnes suivantes et dites
ce qu'elles ont fait. Pour cela, utilisez les verbes suggérés.

▶ Monsieur Marty a pris son rasoir.   **Il s'est rasé.**

1. Caroline a pris le dentifrice.
2. Tu as pris tes vêtements.
3. Nous avons entendu le réveil *(alarm clock)*.
4. À minuit, tu es allé dans ta chambre.
5. Vous avez pris une semaine de vacances.
6. Nous sommes allées à la campagne.
7. Marc et Philippe ont vu un film très drôle.
8. Dans le bus, j'ai marché *(stepped)* sur les pieds
   de quelqu'un.
9. Le chauffeur de bus a vu le feu-rouge *(red light)*.
10. Tu as pris les ciseaux.
11. Vous avez voulu être à l'heure au rendez-vous.

s'amuser
s'arrêter
se brosser les dents
se coucher
se couper les ongles
se dépêcher
s'excuser
s'habiller
se promener
se raser
se reposer
se réveiller

③ La journée d'un mannequin

Christine est mannequin *(model)* pour un magazine de mode. Lisez comment elle
décrit sa journée:

Je me réveille à huit heures. Je ne me lève pas immédiatement.
J'attends dix minutes. Ensuite je me lève et je vais dans la salle de bains.
Là, je prends une douche et je me lave les cheveux. Ensuite je me maquille
et je m'habille. Vers neuf heures, je descends dans la cuisine et
je me prépare un petit déjeuner très léger (light). Après, je regarde
le journal. Je téléphone à mon magazine pour faire mes rendez-vous.
Je réponds à mon courrier (mail).
   Vers dix heures et demie, je sors et je fais les courses. Je rentre
chez moi, mais je ne déjeune pas. À une heure, je prends un taxi. Je vais
directement au magazine pour les séances (sessions) de photo.
Je travaille tout l'après-midi.
   À sept heures, je rentre chez moi et je dîne. Ensuite je regarde un film
à la télé. À onze heures je me couche et je m'endors.

Chaque jour, Christine suit la même routine. Décrivez ce qu'elle a fait hier.
  ▶ **Hier, Christine s'est réveillée à huit heures . . .**

④ Ma routine personnelle

Décrivez votre routine personnelle. Pour cela, composez un petit paragraphe où vous
racontez ce que vous avez fait hier. (Si nécessaire, utilisez votre imagination!) Ensuite,
comparez votre journée avec celle de votre partenaire.

  ▶ **Hier, c'était samedi [dimanche]. Je me suis réveillé(e) à . . .**

Langue et communication **51**

➤ From Recognition to Production

A solid progression of activities from guided practice to open-ended communication.

Unit Walkthrough

LANGUE ET COMMUNICATION

A. L'usage de l'article avec les parties du corps

Catherine a **les yeux** bleus.	*Catherine has blue eyes. (= **Her eyes** are blue.)*
Qu'est-ce que tu as dans **la main**?	*What do you have in **your hand**?*
J'ai une cicatrice sur **le menton**.	*I have a scar on **my chin**.*

In French the DEFINITE ARTICLE (**le, la, l', les**) is generally used with parts of the body. (In English, we use possessive adjectives.)

1 Monsieur et Madame Dupont

Monsieur et Madame Dupont sont des touristes français. Complétez la description de Monsieur Dupont et ensuite faites la description de Madame Dupont.

Monsieur Dupont a . . . frisés.
Il porte un chapeau sur . . .
Il a une pipe dans . . .
Il a un foulard autour (de) . . .
Il porte son appareil-photo sur . . .
Il a un magazine (à) . . .
Il porte des sandales (à) . . .

Madame Dupont a . . .

la bouche
les cheveux
le cou
l'épaule
la main
les pieds
la tête

RAPPEL!

à + le → au   de + le → du
à + les → aux   de + les → des

38 Unité 1 PARTIE 1

> ## Clear Grammar Explanations
>
> Easy outline form helps students to assimilate grammar concepts.

> ## Friendly Reminders
>
> DISCOVERING FRENCH helps students be successful with point-of-use hints and learning tips.

Avoir mal à + les parties du corps

Révision ▷ 📖 p. R3; p.R12

2 Dommage!

Aujourd'hui ça ne va pas! Choisissez une chose que vous ne pouvez pas faire et expliquez pourquoi.

> **Je ne peux pas travailler dans le jardin.**

> **Mon/ma pauvre! Qu'est-ce que tu as?**

> **J'ai mal au dos.**

(aux pieds).

> **Dommage!**

QUELLE ACTIVITÉ?	POURQUOI?
parler	le genou
sortir avec toi	les pieds
dîner avec toi	la main
faire du jogging	le dos
jouer au foot	la gorge *(throat)*
jouer au ping-pong	les jambes
manger des bonbons	le ventre
transporter cette table	les dents
écouter cette cassette de rap	la tête
travailler dans le jardin	les oreilles
??	??

3 Enrichissez votre vocabulaire!

Voici certaines expressions que vous pouvez utiliser avec vos amis. Faites correspondre ces expressions avec leurs équivalents anglais.

1. Ne fais pas la tête!
2. Ne mets pas les pieds dans le plat!
3. Tu as un poil *(hair)* dans la main!
4. Tu as les yeux plus gros que le ventre!
5. Tu as le coeur sur la main!
6. Tu coupes les cheveux en quatre.
7. J'ai l'estomac dans les talons *(heels)*.

a. *I am very hungry.*
b. *You are too greedy. (Your eyes are bigger than your stomach.)*
c. *You are really lazy.*
d. *Don't look so upset.*
e. *Don't put your foot in your mouth.*
f. *You are very finicky. (You are splitting hairs.)*
g. *You are a very generous person. (You wear your heart on your sleeve.)*

ALLONS PLUS LOIN: Autres usages de l'article défini

The definite article is used . . .

- with dates
  le 18 juin   le samedi 3 avril
- with days of the week (or parts of the day) to refer to a repeated or habitual action
  Compare:
  Que fais-tu **le samedi**?   *What do you do **on Saturdays?***
  Que fais-tu **samedi**?   *What are you doing **on (this) Saturday?***
- with geographical names (countries, states, rivers, mountains, etc.), except cities
  le Canada   **les** États-Unis   but   **Israël, Cuba, Tahiti**
  la Virginie   **le** Mississippi   **les** Alpes
- with names of languages, colors, and school subjects
  J'étudie **le** français et **les** maths.
  Mes couleurs préférées sont **le** bleu et **le** rouge.
- with certain titles
  le docteur Mercat   **la** princesse Diane   **la** reine Élizabeth
- with nouns indicating a weight, measure, or quantity
  L'essence coûte 5 francs **le** litre.   *Gas costs 5 francs **a** liter.*

Usages de l'article défini

Pratique ▷ 📓 p. 19

Langue et communication 39

■ *Issues and Subjects That Teens Everywhere Face . . .*

Entre nous «Je ne suis pas très belle»

Juliette a l'impression de ne pas être belle. Elle parle de son problème dans *Le Journal des Copains*. Lisez ce que les lecteurs de ce journal lui ont répondu.

Chers copains,

Quand je me regarde dans la glace, je ne suis pas satisfaite de moi. J'ai le nez trop long, les oreilles trop grandes, le front trop large, les cheveux trop raides°. En un mot, je ne suis pas très belle. J'ai 15 ans, et pour moi, c'est un grave problème.

Juliette

Valérie (Grenoble), **17 ans**

Ne t'inquiète pas !° À 15 ans, toutes les filles pensent qu'elles ne sont pas assez belles. C'était mon cas quand j'avais ton âge. Je me suis trouvée° beaucoup plus belle le jour où un garçon m'a invitée. Patiente un peu ! Un jour, ça va être ton tour.

Valérie

raides *straight* **ne t'inquiète pas** *don't worry* **Je me suis trouvée** *I found myself*

Cécile *(Pau),*
16 ans

La beauté, c'est une chose, mais il y a aussi le look. Ça aussi, c'est important. Tu peux changer de coiffure, te maquiller° un peu, porter des accessoires marrants,° choisir des vêtements qui correspondent à ta personnalité... L'essentiel, c'est de se créer un style. Essaie!° Ce n'est pas si difficile!

Cécile

Guillaume *(Bruxelles),*
18 ans

Tu sais, je ne suis pas très beau non plus, mais ce n'est pas si grave que tu penses. En fait, j'ai des tas° de copains et de copines. La clé° du succès, c'est de se sentir° bien dans sa peau.° La vraie beauté n'est pas physique. Elle dépend des qualités que tu as. Mets les tiennes° en valeur. Et n'oublie pas que la beauté ne fait pas nécessairement le bonheur.° Regarde donc Marilyn Monroe!

Guillaume

Philippe *(Nice),*
17 ans

La beauté est importante, mais ce n'est pas tout. Ce qui compte aussi, c'est le charme et la personnalité. Quand j'invite une fille, ce n'est pas parce qu'elle est super-jolie, mais parce qu'elle est sympa, drôle, et qu'elle aime rire!° Cultive ton sens de l'humour et tu auras toujours des amis!

Philippe

Et vous? ....

Expression orale
D'après vous, quelle lettre offre les meilleurs conseils à Juliette? Expliquez pourquoi.

Expression écrite
Écrivez votre propre *(own)* réponse à la lettre de Juliette.

te maquiller *put on makeup* **marrants** = drôles *(slang)* **essaie** *try* **des tas** = quantités
la clé *key* **se sentir** *to feel* **dans sa peau** *inside (in one's skin)* **les tiennes** = tes qualités
le bonheur *happiness* **rire** *to laugh*

Langue et communication **41**

➤ Multiple Voices/ Multiple Viewpoints

Et vous? open-ended format helps students to realize that there is no "right answer," and that critical thinking skills are important in expressing opinions.

■ Cultural Contexts Support Language Comprehension

➤ Info Magazine

Additional **Info Magazine** articles encourage reading practice to reinforce thematic vocabulary and structures.

À LA RÉSIDENCE
BON REPOS

Aujourd'hui, les gens des villes habitent généralement dans des immeubles.° Ces immeubles ont beaucoup d'avantages . . . et quelques petits inconvénients.

Un jour comme un autre à la résidence° «Bon Repos» dans la banlieue° parisienne. Il est six heures du matin. Tout est calme. . . Tout d'un coup°. . .

SIXIÈME ÉTAGE

Drin. . . Drin . . . Un réveil° sonne° chez Monsieur Léveillé. Drin. . .Drin. . . Monsieur Léveillé se réveille en sursaut°. . . Puis il se lève, met sa robe de chambre° et va dans la salle de bains. Il se regarde dans la glace, se brosse les dents. Ensuite, il branche° son rasoir électrique et commence à se raser. Zzz. . . Zzz. . .

CINQUIÈME ÉTAGE

Le bruit° du rasoir électrique de Monsieur Léveillé réveille Madame Dumoulin. Elle ouvre un oeil, puis l'autre, et attend deux ou trois minutes. Finalement, elle se lève et va dans la cuisine pour se préparer une tasse de café. Elle branche son nouveau moulin° électrique. Grr. . . Grr. . .

QUATRIÈME ÉTAGE

Le moulin à café de Madame Dumoulin réveille Mademoiselle Lasouplesse. Elle se lève, enfile° un short et un tee-shirt, met une vidéocassette de gymnastique et commence ses exercices. Une, deux. . . une, deux. . . une, deux . . .

TROISIÈME ÉTAGE

Quand il entend Mademoiselle Lasouplesse faire sa gymnastique, Monsieur Trémolo se réveille. Il va dans la salle de bains et prend une douche. Quand il se lave, Monsieur Trémolo adore chanter ses airs d'opéra favoris: «Toréador, toréador. . .»*

* «Toréador» is a well-known aria from Bizet's **Carmen**.

DEUXIÈME ÉTAGE

La belle voix de Monsieur Trémolo réveille Madame Bellamy. Elle se lève, prend un bain, et se lave les cheveux. Puis, elle s'habille, se peigne et se maquille. . .

À huit heures et demie, tous les locataires° de la résidence «Bon Repos» sont partis pour leurs occupations de la journée. . . Tous sauf° un. C'est Monsieur Morphée, le locataire du premier étage. Il travaille comme portier° de nuit dans un grand hôtel. À l'heure où les autres locataires se rendent° à leur travail, lui, il rentre chez lui. Là, il se déshabille et prend un bon bain. «Quelle chance d'habiter dans une résidence si calme» pense-t-il. Puis, il va dans sa chambre, met son pyjama, se couche et s'endort° d'un profond sommeil.

Une journée comme les autres vient de commencer.

immeubles *apartment buildings* **résidence** = *l'immeuble* **banlieue** *suburbs* **Tout d'un coup** *all of a sudden* **réveil** *alarm clock* **sonne** *rings* **en sursaut** *with a start* **robe de chambre** *bathrobe* **branche** *plugs in* **bruit** *noise* **moulin** *coffee grinder* **enfile** = *met* **locataires** *tenants* **sauf** = *excepté* **portier** *doorman* **se rendent** = *vont* **s'endort** *falls asleep*

46 Unité 1 ■ INFO Magazine

Unit Walkthrough

Reading Strands in *Discovering French*

▶ Info Magazines

Light periodical culture-based readings

Lectures

Longer literary short story selections that develop skills in reading fiction

▶ Interludes culturels

Cultural readings that present France and the French-speaking world and include a selection from French or francophone literature

---

▶ Critical Thinking

DISCOVERING FRENCH encourages students to "think" in French.

■ ## *Solid Reading Strand*
Strong Reading Strategies

L ECTURE

Conte pour enfants de moins de trois ans

Eugène Ionesco

Eugène Ionesco (1912-1994) est né en Roumanie. Il fait des études de français à l'université de Bucarest, et devient lui-même professeur de français. En 1938, il quitte son pays menacé par le nazisme et vient s'installer en France. Il commence alors une brillante carrière littéraire qui lui vaudra d'être nommé à l'Académie française.

Ionesco est l'auteur de 33 pièces de théâtre. Dans ses pièces, il dénonce la banalité ou l'angoisse de l'existence avec une arme très puissante: l'humour. Combattant l'absurde par l'absurde, Ionesco a créé un théâtre entièrement nouveau que ses critiques ont justement appelé «Le Théâtre de l'Absurde».

AVANT DE LIRE

Dans ce conte, Ionesco met en scène un père et sa petite fille, âgée de deux ans et demi, dans une situation ordinaire de l'existence. Un matin, papa et sa fille se trouvent seuls à la maison. Pour une raison inexpliquée, la maman est partie chez sa mère. (Il y a peut-être eu une dispute dans le couple.) La petite fille, inquiète° de l'absence de sa mère, veut rester tout près de son père, mais celui-ci, qui veut se laver, n'a pas besoin d'elle. Pour être seul, il joue sur la psychologie des enfants: ce qui est absurde ou illogique pour un adulte peut sembler tout à fait° naturel et logique pour un enfant.

Pour mieux comprendre une histoire, il est utile de savoir quel genre° d'histoire c'est. À votre avis, d'après le titre, les illustrations et la note biographique sur Ionesco, quel genre d'histoire allez-vous lire?

- une histoire réaliste?
- une histoire humoristique?
- un drame psychologique?
- un conte fantastique?
- un récit d'aventures?

inquiète *worried* **tout à fait** = complètement **genre** = sorte

NOTE CULTURELLE

L'Académie française

Créée en 1635, l'Académie française a pour but° de préserver la langue française. Cette prestigieuse institution a 40 membres, appelés les «Immortels». Ce sont généralement des écrivains français très connus. Eugène Ionesco est l'un des rares Académiciens d'origine étrangère.

but = objectif

Mots utiles

avoir mal à l'estomac	to have an upset stomach
avoir mal à la tête	to have a headache
empêcher de	to stop, keep from (doing)
frapper	to knock
pleurer	to cry
profiter de	to take advantage of

Conte pour enfants de moi[...]

1

Ce matin, comme d'habitude,° Josette frappe à la [...] coucher de ses parents. Papa n'a pas très bien dor[...] la campagne* pour quelques jours. Alors papa a p[...] manger beaucoup de saucisson, pour boire de la b[...]

5 de cochon,** et beaucoup d'autres choses que ma[...] parce que c'est pas bon pour la santé.° Alors, voilà[...] à l'estomac, il a mal à la tête, et ne voudrait pas se[...] toujours° à la porte. Alors papa lui dit d'entrer. Elle[...] Il n'y a pas maman. Josette demande:

10 — Où elle est maman?

Papa répond: «Ta maman est allée se reposer à[...] la campagne chez sa maman à[...]

Josette répond: «Chez Mémée?»°

Papa répond: «Oui, chez Mémée.»

15 — Écris à maman, dit Josette. Téléphone à ma[...]

Papa dit: «Faut pas téléphoner.»

Josette dit: «Raconte une histoire avec maman[...]

— Non, dit papa, je vais aller au travail. Je me[...] Et papa se lève. Il met sa robe de chambre° rouge,[...]

20 met dans les pieds ses poutouffles.° Il va dans la sal[...] de la salle de bains. Josette est à la porte de la salle[...] petits poings,° elle pleure.

Josette dit: «Ouvre-moi la porte.»

Papa répond: «Je ne peux pas. Je suis tout nu,°[...]

25 Josette dit: «Tu laves ta figure, tu laves tes épa[...] ton dos, tu laves ton *dérère,*° tu la[...]

— Je rase ma barbe, dit papa.

— Tu rases ta barbe avec du savon, dit Josette.

* **La campagne.** In French, the term **la campagne** (the country) is use[...]
** **Mal au foie.** The French believe that eating too many fatty foods, su[...] **cochon** (a type of meatloaf made of ground pork and served cold), a[...] **au foie** (abdominal pain indicating liver trouble).

comme d'habitude *as usual* **santé** *health* **Mémée** = grand-mère tou[...]
robe de chambre *bathrobe* **par-dessus** = sur **poutouffles** = pantou[...]
épaules *shoulders* **dérère** = derrière *behind, rear end*

Avez-vous compris?

1. Comment le Papa de Josette se sent-il ce matin-là? Pourquoi?
2. Qu'est-ce que Josette demande d'abord à son père?
3. Selon vous, pourquoi est-ce que Josette veut rester près de son père?

Anticipons un peu[...]

Imaginez que vous ête[...] êtes dans la salle de b[...] vous. Vous vous dépê[...] Votre petit(e) frère (so[...] mais vous savez que [...]

- fermer la porte à[...]
- dire à votre peti[...]
- ouvrir la porte et[...]
- sortir de la salle [...]
- trouver une autre[...]

Maintenant, lisez la de[...]

sauter	to jump
à travers	across, through
de nouveau	again
ne . . . plus	no longer, not anymore

➤ ## Reading Strategies

Pre- and post-reading strategies help students to be active readers and develop critical reading skills.

➤ Lectures

High-interest short stories directly related to the unit theme recycle lexical and structural elements.

➤ Integrates All Skills

The ***Après la lecture*** activities expand into speaking and writing projects.

(…) plus dans

(…) ans la salle

(…) toilette. Josette

(…) buveau devant

(…) ger.»

(…) ble.»

(…) rase.»

(…) suis sur le

(…) fenêtre.»

(…) s.

(…) voir.

(…) lle (the city).
(…) té de
(…) leads to **mal**

(…) omewhere else
(…) ed, nude

(…) longtemps.

(…) rde bien si je
(…) les casseroles,
(…) et.»

(…) as dans les
(…) le paillasson,
(…) ne du pantalon,

(…) re?

(…) "lollypop")?
(…) er une histoire?
(…) laquelle?
(…) ce que le papa de Josette a fait.

une armoire   **un tapis**
une poubelle

Papa dit: «Je suis là.» Et papa, qui a eu le temps de faire sa toilette,
qui s'est rasé, qui s'est habillé, ouvre la porte.

65   Il dit: «Je suis là.» Il prend Josette dans ses bras, et voilà aussi
la porte de la maison qui s'ouvre, au fond du couloir,° et c'est maman
qui arrive. Josette saute° des bras de son papa, elle se jette° dans les bras
de sa maman, elle l'embrasse, elle dit:
— Maman, j'ai cherché papa sous la table, dans l'armoire, sous

70   le tapis, derrière la glace, dans la cuisine, dans la poubelle,
il n'était pas là.
Papa dit à maman: «Je suis content que tu sois revenue. Il faisait
beau à la campagne? Comment va ta mère?»
Josette dit: «Et Mémée, elle va bien? On va chez elle?»

au fond du couloir *at the end of the hall*   **saute** *jump*   **se jette** *throws herself*

Avez-vous compris?

1. Quel stratagème est-ce que le père utilise pour être tranquille?
2. Est-ce que ce stratagème réussit? Pourquoi, selon vous?
3. Comment se termine l'histoire?

APRÈS LA LECTURE

EXPRESSION ORALE

■ Situation
Avec votre partenaire, composez un dialogue correspondant à la situation suivante. Utilisez votre imagination.

Au bureau
Le papa de Josette parle de son weekend avec un(e) collègue de bureau qui veut des détails. Il décrit . . .
• pourquoi sa femme n'était pas là (il ne dit pas la vérité), et où elle était
• ce qu'il a bu et mangé
• ce qu'il a fait avec sa petite fille
• ce qu'il a fait d'autre

Rôles: le papa, le/la collègue

■ Théâtre
Avec votre partenaire, composez une scène semblable au conte que vous avez lu sur le thème suivant: Stéphanie (18 ans) fait du babysitting pour Dominique (3 ans). Elle veut téléphoner à son copain, mais Dominique ne la laisse pas tranquille. Pour se libérer, Stéphanie utilise un stratagème semblable à celui de l'histoire. (Variation: c'est Stéphane qui fait du babysitting, et il veut téléphoner à sa copine.)

EXPRESSION ÉCRITE

■ Un peu d'humour
Décrivez brièvement les éléments de l'histoire que vous avez trouvés drôles.

■ Une lettre
Imaginez que vous êtes la mère de Josette. Vous écrivez à votre cousine pour lui expliquer les événements du weekend. Vous pouvez mentionner. . .
• la raison de votre dispute avec votre mari (Inventez!)
• où vous êtes allée et ce que vous avez fait (Inventez!)
• quand vous êtes rentrée chez vous et pourquoi vous étiez heureuse de rentrer

DISCOVERING FRENCH

■ *Develop Cultural Literacy and Deepen Students' Appreciation of French and Francophone Culture*

➤ **Keep Your Students Studying French**

Introduce your students to the richness and variety of French culture . . . and capture their interest with your own favorites!

INTERLUDE CULTUREL

1 LE MONDE DES ARTS

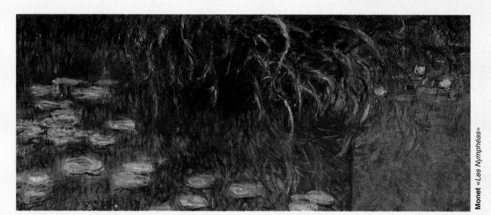

Monet «*Les Nymphéas*»

■ *La Révolution impressionniste* ■

L'art moderne est né en France dans les années 1870. C'est à cette époque, en effet, qu'un groupe d'artistes, nommés «les **Impressionnistes**», a présenté au monde une nouvelle façon° de concevoir la peinture. Avant eux, la peinture° était très traditionnelle. Les artistes essayaient d'imiter la réalité en reproduisant de façon très exacte et avec beaucoup de détails les sujets qu'ils peignaient. Ils apprenaient leur métier° dans des «académies», c'est-à-dire dans des écoles où ils copiaient minutieusement des modèles sous la direction de maîtres sans grande imagination. Pour ces artistes, l'essentiel dans la peinture était la forme.

Au lieu de° s'intéresser à la forme, les Impressionnistes se sont intéressés à la couleur, et surtout aux effets de la lumière° sur les objets qu'ils représentaient. Au lieu de peindre des scènes de bataille ou des héros de l'Antiquité, ils ont peint des scènes de la vie courante,° des portraits d'amis, et surtout la nature. Au lieu de travailler dans des ateliers,° ils ont travaillé en plein air.° Cette façon simple et naturelle de peindre a révolutionné le monde des arts.

À l'origine, cependant, les Impressionnistes n'ont eu aucun° succès. C'est par dérision° qu'un journaliste leur a donné le nom d'«impressionnistes». Ces peintres ne pouvaient même pas exposer leurs toiles° dans les salons officiels patronnés par le gouvernement. Ils ont donc organisé leurs propres° expositions chez des amis. Il y a eu huit expositions impressionnistes entre 1874 et 1886, mais ces expositions ont été des échecs.° La peinture impressionniste choquait trop le sens esthétique de l'époque!

Peu à peu, les critiques d'art ont finalement compris l'importance de la «révolution» impressionniste. Les collectionneurs ont commencé à acheter les tableaux° de ces peintres. Aujourd'hui, ces tableaux valent° des fortunes. On peut les admirer dans les plus grands musées du monde: à Paris, à New York, à Londres, à Chicago, à Boston, à Saint Pétersbourg.

Les peintres impressionnistes sont considérés parmi° les plus grands artistes de tous les temps: **Monet, Manet, Cézanne, Renoir, Degas** . . . Parmi ces artistes, il y avait des femmes: **Berthe Morisot** et une Américaine, **Mary Cassatt**. Mary Cassatt, fille d'un riche banquier de Philadelphie, était venue étudier l'art à Paris. En faisant connaître° l'impressionnisme aux États-Unis, elle en a assuré le triomphe dans le monde.

façon *manner* **peinture** *painting* **métier** *trade* **au lieu de** *instead of* **lumière** *light* **vie courante** *daily life* **ateliers** *studios* **en plein air** *outdoors* **aucun** *no* **dérision** *mockery* **toiles** *paintings (canvases)* **propres** *own* **échecs** *failures* **tableaux** *paintings* **valent** *are worth* **parmi** *among* **en faisant connaître** *by making known*

60 INTERLUDE: Le monde des arts

■ *Quelques peintres impressionnistes*

Degas «*Répétition d'un ballet*»

■ Edgar Degas (1834-1917)

Degas était le fils d'un banquier. Sa mère était issue d'une riche famille de la Nouvelle-Orléans. Degas a étudié le droit°, mais il a abandonné ses études pour se consacrer à la peinture. C'était aussi un sculpteur. Ses sujets préférés étaient les danseuses de l'Opéra, les scènes de café et les chevaux.

Manet «*Le fifre*»

■ Édouard Manet (1832-1883)

Manet voulait être officier de marine, mais après un voyage au Brésil, il a décidé de se consacrer à la peinture. Ses premiers tableaux, de couleurs violentes, ont provoqué l'hostilité du public et des critiques, mais l'admiration de jeunes peintres alors inconnus: Monet, Renoir, Cézanne. C'est ainsi qu'il est devenu le chef d'un nouveau mouvement qui allait être l'impressionnisme. Manet a peint toutes sortes de sujets: portraits de ses amis, scènes de la vie courante et familière, paysages° divers.

Renoir «*La Danse à Bougival*»

■ Pierre-Auguste Renoir (1841-1919)

Renoir a commencé par peindre des devantures° de café, puis il est allé à l'École des Beaux-Arts. Ce peintre aimait les couleurs chaudes. Ses sujets principaux sont les enfants, les jeunes filles, les femmes, les fleurs, les scènes de café et les bals populaires.

■ Berthe Morisot (1841-1895)

Berthe Morisot était la belle-soeur d'Édouard Manet. Elle s'est intéressée très jeune à la peinture. Comme beaucoup d'artistes de l'époque, elle a commencé à copier les tableaux du musée du Louvre. C'est là qu'elle a fait la connaissance de Manet. Elle a alors rejoint le groupe des peintres impressionnistes. Elle a peint avec eux et elle a participé à leurs expositions. Berthe Morisot aimait utiliser les couleurs claires.° Ses sujets principaux sont les fleurs, les paysages, les scènes de la vie champêtre° et les portraits de jeunes filles.

Morisot, *Fillette lisant / La lecture*

droit *law* **devantures** *store fronts* **paysages** *landscapes* **claires** *light* **champêtre** = *rurale*

LECTURE ET CULTURE 61

> ### ► Reading Skills Development
>
> - Reading for discovery
> - Searching for specific information
> - Building general reading skills

■ Claude Monet: le peintre de la lumière

C'est un tableau de **Monet** intitulé **«Impression, soleil levant»°** qui a donné son nom à l'impressionnisme. Monet (1840-1926) était fasciné par les effets de la lumière. Il pensait qu'on pouvait reconstituer les reflets de la lumière sur les objets en décomposant celle-ci° en ses couleurs fondamentales. Il a donc inventé une technique qui consistait à peindre par petites taches° de couleur: du jaune, du rouge, du bleu, du vert, de l'orange et aussi du blanc et du noir.

Monet *«Impression, soleil levant»*

Claude Monet *(1840-1926)*

Monet, *«Gare Saint Lazare»*

Monet aimait peindre et repeindre les mêmes scènes sous des lumières différentes: à midi, très tôt le matin, le soir, au printemps, en plein été, sous la neige. Il a ainsi exécuté des séries entières d'un seul° sujet peint à différents moments de la journée ou de l'année. Monet a peint surtout des paysages, mais il a peint aussi des scènes urbaines très célèbres: **la cathédrale de Rouen, la Gare Saint Lazare** à Paris, **la Tamise°** à Londres.

Pendant de longues années, Monet est resté très pauvre, mais avec le succès de l'impressionnisme, il a finalement connu la célébrité, la gloire et la fortune. Après des années de misère, il est devenu un véritable héros national.

Monet, *«La cathédrale de Rouen»*

---

soleil levant *rising sun* **celle-ci** = la lumière **taches** *spots* **un seul** *only one* **la Tamise** *Thames (River)*

62 **INTERLUDE: Le monde des arts**

Unit Walkthrough

Monet a vécu° longtemps dans une maison de campagne située à **Giverny**, à 60 kilomètres de Paris. Devant cette maison, il avait créé un superbe jardin avec une très grande variété de fleurs qui changeait de couleur avec les saisons. C'est ce jardin aux couleurs chaudes et variées que Monet a peint dans de nombreux tableaux. À Giverny, Monet aimait recevoir ses amis et aussi beaucoup de jeunes peintres qui venaient écouter ses conseils.° Parmi ces peintres, il y avait une colonie d'artistes américains qui s'étaient installés dans un hôtel près de la maison de l'artiste. Vers° la fin° de sa vie, malheureusement, ce grand artiste de la lumière était devenu aveugle,° et ne pouvait plus peindre.

Après la mort de Monet, la maison de Giverny et son jardin ont été abandonnés. Heureusement, grâce à° la générosité d'une riche Américaine, cette maison a été récemment restaurée et le jardin recréé dans sa splendeur originale. Aujourd'hui des centaines de milliers de visiteurs venus du monde entier viennent chaque année à Giverny saluer la mémoire du grand artiste français et admirer son merveilleux jardin.

Maison de Monet à Giverny

Renoir, *«Monet peignant dans son jardin»*

Monet, *«Le pont japonais»*

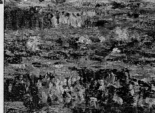

Détail, «Le pont japonais»

Le jardin de Monet à Giverny

vécu *lived* **conseils** *advice* **vers** *towards* **fin** *end* **aveugle** *blind* **grâce à** *thanks to*

➤ **New Perspectives**

Students learn new ways to look at the world as they compare and contrast artistic styles.

■ *Après l'Impressionnisme* ■

Une conséquence importante de l'impressionnisme a été de libérer l'art des normes esthétiques traditionnelles. Ce mouvement a donc ouvert° des voies° nouvelles à d'autres artistes qui ont pu exercer librement° leur imagination et leur créativité. Après l'impressionnisme, d'autres mouvements artistiques sont nés en France. Vers 1900, Paris était devenu la capitale universelle des arts, attirant° des artistes de tous les pays du monde.

Van Gogh *«La nuit étoilée»*

■ **Vincent Van Gogh** (1853-1890):
Le génie de la folie

Van Gogh était hollandais, mais c'est en France qu'il a peint ses tableaux les plus célèbres. Comme les Impressionnistes, il avait un sens profond de la lumière et des couleurs brillantes, mais il est allé plus loin qu'eux. Van Gogh voulait non seulement peindre ce qu'il voyait, mais cherchait aussi à exprimer les sensations° étranges qu'il éprouvait.° Pour cela, il exagérait l'intensité des couleurs et il donnait un mouvement aux choses inanimées. Ses représentations de la lune° et des étoiles° tournant dans le ciel° sont particulièrement hallucinantes.

■ **Paul Gauguin** (1848-1903):
Le peintre de l'exotisme

Gauguin travaillait dans une banque où il gagnait bien sa vie. Un jour, à l'âge de 35 ans, il a décidé de tout abandonner, travail, famille, enfants, vie confortable, pour se consacrer totalement à la peinture. Il a rejoint les peintres impressionnistes, mais c'est dans l'exotisme qu'il a cherché son inspiration. Il est allé à Panama, à la Martinique, à Tahiti et, finalement, dans une petite île des Marquises.* Là, loin de la civilisation et en compagnie de gens simples, mais nobles et généreux, il a peint ses plus belles toiles.

* Les Marquises: a group of islands in the South Pacific

Gauguin *«Femmes de Tahiti»*

Rousseau *«La bohémienne endormie»*

■ **Henri Rousseau** (1844-1910): **Le douanier inspiré**

Pendant la semaine, **Henri Rousseau** était un bureaucrate dont° le travail consistait à contrôler le trafic des marchandises à l'entrée de Paris (d'où son surnom de «douanier»).° Le dimanche, cet employé modèle quittait la ville avec sa boîte de peintures pour aller peindre en plein air. Comme il n'avait jamais étudié dans une école d'art, Rousseau utilisait une technique très rudimentaire où la perspective n'existait pas. Si son style était simple, «naïf», son imagination était débordante.° Ses tableaux les plus célèbres représentent des paysages irréels peuplés° d'animaux exotiques.

ouvert *opened* **voies** *ways* **librement** *freely* **attirant** *attracting* **sensations** *feelings* **éprouvait** *experienced, felt*
lune *moon* **étoiles** *stars* **ciel** *sky* **dont** *whose* **douanier** *customs officer* **débordante** *overflowing* **peuplés** *populated*

64 INTERLUDE: Le monde des arts

Toulouse-Lautrec «Jane Avril au Jardin de Paris»

■ **Toulouse-Lautrec** (1864-1901): **Le peintre de la vie parisienne**

Henri de Toulouse-Lautrec est né dans une famille aristocratique très illustre et très ancienne. À l'âge de 14 ans, il a eu un accident de cheval qui l'a rendu infirme° pour le reste de sa vie. Encouragé par sa mère, il a décidé de devenir artiste et il est allé étudier à l'École des Beaux Arts à Paris. Toulouse-Lautrec aimait fréquenter° les cafés, les cabarets et les music-halls, comme le Moulin Rouge pour lequel° il a dessiné des affiches célèbres.

Dans ses tableaux, il a surtout représenté les scènes de spectacle auxquels il assistait: théâtre, music-hall, cirque, vélodrome°. . . Il a immortalisé les artistes de ces spectacles, comme Jane Avril, dans de nombreux portraits.

■ **Henri Matisse** (1869-1954): **Le grand Fauve**

C'est au lit que **Matisse** a découvert la peinture. Jeune homme, il étudiait le droit pour être avocat. Les complications d'une appendicite l'ont obligé à rester dans sa chambre pendant plusieurs mois. Un jour, pour le distraire°, sa mère lui a offert des pinceaux° et une boîte de couleurs.° Tout d'un coup, Matisse a eu la révélation de sa véritable° vocation. Après sa maladie, il a abandonné ses études de droit pour se consacrer uniquement et entièrement à la peinture.

Matisse est l'un des plus grands artistes du vingtième siècle. Durant sa vie, Matisse a peint dans des styles très différents. Vers 1900, il a fondé avec quelques amis un nouveau mouvement artistique, le «Fauvisme». (On appelle ces artistes les «Fauves»° non seulement parce qu'ils utilisaient des couleurs violentes — rouge, brun, orange — mais aussi parce que leurs ateliers ressemblaient à des tanières° de bêtes sauvages!)

Plus tard, Matisse a utilisé des couleurs plus claires et plus délicates pour peindre des fruits, des fleurs, des jeunes femmes d'une façon très décorative. Il s'est exprimé dans des médias divers: il a dessiné, sculpté, illustré des livres, fait des collages avec du papier découpé.° Vers la fin de sa vie, Matisse était malade et paralysé, mais il a continué à peindre en attachant des pinceaux à ses avant-bras.°

Matisse «La desserte rouge»

Matisse «Icarus, Jazz»

■ **Camille Claudel** (1864-1943): **L'élève, égale au maître**

Claudel «Autoportrait»

Comme beaucoup de jeunes filles de son époque, **Camille Claudel** voulait être artiste. Comme elle s'intéressait à la sculpture, elle a décidé d'aller à Paris pour étudier sous la direction d'Auguste Rodin, le plus grand sculpteur d'alors. D'élève, Camille Claudel est devenue l'assistante et l'inspiratrice du maître. Son influence est présente dans un grand nombre de sculptures de Rodin.

Camille Claudel était elle-même un grand sculpteur, mais ses oeuvres,° produites dans l'ombre° d'un homme que l'on considérait comme l'un des grands génies de son temps, sont longtemps restées ignorées. Un film récent sur sa vie tragique a fait redécouvrir le talent de cette artiste méconnue.°

infirme *crippled* **fréquenter** = *visiter* **lequel** *which* **vélodrome** *bicycle racetrack* **distraire** *to amuse* **pinceaux** *brushes* **boîte de couleurs** *paintbox*
véritable *true* **Fauves** *wild beasts* **tanières** *lairs* **découpé** *cut out* **avant-bras** *forearms* **oeuvres** *works* **ombre** *shadow* **méconnue** *unrecognized*

LECTURE ET CULTURE 65

> **Making Connections**

Documents show how art and literature are connected.

▪ Le surréalisme ▪

■ Peinture . . .

Regardez bien ce tableau. Il représente un homme avec un chapeau sur la tête et une pomme verte. La juxtaposition de cette personne réelle avec un objet réel constitue une situation qui n'est pas réelle. C'est une situation surréelle ou **«surréaliste».**

L'artiste qui a peint ce tableau est l'un des plus grands peintres surréalistes. Il était belge et s'appelait **René Magritte.** Magritte ressemblait beaucoup à l'homme du tableau. Il portait souvent une cravate, un manteau et un chapeau, même° quand il peignait. Il n'avait pas de studio. Il peignait ses tableaux dans sa cuisine ou dans son salon. Quand il ne travaillait pas, il aimait faire les courses ou promener son chien Loulou, comme les gens du quartier où il habitait. Cet homme à l'apparence très ordinaire faisait des tableaux absolument extraordinaires.

Les peintres surréalistes comme Magritte voulaient choquer le public en créant° des scènes bizarres à partir° d'éléments étrangement réels. Quand on regarde un tableau surréaliste, on reste perplexe et on veut savoir ce que veut représenter l'artiste. Quelle est la signification° des scènes qui apparemment n'ont pas de sens? La réponse est donnée par Magritte lui-même. Quand les gens lui demandaient d'expliquer ses tableaux, il répondait: «C'est simple! L'explication, c'est qu'il n'y a pas d'explication!»

Magritte, «La Grande Guerre»

René Magritte (1898–1967)

Magritte, «Carte Blanche»

---

même *even*   en créant *by creating*   à partir de *from*   signification *meaning*

66   **INTERLUDE: Le monde des arts**

■ *. . . et littérature*

Le surréalisme est un mouvement à la fois° artistique et littéraire. Ce mouvement est né en Belgique et en France vers 1920, quelques années après la première guerre mondiale.* Les artistes et les écrivains surréalistes se sont révoltés contre tous les aspects de la société d'alors, responsable, selon eux, de cette terrible guerre.

Pour les surréalistes, le monde tel qu'on le connaît° est une création artificielle. La véritable réalité vient du subconscient qu'on peut atteindre° par le rêve.° Le surréalisme rejette la raison et la logique. La seule° source d'inspiration est l'imagination, mais celle-ci° doit être libre de tout contrôle et de toute convention. Comme les enfants, et comme dans les rêves, les surréalistes ont construit un monde imaginaire où tout est possible.

* La première guerre mondiale *(World War I)*: 1914-1918.

à la fois *at the same time*   **tel qu'on le connaît** *as we know it*   **atteindre** *to reach*   **rêve** *dream*   **seule** *only*   **celle-ci** = l'imagination

Documents: La fourmi

LA FOURMI

Une fourmi de dix-huit mètres
Avec un chapeau sur la tête,
Ça n'existe pas, ça n'existe pas.

Une fourmi traînant un char
Plein de pingouins et de canards,
Ça n'existe pas, ça n'existe pas.

Une fourmi parlant français,
Parlant latin et javanais,
Ça n'existe pas, ça n'existe pas.

   Eh! Pourquoi pas?

Robert Desnos (1900-1945)

Robert Desnos est l'un des fondateurs du surréalisme. Pendant la deuxième guerre mondiale, il a participé à la Résistance contre les Allemands. Fait prisonnier, il est mort dans un camp en Tchécoslovaquie.

Dans ce petit poème très simple, Desnos pose la question fondamentale du surréalisme: **Où est la réalité? Dans ce que nous voyons ou dans ce que nous imaginons?**

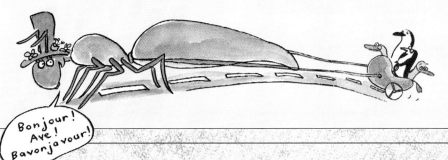

Documents: Pour faire le portrait d'un oiseau

Pour faire le portrait d'un oiseau

Peindre d'abord une cage
avec une porte ouverte
peindre ensuite
quelque chose de joli
quelque chose de simple
quelque chose de beau
quelque chose d'utile
pour l'oiseau

Jacques Prévert (1900-1977)

Jacques Prévert (1900-1977) est un autre poète surréaliste. Il a aussi écrit des chansons et des scénarios° de films. Dans ce poème, il explique de façon humoristique comment peindre° un oiseau.

placer ensuite la toile° contre un arbre
dans un jardin
dans un bois°
ou dans une forêt
se cacher° derrière l'arbre
sans rien dire
sans bouger°. . .

Parfois l'oiseau arrive vite
mais il peut aussi bien mettre de
longues années
avant de se décider

Ne pas se décourager
attendre
attendre s'il le faut pendant des
années
la vitesse° ou la lenteur° de l'arrivée
de l'oiseau n'ayant aucun rapport°
avec la réussite du tableau

Quand l'oiseau arrive
s'il arrive
observer le plus profond silence
attendre que l'oiseau entre dans
la cage et quand il est entré
fermer doucement° la porte avec
le pinceau°
puis
effacer° un à un tous les barreaux
en ayant soin de ne toucher aucune
des plumes de l'oiseau

Faire ensuite le portrait de l'arbre
en choisissant la plus belle de ses branches
pour l'oiseau
peindre aussi le vert feuillage° et la fraîcheur° du vent
la poussière° du soleil
et le bruit des bêtes de l'herbe dans la chaleur° de l'été
et puis attendre que l'oiseau se décide de chanter
Si l'oiseau ne chante pas
c'est mauvais signe
signe que le tableau est mauvais
mais s'il chante c'est bon signe
signe que vous pouvez signer
alors vous arrachez° tout doucement
une des plumes de l'oiseau
et vous écrivez votre nom dans un coin° du tableau

scénarios *scripts* peindre *to paint* toile *canvas* bois *woods* se cacher *hide* sans bouger *without moving* se cacher *hide* vitesse *speed*
lenteur *slowness* aucun rapport *no relationship* doucement *gently* pinceau *brush* effacer *erase* feuillage *leaves*
fraîcheur *coolness* poussière *dust (visible in the rays of sunlight)* chaleur *warmth* arracher *pull out* coin *corner*

Unit Walkthrough

■ *L'art dans la rue*

Quand on veut voir les oeuvres° des grands artistes, on va dans les musées. À Paris, on va au Louvre pour admirer les chefs-d'oeuvres° classiques, au Musée d'Orsay pour regarder les peintures des Impressionnistes et des grands artistes du 19e siècle, et au Centre Pompidou si on veut voir des tableaux modernes. Si on s'intéresse à l'art moderne, on peut aussi se promener dans la rue.

Cette sculpture mobile flottante se trouve° près du **Centre Pompidou**. C'est la création de **Niki de Saint-Phalle**, une artiste qui a aussi créé des bijoux très originaux.

Cette sculpture, intitulée «Hommage à Picasso», représente un centaure, créature imaginaire, mi-homme,° mi-cheval. C'est l'oeuvre du sculpteur **César Baldaccini**. Dans ses sculptures, César utilise toutes sortes de matériaux. Il est connu en particulier pour ses sculptures faites avec des voitures compressées.

Cette sculpture est l'oeuvre du peintre et sculpteur **Jean Dubuffet**. Elle est typique de son style, caractérisé par l'utilisation de lignes parallèles ou concentriques bleues et rouges sur un fond° blanc.

Cette sculpture se trouve près de la **Gare Saint Lazare**. Elle rappelle° peut-être aux voyageurs l'importance d'arriver à l'heure.

oeuvres *works* **chefs-d'oeuvres** *masterpieces* **se trouve** *is located* **mi-homme** *half man* **fond** *background* **rappelle** *reminds*

> ➤ **From Poetry to Sculpture**

DISCOVERING FRENCH shows students a comprehensive view of French culture and brings the streets of Paris to their doorstep.

DISCOVERING FRENCH

■ Authentic Films Bring Language to Life

➤ Authentic Language Patterns

DISCOVERING FRENCH takes advantage of students' interest in films to expand their contact with authentic language and culture.

Documents: Au Revoir, les Enfants

L'action du film a lieu dans une école catholique de garçons dont le directeur, **le père Jean**, est un prêtre° d'une grande intégrité morale. Le héros du film est un jeune garçon d'une douzaine d'années, **Julien Quentin** (c'est, bien sûr, Louis Malle lui-même), qui est pensionnaire° avec son frère aîné François dans cette école.

1. Le film commence à la rentrée des classes après les vacances de Noël. Dans la première scène, Julien est à la gare. Il dit au revoir à sa mère, puis il prend son train. Quand il arrive au collège, il retrouve tous ses copains. Dans la classe, il y a un nouvel élève qui s'appelle

2. **Jean Bonnet**. C'est un garçon timide et réservé qui ne parle jamais de sa famille. C'est aussi un brillant élève, en maths, en français, en musique. Julien, qui était jusqu'alors° le meilleur élève de la classe, sent en lui un rival. Il questionne Jean sur son passé, mais celui-ci lui répond d'une façon évasive.

Louis Malle (1932-1996)

Louis Malle est l'un des grands réalisateurs° du cinéma français moderne. Il a d'abord fait des films documentaires, comme son premier film Le monde du silence, réalisé en coopération avec Jacques-Yves Cousteau, l'explorateur du monde marin.°
Dans ses films plus récents, Louis Malle a traité de thèmes personnels comme celui évoqué dans Au revoir, les Enfants.
Louis Malle était marié avec l'actrice américaine Candice Bergen et habitait à New York.

1. Julien dit au revoir à sa mère avant de prendre son train pour rentrer au collège.

2. Au collège, il y a un nouvel élève. Il s'appelle Jean Bonnet.

3. Les deux garçons deviennent amis.

4. Le jeune employé est renvoyé pour avoir fait du marché noir.

5. Un soldat allemand entre dans la salle de classe pour arrêter Jean.

6. Le père Jean dit un dernier au revoir aux élèves de l'école.

3. Un jour, Julien découvre la vérité: Jean Bonnet s'appelle en réalité Jean Keppelstein et il est juif. Les prêtres l'ont recueilli° avec deux autres enfants juifs pour le soustraire° à la police allemande. Au collège, il est en sécurité tant que° sa véritable identité reste cachée.° Depuis cette découverte, les relations entre les deux garçons changent et ils deviennent amis.

4. Un samedi, au cours d'une sortie, ils se perdent dans la forêt. Julien arrête une voiture de patrouille allemande. Jean veut s'échapper, mais il est rattrapé.° Les soldats allemands ramènent les deux garçons à l'école. Cette fois-ci, il y a plus de peur° que de mal!° Un autre jour, la famille de Julien invite Jean à déjeuner dans un grand restaurant. Jean assiste à une scène pénible° où un client juif, décoré de la Légion d'Honneur,* est insulté par un Milicien, auxiliaire français de la police allemande.

Les jours passent . . . Un employé de l'école est renvoyé° pour avoir fait du marché noir avec les élèves. Pour se venger, il dénonce la présence d'enfants juifs à l'école. La police allemande arrive et encercle l'école. Un soldat entre dans la salle de classe pour arrêter Jean.

5. D'autres soldats fouillent° l'école. Les deux autres élèves juifs sont découverts et arrêtés ainsi que° le père Jean qui était membre de la Résistance. Au moment de quitter l'école, escorté par des soldats allemands, le père Jean dit un dernier au revoir à ses élèves:
«Au revoir, les enfants! À bientôt!»

Personne ne reviendra. Jean et ses deux camarades juifs mourront à Auschwitz. Le père Jean mourra au camp de Mauthausen.

* La Légion d'Honneur: haute distinction donnée aux gens qui ont servi la France.
recueilli taken in soustraire à to protect from tant que as long as cachée hidden rattrapé caught
peur fright mal harm pénible painful renvoyé fired fouillent to search ainsi que as well as

LECTURE ET CULTURE 259

réalisateur director marin = de la mer prêtre priest pensionnaire boarding student jusqu'alors until then

258 INTERLUDE: Les Grands Moments de l'Histoire de France (1870-présent)

➤ NOTE

Films and teaching materials may be purchased from:
FilmAerobics
9 Birmingham Place
Vernon Hills, IL 60061
1-800-832-2448

➤ Au Revoir, les Enfants
(Directed by Louis Malle, 1987)
Rated PG.

This award-winning semi-autobiographical movie is based on a script by Louis Malle. It describes a dramatic incident in a private boys' boarding school during the German occupation of France (1940-1944).

Interlude culturel: Les Grands Moments de l'Histoire de France (1870 au présent)

Unit Walkthrough

▪ Cyrano de Bergerac ▪

Cyrano de Bergerac a vraiment existé. Il a vécu à l'époque de Louis XIV. C'était un soldat et un écrivain qui a laissé° un curieux roman de science-fiction où il décrit un voyage dans la lune. Ce personnage historique serait resté dans une tranquille obscurité s'il n'avait pas été transformé en héros de légende et immortalisé dans une comédie célèbre du 19e siècle.

Cette comédie, intitulée *Cyrano de Bergerac*, écrite il y a cent ans par Edmond Rostand, a connu un très grand succès à son époque. Depuis, elle a été mise en musique, adaptée à l'écran,° et maintes° fois transformée et parodiée.* Le dernier film en date, dans lequel l'acteur Gérard Depardieu joue le rôle principal, est une reproduction assez fidèle° de la pièce originale.

Cyrano de Bergerac est essentiellement une histoire d'amour, basée sur un gigantesque quiproquo° tragico-comique. Cyrano aime Roxane qui aime un autre homme, Christian. Mais si Roxane a d'abord été attirée° par la beauté physique de Christian, c'est pour la beauté de sa poésie qu'elle l'aime vraiment. Or, cette poésie n'est pas celle de Christian, mais celle de l'infortuné Cyrano.

Cyrano, le héros de l'histoire, est un vaillant soldat du régiment des Cadets de Gascogne. Il est brave, courageux, téméraire° à l'extrême. C'est aussi un poète à l'âme tendre.° Il est bon, loyal, généreux, intelligent, spirituel,° sensible et il écrit de magnifiques vers. Il a toutes les qualités possibles sauf une: il n'est pas beau.

Cyrano est en effet affligé d'une infirmité incurable: Il a un nez monstrueusement long. Cette infirmité le rend très susceptible° auprès° des hommes, et très timide auprès des femmes. Personne en sa présence ne peut mentionner le mot «nez». Cyrano est secrètement amoureux de sa cousine Roxane, mais il sait qu'il n'a aucune chance, précisément à cause de cet immense nez qui le défigure...

*Une parodie classique est le film américain *Roxanne* où Steve Martin joue le rôle d'un pompier (fireman) amoureux.

Documents: «Cyrano de Bergerac»

Le film *Cyrano de Bergerac* (1990) reproduit fidèlement la pièce de théâtre

L'action de la pièce se passe dans la France du 17e siècle. Dans la première scène, une foule° se presse° pour assister à un spectacle de Montfleury, comédien en vogue, mais ennemi de Cyrano. Dans cette foule, on reconnaît tous les personnages principaux de l'histoire, et d'abord Roxane. Elle est belle, coquette, romanesque et éprise° de poésie. Tous les hommes sont amoureux d'elle. Ce jour-là, elle est accompagnée de de Guiche, un seigneur noble et puissant° qui lui fait la cour.°

Mais Roxane pense secrètement à un jeune homme qu'elle a aperçu un jour et dont elle est tombée secrètement amoureuse. C'est le beau Christian, qui, lui aussi, est dans la foule à la recherche de Roxane. Le public s'impatiente.

On attend Montfleury, mais on attend aussi Cyrano qui a promis de lancer un défi° à Montfleury. Montfleury entre en scène. Est-ce que Cyrano viendra? Oui, il arrive! D'une voix éclatante,° il ridiculise Montfleury et le chasse de scène.

Tous les spectateurs ne sont pas contents de l'interruption du spectacle, en particulier de Guiche et son neveu Valvert. Celui-ci va défier Cyrano en lui disant «Monsieur, vous avez un grand nez». Stimulé par cette insulte suprême, Cyrano se lance alors dans la fameuse tirade où il fait l'éloge de son appendice nasal. Puis, il traite Valvert de sot° et engage celui-ci dans un duel, tout en composant des vers. Tout cela se passe sous les yeux de la belle Roxane, très fière de la bravoure et de l'intelligence de son cousin.

Après le duel, Cyrano va accompagner un ami chez lui. Il tombe dans une embuscade° où il est victorieux à un contre cent. L'histoire de cet exploit fait le tour° de la ville et Cyrano devient le héros du jour. Entre-temps°, Roxane lui a envoyé sa dame de compagnie° pour lui demander un rendez-vous.

Intimidé, mais reprenant espoir, ° Cyrano va au rendez-vous. Après un long préambule où ils évoquent leur enfance passée ensemble et leur longue amitié, Roxane déclare son amour pour... Le visage de Cyrano s'illumine. Pour lui? Hélas, non! Ce n'est pas lui que Roxane aime, mais le beau Christian. Oui, c'est lui qu'elle aime et si elle est venue voir Cyrano, c'est pour lui demander de prendre Christian sous sa protection. Celui-ci va, en effet, entrer au régiment des Cadets de Gascogne, le régiment de Cyrano.

Roxane

Christian

Le spectacle a commencé et Cyrano vient... présence de sa cousine Roxane, Cyrano... son ennemi, le comédien Montfleury, et...

► *Cyrano de Bergerac* (Directed by J.P. Rappeneau, 1990) Rated PG.

This movie is based on the famous play by Edmond Rostand and closely follows the original work. The action takes place in 17th century France. Although students will find that the more poetic *tirades* are difficult to understand without the subtitles, they will be able to follow many of the other dialogs.

Interlude culturel 3: Les Grands Moments de l'Histoire de France (1543-1715)

Documents: Rue Cases-nègres

Rue Cases-nègres est un film entièrement martiniquais. Réalisé par Euzhan Palcy, une cinéaste martiniquaise, d'après l'oeuvre° de l'écrivain martiniquais Joseph Zobel, il est joué par des acteurs martiniquais, sur une musique de biguine martiniquaise.

L'action du film se passe en 1930 dans une Martinique bien différente de la Martinique d'aujourd'hui. Les différentes scènes sont reliées° entre elles par la présence d'un jeune garçon d'une douzaine d'années, José Hassam, un orphelin° élevé° par sa grand-mère, M'man-Tine (Grand-maman Amantine). Tous deux habitent rue Cases-Nègres, une rue pauvre d'un petit village de Martinique.

Les conditions de vie sont difficiles. Tout le monde doit travailler très dur° dans les champs de canne à sucre pour ne gagner presque rien. Pour échapper° à cette misère, il n'y a qu'une solution: l'instruction.°

Le jeune José a plusieurs mentors. D'abord, M'man-Tine, la vieille grand-mère pieuse,° qui va tout faire pour que son petit-fils aille à l'école. Il y a aussi le vieux Médouze, en quelque sorte le père spirituel de José. Médouze a passé toute sa vie au travail et maintenant son corps est usé° et brisé°. Il rêve° de l'Afrique lointaine, pays des ancêtres où il voudrait un jour retourner. Il raconte à José l'histoire du peuple: le départ brutal d'Afrique, l'esclavage dans les plantations des «Békés»*, l'émancipation qui en réalité n'a pas changé grand-chose, et le travail, le travail, toujours le travail . . . Émerveillé° et attentif, le jeune José écoute le vieillard° évoquer les éléments de la sagesse° africaine: respect de la nature, respect de la vie . . .

Il y a aussi les professeurs de José. Ils ont remarqué l'intelligence du jeune garçon et en sont d'abord surpris. L'un d'eux accuse même José d'avoir triché° à une composition. José est reçu au

certificat d'études** et reçoit une bourse° partielle pour aller étudier à Fort-de-France. Malheureusement, la bourse n'est pas suffisante. M'man-Tine est une femme fière et déterminée. Elle a décidé que son petit-fils continuerait ses études, quoi qu'il lui en coûte° à elle. Malgré° son âge, la vieille femme va s'établir° à Fort-de-France où elle travaille comme lingère° pour gagner l'argent des études. L'administration comprend finalement la situation et accorde° une bourse complète à José. M'man-Tine peut retourner à son village où elle meurt heureuse d'avoir accompli son rêve.

Cette histoire simple sert de trame° générale au film où se succèdent° une série de petites scènes souvent réalistes, parfois comiques (les rapports entre José et sa tante Madame Léonce), parfois pénibles° (les rapports entre son copain Léopold et le père de celui-ci). Par son décor, le monde qu'Euzhan Palcy nous présente dans son film peut paraître archaïque et lointain.° Les gens qui vivent dans ce monde sont pauvres et simples, mais ils sont honnêtes, droits,° généreux, fiers et avant tout ils sont humains!

Pour son film *Rue Cases-nègres*, la réalisatrice Euzhan Palcy a reçu le César (Oscar français) du meilleur premier film.

* «Békés» est un mot créole qui désigne les descendants des anciens colons blancs venus de France pour établir des plantations dans les Antilles.
** Le certificat d'études = un diplôme de fin des études primaires.

l'oeuvre = le livre reliées linked orphelin = enfant qui a perdu son père et sa mère élevé raised dur hard échapper à to escape from l'instruction education pieuse pious usé worn out brisé broken rêve dreams émerveillé amazed vieillard = vieil homme sagesse wisdom triché cheated bourse scholarship quoi qu'il lui en coûte whatever it may cost her malgré in spite of s'établir to settle accorde to donne lingère laundry woman trame plot se succèdent follow one another pénibles painful lointain distant droits straightforward réalisatrice director

Quelques scènes du film

Sur cette photo, on peut voir les personnages principaux du film. Au premier plan, le jeune José Hassam en costume et chapeau blancs. Derrière lui, sa grand-mère M'Man Tine. Derrière M'man Tine, on peut remarquer Euzhan Palcy, la réalisatrice du film.

Dans les champs de canne à sucre, les habitants du village travaillent très dur sous l'oeil vigilant d'un contremaître (foreman) à cheval.

José habite avec M'man Tine... les vêtements, José s'étonn... son passe-temps favori: la lec...

Tous les jours, José va à l'école avec les enfants du village.

José est l'élève le plus brillant... simple. Pendant que ses gran... répond avec intelligence à... questions de l'instituteur (tea...

José vient d'être reçu au certificat d'études. Monsieur Roc est très fier de son élève.

José a reçu une bourse partielle pour continuer ses études au lycée. M'man Tine part avec lui pour Fort-de-France.

► *Rue Cases-nègres* (Directed by Euzhan Palcy, 1983) Rated PG

This movie, based on the novel by Joseph Zobel, depicts life in rural Martinique in the 1930s. Although some parts of the sound track are difficult to understand, students will readily appreciate the story-telling style of the old man, interspersed as it is with the typical exclamations: *Et cric! Et crac!*

Interlude culturel 8: Les Antilles francophones

Pas de Problème Video and Video Workbook

Correlated to every unit of DISCOVERING FRENCH-ROUGE, the *Pas de problème* Video and Video Workbook expand students' exposure to language and culture in amusing short episodes that pose interactive problems in each module.

CD-ROM *Pas de problème* CD-ROM also available.

Teaching with

Goals and Standards for Foreign Language Learning

General Background: Questions and Answers

■ What are the Goals and Standards for Foreign Language Learning?

Over the past several years, the federal government has supported the development of standards in many K-12 curriculum areas such as math, English, fine arts, and geography. These standards are "content" standards and define what students "know and are able to do" at the end of grades 4, 8 and 12. Moreover, the standards are meant to be challenging, and their attainment should represent a strengthening of the American educational system.

In some subject matter areas, these standards have formed the basis for building tests used in the National Assessment of Education Progress (NAEP). At that point, it was necessary to develop "performance" standards which define "how well" students must do on the assessment measure to demonstrate that they have met the content standards.

As far as states and local school districts are concerned, both implementation of the standards and participation in the testing program are voluntary. However, the very existence of these standards is seen as a way of improving our educational system so as to make our young people more competitive in the global marketplace.

■ How have the Goals and Standards for Foreign Language Learning been developed?

In fall 1992, representatives of ACTFL (American Council on the Teaching of Foreign Languages), AATF (American Association of Teachers of French), AATG (American Association of Teachers of German), and AATSP (American Association of Teachers of Spanish and Portuguese) met to formulate a proposal for the establishment of Standards in Foreign Languages. In 1993, a joint proposal to create student standards at the K-12 level received funding from the U.S. Department of Education and the National Endowment for the Humanities, and the first part of the project to develop Goals and Standards for Foreign Language Learning was underway.

The K-12 Student Standards Task Force was formed and assigned the charge of creating generic foreign language standards. They prepared a comprehensive draft document which underwent several subsequent revisions, based on input from teachers across the country. In 1994, these new draft standards were piloted in six school districts across the United States, and the results of these programs were analyzed in the preparation of a final draft. In November 1995, the National Standards Project released its final report: **Standards for Foreign Language Learning: Preparing for the 21st Century.**[1]

GOAL 1: COMMUNICATION Communicate in Languages Other than English	Standard 1.1	Students engage in conversations, provide and obtain information, express feelings and emotions, and exchange opinions.
	Standard 1.2	Students understand and interpret written and spoken language on a variety of topics.
	Standard 1.3	Students present information, concepts, and ideas to an audience of listeners or readers on a variety of topics.
GOAL 2: CULTURES Gain Knowledge and Understanding of Other Cultures	Standard 2.1	Students demonstrate an understanding of the relationship between the perspectives and practices of the culture studied and use this knowledge to interact effectively.
	Standard 2.2	Students demonstrate an understanding of the relationship between the perspectives and products of the culture studied and recognize how these are related to the cultural practices.
GOAL 3: CONNECTIONS Connect with Other Disciplines and Acquire Information	Standard 3.1	Students reinforce and further their knowledge of other disciplines through the foreign language.
	Standard 3.2	Students acquire information and perspectives that are available only through the foreign language and within the foreign culture.
GOAL 4: COMPARISONS Develop Insight into Own Language and Culture	Standard 4.1	Students recognize that different languages use different patterns to communicate and can apply this knowledge to their own language.
	Standard 4.2	Students recognize that cultures use different patterns of interaction and can apply this knowledge to their own culture.
GOAL 5: COMMUNITIES Participate in Multilingual Communities at Home and Around the World	Standard 5.1	Students use the language both within and beyond the school setting.
	Standard 5.2	Students show evidence of becoming life-long learners by using the language for personal enjoyment and enrichment.

[1] For more information on the National Standards project and its publications, contact: National Standards in Foreign Language Education, 6 Executive Plaza, Yonkers, NY 10701-6801; phone: (914) 963-8830.

DISCOVERING FRENCH

■ *How are the Goals and Standards for Foreign Language Learning defined?*

The Goals and Standards for Foreign Language Learning contain five general goals which focus on communication, culture, and the importance of second language competence in enhancing the students' ability to function more effectively in the global community of the 21st century. These five goals, each with their accompanying standards, are shown in the chart on page T36. In the formal report, these standards are defined in greater detail with the addition of sample "benchmarks" or learning outcomes for grades 4, 8, and 12, and are illustrated with sample learning scenarios.

■ *How will these Standards for Foreign Language Learning be implemented?*

In March 1994, the Goals 2000: Educate America Act reaffirmed a core curriculum for American schools, and, more importantly, specifically listed foreign languages as one of ten "core" subject areas. The existence of Standards for Foreign Language Learning should encourage states and school districts to strengthen their foreign language offerings and lengthen their course sequences. Although implementation will be voluntary, many teachers will want to modify their curricula so as to take into account those goals and standards which are most relevant to their programs.

In **DF-Blanc**, the cultural material is expanded to include brief historical overviews, as well as presentations of contemporary reality. Cultural notes in the Student Text are expanded upon in the Extended Teacher's Edition. In **DF-Rouge**, the cultural scope is significantly enlarged, since students have a much stronger command of French. In the Student Text, they are introduced to historical background, literary works, artistic achievements, and contemporary problems (such as ecological and humanitarian concerns). Feature-length films also help students expand their cultural understanding.

Teaching to the Standards

The new Standards for Foreign Language Learning focus on the outcomes of long K-12 sequences of instruction. In most schools, however, French programs begin at the middle school or secondary level. With the **Discovering French** program, teachers can effectively teach towards these goals and standards while at the same time maintaining realistic expectations for their students.

Goal One: Communicate in French

From the outset, **Discovering French** students learn to communicate in French. In *Niveau A* of **DF-Bleu**, the focus is on understanding what French young people are saying (on video, cassette, and CD-ROM) and on exchanging information in simple conversations. In *Niveau B* of **DF-Bleu**, the oral skills are supplemented by the written skills, and students learn to read and express themselves in writing.

As students progress through **DF-Blanc** and **DF-Rouge**, they learn to engage in longer conversations, read and interpret more challenging texts, and understand French-language films and videos. Teachers who incorporate portfolio assessment into their programs will have the opportunity to keep samples of both written and recorded student presentations.

Goal Two: Gain Knowledge and Understanding of Other Cultures

In **Discovering French**, students are introduced to the diversity of the French-speaking world. In **DF-Bleu**, the emphasis is on contemporary culture — in France, of course, but also in Quebec, the Caribbean, and Africa. Students learn to observe and analyze cultural differences in photographs and on the video program.

Goal Three: Connect with Other Disciplines and Acquire Information

It is especially in **DF-Rouge** that students have the opportunity to use the French language to learn about history, art, music, social concerns, and civic responsibilities. Topics suggested in the Student Text can be coordinated with colleagues across the school curriculum.

Goal Four: Develop Insight into Own Language and Culture

From the outset, **Discovering French** draws the students' attention to the way in which French speakers communicate with one another, and how some of these French patterns differ from American ones (for example, shaking hands or greeting friends with a *bise*). Notes in the Extended Teacher's Edition provide suggestions for encouraging cross-cultural observation. English and French usage are also compared and contrasted, as appropriate.

Goal Five: Participate in Multilingual Communities at Home and Around the World

In **Discovering French**, beginning students are invited to exchange letters with French-speaking penpals. In addition, students are encouraged to participate in international student exchanges. The Extended Teacher's Edition has a listing of addresses of organizations that can provide these types of services. In addition, teachers are given information on where to obtain French-language publications for their classes, and where to find French-language material on the Internet. In **DF-Rouge**, students are invited to discover French-language videos which in many parts of the country can be found in a local video store. As students experience the satisfaction of participating in authentic cultural situations, they become more confident in their ability to use their skills in the wider global community.

Setting your <u>own</u> course goals is easy with *Discovering French-Rouge*

- Flexible modular units
- Four-skills options
- Cyclical re-entry and expansion of vocabulary and structure
- Varied cultural content

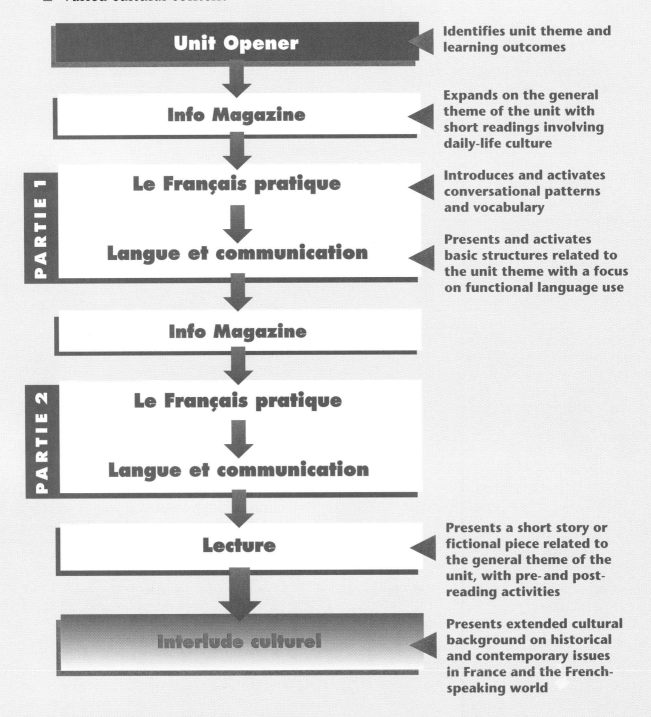

Unit Opener → Identifies unit theme and learning outcomes

Info Magazine → Expands on the general theme of the unit with short readings involving daily-life culture

PARTIE 1

Le Français pratique → Introduces and activates conversational patterns and vocabulary

Langue et communication → Presents and activates basic structures related to the unit theme with a focus on functional language use

Info Magazine

PARTIE 2

Le Français pratique

Langue et communication

Lecture → Presents a short story or fictional piece related to the general theme of the unit, with pre- and post-reading activities

Interlude culturel → Presents extended cultural background on historical and contemporary issues in France and the French-speaking world

DISCOVERING FRENCH

Setting Course Goals

Use the flexibility of DISCOVERING FRENCH-ROUGE to create a Level Three course that responds to the needs of your students and the goals of your curriculum. Establish the main parameters of your course, then use the Scope and Sequence Charts (pp.T42-T53) to set up your course outline.

Sample Course Parameters	Discovering French-Rouge Section Focus
Practical language-use situations (Ex: travel abroad, shopping and hotel reservations)	**Le Français pratique**
Daily-life concerns (Ex: interpersonal relationships, looking for a job)	**Info Magazine**
Emphasis on linguistic structures or functions (Ex: extended narration in the past)	**Langue et communication**
Incorporate specific cultural or historical units (Ex: francophone areas of the world, the French Revolution)	**Interlude culturel**
Building reading skills and expanding vocabulary	**Lecture**

Skills Focus	Discovering French-Rouge Section Focus
Oral Communication	
• getting along in France	**Le Français pratique**
• discussing contemporary topics	**Info Magazine**
• interpreting readings • fictional role-play	**Lecture**
Reading Comprehension	
• reading for pleasure	**Info Magazine**
• reading for information	**Interlude culturel**
• reading fiction	**Lecture**
Written Expression	
• writing letters, messages and guided paragraphs	**Le Français pratique, Langue et communication**
• expressing opinions	**Info Magazine**
• creative writing	**Lecture**
Cultural Knowledge	
• contemporary daily-life culture	**Info Magazine**
• the cultural background of the French-speaking world	**Interlude culturel**
• an introduction to the arts	**Interlude culturel/Documents**
• a sampling of French fiction (short stories)	**Lecture**

Articulation with DISCOVERING FRENCH

DISCOVERING FRENCH is a carefully articulated three-level sequence of French instruction. Each level has its own special focus:

F **BLEU**	Rudimentary communication with learned phrases Simple questions and answers: present tense Introduction to past narration	Level A (1-3) Level B (4-7) Level C (8-9)
F **BLANC**	Creative conversation: asking and answering questions Basic narration in the past, using imperfect and passé composé Description and expression of simple comparisons Basic narration in the future Expression of simple conditions and wishes	Units 1-5 Unit 6 Unit 7 Unit 8 Units 8-9
F **ROUGE**	Extended conversations: all tenses Past and future narration using complex sentences Expression of conditions in complex sentences Expression of emotions, wishes and hypotheses in complex sentences	Units 1, 4, 6, 10 Units 1, 3, 8 Units 5, 8 Units 2, 7, 9

The articulation of basic communication themes and topics is shown in the chart below. (Only the major entry and re-entry points are shown. These themes and topics are recycled throughout the program in the various exercises, readings and communication activities.)

THEMES AND TOPICS	F BLEU	F BLANC	F ROUGE
Greeting and meeting people	Niveau A: Unit 1	Reprise: Rappel 1	—
Time and weather	Niveau A: Unit 3	Reprise: Rappel 1	Unit 3
Family and friends; Family relationships	Niveau A: Unit 2	Unit 1	Reprise A; Unit 9
Food and restaurants	Niveau A: Unit 3 Niveau C: Unit 9	Units 1, 3	Reprise A
Money and shopping	Niveau A, Unit 3	Reprise: Rappel 2	Reprise B; Unit 4
School and education	Niveau A: À l'école	Reprise: Faisons Connaissance	Unit 10
Daily activities	Niveau B, Unit 4	Reprise: Rappel 3	Reprise A
Getting around the city	Niveau B: Unit 4 Niveau B: Unit 6	Unit 2	Unit 8
Describing oneself	Niveau B: Unit 5	Units 1, 7	Unit 1
Home and furnishings	Niveau B: Unit 5 Niveau B: Unit 6	Unit 6	Unit 6
Possessions and their description	Niveau B: Unit 5	Reprise: Rappel 2 Unit 2	Reprise A; Unit 2
Sports, fitness, daily routine	Niveau B: Unit 6	Units 5, 8	Unit 1
Medical and dental care	—	Unit 5	Unit 7
Clothing and personal appearance	Niveau B: Unit 7	Unit 7	Reprise A; Unit 4
Leisure activities, music, entertainment	Niveau C: Unit 8	Unit 4	Interlude 4
Vacation and travel	Niveau C: Unit 8	Unit 8	Reprise B; Unit 3
Transportation	Niveau C: Unit 8	Units 8, 9	Unit 5
Jobs and professions	—	Unit 1	Units 2, 10
Helping around the house	—	Unit 2	Unit 2
Nature and the environment	—	Unit 2	Unit 3
Services and repairs	—	—	Unit 4
Hotel accommodations	—	—	Unit 6

DISCOVERING FRENCH

FUNCTION	![F] BLEU	![F] BLANC	![F] ROUGE
Greeting people and socializing	Niveau A: Units 1, 2, 3	Reprise: Rappel 1	—
Talking about the present Asking and answering questions Describing people, places and things Describing future plans (Simple description)	Niveau B: Units 4, 5, 6, 7	Reprise: Rappels 2, 3; Unit 1	Reprise A
Narrating past events (Simple narration)	Niveau C: Unit 8	Unit 2	Reprise B
Discussing daily routines (Simple narration)	—	Unit 5	Unit 1
Describing people, places, things (Extended description)	Niveau C: Unit 9	Units 3, 4, 5	Reprise C Units 2, 4
Describing past conditions and narrating past events (Extended narration)	—	Unit 6	Reprise B Units 3, 7
Comparing and discussing people, things and actions (Complex description)	—	Unit 7	Units 6, 9
Discussing future events (Extended narration)	—	Unit 8	Unit 5, 8
Discussing hypothetical conditions and events (Complex discussion)	—	Unit 8	Units 5, 8
Expressing wishes and obligations (Direct statements)	—	Unit 9	Unit 2
Expressing doubts and emotions (Complex discussion)	—	—	Unit 7
Expressing cause and purpose (Complex discussion)	—	—	Unit 10

SCOPE AND SEQUENCE

The following charts present the scope and sequence of DISCOVERING FRENCH -ROUGE according to the two main objectives of the Student Text:

- Development and reinforcement of the communication skills
- Development of reading skills and cultural awareness

Reprise

OBJECTIVE Light Review of Basic Material (from Levels One and Two)

BASIC REVIEW

	Structures
A. La vie courante	■ *Describing the present* • Present of regular verbs • **Être, avoir, aller, faire, venir** and expressions used with these verbs • Other common irregular verbs • Use of present with **depuis** • Regular and irregular adjectives • Use of the partitive article
B. Hier et avant	■ *Describing the past* • Passé composé with **avoir** and **être** • Imperfect and its basic uses
C. Nous et les autres	■ *Referring to people, things, and places* • Object pronouns • Negative expressions • **Connaître** and **savoir** • Other irregular verbs

DISCOVERING FRENCH

BASIC REVIEW	CULTURE AND READING
Vocabulary	**Vacation options: travel, sports, archeology, helping others**
• Daily activities • Food and beverages	*The French-speaking world:* Its people
• Clothes	*The French-speaking world:* Cultural background
	Lecture: *Les trois bagues*

Unité 1 Au jour le jour

MAIN THEME Looking good; one's daily routine

COMMUNICATION OBJECTIVES

COMMUNICATION FUNCTIONS AND CONTEXTS (Le Français pratique)	LINGUISTIC GOALS (Langue et communication)

■ *Describing people*
  • their physical appearance
■ *Caring for one's appearance*
  • personal care and hygiene
  • looking good
■ *Describing the various aspects of one's daily routine*
■ *Expressing how one feels and inquiring about other people*
	■ *Describing people and their ailments*
	  • the use of the definite article
	■ *Describing what people do for themselves*
	  • reflexive verbs
	■ *Explaining one's daily activities*
	  • reflexive verbs: different tenses and uses

Unité 2 Soyons utiles!

MAIN THEME Being helpful around the house

COMMUNICATION OBJECTIVES

COMMUNICATION FUNCTIONS AND CONTEXTS (Le Français pratique)	LINGUISTIC GOALS (Langue et communication)

■ *Helping around the house*
  • in the house itself
  • outside
■ *Asking for help and offering to help*
  • accepting or refusing help
  • thanking people for their help
■ *Describing an object*
  • shape, weight, length, consistency, appearance, etc.
  • the material it is made of
	■ *Explaining what has to be done*
	  • **il faut que** + subjunctive
	■ *Telling people what you would like them to do*
	  • **vouloir que** + subjunctive

DISCOVERING FRENCH

READING AND CULTURAL OBJECTIVES

DAILY LIFE (Info Magazine)	READING (Lecture)
■ *How important personal appearance is for French young people and what they do to enhance it* • the importance of *le look* • clothing and personal style ■ *How artists have expressed their concept of beauty* ■ *How people begin their daily routine*	**Ionesco**, *Conte pour enfants de moins de trois ans*

INTERLUDE CULTUREL 1
Le monde des arts

GENERAL CULTURAL BACKGROUND

French modern art
• **Impressionism** and impressionist artists: **Monet, Degas, Renoir, Manet, B. Morisot**
• Artists of the **post-impressionist** era: **Van Gogh, Gauguin, Matisse, Rousseau, Toulouse-Lautrec**
• **Surrealism** as an artistic and literary movement: **Magritte**

Poems
• **Desnos**, *La fourmi*
• **Prévert**, *Pour faire le portrait d'un oiseau*

READING AND CULTURAL OBJECTIVES

DAILY LIFE (Info Magazine)	READING (Lecture)
■ *Why do French people enjoy do-it-yourself activities?* • What is **bricolage**? • What is **jardinage**? ■ *How should you take care of your plants?* ■ *How do French young people earn money by helping their neighbors?*	*La Couverture* (Une fable médiévale)

INTERLUDE CULTUREL 2
Les grands moments de l'histoire de France (jusqu'en 1453)

GENERAL CULTURAL BACKGROUND

Early French history
• Important events
    The Roman conquest
    The Holy Roman Empire
    The Norman Conquest of England
    The Hundred Years War
• Important people
    Vercingétorix
    Charlemagne
    Guillaume le Conquérant
    Aliénor d'Aquitaine
    Jeanne d'Arc
Literature:
    La Chanson de Roland

Teaching with

Unité 3 Vive la nature!

MAIN THEMES Vacation and outdoor activities; the environment and its protection

COMMUNICATION OBJECTIVES

COMMUNICATION FUNCTIONS AND CONTEXTS (Le Français pratique)

- *Talking about outdoor activities*
  - what to do
  - what not to do
- *Describing the natural environment and how to protect it*
- *Talking about the weather and natural phenomena*
- *Relating a sequence of past events*
- *Describing habitual past actions*

LINGUISTIC GOALS (Langue et communication)

- *Talking about the past*
  - the passé composé
  - the imperfect
  - the passé simple
  - contrastive uses of the passé composé and the imperfect
- *Narrating past events*
  - differentiating between specific actions (passé composé) and the circumstances under which they occurred (imperfect)
  - providing background information (imperfect)

Unité 4 Aspects de la vie quotidienne

MAIN THEME Going shopping and asking for services

COMMUNICATION OBJECTIVES

COMMUNICATION FUNCTIONS AND CONTEXTS (Le Français pratique)

- *Shopping for various items*
  - in a stationery store
  - in a pharmacy
  - in a convenience store
- *Buying stamps and mailing items at the post office*
- *Having one's hair cut*
- *Asking for a variety of services*
  - at the cleaners
  - at the shoe repair shop
  - at the photo shop

LINGUISTIC GOALS (Langue et communication)

- *Answering questions and referring to people, things, and places using pronouns*
  - object pronouns
  - two-pronoun sequence
- *Talking about quantities*
  - the pronoun **en**
  - indefinite expressions of quantity
- *Describing services that you have done by other people*
  - the construction **faire** + infinitive

DISCOVERING FRENCH

READING AND CULTURAL OBJECTIVES

DAILY LIFE (Info Magazine)	READING (Lecture)
■ *How the French feel about nature and their land* • What is **le tourisme vert**? • What is an **éco-musée**? ■ *How do the French protect their environment?* • What rules to observe on camping trips • What young people do to protect the environment • Who is **Jacques-Yves Cousteau**? ■ *Why the French people love the sun*	Sempé/Goscinny, *King*

INTERLUDE CULTUREL 3
Les grands moments de l'histoire de France (1453–1715)

GENERAL CULTURAL BACKGROUND

The classical period of French history
- Important periods: **la Renaissance, le Grand Siècle**
- Important people: **François Ier, Louis XIV**
- French castles, as witnesses of French history

Literature:
La Fontaine, *Le Corbeau et le renard*
Prévert, *Soyons polis*

Film:
Rostand, *Cyrano de Bergerac*

INTERLUDE CULTUREL 4
Vive la musique!

GENERAL CULTURAL BACKGROUND

The musical landscape of France and the French-speaking world
- Classical musicians: **Lully, Chopin, Bizet, Debussy**
- Historical overview of French songs
- Famous French singers of yesterday and today
- The multicultural aspect of music from the francophone world: **zouk** (Antilles); **raï** (North Africa); **cajun, zydéco** (Louisiana)

Song:
Vigneault, *Mon pays*

Opera:
Bizet, *Carmen*

READING AND CULTURAL OBJECTIVES

DAILY LIFE (Info Magazine)	READING (Lecture)
■ *How certain aspects of daily life are different in France* • Shopping with **Minitel** • Shopping in a supermarket • Services at the post office • When to tip and not to tip	*Histoire de cheveux*

Unité 5 Bon voyage!

MAIN THEME Travel

COMMUNICATION OBJECTIVES

COMMUNICATION FUNCTIONS AND CONTEXTS (Le Français pratique)	LINGUISTIC GOALS (Langue et communication)
■ **Planning a trip abroad** ■ **Going through customs** ■ **Making travel arrangements** • Purchasing tickets ■ **Travel in France** • at the train station • at the airport	■ **Making negative statements** • affirmative and negative expressions ■ **Describing future plans** • future tense • use of future after **quand** ■ **Hypothesizing about what one would do** • introduction to the conditional

Unité 6 Séjour en France

MAIN THEME Hotels and other places to stay when traveling

COMMUNICATION OBJECTIVES

COMMUNICATION FUNCTIONS AND CONTEXTS (Le Français pratique)	LINGUISTIC GOALS (Langue et communication)
■ **Deciding where to stay when traveling** ■ **Reserving a room in a hotel** ■ **Asking for services in a hotel**	■ **Comparing people, things, places and situations** • the comparative • the superlative ■ **Asking for an alternative** • the interrogative pronoun **lequel?** ■ **Pointing out people or things** • the demonstrative pronoun **celui** ■ **Indicating possession** • the possessive pronoun **le mien**

DISCOVERING FRENCH

Unité 7 La forme et la santé

MAIN THEMES Health and medical care

COMMUNICATION OBJECTIVES

COMMUNICATION FUNCTIONS AND CONTEXTS (Le Français pratique)	LINGUISTIC GOALS (Langue et communication)
■ *Going to the doctor's office* • describing your symptoms • explaining what is wrong • giving information about your medical history • understanding the doctor's prescriptions ■ *Going to the dentist* ■ *Going to the emergency ward*	■ *Expressing how you and others feel about certain facts or events* • use of the subjunctive after expressions of emotion ■ *Expressing fear, doubt or disbelief* • use of the subjunctive after expressions of doubt and uncertainty ■ *Expressing feelings or attitudes about past actions and events* • the past subjunctive

Unité 8 En ville

MAIN THEME Cities and city life

COMMUNICATION OBJECTIVES

COMMUNICATION FUNCTIONS AND CONTEXTS (Le Français pratique)	LINGUISTIC GOALS (Langue et communication)
■ *Making a date and fixing the time and place* ■ *Explaining where one lives and how to get there* ■ *Discussing the advantages and disadvantages of city life*	■ *Narrating past actions in sequence* • the pluperfect ■ *Formulating polite requests* • the conditional ■ *Hypothesizing about what one would do under certain circumstances* • the conditional and its uses • the past conditional • sequence of tenses in **si**-clauses

DISCOVERING FRENCH

READING AND CULTURAL OBJECTIVES

DAILY LIFE (Info Magazine)	READING (Lecture)
■ **How the French take care of their health** • how does the French health system work? • what is the **Sécurité sociale**? • why do the French consume so much mineral water? • what is **thermalisme**? ■ **How French doctors participate in humanitarian missions around the world** • what is **Médecins sans frontières**? • who is **Dr. Kouchner**?	**Maupassant,** *En voyage*

INTERLUDE CULTUREL 7
Les Français d'aujourd'hui

GENERAL CULTURAL BACKGROUND

Modern France as a multi-ethnic and multi-cultural society
• The French as citizens of Europe
• The new French mosaic: the impact of immigration on French society
• The **Maghrébins** — their culture and their religion
• **SOS Racisme**
• Two French humanitarians: **L'abbé Pierre** and **Coluche**

Song:
    Éthiopie

INTERLUDE CULTUREL 8
Les Antilles francophones

GENERAL CULTURAL BACKGROUND

The French-speaking Caribbean islands
• Historical background
• Important people
  Toussaint Louverture
  Joséphine de Beauharnais
  Aimé Césaire
• Haitian art as an expression of life

Literature:
  Césaire, *Pour saluer le Tiers-Monde*

Film:
  Palcy: *Rue Cases-nègres*

READING AND CULTURAL OBJECTIVES

DAILY LIFE (Info Magazine)	READING (Lecture)
■ **What a typical French city looks like** • its historical development • its various neighborhoods • its buildings • the *villes nouvelles* ■ **Why French people love to stroll in the streets** • various street shows • sculpture to view while walking in Paris	**Theuriet,** *Les Pêches*

Unité 9 Les relations personnelles

MAIN THEME Personal relationships, friendships, and family life

COMMUNICATION OBJECTIVES

COMMUNICATION FUNCTIONS AND CONTEXTS (Le Français pratique)	LINGUISTIC GOALS (Langue et communication)
■ *Describing degrees of friendship* ■ *Expressing different feelings towards other people* ■ *Discussing the state of one's relationship with other people* ■ *Congratulating, comforting, and expressing sympathy for other people* ■ *Describing the various phases of a person's life*	■ *Describing how people interact* • reciprocal use of reflexive verbs ■ *Describing people and things in complex sentences* • relative pronouns • relative clauses

Unité 10 Vers la vie active

MAIN THEME University studies and careers

COMMUNICATION OBJECTIVES

COMMUNICATION FUNCTIONS AND CONTEXTS (Le Français pratique)	LINGUISTIC GOALS (Langue et communication)
■ *Deciding on a college major* • university courses ■ *Planning for a career* • professions • the work environment • different types of industries ■ *Looking for a job* • preparing a résumé • describing one's qualifications at a job interview	■ *Describing simultaneous actions* • the present participle ■ *Explaining the purpose of an action* • **pour** + infinitive • **pour que** + subjunctive ■ *Explaining the timing, conditions, and constraints of an action* • the use of the infinitive or the subjunctive after certain prepositions and conjunctions

DISCOVERING FRENCH

READING AND CULTURAL OBJECTIVES

DAILY LIFE (Info Magazine)	READING (Lecture)
■ *How important are friends and family to French people?* • the meaning of friendship • family relationships ■ *How socially concerned are French young people and what type of social outreach do they do?* ■ *What is a typical French wedding like?* • where French spouses meet one another • planning the wedding • a French wedding ceremony	M. Maurois, *Le Bracelet*

INTERLUDE CULTUREL 9
L'Afrique dans la communauté francophone

GENERAL CULTURAL BACKGROUND

The place of Western and Central Africa in the francophone world
• Historical periods and events: prehistory, the **African empires**, colonization and independence
• Basic facts about Western Africa
   language and culture
   religions and traditions
• **African art** and its influence on European art

African Fable:
   La Gélinotte et la Tortue

Literature:
   D. Diop, *Afrique*
   Dadié, *La légende baoulé*

READING AND CULTURAL OBJECTIVES

DAILY LIFE (Info Magazine)	READING (Lecture)
■ *How important academic success is to French young people* • the French school system: high schools and universities • **Le bac:** its history and its importance ■ *What to do after graduation* • choosing a profession • **Le service militaire** ■ *Interviewing for a job* • how to prepare for the interview • how to write a résumé in French	Thériault, *Le Portrait*

INTERLUDE CULTUREL 10
La France et le Nouveau Monde

GENERAL CULTURAL BACKGROUND

The French presence in North America
• historical background
   The French in Canada and Louisiana
• important people
   Jacques Cartier, Jeanne Mance, Cavelier de La Salle
• why certain American cities have French names

Song:
   Richard, *Réveille*

Literature:
   La Fayette, *Lettre à sa femme*

Introduction to French Literature

Beginning with Level Three, the teaching of literature becomes a significant objective in the curriculum of many French courses. Because most authentic French literary pieces are linguistically very complex, it is important that the introduction to French literature be done in a *progressive* manner so as to correspond to the linguistic abilities of the students. It should also be done in an *interesting* and *stimulating* way and include a variety of texts that students can relate to easily.

If the initial introduction to literature is successful, students are more likely to develop an interest in the richness of French literature and breadth of francophone culture. Many will be encouraged to continue their study of French, and perhaps make plans to travel or study in a French-speaking part of the world.

The literature-related contents of DISCOVERING FRENCH–ROUGE have been selected to meet the following objectives:

■ To *present integral literary pieces that are linguistically accessible* to Level Three students. All the twentieth-century texts are presented as written with only minor occasional abridgments. Because of their lexical complexity, however, the short stories of the nineteenth century have been somewhat adapted.

■ To show how *poetry can be used to convey powerful political messages.* Students tend to dismiss poetry as boring and uninteresting. Here they will discover how Paul Éluard's *Liberté* became a call to resistance in World War II, how David Diop and Aimé Césaire used poetry to promote African independence, and how Zachary Richard uses song lyrics to plead for the maintenance of Cajun culture in Louisiana.

■ To *introduce longer significant literary works* via summaries and synopses. By encountering some major works of literature through brief summaries, students will broaden their awareness of the breadth of the French cultural heritage and develop a growing interest in French literature.

■ To bring students into direct contact with *the variety of the literature of the French-speaking world,* by including authors from France, Africa, the Caribbean and North America. Genres include short stories, fables, legends, letters, poetry, as well as introductions to novels and plays.

The breadth of the literary content of DISCOVERING FRENCH–ROUGE is shown in the following chart on page T55.

Documents: Le corbeau et le renard

Le corbeau et le renard

À l'école, tous les jeunes Français apprennent par coeur les fables de La Fontaine. Leur auteur est l'un des écrivains les plus célèbres du siècle de Louis XIV. À travers° ses portraits d'animaux, **Jean de La Fontaine** (1621-1695) voulait critiquer les défauts de ses contemporains. La morale de ses fables est en réalité éternelle.

La fameuse fable *Le corbeau et le renard°* s'adresse aux gens qui ont besoin d'être admirés.

Le corbeau et le renard

Maître Corbeau, sur un arbre perché,
    Tenait° en son bec un fromage.
Maître Renard, par l'odeur alléché,°
    Lui tint à peu près ce langage:°
«Hé! bonjour, Monsieur du Corbeau,
Que vous êtes joli! que vous me semblez beau!
    Sans mentir,° si votre ramage°
    Se rapporte° à votre plumage
Vous êtes le phénix° des hôtes de ces bois.
À ces mots, le Corbeau ne se sent pas de joie;°
    Et pour montrer sa belle voix,
Il ouvre un large bec, laisse tomber° sa proie.°
Le Renard s'en saisit,° et dit: «Mon bon Monsieur,
    Apprenez que tout flatteur
Vit° aux dépens° de celui qui l'écoute:

■ **L'histoire de France à travers ses châteaux**

Carcassonne
Comme beaucoup de villes médiévales, Carcassonne était entourée de hauts remparts qui la protégeaient contre d'éventuels envahisseurs.° Elle résista aux Anglais pendant la Guerre de Cent Ans.

Chenonceaux
Le château de Chenonceaux est de pur style Renaissance. Sur ses murs on peut y lire encore des graffiti (en anglais) laissés par les gardes écossais° du roi Henri II.

Angers
Angers était la capitale des Plantagenêts, ducs d'Anjou et futurs rois d'Angleterre. Avec ses grosses tours rondes, le château est un bel exemple d'architecture féodale.

Fontainebleau
Maintes fois transformé, Fontainebleau a servi de résidence à plus de 20 rois de France, parmi lesquels François Ier et Louis XIII, père de Louis XIV. C'est ici que Napoléon a fait ses adieux avant de partir en exil.

Château-Gaillard
Construit en 1196 par Richard Coeur de Lion, Château-Gaillard dominait la Seine et barrait la route entre Paris et Rouen. Dix ans plus tard, le château tomba dans les mains des Français et il n'en reste aujourd'hui que d'imposantes ruines.

Vaux-le-Vicomte
Le château de Vaux-le-Vicomte a été construit par Nicolas Fouquet, surintendant des finances du royaume de France. Un jour, Fouquet eut la mauvaise idée d'y inviter le jeune roi Louis XIV. Celui-ci, jaloux de la richesse de son ministre, le fit emprisonner.

DISCOVERING FRENCH

Literature Selections in
Discovering French-Rouge

Cultural Reference Guide

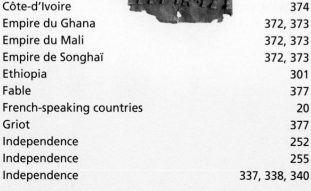

Cultural Reference Guide

LE LOOK

Cultural Reference Guide

HEATH

DISCOVERING
FRENCH
ROUGE

Jean-Paul Valette • Rebecca M.Valette

McDougal Littell
Evanston, Illinois • Boston • Dallas

McDougal Littel wishes to express its heartfelt appreciation to **Gail Smith**, Supervising Editor for *DISCOVERING FRENCH*. Her creativity, organizational skills, determination and sheer hard work have been invaluable in all aspects of the program, including the award winning *DISCOVERING FRENCH* CD-ROM.

Illustrations

Francis Back, Pierre Ballouhey, Gilles-Marie Bauer, Jean-Louis Besson, Dave Clegg, Véronique Deiss, Chris Demarest, Patrick Deubelbeiss, Philippe Dumas, Jacques Ferrandez, Caroline Finadri, Michel Garneau, Paul Giambarba, Carol Inouye, Louise-Andrée Laliberte, Winslow Pinney Pels, Mike Reagan, John Rumery, Dave Shepherd, Lorraine Silvestri, Anna Vojtech, Laura Wallace, Fabrice Weiss, YAYO

International Standard Book Number 0–395-86667-7

2 3 4 5 6 7 8 9 10 —VHP— 02 01 00 99 98

MERCI!

We would like to thank the many teachers across the country who have responded to surveys and sent suggestions for this new program. In particular, we would like to thank the following people who participated in the development process and provided guidance and encouragement:

Susan Arandjelovic
Dobson High School
Mesa, AZ

Joseph Giorgio Arias
James "Niki" Rowe High School
McAllen, TX

Pat Barr-Harrison
Prince George's County Public Schools
Landover, MD

Beth Bossong
Vestal High School
Vestal, NY

Celeste Carr
Howard County Public Schools
Ellicott City, MD

Betty C. Clough
McCallum High School
Austin, TX

Linda Crecca
Hampton Bays Junior/Senior High School
Hampton Bays, NY

Kay Dagg
Washburn Rural High School
Topeka, KS

Dorothy Davis
Royal High School
Simi Valley, CA

Deborah DeMelfi
Central Columbia High School
Bloomsburg, PA

Janice Dowd
Teaneck High School
Teaneck, NJ

Christiane Fabricant
The Winsor School
Boston, MA

Susan Fritz
Reading Memorial High School
Reading, MA

Susan Hennessey
Reading Memorial High School
Reading, MA

Mary Sue Hoffman
Upper Moreland High School
Willow Grove, PA

Barbara Holohan
Princeton High School
Princeton, NJ

Sheila (Ray) Hutchinson
Kimball High School
Dallas, TX

Belinda Kuck
Clearfield High School
Clearfield, UT

Myrella LeBlanc
Sam Rayburn High School
Pasadena, TX

Lula Lewis
Hyde Park Academy
Chicago, IL

Virginia Mayer
Padua Academy
Wilmington, DE

Patricia McCann
Lincoln-Sudbury High School
Sudbury, MA

William Price
Day Junior High School
Newton, MA

Barbara Reeback
Albuquerque Academy
Albuquerque, NM

T. Jeffrey Richards
Roosevelt High School
Sioux Falls, SD

Virginia Rossy
Simi Valley High School
Simi Valley, CA

Dr. Judith Smith
Baltimore, MD

Kathy Withington
McCluer Senior High School
Florissant, MO

We would also like to thank the following persons for helping us acquire a better insight into their areas of the French-speaking world:

Thierry Gustave *(Martinique)*   **Kouadio Konan** *(Ivory Coast)*
Yasmina Hacien-Bey *(Algeria)*   **Ourida Mostefai** *(Algeria)*

CONTENTS

Reprise

UNITÉ 1

Au jour le jour

UNITÉ 2

Soyons utiles!

UNITÉ 3 Vive la nature!

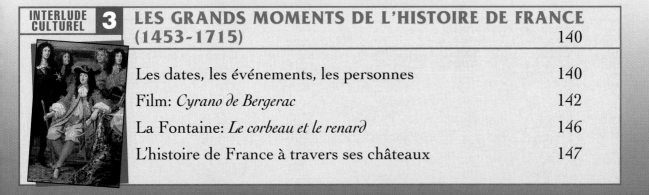

UNITÉ 4

Aspects de la vie quotidienne

UNITÉ 5

Bon voyage!

UNITÉ 6 Séjour en France

La forme et la santé

Contents **xi**

xi

UNITÉ 8

En ville

UNITÉ 9 · Les relations personnelles

Vous êtes fantastiques!

You are terrific! We would like to welcome you back to DISCOVERING FRENCH, but first and foremost we congratulate you on your decision to continue your study of French. As you have discovered, French is a language that broadens your horizons and opens doors to a world of new experiences and opportunities. French offers you the chance to communicate with new people and learn about their culture, the opportunity to explore the wonderful variety of the French-speaking world, and maybe one day the possibility to travel, study or even work in a country where French is spoken... knowing French gives you that extra little "plus" that makes life richer and more enjoyable!

With DISCOVERING FRENCH–ROUGE you will learn to communicate on a variety of topics useful when you travel abroad: making a train reservation, staying in a youth hostel, shopping for things you need, asking for services, etc. But you will learn much more than that. First, you will expand your communication and reading skills. You will also learn to express your thoughts more naturally and more effectively. You will increase your awareness of the francophone world and become more familiar with the many contributions that French-speaking people have made in the world of arts, sciences and great ideas.

As you progress in your study of French, we hope that you will be able to put your knowledge into practice. Perhaps you will have the opportunity to visit Quebec on a school trip. Maybe in the summer you will be able to go bicycling in Belgium or study in France or participate in a home stay program in the Ivory Coast. Even if travel is not in your immediate future, you may have the chance to meet French speakers in the region where you live: new American citizens from Haiti, tourists from Quebec or France, foreign students who have studied French. Remember that in the world there are millions of young people who, like you, are learning French! Don't be shy! Use your French! It's a great language!

Jean-Paul Valette   *Rebecca M. Valette*

REPRISE

MAIN THEME
Everyday life
(review)

Communication Functions/Contexts

- Introducing and describing
- Ordering in a café or restaurant
- Accepting and refusing invitations
- Talking about daily life activities
- Describing vacation activities
- Talking about events in the past
- Asking for help

Linguistic Goals

Review/Re-entry:

- Regular and irregular adjectives
- **Avoir, faire,** and expressions
- Regular and irregular verbs, especially **aller, être, venir, prendre, connaître, savoir, voir, écrire**
- Formation and use of the **passé composé** and **imparfait**
- Direct and indirect objects

Reprise

Vive les vacances!

TEACHING RESOURCES

Technology/Audio Visual

 10, 10(o), 11, 12, 13, LR

 Audio CD Program, Reprise

 Audiocassette Program, Reprise

 Pas de problème Video Program, Module 1

Print

 Audio Script

Overhead Visuals Copymasters/Activities

Answer Key

Video Activity Book, Module 1

Practice Activities, pp. 3–18

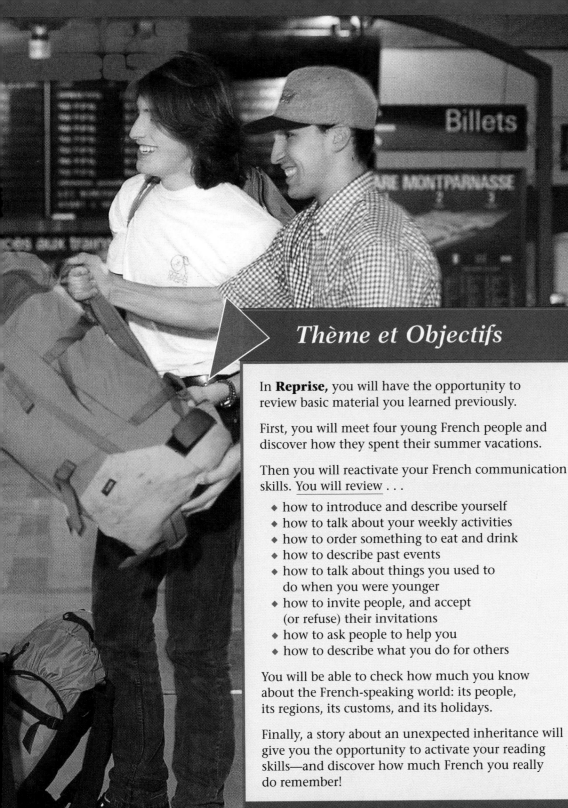

Thème et Objectifs

In **Reprise**, you will have the opportunity to review basic material you learned previously.

First, you will meet four young French people and discover how they spent their summer vacations.

Then you will reactivate your French communication skills. You will review . . .

- how to introduce and describe yourself
- how to talk about your weekly activities
- how to order something to eat and drink
- how to describe past events
- how to talk about things you used to do when you were younger
- how to invite people, and accept (or refuse) their invitations
- how to ask people to help you
- how to describe what you do for others

You will be able to check how much you know about the French-speaking world: its people, its regions, its customs, and its holidays.

Finally, a story about an unexpected inheritance will give you the opportunity to activate your reading skills—and discover how much French you really do remember!

1

ASSESSMENT OPTIONS

 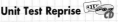

Reprise 1

Vive les vacances!

C'est la rentrée. Quatre jeunes Français (deux garçons et deux filles) parlent de ce qu'ils ont fait pendant les vacances.

■ Teaching Strategy

Have students locate the areas mentioned on the map on p. R34 or in an atlas.

Jean-Michel Renaudin (15 ans et demi)

Comme d'habitude,° j'ai passé les vacances avec ma famille. Chaque année, nous allons dans un endroit différent. Cette année, nous sommes allés à Sanary-sur-Mer où nous avons fait du camping. J'ai fait un stage° dans un club de planche à voile. À la fin° du stage, j'ai participé à un championnat et je suis arrivé troisième. Pas mal pour un débutant!°

comme d'habitude *as usual* **faire un stage** = *suivre des leçons*
la fin *end* **un débutant** *beginner*

Ali Belkacem (18 ans)

Je suis allé au Québec avec un programme d'échange. Nous étions quatre Français dans notre groupe. Nous avons passé les deux premières semaines à la ferme Pouliot sur l'Île d'Orléans. Là, on a cueilli° les framboises et on a fait la récolte° du maïs.° (On dit «blé° d'Inde» en québécois.)

Après notre séjour° sur l'Île d'Orléans, nous avons visité la ville de Québec où nous avons loué° un camping-car. Puis, nous avons fait le tour de la Gaspésie. Partout nous avons été accueillis° dans les familles québécoises. Les Québécois sont vraiment des gens formidables!° J'espère bien retourner un jour dans la «Belle Province»!

cueillir *to pick* **faire la récolte** *to harvest* **le maïs** *corn* **blé** *wheat*
un séjour *stay* **louer** *to rent* **être accueilli** = *être invité* **formidable** *great, terrific*

● Note culturelle

UNE CHAPELLE ROMANE
Romanesque chapels are characterized by their heavy stone walls, round archways, and small rounded windows.

FLASH d'information

Sanary-sur-Mer
C'est une petite ville de la Côte d'Azur° située près de Toulon.

Le Jura
Le Jura est une région montagneuse située à l'est de la France.

La Gaspésie
C'est une région située à l'est de la province de Québec. Cette région est connue° pour ses petits villages de pêcheurs° et son parc naturel.

L'Auvergne
C'est une région du centre de la France, célèbre pour ses volcans, ses stations thermales,° ses eaux minérales, ses chapelles romanes et ses vieux châteaux.

la Côte d'Azur *French Riviera [blue coast]*
connu(e) *known* **un pêcheur** *fisherman*
une station thermale *hot springs resort*

 Teaching Strategy: Warm-Up

Hand out a 5X5 grid. Each square of the grid should have a different verb and sentence fragment (e.g., **visiter un pays européen**). Have students stand up, circulate and ask questions (in **passé composé**) to find out who did the suggested activities during the summer. Record the initials of each student in the appropriate activity box. The winner is the student who fills in a different student's initials in every box. **Extra practice:** Ask the winning student to name who did each activity. Then ask the student whether or not they did it. Everyone must answer in complete sentences.

Laurence Legarec (16 ans et demi)

J'ai passé l'été en Auvergne sur un chantier° de «Chefs d'oeuvre° en péril». C'est une organisation qui recrute des volontaires pour restaurer les monuments anciens. Le projet de notre groupe était de restaurer une chapelle romane du XIIᵉ siècle.°

D'abord, on a reconstruit° un mur° qui tombait en ruines. Puis, on a refait le toit°. Le travail était dur, c'est vrai, mais il y avait beaucoup d'avantages. Pour moi, l'avantage principal de cette expérience a été de faire la connaissance° de jeunes d'autres pays européens. Notre groupe était, en effet, très international. Il y avait des Allemands, des Belges, des Hollandais, des Anglais . . . et un jeune Italien très sympathique avec qui je continue à correspondre!

un chantier *worksite* **un chef d'oeuvre** *masterpiece* **un siècle** = 100 ans
reconstruire *to rebuild* **un mur** *wall* **le toit** *roof*
faire la connaissance = rencontrer

Valérie Laroze (17 ans)

En juillet je suis restée chez moi. En août, je suis allée dans le Jura où j'ai travaillé comme animatrice° dans une colonie de vacances pour jeunes handicapés mentaux. Nous étions trois animatrices pour accompagner un groupe de vingt jeunes.

Chaque jour, on faisait une randonnée° de 10 à 15 kilomètres dans la montagne. Pendant les haltes, on étudiait la faune° locale. (Je devais° être bien préparée, parce que les jeunes voulaient tout connaître sur les animaux et les oiseaux de la région.) Le soir, j'organisais des activités et des jeux pour le groupe.

Pour moi qui habite dans une grande ville, j'ai bien profité de ces vacances en plein air.° Mais surtout, en aidant ces jeunes handicapés à avoir une vie° normale, j'ai fait un travail utile et intéressant. Et en plus,° j'ai gagné un peu d'argent!

une animatrice *counselor* **une randonnée** *long hike* **la faune** = les animaux
je devais *I had to* **en plein air** = dans la nature **une vie** *life* **en plus** *in addition*

À votre avis (In your opinion)

Avec un(e) ou plusieurs partenaires, discutez des questions suivantes.

◆ Qui a fait le voyage le plus long?
◆ Qui a passé les vacances les plus intéressantes? Pourquoi?
◆ Qui a fait la chose la plus utile? Pourquoi?
◆ Vous avez la possibilité de passer les vacances comme ces quatre jeunes Français. Qu'est-ce que vous choisissez de faire? Pourquoi?

À votre tour!

Maintenant parlez de vos vacances.

1. Êtes-vous resté(e) chez vous ou avez-vous fait un voyage? Si vous avez fait un voyage, où êtes-vous allé(e)? Avec qui? Combien de temps êtes-vous resté(e) là-bas? Qu'est-ce que vous avez vu?
2. Est-ce que vous vous êtes reposé(e) ou est-ce que vous avez travaillé? Si vous avez travaillé, quel travail avez-vous fait? Où? Est-ce que vous avez gagné de l'argent?
3. Qu'est-ce que vous avez fait d'intéressant?
4. Qu'est-ce que vous avez fait d'utile?

Reprise 3

🌐 Notes culturelles

• **«Chefs d'oeuvre en péril»** was a French television program structured as a **concours** (*competition*) to safeguard and protect historical monuments. There are several organizations that recruit young people to work on architectural restoration sites. They include: **R.E.M.P.A.R.T.S.**, **Jeunesse et Reconstruction**, and **Club du vieux manoir**, all located in Paris.

• **Les colonies de vacances** are summer camps organized by cities for children. Being a camp counselor is a typical summer job for a French teen. Teens must be at least 17 and follow a special training course and obtain a certificate. The salary varies between 90F and 150F a day (about $18–$30), and includes food and lodging.

■ Compréhension

1. Avec qui Jean-Michel a-t-il passé ses vacances?
2. Quel sport a-t-il pratiqué?
3. Où est allé Ali avec son programme d'échange?
4. Nommez une activité qu'il a faite pendant ses vacances.
5. Qu'est-ce que c'est que la «Belle Province»?
6. Quel était le but des vacances de Laurence?
7. Est-ce que c'était facile? Pourquoi oui ou non?
8. Dans quelle sorte de colonie de vacances Valérie a-t-elle travaillé?
9. Nommez une activité qu'elle a faite tous les jours.

Practice Activities,
pp. 3–5, 175

 Internet Connection Notes, Project C, p. 4

🌐 **Note culturelle**
La Touraine is a region of France, south-west of Paris, around the Loire river.

■ **Teaching Note**
You may have students do their poll first, and then compare their answers with those of the Canadian students.

Reprise A — *La vie courante*

Rappel 1 Bonjour!

1 À l'Institut de Touraine

L'Institut de Touraine est une école où beaucoup d'étudiants viennent apprendre le français en été. Vous allez passer un mois à l'Institut de Touraine.

Donnez oralement les renseignements demandés.

> **INSTITUT D'ÉTUDES FRANÇAISES**
> DE TOURAINE
> 1, Rue de la Grandière, 37000 TOURS
>
> **BULLETIN D'INSCRIPTION**
>
> Prénoms et Nom...
> Né(e) le ....
> à..
> Nationalité:...
> Profession:..
> Adresse (dans le pays d'origine):....................
> École ou collège d'origine:.............................
> Nombre d'années d'étude du français: ....

2 Les parents idéaux

Quelles sont les qualités les plus importantes pour la mère idéale ou le père idéal? Un magazine québécois, le *Bulletin Pacijou*, a posé cette question à des jeunes de 13 à 18 ans. Voici les résultats de cette enquête.

LA MÈRE IDÉALE: QUALITÉS ESSENTIELLES

selon les filles		selon les garçons	
compréhensive	29%	gentille	39%
gentille	29%	compréhensive	17%
attentive	15%	joyeuse	17%
confiante°	11%	généreuse	11%
tolérante	9%	patiente	8%
patiente	7%	confiante	8%

LE PÈRE IDÉAL: QUALITÉS ESSENTIELLES

selon les filles		selon les garçons	
gentil	31%	gentil	31%
compréhensif	30%	compréhensif	31%
tolérant	23%	riche et généreux	21%
affectueux	16%	drôle	17%

confiant(e) *trusting*

Maintenant faites une enquête dans votre classe:
• Quelles sont les qualités essentielles pour être la mère idéale?
• Quelles sont les qualités essentielles pour être le père idéal?

Les adjectifs réguliers et irréguliers

Révision ▶ 📖 p. R7

Pratique ▶ 📝 p. 3

Teaching Strategies

👥 **Cooperative Pair Practice**

Review: Question words. Have students look at the form on p. 4 and figure out what questions need to be asked to get the requested information. Divide the class into pairs and have them ask each other these questions and fill in a copy of the form with their partner's information.

☀ **Warm-Up**

Give each student (orally or on a slip of paper) an **avoir** expression to act out. Then, have each student give a complete sample sentence (e.g., **Quand j'ai faim, je vais au restaurant**).

Notre personnalité

Nous avons tous des qualités, mais nous avons aussi des petits défauts. Choisissez une des personnes suivantes (ou une autre personne de votre choix). Décrivez deux qualités—au moins—et un petit défaut de cette personne.

- moi
- mon copain
- ma copine
- mon cousin
- ma cousine
- mes profs
- mes parents
- mes voisins
- les élèves de cette classe
- ??

En général . . .

☺ **QUALITÉS**

actif
aimable
amusant
attentif
brillant
compréhensif
consciencieux
courageux
discret
drôle
dynamique
énergique
gentil
généreux
honnête

imaginatif
intéressant
joyeux
optimiste
organisé
patient
poli
ouvert
sensible (sensitive)
sérieux
spirituel (witty)
spontané
sympathique
tolérant
??

mais de temps en temps . . .

☹ **DÉFAUTS**

bête
distant
égoïste
ennuyeux
impoli
inactif
incompréhensif
indifférent
indiscret
indiscipliné
méchant

paresseux
pénible
pessimiste
prétentieux
renfermé
(uncommunicative)
sévère
stupide
timide
triste
vaniteux (vain)
??

▶ **En général, ma cousine Élisabeth est très gentille. Elle est aussi drôle et optimiste. De temps en temps elle est un peu prétentieuse.**

Avoir et les expressions avec avoir

Révision ▶ p. R3

Pratique ▶ p. 4

Que faire?

Choisissez une expression de la colonne A et décrivez votre situation à votre partenaire.
Votre partenaire va vous dire ce qu'il faut faire, en utilisant les suggestions de la colonne B.

J'ai chaud!

Eh bien, tu peux ouvrir la fenêtre!

A. Votre situation
- faim
- soif
- chaud
- froid
- sommeil
- besoin d'un livre
- envie de voir un film
- besoin de ??
- envie de ??

B. Conseils
- mettre un pull
- ouvrir la fenêtre
- aller au ciné
- passer à la bibliothèque
- manger un sandwich
- boire un soda
- dormir
- prendre un café
- ??

TO DESCRIBE . . .
- what you ARE GOING TO DO
- what you ARE DOING RIGHT NOW
- what you HAVE JUST DONE

USE . . .
aller + infinitive
être en train de + infinitive
venir de + infinitive

Je vais sortir.
Je suis en train de téléphoner.
Je viens de dîner.

Aller, être, venir

Révision ▶ p. R3

Pratique ▶ p. 4

Il va dîner. | Il est en train de dîner. | Il vient de dîner.

Rappel 1 5

Supplementary vocabulary

coléreux *quick tempered*
fier *proud*
jaloux *jealous*
maladroit *clumsy*
moqueur *mocking*
têtu *stubborn*
franc *frank*
indépendant *independent*
indulgent *lenient*
intelligent *smart*
talentueux *talented*
travailleur *hard-working*

■ Language Note

A familiar form for "annoying, bothersome" is **embêtant(e)**.

☼ Expansion

Have students write a list of 10 adjectives, being as creative as possible. Make a list of three–four people/groups of people to be described by the students' adjectives (e.g., **Ma meilleure amie/mon ami idéal/le prof idéal/ les frères et les soeurs**).

Ask students to volunteer their adjectives and copy them onto the board. Finally, have students create negative or affirmative sentences about each of the people/groups of people using the adjectives listed (e.g., **Ma meilleure amie n'est pas méchante**).

Reprise 5

Rappel 2

TEACHING RESOURCES

 Practice Activities, pp. 5–7, 175–176

 Internet Connection Notes, Project D, p. 5

🌐 Notes culturelles

- **Antoine de Saint-Exupéry** (1900–1944) was an aviator as well as a writer. He described his pioneering flying experiences in several books. When France was occupied by German troops at the beginning of World War II, Saint-Exupéry sought refuge in the United States where he wrote his most famous work, *Le Petit Prince*. In 1943, although he was past the age limit, he volunteered as a pilot with the Free French Forces and died while flying from Africa to France on a secret mission. In 1994, the French government issued a new 50-franc note in his honor.

- For more information on Ionesco, see p. 56.

↫ Rappel

You may point out that **depuis** may be followed by a POINT IN TIME or an EXPRESSION OF DURA-TION. For example, the remark made by the girl in the cartoon can be interpreted in two ways:

I have been waiting for my friend since three o'clock.

I have been waiting for my friend for three hours.

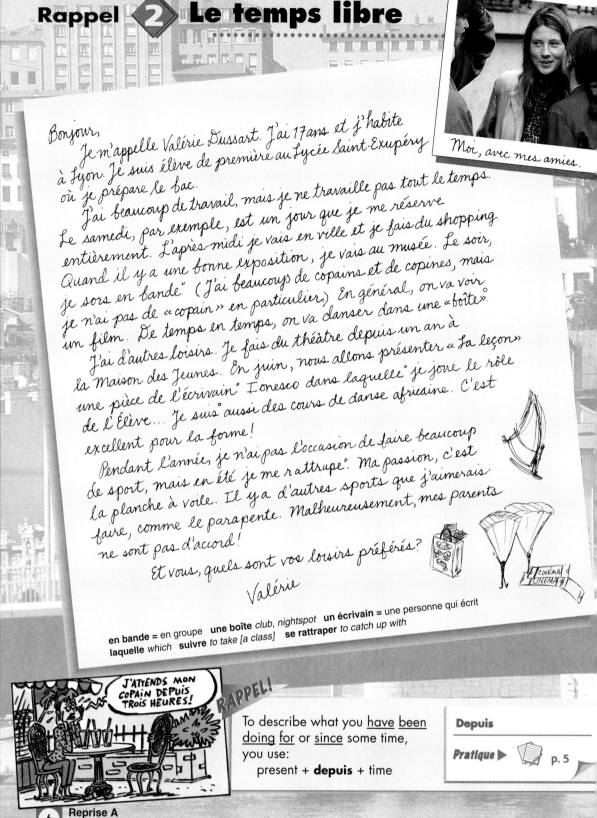

Bonjour,

Je m'appelle Valérie Dussart. J'ai 17 ans et j'habite à Lyon. Je suis élève de première au Lycée Saint-Exupéry où je prépare le bac.

J'ai beaucoup de travail, mais je ne travaille pas tout le temps. Le samedi, par exemple, est un jour que je me réserve entièrement. L'après-midi je vais en ville et je fais du shopping. Quand il y a une bonne exposition, je vais au musée. Le soir, je sors en bande° (J'ai beaucoup de copains et de copines, mais je n'ai pas de «copain» en particulier.) En général, on va voir un film. De temps en temps, on va danser dans une «boîte°».

J'ai d'autres loisirs. Je fais du théâtre depuis un an à la Maison des Jeunes. En juin, nous allons présenter «La leçon» une pièce de l'écrivain° Ionesco dans laquelle° je joue le rôle de l'Élève... Je suis° aussi des cours de danse africaine. C'est excellent pour la forme!

Pendant l'année, je n'ai pas l'occasion de faire beaucoup de sport, mais en été je me rattrape°. Ma passion, c'est la planche à voile. Il y a d'autres sports que j'aimerais faire, comme le parapente. Malheureusement, mes parents ne sont pas d'accord!

Et vous, quels sont vos loisirs préférés?

Valérie

Moi, avec mes amies.

en bande = en groupe   **une boîte** club, nightspot   **un écrivain** = une personne qui écrit
laquelle which   **suivre** to take [a class]   **se rattraper** to catch up with

J'ATTENDS MON COPAIN DEPUIS TROIS HEURES!

RAPPEL!

6 Reprise A

To describe what you <u>have been doing for</u> or <u>since</u> some time, you use:

present + **depuis** + time

Depuis

Pratique ▶ p. 5

👥 Teaching Strategy: Challenge

Once students have taken turns reading the letter from Valérie, have them go back to the beginning of the letter and imagine that a friend is asking who the letter is from and what it says. Have students make all the changes necessary to put the letter into the third person in order to tell their curious friend about Valérie and her friends.

- In French, there are three groups of regular verbs: **-er, -ir, -re**.
- **Vouloir, pouvoir, devoir** and verbs like **sortir** are irregular.
- **Faire**, an irregular verb, is used in many expressions.

Verbes réguliers

Révision ▶ p. R2

Pratique ▶ p. 6

Quelques verbes irréguliers

Révision ▶ p. R2

Pratique ▶ p. 6

Faire et expressions avec faire

Révision ▶ p. R3

Pratique ▶ p. 7

Et vous?

Répondez au questionnaire suivant. Si vous voulez, comparez vos réponses avec les réponses de votre partenaire ou de votre groupe.

1. À la maison, quand j'ai du temps libre *(free time)*, je préfère . . .
   - regarder la télé
   - écouter de la musique
   - lire un bon livre
   - ??

2. Quand je suis en ville, je préfère . . .
   - faire du shopping
   - faire du lèche-vitrine *(window-shopping)*
   - voir une exposition
   - ??

3. Avec mon argent, je préfère . . .
   - aller au cinéma
   - acheter des vêtements
   - acheter des CDs
   - ??

4. Le samedi soir, je préfère . . .
   - sortir seul(e) *(by myself)*
   - sortir avec mes copains
   - regarder une vidéo-cassette à la maison
   - ??

5. Quand je sors avec mes copains, je préfère . . .
   - assister à un concert
   - voir un film
   - aller au restaurant
   - ??

6. Pour rester en forme, je préfère . . .
   - courir
   - faire du vélo
   - faire des exercices de gymnastique
   - ??

7. L'après-midi, quand il fait beau, je préfère . . .
   - faire du jogging
   - faire du roller *(roller blades)*
   - jouer au basket
   - ??

8. Quand je suis à la plage, je préfère . . .
   - nager
   - jouer au volley
   - prendre des bains de soleil
   - ??

9. Pendant les vacances, je préfère . . .
   - faire un voyage
   - rendre visite à des amis ou à des parents
   - travailler et gagner de l'argent
   - ??

10. Je voudrais apprendre à . . .
    - jouer de la clarinette
    - faire du parapente
    - piloter un avion
    - ??

■ Expansion: Activity 1

1. jouer aux jeux électroniques, lire des magazines, téléphoner à mes copains
2. aller dans un café, faire une promenade à pied
3. louer des cassettes vidéo, aller au restaurant
4. téléphoner à des amis, faire du babysitting
5. assister à un match de baseball, aller danser dans une boîte
6. faire de l'aérobic, nager
7. jouer au football, faire du patin à roulettes, faire de la planche à roulettes
8. jouer au frisbee, faire un pique-nique
9. suivre des cours d'été
10. parler japonais, faire du bateau à voile, faire du ski nautique

Une lettre à Valérie

Écrivez une lettre à Valérie où vous expliquez . . .

- qui vous êtes
- à quelle école vous allez
- ce que vous faites le samedi
- quels sont vos loisirs
- quels sports vous pratiquez
- ce que vous faites en été

Puis comparez votre lettre avec celle de votre partenaire.

Rappel 2 7

TEACHING RESOURCES

📖 **Practice Activities,**
pp. 8–10, 176

🌐 **Internet Connection Notes,** Project E, p. 6

■ **Note linguistique**
la langouste = *crawfish*;
le homard = *lobster*

🌐 **Notes culturelles**

• **Le traiteur** is a specialty shop that sells prepared foods, and caters to special events such as wedding banquets (**la réception de mariage**), or parties.

• **La bouillabaisse** is a specialty from the south of France. It is a fish soup seasoned with garlic, saffron, and olive oil.

• **157F s.c.** means that the tip is included in the price. **s.c.= service compris**

Rappel ③ Bon appétit!

Nourriture et boissons

Révision ▶ 📖 p. R11

Pratique ▶ 📝 p. 8

1 **Le bon choix**

Regardez les illustrations pour compléter les phrases avec l'option qui convient. Soyez logique.

Le Grenier de Notre Dame
RESTAURANT VÉGÉTARIEN
18, rue de la Bûcherie
75005 PARIS ☎ 01 43 29 98 29 +
Métro St. Michel   NATURESTO

On va dans ce restaurant si on aime . . .
■ les légumes
■ la viande de porc
■ la cuisine chinoise

La Langouste
Poissons - Fruits de mer -
Langouste - Homard - Bouillabaisse
FORMULE HOMARD 157 F s.c. + CARTE (ouvert dimanche)
Place des Ternes (1, av. des Ternes) - Tél. 01 43 80 15 83

Dans ce restaurant, on peut commander . . .
■ du saumon grillé
■ du poulet rôti
■ une omelette aux champignons

IZRAEL
L'ÉPICERIE DU MONDE
PRODUITS DES AMÉRIQUES
DES INDES ET DE LA MEDITERRANÉE
Fermé en Août
30, rue François Miron - Paris 4ᵉ
01 42 72 66 23

On va dans ce magasin si on veut acheter . . .
■ des côtelettes de veau
■ du poivre
■ des croissants

Au Prince Gourmand
pâtisserie - traiteur - réception
magasins:
122, rue Saint-Dominique 75007 PARIS - 01 45 51 68 64
2, impasse des Noisetiers-Chamblean 28500 Garnay - 02 37 42 14 93

On va dans ce magasin si on veut acheter . . .
■ une tarte aux fraises
■ des pommes de terre
■ une douzaine d'oeufs

RAPPEL!

• To refer to things you like in general, use: **le (l'), la (l'), les.**
  J'aime le poulet, la salade, les frites.

• To refer to a CERTAIN, UNDEFINED QUANTITY or AMOUNT of something, use: **du (de l'), de la (de l'), des.**
  Je voudrais du poulet, de la salade, des frites.

Note: In negative sentences: **du, de la, des → de**
  Je ne vais pas prendre de fromage.

Les articles définis et partitifs

Révision ▶ 📖 p. R6

Pratique ▶ 📝 p. 9

8 Reprise A

👥 **Teaching Strategy**

Divide students into groups of 2 or 3. Have them pick a restaurant from p. 8, or make up their own, and develop a menu for it. Give students 5 minutes to brainstorm on ideas for the menu, and 10 minutes to begin to develop a dialog between waiter and customer(s). Groups of three should also create a part of the dialog between the two customers about their likes and dislikes before the arrival of the waiter.
In class Day 1: Students brainstorm, take down notes and decide who will do which part of the assignment.

Et vous?

Répondez au questionnaire suivant. Si vous voulez, comparez vos réponses avec celles de votre partenaire ou de votre groupe.

Prendre (to take, to have),
boire (to drink)

Révision ▶ 📖 p. R2;
pp. R24-R29

Pratique ▶ 📝 p. 10

1. Mon repas préféré est . . .
   • le petit déjeuner
   • le déjeuner
   • le dîner

2. Au petit déjeuner, je prends généralement . . .
   • des céréales
   • des oeufs
   • du pain avec du beurre et de la confiture
   • ??

3. Avec ça, je bois . . .
   • du lait
   • du chocolat chaud
   • du jus d'orange
   • ??

4. Je préfère les sandwichs avec . . .
   • du jambon
   • du fromage
   • du beurre de cacahuète (peanut)
   • ??

5. Quand je dîne au restaurant, je commande généralement . . .
   • de la viande
   • du poisson
   • des spaghetti
   • ??

6. En général, sur mes hamburgers, je mets . . .
   • du ketchup
   • de la moutarde
   • de la mayonnaise
   • ??

7. Mon plat favori est . . .
   • le steak-frites
   • le poulet rôti
   • le filet de sole
   • ??

8. Il y a certaines choses que je n'aime pas, par exemple, . . .
   • les brocolis
   • les carottes
   • les épinards (spinach)
   • ??

9. Comme dessert, je préfère manger . . .
   • de la glace
   • du gâteau au chocolat
   • de la tarte aux pommes
   • ??

10. Ma cuisine favorite est . . .
    • la cuisine italienne
    • la cuisine chinoise
    • la cuisine mexicaine
    • ??

■ **Expansion: Activity 2**
3. du café, du thé
4. de la salade de thon, du rosbif, de la dinde (turkey)
6. des oignons, des tomates, du fromage, de la laitue, des cornichons (pickles), du sel, du poivre
7. les pâtes (pasta), les légumes
8. le foie (liver), les rognons (kidneys), les petits pois (peas), les choux de Bruxelles (Brussel sprouts)
9. des fraises, des framboises
10. la cuisine thaïlandaise, vietnamienne, française

Chez Inno

Votre partenaire et vous, vous faites les courses chez Inno, un supermarché français.

Vous passez par les rayons suivants. Chacun va faire une liste des articles qu'il/elle va acheter.
Achetez deux (2) articles par rayon. Puis comparez vos listes:
• Quels produits identiques avez-vous achetés?
• Quels produits différents avez-vous choisis?

INNO

← BOISSONS	PRODUITS LAITIERS →
BOUCHERIE CHARCUTERIE FRUITS	↓	BOULANGERIE PÂTISSERIE LÉGUMES

TU VEUX DU LAIT?

OUI, J'EN VEUX!

RAPPEL!

• **Y** replaces a NAME OF A PLACE introduced by **à, dans, chez** . . .

Je vais <u>au restaurant</u>. → J'**y** vais.
Je ne vais pas <u>chez Paul</u>. → Je n'**y** vais pas.

• **En** replaces **de, du, de la, des** + NOUN.
Je mange <u>du pain</u>. → J'**en** mange.
Je ne bois pas <u>de limonade</u> → Je n'**en** bois pas.

Rappel 3 9

■ **Teaching Note**
The pronouns **y** and **en** are reviewed here for recognition only. They are actively re-entered in Unit 4.

Homework: Each student takes one part of the assignment and completes it.
Student A: Creates a menu
Student B: Develops dialog between waiter and customer(s).
Student C: Develops dialog between the two customers.

In class Day 2: Give students 10 minutes to pull everything together and practice. Then have them present their skits to the class.

·····À votre tour!·····························

SITUATIONS

Imagine you are in the following situations. Your partner will take the role of the other person in the dialogue and answer your questions.

4 You are visiting Quebec City with your friend. It is about one o'clock.

Ask your friend . . .
• if he/she is hungry
• if he/she feels like going to a French restaurant
• what he/she feels like eating.

1 While on an errand, you see a friend waiting at the bus stop.

Ask your friend . . .
• where he/she is going
• what he/she is going to do there
• how long he/she has been waiting for the bus.

5 You are making weekend plans with your friend.

Ask your friend . . .
• if he/she is going to go out
• what he/she is going to do
• if he/she feels like going to the movies on Sunday.

2 At a party last weekend, your friend met a French-speaking girl named Juliette. You want to know more about Juliette.

Ask your friend . . .
• how old Juliette is
• if she is French or Canadian
• what she is doing in the United States.

6 You have invited your friend for dinner next Saturday and want to find out if your friend has any special food preferences.

Ask your friend . . .
• if he/she eats meat
• what desserts he/she likes
• what he/she does not eat.

3 You are new in town and you would like some information.

Ask your friend . . .
• to which supermarket he/she goes shopping
• where he/she buys her clothes
• what sports one can do in the summer.

7 You have been invited to spend a week at the home of your French friend. You are asking about meals.

Ask your friend . . .
• at what time they have breakfast
• what they eat
• what they drink.

Rappel Culturel ··················

Utilisez vos connaissances du monde francophone pour compléter les portraits suivants.

Virginie habite à la Martinique. En classe elle parle français, mais avec ses copains elle parle souvent...

a. créole
b. italien
c. espagnol
d. alsacien

Nathalie est née à Bruxelles. Elle parle français, mais elle n'est pas française. Elle est de nationalité...

a. belge
b. suisse
c. allemande
d. luxembourgeoise

Aya parle français. Elle est d'Abidjan, une grande ville de 2,5 millions d'habitants. Son pays est...

a. l'Algérie
b. le Nigéria
c. le Zaïre
d. la Côte d'Ivoire

Albert Bilodeau est un homme de 60 ans. Il habite dans la paroisse d'Iberville où ses ancêtres sont venus il y a plus de deux cents ans. Albert Bilodeau comprend le français et il le parle un peu. Il adore aller aux festivals de musique «cajun» de la région. Albert Bilodeau habite...

a. en Floride
b. en Louisiane
c. en Nouvelle Angleterre
d. dans la province de Québec

5 Yasmina habite en France avec sa famille. Ses parents qui sont immigrés sont d'origine algérienne. Ils pratiquent la religion de leur pays qui est la religion...

a. catholique
b. protestante
c. bouddhiste
d. musulmane

6 Jean-Philippe habite à Boston, mais il n'est pas américain. Il comprend le français mais il n'est pas français. Il vient d'un pays qui est une ancienne colonie française et qui est devenu indépendant en 1804. Jean-Philippe est...

a. haïtien
b. martiniquais
c. portoricain
d. cubain

7 Gilles habite à Montana dans une région très montagneuse. En hiver, il est moniteur de ski. Là où il habite, on parle français. À l'est, on parle un dialecte allemand. Plus à l'est, on parle italien. Gilles est...

a. canadien
b. américain
c. suisse
d. français

8 Mai Van Lee vient d'un pays d'Asie où beaucoup de gens parlaient (used to speak) français. Il est...

a. coréen
b. vietnamien
c. thaïlandais
d. japonais

Answers: 1-a; 2-a; 3-d; 4-b; 5-d; 6-a; 7-c; 8-b

Rappel Culturel 11

Rappel Culturel

■ **Teaching Note**

You may want to have students use the maps in Appendix D, pp. R34–R37 to locate the places mentioned.

🌐 **Notes culturelles**

• French and Dutch (**le Néerlandais**) are the official languages of Belgium.

• Vietnam was under French rule between 1859 and 1954. In 1887, Cochin China, Annam, and Tonkin merged with Cambodia to become **l'Indochine**, a French protectorate.

• Montana-Vermala is a ski resort in the Swiss canton of Valais. The French-speaking area of Switzerland is in the western part of the country.

• In May 1997, newly appointed president of Zaire Laurent Kabila renamed his country the Democratic Republic of Congo (**la République démocratique du Congo**, or **le Congo démocratique**).

🎯 Teaching Strategy: Multiple Intelligences

Give each student one of the pictures on p. 11 and have them prepare a map (in French) including surrounding countries, bodies of water, mountains, major cities. Also have them research two interesting facts (historical, current events, political...) about that country.

For large classes, choose other French speaking regions in addition to those discussed on p. 11 (e.g., le **Luxembourg**, la **Tunisie**, le **Québec**, le **Zaïre** (la **République démocratique du Congo**), le **Cameroun**, le **Maroc**, **Madagascar**, le **Sénégal**). Students can present their maps to the class; the maps make excellent classroom decorations. (SPATIAL/LINGUISTIC)

Rappel **4**

TEACHING RESOURCES

 Transparencies 10, 10(o)

 Overhead Visuals Copymasters and Activities, pp. A22–A23

 Practice Activities, pp. 11–12, 177

 Internet Connection Notes, Project F, p. 7

Realia Notes

- A ticket is **oblitéré** when it is stamped so that it cannot be used again.
- **Les Nouvelles Galeries** is a large supermarket chain that sells clothing and linens as well as food. It is known for its high quality and low prices.
- **Jean-Paul Belmondo** is a famous French movie actor known particularly for his roles in adventure films and comedies. Three of his best-known movies are *À bout de souffle, Pierrot le fou,* and *The Siren of Mississippi.*

■ Looking Ahead

The **passé composé** with **être** is reviewed in Rappel 5.

Reprise B — *Hier et avant*

Rappel 4 — Le weekend

1 Êtes-vous bon(ne) détective?

Le weekend dernier, vous avez trouvé un portefeuille dans la rue. Dans ce portefeuille il n'y a pas d'argent, mais il y a les choses suivantes. Regardez bien ces choses. Pouvez-vous décrire ce qu'a fait la personne qui a perdu le portefeuille?

RATP AUTOBUS
0021940 7
12 avr 10h16
SECTION URBAINE
PAR METRO AUTOBUS
CE TICKET DOIT
ÊTRE OBLITÉRÉ AUSSITÔT
APRÈS L'ACHAT

** NOUVELLES GALERIES

COMPACT	100F
LIVRE	50F
TOTAL	150F

CB 5201001190741190
000000002809717 VIV
****
MERCI

- Comment est-ce que cette personne est allée en ville?
- À quelle heure?

- Où est-elle allée?
- Qu'est-ce qu'elle a acheté?
- Combien a-t-elle payé chaque objet?

Chez Jacqueline
CAFÉ - RESTAURANT
21, RUE BERTHELOT
02-47-05-69-34

Table n° 4	
1 steak-frites	30 F
1 salade mixte	15 F
1 eau minérale	12 F
Total	57 F

- Où est-ce que cette personne a déjeuné?
- Qu'est-ce qu'elle a mangé?
- Qu'est-ce qu'elle a bu?
- Combien est-ce qu'elle a dépensé pour le déjeuner?

CINÉ-VOX
Festival Belmondo
Les films de la semaine
lundi-vendredi
CARTOUCHE
samedi-dimanche
L'HOMME DE RIO
Séances à 14h30 et 17h

CINÉ-VO
ENTRÉE
45F
350717

- Où est-elle allée après le déjeuner?
- Qu'est-ce qu'elle a vu?
- À quelle heure est-ce que le film a commence

JE N'AI PAS ÉTUDIÉ PENDANT LES VACANCES.

RAPPEL!

To describe what people DID in the past, use the PASSÉ COMPOSÉ.

- For most verbs,
  passé composé = **avoir** + PAST PARTICIPLE
  Tu <u>as étudié</u> hier. Je n'ai pas étudié.
- For a few verbs like **aller**,
  passé composé = **être** + PAST PARTICIPLE
  Je <u>suis allé(e)</u> au cinéma.

Le passé composé des verbes réguliers avec avoir

Révision ▶  p. R4

Pratique ▶ p. 11

12 Reprise B

☀ Teaching Strategy: Warm-Up

Have the class write a group story. Each student will contribute at least one sentence. Give them an amusing subject that lends itself to creativity and to action sentences for passé composé practice (e.g., tell about what Xavier l'Horrible did and/or didn't do during the week-end that his parents were away). Students can take turns being scribe and copying the story onto the board as it is being developed. Be sure that what is being written is carefully verified for grammatical mistakes by both you and the other students.

Oui ou non?

Décrivez deux choses que vous avez faites et une chose que vous n'avez pas faite le weekend dernier. Utilisez les activités suggérées ou d'autres activités de votre choix.

Les participes passés irréguliers

Révision ▶ p. R4

Pratique ▶ p. 12

- dormir
- ranger ma chambre
- travailler dans le jardin
- acheter des vêtements
- déjeuner dans un restaurant
- visiter un musée
- assister à un concert
- rendre visite à des copains

- lire un livre
- voir un film
- faire des achats
- avoir un rendez-vous
- faire une promenade à la campagne
- faire du camping
- prendre des photos
- ??

Supplementary vocabulary

aller à la gym *to go to the gym*
aller danser *to go dancing*
cuisiner *to cook*
faire du baby-sitting *to babysit*
louer une vidéo *to rent a (video)tape*
participer à une compétition sportive *to participate in a competition*
regarder la télévision *to watch TV*
surfer l'Internet *to surf the Internet*
utiliser un ordinateur *to use a computer*

■ **Expansion: Activity 2**
Follow up by having students sign their names next to each activity on Bingo cards, then call students' names.

Un weekend à la campagne

Ces personnes ont passé le weekend à la campagne. Dites ce qu'elles ont fait.

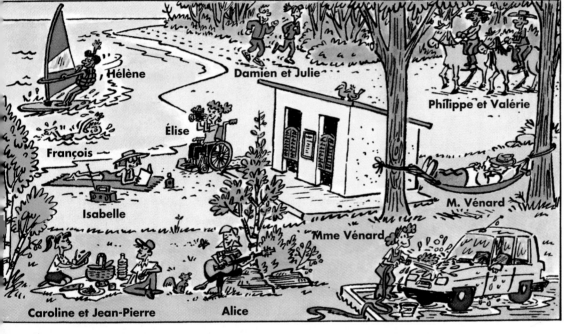

Hélène · Damien et Julie · Philippe et Valérie · Élise · François · M. Vénard · Isabelle · Mme Vénard · Caroline et Jean-Pierre · Alice

RAPPEL!

To express HOW LONG AGO you did something, use:

il y a + time

J'AI ACHETÉ MA VOITURE IL Y A 70 ANS!

Il y a

Pratique ▶ p. 12

Rappel 4 · 13

■ ÷√2 **Teaching Strategy: Multiple Intelligences**

Using Transparency 10, have students in pairs make lists of every activity they see in 15 minutes.

Variation: Show the transparency for only 20–30 seconds, and have students list as many activities as they remember. Note: This activity may also be done as an A/B activity.
(SPATIAL/LOGICAL-MATHEMATICAL)

1 Un voyage au Maroc

L'été dernier, Gabrielle a fait un voyage au Maroc avec un tour organisé. Voici le programme de ce voyage. Regardez bien ce programme et répondez aux questions.

- Comment est-elle allée au Maroc?
- Quel jour est-elle partie?
- À quelle heure est-elle arrivée à Rabat?
- Qu'est-ce qu'elle a visité dans cette ville?
- Dans quelle ville est-elle allée ensuite?

- Qu'est-ce qu'elle a fait dans cette ville?
- Quelle est la dernière ville qu'elle a visitée?
- Qu'est-ce qu'elle a vu dans cette ville?
- Quel jour est-elle rentrée en France?
- À quelle heure a-t-elle pris son avion?
- À quelle heure est-elle arrivée à Paris?

Agence Maroc-Tours

PRIX SPÉCIAL
3.000F PAR PERSONNE
TOUT COMPRIS

5 jours au Maroc
◈ PROGRAMME DU VOYAGE ◈

❖ VENDREDI, 10 JUIN

matin Départ de Paris, vol Air Maroc 104, 8h35 Arrivée à Rabat, 11h18

après-midi Tour de Rabat en autocar

❖ SAMEDI, 11 JUIN

matin Visite de la Kasbah Musée des Arts marocains

après-midi Libre

❖ DIMANCHE, 12 JUIN

matin Départ pour Fès en autobus, 8h00

après-midi Libre

❖ LUNDI, 13 JUIN

matin Visite guidée de Fès-el-Boli (vieille vill

après-midi Départ pour Marrake en avion, 18h35

❖ MARDI, 14 JUIN

matin Marrakech, Visite de la Médina Mosquée de la Koute

après-midi Visite des souks: shopping

❖ MERCREDI, 15 JUIN

matin Libre

après-midi Départ pour Paris, v Air Maroc 121, 12h3 Arrivée à Paris, 15h2

FLASH d'information

Le Maroc est un pays de 25 millions d'habitants situé au nord-ouest de l'Afrique. La majorité des Marocains sont arabes et pratiquent la religion musulmane.

La capitale du Maroc est Rabat, mais la plus grande ville est Casablanca. Marrakech et Fès sont des villes traditionnelles avec des monuments anciens.

Ancien protectorat français, le Maroc est devenu indépendant en 1956. C'est une monarchie constitutionnelle avec un roi, le Roi Hasan II.

LE MAROC — L'ALGÉRIE — LA MAURITANIE — LE MALI — Rabat — Fès — Casablanca — Marrakech

---

 Transparency 4

 Overhead Visuals Copymasters and Activities, pp. A10–A11

 Practice Activities, pp. 13, 177

 Internet Connection Notes, Project G, p. 8–9

🔲 Realia Notes

- **une Kasbah** une citadelle d'un souverain dans les pays arabes.
- **Fès-el-Boli:** la plus ancienne agglomération de Fès, le centre religieux et économique du Maroc.
- **la Médine:** ville sainte pour les musulmans qui a servi de refuge à Mahomet en 622.
- **Une mosquée** est un temple musulman.
- **Un souk** est un marché, une boutique arabe.

Teaching Strategy: Expansion

Bring in travel brochures and catalogs. Have students (in pairs) prepare brief oral presentations on their "vacations."

🔲 Teaching Strategy: Multiple Intelligences

Oral/Aural Practice: Before class, prepare a simple story of about ten negative and affirmative sentences in the **passé composé**. Tell it to the students twice. Ask them to retell the story sentence by sentence in chronological order.

Note: If the story is told in the first person, the students will have the added practice of transforming it into the second person formal since they will now be telling you what you did. You might want to have a transparency of the story (as they will be telling it) so that, as the students come up with the sentences, you can give them the written reinforcement. (LINGUISTIC)

When the passé composé of a verb is formed with **être**, the past participle AGREES WITH THE SUBJECT.

Julien <u>est arrivé</u> ce matin.
Pauline et Claire <u>sont arrivées</u> hier soir.

Le passé composé

Révision ▶ p. R4

Pratique ▶ p. 13

Dialogues

Avec votre partenaire, composez et jouez l'un des dialogues suivants.

Tu as étudié hier soir?

Non, je suis allée au ciné.

Qu'est-ce que tu as vu?

Un film policier.

1. • rester chez toi ce weekend
   • aller à la campagne
   • faire
   • une promenade à vélo

2. • sortir avec ton copain samedi
   • faire des achats
   • acheter
   • un blouson

3. • rentrer chez toi à midi
   • déjeuner au restaurant
   • manger
   • ??

4. • venir à la boum dimanche
   • aller au théâtre
   • voir
   • ??

Pendant les vacances

Pendant les vacances, ces personnes ont fait des choses différentes. Avec un(e) partenaire, choisissez une des illustrations et décrivez-la ensemble. Faites trois ou quatre phrases et utilisez votre imagination.

Où sont allées les personnes? Qu'est-ce qu'elles ont fait?

Paul et Robert

Juliette

Monsieur Ramirez

Alice et Julien

Caroline

Cécile et Sophie

Thomas

Olivier

Rappel 5 **15**

■ **Expansion: Activity 3**

1. un touriste, prendre des photos de la Tour Eiffel
2. prendre un avion, préparer des valises
3. monter sur un chameau, visiter les pyramides de Gizeh (l'Égypte)
4. faire du vélo, faire un pique-nique (du camping)
5. mettre une échelle, monter dans un arbre, jouer dans une cabane
6. descendre dans une caverne, prendre une lampe de poche
7. monter dans un arbre, perdre son équilibre, sauver un chat, tomber
8. un film d'horreur, avoir peur

Teaching Strategy: Multiple Intelligences

Draw a 6 X 6 grid on the board. On the vertical axis, write the six subject pronouns. On the horizontal axis, write six different verbs (being careful to use both **avoir** and **être** verbs and verbs with various endings—e.g., **faire, rencontrer, sortir, perdre, prendre, rentrer**).

Choose one of the boxes in the grid and write down the correct conjugation in the **passé composé** on a slip of paper (**tu/faire—tu as fait**). Go around the class and have students try to guess which box/conjugation you have chosen, putting "guesses" in the grid until the conjugation on the slip of paper is finally identified.

(LOGICAL/MATHEMATICAL)

■ Notes Linguistiques

- Point out the name of the character to the students.
  M. Léveillé = Mr. "Awakened."
- **Plus de peur que de mal** means "more frightened than harmed."

🔷 Teaching Strategy: Multiple Intelligences

Use Transparency 11 as an introduction to the story before students read. Make copies of the pictures and have students discuss the sequence. (SPATIAL)

Rappel Qu'est-ce qui se passe?

1 Plus de peur que de mal

En général, Monsieur Léveillé dort très bien, mais la nuit dernière, il n'a pas bien dormi. Expliquez pourquoi. Avec votre partenaire, décrivez l'histoire en répondant aux questions correspondant à chaque illustration.

Scène A

1. **Quelle heure était-il?**
   - Il était onze heures.
   - Il était minuit.
   - Il était une heure du matin.

2. **Où était Monsieur Léveillé?**
   - Il était au salon.
   - Il était dans la salle à manger.
   - Il était dans sa chambre.

3. **Qu'est-ce qu'il faisait?**
   - Il dormait.
   - Il lisait le journal.
   - Il écoutait son walkman.

Scène B

4. **Pourquoi est-ce que Monsieur Léveillé s'est réveillé?**
   - Il avait chaud.
   - Il avait mal à la tête.
   - Il a entendu un bruit.

Scène C

5. **Qu'est-ce qu'il a fait?**
   - Il est resté au lit.
   - Il est descendu.
   - Il a téléphoné à la police.

6. **Qu'est-ce qu'il avait à la main?**
   - Il avait un revolver.
   - Il avait une batte de baseball.
   - Il avait une raquette de tennis.

🔲 Teaching Strategy: Expansion

Divide students into pairs and have them draw their own stick figure cartoon with six different scenes. As in the cartoon on pp. 16–17, there should be captions in the **imparfait** and in the **passé composé**.

Have students write captions to their cartoon on six separate pieces of paper. When cartoon and captions are completed, two pairs should exchange their cartoons and captions and try to put the captions to the appropriate pictures. Have both pairs get together afterwards and compare notes.

Note: As with any creative activity, the teacher should circulate constantly in order to verify that vocabulary and structure are correct.

Scène D

7. Qu'est-ce qu'il a vu?
   • Il a vu un homme armé.
   • Il a vu une ombre *(shadow)* dans le jardin.
   • Il a vu des traces sur le sol.

Scène F

Maintenant racontez la fin de l'histoire.
   • Qu'a fait Monsieur Léveillé?
   • Et les ratons-laveurs?
   • Et le chat?

Scène E

8. Qu'est-ce qu'il y avait dans la cuisine?
   • Il y avait un fantôme.
   • Il y avait un cambrioleur *(burglar)*.
   • Il y avait des ratons-laveurs *(raccoons)*.

9. Qu'est-ce qu'ils faisaient là?
   • Ils dormaient.
   • Ils jouaient avec le chat.
   • Ils mangeaient la nourriture du chat.

10. Où était le chat?
   • Il était sur la table.
   • Il était sous la table.
   • Il mangeait avec les ratons-laveurs.

Teaching Strategy
Have students work on the conclusion in pairs. They may want to illustrate the last scene.

RAPPEL!

To describe what you USED TO DO, what you WERE DOING, or to describe the CIRCUMSTANCES of an event, use the **imperfect** tense.

J'allais au ciné.   *I used to go to the movies.*
                        I was going to the movies.
Il était six heures.   *It was 6 o'clock.*

→ You will learn more about the use of the imperfect in Unit 3.

L'imparfait

Révision ▶ p. R5
Pratique ▶ p. 13

Dialogue

Avec votre partenaire, composez et jouez l'un des dialogues suivants.

▶ — Où étais-tu hier soir?
   — J'étais dans ma chambre.
   — Qu'est-ce que tu faisais?
   — Je lisais un livre.
   — Et qu'est-ce que tu as fait après?
   — J'ai fini mes devoirs.

1. • cet après-midi
   • au café
   • attendre un copain
   • aller au ciné

2. • à deux heures
   • à la bibliothèque
   • étudier
   • rentrer chez moi

3. • samedi matin
   • au centre commercial
   • faire du shopping
   • ??

4. • samedi après-midi
   • dans le jardin
   • aider mon père
   • ??

Teaching Note
Activity 2 may be done as an A/B activity.

Rappel 6 — 17

Teaching Strategy
Divide students into pairs. One student will be a police officer and one will be an accused criminal. Have them create a dialog in which the police officer questions the accused and he/she gives an alibi: "What were you doing at 10:00 when the victim died?"

TEACHING RESOURCES

📖 **Transparencies 12, 13**

🖥 **Overhead Visuals Copymasters and Activities,** pp. A25–A28

■ **Vocabulary Notes**

Terms students may find useful for Act. 3:

1. se promener
2. porter des lunettes
3. avoir une raquette à la main
4. avoir un sac; porter une casquette
5. une personne âgée; faire les courses
6. aller à la pêche

Terms students may find useful for Act. 4:

1. un orchestre; jouer du rock; danser; boire dans un café
2. une course à vélo; des vaches; regarder les coureurs; acheter des glaces
3. jouer au volley; faire du ski nautique; prendre un bain de soleil; faire de la planche à voile
4. la fête de la musique; danser dans la rue; faire un film

🌐 **Notes culturelles**

• July 14 is the national holiday of France. Street dances **(les bals populaires)** are traditionally organized that day as well as parades and fireworks.
• **La fête de la musique** is an international event, usually celebrated on the first night of summer.

③ Au café

Vous avez passé l'après-midi à la terrasse d'un café. Vous avez vu les personnes suivantes passer dans la rue. Décrivez chacune de ces personnes.

• Il était (quelle heure?)
• J'ai vu (un homme? une dame? . . . ?)
• Il/elle était (jeune? grand(e)? . . . ?)
• Il/elle portait (quels vêtements?)
• Il/elle avait aussi (quoi?)
• Il/elle allait (où?)
• Il/elle allait faire (quoi?)

Les vêtements

Révision ▶  p.
Pratique ▶ p. 14

④ Photos de vacances

Vous avez passé les vacances en France avec votre partenaire. Pendant votre voyage, vous avez pris les photos suivantes. Choisissez deux photos et décrivez ce qui se passait *(what was going on)* quand vous avez pris ces photos. Utilisez l'imparfait.

🧮 ⚙ 🎨 **Teaching Strategy: Multiple Intelligences**

• Use Transparency 13, and cover all but one scene at a time. In pairs, students list as many details and actions as possible. Partners then choose one scene and create a story to present to the class. (LOGICAL/MATHEMATICAL)

• Have students bring in four pictures of themselves on vacation, at camp, at a party, etc. For each picture, students should write a 4–5 sentence description of the scene using **imparfait** and/or **passé composé**: (e.g., how old they were, what season it was, who took the picture, etc.). (INTRAPERSONAL)

À votre tour!

À votre tour!

SITUATIONS

Imagine you are in the following situations. Your partner will take the role of the other person in the dialogue and answer your questions.

Your friend just told you that he/she saw a great movie last Saturday.

Ask your friend . . .
- with whom he/she went to the movies
- what movie they saw
- what they did afterwards.

For his/her birthday, your friend was invited to a French restaurant.

Ask your friend . . .
- if he/she went to this restaurant for lunch or dinner
- what he/she ate
- what he/she drank.

You are phoning your French friend Valérie. Her brother/sister answers the phone and says that Valérie is not at home.

Ask Valérie's brother/sister . . .
- what time Valérie left
- where she went
- when she is coming back home.

Your friend came back from spring vacation with a tan and looks great.

Ask your friend . . .
- where he/she went
- what he/she did there
- when he/she came back.

5 **Last summer your friend traveled through France with his/her family. You want to know more about their trip.**

Ask your friend . . .
- how long they stayed in France
- if they traveled by *(en)* car or by train
- what cities they visited.

6 **Last night your friend went to a concert by a French rock group.**

Ask your friend . . .
- if the group *(le groupe)* sang in French or in English
- what clothes they were wearing
- how many people there were at the concert.

7 **After supper last night you called your friend but nobody answered the phone.**

Ask your friend . . .
- where he/she was
- what he/she was doing
- what his/her family was doing.

8 **You and your friend are talking about your childhood — when you were eight years old.**

Ask your friend . . .
- where he/she used to live
- to which school he/she used to go
- what programs *(quelles émissions)* he/she used to watch on TV.

À votre tour 19

À votre tour!

📖 Student Portfolios

Use the situations in *À votre tour* to audiotape or video-tape student conversations for their portfolios. This makes an excellent "benchmark" to be used as a comparison with both the *previous* year's oral work and later work in the current year.

- Have students cut out a comic strip from the newspaper. Tell them to white out all of the captions and create completely new ones in French, using **passé composé** and **imparfait**.

Note: Students should not translate the existing captions, but should use only the pictures to create the original captions. (SPATIAL)

Rappel Culturel

TEACHING RESOURCES

 Transparencies 1, 1(o), 2, 3, 4, 5, 5(o), 6, 7

 Overhead Visuals Copymasters and Activities, pp. A5–A17

▣ Teaching Strategy

Have students work in pairs or small groups to find the answers to these questions. Information may be found in the *Images du monde francophone* sections of DISCOVERING FRENCH–BLANC.

A. FAITS CULTURELS

1. La devise *(motto)* de la France est . . .
 a. Paix et Prospérité
 b. Liberté, Égalité, Fraternité
 c. Je me souviens

2. La France est divisée administrativement en 96 . . .
 a. cantons
 b. départements
 c. provinces

3. Le TGV est . . .
 a. un avion supersonique
 b. une voiture électrique
 c. un train très rapide

4. Si on veut faire du ski en hiver, on peut aller . . .
 a. à Monaco
 b. en Normandie
 c. en Savoie

5. La «Belle Province» est le nom que l'on donne à . . .
 a. la Touraine
 b. la Louisiane
 c. la province de Québec

6. La Polynésie française est un groupe d'îles qui font partie de la France d'outre-mer. La plus grande de ces îles est . . .
 a. Tahiti
 b. la Martinique
 c. Madagascar

7. En 1803, la France a vendu aux États-Unis un vaste territoire pour la somme de 80 millions de dollars. Ce territoire était . . .
 a. la Louisiane
 b. la Caroline du Sud
 c. l'Alaska

8. Ce Français est un héros de la Révolution américaine. Il s'appelle . . .
 a. Cavelier de la Salle
 b. Champlain
 c. La Fayette

9. Le continent où il y a le plus grand nombre de pays qui utilisent le français comme langue officielle est . . .
 a. l'Europe
 b. l'Afrique
 c. l'Amérique du Sud

10. L'Algérie est une ancienne colonie française. Ce pays est situé . . .
 a. en Asie
 b. en Afrique noire
 c. en Afrique du Nord

11. En Afrique, les masques sont considérés comme des objets . . .
 a. religieux
 b. de collection
 c. de la vie courante

12. Au Sénégal, la religion principale est . . .
 a. la religion musulmane
 b. la religion catholique
 c. la religion protestante

13. La population de la France est de . . .
 a. 40 millions d'habitants
 b. 55 millions d'habitants
 c. 100 millions d'habitants

14. La «Nouvelle France» est le nom . . .
 a. d'un grand magasin à Paris
 b. d'un satellite français
 c. de l'ancien empire français en Amérique du Nord

 20 Reprise B

Answers: 1-b; 2-b; 3-c; 4-c; 5-c; 6-a; 7-a; 8-c; 9-b; 10-c; 11-a; 12-a; 13-b; 14-c.

🌐 NOTES CULTURELLES

- **Je me souviens** is the motto of the Canadian province of Quebec.
- **Cavelier de La Salle** (1643–1687) explored the Mississippi region and Louisiana.

- **Samuel de Champlain** (1567–1635) founded the city of Quebec in 1608.
- **La Fayette** (1757–1834) was a French general who took an active part in the American Revolution.

1. Les Smith, des touristes anglais, ont visité la France en voiture. À Paris ils ont vu Notre-Dame. En Normandie, ils ont vu le Mont-Saint-Michel. En Provence, ils ont vu le Pont du Gard. *Qu'est-ce qu'ils ont vu en Alsace?*
   a. *Le Futuroscope.*
   b. *Le château de Chambord.*
   c. *La cathédrale de Strasbourg.*

2. Patrick et Jérôme ont passé leurs vacances dans les Alpes. Un jour, ils ont assisté à un grand événement sportif. Pour voir cet événement, ils sont allés sur une route de montagne et là ils ont attendu patiemment avec des milliers d'autres personnes. Enfin, ils ont vu des voitures, des motos, et finalement les coureurs parmi lesquels ils ont reconnu le «maillot jaune».
À quel événement sportif ont-ils assisté?
   a. *Le Grand Prix de Monaco.*
   b. *Les 24 Heures du Mans.*
   c. *Le Tour de France.*

3. Catherine est une étudiante française. À Noël, elle va généralement faire du ski, mais cette année elle n'a pas fait de ski. Elle a fait un grand voyage, mais elle n'est pas allée à l'étranger. Là où elle est allée, elle a fait de la planche à voile et du ski nautique. Elle est rentrée chez elle très bronzée.
Où est-elle allée?
   a. *En Savoie.*
   b. *En Normandie.*
   c. *À la Guadeloupe.*

4. Chaque année Claire attend patiemment la période de Carnaval. Finalement le Carnaval est arrivé. Le premier jour, Claire a assisté au couronnement de la reine par «Bonhomme». Les jours suivants, Claire a assisté à la course des canoës sur le Saint-Laurent et elle a admiré les sculptures de glace et de neige.
Où habite Claire?
   a. *À Québec.*
   b. *À Nice.*
   c. *En Guyane française.*

5. Hier c'était un jour férié *(holiday)*. Le matin, Julien est allé sur les Champs-Élysées où il a assisté au défilé militaire. L'après-midi, il est sorti avec sa copine Véronique. Le soir, les deux amis ont vu les feux d'artifice *(fireworks)*. Ensuite, ils ont dansé dans les rues comme des millions de Français. *Quelle fête est-ce qu'on célébrait hier?*
   a. *La fête du Travail.*
   b. *La fête nationale.*
   c. *La fête de Mardi Gras.*

6. Philippe montre les photos qu'il a prises pendant les vacances. Il explique: «Cet arbre géant est un baobab . . . Le vêtement que porte cette jeune fille s'appelle un boubou . . . Cet homme qui raconte une histoire est un griot.» *Où Philippe est-il allé pendant les vacances?*
   a. *Au Sénégal.*
   b. *En Algérie.*
   c. *À Tahiti.*

7. Il y a environ deux cents ans, Jean-Baptiste Point du Sable, un Français d'ascendance africaine, arrivait dans la région des Grands Lacs. Il a construit la première maison d'un petit village qui allait devenir l'une des plus grandes villes du continent américain. *Quelle est cette ville?*
   a. *Détroit.*
   b. *Chicago.*
   c. *Montréal.*

8. Monsieur Dutour est ingénieur pour une compagnie de prospection pétrolière. Dans sa profession, il voyage beaucoup. La semaine dernière, il est allé dans un pays d'Afrique du Nord qui produit beaucoup de pétrole et de gaz naturel. *Où est allé Monsieur Dutour?*
   a. *Au Congo.*
   b. *En Algérie.*
   c. *En République Centrafricaine.*

Answers: 1-c; 2-c; 3-c; 4-a; 5-b; 6-a; 7-b; 8-b

Rappel Culturel 21

🌐 **NOTES** CULTURELLES

• **Le Futuroscope** is a theme park near **Poitiers**. It presents new and future technologies through attractions like 3-D and IMAX movies.
• **Le Grand Prix de Monaco** and **Les 24 heures du Mans** are famous international car races.

• **Le griot** is a traditional African storyteller. **Griots** are poets and musicians who go from village to village, carrying on the oral traditions and folklore. (Students may remember learning about the **griot** in *Discovering French–Blanc,* p. 394.)

Reprise C   *Nous et les autres*

Rappel 7   Vive l'amitié!

Dans la vie, l'amitié est peut-être la chose la plus importante. Mais attention, il y a toutes sortes d'amis! Par exemple . . .

 RAPPEL!

When we ask someone to do something for us, we often use OBJECT PRONOUNS:

   Téléphone-**moi** ce soir.   Prête-**moi** dix dollars.

Note also the constructions:

Tu **me** donnes ton numéro de téléphone?	Tu **nous** invites?
Je **te** donne aussi mon adresse.	Je **vous** invite à ma boum.

• me, te → m', t' before a vowel sound.
   Tu **m'**invites?   Oui, je **t'**invite.

Les pronoms compléments

Révision ▶ p. R8–R

Pratique ▶ p. 15

22   Reprise C

---

1 S'il te plaît

Vous venez d'arriver en France. Demandez à votre copain français
(copine française) trois services et expliquez-lui pourquoi.

QUELS SERVICES?	POURQUOI?
• amener dans une boutique de vêtements	• envoyer une lettre
• amener à la banque	• changer de l'argent
• présenter à tes copains	• dîner en ville
• prêter ton plan *(map)* de la ville	• faire une promenade
• prêter ton appareil-photo	• prendre des photos
• donner l'adresse d'un bon restaurant	• rencontrer des jeunes Français
• montrer où est la poste	• acheter un blouson
• ??	• ??

▶ **S'il te plaît, présente-moi à tes copains.**

Pourquoi?

Je voudrais rencontrer des jeunes Français.

📶 Note culturelle

Le VTT (= vélo tout terrain) has
been popular in France since
being imported from the U.S.
in 1983.

2 Échanges

Demandez certains services à votre partenaire.
Il/elle va proposer un échange. Acceptez ou refusez.

▶ **Dis, Éric, prête-moi ton VTT.**

D'accord! te prête mon VTT si tu me prêtes patins à roulettes.

D'accord!

(Non, merci!)

prêter . . .	tes notes
	tes CDs
	ton VTT *(mountain bike)*
inviter . . .	chez toi
	à ta fête d'anniversaire
aider . . .	avec le devoir de français
	avec le devoir de maths
présenter . . .	à ton copain
	à ta copine
montrer . . .	tes photos

Expansion: Activity 2

Students ask their partner why
he/she wants to borrow the
item. The partner answers.
— Dis, Éric, prête-moi ton
    VTT.
— D'accord, je te prête mon
    VTT si tu me prêtes tes
    patins à roulettes.
— Pourquoi?
— Parce que je ne veux pas
    marcher!

Supplementary vocabulary

(Illustration)
l'espace *space*
l'extraterrestre *alien*
le martien *Martian*
**l'OVNI (Objet Volant Non
    Identifié)** *UFO*
la planète *planet*
la soucoupe volante *flying
    saucer*

💡 Expansion: Rappel

Have students invent a story
based on the illustration. What
just happened? What is the
people's reaction? What do
the aliens want? What will
happen next?

TU CONNAIS QUELQU'UN ICI?

NON, JE NE CONNAIS PERSONNE. JE NE SAIS PAS OÙ NOUS SOMMES.

RAPPEL!

Although **connaître** and **savoir**
both mean *to know*, they are used
differently:
    Nous **connaissons** Yasmina.
    Nous **savons** où elle habite.

Connaître et savoir

Révision ▶ p. R8-R9

Pratique ▶ p. 16

APPEL!

quelqu'un *(someone)*	Je vois **quelqu'un**.	**ne . . . personne** *(no one)*	Je **ne** vois **personne**.
quelque chose *(something)*	Je vois **quelque chose**.	**ne . . . rien** *(nothing)*	Je **ne** vois **rien**.

Rappel 7 **23**

8. Tu téléphones souvent à tes amis?
9. Est-ce que tu m'aimes bien?
10. Est-ce que je vous invite régulièrement au
    restaurant?

Note: Answers to these questions could be put
on a transparency ahead of time to give written
reinforcement of the correct answers; students
could also write out answers on the board.
(LINGUISTIC)

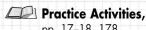

Rappel 8

TEACHING RESOURCES

 Practice Activities, pp. 17–18, 178

Internet Connection Notes, Project J, p. 12

🌐 Notes culturelles

- This type of photo-illustrated story is called **un roman-photo** in France. **Les romans-photos** are mostly published in romance magazines such as **Nous Deux** or **Intimité**.
- The **Minitel** is a government-supplied computer terminal hooked up to the telephone in all French homes. By keying in certain codes and paying at the end of the month, French people have access to many services: a computerized phone directory, plane and train schedules, theater reservations, electronic messages, etc.

📋 Teaching Strategy: Multiple Intelligences

Make copies of the story, cutting apart the captions, pictures, and dialogs. In groups of 4, have students "assemble" the story, then mime the story without words. Have the rest of the class supply the correct caption for each scene.
(BODILY-KINESTHETIC)

Rappel 8 Un garçon timide

Dans la classe, il y a une nouvelle élève. Elle s'appelle Catherine. Pierre la trouve sympathique, mais il est trop timide pour lui parler.

Après la classe, Pierre et Catherine attendent le bus . . .

Chez lui, Pierre pense toujours à Catherine. Il prend le guide et regarde le programme des films de la semaine.

Mais Pierre ne téléphone pas à Catherine.

Pierre met sa veste et il va seul au cinéma.

Pendant ce temps, Catherine regarde aussi le journal.

Catherine cherche le numéro de Pierre sur le Minitel. Puis elle lui téléphone . . .

. . . mais chez Pierre, personne ne répond au téléphone.

24 Reprise C

🔤 Teaching Strategy: Multiple Intelligences

Direct Object Pronouns
On a transparency, photocopy or on the board, write a story which repeats the same <u>direct object</u> over and over and read it aloud to the students. Ask them to identify what is wrong with the story. Once they realize the same word is repeated many times, ask them to fix the problem. This is a fairly quick group activity that clearly demonstrates the importance of the direct object pronouns (e.g., **J'ai une nouvelle voiture. J'adore ma voiture. J'ai acheté ma voiture chez Volkswagon. Je vais laver ma voiture tous les jours et je vais garder ma voiture dans le garage...**).

24 Reprise

Le lendemain après la classe.

Pierre, a un bon film au Rex. st-ce que tu l'as vu?

Euh oui . . . je l'ai vu. C'est un film vraiment super!

Est-ce que tu veux le revoir avec moi ce soir?

Mais oui, avec plaisir.

Et maintenant, avec votre partenaire, imaginez la suite de l'histoire. Par exemple . . .

• Quand est-ce que Pierre et Catherine sont allés au cinéma?
• Qu'est-ce qu'il lui a dit?
• Qu'est-ce qu'elle lui a dit?
• Est-ce qu'ils ont eu d'autres rendez-vous?

APPEL!

To refer to people previously mentioned, use:

le / la / les		lui / leur	
Je regarde **Marc**.	Je **le** regarde.	Je téléphone **à Marc**.	Je **lui** téléphone.
Tu connais **Claire**.	Tu **la** connais.	Tu parles **à Claire**.	Tu **lui** parles.
J'invite **mes** amis.	Je **les** invite.	J'écris **à mes amis**.	Je **leur** écris.

• le/la/les may also refer to things.
   Je regarde **la photo**.   Je **la** regarde.
• le/la → **l'** before a vowel sound
   Nous écoutons **le CD**.   Nous **l'**écoutons.

> **Les compléments d'objet direct et indirect**
> *Révision* ▶ p. R8-R9
> *Pratique* ▶ p. 17

> **Voir** (to see), **écrire** (to write)
> *Révision* ▶ pp. R26-31
> *Pratique* ▶ p. 18

1 Relations personnelles

Demandez à votre partenaire de décrire ses relations avec l'une des personnes indiquées.

▶ — **Tu as une cousine?**
— Oui, bien sûr.
— **Tu la vois souvent?**
— Oui, je **la vois**
   de temps en temps.
— **Tu lui écris?**
— Non, je ne **lui écris**
   jamais.

QUI?	QUOI?	QUAND?
un copain	voir	souvent
des copines	inviter	de temps en temps
une tante	téléphoner (à)	rarement
des cousins	écrire (à)	jamais
une cousine	aider	toujours
des voisins	rendre visite (à)	
	donner des cadeaux (à)	
	donner des conseils *(advice)* (à)	
	demander des conseils (à)	

2 La boum

Vous préparez une boum. Demandez à votre partenaire s'il (si elle) peut vous aider avec les choses suivantes. Votre partenaire va accepter ou refuser.

▶ — **Tu peux préparer les sandwichs?**
— **Oui, d'accord, je vais les préparer.**
   (Je suis désolé(e) mais
   je ne peux pas les préparer.)

• faire les courses
• acheter les boissons
• laver les verres
• ranger la cuisine
• mettre la table
• préparer les sandwichs

• décorer le salon
• apporter ta mini-chaîne
• choisir la musique
• inviter nos amis
• téléphoner aux voisins

Rappel 8 **25**

Teaching Note
Before doing Activity 1, you may want to review the placement of the object pronoun in front of the infinitive.

Expansion: Activity 2
In case the request for help is refused, students should be encouraged to invent an excuse, e.g.:
   Je n'ai pas le temps.
   Je dois aider ma mère, etc.

Note: In writing the story, be sure to include sentences in the future, **passé composé**, and negative tenses, etc.

Indirect Object Pronouns
Use the same technique to repeat the same indirect object over and over (e.g., **Ma meilleure amie s'appelle Pauline. Pauline est très sympa. Je téléphone souvent à Pauline. L'autre jour, j'ai téléphoné à Pauline et j'ai demandé à Pauline si elle voulait aller au cirque...**).
(LINGUISTIC)

↪ Teaching Notes

• In France, the school cafeteria is called **la cantine.** **Une cafétéria** is a self-service restaurant open to everyone.

• You may want to point out again the false cognate: **la librairie** = bookstore **la bibliothèque** = library

À votre tour!

SITUATIONS Imagine you are in the following situations. Your partner will take the role of the other person in the dialogue and answer your questions.

1 You are an exchange student in a French lycée. It is your first day at school and you need help.

Ask another student (who, of course, is willing to help you) . . .
• to loan you a notebook
• to give you a pencil
• to show you where the cafeteria is
• to take you *(amener)* to the library.

2 You are spending two weeks at the home of your French cousin who lives in Paris.

Ask your cousin (who will accept or refuse) . . .
• to introduce you to his/her friends
• to loan you something you need
• to show you a place in Paris you would like to visit
• to take you to a show or an event that you are interested in.

3 Your friend has a Belgian neighbor named Béatrice. You would like to know more about their relationship.

Ask your friend . . .
• how long he/she has known Béatrice
• if he/she knows her parents
• if he/she invites her often
• what he/she is going to give Béatrice for her birthday.

4 Your friend has a Canadian penpal, Jean, who is coming to visit next weekend. You want to know what your friend has planned for Jean's visit.

Ask your friend . . .
• to what restaurant he/she is going to invite Jean
• what places *(quels endroits)* he/she is going to show him
• what gift *(un cadeau)* he/she is going to give him.

5 You are the manager of a tourist shop in Montreal. You are hiring students for the summer and are interviewing one of the candidates.

Ask the candidate . . .
• if he/she knows how to speak French well
• What other languages he/she knows how to speak
• if he/she knows how to answer the phone in French
• what other things he/she knows how to do.

6 You and your friend are planning a party for next Friday night. You are checking if your friend has done his/her share of the work.

Ask your friend . . .
• if he/she sent the invitations
• if he/she called the neighbors
• if he/she chose the music
• if he/she bought the beverages *(les boissons).*

7 You are visiting Paris with your friend. It is your first trip but your friend has visited Paris before.

Ask your friend . . .
• what monuments he/she knows
• if he/she knows how to get to the Eiffel Tower
• if he/she knows if the Louvre is open *(ouvert)* this afternoon
• if he/she knows a good restaurant.

26 Reprise C

Les trois bagues

AVANT DE LIRE

N1

Quand on lit une histoire, il est utile d'anticiper ce qui va se passer d'après les éléments que l'on connaît déjà. Lisez d'abord la **Note culturelle** et **Une annonce**. D'après vous, pourquoi est-ce que les neveux vont aller chez le notaire?

- pour assister à un mariage
- pour vendre la maison familiale
- pour recevoir une somme d'argent
- pour régler *(to settle)* une dispute

Maintenant, continuez votre lecture pour vérifier votre réponse.

NOTE CULTURELLE

Le notaire

Le notaire joue un rôle important dans la vie des familles françaises. Son rôle est d'officialiser un grand nombre d'actes et de contrats de la vie civile (contrat de mariage, testaments,° ventes° de biens immobiliers,° etc.). Un notaire a le titre de **Maître**, Maître Durand, par exemple. Son bureau° s'appelle **une étude.**

testament *will*   vente *sale*
biens immobiliers *real estate*
bureau *office*

> ## Teaching Note
> The purpose of this reading is to review and reactivate some important items and structures in the context of a short and simple self-contained narrative.
>
> In particular, the text exemplifies the contrast between the imperfect and the **passé composé**. It can be used here, or postponed until Unit 3, which focuses on the narration of past events.

> ## Note linguistique
> **Officier** is used to mean "to officiate." **Officialiser** means "to make official."

LES TROIS BAGUES

Une annonce

Un jour l'annonce suivante a paru dans *La Nouvelle République* de Tours.

Héritage

Les neveux de Jules Larivière né le 18 octobre 1930 à Amboise, sont invités à se présenter le 21 janvier à l'étude de Maître Durand, notaire à Tours.

Mots utiles

un neveu	*nephew*
un propriétaire	*owner*
un ouvrier	*worker*
gagner sa vie	*to earn one's living*

NOTES CULTURELLES

- **Tours** is a city on the Loire southwest of Paris. The inhabitants of Tours are called **les Tourangeaux.**

- **Amboise** is another city on the Loire, famous for its Renaissance castle, and the **Manoir du Clos-Lucé** where the artist **Leonardo da Vinci (Léonard de Vinci)** died in 1519.

Supplementary vocabulary

le neveu ≠ la nièce
l'oncle ≠ la tante
célibataire ≠ marié
le décès ≠ la naissance
l'aîné ≠ le cadet (la cadette)

Les trois neveux

Le 21 janvier, trois hommes se sont présentés° à l'étude de Maître Durand. Neveux de Jules Larivière, ils étaient cousins, mais de condition sociale très différente.

Le premier neveu, Roland Larivière, avait 45 ans et était célibataire.° Propriétaire d'un grand hôtel dans le centre de Tours, il était président de la Chambre de Commerce de la ville. C'était un homme riche et influent.

Le second neveu, Henri Larivière, 38 ans, exerçait la profession de pharmacien et gagnait bien sa vie. Marié, mais sans enfants, il habitait avec sa femme dans une jolie maison située en banlieue.°

Le troisième neveu, Jean-Marc Larivière, 28 ans, était un simple ouvrier agricole. Il habitait dans une petite ferme à la campagne° avec sa femme et ses trois enfants.

La secrétaire de Maître Durand a pris le nom, la profession et l'adresse des trois neveux, puis elle les a introduits° dans le bureau du notaire.

se sont présentés = sont venus   **célibataire** = non-marié   **banlieue** *suburbs*
campagne *country*   **les a intrcduits** *led, introduced them*

■ *Avez-vous compris?*
(Sample answers)
1. Ils vont chez le notaire le 21 janvier, parce qu'ils ont lu l'annonce mise dans le journal par le notaire.
2. Le plus riche est Roland, propriétaire d'un hôtel. Le moins riche est Jean-Marc, ouvrier agricole.
3. *Answers will vary.*
4. *Answers will vary.*

Avez-vous compris?
1. Quand et pourquoi les trois neveux vont-ils chez le notaire?
2. Qui est le plus riche des trois neveux? le moins riche?
3. À votre avis, lequel des trois neveux exerce la profession la plus intéressante? Pourquoi?
4. À vos yeux, lequel est le plus sympathique? Pourquoi?

Anticipons un peu!
D'après vous, qu'est-ce qui va se passer à la fin de l'histoire?
- Les trois neveux vont recevoir la même somme d'argent.
- Le neveu le plus riche va donner sa part *(share)* à ses cousins.
- Le neveu le moins riche va recevoir plus d'argent que ses cousins.
- Autre possibilité? Expliquez votre opinion.

Maintenant, finissez l'histoire et vérifiez si vous aviez raison.

👥 Teaching Strategy: Expansion
Divide the class into groups and assign a group leader and a recorder. First, have students identify each person in the illustration. On what do they base their answer?

Next, have students decide which ring would they choose and why. The recorder should note student answers so that groups can compare and discuss.

Le Testament

Maître Durand a serré la main° des trois neveux et puis il a commencé à parler.

Me Durand	J'ai le regret de vous annoncer le décès° de votre oncle Jules Larivière. Il est mort le 12 décembre dernier au Mexique dans la ville de Cuernavaca où il habitait depuis son départ de France, il y a quinze ans. Il n'avait pas d'enfants. Vous êtes, par conséquent, ses héritiers.
Roland L.	Qu'est-ce qu'il nous a laissé?
Me Durand	Il vous a laissé trois bagues.
Roland L.	Trois bagues? C'est tout?!
Me Durand	Non, il vous a laissé aussi une très belle photo de lui.
Roland L.	Est-ce qu'on peut voir les bagues?
Me Durand	Oui, bien sûr.

Maître Durand a pris une grande enveloppe dans laquelle il y avait les trois bagues. Il les a mises sur une table et il a continué . . .

Me Durand	Voilà les trois bagues. Comme vous pouvez voir, ces bagues sont très différentes. Il y a une bague de diamant, une bague en or et une bague en argent . . .
Roland L.	Mais ces bagues n'ont pas la même valeur.° Le partage° est impossible.
Me Durand	Au contraire! Le testament de votre oncle est très explicite. Il stipule que c'est à l'aîné de ses neveux de choisir d'abord.
Roland L.	Alors là, mon oncle a eu une bonne idée!
Me Durand	Monsieur Roland Larivière, vous êtes l'aîné! Quelle bague voulez-vous?
Roland L.	Eh bien, c'est facile! Je prends la bague de diamant! Quel merveilleux souvenir de mon oncle!
Me Durand	Voulez-vous aussi la photo de votre oncle?
Roland L.	Euh, non. Je crois que je me souviendrai° mieux de mon oncle avec la bague. Et puis, j'ai assez de vieilles choses chez moi.

Maître Durand s'est tourné° ensuite vers Henri Larivière.

Me Durand	Monsieur Henri Larivière, vous êtes le second neveu. C'est votre tour maintenant.
Henri L.	Eh bien, moi, je proteste! Je ne suis peut-être pas l'aîné, mais c'était moi le neveu préféré de mon oncle. Pourquoi est-ce qu'il ne m'a pas donné la bague de diamant? Oui, je proteste!
Me Durand	Choisissez, s'il vous plaît! La bague en or ou la bague en argent?
Henri L.	Bon, je prends la bague en or, mais . . .
Me Durand	Voulez-vous la photo de votre oncle?
Henri L.	Ah ça, certainement pas! Mon oncle a été trop injuste avec moi!

Mots utiles	
un testament	will
un héritier	heir
laisser	to leave
une bague	ring
l'or	gold
l'argent	silver
l'aîné	= le plus âgé
une clé	key
un coffre	safe
juste ≠ injuste	fair ≠ unfair

a serré la main de *shook hands with*   **décès** *death*   **valeur** *value*   **le partage** = la division
je me souviendrai *I will remember*   **s'est tourné** *turned*

Supplementary vocabulary

**Dans le bureau du notaire,
on trouve:**

les dossiers (m.) *documents,
files*
la plante verte *potted plant*
le tableau *painting*
le classeur *filing cabinet*
le bureau *desk*
le fauteuil *armchair*

■ Variation

What do the other two
nephews tell Jean-Marc
Larivière after Maître Durand
gives him the good news?
Do they congratulate him?
Imagine their conversation.

👥 Teaching Strategy:
Expansion

Ask students:
What would you do first if
you received a large sum of
money?

Finalement Maître Durand s'est tourné vers le troisième neveu.

Me Durand	Alors, Monsieur Jean-Marc Larivière, il vous reste° la bague en argent . . . Je suppose que vous non plus, vous ne désire pas la photo de votre oncle.
Jean-Marc L.	Au contraire. Je me souviens bien de lui. C'était un homm très bon et très juste. Je l'aimais beaucoup!
Me Durand	Eh bien, voilà votre bague, et voici la photo de votre oncle

Anticipons un peu!

D'après vous, qu'est-ce
qui va se passer à la fin?

Maître Durand s'est levé,° puis il a serré très fort° la main de
Jean-Marc Larivière.

Me Durand	Félicitations, vous êtes maintenant un homme très riche!
Jean-Marc L.	Mais non, je suis seulement un pauvre ouvrier agricole . . .
Me Durand	Oui, mais vous avez la photo.
Jean-Marc L.	La photo?
Me Durand	Retournez-la . . . Il y a la clé du coffre de votre oncle. Quand il était au Mexique, votre oncle a fait des investissements très profitables. Il est mort multi-millionnaire et c'est vous qui héritez de sa fortune!

il vous reste = vous avez **s'est levé** got up **très fort** = avec beaucoup de force

---

Avez-vous compris?

1. Pourquoi les neveux de Jules Larivière
   étaient-ils ses héritiers?
2. Quels objets est-ce que Jules Larivière
   a laissés à ses neveux?
3. En quoi ces bagues étaient-elles
   différentes?

4. Pourquoi est-ce que les deux premiers neveux
   n'ont pas pris la photo de leur oncle?
5. Pourquoi est-ce que le troisième neveu a pris
   la photo?
6. Comment est-ce qu'il a été récompensé
   (rewarded)?

30 Reprise

📷 Teaching Strategy: Multiple Intelligences

Divide the class into groups and have each
student choose a character role. Students respond
in character to questions posed by others as they
sit in the Hot Seat. Continue until everyone has
had a turn.
(INTERPERSONAL)

EXPRESSION ORALE

■ Discussion

Voici plusieurs morales possibles pour l'histoire que vous avez lue. Avec votre partenaire, déterminez quelle est la meilleure morale et expliquez pourquoi. (Si vous préférez, vous pouvez suggérer une autre morale.)

• Il y a toujours une justice.
• L'avarice (greed) ne paie pas.
• Les riches ont souvent tort.
• L'argent ne fait pas le bonheur.

■ Dramatisation

Avec vos camarades de classe, jouez la scène du **Testament**. Chaque personne va adopter la personnalité correspondant à son rôle et jouer ce rôle avec beaucoup d'expression.

■ Situations

Avec votre partenaire, choisissez l'une des situations suivantes. Composez le dialogue correspondant et jouez-le en classe.

1 La bonne nouvelle

Jean-Marc Larivière rentre chez lui et annonce la bonne nouvelle à sa femme qui veut des détails.

Rôles: Jean-Marc Larivière, sa femme

2 Au café

Roland Larivière va au café où il rencontre un(e) ami(e). Il lui raconte l'histoire du testament.

Rôles: Roland Larivière, un(e) ami(e)

3 Un procès

Henri Larivière, très mécontent de ce qui s'est passé, va voir un(e) avocat(e) (lawyer), dans l'intention de faire un procès (suit) à son cousin Jean-Marc. Il explique l'injustice de la situation à l'avocat(e) qui veut des détails.

Rôles: Henri Larivière, l'avocat(e)

EXPRESSION ÉCRITE

■ L'héritage

Dans un petit paragraphe, décrivez ce que Jean-Marc Larivière va faire avec l'argent de l'héritage.

■ Les trois neveux

Sur la base de l'histoire que vous avez lue, faites le portrait des trois neveux (leurs qualités, leurs défauts, ce qu'ils aiment, ce qu'ils n'aiment pas, etc.).

■ Jules Larivière

Écrivez une courte biographie de Jules Larivière. Utilisez votre imagination. Vous pouvez considérer les questions suivantes:

• Que faisait Jules Larivière avant d'aller au Mexique?
• Pourquoi a-t-il quitté la France?
• Qu'est-ce qu'il a fait à Cuernavaca?

■ Le testament

Choisissez l'un des personnages suivants:
Maître Durand, Roland Larivière, Henri Larivière, Jean-Marc Larivière

Écrivez une lettre dans laquelle vous décrivez l'histoire du point de vue de la personne que vous avez choisie. Comparez votre lettre avec celles que vos camarades ont écrites.

📁 Student Portfolios

Use the *Après la lecture* activities as the basis for portfolio elements. If students prefer, they may also choose to do a recording of the *Lecture*, with students taking turns reading sections of the story aloud.

MAIN THEME

Personal appearance
Daily routine

Communication Functions/Contexts

- Describing people
- Caring for one's appearance
- Describing aspects of daily routine
- Expressing how one feels and inquiring about other people

Linguistic Goals

- Describing people and their ailments
- Describing what people do for themselves
- Explaining one's daily activities

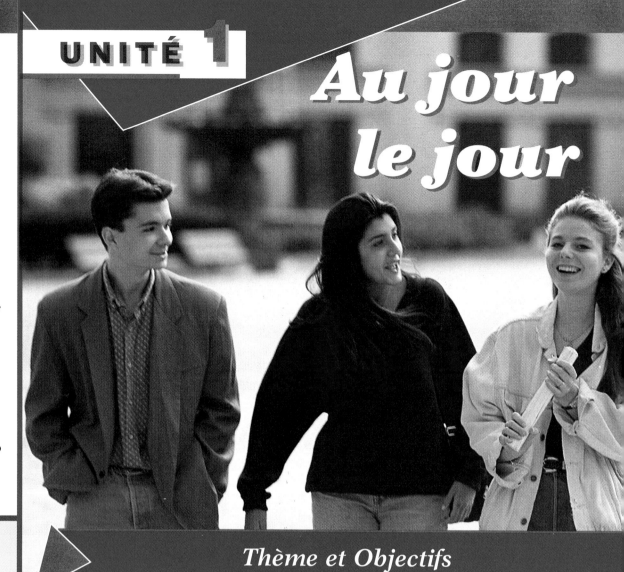

Au jour le jour

Thème et Objectifs

Culture
In this unit, you will discover . . .
- what French people call "le look" and why it is important to them
- how French teenagers care for their personal appearance
- how different artists have expressed the concept of beauty
- what constitutes the daily routine for different French people

Communication
You will learn how . . .
- to describe what a person looks like
- to explain what you do to make yourself look good
- to talk about your daily activities
- to describe how you feel in different circumstances

Langue
You will learn how . . .
- to describe what people do for themselves
- to describe certain aspects of your daily routine
- to express feelings and changes of mood

TEACHING RESOURCES

Technology/Audio Visual

 14, 14(o), 15, 15(o), 16, 17, 18, L1

 Audio CD Program, Unit 1

 Audiocassette Program, Unit 1

 Pas de problème Video Program, Modules 1–2

Print

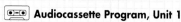 **Audio Script**
Overhead Visuals Copymasters/Activities
Answer Key
Video Activity Book, Modules 1–2
Practice Activities, pp. 19–26; 107–114; 179–180

L'importance du « LOOK »

Il y a deux semaines, Cédric, 16 ans, avait les cheveux longs. Maintenant, il les a courts.° Cédric change de coiffure° tous les° trois mois. Véronique, 17 ans, dépense son argent en «fringues»° qu'elle achète au moment des soldes.° Pour se composer un «look», Sandrine préfère utiliser sa vaste collection d'accessoires.

Pour les jeunes Français, le «look» est extrêmement important. En fait, l'importance du look marque le passage de l'enfance° à l'adolescence. Avant l'âge de 12 ou 13 ans, ils ne s'intéressent° pas beaucoup à leur apparence. Après, ils y font très attention.

Le look, c'est une façon de personnaliser son apparence physique, de se créer un style. S'il est difficile de modifier son corps,° on peut facilement changer son look. Il suffit° de choisir les vêtements, les accessoires, la coupe° de cheveux correspondant à l'impression qu'on veut donner. Voici, par ordre d'importance, les éléments du look pour les «ados» (les adolescents) français.

"C'est la première impression qui compte"

Les vêtements

Avec le choix de ses vêtements, on détermine son style général: sport, classique, romantique, etc. . . Pour les ados, les vêtements les plus importants sont d'abord le jean, uniforme de la jeunesse internationale, et ensuite le blouson, le sweat et le tee-shirt. La marque des vêtements est capitale. On n'achète pas un blouson, mais un Naf Naf ou un Chevignon (marques° françaises) ou un Levis (marque américaine). On ne porte pas un sweat, mais un Benetton ou un Kookaï. Parce que la marque coûte cher, les ados mélangent° les vêtements de marque avec des vêtements moins chers qu'ils achètent dans les grandes surfaces.°

KOOKAÏ

Les chaussures

Les Français sont les plus grands acheteurs de chaussures d'Europe: ils en achètent en moyenne cinq paires par an. Là aussi, la forme, le style et surtout la marque sont très importants.

La Chausseria.

LE LOOK

°courts short coiffure hairstyle tous les every fringues = vêtements (slang) soldes sales l'enfance childhood ne s'intéressent = ne sont pas intéressés
corps body suffit = il est suffisant coupe cut marques designer (boutique) brand names mélangent mix grandes surfaces shopping centers

Unité 1 ■ INFO Magazine 33

INFO MAGAZINE

Theme: Personal style

Reading Strategy: Browsing; reading for cultural information

■ Teaching Strategy

These readings can be done:
• in class or as homework
• at the beginning of the unit or as a wrap-up activity

Have students look at the realia and photos and guess the theme of the article. Have them skim, looking for cognates, then giving the main idea. Short *Info Magazine* quizzes may be used to test for comprehension or as a basis for discussion.

■ Realia Note

Naf-Naf is a clothing label designed for young people by two brothers. Naf-Naf is the name of the third little pig in the famous tale **Les trois petits cochons** (The Three Little Pigs).

■ Note linguistique

Les fringues *(f.)* is a popular slang term for "clothes," almost always used in the plural form. Also frequently used are: **fringuer = habiller,** **se fringuer = s'habiller.**

■ Note culturelle

Chevignon is a clothing label created by the Algerian-born Guy Azoulay when he was nineteen years old. Its biggest hit is an aged-leather jacket. Guy Azoulay draws his inspiration from American fashion of the 50s and 60s to design jeans, sweaters, jackets, and parkas.

■ Pronunciation

un sweat /swit/
levis /lewis/

Unité 1 33

Supplementary vocabulary

<u>Les styles de mode</u> *fashion styles*

le grunge: la chemise à carreaux, le jean déchiré et les godillots *checkered shirt, torn jeans, and [military] boots*

le BCBG (Bon Chic Bon Genre): le tailleur ou le costume, les chaussures de cuir, les accessoires chics (carré Hermès, collier de perles, montre en or) *Yuppie style: women's or men's suit, leather shoes, "chic" accessories (Hermès scarf, pearl necklace, gold watch)*

le style rappeur: le pantalon large, la casquette à l'envers, les baskets *large pants, cap "the wrong way," sneakers*

le style techno (pour les amateurs de technologie comme les ordinateurs): le pantalon large, le tee-shirt aux couleurs fluo, les tennis *large pants, brightly colored tee-shirt, tennis shoes*

le style skater (pour les amateurs de skateboard ou de surf): les jeans larges, les tennis et les tee-shirts avec des logos détournés *wide jeans, tennis shoes, and tee-shirts with rewritten logos*

Rétro *usually designates the fashions of the 1920s–1960s.*

🌐 Realia note

Jean-Louis David is a popular hairdresser, with salons in all major French and U.S. cities.

🌐 Note culturelle

La vogue du «pin's» est récente en France. Elle a commencé en 1988 à l'Open du tennis de Bercy. Depuis, le pin's est non seulement un accessoire, mais aussi un objet de collection.

34 Unité 1

■ Les accessoires

Colliers, bracelets, boucles d'oreille, bijoux, chapeaux permettent aux filles de se créer un look ou d'en changer rapidement. Pour leur look, les garçons utilisent casquettes,° ceintures, bretelles,° et parfois des boucles d'oreilles. Le sac à dos° est un élément du look plus important pour les filles que pour les garçons.

Autre élément du look, le «pin's» est très populaire chez les ados. C'est non seulement un objet décoratif, mais aussi un objet qui permet de s'identifier (par les causes qu'on défend, les marques qu'on achète, les événements auxquels on a assisté . . .).

Et n'oublions pas les lunettes. Suivant leur forme et leur couleur, on peut avoir un look sérieux, intelligent, drôle, rétro . . .

■ La coiffure

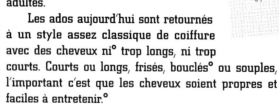

La coiffure fait partie° intégrale du look. C'est aussi une façon° de manifester ses opinions. Les cheveux longs des années 1970 ou le style «punk» des années 1980 marquaient le refus de s'intégrer à la société des adultes.

Les ados aujourd'hui sont retournés à un style assez classique de coiffure avec des cheveux ni° trop longs, ni trop courts. Courts ou longs, frisés, bouclés° ou souples, l'important c'est que les cheveux soient propres et faciles à entretenir.°

■ Le maquillage et les produits de beauté

Aujourd'hui, les jeunes Françaises préfèrent un style naturel. Leur maquillage° et aussi leur parfum restent généralement discrets. Quant° aux jeunes Français, ils utilisent de plus en plus° de produits de beauté: eaux de toilette, crèmes et lotions pour les mains, gels pour les cheveux.

et vous?

LE LOOK ET VOUS

D'après vous, quelles sont les trois choses les plus importantes pour le look d'un garçon et le look d'une fille?

	POUR UN GARÇON	POUR UNE FILLE
• avoir beaucoup de vêtements différents	☐	☐
• avoir des vêtements qui vous vont bien	☐	☐
• avoir une coiffure originale	☐	☐
• porter des accessoires exotiques	☐	☐
• porter des couleurs vives°	☐	☐
• être naturel(le)	☐	☐
• avoir l'air décontracté°	☐	☐
• se sentir° bien physiquement	☐	☐

casquettes *caps* **bretelles** *suspenders* **sac à dos** *backpack* **fait partie** *is a component* **façon** = *une manière* **ni** *neither* **bouclés** *wavy* **entretenir** *to take care of* **maquillage** *makeup* **Quant à** *as for* **plus en plus** *more and more* **vives** *bright* **l'air décontracté** *to look relaxe* **se sentir** *to feel*

☀ Teaching Strategy: Warm-Up

Once students have read the cultural information on pages 33–34, ask them to talk about how they would characterize **le look** for themselves, using each category (**les vêtements, les chaussures...**). After this open-ended discussion, compare and contrast French and American adolescent attitudes on style. On the board, rate each category as **plus important pour les Français...aussi important pour les Français que pour les Américains... plus important pour les Américains.**

Note: Are there other important categories that contribute to **"le look"** that are not mentioned in the article?

Les artistes ont toujours voulu représenter leur idée de la beauté. La beauté a des visages différents à travers les âges et les cultures.

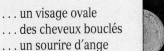

Les visages de la beauté

La beauté, c'est . . .

Pour Léonard de Vinci (1452-1519)

. . . un visage tranquille
. . . des traits° réguliers
. . . un sourire° énigmatique
. . . la discrétion et le mystère

Pour ce sculpteur du Moyen Âge

. . . un visage ovale
. . . des cheveux bouclés
. . . un sourire d'ange
. . . la douceur° et la discrétion

Pour Pierre Auguste Renoir (1841-1919)

. . . un visage rond
. . . des joues° pleines°
. . . un teint° frais
. . . la joie de vivre

Pour Amedeo Modigliani (1884-1920)

. . . un visage ovale
. . . un nez long et fin
. . . des traits symétriques
. . . la délicatesse

Pour Paul Gauguin (1848-1903)

. . . un visage rond
. . . des cheveux abondants
. . . une bouche pleine
. . . la bonté° et la générosité

Pour Pablo Picasso (1881-1973)

. . . un regard profond
. . . des traits marqués
. . . une attitude fière
. . . la personnalité

Pour ce sculpteur anonyme du Bénin

. . . une coiffure° élaborée
. . . un visage altier°
. . . des traits fermes
. . . la noblesse° de caractère

Et ça!
C'est le contraire de la beauté!

et vous?

• Parmi les huit visages représentés, lesquels correspondent le mieux à votre idéal de la beauté? Expliquez pourquoi.
• Apportez en classe des photos ou des portraits de personnes que vous considérez être belles. Décrivez ces portraits.

---

traits features   **sourire** smile   **douceur** kindness   **joues** cheeks   **pleines** full   **teint** complexion
bonté goodness   **coiffure** hairdo   **altier** proud   **noblesse** nobility

Unité 1 ■ INFO Magazine   **35**

Notes culturelles

• **Léonard de Vinci** was a Renaissance artist known especially for his paintings The Mona Lisa (la Joconde) and The Last Supper (la Cène). He was also a designer, sculptor, writer, architect, scientist, musician, and engineer.

• For more information on **Renoir** and **Gauguin**, see pp. 61 and 64 in Interlude 1.

• **Bénin** is a port city in southern Nigeria. It was formerly the capital of the kingdom of Benin, which flourished from the 14th through the 17th centuries.

• In the Middle Ages (9th–15th centuries) many great churches and cathedrals were built in Europe. The facades often contained statues of saints and other biblical figures.

• **Amedeo Modigliani** was an Italian painter whose portraits were characterized by elongated forms and warm colors.

• **Pablo Picasso** was a Spanish painter who lived for many years in France. His works can be divided into several periods:
    Blue Period (1901–1904)
    Pink Period (1905–1907)
    Cubism (Les Demoiselles d'Avignon, 1907)
    Surrealism and abstraction (1926–1936)
    Expressionism (Guernica, 1937), etc.

• The gutters of Notre Dame Cathedral are decorated with statues of fantastic monsters known as gargoyles (**des gargouilles**).

Teaching Strategy: Multiple Intelligences

Locate large representations of the illustrations on p. 35 (or have enlargements made at a local copy center). Describe each picture and have students indicate which one is being described (#1–8).

Alternates: Pass out separate copies of the pictures and descriptions and have students match them. Have students draw or describe their *own* ideal of beauty and present to the class. (SPATIAL/LINGUISTIC)

LE FRANÇAIS PRATIQUE

La description physique

TEACHING RESOURCES

 Transparencies 14, 14(o)

 Overhead Visuals Copymasters and Activities, pp. A29–A30

 Practice Activities, pp. 107–108

 Audio CD 1, Tracks 1–3

 Audiocassette 1, Side 1

 Audio Script, p. 1

 Internet Connection Notes, Projects 2 and 3, pp. 19–20

■ Note linguistique

Note that the following types of adjectives are invariable:

- colors derived from nouns: **marron** (a chestnut) **châtain orange**
- colors modified by an adjective: **bleu clair** (light blue), **vert foncé** (dark green)

■ Teaching note

1 k = 2.2 lb
1 lb = .45 k
1 m = 3.28 ft
1 ft = .30 m
1 in = 2.54 cm

Par exemple:

5'   = 1 mètre 50
5' 5"   = 1 mètre 63
6'   = 1 mètre 80
100 lb = 45 k
120 lb = 54 k
160 lb = 72 k
180 lb = 81 k

36 Unité 1

PARTIE 1

LE FRANÇAIS PRATIQUE

La description physique

La figure, le visage

- les cheveux
- le front
- un oeil (les yeux)
- le nez
- une oreille
- la joue
- la bouche
- le menton
- le cou

	Un garçon / une fille . . .			
LES CHEVEUX	est **brun(e)**	ou	**blond(e)** **roux (rousse)** (redhead)	
	a les cheveux **bruns**	ou	**blonds** **noirs** **roux**	**châtain** (chestnut) **châtain clair** (gold) **châtain foncé** (brown)
	a les cheveux **longs** **lisses** (straight)	ou ou	**courts** (short) **frisés** (curly, frizzy) **bouclés** (curly, wavy)	
LES YEUX	a les yeux **noirs**	ou	**bleus** **verts** **gris** **marron** (brown)	
LE VISAGE (LA FIGURE)	a le visage **ovale**	ou	**rond** **rectangulaire** **carré** (square)	
LA TAILLE	est **grand(e)**	ou	**petit(e)** **de taille moyenne** (average)	
L'APPARENCE GÉNÉRALE	est **mince** (thin) **maigre** (skinny)	ou	**gros(se)** (heavyset, fat)	
	est **athlétique** **fort(e)** (strong) **costaud** (solid, well-built)	ou	**faible** (weak)	
LES SIGNES PARTICULIERS	porte **des lunettes**	ou	**des verres de contact** **des lentilles** (lenses) **de contact**	

▶ **À noter** **la taille** (height) **Je mesure** 1 mètre 75. *I am 5 feet 10 inches tall.*
le poids (weight) **Je pèse** 65 kilos. *I weigh 143 pounds (65 kilos).*

36 Unité 1 PARTIE 1

☀ Teaching Strategy: Warm-Up:

Before class, cut out pictures from magazines of different types of people. Hold them up in front of the class and have students give complete sentence descriptions of each one. In order to touch on all aspects of descriptions, you can also ask questions such as «**Est-ce qu'elle est blonde?**» «**Non, elle est brune.**»

Alternate: With the class in a circle, have students describe the person to their left in three to five sentences.

Ce monsieur. . . **est chauve** — **est barbu; a une barbe** — **a une moustache** — **a une cicatrice** *(scar)*

Ce garçon . . .
Cette fille . . .

a les cheveux en brosse *(crew-cut)* — **a une queue de cheval** *(ponytail)* — **a des taches de rousseur** *(freckles)* — **a un grain de beauté** *(beauty mark)* sur le menton

Dix ans après

Dix ans séparent ces deux photos. Entre temps, les élèves du lycée Descartes ont beaucoup changé. Choisissez un(e) élève sur la photo de l'école et décrivez-le(la). Votre partenaire va décrire cette personne maintenant.

Au lycée Descartes, il y a 10 ans

Alice   Marc   Sophie   Isabelle   Julien   Jérôme

Maintenant

Alice   Marc   Sophie   Isabelle   Julien   Jérôme

Autoportrait

Faites votre autoportrait en donnant le maximum de détails sur votre aspect physique.

Conversations libres
Avec votre partenaire, choisissez l'une des situations suivantes. Composez le dialogue correspondant et jouez-le en classe.

1 Rendez-vous

Votre partenaire vous propose d'aller au cinéma avec un(e) jeune Français(e) qu'il/elle a rencontré(e) récemment. Vous voulez avoir des détails sur cette personne.

2 Un(e) enfant perdu(e)

Vous faites du shopping aux Galeries Lafayette avec votre petit(e) cousin(e). Pendant que vous êtes au rayon des jouets *(toys)*, votre cousin(e) disparaît *(disappears)*. Faites une description de votre cousin(e) au détective du magasin (votre partenaire). Il va vous demander des détails.

LANGUE ET COMMUNICATION

A. L'usage de l'article avec les parties du corps

Catherine a **les yeux** bleus.	*Catherine has blue eyes. (= **Her eyes** are blue.)*
Qu'est-ce que tu as dans **la main**?	*What do you have in **your hand**?*
J'ai une cicatrice sur **le menton**.	*I have a scar on **my chin**.*

In French the DEFINITE ARTICLE **(le, la, l', les)** is generally used with parts of the body. (In English, we use possessive adjectives.)

1 **Monsieur et Madame Dupont**

Monsieur et Madame Dupont sont des touristes français. Complétez la description de Monsieur Dupont et ensuite faites la description de Madame Dupont.

Monsieur Dupont a . . . frisés.
Il porte un chapeau sur . . .
Il a une pipe dans . . .
Il a un foulard autour (de) . . .
Il porte son appareil-photo sur . . .
Il a un magazine (à) . . .
Il porte des sandales (à) . . .

Madame Dupont a . . .

la bouche
les cheveux
le cou
l'épaule
la main
les pieds
la tête

 RAPPEL!

à + le → au	de + le → du
à + les → aux	de + les → des

🔷 Teaching Strategy: Multiple Intelligences

• Make a transparency of the illustration in Act. 1 and use yes/no, either/or, and open-ended question sequences.

• Ask students to illustrate the sayings in Act. 3, and then circulate the drawing and have students match the drawings with the correct saying. (SPATIAL)

Dommage!

Aujourd'hui ça ne va pas! Choisissez une chose que vous ne pouvez pas faire et expliquez pourquoi.

Avoir mal à + les parties du corps

Révision ▶ p. R3; p.R12

ne peux pas <u>travailler dans le jardin</u>.

Mon/ma pauvre! Qu'est-ce que tu as?

'ai mal <u>au dos</u>.

Dommage!

QUELLE ACTIVITÉ?	POURQUOI?
parler	le genou
sortir avec toi	les pieds
dîner avec toi	la main
faire du jogging	le dos
jouer au foot	la gorge *(throat)*
jouer au ping-pong	les jambes
manger des bonbons	le ventre
transporter cette table	les dents
écouter cette cassette de rap	la tête
travailler dans le jardin	les oreilles
??	??

Enrichissez votre vocabulaire!

Voici certaines expressions que vous pouvez utiliser avec vos amis. Faites correspondre ces expressions avec leurs équivalents anglais.

Ne fais pas la tête!
Ne mets pas les pieds dans le plat!
Tu as un poil *(hair)* dans la main!
Tu as les yeux plus gros que le ventre!
Tu as le coeur sur la main!
Tu coupes les cheveux en quatre.
'ai l'estomac dans les talons *(heels)*.

a. *I am very hungry.*
b. *You are too greedy. (Your eyes are bigger than your stomach.)*
c. *You are really lazy.*
d. *Don't look so upset.*
e. *Don't put your foot in your mouth.*
f. *You are very finicky. (You are splitting hairs.)*
g. *You are a very generous person. (You wear your heart on your sleeve.)*

ALLONS PLUS LOIN: Autres usages de l'article défini

The definite article is used . . .

Usages de l'article défini

Pratique ▶ p. 19

- with dates
    le 18 juin   **le samedi 3 avril**

- with days of the week (or parts of the day) to refer to a repeated or habitual action
    Compare:
    Que fais-tu **le samedi**?   *What do you do **on Saturdays?***
    Que fais-tu **samedi**?   *What are you doing **on (this) Saturday?***

- with geographical names (countries, states, rivers, mountains, etc.), except cities
    le Canada   les États-Unis   but   **Israël, Cuba, Tahiti**
    la Virginie   le Mississippi   les Alpes

- with names of languages, colors, and school subjects
    J'étudie **le français** et **les maths**.
    Mes couleurs préférées sont **le bleu** et **le rouge**.

- with certain titles
    le docteur Mercat   **la princesse** Diane   **la reine** Élizabeth

- with nouns indicating a weight, measure, or quantity
    L'essence coûte 5 francs **le litre**.   *Gas costs 5 francs **a liter.***

Langue et communication   39

👀 Teaching Strategy: Extra Practice

Divide the class into groups. Give situations and have students use a complete sentence to describe where they have pain.

1. Après le marathon de Boston, qu'est-ce qu'on a?
2. Après un concert de rock très fort, qu'est-ce qu'on a?
3. Après avoir mangé de la viande verte, qu'est-ce qu'on a?
4. Après avoir crié pendant 5 heures au match de football, qu'est-ce qu'on a?
5. Après un rendez-vous chez le dentiste, qu'est-ce qu'on a?
6. Après avoir lu 200 pages d'un livre sans lunettes, qu'est-ce qu'on a?

Internet Connection Notes, Project 4, p. 21

■ Teaching note
Have students locate where writers are from on the map on p. R34 or in an atlas.

Entre nous «Je ne suis pas très belle»

Juliette a l'impression de ne pas être belle. Elle parle de son problème dans *Le Journal des Copains*. Lisez ce que les lecteurs de ce journal lui ont répondu.

Chers copains,
    Quand je me regarde dans la glace, je ne suis pas satisfaite de moi. J'ai le nez trop long, les oreilles trop grandes, le front trop large, les cheveux trop raides°. En un mot, je ne suis pas très belle. J'ai 15 ans, et pour moi, c'est un grave problème.

              Juliette

Valérie *(Grenoble),*
17 ans

Ne t'inquiète pas!° à 15 ans, toutes les filles pensent qu'elles ne sont pas assez belles. C'était mon cas quand j'avais ton âge. Je me suis trouvée° beaucoup plus belle le jour où un garçon m'a invitée. Patiente un peu! Un jour, ça va être ton tour.

              Valérie

raides *straight* **ne t'inquiète pas** *don't worry* **Je me suis trouvée** *I found myself*

 Teaching Strategy: Multiple Intelligences

- Display pictures from **La belle et la bête,** or of *Quasimodo*, etc, and have students write letters asking for advice. (INTERPERSONAL/LINGUISTIC)

- Play background music while students sit in a circle and do a "write-around" giving suggestions for responses to each problem on pp. 40–41. (MUSICAL/LINGUISTIC)

Cécile (Pau),
16 ans

La beauté, c'est une chose, mais il y a aussi le look. Ça aussi, c'est important. Tu peux changer de coiffure, te maquiller° un peu, porter des accessoires marrants,° choisir des vêtements qui correspondent à ta personnalité... L'essentiel, c'est de se créer un style. Essaie!° Ce n'est pas si difficile!

Cécile

Guillaume (Bruxelles),
18 ans

Tu sais, je ne suis pas très beau non plus, mais ce n'est pas si grave que tu penses. En fait, j'ai des tas° de copains et de copines. La clé° du succès, c'est de se sentir° bien dans sa peau°. La vraie beauté n'est pas physique. Elle dépend des qualités que tu as. Mets les tiennes° en valeur. Et n'oublie pas que la beauté ne fait pas nécessairement le bonheur.° Regarde donc Marilyn Monroe!

Guillaume

Philippe (Nice),
17 ans

La beauté est importante, mais ce n'est pas tout. Ce qui compte aussi, c'est le charme et la personnalité. Quand j'invite une fille, ce n'est pas parce qu'elle est super-jolie, mais parce qu'elle est sympa, drôle, et qu'elle aime rire!° Cultive ton sens de l'humour et tu auras toujours des amis!

Philippe

Et vous?

Expression orale
D'après vous, quelle lettre offre les meilleurs conseils à Juliette? Expliquez pourquoi.

Expression écrite
Écrivez votre propre *(own)* réponse à la lettre de Juliette.

---

maquiller *put on makeup* **marrants** = *drôles (slang)* **essaie** *try* **des tas** = *quantités*
clé *key* **se sentir** *to feel* **dans sa peau** *inside (in one's skin)* **les tiennes** = *tes qualités*
bonheur *happiness* **rire*** *to laugh*

Langue et communication (41)

La toilette et les soins personnels

LE FRANÇAIS
PRATIQUE
La toilette et les
soins personnels

TEACHING RESOURCES

 Transparency 16

 Overhead Visuals Copymasters and Activities, pp. A33–A35

 Practice Activities, pp. 110–111

 Audio CD 1, Tracks 5–7

 Audiocassette 1, Side 1

 Audio Script, p. 2

 Internet Connection Notes, Project 5, p. 22

 Teacher-to-Teacher, Le corps, pp. 1–3, Trouver celui qui …, pp. 7–8

■ Note linguistique

Compare and contrast:
essuyer *to wipe*
s'essuyer *to dry [one's hands] with a towel*
sécher *to dry (out)*
se sécher *to dry [one's hair] with a dryer*

■ Pronunciation

Eye-liner is pronounced as in English: /ajlajnœr/

🌐 Note culturelle

Un gant de toilette is a washcloth that resembles a pocket with a slit for one's hand.

👥 Teaching Strategy

Using their flashcards, students set up pair dialogs: «Qu'est-ce qu'on fait avec [un séchoir]?» «On se sèche les cheveux.» (See p. 36)

42 Unité 1

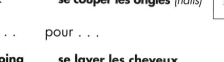

Les parties du corps

Révision ▶ p. R12

Olivier utilise . . .	pour . . .
le rasoir	se raser
le savon	se laver la figure
la brosse à dents	se brosser les dents
la serviette	s'essuyer les mains
les ciseaux	se couper les ongles (nails)

se raser *to shave*

se brosser *to brush*
s'essuyer *to (wipe)* c
se couper *to cut*

Charlotte utilise . . .	pour . . .
le shampooing	se laver les cheveux
le séchoir	se sécher les cheveux
le peigne	se peigner
le rouge à lèvres	se maquiller
l'eye-liner	se maquiller les yeux

se sécher *to dry*

se peigner *to comb one's hair*
se maquiller *to appl* makeup

Quelques autres articles de toilette et produits de beauté

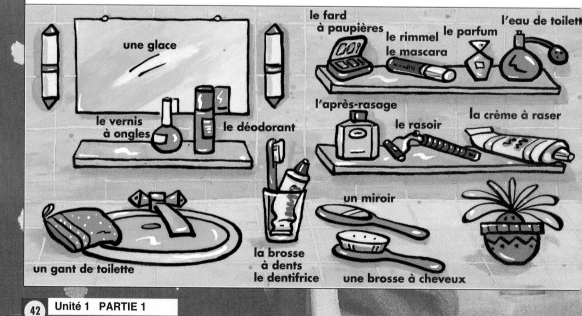

une glace
le fard à paupières
le rimmel
le mascara
le parfum
l'eau de toilett
le vernis à ongles
le déodorant
l'après-rasage
le rasoir
la crème à raser
un miroir
un gant de toilette
la brosse à dents
le dentifrice
une brosse à cheveux

 42 | Unité 1 PARTIE 1

⌗ Teaching Strategy: Game

Talking Objects

Prepare one set of cards with pictures of objects and a second set showing actions. Students circulate, trying to match an object card with the appropriate action card or "partner."

1 La trousse de toilette *(toiletry kit)*

Ce weekend vous n'allez pas rester chez vous.
Mentionnez cinq articles—ou plus—que
vous allez mettre dans votre trousse de toilette . . .

- si vous allez faire du camping
- si vous allez passer le weekend chez vos cousins.

Maintenant imaginez que vous allez en France cet été.
Faites une liste de dix articles ou produits
que vous allez emporter *(take along)* avec vous.

Comparez vos listes avec celles de votre partenaire.
Combien de choses identiques avez-vous prises?
Combien de choses différentes?

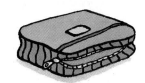

2 Qu'est-ce qu'ils vont faire?

Lisez les descriptions suivantes. Puis mentionnez deux ou trois choses que
chaque personne va faire.

▶ **Philippe vient de jouer au foot. Il va dans la douche du stade.**
  Il va prendre une douche.
  Il va se laver les cheveux.
  Ensuite, il va se sécher et se mettre du déodorant.

1. Il est sept heures du matin. Monsieur Lebot, président
   de la Banque Industrielle, se lève et va dans la salle de bains.

2. Il est onze heures du soir. Jérôme va se coucher. D'abord il va dans la salle de bains.

3. Ce soir, la fameuse chanteuse d'opéra va jouer le rôle de Carmen. Elle est dans sa
   loge *(dressing room)* où elle se prépare pour la représentation *(performance)*.

4. Caroline va dîner avec Vincent, son nouveau copain, dans un restaurant très élégant.
   Elle se prépare pour l'occasion.

3 En voyage

Vous êtes en voyage avec un groupe.
Demandez à votre partenaire l'un des objets
suivants et expliquez pourquoi vous
en avez besoin.

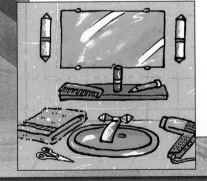

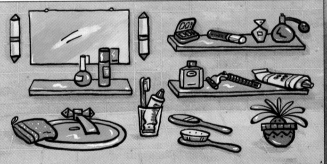

☀ **Teaching Strategy: Warm-Up**

Have students write a group story called «**Le garçon/la fille perdu(e).**» It should be based on the following idea:

They have found a boy/girl who has spent two years in the woods. This person would like to come to school with you but needs to clean

up! Using the vocabulary from p. 42, write a story about what he or she does to clean up and what items you use to make him/her more presentable. Each student should contribute one sentence.

■ Teaching Strategy: Extra Practice

LE RENDEZ-VOUS LOUPÉ
(Vocabulary/Reflexive verbs)
Ask students to give hypothetical reasons for the following situations:

1. Oliver didn't get a date with Charlotte. Why did Charlotte refuse to go out with him? What did or didn't he do/use in order to prepare himself to ask her out?

2. Charlotte didn't get a date with Oliver. Oliver likes simple/natural girls. What did/didn't Charlotte do/use that made Oliver not want to go out with her?

■ Teaching Strategy

Use flashcards and a picture of a **trousse de toilette** and have students "fill" it according to various situations.
(BODILY-KINESTHETIC)

■ Teaching Note

For Activity 3, present supplementary expressions as necessary, e.g.: **se faire les ongles, se mettre du déodorant, se mettre du parfum, se regarder,** etc.

Supplementary vocabulary

une lame de rasoir *razor blade*
l'après-shampooing *conditioner*
le shampooing colorant
la laque à cheveux *hair spray*
le gel coiffant *styling gel*

la crème *lotion*
le fond de teint *foundation*
la poudre *powder*

le sourcil /surci/ *eyebrow*
le cil /cil/ *eyelash*
la paupière *eyelid*
la lèvre *lip*
la peau *skin*

LANGUE ET COMMUNICATION

TEACHING RESOURCES

📖 **Practice Activities,** pp. 21–22; 111; 179

💿 **Audio CD 1,** Tracks 8–9

🔘 **Audiocassette 1,** Side 1

📖 **Audio Script,** pp. 3–4

👥 **Teacher-to-Teacher** Et Maintenant ..., pp. 9–10; Jumeaux/Jumelles, pp. 11–14

👥 **Teaching Strategy: Extra Practice**

(Reflexive verbs: Imperative) Have students form groups of 2 or 3 and come up with sentences for the following situations using reflexive verbs in the imperative:
1. Give 5 suggestions to a friend who's going for an interview at a trendy fashion magazine.
2. Give 5 suggestions to your friends of things the three of you should/shouldn't do before going out dancing.

As students volunteer their answers, write them on the board in two separate columns in order to assist the visual learners.

👥 **Teaching Strategy: Extra Practice**

(Reflexive verbs: Future) Tell students that they have just been asked out by a famous male/female star (e.g., Noah Wylie/Wynona Ryder). Have each student say what he/she is going to do in order to prepare for the date. What are students <u>not</u> going to do? Each student should give one answer.

44 Unité 1

B. Les verbes réfléchis ────────────────

REFLEXIVE VERBS are formed with a REFLEXIVE PRONOUN that represents the same person as the subject.

Je ⤶ me lave.   Monsieur Martin ⤶ se rase.

FORMS

Review the forms of **se laver** in the present and the imperative.

PRESENT		
AFFIRMATIVE	je **me** lave	
	tu **te** laves	
	il/elle/on **se** lave	
	nous **nous** lavons	
	vous **vous** lavez	
	ils/elles **se** lavent	
NEGATIVE	je ne me lave pas	
INTERROGATIVE	est-ce que tu te laves?	
	te laves-tu?	

IMPERATIVE	
AFFIRMATIVE	**NEGATIVE**
lave-toi!	ne te lave pas!
lavons-nous!	ne nous lavons pas!
lavez-vous!	ne vous lavez pas!

INFINITIVE CONSTRUCTIONS

Je vais **me** laver.	Je **ne** vais **pas me** laver les cheveux.
Nous allons **nous** brosser les dents.	Vous **n'allez pas vous** raser.

➡ In an infinitive construction, the reflexive pronoun comes immediately before the verb and represents the same person as the subject.

USES

Reflexive verbs are very common in French. They are used:

- to describe actions that the subject is performing on or for himself/herself.
  Catherine **se regarde** dans la glace.   *Catherine **is looking at herself** in the mirror.*
  Je **me fais** un sandwich.   *I **am fixing myself** a sandwich.*

- to describe many aspects of one's DAILY ROUTINE.
  Je **me lève** à sept heures.   *I get up at seven.*

➡ Note the use of the DEFINITE ARTICLE after reflexive verbs.
  Tu te brosses **les** dents.   *You are brushing **your** teeth.*
  Alice se coupe **les** ongles.   *Alice is cutting **her** nails.*

☀ **Teaching Strategy: Warm-Up**

Pass out slips of paper with reflexive or non-reflexive verbs on them to each student in the class. Ask students to act out their verb so that the class can guess. As the verbs are guessed, write two columns on the board—one with reflexives and one with non-reflexives. At the end, ask students if they can explain the difference between the two columns and give the counterpart to each reflexive or non-reflexive verb. (e.g., if **laver** is in the non-reflexive column, have students come up with the verb **se laver** and give a sentence for each of them.)

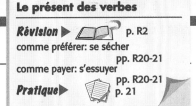

Le présent des verbes

Révision ▶ p. R2
comme préférer: se sécher
pp. R20-21
comme payer: s'essuyer
pp. R20-21
Pratique ▶ p. 21

Le matin

Choisissez une personne et dites ce qu'elle fait et
ce qu'elle va faire après. Soyez logique!

QUI?	
moi	Jean-Philippe
toi	Madame Lescure
nous	Monsieur Dupont
vous	Éric et Thomas
Alice	Sylvie et Catherine

QUOI?	
• se laver	• se brosser les dents
• se raser	• se laver la figure
• se maquiller	• se laver les mains
• se peigner	• se laver les cheveux
• s'essuyer	• se couper les ongles
• se regarder dans	• se brosser les cheveux
la glace	• se sécher les cheveux

▶ **Tu te sèches les cheveux. Après, tu vas te peigner.**

Publicité

Composez des slogans publicitaires pour
les produits suivants.

-Symphonie	se raser
on SAMBON	se laver
tifrice SOURIRE	se laver les cheveux
de toilette VÉSUVE	se maquiller
mpooing CAPILLO	se couper les ongles
hoir SAHARA	se couper les cheveux
oir BLIP	se brosser les dents
eaux CLIP	se parfumer
sse à dents BRIL	se sécher les cheveux
i CLÉOPÂTRE	se réveiller en musique

▶ **Mesdemoiselles, maquillez-vous avec
le fard Cléopâtre!**

ALLONS PLUS LOIN

To express what you or other people can do by themselves,
use the construction:

STRESS PRONOUN + **même(s)**

J'ai réparé mon vélo **moi-même**.   *I fixed my bike **by myself**.*

→ **Même** is also used to reinforce a stress pronoun referring to the subject.
Jérôme parle toujours **de lui-même**.   *Jérôme always talks **about himself**.*

6 Babysitting

Vous faites du babysitting pour l'enfant de vos
voisins français. Dites-lui de faire les choses
suivantes. L'enfant (votre partenaire) va vous
répondre qu'il/elle ne peut pas. Puis, il/elle
va vous donner une excuse.

ACTIONS	EXCUSES POSSIBLES
• se peigner	Je ne trouve pas . . .
• se laver les mains	Je ne sais pas où est . . .
• se laver les cheveux	Je ne peux pas trouver . . .
• s'essuyer les mains	J'ai perdu . . .
• se brosser les dents	
• se sécher les cheveux	

▶ — **Brosse-toi les dents!**
— **Je ne peux pas me brosser les dents!**
— **Et pourquoi donc?**
— **J'ai perdu ma brosse à dents.**
    (Je ne trouve pas le dentifrice.)

**Moi-même,
toi-même, etc.**

Pratique ▶ p. 22

Variation

Have one student give the first
sentence, and then call on
another student to provide the
second sentence.

☼ Allons plus loin

If you decide to assign further
practice, you may want to
present the complete chart:
**moi-même, toi-même,
lui-même,** etc.

**Teaching Strategy:
Game**

Using three dice, one black,
one red, one green, have
students construct sentences
(they may be absurd!):
black=subject; red=first action;
green=second action.

**Teaching Strategy:
Expansion**

Divide the class into groups.
Students create an ad and a
short **publicité** to present to the
class.

■ Variation: Activity 6

Give the following instructions:
Demandez à votre partenaire
s'il/elle fait les choses
suivantes. Il/Elle répond
négativement et donne une
raison. Exemple:
—Est-ce que tu te brosses les
  dents?
—Non, je ne me brosse pas
  les dents.
—Pourquoi?
—Parce que j'ai perdu ma
  brosse à dents!

TPR ✦ Verb Drill: Multiple Intelligences (BODILY-KINESTHETIC)

Using specific hand motions which should remain constant throughout the year, drill the class to
practice reflexive conjugations. Example: SE LAVER

Point one finger to yourself:	say **je me lave**	Point two fingers (two hands) to yourself:	say **nous nous lavons**
To the class:	say **tu te laves**	to the class:	say **vous vous lavez**
To the right:	say **il se lave**	to the right:	say **ils se lavent**
To the left:	say **elle se lave**	to the left:	say **elles se lavent**

For the negative, use the same motions but shake your head. Also: switch the order of the conjugations, speed up the pace, or put students in pairs. This is a fast and efficient drill.

Unité 1   45

INFO MAGAZINE

Theme: Daily activities

TEACHING RESOURCES

 Transparency 17

 Overhead Visuals and Copymasters, pp. A36–A38

 Internet Connection Notes, Project 6, p. 23

📖 Teaching Strategy

These readings should be an interesting "break" in the teaching sequence and provide both enjoyment and practice for students.

■ Notes linguistiques

- Generally, **une résidence** is a group of homes (houses or apartments). **Une résidence secondaire** is a country home.
- **Un(e) banlieusard(e)** is a person who lives in the Paris **banlieue**.

46 Unité 1 ■ INFO Magazine

À LA RÉSIDENCE BON REPOS

Aujourd'hui, les gens des villes habitent généralement dans des immeubles.° Ces immeubles ont beaucoup d'avantag... et quelques petits inconvénients.

Un jour comme un autre à la résidence° «Bon Repos» dans la banlieue° parisienne. Il est six heures du matin. Tout est calme. . . Tout d'un coup°. . .

SIXIÈME ÉTAGE

Drin. . . Drin . . . Un réveil° sonne° chez Monsieur Léveillé. Drin. . .Drin. . . Monsie Léveillé se réveille en sursaut°. . . Puis il se lève, met sa robe de chambre° et dans la salle de bains. Il se regarde dans la glace, se brosse les dents. Ensuit il branche° son rasoir électrique et commence à se raser. Zzz. . . Zzz. . .

CINQUIÈME ÉTAGE

Le bruit° du rasoir électrique de Monsieur Léveillé réveille Madame Dumouli Elle ouvre un oeil, puis l'autre, et attend deux ou trois minutes. Finalemer elle se lève et va dans la cuisine pour se préparer une tasse de café. Elle branc son nouveau moulin° électrique. Grr. . . Grr. . .

QUATRIÈME ÉTAGE

Le moulin à café de Madame Dumoulin réveille Mademoiselle Lasoupless Elle se lève, enfile° un short et un tee-shirt, met une vidéocassette gymnastique et commence ses exercices. Une, deux. . . une, deux. . une, deux . . .

TROISIÈME ÉTAGE

Quand il entend Mademoiselle Lasouplesse faire sa gymnastique, Monsie Trémolo se réveille. Il va dans la salle de bains et prend une douche. Quar il se lave, Monsieur Trémolo adore chanter ses airs d'opéra favoris: «Toréadc toréador. . .»*

* «Toréador» is a well-known aria from Bizet's **Carmen**.

DEUXIÈME ÉTAGE

La belle voix de Monsieur Trémolo réveille Madame Bellamy. Elle se lèv prend un bain, et se lave les cheveux. Puis, elle s'habille, se peigne se maquille. . .

À huit heures et demie, tous les locataires° de la résidence «Bon Repos sont partis pour leurs occupations de la journée. . . Tous sauf° u C'est Monsieur Morphée, le locataire du premier étage. Il travaille comm portier° de nuit dans un grand hôtel. À l'heure où les autres locataire se rendent° à leur travail, lui, il rentre chez lui. Là, il se déshabille et prer un bon bain. «Quelle chance d'habiter dans une résidence si calme pense-t-il. Puis, il va dans sa chambre, met son pyjama, se couche s'endort° d'un profond sommeil.

Une journée comme les autres vient de commencer.

---

immeubles *apartment buildings* **résidence** = l'immeuble **banlieue** *suburbs* **Tout d'un coup** *all of a sudden* **réveil** *alarm clock* **sonne** *rings* **en sursaut** *with a start* **robe de chambre** *bathrobe* **branche** *plugs in* **bruit** *noise* **moulin** *coffee grinder* **enfile** = *met* **locataires** *tenants* **sauf** = *excepté* **portier** *doorman* **se rendent** = *vont* **s'endort** *falls asleep*

🌐 NOTES CULTURELLES

- In Greek mythology, **Morpheus** is the god of sleep. You may want to explain this term and others to students.
- Remind students that in France, the first floor corresponds to the second floor in an American building. The ground floor is called **le rez-de-chaussée.**
- **Georges Bizet** (1838-1875) wrote **Carmen** in 1875.

Teaching Strategy: Multiple Intelligences

Make copies of the illustrations and cut them up. Read the descriptions and have students put the "floors" in the correct order. (LOGICAL-MATHEMATICAL)

Follow-Up

In groups of 4 or 5, have students describe their own routine and create an "apartment" story.

et vous?

À VOTRE TOUR
- Dites à quelle heure vous vous levez d'habitude et ce que vous faites après.
- Dites comment vous trouvez l'histoire que vous avez lue: réaliste? amusante? triste? exagérée? Expliquez pourquoi.

EXPRESSION ÉCRITE
Décrivez les habitudes des personnes de votre famille. Dites à quelle heure chaque personne se lève et ce qu'elle fait ensuite. (Votre description peut être réaliste ou imaginaire.)

Résidence Bon Repos

Teaching Strategy: Expansion Questions

1. Qui se réveille en premier?
2. Qu'est-ce qui réveille Mlle Lasouplesse?
3. Qu'est-ce que Mme Dumoulin se prépare?
4. Qu'est ce que M Léveillé fait avant de se brosser les dents?
5. Est-ce que M Morphée se réveille à 8h30?
6. Est-ce que M Trémolo prend un bain?
7. Que fait Mlle Lasouplesse quand elle se réveille?
8. Qu'est-ce qui réveille Mme Bellamy?

M. Léveillé
Le moulin à café de Mme Dumoulin
Elle se prépare une tasse de café.
Il se regarde dans la glace.
Non, il se couche.
Non, il prend une douche.
Elle fait sa gymnastique.
La belle voix de M Trémolo.

Unité 1 47

PARTIE 2

LE FRANÇAIS
PRATIQUE

La routine quotidienne

TEACHING RESOURCES

Practice Activities
pp. 23, 112, 179

Audio CD1, Tracks 10–11

Audiocassette 1,
Side 2

Audio Script,
pp. 4–5

Internet Connection Notes, Project 7, p. 23

Teacher-to-Teacher,
La routine, pp. 4–6;
Trouver celui qui ...,
pp. 7–8; Et maintenant
..., pp. 9–10

Supplementary vocabulary

s'allonger *to lie down*
s'entraîner *to train, practice (a sport)*
s'étirer *to stretch*
se changer *to change (clothes)*
se démaquiller *to take off one's makeup*
se doucher *to take a shower*
se relaxer *to relax*

■ **Verb Forms**
You may have students review the forms of **mettre** (p. R2) and **s'endormir** (like **sortir,** p. R2).

LE FRANÇAIS
PRATIQUE

La routine quotidienne

> Je me réveille à 7 heures et quart. Je me lève, et puis je me lave.

Il y a beaucoup de choses qu'on fait tous les jours. Ces choses font partie de la routine quotidienne *(daily)*. Ici Stéphanie explique sa routine quotidienne:

Le matin . . .
 Je me réveille à 7 heures et quart.
 Je me lève.
 Je me lave.
 Je prends **un bain** *(bath)* ou **une douche** *(shower).*
 Je m'habille.

se réveiller	*to wake up*
se lever	*to get up*
se laver	*to wash*
s'habiller	*to get dressed*

Après le petit déjeuner . . .
 Je me prépare.
 Puis, **je me rends** à l'école.
 Je me dépêche pour être à l'heure.
 (Si je suis en retard, **je m'excuse.**)

se préparer	*to get ready*
se rendre à	*to go to*
se dépêcher	*to hurry*
s'excuser	*to apologize*

En classe . . .
 J'étudie.
 À midi, **je m'amuse** avec mes copains.

s'amuser	*to have fun*

L'après-midi, après les cours . . .
 Je me promène en ville.
 Je m'arrête parfois chez le marchand de glaces, et **je m'achète** une glace.
 Je rentre et **je me repose** un peu.

se promener	*to take a walk*
s'arrêter	*to stop*
s'acheter	*to buy (oneself)*
se reposer	*to rest*

À sept heures et demie . . .
 Je me mets à table
  et je dîne avec ma famille.
 Puis je fais mes devoirs.

se mettre à table	*to sit down to eat*

Le soir, **vers** *(at about)* onze heures . . .
 Je me déshabille.
 Je me couche.

 Et finalement **je m'endors.**

se déshabiller	*to get undressed*
se coucher	*to go to bed*
s'endormir	*to go to sleep*

☀ **Teaching Strategy: Warm-Up**

Put the verbs from p. 48 on the board or on a transparency. Have students write a group story about what twin sisters, Annique and Hélène, do every day from morning until bedtime. Each student should contribute at least one sentence. Have two secretaries: one copies the story onto the board; and one copies it on paper so that the same story can then be put into the past tense on the following day.

① **Et vous?**

Verbes comme acheter
se lever, se promener

Révision ▶ pp. R20-21

Pratique ▶ p. 23

Décrivez certains aspects de votre vie. Comparez
vos réponses avec celles de votre partenaire.

1. En semaine, je me réveille . . .
   - avant sept heures
   - à sept heures
   - ??

2. Je me rends à l'école . . .
   - à pied
   - en bus
   - à vélo
   - ??

3. Le soir, je me couche . . .
   - avant dix heures
   - après onze heures
   - ??

4. Généralement, je m'endors . . .
   - vite *(fast)*
   - assez vite
   - difficilement
   - ??

5. Le dimanche, je ne me lève
   jamais . . .
   - avant huit heures
   - avant neuf heures
   - ??

6. Quand j'ai du temps libre, je préfère . . .
   - me reposer
   - me promener en ville
   - me rendre chez mes amis
   - ??

7. Quand je me promène en ville,
   j'aime mieux m'arrêter . . .
   - dans les magasins
   - dans un fast-food
   - ??

8. Avec mon argent, je préfère m'acheter . . .
   - des cassettes
   - des vêtements
   - des magazines
   - ??

9. Je me dépêche le plus pour aller . . .
   - à l'école
   - à un rendez-vous
   - à un concert
   - ??

10. En général, je m'excuse quand . . .
    - j'ai tort
    - je suis en retard
    - ??

Conversations libres

Avec votre partenaire, choisissez l'une des situations suivantes.
Composez le dialogue correspondant et jouez-le en classe.

1 **Camarade de chambre**

Vous êtes étudiant(e) à l'université de
Montréal. Vous cherchez un(e) camarade
de chambre pour le trimestre prochain.
Expliquez votre routine quotidienne à un(e)
autre étudiant(e) (votre partenaire). Ensuite,
posez-lui des questions sur sa routine.

Activités du dimanche

Vous avez invité un(e) camarade français(e)
(votre partenaire) à passer le weekend chez
vous. Expliquez-lui ce que vous faites le
dimanche. Demandez-lui s'il/si elle fait les
mêmes choses.

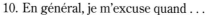

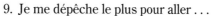
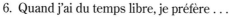
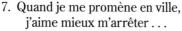

👥 **Variation: A/B
Pair Activity**

Votre partenaire répond à la
question, puis vous demande
si vous faites la même chose.
Exemple:

—(Je me réveille avant sept
heures.) Et toi? Est-ce que
tu te réveilles avant sept
heures en semaine?

—Oui, je me réveille avant
sept heures./Non, je ne
me réveille pas avant sept
heures, je me réveille à
huit heures.

↩ **Teaching Note**

You may want to review the
formation of information
questions:

**À quelle heure est-ce que
tu te lèves?**

💡 **Teaching Note**

The agreement of the past participle depends on whether the reflexive pronoun functions as a direct or indirect object pronoun.

• DIRECT object = AGREEMENT
Catherine **s'est lavée.**
She washed herself.
Nous **nous sommes amusés.**
We amused ourselves.

• INDIRECT object = NO AGREEMENT
Catherine **s'est lavé** les mains.
She washed the hands (belonging to herself).
Nous **nous sommes acheté** des vêtements.
We bought clothes for ourselves.

Since the agreement of the past participle requires sophisticated grammatical analysis, you may want to present the above explanation only to advanced students.

📖 **Variation**

Activity 1 may be done as "Signature Bingo/Lotto." Call the names of students, who give personalized responses to the questions.

50 Unité 1

A. Le passé composé des verbes réfléchis

The PASSÉ COMPOSÉ of reflexive verbs is formed with **être.**

AFFIRMATIVE	je **me suis** lavé tu **t'es** lavé il/on **s'est** lavé nous **nous sommes** lavés vous **vous êtes** lavé(s) ils **se sont** lavés	je **me suis** lavée tu **t'es** lavée elle **s'est** lavée nous **nous sommes** lavées vous **vous êtes** lavée(s) elles **se sont** lavées
NEGATIVE	je ne me suis pas lavé	je ne me suis pas lavée
INTERROGATIVE	est-ce que tu t'es lavé? t'es-tu lavé?	est-ce que tu t'es lavée? t'es-tu lavée?

Usually, <u>but not always</u>, the past participle agrees with the subject.

Éric s'est promen|é|.   **Anne et Claire se sont promen|ées|** avec lui.

⇒ There is <u>no agreement</u> when the reflexive verb is directly followed by a NOUN. Compare:
Stéphanie **s'est lav|ée|.**   Elle **s'est lav|é|** <u>les mains</u>.

Note also:
Catherine et Sophie **se sont achet|é|** <u>des vêtements</u>.

1 Samedi dernier

Demandez à votre partenaire s'il/si elle a fait les choses suivantes samedi dernier. Votre partenaire peut donner des précisions correspondant aux questions.

▶ se lever tard (à quelle heure?)

1. se promener (où?)
2. s'acheter des vêtements (quels vêtements?)
3. s'acheter autre chose (quoi?)
4. s'amuser (comment?)
5. se reposer (quand?)
6. se coucher tard (à quelle heure?)

> *Est-ce que tu t'es levée tard samedi dernier?*

> *Non, je ne me suis pas levée tard. Je me suis levée à 8 heures.*

☀ **Teaching Strategy: Warm-Up**

Put the story about Annique and Hélène (see page 48) on a transparency before class. Tell students that this is not what they do every day but simply what they did yesterday. Have the students put the story into the **passé composé** sentence by sentence. Ask for volunteers for each sentence; have a secretary copy the transformed story onto the board to assist visual learners.

Qu'est-ce qu'ils ont fait?

Informez-vous sur les personnes suivantes et dites
ce qu'elles ont fait. Pour cela, utilisez les verbes suggérés.

▶ Monsieur Marty a pris son rasoir.   **Il s'est rasé.**

1. Caroline a pris le dentifrice.
2. Tu as pris tes vêtements.
3. Nous avons entendu le réveil *(alarm clock)*.
4. À minuit, tu es allé dans ta chambre.
5. Vous avez pris une semaine de vacances.
6. Nous sommes allées à la campagne.
7. Marc et Philippe ont vu un film très drôle.
8. Dans le bus, j'ai marché *(stepped)* sur les pieds
   de quelqu'un.
9. Le chauffeur de bus a vu le feu-rouge *(red light)*.
10. Tu as pris les ciseaux.
11. Vous avez voulu être à l'heure au rendez-vous.

s'amuser
s'arrêter
se brosser les dents
se coucher
se couper les ongles
se dépêcher
s'excuser
s'habiller
se promener
se raser
se reposer
se réveiller

La journée d'un mannequin

Christine est mannequin *(model)* pour un magazine de mode. Lisez comment elle
décrit sa journée:

Je me réveille à huit heures. Je ne me lève pas immédiatement.
J'attends dix minutes. Ensuite je me lève et je vais dans la salle de bains.
Là, je prends une douche et je me lave les cheveux. Ensuite je me maquille
et je m'habille. Vers neuf heures, je descends dans la cuisine et
je me prépare un petit déjeuner très léger *(light)*. Après, je regarde
le journal. Je téléphone à mon magazine pour faire mes rendez-vous.
Je réponds à mon courrier *(mail)*.

Vers dix heures et demie, je sors et je fais les courses. Je rentre
chez moi, mais je ne déjeune pas. À une heure, je prends un taxi. Je vais
directement au magazine pour les séances *(sessions)* de photo.
Je travaille tout l'après-midi.

À sept heures, je rentre chez moi et je dîne. Ensuite je regarde un film
à la télé. À onze heures je me couche et je m'endors.

Chaque jour, Christine suit la même routine. Décrivez ce qu'elle a fait hier.

▶ **Hier, Christine s'est réveillée à huit heures . . .**

Ma routine personnelle

Décrivez votre routine personnelle. Pour cela, composez un petit paragraphe où vous
racontez ce que vous avez fait hier. (Si nécessaire, utilisez votre imagination!) Ensuite,
comparez votre journée avec celle de votre partenaire.

▶ **Hier, c'était samedi [dimanche]. Je me suis réveillé(e) à . . .**

Langue et communication   **51**

TPR 🏃 ☒
Conjugation Drill
Give students the verb to be
drilled: SE MAQUILLER. See
p. 44 for TPR drill.
(BODILY-KINESTHETIC)

■ **Note linguistique**
Un mannequin (model) is
always used in the masculine
form. Un mannequin also
means "mannequin."

■ **Teaching Strategy:
Variation**
Activity 3 may be presented
as a **dictée** or cloze activity.

💬 **Teaching Strategy:
Variation**
Do Activity 4 as an A/B
activity.

🎲 Teaching Strategy: Game

Verbal Hot Potato
Students stand in a circle holding pictures of
actions. The teacher says «**Hier, je me suis...**»
and the student holding that picture says «**Non,
je ne me suis pas..., je me suis...**» Play passes
to another student.

Supplementary vocabulary

Also: **en bonne/mauvaise santé**
Ça sent bon/mauvais.
avoir l'air ...
  soucieux(se) *worried*
  détendu ≠ agité
  tranquille ≠ irrité

■ Note linguistique

avoir l'air de + ADJECTIVE
The adjective can:
- remain masculine (to agree with **air**)
  Pauline a l'air **fatigué.**
- agree with the subject
  Pauline a l'air **fatiguée.**

LE FRANÇAIS
P R A T I Q U E
La condition physique et les sentiments

COMMENT DEMANDER DES NOUVELLES À UN(E) AMI(E)

Ça va?
Comment te sens-tu? *How do you feel?*
Qu'est-ce que tu as? | *What's the matter?*
Qu'est-ce qu'il y a? | *What's wrong?*

| se sentir | *to feel* |

COMMENT RÉPONDRE

Ça va.

Je me sens | **bien.**
  en forme *(in shape)*
  décontracté(e) *(relaxed)*

Je suis | **heureux (heureuse).**
  content(e)
  de bonne humeur
    (in a good mood)

Ça ne va pas.

Je me sens | **mal.**
  malade
  fatigué(e) *(tired)*
  tendu(e) *(tense, uptight)*

Je suis | **malheureux (malheureuse).**
  triste *(sad)*
  de mauvaise humeur *(in a bad mood)*
  énervé(e) *(upset)*
  furieux (furieuse)
  en colère *(angry)*

COMMENT DÉCRIRE QUELQU'UN

Ton ami(e) | **semble** | **calme.** Il/Elle | **semble** | **perplexe.**
  a l'air | | **a l'air** | **préoccupé(e)** *(worried)*
  | | | | **inquiet (inquiète)** *(worried)*
  | | | | **déçu(e)** *(disappointed)*

| **sembler** | *to seem* |
| **avoir l'air** | *to look, appear* |

▶ À noter

Sentir is conjugated like **dormir**.

sentir	*to smell*	Est-ce que **tu sens** cette bonne odeur?
se sentir (+ adjective or expression)	*to feel*	Est-ce que **tu te sens** fatigué? **Je me sens** en forme.
ressentir (+ noun)	*to feel (a pain or an emotion)*	**Je ressens** beaucoup d'admiration pour cette personne.

👥 Teaching Strategy: Dialog Development

Have students in pairs develop two 10-line dialogs:
- One dialog asking about each other and how things are going
- One dialog asking about a mutual friend who seems mad, sad, upset, angry...

Put three student pairs together in a group and have students choose the best dialog prepared by their group and present it to the class.

Ça va?

Choisissez trois des situations suivantes. Décrivez votre condition ou vos sentiments dans chacun des cas.

- Vous êtes en vacances.
- Vous avez un examen.
- Vous avez un rendez-vous.
- Vous faites du sport.
- Vous mangez trop.
- Vous étudiez trop.
- Vous avez une bonne note à un examen.
- Vous étudiez beaucoup mais vous avez une mauvaise note.

- Vous vous disputez avec votre copain (copine).
- Votre copain (copine) n'est pas à l'heure à un rendez-vous.
- Votre frère (soeur) oublie votre anniversaire.
- Le professeur est malade.
- Votre cousin(e) vous téléphone à une heure du matin.
- Vos professeurs sont contents de vous.
- Vos amis vous critiquent.

▶ **Quand j'ai un examen, je me sens malade (je me sens tendu(e), décontracté(e) . . .)**

Qu'est-ce qu'ils ont?

Décrivez les personnes suivantes. Avec votre partenaire, trouvez deux raisons pour cette situation.

▶ — **Monsieur Moreau a l'air en colère.**
— **C'est parce qu'il a eu un accident de voiture.**
— **Non, je ne suis pas d'accord. C'est parce que son fils est rentré à deux heures du matin.**

| M. Moreau | Thomas | Pauline | Juliette |
| Jean-Philippe | Mme Tessier | Charlotte | Christophe |

Créa-dialogue

C'est lundi matin. D'habitude votre partenaire est toujours de bonne humeur. Mais aujourd'hui il/elle est de mauvaise humeur. Vous voulez savoir pourquoi.

— Ça va?
— Non, ça ne va pas.
— Qu'est-ce que tu as?
— Je suis <u>triste</u>.
— Et pourquoi donc?
— <u>Mon copain a oublié la date de mon anniversaire.</u>

| • *Use another expression.* |
| • *Express another feeling: anger, disappointment, worry . . .* |
| • *Give an original and appropriate reason.* |

🖥 Teaching Strategy: Multiple Intelligences

Use enlarged versions of the art in Activity 2 for input:

«Regardez M. Moreau.
Qu'est-ce qu'il a?
Il a l'air en colère.
Je me demande pourquoi.»

Students may answer orally, or write reasons on the board.
(SPATIAL/LINGUISTIC)

LANGUE ET COMMUNICATION

TEACHING RESOURCES

 Practice Activities,
pp. 25–26, 114, 180

 Audio CD 1, Track 16

 Audiocassette 2,
Side 2

Audio Script, p. 7

**Internet Connection
Notes,** Project 10,
p. 25

Teacher-to-Teacher,
Jumeaux/Jumelles,
pp. 11–14

■ Notes linguistiques

- Sometimes a reflexive construction in French corresponds to a passive construction in English. Compare:

Cela **ne se fait pas.**
*That **is not done.***
La fête nationale **se célèbre** le 14 juillet.
*The national holiday **is celebrated** on July 14.*

- Some reflexive verbs are considered idiomatic because their English equivalents do not express a reflexive action. However, in many of these verbs a reflexive meaning is implied (i.e., the subject is acting on itself):

Elle **se rend** au bureau.
*She **brings herself** to the office.*
Il **s'impatiente.**
*He **makes himself** impatient.*
Tu **t'excuses.**
*You **excuse yourself.***

■ Verbs

s'asseoir
s'inquiéter   (see **préférer**)
se taire

LANGUE ET COMMUNICATION

A. L'usage idiomatique des verbes réfléchis

Reflexive verbs are used:

- to describe certain MOVEMENTS

| **se rendre à** | *to go to* | Mme Meunier **se rend à** son bureau. |

- to describe FEELINGS or changes in feelings

| **s'impatienter** | *to get impatient* | Pourquoi est-ce que tu **t'impatientes?** |

- to describe certain other actions and situations

| **s'excuser** | *to apologize* | Tu as tort! **Excuse-toi!** |
| **se trouver** | *to be (located)* | Où **se trouve** la pharmacie? |

Vocabulaire: Quelques verbes réfléchis

MOVEMENT

s'asseoir	*to sit down*	**s'approcher (de)**	*to come closer*
se lever	*to stand up*	**s'arrêter**	*to stop*
		s'en aller	*to go away*

FEELINGS

s'amuser	*to have fun*	**s'inquiéter**	*to worry*
s'embêter	*to get bored*	**se mettre en colère**	*to get angry*
s'impatienter	*to get impatient*	**se sentir (triste . . .)**	*to feel (sad)*
s'énerver	*to get upset*		

OTHER MEANINGS

s'appeler	*to be called, named*	**se rappeler**	*to remember; to recall*
se trouver	*to be (located)*	**se souvenir (de)**	*to remember*
s'intéresser à	*to be interested in*	**se tromper**	*to make a mistake*
s'occuper de	*to be busy with; to take care of*	**se taire**	*to be quiet; to shut up*

➡ The verb **se souvenir** is conjugated like **venir.**

PRESENT: **je me souviens   nous nous souvenons   elles se souviennent**
PASSÉ COMPOSÉ: **je me suis souvenu(e)**

➡ The following irregular verbs are commonly used in the imperative:

s'en aller	se taire	s'asseoir
Va-t'en!	**Tais-toi!**	**Assieds-toi!**
Allez-vous-en!	**Taisez-vous!**	**Asseyez-vous!**

**Le présent des verbes
s'appeler, se rappeler
(comme appeler)**

Révision ▶   pp. R20-21
Pratique ▶ p. 25

ALLONS PLUS LOIN

Reflexive verbs are also used to express a reciprocal action, that is, an action in which two or more people interact with one another.

Philippe et Claire **se téléphonent.**	*Philippe and Claire phone each other.*
Marc et moi, **nous nous voyons** souvent.	*Marc and I often see each other.*
Où est-ce que vous allez **vous retrouver?**	*Where are you going to meet (each other)?*

👥 Teaching Strategy: Accordian Vocabulary Drill

Have students fold a piece of paper in three columns. In the first column, have them write 10–15 of the verbs (p. 55) which they anticipate having difficulty memorizing, and exchange the list with someone else in the class.

The students, who now have someone else's list, will write the English equivalent of the given vocabulary in the second column and fold down the first column so that only the English and a blank column is showing. (Be sure that the students verify that their answers are correct.)

Finally, hand this list back to the originating student. This student must now write

Une question de personnalité

Analysez la personnalité des personnes suivantes et dites si oui ou non elles font les choses entre parenthèses.

▶ Tu es toujours calme. (s'inquiéter?)
Tu ne t'inquiètes pas.

1. Tu as une excellente mémoire. (se souvenir de tout?)
2. Vous n'aimez pas attendre. (s'impatienter?)
3. Alice est optimiste. (se sentir triste?)
4. Philippe est très irritable. (se mettre souvent en colère?)
5. Nous sommes curieux. (s'intéresser à tout?)
6. J'aime étudier. (s'embêter en classe?)
7. Tu es très patient. (s'énerver?)
8. Nous avons toujours raison. (se tromper?)

Que dire?

Qu'est-ce que vous allez dire à votre ami français dans les circonstances suivantes? Utilisez l'impératif affirmatif ou négatif des verbes de la liste. Soyez logique dans votre choix!

▶ Votre ami est furieux. **Ne te mets pas en colère!**
▶ Il a tort. **Excuse-toi!**

- Il parle trop.
- Il attend sa copine depuis une heure.
- Il est insupportable *(unbearable)* avec vous.
- Il a un problème avec ses parents.
- Il va à une boum.
- Il a un examen de maths.
- Il est fatigué.
- Il a une entrevue professionnelle dans une semaine.

> s'amuser
> s'asseoir sur cette chaise
> s'en aller
> s'excuser
> s'impatienter
> s'inquiéter
> se mettre en colère
> se souvenir de la date
> se taire
> se tromper dans les calculs

Et vous?

Complétez les phrases suivantes avec une expression personnelle. Ensuite, comparez vos réponses avec celles de votre partenaire.

1. Je m'intéresse à . . .
2. Je me souviens toujours de . . .
3. Je m'amuse quand . . .
4. Je m'embête quand . . .
5. Je m'inquiète quand . . .
6. Je me sens triste quand . . .
7. Je me sens heureux (heureuse) quand . . .
8. Je me mets en colère quand . . .
9. Je me sens fatigué(e) quand . . .
10. Je ne me tais pas quand . . .

Zut alors!

Aujourd'hui les personnes suivantes ont eu des problèmes. Expliquez leurs problèmes. Attention: les phrases peuvent être affirmatives ou négatives!

▶ Philippe / s'amuser à la boum
Philippe ne s'est pas amusé à la boum.

1. vous / s'énerver pendant l'examen
2. moi / se souvenir de mon rendez-vous
3. les élèves / se tromper dans l'exercice
4. Alice / se mettre en colère
5. nous / s'impatienter
6. toi / s'embêter pendant la classe
7. Pierre et Robert / se sentir malades au restaurant
8. Isabelle / se sentir en forme

 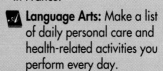 **UNITÉ 1**

Interdisciplinary/ Community Connections

Create a manual of items for personal care and well-being that can be used while traveling in France.

Language Arts: Make a list of daily personal care and health-related activities you perform every day.

Math: Based on the survey, graph how many people thought each product was a necessity or a luxury. Then calculate the cost of items considered necessary and display your information in a chart.

Science/Health: Consult a health professional for information about first-aid products and motion-sickness remedies.

Social Studies: Create a survey asking which products people think are necessary and which are luxuries. Interview classmates and family members.

Art/Music: Design your travel manual.

Technology: Implement your design using the computer. Or find out how a computer can help you make travel plans and reservations.

Community: Print out your class travel manual and display in the French classroom or school library for others to use.

Supplementary vocabulary

s'éloigner *to go away*
se déplacer *to move (over)*
se calmer *to get calm*
se réjouir *to be happy*
s'ennuyer *to be/get bored*
se rendre compte *to realize*
s'apercevoir * *to notice*

---

the French for the words given in the third column. Students thus practice the words with which they anticipated having difficulty.

Note: This drill can continue by folding the paper and turning it over. It can also be done at home as a useful vocabulary review tool.

🎮 Game: Silent Partner

The "Spokesperson" sits in a chair with the "Silent Partner" standing behind. The class asks questions. If the "Spokesperson" gives incorrect information, the "S.P." taps on the left shoulder; if correct, taps the right shoulder. Pairs of students take turns.

LECTURE

 Reading
STRATEGY

Reading fiction

 Transparency L1

 Overhead Visuals Copymasters and Activities, pp. A120–A121

Internet Connection Notes, Long-Term Internet Project, p. 26

Note culturelle
Le Théâtre de l'Absurde also includes novels and essays, sometimes called **la littérature de dérision.** Some of its authors are Beckett, Obaldia, and Marguerite Duras.

■ **Additional Information**

Ionesco wrote the following plays: **La Leçon, La Cantatrice chauve, Les Chaises, Rhinocéros.**

LECTURE

Conte pour enfants de moins de trois ans

Eugène Ionesco

Eugène Ionesco (1912-1994) est né en Roumanie. Il fait des études de français à l'université de Bucarest, et devient lui-même professeur de français. En 1938, il quitte son pays menacé par le nazisme et vient s'installer en France. Il commence alors une brillante carrière littéraire qui lui vaudra d'être nommé à l'Académie française.

Ionesco est l'auteur de 33 pièces de théâtre. Dans ses pièces, il dénonce la banalité ou l'angoisse de l'existence avec une arme très puissante: l'humour. Combattant l'absurde par l'absurde, Ionesco a créé un théâtre entièrement nouveau que ses critiques ont justement appelé «Le Théâtre de l'Absurde».

AVANT DE LIRE

Dans ce conte, Ionesco met en scène un père et sa petite fille, âgée de deux ans et demi, dans une situation ordinaire de l'existence. Un matin, papa et sa fille se trouvent seuls à la maison. Pour une raison inexpliquée, la maman est partie chez sa mère. (Il y a peut-être eu une dispute dans le couple.) La petite fille, inquiète° de l'absence de sa mère, veut rester tout près de son père, mais celui-ci, qui veut se laver, n'a pas besoin d'elle. Pour être seul, il joue sur la psychologie des enfants: ce qui est absurde ou illogique pour un adulte peut sembler tout à fait° naturel et logique pour un enfant.

Pour mieux comprendre une histoire, il est utile de savoir quel genre° d'histoire c'est. À votre avis, d'après le titre, les illustrations et la note biographique sur Ionesco, quel genre d'histoire allez-vous lire?
- une histoire réaliste?
- une histoire humoristique?
- un drame psychologique?
- un conte fantastique?
- un récit d'aventures?

inquiète worried   **tout à fait** = complètement   **genre** = sorte

---

NOTE CULTURELLE

L'Académie française

Créée en 1635, l'Académie française a pour but° de préserver la langue française. Cette prestigieuse institution a 40 membres, appelés les «Immortels». Ce sont généralement des écrivains français très connus. Eugène Ionesco est l'un des rares Académiciens d'origine étrangère.

but = objectif

Mots utiles

avoir mal à l'estomac	to have an upset stomach
avoir mal à la tête	to have a headache
empêcher de	to stop, keep from (doing)
frapper	to knock
pleurer	to cry
profiter de	to take advantage of

NOTE CULTURELLE

Les membres de l'Académie française sont élus à vie. On les appelle «Immortels» car quand un Académicien meurt, ses collègues élisent un successeur. Parmi les Académiciens d'origine étrangère: Julien Green (américain), Léopold Senghor (sénégalais), Marguerite Yourcenar (belge).

Conte pour enfants de moins de trois ans

1

Ce matin, comme d'habitude,° Josette frappe à la porte de la chambre à coucher de ses parents. Papa n'a pas très bien dormi. Maman est partie à la campagne* pour quelques jours. Alors papa a profité de cette absence pour manger beaucoup de saucisson, pour boire de la bière, pour manger du pâté de cochon,** et beaucoup d'autres choses que maman l'empêche de manger parce que c'est pas bon pour la santé.° Alors, voilà, papa a mal au foie,** il a mal à l'estomac, il a mal à la tête, et ne voudrait pas se réveiller. Mais Josette frappe toujours° à la porte. Alors papa lui dit d'entrer. Elle entre, elle va chez son papa. Il n'y a pas maman. Josette demande:

— Où elle est maman?

Papa répond: «Ta maman est allée se reposer à la campagne chez sa maman à elle.»

Josette répond: «Chez Mémée?»°

Papa répond: «Oui, chez Mémée.»

— Écris à maman, dit Josette. Téléphone à maman, dit Josette.

Papa dit: «Faut pas téléphoner.»

Josette dit: «Raconte une histoire avec maman et toi, et moi.»

— Non, dit papa, je vais aller au travail. Je me lève, je vais m'habiller.

Et papa se lève. Il met sa robe de chambre° rouge, par-dessus° son pyjama, il met dans les pieds ses *poutouffles*.° Il va dans la salle de bains. Il ferme la porte de la salle de bains. Josette est à la porte de la salle de bains. Elle frappe avec ses petits poings,° elle pleure.

Josette dit: «Ouvre-moi la porte.»

Papa répond: «Je ne peux pas. Je suis tout nu,° je me lave, après je me rase.»

Josette dit: «Tu laves ta figure, tu laves tes épaules,° tu laves tes bras, tu laves ton dos, tu laves ton *dérère*,° tu laves tes pieds.

— Je rase ma barbe, dit papa.

— Tu rases ta barbe avec du savon, dit Josette. Je veux entrer. Je veux voir.

---

* **La campagne.** In French, the term **la campagne** (the country) is used to refer to any area outside **la ville** (the city).
** **Mal au foie.** The French believe that eating too many fatty foods, such as **saucisson** (sausage) and **pâté de cochon** (a type of meatloaf made of ground pork and served cold), and drinking too much wine or beer leads to **mal au foie** (abdominal pain indicating liver trouble).

comme d'habitude *as usual*   **santé** *health*   **Mémée** = grand-mère   **toujours** = sans arrêter   **autre part** *somewhere else*
robe de chambre *bathrobe*   **par-dessus** = sur   **poutouffles** = pantoufles *slippers*   **poings** *fists*   **nu** *naked, nude*
épaules *shoulders*   **dérère** = derrière *behind, rear end*

Avez-vous compris?

1. Comment le Papa de Josette se sent-il ce matin-là? Pourquoi?
2. Qu'est-ce que Josette demande d'abord à son père?
3. Selon vous, pourquoi est-ce que Josette veut rester près de son père?

Anticipons un peu!

Imaginez que vous êtes dans une situation semblable à celle du Papa. Vous êtes dans la salle de bains où vous vous habillez pour aller à un rendez-vous. Vous vous dépêchez parce que vous avez peur d'être en retard . . . Votre petit(e) frère (soeur) veut entrer dans la salle de bains. Il/elle pleure, mais vous savez que ce n'est pas trop grave. Qu'est-ce que vous allez faire?

- fermer la porte à clé?
- dire à votre petit(e) frère (soeur) de se taire?
- ouvrir la porte et lui donner une sucette *(lollypop)*?
- sortir de la salle de bains pour lui raconter une histoire?
- trouver une autre solution plus originale? laquelle?

Maintenant, lisez la deuxième partie pour voir ce que le papa de Josette a fait.

■ Irregular Verbs
(see Appendix C)
courir
revenir   *(see venir)*

■ Note linguistique
Un buffet is used to put away dishes and silverware. **Une armoire** is used for linens or clothing.

un canapé

un buffet

les casseroles

le four

le paillasson

Mots utiles

aller voir	to go look
courir*	to run
crier	to yell, shout
embrasser	to kiss
être tranquille	to be alone, undisturbed
revenir*	to come back
sauter	to jump
à travers	across, through
de nouveau	again
ne . . . plus	no longer, not anymore

---

30   Papa dit: «Tu ne peux pas me voir, parce que je ne suis plus dans la salle de bains.»

Josette dit (derrière la porte): «Alors, où tu es?»

Papa répond: «Je ne sais pas, va voir. Je suis peut-être dans la salle à manger, va me chercher.»

Josette court dans la salle à manger, et papa commence sa toilette. Josette
35   court avec ses petites jambes, elle va dans la salle à manger.

Papa est tranquille, mais pas longtemps. Josette arrive de nouveau devant la porte de la salle de bains, elle crie à travers la porte:

Josette: «Je t'ai cherché. Tu n'es pas dans la salle à manger.»

Papa dit: «Tu n'as pas bien cherché. Regarde sous la table.»

40   Josette retourne dans la salle à manger. Elle revient.

Elle dit: «Tu n'es pas sous la table.»

Papa dit: «Alors va voir dans le salon. Regarde bien si je suis sur le fauteuil, sur le canapé, derrière les livres, à la fenêtre.»

Josette s'en va. Papa est tranquille, mais pas pour longtemps.
45   Josette revient.

Elle dit: «Non, tu n'es pas dans le fauteuil, tu n'es pas à la fenêtre, tu n'es pas sur le canapé, tu n'es pas derrière les livres, tu n'es pas dans la télévision, tu n'es pas dans le salon.»

Papa dit: «Alors, va voir si je suis dans la cuisine.»

50   Josette dit: «Je vais te chercher dans la cuisine.»

Josette court à la cuisine. Papa est tranquille, mais pas pour longtemps.

Josette revient.

Elle dit: «Tu n'es pas dans la cuisine.»

Papa dit: «Regarde bien, sous la table de la cuisine, regarde bien si je
55   suis dans le buffet, regarde bien si je suis dans les casseroles, regarde bien si je suis dans le four avec le poulet.»

Josette va et vient. Papa n'est pas dans le four, papa n'est pas dans les casseroles, papa n'est pas dans le buffet, papa n'est pas sous le paillasson, papa n'est pas dans la poche de son pantalon. Dans la poche du pantalon,
60   il y a seulement le mouchoir.

Josette revient devant la porte de la salle de bains.

Josette dit: «J'ai cherché partout. Je ne t'ai pas trouvé. Où tu es?»

la poche, le mouchoir

une armoire

un tapis

une poubelle

Papa dit: «Je suis là.» Et papa, qui a eu le temps de faire sa toilette,
    qui s'est rasé, qui s'est habillé, ouvre la porte.

65   Il dit: «Je suis là.» Il prend Josette dans ses bras, et voilà aussi
la porte de la maison qui s'ouvre, au fond du couloir,° et c'est maman
qui arrive. Josette saute° des bras de son papa, elle se jette° dans les bras
de sa maman, elle l'embrasse, elle dit:
    — Maman, j'ai cherché papa sous la table, dans l'armoire, sous

70   le tapis, derrière la glace, dans la cuisine, dans la poubelle,
        il n'était pas là.
Papa dit à maman: «Je suis content que tu sois revenue. Il faisait
            beau à la campagne? Comment va ta mère?»
Josette dit: «Et Mémée, elle va bien? On va chez elle?»

au fond du couloir *at the end of the hall*   **saute** *jump*   **se jette** *throws herself*

Avez-vous compris?

1. Quel stratagème est-ce que le père utilise pour être tranquille?
2. Est-ce que ce stratagème réussit? Pourquoi, selon vous?
3. Comment se termine l'histoire?

APRÈS LA LECTURE

EXPRESSION ORALE

■ Situation
Avec votre partenaire, composez un dialogue correspondant à la situation suivante. Utilisez votre imagination.

Au bureau

Le papa de Josette parle de son weekend avec un(e) collègue de bureau qui veut des détails. Il décrit . . .
• pourquoi sa femme n'était pas là (il ne dit pas la vérité), et où elle était
• ce qu'il a bu et mangé
• ce qu'il a fait avec sa petite fille
• ce qu'il a fait d'autre

Rôles: le papa, le/la collègue

■ Théâtre
Avec votre partenaire, composez une scène semblable au conte que vous avez lu sur le thème suivant: Stéphanie (18 ans) fait du babysitting pour Dominique (3 ans). Elle veut téléphoner à son copain, mais Dominique ne la laisse pas tranquille. Pour se libérer, Stéphanie utilise un stratagème semblable à celui de l'histoire. (Variation: c'est Stéphane qui fait du babysitting, et il veut téléphoner à sa copine.)

EXPRESSION ÉCRITE

■ Un peu d'humour
Décrivez brièvement les éléments de l'histoire que vous avez trouvés drôles.

■ Une lettre
Imaginez que vous êtes la mère de Josette. Vous écrivez à votre cousine pour lui expliquer les événements du weekend. Vous pouvez mentionner. . .
• la raison de votre dispute avec votre mari (Inventez!)
• où vous êtes allée et ce que vous avez fait (Inventez!)
• quand vous êtes rentrée chez vous et pourquoi vous étiez heureuse de rentrer

---

🗂 Student Portfolios

INTERLUDE CULTUREL

TEACHING RESOURCES

Internet Connection Notes, Interlude Culturel 1, pp. 27–29

🌐 **General Synopsis of Interlude 1**

French Modern Art
- *Impressionism:* Monet, Degas, Renoir, Manet, B. Morisot
- *Post-Impressionism:* Van Gogh, Gauguin, Matisse, Rousseau, Toulouse-Lautrec
- *Surrealism* as an artistic and literary movement: Magritte

Poems
- Desnos, *La fourmi*
- Prévert, *Pour faire le portrait d'un oiseau*

■ **Note linguistique**

Les nymphéas = water lilies (Monet's painting, top of page)

INTERLUDE CULTUREL

Monet «Les Nymphéas»

■ *La Révolution impressionniste* ■

L'art moderne est né en France dans les années 1870. C'est à cette époque, en effet, qu'un groupe d'artistes, nommés «les **Impressionnistes**», a présenté au monde une nouvelle façon° de concevoir la peinture. Avant eux, la peinture° était très traditionnelle. Les artistes essayaient d'imiter la réalité en reproduisant de façon très exacte et avec beaucoup de détails les sujets qu'ils peignaient. Ils apprenaient leur métier° dans des «académies», c'est-à-dire dans des écoles où ils copiaient minutieusement des modèles sous la direction de maîtres sans grande imagination. Pour ces artistes, l'essentiel dans la peinture était la forme.

Au lieu de° s'intéresser à la forme, les Impressionnistes se sont intéressés à la couleur, et surtout aux effets de la lumière° sur les objets qu'ils représentaient. Au lieu de peindre des scènes de bataille ou des héros de l'Antiquité, ils ont peint des scènes de la vie courante,° des portraits d'amis, et surtout la nature. Au lieu de travailler dans des ateliers,° ils ont travaillé en plein air.° Cette façon simple et naturelle de peindre a révolutionné le monde des arts.

À l'origine, cependant, les Impressionnistes n'ont eu aucun° succès. C'est par dérision° qu'un journaliste leur a donné le nom d'«impressionnistes». Ces peintres ne pouvaient même pas exposer leurs toiles° dans les salons officiels patronnés par le gouvernement. Ils ont donc organisé leurs propres° expositions chez des amis. Il y a eu huit expositions impressionnistes entre 1874 et 1886, mais ces expositions ont été des échecs.°

La peinture impressionniste choquait trop l[e] sens esthétique de l'époque!

Peu à peu, les critiques d'art ont finalemen[t] compris l'importance de la «révolution impressionniste. Les collectionneurs on[t] commencé à acheter les tableaux° de ces peintre[s]. Aujourd'hui, ces tableaux valent° des fortune[s]. On peut les admirer dans les plus grands musée[s] du monde: à Paris, à New York, à Londres, Chicago, à Boston, à Saint Pétersbourg.

Les peintres impressionnistes sont considéré[s] parmi° les plus grands artistes de tous les temp[s]: **Monet**, **Manet**, **Cézanne**, **Renoir**, **Degas** . . [.] Parmi ces artistes, il y avait des femmes: **Berth[e] Morisot** et une Américaine, **Mary Cassatt**. Mar[y] Cassatt, fille d'un riche banquier d[e] Philadelphie, était venue étudier l'art à Paris. E[n] faisant connaître° l'impressionnisme aux État[s]-Unis, elle en a assuré le triomphe dans le monde[.]

façon *manner* **peinture** *painting* **métier** *trade* **au lieu de** *instead of* **lumière** *light* **vie courante** *daily life* **ateliers** *studios* **en plein air** *outdoors* **aucun** *no* **dérision** *mockery* **toiles** *paintings (canvases)* **propres** *own* **échecs** *failures* **tableaux** *paintings* **valent** *are worth* **parmi** *among* **en faisant connaître** *by making known*

📖 **Teaching Strategy**

The material presented in the *Interlude* should remain enjoyable for students and not over-whelming. Ask students to scan the entire *Interlude,* looking at the illustrations, noting familiar and unfamiliar items, and making a list of names they recognize. Ask them to suggest the theme of the *Interlude.*

This *Interlude* is an excellent starting point for an interdisciplinary project. Work with your school's Art and History teachers to develop an appropriate project.

■ Quelques peintres impressionnistes

Degas *«Répétition d'un ballet»*

■ Edgar Degas (1834-1917)

Degas était le fils d'un banquier. Sa mère était issue d'une riche famille de La Nouvelle-Orléans. Degas a étudié le droit°, mais il a abandonné ses études pour se consacrer à la peinture. C'était aussi un sculpteur. Ses sujets préférés étaient les danseuses de l'Opéra, les scènes de café et les chevaux.

Manet *«Le fifre»*

■ Édouard Manet (1832-1883)

Manet voulait être officier de marine, mais après un voyage au Brésil, il a décidé de se consacrer à la peinture. Ses premiers tableaux, de couleurs violentes, ont provoqué l'hostilité du public et des critiques, mais l'admiration de jeunes peintres alors inconnus: Monet, Renoir, Cézanne. C'est ainsi qu'il est devenu le chef d'un nouveau mouvement qui allait être l'impressionnisme. Manet a peint toutes sortes de sujets: portraits de ses amis, scènes de la vie courante et familière, paysages° divers.

■ Pierre-Auguste Renoir (1841-1919)

Renoir a commencé par peindre des devantures° de café, puis il est allé à l'École des Beaux-Arts. Ce peintre aimait les couleurs chaudes. Ses sujets principaux sont les enfants, les jeunes filles, les femmes, les fleurs, les scènes de café et les bals populaires.

■ Berthe Morisot (1841-1895)

Berthe Morisot était la belle-soeur d'Édouard Manet. Elle s'est intéressée très jeune à la peinture. Comme beaucoup d'artistes de l'époque, elle a commencé à copier les tableaux du musée du Louvre. C'est là qu'elle a fait la connaissance de Manet. Elle a alors rejoint le groupe des peintres impressionnistes. Elle a peint avec eux et elle a participé à leurs expositions. Berthe Morisot aimait utiliser les couleurs claires.° Ses sujets principaux sont les fleurs, les paysages, les scènes de la vie champêtre° et les portraits de jeunes filles.

Renoir *«La Danse à Bougival»*

Morisot *«Fillette lisant / La lecture»*

droit *law*   **devantures** *store fronts*   **paysages** *landscapes*   **claires** *light*   **champêtre** = *rurale*

🌐 Notes culturelles

- When Degas visited the US in 1872, he stayed in New Orleans.
- **Le fifre** is a small flute or the player of this flute. This painting represents an army boy **(un enfant de troupe)** of the Imperial Army **(la garde impériale)** under Napoléon III (1808-1873). **Le Fifre** was rejected by the jury of the 1866 Salon. This rejection prompted an article by Émile Zola, in which he praised the beauty and simplicity of Manet's work. Zola concluded his article with this prophetic line: **«La place de Manet est marquée au Louvre.»**
- Renoir's son, Jean Renoir (1894-1979), became an acclaimed filmmaker. Among his works are the classics **La Grande illusion** and **La Règle du jeu**.
- Manet made several portraits of Berthe Morisot. She is also represented in his painting called **Le Balcon**.
- **Les Beaux-Arts** is a famous art school in Paris where Delacroix, Matisse, and Braque studied.

🌐 Internet Connection—Interlude 1

The following list of Internet addresses expands the material presented in Interlude 1. For additional links, students can use the following keywords with the search engine of their choice: **Impressionnisme; "l'art Impressionniste"; "le mouvement Impressionniste";** *(specific names of Impressionists).*

French Impressionism—General   http://www-leland.stanford.edu/~golnas/impressionism/impressionists.html
Matisse   http://202.38.128.45/www/ART/matisse/matisse.bio-fr.html
Les champs de la sculpture   http://www.parisnet.com/french/news/champs/album.htm

1815– : Fall of the Emperor Napoléon 1er.

1830– : Louis Philippe becomes king after a revolution.

1830–1848: Beginning of the Industrial Revolution in France. Romanticism prevails in all arts.

1838– : Beginning of photography, with the **daguerréotypes** invented by Jacques Daguerre.

1852–1870: Napoléon III, nephew of Napoléon 1er, reigns as the emperor of France. Haussman landscapes Paris, widening its streets, and creating large avenues as well as the Parc du Bois de Boulogne. The railroad system is put into place.

1870–1871: Third Republic. After a war with Germany (1870), France loses the eastern regions of Alsace and Lorraine.

1871: A socialist revolution, called **La Commune de Paris,** is violently repressed.

1880– : Elementary school becomes mandatory and free in France.

1889– : The new Eiffel Tower is the talk of the Paris Exhibition.

1894–1899: The Dreyfus Affair divides public opinion and becomes a great scandal.

1895– : The **Brothers Lumière,** Louis Jean and Auguste, show the first movie in Paris.

■ *Claude Monet: le peintre de la lumière*

C'est un tableau de **Monet** intitulé «**Impression, soleil levant**»° qui a donné son nom à l'impressionnisme. Monet (1840-1926) était fasciné par les effets de la lumière. Il pensait qu'on pouvait reconstituer les reflets de la lumière sur les objets en décomposant celle-ci° en ses couleurs fondamentales. Il a donc inventé une technique qui consistait à peindre par petites taches° de couleur: du jaune, du rouge, du bleu, du vert, de l'orange et aussi du blanc et du noir.

Monet «*Impression, soleil levant*»

Claude Monet *(1840-1926)*

Monet, «*Gare Saint Lazare*»

Monet aimait peindre et repeindre les mêmes scènes sous des lumières différentes: à midi, très tôt le matin, le soir, au printemps, en plein été, sous la neige. Il a ainsi exécuté des séries entières d'un seul° sujet peint à différents moments de la journée ou de l'année. Monet a peint surtout des paysages, mais il a peint aussi des scènes urbaines très célèbres: **la cathédrale de Rouen, la Gare Saint Lazare** à Paris, **la Tamise**° à Londres.

Pendant de longues années, Monet est resté très pauvre, mais avec le succès de l'impressionnisme, il a finalement connu la célébrité, la gloire et la fortune. Après des années de misère, il est devenu un véritable héros national.

Monet, «*La cathédrale de Rouen*»

---

soleil levant *rising sun*   **celle-ci** = la lumière   **taches** *spots*   **un seul** *only one*   **la Tamise** *Thames (River)*

👓 Teaching Strategy

Divide the class into groups, or allow the class to choose project teams. Have each team choose a different artist and research the artist's style and works, producing a timeline of the artist's life and a presentation of his/her work. Some students may be able to provide demonstrations of particular styles for the class.

Monet a vécu° longtemps dans une maison de campagne située à **Giverny**, à 60 kilomètres de Paris. Devant cette maison, il avait créé un superbe jardin avec une très grande variété de fleurs qui changeait de couleur avec les saisons. C'est ce jardin aux couleurs chaudes et variées que Monet a peint dans de nombreux tableaux. À Giverny, Monet aimait recevoir ses amis et aussi beaucoup de jeunes peintres qui venaient écouter ses conseils.° Parmi ces peintres, il y avait une colonie d'artistes américains qui s'étaient installés dans un hôtel près de la maison de l'artiste. Vers° la fin° de sa vie, malheureusement, le grand artiste de la lumière était devenu aveugle,° et ne pouvait plus peindre.

Après la mort de Monet, la maison de Giverny et son jardin ont été abandonnés. Heureusement, grâce à° la générosité d'une riche Américaine, cette maison a été récemment restaurée et le jardin recréé dans sa splendeur originale. Aujourd'hui des centaines de milliers de visiteurs venus du monde entier viennent chaque année à Giverny saluer la mémoire du grand artiste français et admirer son merveilleux jardin.

Renoir, «Monet peignant dans son jardin»

Maison de Monet à Giverny

Monet, «Le pont japonais»

Détail, «Le pont japonais»

Le jardin de Monet à Giverny

vécu *lived* conseils *advice* vers *towards* fin *end* aveugle *blind* grâce à *thanks to*

Giverny is a small town (547 inhabitants) in Normandy. Rouen, the city where Joan of Arc was executed in 1431, is also in Normandy.

In 1892, Monet painted the cathedral of Rouen forty times, each painting done at a different time of day and thus in a different light.

■ *Après l'Impressionnisme* ■

Une conséquence importante de l'impressionnisme a été de libérer l'art des normes esthétiques traditionnelles. Ce mouvement a donc ouvert° des voies° nouvelles à d'autres artistes qui ont pu exercer librement° leur imagination et leur créativité. Après l'impressionnisme, d'autres mouvements artistiques sont nés en France. Vers 1900, Paris était devenu la capitale universelle des arts, attirant° des artistes de tous les pays du monde.

■ Anecdote
On December 24, 1888, Van Gogh assaulted Gauguin and tried to kill him. To beg his forgiveness, Van Gogh cut off his ear and sent it to Gauguin.

▣ Note culturelle
L'archipel des Marquises is a group of ten volcanic islands, and belongs to French Polynesia.

Van Gogh *«La nuit étoilée»*

■ Vincent Van Gogh (1853-1890): Le génie de la folie

Van Gogh était hollandais, mais c'est en France qu'il a peint ses tableaux les plus célèbres. Comme les Impressionnistes, il avait un sens profond de la lumière et des couleurs brillantes, mais il est allé plus loin qu'eux. Van Gogh voulait non seulement peindre ce qu'il voyait, mais cherchait aussi à exprimer les sensations° étranges qu'il éprouvait.° Pour cela, il exagérait l'intensité des couleurs et il donnait un mouvement aux choses inanimées. Ses représentations de la lune° et des étoiles° tournant dans le ciel° sont particulièrement hallucinantes.

■ Paul Gauguin (1848-1903): Le peintre de l'exotisme

Gauguin travaillait dans une banque où il gagnait bien sa vie. Un jour, à l'âge de 35 ans, il a décidé de tout abandonner, travail, famille, enfants, vie confortable, pour se consacrer totalement à la peinture. Il a rejoint les peintres impressionnistes, mais c'est dans l'exotisme qu'il a cherché son inspiration. Il est allé à Panama, à la Martinique, à Tahiti et, finalement, dans une petite île des Marquises.* Là, loin de la civilisation et en compagnie de gens simples, mais nobles et généreux, il a peint ses plus belles toiles.

* Les Marquises: a group of islands in the South Pacific

Gauguin *«Femmes de Tahiti»*

Rousseau *«La bohémienne endormie»*

■ Henri Rousseau (1844-1910): Le douanier inspiré

Pendant la semaine, **Henri Rousseau** était un bureaucrate dont° le travail consistait à contrôler le trafic des marchandises à l'entrée de Paris (d'où son surnom de «douanier»).° Le dimanche, cet employé modèle quittait la ville avec sa boîte de peintures pour aller peindre en plein air. Comme il n'avait jamais étudié dans une école d'art, Rousseau utilisait une technique très rudimentaire où la perspective n'existait pas. Si son style était simple, «naïf», son imagination était débordante.° Ses tableaux les plus célèbres représentent des paysages irréels peuplés° d'animaux exotiques.

ouvert *opened* **voies** *ways* **librement** *freely* **attirant** *attracting* **sensations** *feelings* **éprouvait** *experienced, felt*
lune *moon* **étoiles** *stars* **ciel** *sky* **dont** *whose* **douanier** *customs officer* **débordante** *overflowing* **peuplés** *populated*

Toulouse-Lautrec «Jane Avril au Jardin de Paris»

■ **Toulouse-Lautrec** (1864-1901): **Le peintre de la vie parisienne**

Henri de Toulouse-Lautrec est né dans une famille aristocratique très illustre et très ancienne. À l'âge de 14 ans, il a eu un accident de cheval qui l'a rendu infirme° pour le reste de sa vie. Encouragé par sa mère, il a décidé de devenir artiste et il est allé étudier à l'École des Beaux Arts à Paris. Toulouse-Lautrec aimait fréquenter° les cafés, les cabarets et les music-halls, comme le Moulin Rouge pour lequel° il a dessiné des affiches célèbres.

Dans ses tableaux, il a surtout représenté les scènes de spectacle auxquels il assistait: théâtre, music-hall, cirque, vélodrome°... Il a immortalisé les artistes de ces spectacles, comme Jane Avril, dans de nombreux portraits.

■ **Henri Matisse** (1869-1954): **Le grand Fauve**

C'est au lit que **Matisse** a découvert la peinture. Jeune homme, il étudiait le droit pour être avocat. Les complications d'une appendicite l'ont obligé à rester dans sa chambre pendant plusieurs mois. Un jour, pour le distraire°, sa mère lui a offert des pinceaux° et une boîte de couleurs.° Tout d'un coup, Matisse a eu la révélation de sa véritable° vocation. Après sa maladie, il a abandonné ses études de droit pour se consacrer uniquement et entièrement à la peinture.

Matisse est l'un des plus grands artistes du vingtième siècle. Durant sa vie, Matisse a peint dans des styles très différents. Vers 1900, il a fondé avec quelques amis un nouveau mouvement artistique, le «Fauvisme». (On appelle ces artistes les «Fauves»° non seulement parce qu'ils utilisaient des couleurs violentes — rouge, brun, orange — mais aussi parce que leurs ateliers ressemblaient à des tanières° de bêtes sauvages!)

Plus tard, Matisse a utilisé des couleurs plus claires et plus délicates pour peindre des fruits, des fleurs, des jeunes femmes d'une façon très décorative. Il s'est exprimé dans des médias divers: il a dessiné, sculpté, illustré des livres, fait des collages avec du papier découpé.° Vers la fin de sa vie, Matisse était malade et paralysé, mais il a continué à peindre en attachant des pinceaux à ses avant-bras.°

Matisse «La desserte rouge»

Matisse «Icarus, Jazz»

🌐 **Additional Information**

Matisse traveled to Morocco, Italy, Spain, Germany, Tahiti, and Russia. In 1950, Matisse decorated the interior of the chapel of Saint-Paul-de-Vence, a town in the south of France.

■ **Camille Claudel** (1864-1943): **L'élève, égale au maître**

Claudel «Autoportrait»

Comme beaucoup de jeunes filles de son époque, **Camille Claudel** voulait être artiste. Comme elle s'intéressait à la sculpture, elle a décidé d'aller à Paris pour étudier sous la direction d'Auguste Rodin, le plus grand sculpteur d'alors. D'élève, Camille Claudel est devenue l'assistante et l'inspiratrice du maître. Son influence est présente dans un grand nombre de sculptures de Rodin.

Camille Claudel était elle-même un grand sculpteur, mais ses oeuvres,° produites dans l'ombre° d'un homme que l'on considérait comme l'un des grands génies de son temps, sont longtemps restées ignorées. Un film récent sur sa vie tragique a fait redécouvrir le talent de cette artiste méconnue.°

infirme *crippled* **fréquenter** = *visiter* **lequel** *which* **vélodrome** *bicycle racetrack* **distraire** *to amuse* **pinceaux** *brushes* **boîte de couleurs** *paintbox* **véritable** *true* **Fauves** *wild beasts* **tanières** *lairs* **découpé** *cut out* **avant-bras** *forearms* **oeuvres** *works* **ombre** *shadow* **méconnue** *unrecognized*

🌐 **NOTE** CULTURELLE

• Dans le film *Camille Claudel* (1988), réalisé par Brunot Nuytten, **Isabelle Adjani** joue le rôle principal de Camille Claudel.

• **Auguste Rodin** (1840–1917) est surtout connu pour sa sculpture *Le Penseur*.

■ *Peinture . . .*

Magritte, «La Grande Gue...»

René Magritte (1898–1967)

Regardez bien ce tableau. Il représente un homme avec un chapeau sur la tête et une pomme verte. La juxtaposition de cette personne réelle avec un objet réel constitue une situation qui n'est pas réelle. C'est une situation surréelle ou «**surréaliste**».

L'artiste qui a peint ce tableau est l'un des plus grands peintres surréalistes. Il était belge et s'appelait **René Magritte**. Magritte ressemblait beaucoup à l'homme du tableau. Il portait souvent une cravate, un manteau et un chapeau, même° quand il peignait. Il n'avait pas de studio. Il peignait ses tableaux dans sa cuisine ou dans son salon. Quand il ne travaillait pas, il aimait faire les courses ou promener son chien Loulou, comme les gens du quartier où il habitait. Cet homme à l'apparence très ordinaire faisait des tableaux absolument extraordinaires.

Les peintres surréalistes comme Magritte voulaient choquer le public en créant° des scènes bizarres à partir° d'éléments étrangement réels. Quand on regarde un tableau surréaliste, on reste perplexe et on veut savoir ce que veut représenter l'artiste. Quelle est la signification° des scènes qui apparemment n'ont pas de sens? La réponse est donnée par Magritte lui-même. Quand les gens lui demandaient d'expliquer ses tableaux, il répondait: «C'est simple! L'explication, c'est qu'il n'y a pas d'explication!»

Magritte, «Carte Blanche»

même *even* **en créant** *by creating* **à partir de** *from* **signification** *meaning*

■ . . . et littérature

Le surréalisme est un mouvement à la fois° artistique et littéraire.
Ce mouvement est né en Belgique et en France vers 1920, quelques années après
la première guerre mondiale.* Les artistes et les écrivains surréalistes se sont
révoltés contre tous les aspects de la société d'alors, responsable, selon eux, de
cette terrible guerre.

Pour les surréalistes, le monde tel qu'on le connaît° est une création
artificielle. La véritable réalité vient du subconscient qu'on peut atteindre° par le
rêve.° Le surréalisme rejette la raison et la logique. La seule° source d'inspiration
est l'imagination, mais celle-ci° doit être libre de tout contrôle et de toute
convention. Comme les enfants, et comme dans les rêves, les surréalistes ont
construit un monde imaginaire où tout est possible.

* La première guerre mondiale *(World War I)*: 1914-1918.

à la fois *at the same time* **tel qu'on le connaît** *as we know it* **atteindre** *to reach* **rêve** *dream* **seule** *only* **celle-ci** = l'imagination

Documents: La fourmi

LA FOURMI

Une fourmi de dix-huit mètres
Avec un chapeau sur la tête,
Ça n'existe pas, ça n'existe pas.

Une fourmi traînant un char
Plein de pingouins et de canards,
Ça n'existe pas, ça n'existe pas.

Une fourmi parlant français,
Parlant latin et javanais,
Ça n'existe pas, ça n'existe pas.

Eh! Pourquoi pas?

Robert Desnos (1900-1945)

Robert Desnos est
l'un des fondateurs
du surréalisme.
Pendant la deuxième
guerre mondiale, il a
participé à la
Résistance contre les
Allemands. Fait
prisonnier, il est mort dans un camp en
Tchécoslovaquie.

Dans ce petit poème très simple,
Desnos pose la question fondamentale du
surréalisme: **Où est la réalité? Dans ce
que nous voyons ou dans ce que nous
imaginons?**

🔆 Pour en savoir plus

For more information on
World War II and the
Resistance, see *Interlude 6*,
pp. 252–259.

■ Teaching Note

18 mètres = 59 feet

■ Note linguistique

Javanais is the Indonesian
dialect of the island of Java.
However, for those of
Desnos's generation, **javanais**
was a coded French slang,
similar to Pig Latin, in which
the syllables **av** or **va** are
inserted after each consonant
sound. For example, in
javanais, <u>bonjour</u> becomes
<u>bavonjavour</u>.

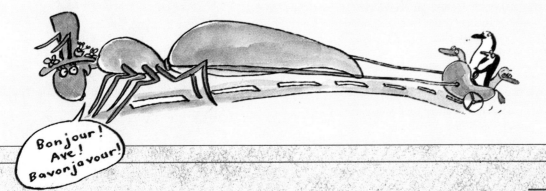

Bonjour!
Ave!
Bavonjavour!

Pour en savoir plus

Oeuvres: **Paroles** (1946), **Spectacle** (1951), **La Pluie et le Beau Temps** (1955), **Fatras** (1966)

Films: **Drôle de drame, Les Visiteurs du soir, Les Enfants du paradis** (de Carné); **Remorques, Lumière d'été** (de Grémillon)

Note linguistique

la bête = animal

Teaching Strategy

Have students try to guess the meanings of the words marked with (°) by looking at the illustrations; if they are not sure, they can refer to the glosses to verify their guesses.

Pour faire le portrait d'un oiseau

Peindre d'abord une cage
avec une porte ouverte
peindre ensuite
quelque chose de joli
quelque chose de simple
quelque chose de beau
quelque chose d'utile
pour l'oiseau

placer ensuite la toile° contre un arbre
dans un jardin
dans un bois°
ou dans une forêt
se cacher° derrière l'arbre
sans rien dire
sans bouger°. . .

Parfois l'oiseau arrive vite
mais il peut aussi bien mettre de
longues années
avant de se décider

Ne pas se décourager
attendre
attendre s'il le faut pendant des
années
la vitesse° ou la lenteur° de l'arrivée
de l'oiseau n'ayant aucun rapport°
avec la réussite du tableau

Quand l'oiseau arrive
s'il arrive
observer le plus profond silence
attendre que l'oiseau entre dans
la cage et quand il est entré
fermer doucement° la porte avec
le pinceau°
puis
effacer° un à un tous les barreaux
en ayant soin de ne toucher aucune
des plumes de l'oiseau

Faire ensuite le portrait de l'arbre
en choisissant la plus belle de ses branches
pour l'oiseau
peindre aussi le vert feuillage° et la fraîcheur° du vent
la poussière° du soleil
et le bruit des bêtes de l'herbe dans la chaleur° de l'été
et puis attendre que l'oiseau se décide de chanter
Si l'oiseau ne chante pas
c'est mauvais signe
signe que le tableau est mauvais
mais s'il chante c'est bon signe
signe que vous pouvez signer
alors vous arrachez° tout doucement
une des plumes de l'oiseau
et vous écrivez votre nom dans un coin° du tableau

Jacques Prévert (1900-1977)

Jacques Prévert (1900-1977) est un autre poète surréaliste. Il a aussi écrit des chansons et des scénarios° de films. Dans ce poème, il explique de façon humoristique comment peindre° un oiseau.

scénarios *scripts*   **peindre** *to paint*   **toile** *canvas*   **bois** *woods*   **se cacher** *hide*   **sans bouger** *without moving*   **se cacher** *hide*   **vitesse** *speed*   **lenteur** *slowness*   **aucun rapport** *no relationship*   **doucement** *gently*   **pinceau** *brush*   **effacer** *erase*   **feuillage** *leaves*   **fraîcheur** *coolness*   **poussière** *dust (visible in the rays of sunlight)*   **chaleur** *warmth*   **arracher** *pull out*   **coin** *corner*

Teaching Strategy: Game

Questions
• Prepare "Jeopardy"-type answers for the material in the *Interlude*. Group students in three teams, who compete by supplying questions.

• Have students memorize lines or sections from the poem. Each student presents his/her segment and students identify the lines in the written poem on the board or on a transparency.

■ L'art dans la rue

Quand on veut voir les oeuvres° des grands artistes, on va dans les musées. À Paris, on va au Louvre pour admirer les chefs-d'oeuvres° classiques, au Musée d'Orsay pour regarder les peintures des Impressionnistes et des grands artistes du 19e siècle, et au Centre Pompidou si on veut voir des tableaux modernes. Si on s'intéresse à l'art moderne, on peut aussi se promener dans la rue.

Cette sculpture mobile flottante se trouve° près du **Centre Pompidou**. C'est la création de **Niki de Saint-Phalle**, une artiste qui a aussi créé des bijoux très originaux.

Cette sculpture, intitulée «Hommage à Picasso», représente un centaure, créature imaginaire, mi-homme,° mi-cheval. C'est l'oeuvre du sculpteur **César Baldaccini**. Dans ses sculptures, César utilise toutes sortes de matériaux. Il est connu en particulier pour ses sculptures faites avec des voitures compressées.

Cette sculpture est l'oeuvre du peintre et sculpteur **Jean Dubuffet**. Elle est typique de son style, caractérisé par l'utilisation de lignes parallèles ou concentriques bleues et rouges sur un fond° blanc.

Cette sculpture se trouve près de la **Gare Saint Lazare**. Elle rappelle° peut-être aux voyageurs l'importance d'arriver à l'heure.

---

oeuvres *works* **chefs-d'oeuvres** *masterpieces* **se trouve** *is located* **mi-homme** *half man* **fond** *background* **rappelle** *reminds*

NOTES CULTURELLES

Niki de Saint-Phalle (1930–), peintre et sculpteur français, membre du groupe des Nouveaux Réalistes des années 60.

Jean Dubuffet (1901–1985), peintre, sculpteur et écrivain français, s'est d'abord inspiré des graffiti et des dessins d'enfants. En 1962 il a commencé à faire des sculptures en matière plastique peinte, comme celle de l'Hôtel de la Monnaie.

César Baldaccini (1921–), sculpteur français, apparenté aux Nouveaux Réalistes. Il a surtout travaillé les métaux et les matières plastiques.

MAIN THEME

Being helpful around the house

**Communication
Functions/Contexts**

- Helping around the house
- Asking for help and offering to help
- Describing objects

Linguistic Goals

- Explaining what has to be done
- Telling people what you would like them to do

 Internet Connection Notes, Project 4, p. 21

Photo Note

The teens pictured are packing **des boîtes de conserve** *(cans).*

Teaching Strategy: Expansion

Ask students what they think the teens in the picture are doing and why. Why are they wearing name tags?

UNITÉ 2

Soyons utiles!

Thème et Objectifs

Culture

In this unit, you will discover . . .

- what the French call "bricolage"
- what types of creative activities they engage in at home
- how French young people earn spending money by performing services for their neighbors

Communication

You will learn how . . .

- to talk about various chores and activities around the home
- to ask others to help you, and to give excuses if you cannot be of service to them
- to describe objects: their shape, dimensions, weight, and construction

Langue

You will learn how . . .

- to describe what you have to do
- to ask others to do certain things for you
- to express opinions about situations and events

TEACHING RESOURCES

Technology/Audio Visual

 19, 19(o), 20, 20(o), 21, 22, 22(o), L2, H1

 Audio CD Program, Unit 2

 Audiocassette Program, Unit 2

 Pas de problème Video Program, Module 2

Print

 Audio Script
Overhead Visuals Copymasters/Activities
Answer Key
Video Activity Book, Modules 2
Practice Activities, pp. 27–34, 115–120, 181–182

LES PASSE-TEMPS ACTIFS

L e samedi, Catherine, 15 ans, sort rarement avec ses copains. Avec sa soeur Mélanie, 16 ans, elle préfère passer son temps à perfectionner Gustave, un robot de leur invention qui peut se déplacer° sur simple commande vocale. Et quand il y a quelque chose à réparer à la maison, un meuble, un appareil électrique ou même° la voiture de Papa, c'est Catherine ou Mélanie qui s'en charge.° «Nous nous amusons et nous apprenons en même temps» déclare Catherine pour expliquer son goût° pour les travaux manuels.

Le cas de Catherine et de Mélanie n'est pas unique. En France il y a des milliers de jeunes qui préfèrent les passe-temps actifs aux passe-temps passifs comme la télévision et la lecture. Voici deux passe-temps qui sont à la fois créatifs et récréatifs:° le bricolage° et le jardinage.°

■ Le bricolage est une des occupations favorites des Français de tout âge.

Le bricolage

Bricoler, c'est faire toutes sortes de petits travaux manuels. Quand on est un peu créatif et pas trop maladroit,° il y a beaucoup de choses qu'on peut faire chez soi.° On peut peindre° sa chambre, construire des étagères,° installer un système hi-fi ou un système d'alarme, réparer la télé ou la machine à laver, … Mais attention, quand on démonte° quelque chose, il faut aussi savoir le remonter.° Et surtout, il ne faut pas le casser!°

Le bricolage est une des occupations favorites des Français de tout âge. Et cette occupation n'est pas l'exclusivité des hommes. Aujourd'hui, 75% des Françaises bricolent (et 85% des Français). Pour subvenir° aux besoins des bricoleurs, tous les grands magasins et beaucoup de supermarchés ont un rayon «bricolage» où on trouve l'équipement et les outils° nécessaires. Pour les spécialistes, il y a aussi des magazines comme *Bricolage-Service*. Et pour les passionnés,° il y a à Paris chaque année un Salon° du Bricolage qui attire° des milliers de visiteurs.

---

se déplacer *move around*   même *even*   s'en charge = *s'en occupe*   goût *taste*   récréatifs *recreational*   le bricolage *fixing and building things*
le jardinage *gardening*   maladroit *clumsy*   chez soi = *à la maison*   peindre ✳ *to paint*   construire ✳ *to build*   étagères *shelves*
démonte *takes apart*   remonter *to put back together*   casser *break*   subvenir ✳ *to meet*   les outils *tools*   les passionnés *real devotees*
un Salon *show*   attire *attracts*

INFO MAGAZINE

Theme: Favorite French pastimes

Reading Strategy: Reading for pleasure; browsing

▣ Teaching Strategy

These readings can be done:
• in class or as homework
• at the beginning of the unit or as a wrap-up activity
Encourage "discovery reading," having students identify cognates and read for the main idea in a relaxed way.

■ Notes linguistiques

• **Le grille-pain** (toaster) is invariable: **les grille-pain.**
• Also **une bricole** = a trinket, an insignificant matter

▣ Notes culturelles

• BHV (**Bazar de l'Hôtel de Ville**) and **Mr Bricolage** are two store chains catering to the needs of **les bricoleurs**.
• Interior decorating is the favorite occupation of people who love **le bricolage**. It includes such activities as putting up new wallpaper, or assembling a piece of furniture bought in a kit.

■ Irregular Verbs

(see Appendix C)
peindre
construire   *(see* **conduire***)*
subvenir*   *(see* **venir***)*
* Note that **subvenir** has **avoir** as an auxiliary.

Le jardinage

Quand on voyage en France au printemps ou en été, on peut admirer les fleurs de toutes les couleurs qui ornent° les parcs publics, les jardins privés et les balcons des maisons. Les Français adorent les fleurs et 60% d'entre° eux pratiquent le jardinage.

Ce n'est pas surprenant° dans un pays où la majorité des gens habitent une maison individuelle et disposent° d'un jardin où ils peuvent planter des fleurs et faire pousser° des légumes. Le jardinage n'est pas seulement une activité manuelle. C'est un loisir écologique qui nous rapproche de la nature et qui est aussi esthétique ... et nutritif. Quoi de plus beau qu'un bouquet de fleurs et quoi de meilleur qu'un plat de tomates qui viennent de son jardin!

et vous?

DÉFINITIONS

Définissez les mots et les expressions suivants. Quand c'est possible, illustrez avec un exemple.

- un robot
- le bricolage
- les travaux manuels
- le jardinage
- un passe-temps
- un loisir écologique

EXPRESSION PERSONNELLE

- Faites-vous des petits travaux manuels chez vous? Qu'est-ce que vous aimez faire et qu'est-ce que vous n'aimez pas faire?
- À votre avis, quel est le passe-temps le plus intéressant: le jardinage ou le bricolage? Expliquez pourquoi.
- Connaissez-vous une personne qui aime bricoler comme Catherine et Mélanie? Décrivez ce que cette personne a fait.

Supplementary vocabulary

les plantes vertes *potted plants*
l'engrais (m.) *fertilizer*
la feuille *leaf*
le pot *pot*
la terre *soil*
la tige *stem*
le géranium *geranium*
le lierre *ivy*
la fougère *fern*

🌐 Realia Note

Astrapi is a bimonthly magazine of general interest for younger readers.

Soyez bon pour les plantes

Les Français aiment beaucoup les plantes. Dans chaque maison française, il y a, en moyenne,° sept plantes.

Les plantes ont beaucoup d'avantages:
— Elles décorent votre chambre.
— Elles purifient l'air que vous respirez.°
— Elles demandent° une attention minime.
— Elles sont propres.°

Les plantes sont des êtres° vivants.° Comme nous, elles ont besoin qu'on s'occupe un peu d'elles. Alors, si vous avez une plante, soyez bon pour elle. Voici quelques conseils élémentaires:

🌸 Arrosez°-la régulièrement. Mais attention: certaines plantes ont très soif. D'autres ont besoin seulement d'un petit peu d'eau.

🌸 Si elle aime le soleil,° mettez-la près de la fenêtre. Si elle préfère l'obscurité, ne l'exposez pas à la lumière.°

🌸 De temps en temps, mettez-lui de la musique. Les plantes adorent la musique douce.° Elles aiment la musique classique, mais elles détestent le rock et le rap.

🌸 Parlez-lui souvent. Chaque jour, dites-lui bonjour et bonsoir.

🌸 Ne la maltraitez pas.

🌸 Ne l'insultez pas.

🌸 Soyez toujours poli et attentif avec elle.

🌸 Dites-lui souvent «Je t'aime.»

et vous?

- Est-ce qu'il y a des plantes chez vous? Quelles plantes? Dans quelles pièces sont-elles?
- Avez-vous des plantes ou des fleurs dans votre chambre? Qu'est-ce que vous faites pour elles?
- Pensez-vous que les plantes sont des êtres sensibles *(that have feelings)*? Expliquez votre position.

---

ornent = embellissent **d'entre** *among* **surprenant** *surprising* **disposent** = ont **pousser** *to grow* **en moyenne** *on the average* **respirez** *breathe*
demandent = nécessitent **propres** *clean* **êtres** *beings* **vivants** *living* **arrosez** *water* **le soleil** *sun* **la lumière** *light* **douce** *soft*

📖 General Teaching Strategy: Info Magazines

Although the *Info Magazine* is presented as a light, pleasurable introduction and expansion of the unit theme, some teachers like to check comprehension with a few short questions using the *Info Magazine* quizzes. These quizzes may also be used as a basis for class discussion.

The *Et vous?* activities may be used to encourage class discussion, or as the basis for out-of-class writing assignments.

Ça, c'est la JUSTICE!

Aujourd'hui, Madame Chauvat a beaucoup de travail. Elle demande à ses enfants Victor et Stéphanie de l'aider, mais ce n'est pas facile de les convaincre.° Elle s'adresse° d'abord à Victor qui regarde la télé au salon.

— Dis, Victor, qu'est-ce que tu fais?
— Tu vois, je regarde la télé.
— C'est bien, mais moi, j'ai besoin de toi.
— Pourquoi donc?
— Pour passer l'aspirateur.°
— Alors ça, c'est pas juste!°
— Comment ça?
— C'est pas juste parce que c'est moi qui ai passé l'aspirateur samedi dernier. Alors, cette fois-ci, c'est pas mon tour.° C'est le tour de Stéphanie. Elle ne fait jamais rien!
— Ah oui, c'est vrai, j'ai oublié! Je vais demander à ta soeur.

Victor pousse un soupir de soulagement° pendant que sa mère monte chercher Stéphanie. Celle-ci° est dans sa chambre en train de jouer à un jeu électronique.

— Dis donc, Stéphanie. Je voudrais que tu passes l'aspirateur au salon…
— Ah non, maman. Ça, c'est pas juste… C'est moi qui fais tout dans cette maison!
— Qu'est-ce que tu as fait récemment?
— Eh bien, par exemple, j'ai fait la vaisselle hier.
— Ah oui, c'est vrai… Bon, je te laisse° le choix: la vaisselle ou l'aspirateur.

Stéphanie réfléchit° un instant.

— Mais dis, il y a beaucoup de casseroles° à laver?
— Oui, y en a plein l'évier.°
— Alors, dans ce cas, je suis d'accord pour passer l'aspirateur.

Madame Chauvat redescend au salon.

— Dis, Victor, est-ce que tu peux éteindre° la télé et faire la vaisselle?
— La vaisselle? Mais pourquoi, maman?
— Parce que c'est ton tour.

Et ça, c'est la justice!

EXPRESSION ORALE
Comment sont distribuées les tâches domestiques *(chores)* chez vous? (Décrivez les tâches de chaque personne.) À votre avis, est-ce que cette distribution est juste ou non? Expliquez.

EXPRESSION ÉCRITE
Imaginez que vous êtes Victor ou Stéphanie. Dans une lettre à un copain (une copine) vous décrivez ce qui est arrivé aujourd'hui.

convaincre ✳ *to convince* **s'adresse** = *parle* **l'aspirateur** *vacuum cleaner* **juste** *fair* **tour** *turn* **un soupir de soulagement** *breathes a sigh of relief* **celle-ci** = *Stéphanie* **laisse** *leave* **réfléchit** = *pense* **casseroles** *pots* **y en a plein l'évier** *the sink is full (of pots)* **éteindre** ✳ *to turn off*

Teaching Strategy
Divide the class into pairs.
• Have students identify all vocabulary that represents a chore.
• Have students identify the expressions that are excuses.
• Have students prepare short dialogs and present them to the class.

■ **Irregular Verbs**
(see Appendix C)
convaincre
éteindre *(see* **peindre***)*

🔆 **Teaching Strategy: Challenge**

Have students notice the differences between *casual* French usage, and *standard* French usage:

CASUAL FRENCH	STANDARD FRENCH
Pourquoi donc?	**Pourquoi?**
C'est pas juste.	**Ce n'est pas juste.**
Comment ça?	**Pourquoi?**
Y en a plein l'évier.	**Il y en a plein l'évier.**
	L'évier en est plein.

LE FRANÇAIS

PRATIQUE

Les travaux domestiques

Oh là là,
j'ai beaucoup de travail
aujourd'hui.

Est-ce que . . .
  la chambre est **propre** (clean) ou **sale** (dirty)?
  le salon est **rangé** (picked up) ou **en désordre**?
Oh là là, j'ai beaucoup de **travail** aujourd'hui.

---

le travail work
les travaux domestiques
  household chores

Dans la chambre et la salle de bains, je dois . . .

faire le ménage (to clean up)	**ranger les vêtements**
faire le lit	**nettoyer le lavabo** (sink)

ranger to put away
nettoyer to clean

Dans le salon, je dois . . .

ranger les magazines	**nettoyer les vitres** (windows)
passer l'aspirateur (to vacuum)	**vider la corbeille** (wastepaper basket)

vider to empty

Dans la salle à manger, je dois . . .

mettre la table	**débarrasser la table**
mettre le couvert (silverware)	

débarrasser to clear

Dans la cuisine, je dois . . .

couper le pain	**essuyer la table**
laver les légumes	**balayer le sol** (floor)
éplucher les carottes	**vider les ordures** (garbage)
faire la vaisselle	**sortir la poubelle** (trash can)
ranger la vaisselle	
essuyer les verres	

couper to cut
laver to wash
éplucher to peel
essuyer to wipe, dry
balayer to sweep
sortir to take out

Dans **la lingerie** (laundry room), je dois . . .

laver le linge (laundry)	**repasser les chemises**

repasser to iron

Sidebar (left column)

LE FRANÇAIS

PRATIQUE

Les travaux domestiques

TEACHING RESOURCES

 Practice Activities,
  pp. 115–116

 Internet Connection Notes, Project 2
  pp. 33–35

 Teacher-to-Teacher
  Les travaux domestiques,
  pp. 15–17

Supplementary vocabulary

épousseter to dust
enlever la poussière to dust
astiquer les meubles to
  polish the furniture
polir l'argenterie to polish the
  silverware
faire la lessive to do the
  laundry

■ Notes linguistiques

• Le couvert = le couteau,
  la fourchette, la cuillère
  (à soupe et à café)
• Compare:
  une fenêtre window
  une vitre window pane
• Note the forms of the **passé
  composé:**
  sortir to go out
    Alice **est sortie** hier.
  sortir to take out
    Alice **a sorti** la poubelle.
• The expression **éplucher un
  texte/un article** means to
  read a text/an article
  carefully in order to find a
  mistake.

Teaching Strategies

 Multiple Intelligences

Use TPR to present the vocabulary and practice
by playing charades. Actual household items can
be used as cues, supplemented by illustrations.
(BODILY-KINESTHETIC)

 Challenge Activity

Divide the class into groups and have each
group develop a storyline around chores done
by **Astérix, Superman,** or **"Napoléon"** (a
small monkey).

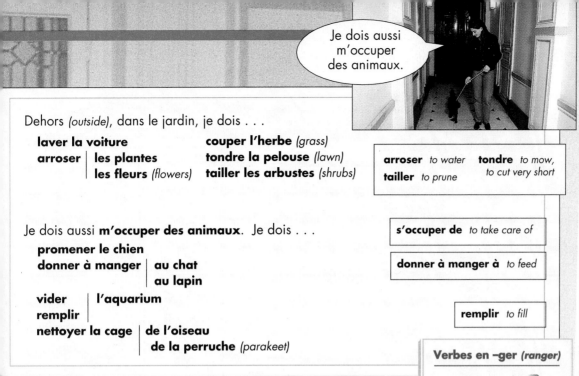

> Je dois aussi
> m'occuper
> des animaux.

Dehors *(outside)*, dans le jardin, je dois . . .

laver la voiture   **couper l'herbe** *(grass)*
arroser | **les plantes**   **tondre la pelouse** *(lawn)*
     | **les fleurs** *(flowers)*   **tailler les arbustes** *(shrubs)*

arroser *to water*	**tondre** *to mow, to cut very short*
tailler *to prune*	

Je dois aussi **m'occuper des animaux**. Je dois . . .

promener le chien
donner à manger | **au chat**
         | **au lapin**
vider | **l'aquarium**
remplir |
nettoyer la cage | **de l'oiseau**
             | **de la perruche** *(parakeet)*

s'occuper de *to take care of*

donner à manger à *to feed*

remplir *to fill*

> **Verbes en –ger** *(ranger)*
>
> *Révision* ▶
>
> p.R21

Et vous?

Indiquez comment vous participez aux travaux domestiques.
Comparez vos réponses avec celles de votre partenaire.

1. En général, ma chambre est . . .
   * propre
   * rangée
   * en désordre
   * ??

2. Je fais mon lit . . .
   * le matin
   * le soir
   * jamais
   * ??

3. Je range ma chambre . . .
   * tous les jours
   * toutes les semaines
   * une fois par mois
   * ??

4. Quand j'aide à faire le ménage,
   je préfère . . .
   * passer l'aspirateur
   * vider les corbeilles
   * nettoyer les vitres
   * ??

5. Quand j'aide mon père (ma mère)
   dans la cuisine, je préfère . . .
   * éplucher les légumes
   * essuyer les assiettes
   * nettoyer l'évier *(kitchen sink)*
   * ??

6. Quand j'aide avec les repas, je préfère . . .
   * mettre le couvert
   * débarrasser la table
   * faire la vaisselle
   * ??

7. Quand je travaille dans le jardin, je préfère . . .
   * tondre la pelouse
   * arroser les plantes
   * tailler les arbustes
   * ??

8. Le travail que je déteste le plus est de . . .
   * balayer le garage
   * sortir les poubelles
   * vider les ordures
   * ??

Teaching Strategy: Multiple Intelligences

For visual learners, use pictures or transparencies to input the vocabulary. Do frequent comprehension checks by personalizing questions to students about their own chores.

You may also have each student make a list of the people in their family across the top of a piece of paper, then list the chores each person does. After five minutes, ask questions and have students answer (in complete sentences) based on their lists.
(SPATIAL)

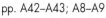 **Variation**

PAIRED FORMAT

Vous cherchez l'une des personnes de l'illustration. Demandez à votre partenaire où est cette personne et ce qu'elle fait.

— Où est le grand-père?
— Il est dans le jardin.
— Qu'est-ce qu'il fait?
— Il taille les arbustes.

CONVERSATION FORMAT

— Qu'est-ce que tu vas faire cet été?
— Je vais travailler …
— Ah bon? Qu'est-ce que tu vas faire?
— Je vais …
— Et toi, qu'est-ce que tu vas faire cet été?
— Je vais travailler … (etc.)

■ **Note linguistique**

Remind students that **un boulot** is also a familiar form of "work."

2 La famille Duboulot

Aujourd'hui, tout le monde est très occupé chez les Duboulot. Choisissez deux personnes et dites où sont ces personnes et ce qu'elles font.

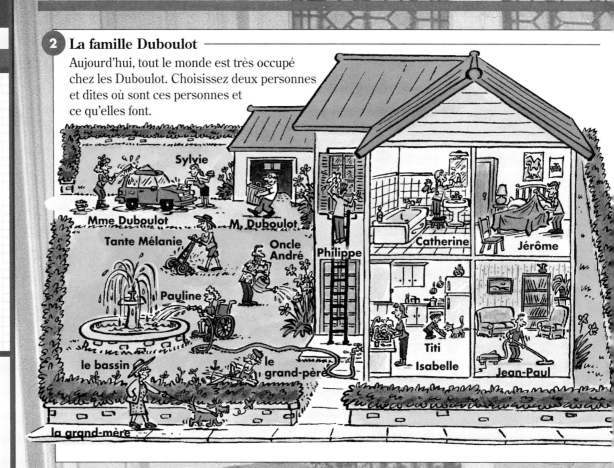

3 Jobs d'été

Votre partenaire et vous, vous allez travailler cet été. Choisissez un job de la colonne A. Votre partenaire va choisir un job de la colonne B. Expliquez ce que vous allez faire. Donnez deux ou trois exemples.

 — Moi, je vais travailler dans la cuisine d'un restaurant. Je vais éplucher les légumes et faire la vaisselle. Je vais aussi . . .
— Et moi, je vais travailler dans un zoo. Je vais . . .

A. Vous

- travailler dans la cuisine d'un restaurant
- travailler pour les jardins publics de la ville
- travailler pour une entreprise de nettoyage (cleaning) de bureaux
- travailler chez un marchand d'animaux domestiques (pets)
- être garçon d'étage (femme de chambre) dans un hôtel

B. Votre partenaire

- travailler dans la salle (dining room) d'un restaurant
- travailler dans un zoo
- travailler comme jardinier (gardener) dans un hôtel
- être concierge dans un immeuble (building superintendent)
- travailler dans une blanchisserie (laundry)
- travailler pour les voisins

76 Unité 2 PARTIE 1

☀ Teaching Strategy: Warm-Up

Use the overhead transparencies of the illustration in Act. 2, Transparencies 19, 19(o), to re-enter the vocabulary on pp. 74–75.

Then have each student write a chore on a slip of paper. Collect the slips in a container and have each student choose one. Students then mime their chores one by one, with the rest of the class guessing until it is identified.

Quelques objets utiles

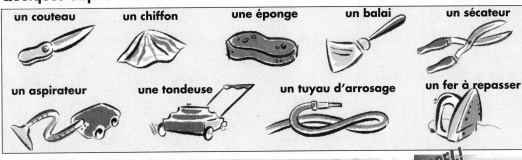

un couteau   un chiffon   une éponge   un balai   un sécateur

un aspirateur   une tondeuse   un tuyau d'arrosage   un fer à repasser

RAPPEL!

de + le → du

J'ai besoin du couteau.

Le bon objet

Choisissez un objet de la liste et dites pourquoi vous avez besoin de cet objet.

J'ai besoin de . . .

• l'aspirateur	• le tuyau
• le balai	d'arrosage
• le fer	• un chiffon
• la tondeuse	• un couteau
• le sécateur	• une éponge

pour . . .

• essuyer la table	• tondre la pelouse
• nettoyer la chambre	• nettoyer le lavabo
• laver la voiture	• tailler le rosier
• éplucher les carottes	(rose bush)
• repasser cette chemise	• balayer le garage

Le chalet des Laurentides

Vous passez l'été dans la région des Laurentides. Il y a beaucoup de travail dans le chalet que vous avez loué avec vos cousins. Malheureusement, vos cousins ne sont pas très coopératifs. Quand vous leur demandez de faire quelque chose, ils trouvent une excuse. Jouez les dialogues avec votre partenaire.

Dis, Annie, est-ce que tu peux essuyer la table?

Quoi?

Je voudrais bien, mais j'ai un problème.

Je ne trouve pas l'éponge.

TRAVAUX

- tondre la pelouse
- arroser les fleurs
- tailler les arbustes
- essuyer la table
- essuyer les assiettes
- éplucher les pommes de terre
- balayer la terrasse
- repasser les serviettes (napkins)
- nettoyer le salon
- ??

EXCUSES

- Le chiffon est sale.
- L'aspirateur est cassé (broken).
- Le fer ne fonctionne pas.
- La tondeuse ne marche pas.
- Je ne trouve pas l'éponge.
- J'ai perdu le sécateur.
- Je n'ai pas de couteau.
- Je ne sais pas où est le balai.
- Il y a un trou (hole) dans le tuyau.
- ??

NOTE CULTURELLE

Située dans la province de Québec, la région des **Laurentides** est populaire à la fois pour ses stations de ski en hiver et pour ses stations d'été.

LANGUE ET
COMMUNICATION

TEACHING RESOURCES

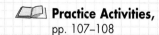 **Practice Activities,**
pp. 107–108

■ Looking Ahead

Unit 2 presents the formation of the present subjunctive and focuses on its two main uses: to express NECESSITY and to express EMOTION.

The difference between the SUBJUNCTIVE and the INDICATIVE will be developed in Unit 7.

■ Note linguistique

You may point out to students that with **-er** verbs, the present tense and the subjunctive forms are the same for **je, tu, il,** and **ils.**

Je travaille.

Il faut que je travaille. etc.

A. La formation du subjonctif (1)

The sentences below express a NECESSITY or OBLIGATION. In sentences of this type, the French use a verb form called the SUBJUNCTIVE.

Il faut que **je finisse** mon travail.	*It is necessary that **I finish** my work.* *(I have to finish my work.)*
Il faut que **vous aidiez** vos parents.	*It is necessary that **you help** your parents.* *(You have to help your parents.)*

The SUBJUNCTIVE is a verb form that occurs frequently in French. It is used after certain verbs and expressions in the construction:

VERB OR EXPRESSION	+	**que**	+	SUBJECT	+	SUBJUNCTIVE VERB . . .
Il faut		**que**		Marc		**tonde** la pelouse

➡ The subjunctive is almost always introduced by **que.**

> FORMS

For all regular verbs and many irregular verbs, the subjunctive is formed as follows:

SUBJUNCTIVE STEM	+	SUBJUNCTIVE ENDINGS
ils-form of present minus **-ent**		-e, -es, -e, -ions, -iez, -ent

Note the subjunctive forms of the regular verbs **parler, finir, vendre,** and the irregular verb **dire.**

INFINITIVE		parler	finir	vendre	dire	SUBJUNCTIVE ENDINGS
PRESENT STEM	ils	**parlent** **parl-**	**finissent** **finiss-**	**vendent** **vend-**	**disent** **dis-**	
SUBJUNCTIVE	que je	parle	finisse	vende	dise	-e
	que tu	parles	finisses	vendes	dises	-es
	qu'il/elle/on	parle	finisse	vende	dise	-e
	que nous	parlions	finissions	vendions	disions	-ions
	que vous	parliez	finissiez	vendiez	disiez	-iez
	qu'ils/elles	parlent	finissent	vendent	disent	-ent

● Teaching Strategy: Multiple Intelligences

To drill subjunctive formation, use the **Multi-colored dice** (p. 45), **"Hot potato"** (p. 51), **"Signature Lotto/Bingo"** (p. 50), or line-up drills (p. 44).

As a homework assignment, have students cut out a comic strip from the newspaper, cover the captions, and write *new* ones in French, using at least two verbs in the subjunctive.

Note: Students should *not* translate existing captions, but should create an original story and captions.

(SPATIAL/LINGUISTIC)

Le subjonctif, s'il vous plaît!

Dire, lire, écrire

Révision ▶ pp. R26-27

Pratique ▶ p. 28

Pour chaque verbe du tableau, donner la forme **ils** du présent. Ensuite, complétez les phrases avec le subjonctif de ces verbes.

INFINITIF	PRÉSENT	SUBJONCTIF
▶ laver	ils lavent	Il faut que (nous) lavions la voiture.
1. aider	ils . . .	Il faut que (tu, nous, vous) . . . les voisins.
2. réussir	ils . . .	Il faut que (je, vous, les élèves) . . . à l'examen.
3. répondre	ils . . .	Il faut que (je, Pauline, nous) . . . à cette lettre.
4. attendre	ils . . .	Il faut que (nous, tu, les voyageurs) . . . le train.
5. lire	ils . . .	Il faut que (je, Charlotte, vous) . . . cet article.
6. écrire	ils . . .	Il faut que (tu, nous, mes copains) . . . à Philippe.
7. partir	ils . . .	Il faut que (je, Olivier, nous) . . . à six heures.
8. mettre	ils . . .	Il faut que (je, tu, vous) . . . la table.
9. se laver	ils . . .	Il faut que (tu, vous, ce garçon) . . . les cheveux.
10. se dépêcher	ils . . .	Il faut que (Pierre, nous, vos amis) . . .

Avant de partir ce weekend

Expliquez ce que chacun doit faire avant de partir ce weekend.

▶ Claire **Il faut que Claire range sa chambre. Et puis, il faut qu'elle . . .**

Claire
- ranger sa chambre
- laver son linge
- passer l'aspirateur

moi
- finir mes devoirs
- écrire une lettre
- téléphoner à mon copain

toi
- laver la cage du lapin
- remplir l'aquarium
- donner à manger au chat

Éric et Vincent
- tailler les arbustes
- tondre la pelouse
- arroser les fleurs

vous
- finir la vaisselle
- vider les ordures
- sortir la poubelle

nous
- regarder la carte *(map)*
- choisir notre itinéraire
- préparer la voiture

Après la fête

Votre partenaire et vous, vous avez organisé une fête chez vous. Maintenant vous devez ranger. Vous vous distribuez les tâches. Choisissez une tâche de la colonne A pour votre partenaire. Il/elle va choisir une tâche de la colonne B pour vous.

Dis, Bernard, il faut que tu laves les verres.

...n, je vais laver les ...res, mais toi, il faut ...tu ranges la cuisine.

D'accord!

A
• ranger le salon
• laver les assiettes
• laver les verres
• débarrasser la table
• vider les ordures
• ??

B
• ranger la cuisine
• passer l'aspirateur
• laver les casseroles *(pots)*
• mettre les chaises à leur place
• sortir la poubelle
• ??

Langue et communication 79

Unité 2 79

Practice Activities, pp. 28–30, 181

 Audio CD 2, Tracks 4–5

 Audiocassette 2, Side 1

Audio Script, p. 9

Internet Connection Notes, Project 3, pp. 36–37

■ **Note linguistique**

You may wish to contrast:
Il faut **travailler**.
You [people in general] have to work.
Il faut **que tu études**.
You [a specific person] have to work.

 Variation

PAIR WORK
Student A describes the message conveyed by one of the signs.
   Student B identifies which sign is being described (or draws a copy of the appropriate sign).

■ **Note linguistique**

The one-way sign is called **un sens interdit**. It indicates **une rue à sens unique** *(one-way street)*.

80 Unité 2

B. Comment exprimer une obligation personnelle: l'usage du subjonctif après **il faut que**

Note the use of the subjunctive in the following sentences:

Il faut que je **parte**.   *I have to (I must) leave.*
Il faut que vous **travailliez**.   *You have to (you must) work.*

To express what people HAVE TO or MUST DO, use the construction:

il faut que + SUBJUNCTIVE

➡ Personal obligations can also be expressed with **devoir** + INFINITIVE.
   Je dois **partir**.   *I have to leave.*

➡ Note that **il faut** + INFINITIVE is used to express a GENERAL obligation.
   Il faut **étudier**.   *One has to (one should) study. You [people in general] have to study.*

➡ The negative **il ne faut pas que** + SUBJUNCTIVE expresses a PROHIBITION or INTERDICTION.
   Il ne faut pas que tu **dormes** en classe.   *You should not sleep in class.*

ALLONS PLUS LOIN

The following expressions are used to express the LACK OF OBLIGATION:

Il **n'est pas nécessaire que** tu partes.
Tu **n'es pas obligé(e) de** partir.
Tu **n'as pas besoin de** partir.
Tu **n'as pas à** partir.

} **You don't have** to leave.

---

4 **Obligations?**

Voici certains travaux domestiques.
Faites une liste des cinq principaux travaux que vous devez faire.
Classez-les par ordre d'importance.
Puis comparez votre liste avec celle de votre partenaire.

- ranger le salon
- laver la vaisselle
- débarrasser la table
- laver le linge
- sortir la poubelle
- arroser les plantes
- tondre la pelouse
- passer l'aspirateur
- mettre le couvert
- ranger ma chambre
- vider les ordures
- donner à manger au chien/chat
- ??

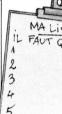

5 **C'est interdit**

Vous êtes en France avec des copains. Vous voyez les panneaux *(signs)* suivants.
Expliquez ce que vous ne devez pas faire.

INTERDICTION DE . . .

| fumer | marcher sur la pelouse | entrer ici | tourner à gauche | déposer des ordures | écrire sur les murs |

▶ — Il ne faut pas que nous . . .

🔊 **Teaching Strategy: Multiple Intelligences**

Divide the class into groups. Each group brainstorms to come up with a variety of new signs, one for each group member. Next, have students make their own signs to post in the classroom. These may even be "traffic signs" for success in French class.
   (Ex: «**Il ne faut pas que nous parlions anglais.**»)
   (SPATIAL)

C. La formation du subjonctif (2)

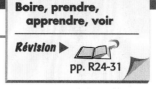
Boire, prendre, apprendre, voir

Révision ▶ pp. R24-31

Some verbs like **venir** have different stems in the **ils**- and **nous**-forms
of the present. Verbs of this type have TWO STEMS in the subjunctive.
(Note that the following verbs all have regular subjunctive endings.)

INFINITIVE	venir	
PRESENT	ils	**viennent**
	nous	**venons**
SUBJUNCTIVE	que je	**vienne**
	que tu	**viennes**
	qu'il/elle/on	**vienne**
	qu'ils/elles	**vienn**ent
	que nous	**ven**ions
	que vous	**ven**iez

Il faut que . . .

acheter	j'**achète**	nous **achetions**
espérer	j'**espère**	nous **espérions**
appeler	j'**appelle**	nous **appelions**
payer	je **paie**	nous **payions**
boire	je **boive**	nous **buvions**
voir	je **voie**	nous **voyions**
prendre	je **prenne**	nous **prenions**

Chez le médecin

Vous êtes médecin. Donnez des conseils
à un patient, Monsieur Grosjean, qui
n'est pas en forme. Commencez vos phrases
par **il faut que vous . . .**

ou

il ne faut pas que vous . . .

▶ boire trop de café
Il ne faut pas que vous buviez trop de café.

- boire beaucoup
  d'eau minérale?
- se lever tôt?
- se lever tard?
- dormir bien?
- acheter un vélo?
- apprendre à nager?
- prendre des vitamines?
- s'inquiéter trop?
- payer ma note *(bill)*?
- revenir dans un mois?

La meilleure solution

Avec votre partenaire, choisissez une des situations et décidez ensemble des choses
que les personnes doivent faire **(il faut que . . .)** ou ne pas faire **(il ne faut pas que . . .)**.

1. Philippe veut rentrer chez lui,
   mais il n'a pas la clé.
   - attendre sa mère?
   - casser *(break)* une fenêtre?
   - retourner à l'école?
   - ??

2. Valérie a dîné au restaurant.
   Elle a oublié son portefeuille.
   - partir sans payer?
   - téléphoner à son copain?
   - travailler dans la cuisine?
   - ??

3. Les touristes sont à l'hôtel. Ils voient
   de la fumée *(smoke)*.
   - sortir par la porte?
   - sauter *(jump)* par la fenêtre?
   - attendre l'arrivée des pompiers?
   - ??

4. Marc est secrètement amoureux
   de Stéphanie mais il est très timide.
   - lui écrire un poème?
   - lui envoyer une lettre d'amour anonyme?
   - prendre des leçons de danse et
     inviter Stéphanie dans une discothèque?
   - ??

5. Hélène et Catherine ont eu un accident
   avec la voiture de leur mère.
   - dire la vérité à leur mère?
   - voir un garagiste?
   - payer la réparation?
   - ??

6. Thomas et Julien ont trouvé
   un portefeuille dans la rue.
   - apporter le portefeuille à la police?
   - mettre une annonce dans un journal?
   - garder *(keep)* le portefeuille?
   - ??

🎵 Teaching Strategy: Multiple Intelligences

Divide class into groups of six. Give each group
a "situation sheet." As music plays, students
take turns writing sentences to solve the situa-

tion. When the music stops, each group reads
its situation and suggested solution.
(MUSICAL/LINGUISTIC)

INFO MAGAZINE

Theme: French teens and after-school/summer work

TEACHING RESOURCES

 Transparencies 20, 20(o)

 Overhead Visuals Copymasters and Activities, p. A44

 Practice Activities, pp. 107–108

 Internet Connection Notes, Project 4, p. 38

▮ Teaching Strategy

These readings can be done:
• in class or as homework
• at the beginning of the unit or as a wrap-up activity
As *optional* material, you may wish to use them as practice in reading for pleasure, or as the basis for class discussion.

To verify comprehension, you may ask students to write two sentences (using the subjunctive) which best summarize, advertise, and/or explain each of the jobs.

Camille:

Il faut que je promène les animaux des autres.
(Il ne faut pas que je garde les animaux chez moi.)

■ Irregular Verbs

(see Appendix C)
découvrir (see **ouvrir**)

Le travail, ça paie!

Aux États-Unis, beaucoup de jeunes travaillent régulièrement dans les supermarchés, les restaurants ou les stations-service. En France, les jeunes n'ont pas de travail régulier pendant l'année scolaire. (Ils ont trop de devoirs à faire à la maison!) Mais certains ont des jobs qui leur permettent de gagner un peu d'argent. Voici le cas de cinq jeunes Français qui ont découvert° que le travail, ça paie!

Camille, 15 ans, adore les animaux. Un jour, elle espère être vétérinaire. En attendant,° elle a transformé son amour° des animaux en job.

« *Dans mon quartier, il y a beaucoup d'animaux, mais leurs propriétaires° n'ont pas toujours le temps de s'occuper d'eux. Alors, c'est moi qui le fais. Quand les gens partent le weekend, par exemple, je vais chez eux pour donner à manger à leurs chats et je promène leurs chiens. Je préfère les gros° chiens, comme les dobermans et les bergers allemands.° D'abord, ça a plus d'allure° et puis les pourboires° sont meilleurs.*

Je pourrais° gagner plus d'argent si je pouvais garder° les animaux chez moi. Malheureusement, mon père n'est pas d'accord. Il veut bien° que je gagne de l'argent, mais il refuse absolument que je transforme la maison en chenil.° Dommage! **»**

Pour Jean-François, 15 ans, la cuisine n'a pas de secret, mais c'est dans la pâtisserie qu'il excelle.

« *J'ai toujours aimé faire des gâteaux. Quand j'étais petit, je passais mon temps dans la cuisine à regarder ma mère. C'est elle qui m'a appris à faire les mousses, les brioches,* * *les tartes aux fruits, les gâteaux à la crème ou au chocolat, et surtout les crêpes créoles,** une spécialité de la Martinique. Je cuisine° pour m'amuser, mais aussi pour gagner un peu d'argent. Quand les gens du quartier préparent une fête, c'est souvent à moi qu'ils font appel° pour les pâtisseries. (Ils savent que mes gâteaux sont meilleurs et moins chers que ceux du boulanger du coin!°) La semaine prochaine, par exemple, je dois faire les pâtisseries pour une réception de 50 personnes. J'espère que ma mère va me donner un coup de main!°* **»**

Pendant l'année scolaire, Aïcha, 16 ans, n'a pas de job, mais en juillet et août, elle est très occupée. Aïcha explique:

« *Quand les gens sont en vacances, moi je travaille. Chaque été, je m'occupe, en effet, d'une vingtaine de jardins. Je tonds les pelouses, je taille les arbustes, j'arrose les plantes et les fleurs. Vingt jardins, ça représente beaucoup de travail. Quand j'ai trop à faire, je recrute des assistants. En général, ce sont mes copains de lycée. Ils m'appellent "Aïcha l'arrosoir,°" mais quand ils ont besoin de gagner un peu d'argent, ils sont bien contents de me trouver!* **»**

*Une brioche is a light, sweet pastry prepared as a bun or a round bread. **Une crêpe créole is made with coconut milk and is flavored with cinnamon and nutmeg.
découvrir ✲ *to discover* **En attendant** *In the meantime* **amour** *love* **propriétaires** *owners* **gros** = grands **les bergers allemands** *shepherd dogs* **plus d'allure** *look more impressive* **les pourboires** *tips* **pourrais** *could* **garder** *keep* **Il veut bien** = il est d'accord pour **chenil** *kennel* **cuisine** = fais la cuisine **font appel** = appellent **du coin** = quartier **un coup de main** = m'aider **l'arrosoir** *watering can*

🌐 **NOTE** CULTURELLE

By law, a French teen must be at least sixteen to be able to apply for a job. One can, however, ask for a special authorization by the **Inspection du Travail**, or Labor Department. The minimum legal compensation for anyone 18 and older is (36,98 F/hour in 1995, about $7/hour). A teen between the ages of 17 and 18 must receive at least 90% of the minimum wage, and a teen under 17 at least 80%.

Avec le premier argent qu'il a gagné, Fabien, 16 ans, a acheté l'équipement dont il a besoin pour son job: une échelle° en aluminium avec laquelle il lave les vitres. Il explique comment il a commencé:

《 *Un jour de printemps, il y a deux ans, ma mère m'a demandé de laver les vitres de l'extérieur. C'était un samedi. Il faisait très beau, et j'avais l'intention de faire un tour à vélo avec mes copains. Évidemment, j'étais furieux, mais je n'avais pas le choix. Je suis allé dans le garage. J'ai pris l'échelle, une vieille échelle en bois° très lourde,° et j'ai commencé mon travail. Une voisine m'a vu et m'a demandé: "Dis, Fabien, est-ce que tu veux laver mes vitres aussi? Pour ta peine,° je te donnerai cent francs." Quand j'ai fini chez moi, je me suis précipité° chez la voisine. Pendant que je lavais ses vitres, j'ai reçu° trois offres d'autres voisins. Depuis ce jour, je suis occupé presque tous les samedis et je vais bientôt avoir assez d'argent pour m'acheter une moto.* **》**

Danièle, 17 ans, et son frère Vincent, 16 ans, ont leur carte professionnelle, leur uniforme et leur compagnie: Ado-Services.*
Danièle explique:

《 *Aujourd'hui, les adultes travaillent énormément. Quand ils rentrent chez eux le soir, ils sont trop fatigués pour passer l'aspirateur et faire le ménage. Et le weekend, ils ont des choses plus intéressantes à faire. Mais nous, les ados, nous avons du temps libre et nous avons aussi besoin d'argent. Pourquoi ne pas aider les adultes dans leurs tâches domestiques?*

Un jour, j'ai mis une annonce° dans un supermarché pour offrir mes services. J'ai attendu trois semaines avant de recevoir mon premier coup de téléphone.° Ma première cliente m'a recommandée à une amie qui m'a recommandée à une voisine... Bref,° je me suis vite constitué une petite clientèle.

Bientôt, j'ai eu trop de travail pour moi seule. Alors, j'ai demandé à mon frère Vincent s'il voulait m'aider. D'abord, il a hésité. "Je ne suis pas une femme de chambre"° m'a-t-il dit. Mais, comme il avait besoin d'argent, il a fini par accepter. Maintenant nous travaillons en équipe. Je range le salon, je passe l'aspirateur dans les chambres. Vincent, lui, s'occupe de la cuisine. Il fait la vaisselle, range les assiettes, lave le sol° et sort les poubelles.

Aujourd'hui, notre compagnie Ado-Services marche très bien. Nous refusons même des clients. À un moment, je pensais engager des employés, mais il fallait° assurer leur formation,° prendre des assurances,° acheter du matériel,° etc... J'ai renoncé° à ce projet pour le moment. Mais, si je rate° mon bac l'année prochaine, je sais ce que je vais faire! **》**

et vous?

DÉFINITIONS

Définissez, en français, les mots ou expressions suivants.

• un(e) vétérinaire	• un buffet	• une échelle	• une pâtisserie
• un pourboire	• un hors-d'œuvre	• une femme de chambre	• un boulanger
• un chenil	• une réception	• une équipe	

EXPRESSION ORALE

1. Des jeunes Français décrits dans le texte, qui, selon vous, a le job le plus intéressant? Expliquez pourquoi.
2. Votre partenaire et vous, vous allez choisir d'être l'un des adolescents décrits dans le texte. Chacun va décrire le job qu'il/elle a et expliquer les avantages et les inconvénients de ce job.
3. Préférez-vous avoir un job où vous travaillez à votre compte (comme les adolescents décrits dans le texte) ou un job où vous travaillez pour quelqu'un d'autre (par exemple, pour un fast-food, une boutique, une station-service, etc.)? Expliquez votre choix. Considérez les éléments suivants:

   • l'intérêt du travail   • la flexibilité des heures de travail
   • le salaire   • l'indépendance

EXPRESSION ÉCRITE

Vous avez un job (réel ou imaginaire). Écrivez une lettre à votre ami(e) français(e) où vous décrivez:
• comment vous avez trouvé ce job
• ce que vous faites
• les avantages et les inconvénients de ce job

---

*Ado-Services: le terme **ado** est souvent utilisé pour désigner **un adolescent** (comparez **teen** qui désigne un **teenager**).
une échelle ladder **en bois** wood **lourde** heavy **peine** = travail **précipité** = dépêché d'aller **recevoir** ❋ to get, receive **une annonce** notice, ad
coup de téléphone phone call **Bref** In brief **une femme de chambre** = chamber maid **le sol** floor **il fallait** = il était nécessaire **formation** training **assurances** insurance **du matériel** equipment **renoncé** gave up **rate** flunk

Unité 2 ■ INFO Magazine **83**

Teaching Strategy: Expansion

EXPRESSION ORALE

• Imaginez que vous êtes l'un des adolescents décrits dans le texte. Expliquez à un(e) ami(e) (votre partenaire) les avantages et les inconvénients de votre job.

• Imaginez que vous êtes un(e) adulte vivant en France. Vous avez besoin d'un service offert par l'un de ces adolescents (joué par votre partenaire). Expliquez le service dont vous avez besoin. Votre partenaire va demander les détails, proposer un prix et accepter ou refuser le travail.

■ **Irregular Verbs**
(see Appendix C)
recevoir *(see **voir**)*

French teens work mostly during the summer months, when they are on vacation and have free time. Jobs are not readily available and competition is intense. Typical jobs for young people include delivering pizzas (**livrer des pizzas**), baby-sitting, au-pair work, summer camp counselor (**moniteur/monitrice de colonie de vacances**), harvesting (mostly grapes), or working in a fast-food restaurant (**dans la restauration rapide**).

LE FRANÇAIS
PRATIQUE
Pour rendre service

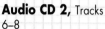

■ **Photo Note**

a wheelchair = **un fauteuil roulant**

Supplementary vocabulary

Je te demande pardon, mais... *I'm sorry, but*

C'est dommage, mais... *It's too bad, but*

Je suis déjà pris(e). *(busy)*

Je ne peux pas me le permettre. *I can't afford it.*

C'est impossible. Je suis débordé(e)! *I'm swamped!*

LE FRANÇAIS
PRATIQUE
Pour rendre service

> Est-ce que tu peux m'aider?

> Oui, bien sûr.

COMMENT DEMANDER DE L'AIDE

Est-ce que tu peux | **m'aider?**
| **m'aider à** nettoyer le salon?
| **me donner un coup de main** *(give me a hand)*?
| **me rendre service** *(do me a favor)*?

COMMENT ACCEPTER

Oui, | **bien sûr.**
| **d'accord.**
| **je veux bien.** *(I'd love to)*

Volontiers! *(With pleasure)*

Avec plaisir!

COMMENT REFUSER . . . ET DONNER UNE EXCUSE

Non, vraiment je ne peux pas.

Écoute, | **j'aimerais bien,** mais . . . | je suis **occupé(e)** *(busy)*.
| je voudrais bien, mais . . . | je ne suis pas **libre** *(free)*.
| je suis **désolé(e)**, mais . . . | je n'ai pas **le temps** *(time)*.
| **je m'excuse**, mais . . . | j'ai **d'autres choses à faire.**
| **je regrette**, mais. . . | je dois sortir/étudier.

COMMENT REMERCIER . . . ET RÉPONDRE À QUELQU'UN QUI VOUS REMERCIE

C'est | **gentil!**
| **sympa!**

Merci | **beaucoup.** | **De rien.** *(You're welcome)*
| **mille fois.** | **Il n'y a pas de quoi.**

Je te remercie. **Je t'en prie.**

👓 **Teaching Strategy**

Divide the class into pairs; have each pair develop a 20-line dialog between a parent and child. The parent asks to have chores done. The student makes up an excuse, using vocabulary from pp. 74–75 and p. 84. The dialog should include at least two sentences in the subjunctive. This activity might also be done with puppets, either by the teacher or by pairs of students.

1 Créa-dialogue

C'est samedi aujourd'hui et vous passez l'après-midi chez votre cousin(e) français(e). Il/elle vous demande de l'aider. Avec votre partenaire, composez un dialogue et jouez-le en classe. Votre partenaire va jouer le rôle de votre cousin(e).

— Dis, est-ce que tu peux m'aider?
— Oui, bien sûr. Où es-tu?
— Je suis au salon.
— Qu'est-ce que je peux faire pour toi?
— Est-ce que tu peux nettoyer les vitres?
— Je voudrais bien, mais je n'ai pas de chiffon.

• *Use another expression.*
• *Use another expression.*
• *Name another part of the house or yard.*
• *Mention a chore that needs to be done there.*
• *Accept or refuse. If you refuse, give an explanation. If you accept, your partner will thank you.*

Conversations libres

Avec votre partenaire, choisissez l'une des situations suivantes. Composez ensemble un dialogue correspondant à cette situation et jouez ce dialogue en classe.

1 À l'université

Jean-Jacques et Christophe sont camarades de chambre à l'université. Jean-Jacques aime l'ordre. Christophe, au contraire, est un garçon très désordonné. Chacun critique les habitudes de l'autre.

Rôles: Jean-Jacques, Christophe

2 Après la soirée

Thomas et Isabelle ont organisé une soirée chez eux. La soirée est finie et Thomas et Isabelle doivent ranger l'appartement qui est vraiment en désordre. Ils discutent de la répartition *(distribution)* des tâches, mais ils ne sont pas d'accord!

Rôles: Thomas, Isabelle

3 Argent de poche

Jean-Philippe veut gagner de l'argent de poche cet été. Il va voir ses voisins pour leur offrir ses services. Madame Brunet répond et veut savoir ce que Jean-Philippe sait faire.

Rôles: Mme Brunet, Jean-Philippe

5 La visite des grands-parents

Les grands-parents de Catherine et de Jean-François vont venir passer le weekend à la maison. Madame Thibault demande à ses enfants de l'aider pour préparer la maison et le jardin. Catherine a d'autres projets et Jean-François est un garçon paresseux.

Rôles: Mme Thibault, Catherine, Jean-François

6 «Le bistrot»

Monsieur Laboufe est propriétaire du restaurant «Le bistrot». Chaque été, il recrute des étudiants pour travailler dans la cuisine et la salle du restaurant. Il explique le travail à deux jeunes employés, Mélanie et Philippe. Ceux-ci demandent des précisions.

Rôles: M. Laboufe, Mélanie, Philippe

Le robot

À l'exposition de l'Électro-ménager *(household appliances)*, un vendeur présente la nouvelle invention de sa compagnie: un robot qui fait toutes sortes de travaux domestiques. Il démontre le robot à une cliente qui n'est pas convaincue *(convinced)*.

Rôles: Le vendeur, la cliente

7 Drôles de vacances

Robert passe ses vacances chez sa tante Amélie qui a une ferme à la campagne. En réalité, ce ne sont pas de véritables vacances parce que Tante Amélie a toujours des projets pour Robert. Aujourd'hui, Tante Amélie a préparé une longue liste de choses à faire. Robert a décidé de refuser de travailler. Pour chaque chose, il a une excuse.

Rôles: Tante Amélie, Robert

⚙ Teaching Strategy

The subjunctive forms of **savoir, vouloir, pouvoir,** and **devoir** are not active. You may, however, wish to introduce them here.

que **je veuille**
que **nous voulions**
que **je doive**
que **je puisse**
que **je sache**

■ Note linguistique

tant pis ≠ tant mieux
too bad ≠ so much the better

👥 Variation: Activity 2

PAIR WORK

Avec votre partenaire, discutez des choses que vous devez faire pour une des périodes suivantes. Ensuite, écrivez ce que chacun doit faire. Commencez vos phrases par **il faut que …**

A. Le subjonctif: formation irrégulière

The subjunctive forms of **être, avoir, aller,** and **faire** are irregular.

	être	**avoir**	**aller**	**faire**
que je (j')	**sois**	**aie**	**aille**	**fasse**
que tu	**sois**	**aies**	**ailles**	**fasses**
qu'il/elle/on	**soit**	**ait**	**aille**	**fasse**
que nous	**soyons**	**ayons**	**allions**	**fassions**
que vous	**soyez**	**ayez**	**alliez**	**fassiez**
qu'ils/elles	**soient**	**aient**	**aillent**	**fassent**

1 Tant pis! *(Too bad!)*

Invitez votre partenaire à faire certaines choses avec vous.
Il/elle va refuser en donnant une excuse.

Tu veux **déjeuner** avec moi?

Je m'excuse, mais il faut que je **sois chez moi à midi.**

Tant pis!

INVITATIONS
• sortir
• jouer au volley
• déjeuner
• aller au ciné
• venir chez moi
• faire une promenade
• ??

EXCUSES
• faire mes devoirs
• faire des achats
• aller au supermarc[
• aller chez un copai[
• être chez moi à mi[
• être à un rendez-vo[
• ??

2 Que faire?

Lisez ce que les personnes suivantes vont faire et dites ce qu'elles doivent faire.

▶ Tu vas ranger la cuisine. (faire la vaisselle)
Il faut que tu fasses la vaisselle.

1. Je vais voir un film. (aller au ciné / être à l'heure)
2. Tu vas organiser un pique-nique. (aller au supermarché / faire les courses)
3. Nous sommes invités à dîner. (avoir un cadeau / être polis)
4. Vous allez prendre l'avion. (faire vos valises / aller à l'aéroport)
5. Mélanie va faire du parapente. (faire attention / avoir du courage)
6. Anne et Thomas vont participer à un marathon. (être en bonne forme/ faire du jogging régulièrement)

3 Choses à faire

Choisissez une période de temps et nommez deux ou trois choses que vous devez faire en utilisant

il faut que je . . .

• ce soir
• avant le weekend
• ce weekend
• la semaine prochaine
• avant les vacances
• cet été

☀ Teaching Strategy: Warm-Up

Brainstorm a short series of situations in which the subjunctive would be used. Then help students to recognize the subjunctive forms of verbs in sentences.

💻 Use Video Module 2 to demonstrate the subjunctive in context, asking students to listen for its use. Pause and replay, then write each example on a transparency or on the board.

B. L'usage du subjonctif après certaines expressions impersonnelles

Note the use of the subjunctive in the following sentences.

Il est important **que nous soyons** à l'heure.	*It is important **that we be** on time.*
Il est bon **que vous fassiez** du sport.	*It is good **that you do** sports.*
Il est dommage **que tu partes.**	*It is too bad **that you are leaving.***

In French, the subjunctive is used after certain impersonal expressions of OPINION when they are referring to specific people.

→ When the expression of opinion is used in a GENERAL sense, it is followed by **de** + INFINITIVE. Compare:

Il est utile **de parler** français.	*It is useful (in general) **to speak** French.*
Il est utile **que Marc parle** français.	*It is useful **that Marc speaks** French.*

Vocabulaire: Quelques expressions d'opinion

il est bon que	**il est utile que**	**il est dommage que**
il est important que	**il est naturel que**	**il vaut mieux** *(it is better)* **que**
il est essentiel que	**il est normal que**	
il est indispensable que	**il est juste** *(fair)* **que**	

4 D'accord ou non?

Exprimez votre opinion sur l'un des sujets suivants. Votre partenaire va être d'accord ou pas d'accord avec vous. (Ajoutez d'autres sujets à la liste si vous voulez.)

▶ — **Il est important (utile, indispensable) que j'aille à l'université.**
   — **Je suis d'accord avec toi. Il est important que nous allions à l'université.**
      (Je ne suis pas d'accord avec toi.
      Il n'est pas important que
      nous allions à l'université.)

- aller à l'université
- être en bonne santé *(health)*
- aider mes parents
- être ponctuel en classe
- avoir beaucoup d'amis
- être riche
- réussir aux examens
- faire des progrès en français
- aller en France
- trouver un job cet été
- avoir mon diplôme
- ??

5 Pour rester en forme

Votre partenaire veut commencer un programme pour rester en forme. Il/elle hésite entre plusieurs options. Donnez-lui votre opinion en commençant votre suggestion par **il vaut mieux que . . .**

▶ jouer au volley ou au basket?

Je voudrais rester en forme. Je ne sais pas si je dois jouer au volley ou au basket.

Il vaut mieux que tu joues au volley.

1. manger des fruits ou de la viande?
2. boire du thé ou de l'eau minérale?
3. faire du jogging ou de la musculation?
4. aller à la piscine ou au gymnase?
5. acheter un vélo ou des haltères *(weights)*?
6. faire du golf ou du tennis?

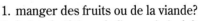

Langue et communication **87**

■ **Note linguistique**
When **il vaut mieux** is used in the general sense, it is followed directly by the infinitive:
   Il vaut mieux être à l'heure.

☼ **Teaching Strategy: Challenge**
Encourage students to continue their conversations from Act. 4:
— **Pourquoi?**
— **Parce que je veux être ingénieur ...**
— **Pourquoi pas?**
— **Parce que je veux trouver un job après le lycée.**

👥 **Teaching Strategy**

D'accord ou non?
Divide the class into two or three groups. Using the expressions in Act. 4, students write as many correct responses as possible. At the end of the pre-determined time period, the group that has used the largest number of expressions wins.

This activity may be done using expanded vocabulary as a "challenge" activity.

Unité 2 87

Practice Activities,
pp. 32–33, 182

 Audio CD 2, Tracks
9–10

Audiocassette 2,
Side 2

Audio Script, p. 11

Teacher-to-Teacher,
Et maintenant ...,
pp. 23–25

C. L'usage du subjonctif après **vouloir que**

Note the use of the subjunctive in the sentences below.

Je **voudrais que tu viennes** chez moi.	*I would like you to come to my house.*
Éric **veut que je sorte** avec lui.	*Éric wants me to go out with him.*
Mon frère **ne veut pas que je prenne** sa voiture.	*My brother does not want me to take his car.*

▌ In French, the SUBJUNCTIVE is used after **vouloir que** to express a WISH.

➡ Note that the wish must concern someone or something OTHER THAN THE SUBJECT.
When the wish concerns the SUBJECT, the INFINITIVE is used.
Contrast:

The wish concerns the subject: INFINITIVE	The wish concerns someone else: SUBJUNCTIVE
Je veux **sortir.** **Mon père** veut **prendre** sa voiture.	**Je** veux que **tu sortes** avec moi. **Mon père** ne veut pas que **je prenne** sa voiture.

➡ The subjunctive is also used after **je veux bien (que).**

— Est-ce que je peux sortir?	*Can I go out?*
— Oui, **je veux bien que** **tu sortes.**	*Sure, it's OK with me* *if you go out.*

> **QUELQUES EXPRESSIONS DE**
> **DÉSIR ET DE VOLONTÉ**
> *(par ordre d'intensité)*
>
> je préfère que . . .
> je souhaite que . . .   *(I wish)*
> je désire que . . .   *(I wish)*
> je voudrais que . . .
> j'aimerais que . . .
> je veux que . . .
> j'insiste pour que . . .
> j'exige que . . .   *(I demand)*

6 **Chez vous**

Votre camarade français(e) (votre partenaire) est chez vous.
Il/elle vous demande la permission de faire certaines choses.
Acceptez ou refusez.

▶ regarder tes photos

> Est-ce que je peux
> regarder tes photos?

> Oui, je veux bien que
> tu regardes mes photos.

(Pas question! Je ne veux pas que
tu regardes mes photos!)

1. mettre un disque?
2. faire un sandwich?
3. lire ton journal *(diary)*?
4. téléphoner à un copain en France?
5. emprunter ton vélo?
6. aller dans la chambre de tes parents?
7. aider avec la vaisselle?
8. promener ton chien?
9. donner à manger à ton chat?

💡 Teaching Strategy: Challenge

PAS D'ACCORD!
Julien voudrait faire certaines
choses mais sa mère n'est
pas d'accord. Jouez les deux
rôles avec votre partenaire.

▶ **sortir ce soir**

JULIEN: **Je voudrais sortir
          ce soir.**

SA MÈRE: **Eh bien, moi, je
          ne veux pas que
          tu sortes ce soir!**

1. prendre la voiture
2. acheter une moto
3. faire du karaté
4. apprendre à faire du delta
   plane
5. avoir un boa dans ma
   chambre
6. être cascadeur *(stuntman)*

☀ Teaching Strategy: Warm-Up

Write out all the different expressions of *wish*
or *desire* from p. 88, both with and without
que, on separate pieces of paper. Distribute to
the class, and ask each student to make a
sentence with his/her expression.

Put two columns on the board, one for the
expressions with **que** and one for the expressions without **que**. Have the students write
their sentences on the board in the appropriate
column. When completed, ask students to identify the difference between the two columns.

Oui ou non?

Décrivez les souhaits *(wishes)* des personnes suivantes. Utilisez **vouloir que** affirmativement ou négativement. Et soyez logique!

▶ le professeur / les élèves (étudier? dormir en classe?)

Le professeur veut que les élèves étudient.
Il ne veut pas qu'ils dorment en classe.

1. nous / le professeur (être très strict? donner de bonnes notes?)
2. le médecin / ses patients (faire du sport? fumer?)
3. Caroline / son copain (être loyal? sortir avec une autre fille?)
4. tu / ton frère (lire ton journal *[diary]*? casser *[to break]* ta chaîne hi-fi?)
5. je / mes amis (dire des mensonges *[lies]*? être patients avec moi?)
6. mes parents / je (avoir de bonnes notes? être impoli?)

■ Teaching Notes

• Before doing Activity 7, you may want to quickly review the present of **vouloir**.
• Students may also use **désirer, souhaiter.**

■ Expansion

Encourage students to invent their own "conditions."

D'accord, mais . . .

Nathalie demande à son père de faire certaines choses. Il accepte, mais avec certaines conditions. Jouez les deux rôles avec votre partenaire.

1. prendre la voiture
   mettre ta ceinture
   (seatbelt)

2. aller au ciné
   finir tes devoirs

3. inviter des copains
   ranger le salon

4. organiser une boum
   faire la vaisselle

5. faire du parapente
   être très prudente

6. acheter une moto
   porter un casque
   (helmet)

Speech bubbles: **Dis, Papa, je voudrais sortir.** / **Écoute, je veux bien que tu sortes, mais à une condition!** / **Quelle condition?** / **Il faut que tu rentres avant onze heures.** / **D'accord, Papa.**

C'est vous le patron (la patronne)! *(You're the boss!)*

Choisissez l'une des situations suivantes. Donnez à un(e) jeune employé(e) deux ou trois tâches à faire. Vous pouvez utiliser les expressions du Français pratique à la page 74/75.

> Vous êtes . . .
> • le chef d'un restaurant
> • le directeur (la directrice) d'un zoo
> • le chef jardinier du parc municipal
> • le directeur (la directrice) d'une campagne de nettoyage *(clean-up campaign)*
> • le patron (la patronne) d'une teinturerie *(dry-cleaner's)*

▶ **Je voudrais que tu . . .** **J'aimerais aussi que tu . . .**

Expression personnelle

Choisissez une personne et exprimez certains souhaits pour cette personne.

je { souhaite / désire / voudrais } que

• mes parents . . .
• le professeur. . .
• mon copain . . .
• ma cousine . . .
• les voisins . . .

11 Exigences

Expliquez les exigences *(demands)* d'une des personnes suivantes à votre égard.

mon père
ma mère
mes profs
mon meilleur ami
ma meilleure amie

{ exiger / insister pour / ne pas vouloir } que je . . .

See if students can then transform the sentences so they could be placed in the opposite column. Remind students that the meaning of their sentence will change.

Student wrote: **Je voudrais que tu viennes chez moi ce soir.**
Student changes it to: **Je voudrais venir chez toi ce soir.**

LE FRANÇAIS
PRATIQUE

*Comment décrire
un objet*

TEACHING RESOURCES

 **Transparencies 22,
22(o)**

 **Overhead Visuals
Copymasters and
Activities,**
pp. A47–A48

 Practice Activities,
pp. 33–34, 118–120,
182

 Audio CD 2, Tracks
11–14

 Audiocassette 2,
Side 2

 Audio Script,
pp. 12–13

 **Internet Connection
Notes,** Project 7,
pp. 41–42

 Teacher-to-Teacher
Comment décrire un
objet, pp. 18–20;
Jumeaux/Jumelles,
pp. 27–29

■ Teaching Note

This section is optional, for
vocabulary expansion and
enrichment.

■ Notes linguistiques

• **Gros** *(big, fat)* is used when
referring to the volume,
width, or general size of
something.
• **Grand** *(tall, big)* refers more
to the height of a person or
thing: **Le Saint-Bernard est
un gros chien. La tour Eiffel
est une grande tour.**
• **poli** comes from **polir**
(to polish)
poli also means *polite*
(= in a polished manner)

90 Unité 2

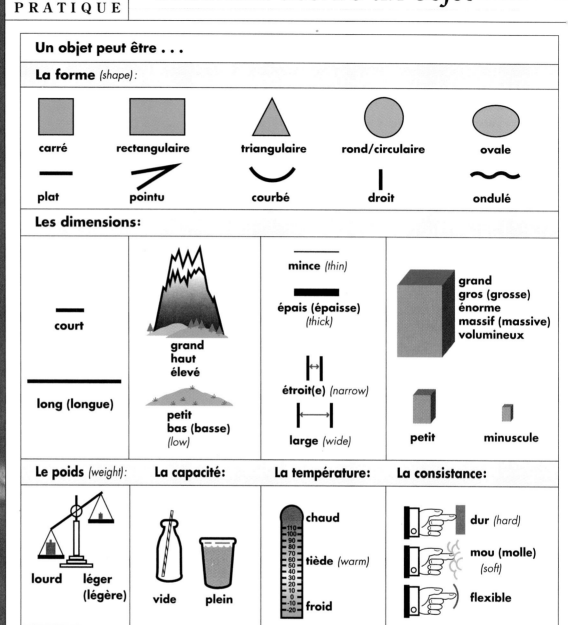

Comment décrire un objet

Un objet peut être . . .

La forme *(shape)*:

carré — rectangulaire — triangulaire — rond/circulaire — ovale

plat — pointu — courbé — droit — ondulé

Les dimensions:

court / long (longue)

grand / haut / élevé — petit / bas (basse) *(low)*

mince *(thin)* / épais (épaisse) *(thick)*

étroit(e) *(narrow)* / large *(wide)*

grand / gros (grosse) / énorme / massif (massive) / volumineux — petit — minuscule

Le poids *(weight)*: lourd / léger (légère)

La capacité: vide / plein

La température: chaud / tiède *(warm)* / froid

La consistance: dur *(hard)* / mou (molle) *(soft)* / flexible

L'état, l'apparence, la condition:

solide	≠ **fragile**
sec (sèche) *(dry)*	≠ **mouillé** *(wet)*, **humide**
lisse *(smooth)*, **poli** *(polished)*	≠ **rugueux (rugueuse)** *(rough, uneven)*
brillant *(shiny)*	≠ **terne** *(dull)*
neuf (neuve) *(new)*	≠ **vieux (vieille), ancien (ancienne)**
	d'occasion *(secondhand, used)*
	usagé *(worn)*

**Comment décrire
un objet**

Pratique ▶
p. 33

☼ Teaching Strategy: Warm-Up

The vocabulary in this section is for enrichment. It can be
presented (and practiced) with classroom objects or things
which you can bring to class:

une montre	**un ballon de foot**
une bague	**une fenêtre**
un bâton de craie	**une porte**
une balle de ping-pong	**un sac**

You may also use TPR to present the material.

You may also mention an adjective
and ask students to name objects
that exhibit that feature:

chaud → le thé, le café
froid → la glace, le thé glacé

La matière:

—En quoi est cet objet?

En quoi est cet objet?

Il est **en plastique**.

Il est en plastique.

le papier	**le bois** *(wood)*	**le métal (les métaux)**
le carton *(cardboard)*	**la pierre** *(stone)*	**l'acier** *(steel)*
l'étoffe *(fabric)*	**la brique** *(brick)*	**le fer** *(iron)*
le caoutchouc *(rubber)*	**le verre** *(glass)*	**le cuivre** *(copper)*
le plastique		**le plomb** *(lead)*
la matière synthétique		**l'aluminium**

Qui suis-je? —

Faites correspondre chaque monument avec sa description.

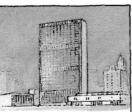

| 1. la Tour Eiffel | 2. La Statue de la Liberté | 3. le bâtiment des Nations Unies | 4. L'Arche de Saint Louis |

(a) Je suis en métal. Je suis mince, plate et assez étroite. À l'intérieur, je suis vide. Je ne suis ni pointue, ni droite, ni ondulée. Ma caractéristique principale est que je suis courbe.

(b) Je suis élevé et droit. Je suis rectangulaire et plat. Le matin et l'après-midi, je suis plein, mais la nuit, je suis généralement vide. Je ne suis pas entièrement en métal. Je ne suis pas en pierre non plus.

(c) Mon socle *(pedestal)* est en pierre, mais je suis en métal. Je suis verte parce que je suis en cuivre. Je suis grande, mais je ne suis pas très épaisse. Ma figure n'est pas carrée. Ma couronne *(crown)* est circulaire.

(d) Je suis très haute—j'ai 300 mètres de hauteur—mais je ne suis pas grosse. Je suis plutôt mince. Je suis lourde parce que je pèse 7300 tonnes, mais je suis relativement légère. Je ne suis pas en verre. Je suis en fer.

Qu'est-ce que c'est? —

Choisissez un de ces objets. Puis décrivez cet objet sans mentionner son nom.
Votre partenaire va deviner ce que c'est.

| un clou | un fer à repasser | une bouteille | une scie | un ballon | un parachute | un réfrigérateur |

UNITÉ 2

Interdisciplinary/ Community Connections

Create a class brochure, in French, of services students can perform around the house or at school.

Language Arts: Brainstorm two lists: things that students can do, and things that need doing.

Math: Calculate the costs of supplies of the different jobs, and decide how much pay each task merits.

Science/Health: Find out about safety precautions and the ingredients in various cleaning products.

Social Studies: Investigate who has traditionally done these jobs. Why has this changed?

Art/Music: Design a brochure advertising student services.

Technology: Implement the design. Or research how the invention of new machines has made these jobs easier.

Community: Students may volunteer their services, or charge a modest fee, to people unable to do chores themselves.

Supplementary vocabulary

acéré *sharp*
émoussé *blunt*
compact *compact*
dense *dense*
le papier émeri *emery paper*
le marbre *marble*
le nickel
le cuir *(leather)*

■ **Pronunciation**
caoutchouc /kautʃu/

■ **Réponses: Activité 1**
1-d, 2-c, 3-b, 4-a

LECTURE

Reading
STRATEGY

Reading fiction

TEACHING RESOURCES

 Transparency L2

Overhead Visuals Copymasters and Activities, p. A122

 Internet Connection Notes, Long-Term Internet Project, p. 43

Teaching Strategy

• For a broader historical context, you may first have students read *Interlude 2,* pp. 98–107.

• Use the overhead visuals and activities to encourage students to prepare to be attentive and retentive readers.

• Ask students:
 – What is a fable?
 – What can be expected to happen in a fable?
 – Who are the characters in a fable?
 – Is there a moral?

LECTURE

La Couverture

fable du Moyen Âge

AVANT DE LIRE

Le texte que vous allez lire est basé sur une fable très ancienne, puisqu'elle a été écrite au 13ᵉ siècle par un certain Bernier. Au Moyen Âge°, les fables ou **fabliaux** étaient très populaires en France, surtout dans la région du Nord. La fable est une histoire, généralement assez courte, qui a pour objet d'illustrer une vérité morale importante pour les gens de l'époque. Les personnages de fables peuvent être réels ou imaginaires. Dans *La Couverture*, les personnages sont intéressants parce qu'ils sont réels et qu'ils représentent assez bien la vie et la société au Moyen Âge.

le Moyen Âge *Middle Ages*

Anticipons un peu!

Dans la première partie de la fable, un père, qui est commerçant, apprend que son fils veut se marier avec une fille d'une classe sociale plus élevée. Malheureusement, ce fils, qui vient de terminer ses études, n'a ni argent ni maison. Que doit faire le père?

• Conseiller à son fils de trouver une femme qui soit de la même classe sociale que lui.
• Donner sa maison au jeune couple et acheter pour lui une maison plus petite, tout en continuant son commerce.
• Vendre son commerce et en donner les profits ainsi que sa maison au jeune couple.

Maintenant, lisez la première partie de la fable pour voir quelle décision le père a prise.

NOTE CULTURELLE

La noblesse

Avant la Révolution de 1789, la société française était divisée en trois groupes qui n'avaient pas les mêmes droits: **la noblesse** (militaire), **le clergé** (religieux) et **le peuple**. En général, les gens nobles ne se mariaient pas avec les gens du peuple.

Dans ce texte, la différence de classe sociale entre le marchand et le noble est reflétée dans le langage que chacun utilise pour parler à l'autre:

• **Brave homme** (*my good man*) est une expression condescendante.

• **Messire** (dérivé de **monsire** et **monseigneur**) était le terme utilisé au Moyen Âge pour parler à une personne noble. (C'est la forme ancienne de **monsieur**, qui aujourd'hui n'exprime pas la supériorité sociale.)

🌐 NOTES CULTURELLES

• The most famous French fabulist is **Jean de La Fontaine** (1621–1695). In his fables, animals personify personalities of his time such as the king and his courtesans. Among his 230 fables are **Le Renard et le corbeau** (The Fox and the Raven), and **La Cigale et la fourmi** (The Cricket and the Ant).

• The university of **La Sorbonne** was founded in 1257 in Paris. At the time, it offered three degrees: **la déterminance**, **le baccalau-réat**, and **la licence**.

LA COUVERTURE

I

À Abbeville* vivait autrefois° un homme heureux. C'était un marchand qui avait un commerce de tissus.° Il avait peu de biens, mais, grâce à son travail, il gagnait honnêtement sa vie. Cet homme était marié à une femme qu'il adorait. Ils avaient un fils unique. Ce garçon était beau, fort, intelligent et respectueux de ses parents. Chaque jour, le marchand et sa femme rendaient grâce à Dieu° de leur bonheur. Ce bonheur, malheureusement, n'a pas duré éternellement. Un jour, la femme du marchand est tombée malade d'une fièvre subite°. Une semaine plus tard, elle était morte . . . Inconsolable, notre marchand continua° à travailler dur et à s'occuper de l'éducation de son fils. Quand celui-ci eut° dix-huit ans, il l'envoya° à Paris faire des études de droit.

Après deux ans d'études, le jeune homme revient à Abbeville pour travailler comme clerc de notaire. Un dimanche, pendant la messe,° il remarque une très belle jeune fille qui est assise au premier rang° de l'église. Il s'enquiert° de l'identité de celle-ci. On lui dit qu'elle est orpheline et qu'elle vient d'une famille très noble mais sans fortune.

Les dimanches suivants, le jeune homme revoit la jeune fille qui lui sourit°. Il tombe éperdument amoureux° d'elle. Finalement il se décide à lui parler et il se rend compte que la jeune fille l'aime aussi. Alors, un jour il lui demande: «Voulez-vous m'épouser?» La jeune fille lui répond: «Je voudrais bien vous épouser, mais vous n'êtes pas noble. Il faut donc que votre père aille voir mon frère aîné et obtienne le consentement de celui-ci.»°

Le jeune homme va trouver son père pour lui expliquer la situation. Le marchand, qui veut faire le bonheur de son fils, va chez le frère de la jeune fille. Celui-ci écoute sa requête, hésite et finalement dit:

— Brave homme, je veux bien que ma soeur épouse votre fils, mais à deux conditions.

— Quelles sont ces conditions, messire?

— D'abord, je veux que vous donniez votre maison à votre fils pour que ma soeur soit chez elle et non chez vous.

*Abbeville. Abbeville est une petite ville de Picardie, une province située dans le Nord de la France. Au Moyen Âge, cette ville avait une industrie textile très importante.

autrefois = dans le passé **tissus** *fabrics*
rendaient grâce à Dieu *gave thanks to God* **subite** *sudden*
continua = a continué **eut** = a eu **envoya** = a envoyé
la messe *(Catholic) Mass* **rang** *row*
s'enquiert de *pose des questions concernant*
sourit *smiles* **éperdument amoureux** *hopelessly in love*

Mots utiles	
les biens	*wealth*
le bonheur	*happiness*
une couverture	*blanket*
un marchand	*merchant*
appartenir à	*to belong to*
avoir lieu	*to take place*
durer	*to last*
épouser	*to marry*
remarquer	*to notice*
se rendre compte	*to realize*
celui-ci, celle-ci	*the latter*
grâce à	*thanks to*

■ **Notes linguistiques**

• This introduction to the fable is written in the past. The second paragraph contains three examples of the **passé simple:**
   il continua
   celui-ci eut 18 ans
   il l'envoya
The **passé simple** is formally introduced in Unit 3, p. 133.

• The remainder of the fable is written in the historical present.

■ **Irregular Verbs**

• **s'enquérir** *(to ask for information)* is conjugated like **acquérir** *(to acquire):*
   je m'enquiers
   il s'enquiert
   nous nous enquérons
   ils s'enquièrent

• **appartenir** *(see tenir) (see Appendix C)*

• In the 13th century, universities were privately owned and autonomous. Most were located in Paris, in the **Quartier Latin**, so named because all scholars spoke Latin.

• The main objective of the **French Revolution** was to establish equality among all people, and, therefore, to abolish the privileges enjoyed by the nobility and the clergy. This is reflected in the second term of the French motto: **Liberté, Égalité, Fraternité**. (For more information on the French Revolution, you may want to refer students to *Interlude 5*, pp. 216–225.)

— C'est facile! Tout ce qui m'appartient appartiendra à mon fils. Je lui
35 donnerai ma maison la veille° même de son mariage. Et la seconde condition,
messire?

— Je veux que vous me donniez 10.000 écus d'or.**

— Mais, c'est impossible, messire. Je n'ai pas cette somme sous la main.°

— Que faites-vous dans la vie, brave homme?

40 — Je suis marchand de tissu.

— Eh bien, il faut que vous vendiez votre commerce et que vous
m'apportiez le produit de cette vente°.

— Je ferai tout ce que vous voulez pour assurer le bonheur de mon fils.

Comme convenu°, le marchand vend son commerce et donne sa maison
45 à son fils. Le mariage a lieu. Les jeunes époux viennent habiter chez l'ancien
marchand qui leur laisse sa chambre, la plus belle pièce de la maison.

Au début, tout se passe bien. Le jeune couple est heureux. L'ancien
marchand, qui n'exerce plus sa profession, aide son fils et sa belle-fille dans
tous les petits travaux de la vie domestique. Il bricole, répare les ustensiles de
50 cuisine, coupe du bois pour le chauffage° de la maison, nourrit° les animaux,
s'occupe du jardin. Quand le premier enfant du couple naît, il cède° sa
chambre au bébé et va habiter dans une chambre plus petite. C'est lui qui
s'occupe de son petit-fils. Il joue avec l'enfant, il le promène, il lui apprend à
marcher et à parler.

**10 000 écus d'or. L'écu était une pièce de monnaie utilisée en France jusqu'à la Révolution en 1789.
Dix mille écus d'or représentaient une somme considérable.

la veille = le jour avant   sous la main at hand, available   vente sale   comme convenu as agreed   vente sale
chauffage heating   nourrit = donne à manger à   cède = donne

Avez-vous compris? (Sample answers)

1. Il était heureux parce qu'il avait une femme qu'il adorait, un bon fils, et il gagnait bien sa vie.
2. Ils s'aiment, mais la jeune fille est noble, et le jeune homme ne l'est pas.
3. Les 10 000 écus d'or sont la condition la plus difficile, parce qu'il ne les a pas.
4. Il donne sa maison à son fils et sa belle-fille. Il habite avec eux et il les aide beaucoup: il coupe le bois, nourrit les animaux, il répare les outils de cuisine.

Avez-vous compris?

1. Pourquoi est-ce que le marchand était un homme heureux?
2. Quels sont les sentiments du jeune homme et de la jeune fille? Quel est l'obstacle à leur mariage?
3. Pour le marchand, laquelle des deux conditions émises (expressed) par le noble est la plus difficile à réaliser? Pourquoi?
4. Que fait le marchand après le mariage de son fils? Décrivez sa vie.

Anticipons un peu!

Dans la deuxième partie de la fable, le grand-père, qui est maintenant âgé et très infirme, habite encore chez son fils. Malheureusement, la femme trouve de plus en plus difficile de s'occuper du grand-père malade. Que doit faire le fils?
- Engager une infirmière pour s'occuper du vieillard.
- Garder (keep) le grand-père à la maison et demander à toute la famille de faire le sacrifice nécessaire pour s'en occuper.
- Envoyer le grand-père dans un hospice pour gens âgés.
- Autre solution?

94 Unité 2

NOTES CULTURELLES

- You may point out to the students the many different household chores that were necessary in the past. These included chopping wood (which was used not only for heating, but also for cooking), taking care of the animals raised for food (chickens, ducks, geese, rabbits), and tending the vegetable garden and the orchard.

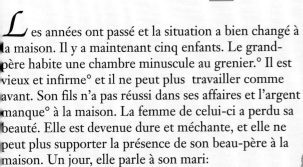

II

*L*es années ont passé et la situation a bien changé à la maison. Il y a maintenant cinq enfants. Le grand-père habite une chambre minuscule au grenier.° Il est vieux et infirme° et il ne peut plus travailler comme avant. Son fils n'a pas réussi dans ses affaires et l'argent manque° à la maison. La femme de celui-ci a perdu sa beauté. Elle est devenue dure et méchante, et elle ne peut plus supporter la présence de son beau-père à la maison. Un jour, elle parle à son mari:

— Votre* père est devenu une charge inutile. Il faut qu'il quitte la maison.

— Mais, mon amie . . .

—Oubliez-vous qui vous avez épousé? Il faut que vous choisissiez: votre père ou moi!

Le fils est morfondu.° Il va trouver son père et essaie de trouver une excuse.

— Père, il faut que vous* quittiez votre chambre.

— Mais, mon fils, pourquoi veux-tu que je la quitte?

— Père, nous avons besoin d'argent. Il faut que nous louions cette chambre.

— Écoute, mon fils, je veux bien aller loger dans l'étable avec les chevaux…

— Père, c'est impossible!

— Et pourquoi donc me chasses-tu?

Embarrassé, le fils doit avouer la vérité: «Père, ma femme exige que vous partiez.»

Le vieillard, consterné, regarde son fils. «Et où veux-tu que je loge?»

—Vous irez à l'hospice des vieillards.° Ils vous recevront.°

— Mais, il fait froid là-bas.

Le fils appelle son fils aîné, un garçon de quatorze ans, celui-là même que son grand-père avait élevé quand il était petit.

— Fils, va dans ma chambre. Dans l'armoire, tu trouveras une grande couverture de laine.° Prends-la et donne-la à ton grand-père.

Mots utiles

les affaires	business
une charge	burden
un couteau	knife
la moitié	half
dur	hard-hearted
méchant	mean, nasty
allumer un feu	to light a fire
avouer	to admit, avow
élever	to raise (children)
exiger	to insist
expliquer	to explain
garder	to keep
loger	to live, lodge
supporter	to bear, stand

*L'usage de *vous*. Autrefois, l'usage de **vous** (au lieu de **tu**) était beaucoup plus courant que maintenant. C'était une marque de respect utilisée par les enfants pour parler à leurs parents, et par les époux quand ils se parlaient entre eux.

grenier *attic* **infirme** = *invalide* **l'argent manque** = il n'y a pas d'argent **morfondu** *chilled*
vieillards = personnes âgées **vous recevront** = vont vous prendre **laine** *wool*

Lecture 95

■ **Note linguistique**

The expression **morfondu** comes from the past participle of the verb **se morfondre** *(to mope)*.

💡 **Teaching Strategy: Expansion**

Le fils a besoin d'argent. Il veut louer la chambre de son père. Que pourrait-il faire d'autre pour gagner de l'argent?

- Country houses generally had stables **(des étables)**, since horses were needed for transportation as well as for farm work.

- In the Middle Ages, many towns had shelters **(des hospices)** for indigent old people, but the living conditions they offered were very rudimentary.

Teaching Strategy

Ask students to identify uses of the **passé composé** and the subjunctive in the story.

■ Avez-vous compris?

(Sample answers)

1. Le père est vieux et infirme. L'argent manque.
2. Il dit qu'il a besoin d'argent. Il veut louer la chambre.
3. Il doit prendre une couverture de laine. Il coupe la couverture en deux.
4. Il explique que son père aura besoin de l'autre moitié un jour.
5. L'histoire finit bien. Le père va rester à la maison.

Teaching Strategy: Expansion

Ask students:

• D'après vous, comment est le petit-fils? Quelles sont ses qualités?

• Pensez-vous que le petit-fils va envoyer son père à l'hospice plus tard? Pourquoi?

Le garçon monte dans la chambre de ses parents, ouvre l'armoire et prend la couverture. Puis, il prend son couteau et coupe la couverture en deux. Il descend dans la cour° et donne la moitié de la couverture à son grand-père.

Son père, surpris, lui demande:

— Fils, pourquoi as-tu coupé la couverture en deux? Et pourquoi n'en donnes-tu que la moitié à ton grand-père?

— Parce qu'un jour, vous aurez besoin de l'autre moitié.

L'homme regarde son fils sans comprendre.

—Il faut que tu t'expliques! Quand donc aurai-je besoin de cette couverture?

—Quand vous serez devenu vieux et quand, à mon tour, je vous enverrai à l'hospice des vieillards.

L'homme finalement comprend son ingratitude. Il s'excuse et va embrasser son père qui fond en larmes.° Puis, il va trouver sa femme pour lui dire qu'il a décidé de garder son père à la maison. Celle-ci, qui a vu toute la scène de sa fenêtre, a aussi compris. Elle monte dans la chambre de son beau-père pour allumer un bon feu de cheminée,° puis elle va préparer un grand repas. Une nouvelle vie familiale commence . . .

cour *courtyard* **fond en larmes** *breaks into tears* **cheminée** *fireplace*

Avez-vous compris?

1. Qu'est-ce qui a changé à la maison du marchand? Décrivez un ou deux de ces changements.
2. Quelle excuse est-ce que le fils donne à son père quand il lui demande de quitter sa chambre?
3. Qu'est-ce que le petit-fils doit faire dans la chambre de son père? Qu'est-ce qu'il fait en plus?
4. Qu'est-ce que le garçon explique à son père?
5. Comment finit l'histoire?

🌐 NOTE CULTURELLE

Until 30 or 40 years ago, most French children carried a pocket knife (**un couteau de poche** or **un canif**), especially in the rural areas. They used these knives for all sorts of purposes: slicing bread, eating at the table, sharpening pencils, making whistles, whittling wood, etc.

Would this have been true in rural areas in the United States also? Ask students to compare/contrast.

APRÈS LA LECTURE

EXPRESSION ORALE

■ Dramatisation

Avec votre partenaire, choisissez une scène de la fable que vous avez trouvée intéressante et jouez-la en classe.

■ Situations

Avec votre partenaire, choisissez l'une des situations suivantes. Composez le dialogue correspondant et jouez-le en classe.

---

1 Rencontre

Après sa visite au noble, le marchand rencontre un(e) ami(e) qui est marchand(e) aussi. Il explique sa décision de vendre son commerce. L'autre marchand(e) essaie de le dissuader.

Rôles: le marchand de tissus, un ami(e)

---

2 Explication

Après la scène de la couverture, le petit-fils explique à un(e) jeune frère (soeur) ce qui s'est passé. Celui-ci (celle-ci) veut des détails.

Rôles: le petit-fils, un frère (une soeur)

■ Discussion: La morale de l'histoire

Comme nous l'avons vu, l'objet d'une fable est généralement d'illustrer un certain principe moral.

A. Voici plusieurs morales possibles pour la fable que vous avez lue.

- Les gens riches ne sont jamais heureux.
- Il ne faut pas se marier avec une personne d'une autre classe sociale.
- Les jeunes sont charitables; les adultes sont égoïstes.
- Tout est bien qui finit bien.
- On ne peut pas compter sur ses enfants. Pour cela, toute personne raisonnable doit garder ses biens jusqu'à sa mort.
- Il ne faut pas faire aux autres personnes ce qu'on ne voudrait pas qu'elles nous fassent à nous.

Choisissez la morale qui, selon vous, correspond le mieux au récit de *La Couverture*. (Ou, si vous voulez, trouvez une autre morale.) Expliquez votre choix à votre partenaire.

B. D'après vous, quelle était la morale de cette histoire au Moyen Âge? (Pour connaître cette réponse, allez au bas de la page.)

■ Note linguistique

The original text, transcribed in modern French, reads:

«Mirez-vous dans ce miroir, vous qui avez des enfants à marier. Ne suivez pas l'exemple du vieillard. Si vous êtes en avant, ne vous mettez pas en arrière. Méfiez-vous: les enfants sont sans pitié. Ils en ont assez de leurs pères quand ceux-ci ne sont plus bons à rien. Se mettre à la merci d'autrui, c'est s'exposer à grande affliction.»

EXPRESSION ÉCRITE

■ D'un autre point de vue

Imaginez que vous êtes le petit-fils ou la petite-fille du marchand de tissu. Dans une lettre à un(e) ami(e), vous racontez de votre point de vue la scène de la couverture.

■ En famille

Décrivez la vie de la famille <u>après</u> l'incident. Pour cela, composez un texte où vous décrivez ce que chacun fait à la maison pour aider les autres.

■ Fable moderne

Transformez *La Couverture* en fable moderne. Pour cela, composez une nouvelle fable que vous situerez à l'époque actuelle en gardant la morale générale de l'histoire.

■ D'un oeil critique

Expliquez pourquoi *La Couverture* est une fable très ancienne. Pour cela, faites une liste de tous les détails qui indiquent que l'action de cette fable se passe autrefois plutôt que maintenant.

LA MORALE DE L'HISTOIRE
L'auteur du Moyen Âge qui a écrit cette fable voulait conseiller aux parents de garder leurs biens et leurs ressources pour leurs vieux jours.

Lecture 97

■ Student Portfolios

The activities in the *Après la lecture* section may be used as the basis for student portfolio projects, either written or recorded. A group project involving a debate using the *Discussion* topic could be staged within the class or between two French classes. Suggest that a student volunteer videotape the results.

INTERLUDE CULTUREL

INTERLUDE CULTUREL

TEACHING RESOURCES

 Transparencies H1, 1, 1(o), 5, 5(o)

 Overhead Visuals Copymasters and Activities, p. A138

 Internet Connection Notes, Interlude Culturel 2, pp. 19–20

■ Note linguistique

In 1987, the **Académie française** announced that the word **événement** could also be written **évènement** (with a grave accent on the second "e"). You may allow your students to use either spelling.

■ Notes historiques

- **La Gaule** was renamed **Francia Occidentalis** (Franks from the West) after a treaty signed in Verdun, in 843.
- The name "France" comes from the Franks, one of the Germanic tribes that invaded Gaul in the fifth century.

⊕ Notes culturelles

- **Nîmes** and **Arles** are two cities in the south of France where one can admire great Roman ruins, such as arenas.
- La bataille d'Azincourt est la scène centrale de la pièce de Shakespeare *Henri V.*

98 Unité 2

■ *Les dates*   ## ■ *Les événements*

La période romaine (200 av. J.-C. - 450 apr. J.-C.)

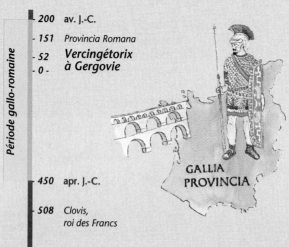

GALLIA
PROVINCIA

Les premières légions romaines arrivent dans le s de **la Gaule** (l'ancien nom de la France) deuxième siècle avant Jésus-Christ. En 151 av. J.-d Rome annexe cette région qui devient «Provinc Romana» ou Provence. En 58 av. J.-C., **Jules Cés** arrive en Gaule pour conquérir le reste du pay Ses troupes sont victorieuses, malgré la résistar héroïque du chef gaulois, **Vercingétorix**.

Les Romains construisent de nombre monuments, visibles encore aujourd'hui: arène amphithéâtres, arcs de triomphe, temples . Ils apportent aussi leur langue, le latin, qui e la base du français moderne.

À partir de 400, une série d'invasions met fir la civilisation gallo-romaine. Les Francs, trib d'origine germanique, conquièrent la Gaule. En 508, **Clovis**, leur re choisit Paris comme capitale. La Gaule va devenir la France.

L'Empire de Charlemagne (800-814)

En 800, **Charlemagne**, ou Charles le Grand, n des Francs, est sacré empereur de l'Occiden Son empire est immense: il comprend la Franc l'Allemagne, la Belgique, la Hollande, l'Ital du Nord et le nord de l'Espagne. Av Charlemagne, l'unification de l'Europe est po la première fois réalisée.

La Guerre de Cent Ans (1337-1453)

Cette guerre représente plus de 100 a de conflits franco-anglais. El commence en 1337 quand **Édouard I** roi d'Angleterre, veut devenir r de France. Les armées anglais débarquent en France et remporte de brillantes victoires à **Crécy** (1346 à **Poitiers** (1356) et à **Azincourt** (1415

Les Anglais occupent une grande partie du territoire français dévastent le pays.

Finalement la chance tourne. En 1429, **Jeanne d'Arc**, une jeur fille de 19 ans, rallie l'armée française, qui va peu à peu libérer la Franc

Timeline (Les dates):

Période gallo-romaine
- 200 av. J.-C.
- 151 *Provincia Romana*
- 52 **Vercingétorix à Gergovie**
- 0
- 450 apr. J.-C.
- 508 *Clovis, roi des Francs*

Empire de Charlemagne
- 778 *Roland à Roncevaux*
- 800 **Sacre de Charlemagne**
- 1066 *Guillaume le Conquérant: Bataille de Hastings*
- 1152 *Aliénor d'Aquitaine épouse Henri Plantagenêt*

Guerre de Cent Ans
- 1337
- 1429 **Jeanne d'Arc délivre la ville d'Orléans**
- 1453

📖 Teaching Strategy

This *Interlude* may be used in a wide variety of ways, but the presentation should remain enjoyable and not overwhelming. You may wish to begin by showing students segments of a film on Joan of Arc, reminding them of **Astérix** cartoons (p.100), or comparing historical events in other parts of the world.

The *Interlude* quizzes may be used to assess comprehension rather than as a grading tool. Research projects may also be assigned, or creative writings where students imagine what it would have been like to live in this period.

Les personnes

Vercingétorix: un général de 20 ans

Vercingétorix (72-46 av. J.-C.) est le premier héros national français. En gaulois, son nom signifie «chef suprême des combattants». En 52 av. J.-C., il a vingt ans. Jeune et courageux, il décide de se révolter contre l'occupant romain. Il rallie les tribus gauloises, devient leur chef et attaque les légions romaines. **César** contre-attaque. Malgré la supériorité des Romains, Vercingétorix est victorieux à **Gergovie**. Mais le combat est inégal et finalement, quelques mois plus tard, Vercingétorix est capturé. Enchaîné, il est emmené à Rome où il figure au triomphe de César, puis il est exécuté.

Pour les Français, Vercingétorix symbolise le courage, le patriotisme, l'esprit d'indépendance et la résistance contre l'ennemi.

Vercingétorix (72 - 46 av. J-C) le premier héros national français

Charlemagne: Empereur de l'Occident

Charlemagne (747-814) est un grand conquérant et un grand administrateur. Pour gouverner son très vaste empire, il établit sa capitale à **Aix-la-Chapelle** au centre de cet empire et crée une administration centralisée.

Charlemagne (742 - 814), Empereur de l'Occident

Charlemagne fonde aussi un grand nombre d'écoles, les «écoles du palais». C'est un homme cultivé qui parle latin et grec et s'intéresse aux sciences. Il encourage la littérature, la philosophie, les sciences, la médecine, les arts, l'architecture. Dans sa capitale, il fonde une Académie où viennent les plus grands savants° du monde.

Jeanne d'Arc (1412-1431), grande héroïne française

Jeanne d'Arc: héroïne et martyre

On trouve la statue de **Jeanne d'Arc** (1412-1431) dans toutes les églises de France. C'est non seulement une sainte de l'église catholique, mais aussi la grande héroïne française. Jeanne a seulement 17 ans quand le roi de France lui donne le commandement de son armée. Elle rallie les troupes démoralisées par de nombreuses défaites. Puis, elle délivre **Orléans**, assiégée par les Anglais, et va de victoire en victoire. Elle est finalement capturée par des soldats bourguignons° qui la vendent à leurs alliés anglais. Elle est jugée, accusée de sorcellerie° et condamnée à être brûlée.° La mort héroïque de Jeanne d'Arc, à l'âge de 19 ans, ne profite pas aux Anglais qui sont définitivement chassés de France quelques années plus tard.

savants *scientists* bourguignons = de Bourgogne *(Burgundy)* sorcellerie *witchcraft* brûlée *burned at the stake*

Supplementary vocabulary

l'armure (f.) *armor*
le bouclier *shield*
le casque *helmet*
le chevalier *knight*
la cotte de maille *coat of mail*
l'épée (f.) *sword*
l'étendard (m.) *banner*

 # Internet Connection—Interlude 2

The following list of Internet addresses expands the material presented in Interlude Unité 2. For alternate links, students can use the following keywords with the search engine of their choice: **"histoire de France"; Mérovingiens; Carolingiens; Capétiens;** *(names of important figures in French history).*

Histoire de France et histoire dynastique http://www.bnf.fr/enluminures/texte/tx2_01.htm
Université d'Orléans (Jeanne d'Arc) http://web.univ-orleans.fr/
Tapisserie de Bayeux http://blah.bsuvc.bsu.edu/bt

■ Notes linguistiques

To enhance the humor in the *Astérix* series, the authors invented names based on phonetic versions of contemporary French words and expressions.

- Gallic names end in the suffix **-ix** (as in the name **Vercingétorix**):
  Astérix (**astérisque**, *asterisk*)
  Obélix (**obélisque**, *obelisk*)
  Idéfix (**idée fixe**, *fixed idea, obsession*)
  Panoramix (**panoramique**, *panoramic*)

- Roman names end in the suffix **-us** or **-um**
  Babaorum (**baba au rhum**, *a sponge cake soaked with rum*)
  Petibonum (**petit bonhomme**, *little man*)
  Marchéopus (**marché aux puces**, *flea market*)

Tous les Français connaissent **Astérix le Gaulois**. C'est un petit homme blond avec de grandes moustaches. Il est très petit, mais il est très musclé, très intelligent et très courageux. Il a un copain, **Obélix**, qui est très loyal, très fort, mais pas très intelligent.

Astérix est d'une force° exceptionnelle. Son secret est une potion magique préparée par le druide **Panoramix**. Quand Astérix boit un peu de cette potion, ses forces sont multipliées par cent.

Bien sûr, Astérix n'est pas une personne réelle. C'est le héros de la bande dessinée la plus populaire en France.

Les aventures d'Astérix ont lieu vers 50 avant Jésus-Christ. À cette époque, la Gaule entière est occupée par les Romains. Il y a un seul° village qui résiste, le village où habitent Astérix et ses copains. Astérix étant° Gaulois, les Romains sont évidemment ses ennemis mortels . . .

Une légion romaine est signalée près de son village. Notre héros prend un peu de potion magique et avec Obélix il va à l'attaque de l'ennemi. Crac! Boum! Zap! En une minute la légion romaine est décimée. Tous les Romains sont prisonniers.

Astérix connaît d'autres aventures. Toujours avec Obélix, il va à Rome où il rencontre **Jules César**. Il va en Égypte où il rencontre **Cléopâtre**. Il va en Belgique, en Angleterre, en Allemagne, en Suisse . . . Chaque aventure est le sujet d'un nouvel album et chaque album a un succès phénoménal.

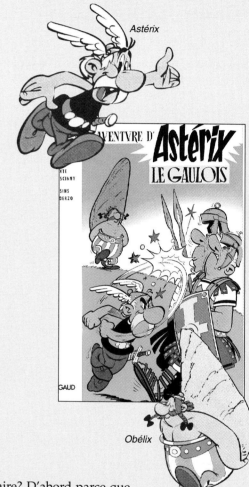

Astérix

Obélix

Pourquoi Astérix est-il si populaire? D'abord parce que ce petit homme moustachu symbolise l'esprit de la France en lutte° contre ses ennemis. Et aussi parce qu'il représente assez bien le caractère national français. Il est aventureux, brave, astucieux.° Il est aussi irritable, impatient, agressif et vaniteux.° Avant tout, il est indépendant. Astérix correspond à l'image que les Français ont d'eux-mêmes. Il a leurs qualités . . . et leurs défauts!°

force *strength*   **un seul** *only one*   **étant** *being*   **en lutte** *struggling*   **astucieux** *smart*   **vaniteux** *boastful*   **défauts** *faults, failings*

🌐 NOTES CULTURELLES

- Albert Uderzo published his thirtieth **Astérix** album in October 1996. Entitled **La Galère d'Obélix** *(Obelix's Galley)*, it features a runaway slave named Spartikis who is drawn to look like Kirk Douglas (who played the part of Spartacus in the movies).

- In France, you can visit the **Parc Astérix**, a theme park based on the comic strip. Located in Plailly, north of Paris, the park offers many rides and attractions such as water slides and a typical Gallic village.

Une Aventure d'Astérix le Gaulois, Goscinny / Uderzo, Dargaud, S.A., p.5

■ Note linguistique

The Roman characters in *Astérix* often use proverbial Latin phrases to express themselves. Most of these Latin expressions are still in use in France, such as:

ipso facto = par le fait même (as an inevitable consequence)

sic = ainsi (often used after a quote to indicate it is reproduced as said, errors included)

vae victis = malheur aux vaincus (woe to the vanquished)

- The character of Obélix is often seen carrying a huge stone because he is supposed to be a maker of menhirs. **Menhirs** are megalithic monuments erected during prehistoric times. There are several sites in Brittany where menhirs still stand, notably by the city of Carnac.

Roland sonn…
son oliphan…

▪ *Roland, l'homme et la légende* ▪

Roland est à la fois un personnage historique et le héros d'une des plus grandes légendes françaises.

▪ L'histoire

Nous sommes en l'an 778. **Charlemagne** est en Espagne où il fait la guerre° à des princes arabes. Une insurrection éclate° dans son royaume.° Charlemagne retourne précipitamment en France avec ses meilleures troupes, mais il ne peut pas emmener ses bagages, qui sont trop lourds.° Il confie° leur transport à **Roland**, l'un de ses officiers.

Dans les Pyrénées, le convoi de bagages est attaqué par une bande de pillards° qui capturent le butin° et tuent° Roland.

▪ La légende

La légende embellit les faits historiques et le rôle de Roland. Dans la légende, Roland est le neveu préféré de Charlemagne. C'est aussi le plus noble et le plus brave de ses chevaliers.° Il accompagne l'empereur dans toutes ses expéditions militaires. Il est avec lui en Espagne où les Francs combattent les Sarrasins,* ennemis de la chrétienté.°

Comme dans l'histoire, Charlemagne doit rentrer à la hâte en France. C'est à Roland qu'il confie son arrière-garde°. Roland est trahi° par l'infâme **Ganelon**, son beau-père. À **Roncevaux**, son armée de 20 000 hommes tombe dans une embuscade° tendue par 400 000 Sarrasins. Quand **Olivier**, le loyal compagnon de Roland, voit l'arrivée des ennemis, il demande à Roland de sonner° son oliphant (un cor° en ivoire d'éléphant) pour appeler Charlemagne. Homme d'honneur, Roland refuse: il préfère se battre.°

Les Francs
et les Sarrasins
en combat.

L'infâme
Ganelon

Charlemagne et son neveu préféré, Roland

* **Sarrasins**: nom donné aux conquérants arabes venus en Europe au 8e siècle.

guerre *war* **éclate** *breaks out* **royaume** *kingdom* **lourds** *heavy* **confie** *entrusts* **pillards** *looters* **butin** *booty* **tuent** *kill* **chevaliers** *knights* **chrétienté** *Christendom* **arrière-garde** *rear guard* **trahi** *betrayed* **embuscade** *ambush* **sonner** *to blow* **cor** *horn* **se battre** *to fight*

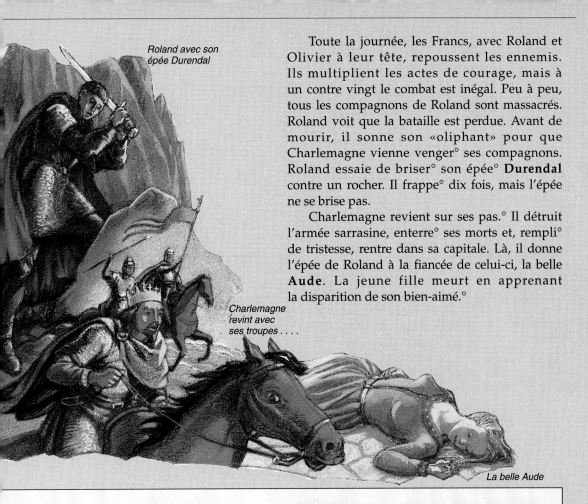

Roland avec son
épée Durendal

Charlemagne
revint avec
ses troupes . . . .

La belle Aude

Toute la journée, les Francs, avec Roland et Olivier à leur tête, repoussent les ennemis. Ils multiplient les actes de courage, mais à un contre vingt le combat est inégal. Peu à peu, tous les compagnons de Roland sont massacrés. Roland voit que la bataille est perdue. Avant de mourir, il sonne son «oliphant» pour que Charlemagne vienne venger° ses compagnons. Roland essaie de briser° son épée° **Durendal** contre un rocher. Il frappe° dix fois, mais l'épée ne se brise pas.

Charlemagne revient sur ses pas.° Il détruit l'armée sarrasine, enterre° ses morts et, rempli° de tristesse, rentre dans sa capitale. Là, il donne l'épée de Roland à la fiancée de celui-ci, la belle **Aude**. La jeune fille meurt en apprenant la disparition de son bien-aimé.°

La Chanson de Roland

Au 12e siècle, c'est-à-dire plus de 300 ans après les faits historiques, un moine° anonyme écrit *La Chanson de Roland*. C'est un long poème épique de 4 000 vers qui relate en détail la légende. *La Chanson de Roland* est la première grande oeuvre littéraire écrite en langue française. Elle a un succès immédiat dans tout le monde occidental.° Pour certains historiens, les raisons de ce succès sont politiques. Au 12e siècle, en effet, les chevaliers chrétiens partent en croisade pour délivrer Jérusalem prise par les Turcs. Ils sont inspirés par *La Chanson de Roland* qui représente un épisode de la guerre sainte des Chrétiens contre les Musulmans.

Un troubadour médiéval

°enger *to avenge* **briser** *to break* **épée** *sword* **frappe** *strikes* **pas** *steps* **enterre** *buries* **rempli** *filled* **bien-aimé** *beloved* **moine** *monk*
°ccidental *western*

Have students note the
following:
• **Guillaume** = William
• **Richard Coeur de Lion** =
  Richard the Lionhearted
• Some English words that
  are the legacy of William
  the Conqueror:
  mutton (**mouton**),
  veal (**veau**),
  and beef (**boeuf**).

■ *Quand les rois d'Angleterre étaient français*

■ Guillaume le Conquérant et la conquête de l'Angleterre (1066)

Les ancêtres de **Guillaume le Conquérant** (1028-1087) sont scandinaves. Ce sont ces terribles «**Normands**» (homme du Nord) qui, venus de Norvège° et du Danemark sur leurs **drakkars**, ont attaqué et dévasté l'ouest de la France au 9e siècle. Ils ont pris et brûlé° Orléans, Tours et Paris. Pour avoir la paix,° le roi de France a donné à leur chef le duché de Normandie . . . et la main de sa fille. Les Normands sont devenus de bons et loyaux vassaux° du roi de France.

«Drakkar» scandinave

Guillaume est le fils de Robert Ier, duc de Normandie. Il a seulement huit ans quand son père meurt. Il devient alors lui-même duc de Normandie. Jeune homme, il fait un voyage en Angleterre pour rendre visite à son cousin, le roi **Édouard**. Celui-ci lui promet la couronne d'Angleterre à sa mort. Mais il y a un autre prétendant: **Harold le Saxon**. Un jour, Harold vient en Normandie où il est immédiatement fait prisonnier. Guillaume lui propose un échange: la liberté contre la promesse de renoncer à la couronne° d'Angleterre. Harold accepte l'échange, retourne en Angleterre, et là il oublie sa promesse.

Quand Édouard meurt en 1066, Harold se fait nommer° roi. Guillaume apprend cette trahison.° Furieux, il décide de punir Harold et de conquérir l'Angleterre par la force. Pour cela, il organise une formidable expédition. Le 23 septembre, ses bateaux chargés° de soldats arrivent en Angleterre. Le 14 octobre, il défait l'armée d'Harold à **la bataille de Hastings**. Le jour de Noël, il est couronné à Londres roi d'Angleterre sous le nom de **Guillaume Ier**.

Une conséquence de la conquête est que le français va devenir pendant plusieurs siècles la langue de la cour d'Angleterre.

L'histoire de la conquête de l'Angleterre par Guillaume est représentée graphiquement dans une très belle tapisserie° de 70 mètres de long, la tapisserie de Bayeux. C'est, en quelque sorte, la première «bande dessinée» de l'histoire.

*Scène de la tapisserie de Bayeux,
la première «bande dessinée»*

Norvège *Norway* brûlé *burned* paix *peace* vassaux = sujets couronne *crown* se fait nommer *has himself named*
trahison *betrayal* chargés *loaded* tapisserie *tapestry*

⊕ NOTE CULTURELLE

The tapestry of Bayeux was said to have been stitched by Queen Mathilde, the wife of William the Conqueror. In fact, it was ordered by the Bishop of Bayeux from Saxon embroiderers. The tapestry features 626 characters in 72 different scenes.

This scene of the Battle of Hastings shows the English foot soldiers of King Harold (on the right) forming a wall with their shields to defend themselves against the attack of the mounted knights of William the Conqueror.

■ Aliénor d'Aquitaine: Reine de France et Reine d'Angleterre

Elle a été reine° de France, puis reine d'Angleterre. C'est aussi la mère de deux rois d'Angleterre.

Fille et héritière° du duc d'Aquitaine, **Aliénor** (1122-1204) est une princesse d'une grande beauté. À l'âge de quinze ans, elle épouse° le roi de France, **Louis VII**, avec qui elle part en croisade contre les Turcs. Après leur retour de Terre Sainte,° Aliénor et Louis ont deux filles, mais le roi, qui veut des fils, fait annuler le mariage.

Quelques semaines plus tard, Aliénor se remarie avec **Henri Plantagenêt**, duc de Normandie, qui devient roi d'Angleterre en 1153. À leur tour, leurs fils, **Richard Coeur de Lion** et **Jean sans Terre** vont aussi être rois d'Angleterre. À cette époque, les rois d'Angleterre possèdent de vastes territoires en France: la Normandie, l'Anjou, l'Aquitaine. Cette situation est une des causes principales de la **Guerre de Cent Ans**.

Aliénor d'Aquitaine est très belle, très intelligente et très cultivée. En France et en Angleterre, elle crée une cour brillante où elle protège les poètes et les artistes. Princesse libérale, elle donne beaucoup de libertés aux habitants des villes qu'elle possède. À la fin° de sa vie, elle se retire en France, dans son abbaye de Fontevrault, où sont enterrés° deux rois d'Angleterre, son mari et son fils, Richard.

À la cour d'Aliénor d'Aquitaine

---

reine *queen* **héritière** *heiress* **épouse** *marries* **Terre Sainte** *Holy Land* **à la fin** *towards the end* **enterrés** *buried*

■ Notes historiques

ALIÉNOR D'AQUITAINE ET SA FAMILLE:
- **Louis VII** (1120–1180)
- **Henri II Plantagenêt** (né au Mans 1133, mort à Chinon 1189)
- **Richard Iᵉʳ Coeur de Lion** (né à Oxford 1157, mort à Châlus 1199)
- **Jean sans Terre** (né à Oxford 1167, mort en Nottinghamshire 1216). En 1215, il a été contraint à accepter la **Grande Charte** (*Magna Carta*). C'est contre le roi Jean que luttait **Robin des Bois** (*Robin Hood*).

☀ **Teaching Strategy: Expansion**

Ask students:
- Quel âge avait Aliénor d'Aquitaine quand elle a épousé Henri Plantagenêt?
- Quelle âge avait-elle à la naissance de son fils Richard? de son fils Jean?
- À quel âge est-elle morte?

Jeanne d'Arc à Chinon

Un jour, Jeanne a entendu des voix.

Le château de Chinon

Jeanne d'Arc est née en 1412 à Domrémy, un petit village de Lorraine. À cette époque, la France était occupée par les Anglais. Un jour, Jeanne a entendu des voix. Elle a reconnu Sainte Catherine, Sainte Marguerite et Saint Michel. Ces voix lui ont dit: «Jeanne, c'est toi qui vas délivrer le pays!»

«Moi? Mais je suis une paysanne° qui sait à peine° lire et écrire,» a répondu Jeanne.

Mais les voix ont insisté: «Jeanne, va chez le roi et dis-lui que c'est Dieu° qui t'envoie.»

Jeanne et le sire de Baudricourt.

Jeanne a accepté la mission, mais maintenant elle est inquiète°. «Aller chez le roi? Oui, mais comment? Le roi habite si loin et les routes sont pleines° de brigands.»°

Jeanne va trouver un seigneur° local, le sire de Baudricourt.

— Messire, donnez-moi une escorte. Je veux aller chez le roi de France.
— Et qui t'envoie?
— Le Roi du Ciel.°

Jeanne et son escorte arrivent au château de Chinon.

Baudricourt se moque de° Jeanne et la renvoie chez elle. Jeanne revient. Elle insiste et finalement elle obtient une escorte. C'est avec cette escorte de six hommes qu'elle arrive devant le château de Chinon où réside Charles, roi de France, avec sa cour. Immédiatement elle demande d'être présentée au roi.

paysanne *peasant girl* **à peine** *hardly* **Dieu** *God* **inquiète** *worried* **pleines** *full* **brigands** = *bandits* **seigneur** *lord*
Messire = Monsieur **Roi du Ciel** *King of Heaven* **se moque de** *makes fun of*

106 INTERLUDE: Les Grands Moments de l'Histoire de France (jusqu'en 1453)

🌐 NOTES CULTURELLES

- Chinon is a city in Touraine, on the Vienne river. Its fortress, built between the 10th and 15th centuries, still stands, comprised of three castles, including the one where Joan of Arc met the king.
- **La fleur de lys** has been the symbol of the French monarchy since the 8th century. This flower represents holiness and purity.
- Charles VII was crowned in Reims on July 17, 1429.
- Reims became the traditional crowning site for the French kings after King Clovis was baptized there in 496.

Jeanne a reconnu le vrai roi malgré ses humbles apparences.

Le roi Charles est un roi sans royaume.° Il a perdu sa capitale. Paris est occupé par les Anglais, qui ont choisi un autre roi de France, un roi anglais, bien sûr. Charles est un jeune homme timide et sans énergie. Il ne croit plus en la victoire et certainement pas aux miracles. «Qui est cette Jeanne et qu'est-ce qu'elle veut de moi?»

Un courtisan, Bernard de Chissay, suggère au roi de jouer un bon tour° à Jeanne. «Déguisons-nous! Je vais mettre vos vêtements et vous, vous allez vous déguiser en simple courtisan. Nous allons voir si cette petite paysanne va reconnaître le vrai roi.» Bernard de Chissay met les vêtements du roi alors que° Charles met un simple vêtement noir. Jeanne entre dans la grande salle°

du château. Il y a plusieurs centaines de dames et de chevaliers. Bernard de Chissay, magnifiquement habillé, reçoit les hommages des courtisans. Charles, le vrai roi, est au fond° de la salle, mais c'est vers lui que Jeanne s'avance.

— Gentil roi de France, le Roi du Ciel m'envoie vers vous.

— Mais ce n'est pas moi, le roi. Le roi est là-bas.

— C'est vous le roi, et pas un autre . . .

Oui, Jeanne a reconnu le vrai roi malgré° ses humbles apparences. Charles est très impressionné. Il décide d'écouter Jeanne. Jeanne et Charles ont une longue conversation secrète. Charles est maintenant convaincu.° Jeanne est l'envoyée° de Dieu.

Jeanne devant la ville d'Orléans.

Le roi lui donne une armée. Jeanne d'Arc, qui a seulement 17 ans, prend le commandement des troupes royales. Elle part délivrer Orléans, assiégée par les Anglais. Arrivée devant la ville, elle exhorte ses compagnons d'armes: «Entrez hardiment° parmi° les Anglais!» Surpris par le courage de cette jeune fille, les soldats attaquent. Le lendemain, Orléans est délivrée!

Charles est couronné roi de France.

La libération de la France vient de commencer. Jeanne d'Arc gagne d'autres batailles. Son grand triomphe a lieu quelques mois après l'entrevue de Chinon quand Charles est solennellement couronné roi de France dans la cathédrale de Reims.

Note historique
Jeanne d'Arc assiste au sacre de Charles VII à Reims le 17 juillet 1429, mais peu après, son armée échoue devant Paris. En mai 1430, elle est faite prisonnière. Les Anglais la font juger comme sorcière devant un tribunal ecclésiastique à Rouen. Déclarée hérétique, elle fut brûlée le 30 mai 1431.

---

sans royaume *without a kingdom* **tour** *trick* **alors que** *whereas* **salle** *hall* **au fond** *in the back* **malgré** *in spite of*
convaincu *convinced* **l'envoyée** = *la messagère* **hardiment** *boldly* **parmi** *among*

Teaching Strategy: Game

Prepare **"Jeopardy"**-style answers for the material in the *Interlude*.

Group students in three teams. The teams compete by supplying questions to the answers previously prepared.

Vive la nature

MAIN THEME
Vacation, outdoor activities
The environment

Communication Functions/Contexts
- Talking about outdoor activities
- Describing the natural environment and how to protect it
- Talking about weather, natural phenomena
- Describing habitual past actions

Linguistic Goals
- Talking about the past
- Narrating past events

Internet Connection Notes, Project 1, pp. 47–50

Thème et Objectifs

Culture
In this unit, you will discover . . .
- why the French people feel close to their roots
- how the French incorporate «tourisme écologique» into their vacation plans
- how the French people feel about their environment
- why Jacques Cousteau is so well known and what important work he is doing
- what the «culte du soleil» represents for French people

Communication
You will learn how . . .
- to talk about vacation activities
- to tell people who are on vacation that they should take certain precautions and avoid dangers
- to describe weather conditions and natural phenomenon

Langue
You will learn how . . .
- to narrate a sequence of past events
- to describe the setting of these past events
- to read literary accounts of past events

TEACHING RESOURCES

Technology/Audio Visual

 23, 24, 25, 26, 27, L3, H2

 Audio CD Program, Unit 3

 Audiocassette Program, Unit 3

 Pas de problème Video Program, Module 3

Print

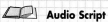 Audio Script
Overhead Visuals Copymasters/Activities
Answer Key
Video Activity Book, Module 3
Practice Activities, pp. 35–44, 121–126, 183–184

OUI à la nature!

Les racines°

Cécile Pécoul, 25 ans, est infirmière. Elle habite et travaille à Paris, mais c'est à la campagne qu'elle se sent vraiment bien. Elle explique: «J'ai besoin d'air pur.° Alors, le weekend, je pars souvent en Normandie* avec mes copains. Parfois je vais faire de l'escalade° dans la forêt de Fontainebleau.** Et en été, je passe les vacances dans la ferme de mes grands-parents en Auvergne.*** C'est là d'où vient ma famille. C'est donc là où je suis vraiment chez moi, parce que c'est là où sont mes racines.»

Aujourd'hui, la majorité des Français habitent dans des grandes villes mais, comme Cécile, ils restent très attachés à leur province d'origine. Ils y retournent à l'occasion des vacances, pour retrouver leurs racines, mais surtout pour établir un contact avec la nature. Cet amour de la terre° et de la nature explique le succès du tourisme «vert» ou du tourisme «écologique».

Notre planète, ça nous concerne

■ Deux adeptes de la randonnée pédestre

Le tourisme vert

Il y a différentes façons de pratiquer le tourisme écologique. La forme la plus simple est évidemment la marche à pied.° Si on aime celle-ci, on peut faire de la «randonnée pédestre°» le long° des milliers de kilomètres de sentiers° ruraux. On part le matin, sac au dos.° On marche pendant 35 à 40 kilomètres. On s'arrête le soir dans un gîte° rural où on passe la nuit. En dix jours, on peut ainsi visiter toute une région «de l'intérieur», sans rencontrer beaucoup de gens. Un avantage de la randonnée pédestre est qu'on peut la pratiquer à tout âge. C'est une activité très populaire en France. La Fédération Française de Randonnée Pédestre compte plus de 300.000 membres.

Quand on passe les vacances à la montagne, celle-ci offre une grande variété d'activités qui nous mettent en contact direct avec notre milieu naturel. En plus° de la randonnée pédestre, on peut faire du VTT, du ski sur l'herbe,° de l'escalade, de l'alpinisme° et, si on aime les sensations fortes, du delta-plane et du parapente.°

MINISTÈRE DE L'ENVIRONNEMENT

■ L'escalade en montagne

Normandie une région à l'ouest de Paris   **Fontainebleau* une forêt au sud de Paris où il y a des rochers   ***Auvergne* une province au centre de la France
racines roots   **pur** fresh   **l'escalade** rock climbing   **la terre** land   **la marche à pied** walking   **la randonnée pédestre** hiking   **le long** along
sentiers trails   **sac au dos** with a back pack   **un gîte** simple lodging   **En plus** In addition   **l'herbe** grass   **l'alpinisme** mountain climbing
parapente parasailing

INFO MAGAZINE

Theme: Outdoor activities; the environment

Reading Strategy:
Reading for pleasure; browsing; scanning for information

📖 Teaching Strategy
These optional readings can be done:
• in class or as homework
• at the beginning of the unit or as a wrap-up activity
Have students scan for cognates and look at the photos and realia for content clues. Ask students to relate the information in the **Thème et objectifs** box (p. 108) to the article.

■ Notes linguistiques
• **35 à 40 km** = 21.7 to 24.8 miles
• **VTT** = Vélo Tout Terrain (mountain bike)
• **la Terre** = Earth, soil, land
• **pratiquer** is a false cognate. **pratiquer un sport** = to play a sport; **s'entraîner, s'exercer** = to practice

🌐 Notes culturelles
• **L'Auvergne** is a region of extinct volcanoes located in the **Massif Central**. It is renowned for its many spas and springs, such as **Vichy** and **Volvic**.
• The role of the **Ministère de l'Environnement** is to control and prevent all pollution, protect water resources, and do research.

ASSESSMENT OPTIONS

Teacher's Resource Package
 Internet Connection Notes, pp. 47–65

 Lesson Plans, Unit 3

 Teacher-to-Teacher, pp. 30–46

Achievement Tests
Quizzes, Unit 3

Unit Test 3

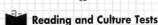 Reading and Culture Tests

Proficiency Tests
Listening Comprehension

Speaking Performance

Writing Performance

Portfolio Assessment

La protection de la nature

Journées de l'environnement

Quand on aime la nature, il faut la protéger. À cet effet, le gouvernement français a créé des réserves naturelles et de grands parcs nationaux. Ces parcs sont situés principalement dans les zones de montagne (Alpes, Pyrénées, Massif Central). Là, tout est fait pour préserver la faune° et la flore° typiques de la région, et en particulier les espèces en danger. Il est interdit de camper, de faire du feu,° de toucher à la végétation et de déranger° les animaux.

Évidemment, la protection de la nature n'e[st] pas seulement l'affaire° du gouvernement. C'e[st] l'affaire de tout le monde. Pour 80% de[s] Français, l'environnement est «un problèm[e] immédiat et urgent.» Cette préoccupatio[n] explique sans doute le succès des parti[s] écologiques. Aux élections, les «écolos» ou le[s] «verts» obtiennent généralement 10% ou 12[%] des voix. Ce n'est pas beaucoup, mais c'est asse[z] pour avoir une action politique efficace. Cett[e] action se porte° sur beaucoup de domaine[s:] protection de l'environnement, lutte° contre l[a] pollution, limitation et contrôle de l'énergi[e] nucléaire, aide et subventions° pour l[e] développement de l'énergie solaire. Si on veu[t] préserver la qualité de la vie de demain, c'es[t] aujourd'hui qu'il faut agir!°

Les éco-musées

Une autre forme de tourisme écologique consiste à visiter les «éco-musées». Le but de ces musées est de préserver la vie rurale d'autrefois quand la majorité des Français habitaient à la campagne. Ces musées sont souvent des reconstructions de fermes et de villages anciens où l'on peut voir les outils,° les instruments, les ustensiles qu'on utilisait à l'époque.

et vous?

DÉFINITIONS

Définissez en français les mots et expressions suivants:
- les racines
- le tourisme écologique
- la randonnée pédestre
- un sentier rural
- un gîte rural
- un parc national
- la faune
- un éco-musée

EXPRESSION ORALE
- À votre avis, est-ce que les Américains ont «l'amour de la terre»? Expliquez.
- Avez-vous jamais fait du camping ou de la randonnée pédestre? Décrivez cette expérience.
- Avec votre partenaire, discutez des différentes façons de protéger l'environnement. Préparez un rapport.

EXPRESSION ÉCRITE

Dans une lettre à un(e) ami(e) français(e), vous expliquez comment on peut faire du «tourisme écologique» dans la région ou l'état où vous habitez.

la faune *wildlife* **la flore** *plant life* **feu** *fire* **déranger** *bother* **l'affaire** *business* **des partis** = partis politiques **porte** = concerne
lutte *fight* **subventions** *subsidies* **agir** *to act* **outils** *tools*

🌐 NOTES CULTURELLES

- **Le Jour de la Terre** (Earth Day) has been celebrated in France since 1990.
- **Les Verts** and **Génération Écologie** are two French political parties with a platform based entirely on the protection of the environment.

💡 Ask students if they are familiar with any local, national, or international organizations for the protection of the environment.

Pour protéger la terre et l'eau, restons simples...

Des idées pour mieux respirer

Les sept commandements
du campeur

Chaque année, des millions de Français font du camping. Si vous venez un jour en France, vous aurez peut-être l'occasion d'en faire aussi. Voici quelques consignes° à observer.

1. Respectez les règlements.°

En France le camping est en principe libre° sur le territoire public . . . sauf° là où il est interdit. Le camping est interdit sur les plages de mer, dans les réserves naturelles, près des points d'eau utilisés pour la consommation, près des monuments historiques. Et si vous campez sur un terrain privé, n'oubliez pas de demander l'autorisation au propriétaire.°

2. Faites attention au feu.

L'incendie est la plus grande menace qui existe pour la forêt. Chaque année, des milliers d'hectares de forêts sont détruits° par des incendies° causés par des campeurs imprudents.°

3. Préservez l'environnement.

La nature est fragile et a besoin de notre protection. Alors, préservez la végétation au lieu de° la détruire. Ne cassez° pas les branches des arbres. N'arrachez° pas les plantes. Ne cueillez° pas les fleurs, qui ne sont pas pour vous seulement, mais pour tout le monde.

4. Ne dérangez pas les animaux.

Les animaux sont chez eux et vous, vous êtes sur leur territoire. Ce sont vos hôtes. Agissez° avec eux en invité° respectueux, et non pas en barbare.

5. Ne contaminez pas l'eau.

L'eau est une ressource précieuse non seulement pour les humains, mais aussi pour tous les habitants de la nature. Pensez aux animaux qui viennent boire tous les jours dans les rivières et les lacs.

6. Ne laissez pas de déchets.°

Emportez° vos déchets avec vous. Déposez-les dans les réceptacles spéciaux que vous trouverez sur les routes. Surtout, ne laissez pas d'objets en plastique. Le plastique n'est pas biodégradable et il peut provoquer la mort° des animaux qui le mangent.

7. Ne faites pas de bruit.

Si vous avez décidé de faire du camping, c'est pour profiter du calme de la nature et non pas pour écouter de la musique. Alors, laissez votre radio chez vous et n'oubliez pas que le bruit est une forme de pollution.

et vous?

D'après vous, quels sont les trois commandements les plus importants? Expliquez pourquoi.

consignes *rules* **règlements** *rules* **libre** = *autorisé* **sauf** = *excepté* **propriétaire** *owner* **détruire** ✴ *to destroy* **incendies** *fires*
imprudents = *qui ne font pas attention* **au lieu de** *instead of* **casser** *to break* **arracher** *pull up* **cueillir** *to pick* **agir** *to act* **invité** *guest*
déchets *trash* **emporter** *to take along* **la mort** *death*

Supplementary vocabulary

la caravane *trailer*
le feu de camp *campfire*
le matelas pneumatique *air mattress*
le réchaud *(portable) stove*
le sac de couchage *sleeping bag*
la tente *tent*
le terrain de camping *campground*

🌐 Realia Note

La Camargue is a region in the south of France, not far from Marseille, famous for its swamps and ponds and herds of horses and bulls. The town of **Saintes-Maries-de-la-Mer** is host to a large gypsy pilgrimage in May. Part of the region is a natural park.

■ Irregular Verb

(see Appendix C)
détruire (*see* **conduire**)

🌐 Teaching Strategy: Interdisciplinary/Community Connections

Combine activities related to environmental protection with your school's science department. Students can create posters in French, either on computer, with magazine and newspaper illustrations, or using their own artwork.

Display the posters, accompanied by a "matching" cognate activity for students who are *not* taking French, and award prizes for the highest score.

LE FRANÇAIS
PRATIQUE

Les vacances: Plaisirs et problèmes

Quand on est en vacances, on peut faire beaucoup de choses. Mais il faut aussi **éviter** certains dangers et faire attention!

éviter to avoid

Au bord de la mer, on peut . . .

nager
se baigner

se bronzer
prendre un bain de soleil (sunbath)

faire une promenade en bateau (boat)

faire de la planche à voile
faire de la plongée sous-marine (scuba diving)

Mais attention! Il ne faut pas . . .

se noyer

attraper un coup de soleil (sunburn)

avoir le mal de mer
tomber dans l'eau

se baigner to go swimming
se noyer to drown
se bronzer to get tan
attraper to catch, get
avoir le mal de mer to be seasick

À la campagne, on peut . . .

se promener
faire un tour (walk)
   dans les champs (fields)
   dans la forêt
   dans les bois (woods)
faire un pique-nique sur l'herbe

faire du camping
observer les animaux

Mais attention! Il ne faut pas . . .

se perdre

être piqué par des moustiques (mosquitos)
mettre le feu
marcher sur un serpent

se perdre to get lost
piquer to sting
mettre le feu to set a fire
marcher sur to step on

À la montagne, on peut . . .

faire de l'escalade (rock climbing)

faire de l'alpinisme (mountain climbing)

Mais attention! Il ne faut pas . . .

glisser
tomber
se blesser
se casser la jambe

glisser to slip
se faire mal to get hurt
se blesser to injure oneself
se casser to break (a leg)

Et dans tous les cas, il faut . . .

respecter | **la nature**
protéger | **l'environnement**

Il ne faut pas . . .

polluer
laisser | **des déchets** (refuse)
jeter | **des vieux papiers**
détruire la végétation
casser les branches des arbres
faire peur aux animaux

polluer to pollute
protéger to protect
laisser to leave
jeter to throw
détruire* to destroy
casser to break
faire peur à to scare

Les formes des verbes: jeter, détruire
Révision et Expansion ▶ pp. R20-23

LE FRANÇAIS
PRATIQUE

Les vacances: Plaisirs et problèmes

TEACHING RESOURCES

 Transparencies 23, 24

 Overhead Visuals Copymasters and Activities, pp. A49–A52

 Practice Activities, pp. 121–122

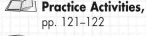 **Audio CD 3,** Tracks 1–4

 Audiocassette 3, Side 1

 Audio Script, pp. 14–15

 Internet Connection Notes, Project 2, pp. 51–52

 Teacher-to-Teacher, La nature, pp. 30–32; Trouver celui qui ..., pp. 33–34

■ Notes linguistiques

- The term **plongée sous-marine** is used both for scuba diving and snorkelling, although technically, **faire de la plongée sous-marine autonome** = scuba diving.
- **un homme-grenouille** = scuba diver (frogman)
- **le tuba** = snorkel
  le masque = mask
  les palmes (f.) = flippers
- **l'alpinisme** comes from the adjective **alpin,** meaning "from the Alps." Another related word is: **un(e) alpiniste** (mountain climber).
- **escalader** = to climb (rocks, mountains). **Les alpinistes escaladent l'Everest.**

✖️ Teaching Strategy: Game

Charades: Present the vocabulary using Transparencies 23 and 24; then have each student act out one of the verbs from p. 112. Begin the game by acting out one of the verbs and having the students guess which verb you are depicting. Once the students guess, have them give a complete sentence that accurately and precisely uses the verb. (e.g., you act out **nager.** A student says **"nager...Je nage dans la piscine."**)

The student who guesses correctly now chooses a verb to act out in front of the class (Have the students preselect a few verbs so that the game will not drag.)

Et vous? ·····

Complétez les phrases en exprimant votre opinion personnelle.
Comparez vos réponses avec celles de votre partenaire.

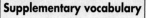

1. Je préfère passer les vacances . . .
   • à la mer
   • à la montagne
   • à la campagne
   • ??

2. Quand je suis à la plage,
   je préfère . . .
   • me baigner
   • prendre des bains de soleil
   • faire de la planche à voile
   • ??

3. Pour me protéger contre les coups de soleil . . .
   • je porte un chapeau
   • je garde *(keep on)* mon tee-shirt
   • je mets de la crème solaire
   • ??

4. Quand je vais à la campagne, je préfère . . .
   • me promener dans les champs
   • faire un tour dans les bois
   • faire de l'escalade
   • ??

5. Quand on se perd à la campagne,
   l'objet le plus utile est . . .
   • une boussole *(compass)*
   • une carte de la région
   • une lampe de poche
   • ??

6. Ce que je déteste le plus est de (d') . . .
   • attraper un coup de soleil
   • être piqué(e) par les moustiques
   • me baigner dans l'eau froide
   • ??

7. Quand on fait un tour dans une forêt, la chose
   la plus stupide est de . . .
   • laisser des vieux papiers
   • casser les branches des arbres
   • faire peur aux animaux
   • ??

8. Quand on fait du camping, la chose la plus
   stupide est de . . .
   • détruire la végétation
   • jeter des déchets
   • mettre le feu à la forêt
   • ??

Conversations libres

Avec votre partenaire, choisissez l'une des situations suivantes.
Composez le dialogue correspondant et jouez-le en classe.

1   Deux weekends différents

Samedi dernier Catherine est allée à la campagne où elle a passé
une journée très agréable. Son cousin Guillaume est allé à la plage
où il a passé une très mauvaise journée. Catherine et Guillaume
se téléphonent pour décrire leur weekend respectif.

Rôles: Catherine, Guillaume

Escalade

e, une jeune fille très sportive, adore faire
scalade. Elle veut enseigner *(to teach)* ce
à son copain Bertrand. Bertrand, qui
pas très courageux, refuse absolument,
quant les dangers de ce sport.

: Carole, Bertrand

3   Camping dans la forêt

Florence est monitrice dans une colonie de vacances. Elle organise
un weekend de camping dans la forêt. Maintenant elle explique
aux jeunes ce qu'ils doivent faire et ce qu'ils ne doivent pas faire.
Ils veulent savoir pourquoi. Florence répond.

Rôles: Florence, une campeuse

Le français pratique (113)

**Il ne faut pas marcher
dans . . .**
  les orties *nettles*
  l'herbe à puce *poison ivy*
  (Canadian expression)

On peut être piqué par...
  un insecte
  une abeille *bee*
  une guêpe *wasp*
  une fourmi *ant*

**Quelques animaux qu'on
peut voir à la campagne:**
  un cerf /sɛr/ *stag*
  un chevreuil *deer*
  un corbeau *crow*
  un coyote /kɔjɔt/ *coyote*
  un écureuil *squirrel*
  un élan *elk*
  un lapin *rabbit*
  un loup *wolf*
  un ours /urs/ *bear*
  un raton-laveur *raccoon*
  un renard *fox*
  une grenouille *frog*
  une loutre *otter*
  une marmotte *groundhog,*
    woodchuck
  une tortue *turtle*

**À la montagne, il ne faut
pas . . .**
  déraper *to slip, slide down*

☼ Teaching Strategy: Expansion

Pas d'accord
Ce weekend, Charlotte veut
aller à la plage. Jean-Louis
n'est pas du tout d'accord. Il
veut aller à la campagne.
Chacun présente les
avantages de son projet et les
désavantages du projet de
l'autre.
  Rôles: Charlotte, Jean-Louis

Les participes passés irrégul...
verbes conjugués avec être

Révision ▶ 📖 pp. R4-
(participes passés) p. R4
pp. R22-3
(verbes / être) p. R4

↶ **Révision**

Optional, for reference and
quick review.

■ **Notes linguistiques**

• Also: **jamais** (ever)
Est-ce que tu as **jamais**
visité Paris?

• Other adverbs usually
come after the past
participle, but may come
before, depending on
emphasis or the rhythm of
the sentence.

   Il a couru **rapidement**.
   Il a **rapidement** compris
   la question.

🔆 **Allons plus loin**

The same distinction exists
with **rentrer** (to go home, to
take in) and **retourner** (to
return, to turn over).

   Pierrre **est rentré** chez lui.
   Il **a rentré** son vélo au
   garage.
   Corinne **est retournée** au
   salon. Elle **a retourné** le
   tapis.

A. Révision: Le passé composé

The PASSÉ COMPOSÉ is used to describe what people DID, what HAPPENED.

   Je **suis allé** au cinéma. **J'ai vu** une comédie. Après, je **me suis promené**.

Review the forms of the passé composé:

voyager	aller	s'amuser
j'**ai voyagé**	je **suis allé(e)**	je me **suis amusé(e)**
tu **as voyagé**	tu **es allé(e)**	tu t'**es amusé(e)**
il/elle/on **a voyagé**	il/elle/on **est allé(e)**	il/elle/on s'**est amusé(e)**
nous **avons voyagé**	nous **sommes allé(e)s**	nous nous **sommes amusé(e)s**
vous **avez voyagé**	vous **êtes allé(e)(s)**	vous vous **êtes amusé(e)(s)**
ils/elles **ont voyagé**	ils/elles **sont allé(e)s**	ils/elles se **sont amusé(e)s**
je n'**ai** pas **voyagé**	je ne **suis** pas **allé(e)**	je ne me **suis** pas **amusé(e)**
est-ce que tu **as voyagé?**	est-ce que tu **es allé(e)?**	est-ce que tu t'**es amusé(e)?**
as-tu voyagé?	**es**-tu allé(e)?	t'**es**-tu amusé(e)?

➡ Review the following expressions:

déjà	ever	Est-ce que tu as **déjà** visité Paris?
ne . . . jamais	never	Non, je **n'ai jamais** visité Paris.
déjà	yet, already	Est-ce que vous avez **déjà** vu ce film?
ne . . . pas encore	not yet	Non, je **n'ai pas encore** vu ce film.

➡ Note the position of the following ADVERBS in the passé composé.

AFTER the past participle:	**tôt** (early), **tard** (late)
Je me suis levé **tôt**.	Éric s'est couché **tard**.
BEFORE the past participle:	**bien, mal, souvent, beaucoup, trop, assez**
Sophie a **beaucoup** aimé ce film.	Nous nous sommes **bien** amusés.

ALLONS PLUS LOIN

Depending on their meaning, the following verbs may be
conjugated with **être** or **avoir**:

	(avoir)		(être)
monter	to take or carry something up	or	to go up
descendre	to take or carry something down	or	to go down
sortir	to take something out	or	to go out
passer	to spend [time]	or	to pass by

   Pauline **a sorti** la poubelle. *Pauline **took** the trashcan **out**.*
   Après, elle **est sortie**. *After that she **went out**.*

❶ Oui ou non? ─────────────

Il y a beaucoup de choses qu'on peut faire en vacances. Demandez à votre
partenaire s'il (si elle) a fait une des choses suivantes. En cas de réponse
affirmative, demandez des précisions: où? quand? à quelle occasion? avec qui?

▶ faire du ski nautique?

• visiter la Floride?	• descendre dans un sous-marin *(submarine)*?	
• aller en Suisse?	• faire une promenade à cheval?	
• faire de l'alpinisme?	• se promener à dos de chameau *(camel)*?	• attraper un coup de soleil?
• voir un ours *(bear)*?	• faire de la plongée sous-marine?	• se perdre dans une forêt?
• monter dans un hélicoptère?	• avoir le mal de mer?	• se casser la jambe?

▶ **Est-ce que tu as déjà fait
du ski nautique?**

**Oui, j'ai déjà fait d...
ski nautique.**

(N...
je
jama...
de...
naut...

**Ah bon?
Où ça?**

Dans le Michig...

─────────────

📖 Teaching Strategy: Dialog Development

Divide students into pairs and have them write
a twenty-line dialog in which the students
compare notes concerning their ideal winter
vacation. Make sure that they explain what
they want to do and why, as well as what they

don't like and why. They should be sure to use
as much vocabulary from p. 112 as possible,
using the **passé composé**.

Créa-dialogue: Pas de chance!

Avec votre partenaire, composez un dialogue où vous décrivez un problème.

— Où es-tu allé(e) ce weekend?	*Choose another time.*
— Je suis allé(e) à la montagne avec ma cousine.	*Choose another place: beach, city . . .*
— Ah bon? Qu'est-ce que vous avez fait?	*Choose another person.*
— Nous avons fait de l'alpinisme.	*Choose an appropriate activity.*
— Vous vous êtes amusé(e)s?	
— Oui, mais il y a eu un problème.	
— Ah bon? Quoi?	
— Ma cousine a glissé et elle s'est cassé le bras.	*Describe another problem*
— C'est vraiment pas de chance!	*corresponding to the situation.*

Une lettre de Paris

Amélie, une jeune Canadienne, vient d'arriver à Paris avec son frère Pascal. Elle écrit une lettre à son amie Gabrielle. Complétez la lettre d'Amélie avec le passé composé des verbes entre parenthèses.

Ma chère Gabrielle,

Eh bien, voilà! Je suis à Paris depuis deux jours avec mon frère Pascal. Nous
_____ (arriver) avant-hier mais nous _____ (déjà faire) beaucoup de choses.

Hier matin, nous _____ (se lever tôt) et nous _____ (se promener) dans le quartier
Latin. Nous _____ (prendre) le petit déjeuner dans un café où nous _____ (rencontrer)
un groupe de jeunes Français. Pascal, qui ne perd pas de temps, _____ (donner)
rendez-vous à une jeune fille très sympathique.

Après, nous _____ (s'arrêter) dans une boutique où j' _____ (acheter) des cartes
postales. À midi, nous _____ (déjeuner) dans un restaurant algérien.
J'_____ (manger) un couscous et j' _____ (boire) du thé à la menthe. C'était délicieux!

L'après-midi, nous_____ (faire) une promenade en bateau sur la Seine et ensuite nous
_____ (monter) à la Tour Eiffel. Du sommet on a une vue splendide sur Paris. Évidemment,
j'_____ (prendre) beaucoup de photos. Quand nous _____ (descendre), Pascal
_____ (vouloir) téléphoner à sa nouvelle amie. Il _____ (chercher) son portefeuille,
mais il _____ (ne pas le trouver). Alors, il _____ (remonter) au sommet et heureusement
il _____ (trouver) son portefeuille!

Le soir, Pascal _____ (sortir) avec la jeune fille. Moi, je_____ (ne pas sortir) avec eux.
Je _____ (rester) à l'hôtel et j'_____ (écrire) des lettres. À onze heures,
je _____ (se coucher) et j'_____(dormir). Ce matin, je _____ (se réveiller) à huit
heures. Pascal, qui _____(rentrer) très tard hier soir, dort encore!

Je t'embrasse,   *Amélie*

Et vous?

Écrivez une lettre où vous décrivez une journée que vous avez passée dans une grande ville au cours *(during)* d'un voyage (réel ou imaginaire).

■ Réponses: Activité 3

...nous *sommes arrivés*
...nous *avons déjà fait*
...nous nous *sommes levés tôt*
...nous nous *sommes promenés*
...Nous *avons pris*
...nous *avons rencontré*
...de temps *a donné*
...nous *sommes arrêtés*
...*ai acheté des cartes*
...nous *avons déjeuné*
...J'*ai mangé*
...j'*ai bu*
...nous *avons fait*
...nous *sommes montés*
...j'*ai pris*
...nous *sommes descendus*
...Pascal *a voulu téléphoner*
...Il *a cherché*
...il *ne l'a pas trouvé*
...il *est remonté*
...il *a trouvé*
...Pascal *est sorti*
...je *ne suis pas sortie*
...Je *suis restée*
...j'*ai écrit*
...je *me suis couchée et j'ai dormi.*
...je *me suis réveillée*
...*est rentré*

🌐 Notes culturelles

• **Le couscous** is a North African specialty made of semolina grain served with vegetables and meat (lamb or chicken) in a spicy sauce.
• You can tour the Seine River in Paris on a **bateau-mouche**, a sight-seeing boat.

📖 **Practice Activities,**
pp. 37, 183

↻ **Révision**

1. You may have students review other imperfect stems in the verb appendix.
2. You may point out the imperfect forms of verbs ending in **-ger, -cer:**
   manger: nous mangeons
   je mangeais,
   tu mangeais,
   il mangeait,
   ils mangeaient
   BUT: **nous mangions,**
   vous mangiez
   commencer:
   nous commençons
   je commençais
   tu commençais
   il commençait
   ils commençaient
   BUT: **nous commencions**
   vous commenciez
3. In Act. 6, make sure your students repeat the subject before each verb.
   ▶ **Après, je me lavais et je prenais mon petit déjeuner.**

■ **Vocabulary Expansion**

Also:
pleuvoir → il pleuvait
falloir → il fallait

116 Unité 3

B. Révision: L'imparfait

The IMPERFECT is used to describe:

- what people USED TO DO, what USED TO BE
  Quand j'**étais** petit,   *When I was little,*
  je **jouais** au Monopoly.   *I used to play Monopoly.*
- what people WERE DOING, what WAS GOING ON, what WAS HAPPENING
  Hier soir, je **n'étais pas** chez moi.   *Last night I was not home.*
  Je **dînais** avec un copain.   *I was having dinner with a friend.*

Review the formation of the imperfect.

dîner nous **dînons**	faire nous **faisons**	se promener nous **nous promenons**	ENDINGS
je **dînais**	je **faisais**	je me **promenais**	-ais
tu **dînais**	tu **faisais**	tu **te promenais**	-ais
il/elle/on **dînait**	il/elle/on **faisait**	il/elle/on **se promenait**	-ait
nous **dînions**	nous **faisions**	nous **nous promenions**	-ions
vous **dîniez**	vous **faisiez**	vous **vous promeniez**	-iez
ils/elles **dînaient**	ils/elles **faisaient**	ils/elles **se promenaient**	-aient

➡ The imperfect stem is formed as follows:

nous-form of the present minus **-ons**

➡ **Être** is the only verb with an irregular imperfect stem: ét- → **j'étais**   **nous étions**

5 **En 1900**
Imaginez la vie en 1900. Dites ce qu'on faisait et ce qu'on ne faisait pas.

▶ on / utiliser des ordinateurs?   **On n'utilisait pas d'ordinateurs.**

1. tout le monde / avoir des voitures?
2. les gens / voyager en train?
3. on / travailler beaucoup?
4. les gens / respecter l'environnement?
5. on / consommer beaucoup d'essence *(gas)*?
6. beaucoup de gens / habiter à la campagne?
7. les jeunes/ faire de la planche à voile?
8. on / être plus heureux qu'aujourd'hui?

6 **En colonie de vacances**
Marc est allé en colonie de vacances cet été. Il décrit ce qu'il faisait.

▶ En général, nous (se lever à 6 heures et demie) **En général, nous nous levions à 6 heures et demie.**

1. Après, je (me laver et prendre mon petit déjeuner)
2. Le matin, on (aller à la plage et se baigner)
3. De temps en temps, mes copains (faire une promenade en bateau)
4. D'habitude, on (déjeuner à midi et après faire la sieste)
5. Après la sieste, nous (nous promener dans les bois et observer les animaux)
6. Parfois, on (faire une promenade dans la montagne et faire de l'escalade)
7. Le weekend, nous (prendre nos tentes et faire du camping)
8. D'habitude, tout le monde (se coucher à 10 heures et dormir très bien)

Si vous avez été en colonie de vacances, racontez votre propre expérience en décrivant votre routine quotidienne.

IMPERFECT STEMS	
visiter	je **visitais**
finir	je **finissais**
vendre	je **vendais**
avoir	j'**avais**
faire	je **faisais**
aller	j'**allais**
être	j'**étais**
venir	je **venais**
sortir	je **sortais**
mettre	je **mettais**
vivre	je **vivais**
savoir	je **savais**
recevoir	je **recevais**
prendre	je **prenais**
boire	je **buvais**
lire	je **lisais**
dire	je **disais**
écrire	j'**écrivais**
voir	je **voyais**
connaître	je **connaissai**

☀ **Teaching Strategy: Warm-Up**

Have each student give two sentences that describe themselves and/or their families and what they do in the *present tense.* Then, ask them to tell you how this person was or what they used to do 10 years ago.
(e.g. **Aujourd'hui ma mère est blonde et elle a 40 ans.**

Il y a 10 ans, ma mère était brune et elle avait 30 ans.)
This drill should be done quickly so that the idea of the imperfect as the tense of description in the past is confirmed.

Souvenirs d'enfance

Posez des questions à votre partenaire sur son enfance.
Il/elle va vous poser les mêmes questions.

▶ où / habiter?

1. à quelle école / aller?
2. comment / aller à l'école?
3. à quelle heure / se lever?
4. à quelle heure / se coucher?
5. à quels jeux (games) / jouer?
6. quels sports / faire?
7. quelles émissions / regarder?
8. qui / être ton acteur favori?
9. qui / être ta chanteuse favorite?
10. quels objets / collectionner?
11. où / passer les vacances?
12. quel animal domestique / avoir?

> **Où est-ce que tu habitais?**
>
> **J'habitais à Charleston. Et toi?**
>
> **Moi, j'habitais à Savannah.**

Si vous voulez, écrivez un petit paragraphe où vous décrivez les similarités
et les différences entre votre enfance et celle de votre partenaire.

Pourquoi personne n'a répondu . . . ?

Hier après-midi vers deux heures, Pierre a voulu téléphoner à ses copains. Personne n'a
répondu. Expliquez pourquoi en disant où chacun était et ce qu'il faisait. Soyez logique!

Qui?	Où?	Quoi?
moi	à la plage	déjeuner
toi	à la piscine	lire un livre
nous	à la campagne	jouer au basket
vous	au restaurant	tondre la pelouse
Béatrice	dans le jardin	faire des achats
Jean-Paul	en ville	faire un pique-nique
Philippe et Claire	au Club de Sport	faire de la plongée sous-marine
Marc et Alice	à la bibliothèque	prendre un bain de soleil
Jérôme et Stéphanie	dans les bois	se baigner
		se promener

▶ **Moi, j'étais à la plage. Je me baignais.**

Tout change!

Tout change avec le temps. Avec votre partenaire comparez les photos et décrivez
les différences entre aujourd'hui et autrefois.

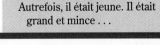

Maintenant, Monsieur Lescroc
est riche. Il est assez gros et . . .

Maintenant, Valérie . . .

Maintenant Madame Leblanc . . .

Autrefois, il était jeune. Il était
grand et mince . . .

Autrefois, elle . . .

Autrefois, . . .

📺 **Teaching Notes: Video**

Use Module 3 to help students describe the details of the afternoon Jean-François and Marie-Christine spend in Paris.

👥 **Teaching Strategy: Expansion**

Ask students to respond to the following, either orally or in written form:

Et vous? Dites ce que vous faites et comment vous êtes maintenant. Puis, dites ce que vous faisiez et comment vous étiez autrefois.

📝 **Teaching Strategy**

Have the class write a group story. Each
student will contribute at least one sentence.
Give them an amusing subject that lends itself
to creativity and to action sentences for **passé
composé** practice.
(e.g. Describe Julia Roberts as a little girl and
tell about a vacation that she took at the
beach when she was 15 years old. Remind
the students that this should be fictitious.
It is not necessary for them to have facts.)
Students can take turns being scribe and copying the story onto the board as it is being
developed.

■ **Note linguistique**

Note that English does not always make the same distinctions that French does.

Pierre **avait peur**.

   *Pierre **was scared**.*

Pierre **a eu peur** quand il a vu le fantôme.

   *Pierre **was (got) scared** when he saw the ghost.*

C. L'usage du passé composé et de l'imparfait

In talking about the past, the French use the IMPERFECT and the PASSÉ COMPOSÉ. The choice of tenses reflects the type of action or events that are being described.

IMPERFECT	PASSÉ COMPOSÉ
• HABITUAL OR REPEATED ACTIONS *(what people **used to do**)* Le samedi soir nous **allions** au ciné. D'habitude on **faisait** de la planche à voile. • PROGRESSIVE ACTIONS *(what **was going on**)* Je **me promenais** sur la plage. Nous **faisions** du camping.	• SPECIFIC ACTIONS *(what people **did**)* Samedi dernier, je **suis allé** à un concert. Un jour, on **a fait** de la plongée sous-marine. J'**ai rencontré** un copain. Nous **avons vu** un ours *(bear)*.

➡ Depending on how the speaker interprets the action, the passé composé or the imperfect may be used.

Hier à 9 heures, nous **dînions**.	*Yesterday at nine we **were eating dinner**.*
Hier nous **avons dîné** à 9 heures.	*Yesterday we **ate dinner** at nine.*
Tous les jours j'**allais** à la plage.	*Every day I **used to go** to the beach.*
Tous les jours je **suis allée** à la plage.	*Every day I **went** to the beach.*

10 **Une explosion**

Tout le monde parle de l'explosion qui a eu lieu hier soir dans le quartier Saint Victor. Dites ce que chaque personne faisait au moment de l'explosion et ce qu'elle a fait immédiatement après.

▶ Monsieur Duval (travailler dans le jardin / rentrer chez lui)
   Monsieur Duval travaillait dans le jardin. Il est rentré chez lui.

1. nous (dîner / regarder par la fenêtre)
2. vous (faire la vaisselle / téléphoner à la police)
3. moi (me promener / aller sur la scène de l'incident)
4. toi (rentrer chez toi / prendre des photos)
5. mes parents (regarder la télé / sortir sur le balcon)
6. mon grand-père (dormir / se réveiller)

11 **Allô!**

Téléphonez à votre partenaire pour lui demander ce qu'il/elle faisait à certains moments. Il/elle va répondre avec les réponses suggérées ou des réponses de son choix.

▶ — Où étais-tu hier soir?
   — J'étais chez moi.
   — Qu'est-ce que tu faisais?
   — J'étudiais.
   — Et après, qu'est-ce que tu as fait?
   — J'ai regardé un film à la télé.

1.	• ce matin • dans le jardin • tondre la pelouse • se promener	3.	• après le pique-nique • dans la forêt • observer les animaux • prendre des photos
2.	• cet après-midi • à la plage • se bronzer • se baigner	4.	• avant le dîner • chez un copain • regarder ses photos • rentrer chez moi

---

💬 **Teaching Strategy**

Find or prepare a story that uses verbs in both the **passé composé** and in the **imparfait**. Tell this story to the class orally *twice*. As you tell the story the second time, write one key word per sentence on the board as a means for students to remember the sentence. Once you have repeated the story twice and written the words on the board, ask the students to tell you the story as you told it.

For written practice, have students write the sentence on the board next to the appropriate key word.

L'été dernier

Décrivez ce que les personnes ont fait ou faisaient l'été dernier. Utilisez le passé composé ou l'imparfait.

1. tous les jours / nous / aller à la plage
2. un jour où il faisait très chaud / Julien / attraper un coup de soleil
3. le samedi / mes copains / faire une promenade en bateau
4. pendant la promenade / Pierre / tomber dans l'eau
5. le 14 juillet / Catherine et Pauline / assister aux feux d'artifice (*fireworks*)
6. le weekend / vous / faire du camping
7. pendant la nuit / toi / être piqué par un moustique
8. nous / rentrer chez nous / à la fin de juillet

Souvenir de vacances

Monsieur Mercier raconte un souvenir de vacances. Complétez son histoire en mettant les verbes au passé. Utilisez l'imparfait ou le passé composé.

Quand j'_____ (être) étudiant, je _____ (passer) mes vacances à Annecy. En général, je _____(ne pas me lever) avant dix heures du matin. L'après-midi, je/j' _____ (aller) à la piscine où je _____ (prendre) des bains de soleil. Parfois, je/j' _____ (faire) de la planche à voile sur le lac. Le soir, je_____ (sortir) avec mes copains et je _____ (rentrer) tard chez moi.

Un jour, un copain m' _____ (inviter) à faire de l'escalade avec lui. Le lendemain, je _____ (me lever) tôt et je _____ (partir) avec mon copain. Malheureusement, pendant l'escalade, je/j' _____ (glisser) et je _____ (me casser) la jambe. À l'hôpital où je/j' _____ (aller), je/j' _____ (rencontrer) une jeune infirmière très sympathique. Un jour, je lui _____ (demander) si elle voulait se marier avec moi. Elle _____ (accepter) et aujourd'hui, c'est ma femme!

Photos de vacances

Pendant vos vacances en France, vous avez pris des photos de vos amis français. Pour chaque photo, dites:
- où vous étiez
- ce que chaque personne faisait au moment de l'incident
- ce que ces personnes ont fait après

Utilisez votre imagination.

Pierre et Caroline

Juliette et Jérôme

Christine et Jean-Pierre

■ Réponses: Activité 13

...j'étais /...je passais /...je ne me levais pas /...j'allais / ...je prenais /...je faisais / ...je sortais /...je rentrais / ...m'a invité /...je me suis levé / ...je suis parti /...j'ai glissé / ...je me suis cassé /...je suis allé, j'ai rencontré /...je lui ai demandé /...Elle a accepté

◉ Note culturelle

The city of Annecy is located on the Swiss border in the French Alps. The **lac d'Annecy** is a popular tourist attraction.

📁 Student Portfolios

Ask students to bring in a vacation photo, or use illustrations from travel brochures, magazines, or newspapers. Have them write a short paragraph describing the activites shown and giving details as in Act. 14. If students prefer, they may record a vacation description rather than writing it.

INFO MAGAZINE

Theme: Ecology

📖 Teaching Strategy

- Begin by asking students to look at the photographs, then ask them to remember what they know about Jacques Cousteau. Then have them skim the article and summarize.
- Next, have students compose short descriptive paragraphs or oral presentations on Cousteau's work.
- You may wish to mention that Jacques Cousteau passed away on June 25, 1997. He was born June 11, 1910.

■ Additional Information

For more information on l'Académie française, see p. 56.

■ Irregular Verbs

entreprendre (*see* **prendre**)
élire (*see* **lire**)

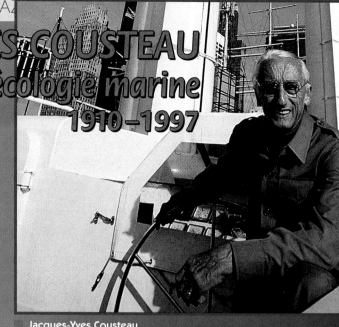

JACQUES-YVES COUSTEAU
champion de l'écologie marine
1910–1997

Jacques-Yves Cousteau est un homme universel. À la fois° scientifique, explorateur, inventeur, écrivain, cinéaste, il a mis ses innombrables talents au service d'une seule° cause: la protection des océans. Champion de l'écologie marine, Jacques-Yves Cousteau est peut-être aujourd'hui le Français le plus connu du monde.

◼ Jacques-Yves Cousteau

Cousteau a d'abord été officier dans la Marine française. C'est à cette époque qu'il a inventé le scaphandre autonome (ou SCUBA* en anglais), permettant l'exploration des espaces sous-marins. Au cours de° ses expéditions sur ses fameux bateaux, la Calypso, l'Alcyone, la Calypso II, Cousteau a exploré les fonds° marins un peu partout dans le monde, en France, en Grèce, en Égypte, au Brésil, à Madagascar, dans l'Atlantique, le Pacifique et l'Océan Indien. De ces expéditions, il a rapporté° de nombreux films documentaires. Ces films, comme *Le monde du silence* et *Le monde sans soleil,* et plus tard ses séries télévisées *Découvertes du monde,* ont fait connaître° au grand public l'univers merveilleux de la mer.

«Il faut sauver les océans! Il faut sauver notre planète, la Terre!»

Mais Cousteau ne s'est pas contenté° d'être l'un des grands explorateurs de ce siècle. Il a aussi entrepris° une croisade mondiale pour la protection de l'environnement. Son message est simple: À long terme,° l'avenir° de l'humanité dépend de la préservation de notre environnement naturel et, en particulier, du monde marin. Aujourd'hui, celui-ci° est menacé non seulement par la pollution, mais aussi par une exploitation économique incontrôlée. Il faut donc le protéger. Il faut sauver les océans! Il faut sauver notre planète, la Terre! Cousteau s'est engagé° totalement dans cette croisade. Pour cela, il a créé une fondation internationale, la Fondation Cousteau, et aussi la «Cousteau Society» qui a 200.000 membres aux États-Unis. Dans son travail, il est secondé par son fils, Jean-Michel Cousteau, qui habite en Californie.

◼ Jacques-Yves Cousteau et son fils, Jean-Michel

Jacques-Yves Cousteau fait aussi partie° de l'élite littéraire. Pour son oeuvre°, il a été élu° membre de l'Académie française, le plus prestigieux groupe d'écrivains français.

◼ Le commandant Cousteau à bord de la Calypso.

à la fois *at the same time* **d'une seule** *only one* **au cours de** = *durant* **les fonds** *depths* **rapporté** *brought back* **faire connaître** *made known* **contenté** = *limité* **entreprendre** ✵ *to undertake* **À long terme** *In the long run* **l'avenir** *future* **celui-ci** = *le monde marin* **engagé** *committed himself* **partie** = *est membre* **oeuvre** *work* **élire** ✵ *to elect* *Un acronyme pour Self-Contained Underwater Breathing Apparatus.

🌐 NOTE CULTURELLE

Madagascar is a French-speaking island to the west of the coast of Mozambique, Africa. Deforestation is the greatest problem on the island, depriving Madagascar's unique fauna of its natural habitat. Madagascar is the only place in the world where lemurs live.

L'Écologie à la maison

Préserver l'environnement, ce n'est pas difficile. Il suffit d'y penser.° L'écologie commence à la maison. Des jeunes Français expliquent comment ils pratiquent l'écologie chez eux.

LES AMIS DE LA TERRE
MEMBRE DE FRIENDS OF THE EARTH/INTERNATIONAL

Stéphanie:
<< Je recycle le verre. Ce n'est pas compliqué Il suffit de séparer les bouteilles et de les déposer dans les réceptacles spéciaux qu'on trouve partout dans les villes, et même à la campagne. >>

Danièle:
<< J'ai demandé à ma mère de n'acheter que° des produits favorables à l'environnement. J'ai un argument convaincant:° Je refuse de faire la vaisselle ou de laver le linge° avec des produits qui contiennent des phosphates, nocifs° à l'environnement. >>

Xavier:
<< J'essaie de conserver l'eau au maximum. Par exemple, au lieu de° prendre des bains, je prends des douches qui utilisent moins d'eau. Quand je me lave les mains, je ferme l'évier.° Quand je me brosse les dents, je ferme le robinet.° J'économise un peu d'eau chaque fois et, à la longue,° ça compte! >>

Vincent:
<< Quand j'achète quelque chose, je fais attention aux produits qu'il contient.° En général, je donne la préférence aux produits recyclables ou recyclés. Et j'utilise toujours des emballages° en papier, jamais en plastique. >>

Zoé:
<< Je n'utilise plus d'aérosols, parce que les CFC (chlorofluorocarbures) qu'ils contiennent détruisent l'ozone de l'atmosphère. Et les savons, les shampooings, les dentifrices et les produits de beauté que j'utilise sont toujours à base de produits naturels. >>

et vous?
Faites une liste des choses que vous faites pour pratiquer l'écologie chez vous.

Il suffit d'y penser. *You just have to think about it.* **contenir** ✳ *to contain* **emballages** *packaging* **au lieu de** *instead of* **l'évier** *sink* **robinet** *faucet* **à la longue** *in the long run* **que** *only* **convaincant** *convincing* **linge** *laundry* **nocifs** *harmful*

🌐 Realia Note
In almost every French city you will find large green hexagonal bins for recycling glass and plastic containers.

■ Notes linguistiques
- The term **la lessive** *(laundry detergent)* is more commonly used than **la poudre à laver.** **La lessive** also designates the clothes to be washed.
- **l'essuie-tout** *(m.)* = paper towels, from **essuyer** *(to wipe)* and **tout** *(everything)*.

■ Irregular Verbs
(see Appendix C)
contenir *(see* **tenir***)*

➗ Teaching Strategy: Multiple Intelligences

After reading the different ways in which the five French students contribute to the preservation of the environment, have students prepare a list of different things that can be done to be "environment-friendly." Students will prepare a class survey and then compare results with another French class.

This activity is useful for a reading comprehension check, as a vocabulary builder and as a cultural reinforcement activity. (LOGICAL-MATHEMATICAL)

Le soleil, notre bonne étoile

Chaque jour, le soleil nous donne sa lumière,° sa chaleur° et son énergie. Il est source de toute vie.° Sans lui, il n'y aurait pas° de plantes, pas de fleurs, pas d'arbres, pas d'animaux et, évidemment, pas de vie humaine. C'est lui qui cause la pluie, le vent, les différences de climat et les changements de saison. Grâce à° lui, les rivières coulent° et les plantes poussent.° Le soleil est vraiment notre bonne étoile!°

À cause de ses innombrables bienfaits,° les civilisations anciennes ont créé un culte du soleil. Pour les Égyptiens, Amon-Râ, le soleil, était le dieu° suprême. En Amérique, les Incas et les Aztèques adoraient aussi le soleil.

Aujourd'hui, le culte du soleil existe toujours, mais il a pris une forme nouvelle. Chaque année, par exemple, des millions de Français vont sur les plages de l'Atlantique et de la Méditerranée pour se baigner, mais surtout et avant tout pour se bronzer au soleil. On peut aussi se bronzer à la piscine, à la montagne, dans son jardin, ou même sur son balcon. En moyenne, les Français se bronzent 2 heures 15 minutes par jour pendant les vacances.

Il y a différentes raisons pour lesquelles° les Français s'exposent au soleil. Selon une enquête,° 50% des personnes interrogées° trouvent que c'est agréable, 22% pensent que c'est bon pour la santé,° 18% déclarent qu'être bronzé, c'est à la mode. Le bronzage fait en effet partie du «look». Aujourd'hui la majorité des femmes déclarent préférer les hommes bronzés et, alternativement, la majorité des hommes préfèrent les femmes qui ont un joli bronzage.

Si le soleil est indispensable au succès des vacances, il peut aussi créer des problèmes pour les personnes imprudentes.° La lumière solaire contient, en effet, des rayons ultra-violets (UV). Quand ces rayons sont trop intenses, ils sont dangereux pour la peau° et pour les yeux. Si on ne fait pas attention, on peut attraper un coup de soleil ou, chose plus grave, être victime d'une insolation.° À long terme, le soleil contribue au vieillissement° de la peau. Pour les personnes qui ont une peau délicate, le soleil est aussi un facteur de risque important du cancer cutané.°

lumière *light* **chaleur** *heat* **vie** *life* **il n'y aurait pas** *there wouldn't be* **Grâce à** *Thanks to* **coulent** *flow* **poussent** *grow* **étoile** *star* **bienfaits** *benefits, blessings* **le dieu** *god, deity* **lesquelles** *which* **enquête** *survey* **interrogées** *asked* **santé** *health* **imprudentes** *who are not careful* **peau** *skin* **insolation** *sunstroke* **vieillissement** *aging* **cutané** *of the skin*

🌐 **NOTES** CULTURELLES

- **Amon-Râ**, or **Rê**, was the Egyptian sun-god. He was often represented as a man with the head of a falcon.
- The Aztecs dominated Mexico until Cortés led the Spanish conquest in 1521. The Aztec sun-god was called Huitzilopochtli.

- The Incas ruled Peru until Pizzarro's arrival in the 16th century. The Inca religion was based on the worship of the sun, which they called Uiracocha. The emperor, or Inca, was also the religious leader and was called **le fils du Soleil.**

Avant de s'exposer au soleil, il est donc important de prendre quelques précautions élémentaires. Voici certains conseils:

✳ Bronzez progressivement et modérément. Le premier jour, restez seulement cinq minutes au soleil, puis augmentez° de quelques minutes par jour la durée° de vos bains de soleil. Un bronzage progressif vous donnera une photo-protection naturelle contre les rayons du soleil.

✳ Évitez° de vous mettre au soleil entre 11 heures du matin et 2 heures de l'après-midi. C'est à ce moment que les rayons ultra-violets sont les plus intenses.

✳ Protégez-vous la tête avec un chapeau à large bord° et les yeux avec de bonnes lunettes de soleil qui les recouvrent entièrement.

✳ Utilisez une bonne crème anti-solaire. Les crèmes anti-solaires filtrent les rayons ultra-violets. Choisissez une crème anti-solaire adaptée à votre peau.

✳ N'utilisez pas de produits qui contiennent des substances photo-sensibilisantes, comme l'eau de cologne ou certains parfums. Ces substances sont à l'origine de réactions cutanées anormales.

✳ Soyez vigilants en hiver aussi bien qu'en été. La neige reflète les rayons ultra-violets plus que le sable.° Si la lumière est intense, portez des lunettes de soleil.

DÉBAT: LE SOLEIL: AMI OU ENNEMI?

Prenez une position sur ce sujet et débattez-le avec votre partenaire (qui prendra la position contraire). Présentez vos arguments par ordre d'importance.

EXPRESSION ÉCRITE

Êtes-vous un(e) «adorateur(trice) du soleil»? Composez un paragraphe où vous allez expliquer …
• pourquoi vous aimez le soleil
• où et quand vous vous bronzez
• quelles précautions vous prenez

Jacques Prévert (1900-1977) est un écrivain et aussi l'auteur de chansons populaires et de plusieurs scénarios de films. Dans ses poèmes, il décrit avec humour et fantaisie les thèmes simples de l'existence: la nature, l'amour, l'amitié, l'enfance, la réalité de tous les jours.

Dans cet extrait, Prévert explique:
■ pourquoi il faut être poli avec la terre et le soleil
■ les relations personnelles qui existent entre la terre, le soleil et la lune

SOYEZ POLIS

Le soleil est amoureux de la terre
La terre est amoureuse du soleil
Ça les regarde
C'est leur affaire
Et quand il y a des éclipses
Il n'est pas prudent ni discret de les regarder
Au travers de sales petits morceaux de verre fumé
Ils se disputent
C'est des histoires personnelles
Mieux vaut ne pas s'en mêler
Parce que
Si on s'en mêle on risque d'être changé
En pomme de terre gelée
Ou en fer à friser

Le soleil aime la terre
La terre aime le soleil
C'est comme ça
Le reste ne nous regarde pas
La terre aime le soleil
Et elle tourne
Pour se faire admirer
Et le soleil la trouve belle
Et il brille sur elle
Et quand il est fatigué
Il va se coucher

Et la lune se lève
La lune c'est l'ancienne amoureuse du soleil
Mais elle a été jalouse
Et elle a été punie
Elle est devenue toute froide
Et elle sort seulement la nuit
Il faut aussi être très poli avec la lune
Ou sans ça elle peut vous rendre un peu fou
Et elle peut aussi
Si elle veut
Vous changer en bonhomme de neige
En réverbère
Ou en bougie

Prévert, Histoires (Paris: Gallimard, 1963, pp. 66-69)

🌐 **Additional Information**

Jacques Prévert wrote the classic French movies: *Les Visiteurs du soir* and *Les Enfants du paradis.*

■ Notes linguistiques

le verre fumé = tinted glass
le fer à friser = curling iron
Ça ne nous regarde pas = It's none of our business.
le réverbère = street light

■ Irregular Verbs

Point out that **contenir** is conjugated like **tenir**. Remind students of the irregular imperative forms of **être**: **sois, soyons, soyez.**

■ Teaching Strategy: Additional Activities

• Votre partenaire et vous, vous passez les vacances de printemps à la Martinique. C'est votre premier jour là-bas. Votre partenaire a décidé d'aller à la plage. Faites-lui au moins cinq recommandations importantes.

• Faites une enquête dans votre classe. Déterminez:
  – combien de temps par jour vos camarades se bronzent en été
  – pourquoi ils aiment se bronzer
  – les précautions qu'ils doivent prendre en ce qui concerne leur santé
  Comparez les résultats avec ceux de l'enquête faite en France.

---

augmentez *increase* **durée** = le temps **Évitez** *Avoid* **bord** *brim* **sable** *sand*

📁 Student Portfolios

Ask students to write a poem or a song about some aspect of nature or the environment. They may illustrate or record these materials for inclusion in their personal portfolios.

PARTIE 2

LE FRANÇAIS PRATIQUE

Quoi de neuf?

LE FRANÇAIS

PRATIQUE

Quoi de neuf?

Devine!

Quoi de neu

COMMENT DÉCRIRE UN ÉVÉNEMENT, COMMENT RACONTER UNE HISTOIRE

— **Quoi de neuf?** *(What's new?)*
Devine!

deviner *to guess*

— Je ne sais pas!
    Qu'est-ce qui est arrivé?   **Qu'est-ce qui a eu lieu?**
    Qu'est-ce qui s'est passé?   **Qu'est-ce qu'il y a eu?**

arriver *to happen*
se passer *to happen*
avoir lieu *to take place*
qu'est-ce qu'il y a *what's happening*
assister à *to see*
être témoin de *to witness*

    J'ai **assisté à**
    J'ai **été témoin de** } quelque chose de bizarre.
    J'ai **vu**

— Ah bon? Quand?

C'est arrivé	**hier**	**lundi dernier**	**il y a** deux heures
Ça s'est passé	**hier soir**	**la semaine dernière**	**il y a** dix jours
Ça a eu lieu	**avant-hier**	**le mois dernier**	

— Où étais-tu?
    J'étais   } **dehors** *(outside)*   dans un magasin
    Je me trouvais } en ville   chez un copain

se trouver *to be*

— Alors, raconte! Qu'est-ce que tu as fait?
    Eh bien, **d'abord** *(first)*, j'ai téléphoné à . . .
        puis *(then)* . . .   **enfin** *(at last)* . . .
        ensuite *(next)* . . .   **finalement** *(finally)* . . .
        après *(after, afterwards)* . . .

raconter *to tell (what happened)*

Quelques événements	
un accident	**un événement** *(event)*
un incendie *(fire)*	**un fait** *(fact)*
un cambriolage *(burglary)*	**un fait divers** *(minor news item)*

LE FRANÇAIS PRATIQUE

Quoi de neuf?

TEACHING RESOURCES

📖 **Practice Activities,** pp. 124–126

🌐 **Internet Connection Notes,** Project 5, p. 58

■ **Note linguistique**

In 1987, the **Académie française** announced that the word **événement** could also be written **évènement** (with a grave accent on the second "e"). You may allow your students to use either spelling.

Supplementary vocabulary

Quelques événements
une altercation *dispute*
une bonne action *good deed*
une catastrophe *catastrophe*
une collision *collision, crash*
un défilé *parade*
un vol *robbery*
un vol à l'étalage *shoplifting*
un vol à la tire *purse snatching*

☀ **Teaching Strategies: Warm-Up**

• Divide the class into groups of three and have each group write an original dialog using EVERY vocabulary word/expression from pp. 124–125. When there are synonymous expressions, they should still incorporate each of them logically into the dialog. Encourage students to be creative.

• Divide the class into groups of two or three to create a class newspaper. The newspaper should have a variety of columns: weather, news article of accident, news articles, comics. Give each group one of these sections.

Comment exprimer la surprise

Vraiment?	*Really?*	**C'est incroyable!**	*That's unbelievable!*
Pas possible!	*That's not possible!*	**Ce n'est pas croyable!**	*That's not for real!*
Mon Dieu!	*My goodness!*	**Tu plaisantes!**	*You're kidding!*

Journalisme

Vous êtes journaliste pour le magazine RADAR. Dites quand et où les événements de la colonne A ont eu lieu en choisissant un élément des colonnes B et C. Soyez logique.

A: QUOI?	B: OÙ?	C: QUAND?
un cambriolage	ce matin	à l'église St. Charles
un accident	à deux heures cet après-midi	sur l'autoroute A4
un incendie	hier soir	dans une galerie d'art
un violent orage *(storm)*	vendredi dernier	dans la région de Toulouse
une avalanche	le weekend dernier	dans la forêt d'Amboise
un ouragan *(hurricane)*	la semaine dernière	dans les Alpes
le mariage de l'acteur	l'hiver dernier	à la Martinique
Georges Belhomme	en avril dernier	au zoo de Vincennes

▶ **Un accident a eu lieu ce matin (à deux heures cet après-midi) sur l'autoroute A4 (dans la forêt d'Amboise).**

Note culturelle
All French highways are designated by the letter **A** (**A = Autoroute principale**) followed by a number. The A4 (**l'A4**) links Paris to Metz in the east.

Créa-dialogue

Avec votre partenaire, choisissez un événement au bas de la page (ou imaginez un événement original). Composez le dialogue où vous racontez cet événement.

— Quoi de neuf?
— Devine!
— Je ne sais pas! Qu'est-ce qui est arrivé?
— J'ai rencontré le président!
— Tu plaisantes! Quand?
— Ce matin.
— Où étais-tu?
— Je me trouvais à l'aéroport.
— Qu'est-ce que tu as fait alors?
— J'ai pris une photo et j'ai demandé un autographe.
— C'est incroyable!

• *Use another expression.*
• *Imagine a different event.*
• *Use another expression of surprise.*
• *Mention another time.*
• *Mention another place.*
• *Mention two things you did.*
• *Use another expression of surprise.*

Événements

• J'ai rencontré Oprah Winfrey.
• J'ai vu un OVNI *(UFO)*.
• J'ai été témoin d'un cambriolage.
• J'ai assisté à un accident spectaculaire.
• J'ai assisté au mariage de . . .(?)
• J'ai découvert un trésor.

• If you have the opportunity to go to a computer center with the class as a whole, this can make the activity more meaningful and will allow the students to produce a final product that can be displayed and distributed.

Comment parler de la pluie et du beau temps

Pour le weekend, **la météo** *(weather forecast)* **a prédit:**

prédire *to predict*

du beau temps
- **du soleil** *(sun)*
- **un ciel** *(sky)* **bleu**

- **des nuages** *(clouds)*
- **de la brume** *(mist)*
- **du brouillard** *(fog)*

du mauvais temps
- **de la pluie** *(rain)*
- **du vent** *(wind)*

- **un orage** *(thunderstorm)*
- **une tempête** *(storm)*
- **un ouragan** *(hurricane)*

- **de la neige** *(snow)*
- **une tempête de neige**

- **du verglas** *(sheet ice)*

Quand il fait beau . . .

Le soleil **brille.**
Le ciel est bleu.

Quand il fait mauvais . . .

Le ciel est **couvert** *(overcast).*
La pluie tombe.

Quand il y a un orage . . .

Le vent **souffle.**
On voit **des éclairs** *(lightning).*
On entend **le tonnerre** *(thunder)*

Quand il fait nuit …

Il fait noir.
On voit **la lune** *(moon).*
et **les étoiles** *(stars).*

Quand il fait froid . . .

La neige **tombe.**
Il y a **de la glace** *(ice).*
Le lac est **gelé** *(frozen).*

briller *to shine*
souffler *to blo*
il fait noir *it is*

AUJOURD'HUI	HIER		DEMAIN
il pleut	il pleuvait	il a plu le matin	il va pleuvoir
il neige	il neigeait	il a neigé à midi	il va neiger
il y a un orage	il y avait un orage	il y a eu un orage dans la nuit	il va y avoir un orage

---

TEACHING RESOURCES

 Transparencies 25, 1, 1(o)

 Overhead Visuals Copymasters and Activities, pp. A53–A54, A5–A6

 Audio CD 3, Tracks 8–12

 Audiocassette 3, Side 2

 Audio Script, pp. 16–19

Supplementary vocabulary

une étoile filante *shooting star*
il fait gris *it's a cloudy day*
une éclaircie *bright interval of sun*
la tornade *tornado*
l'ouragan *(m.) hurricane*
une averse *shower*

■ Note linguistique

La météo is the abbreviation of **la météorologie** (meteorology, weather forecasting).

Teaching Strategy: Vocabulary Building

- Why is an umbrella called **un parapluie?**
  It protects *"against-the-rain."*
- Similarly: **un parachute** (**une chute** *fall*)
  Also *lightning rod:* **un paratonnerre**
- What is **un gratte-ciel?** (**gratter** *to scratch*)

☀ Teaching Strategy: Warm-Up

Use the **Overhead Visuals and Activities** to introduce the weather. Then have students develop short weather dialogs in which they phone a friend living in another part of the country that has weather conditions that are very different from their own.

Une question de temps

Complétez les phrases en décrivant le temps (ou le moment de la journée).

1. Je mets mes lunettes de soleil quand . . .
2. Je mets mon imperméable quand . . .
3. On peut faire du ski quand . . .
4. On peut voir des éclairs quand . . .
5. On ne voit pas le soleil quand . . .
6. On voit des étoiles quand . . .
7. La visibilité sur la route est mauvaise quand . . .
8. On peut faire du patinage (go skating) sur un lac quand . . .

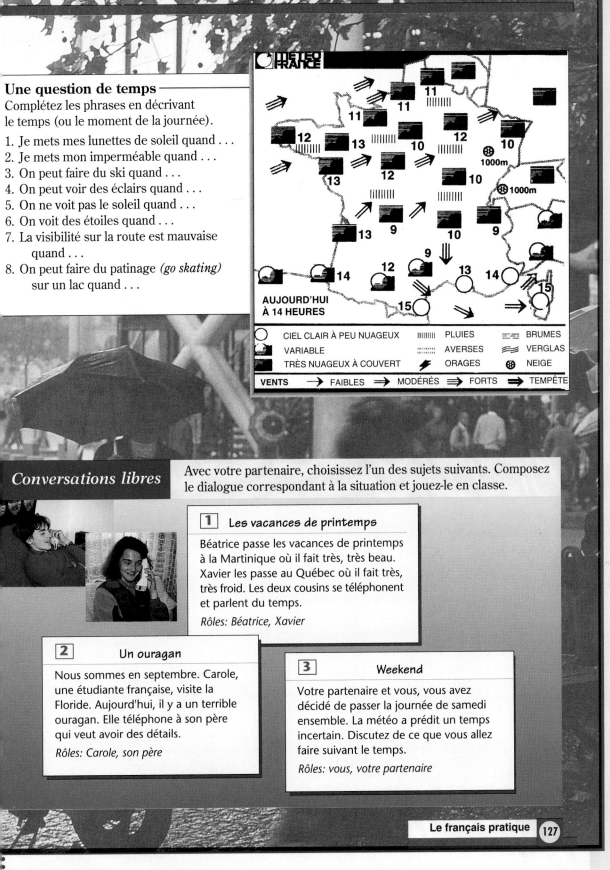

■ Réponses: Activité 3

Encourage students to find several completions for each sentence. Sample answers might include:

1. Je mets mes lunettes de soleil quand il fait beau (quand le soleil brille).
2. Je mets mon imperméable quand il pleut (quand le ciel est couvert).
3. On peut faire du ski quand il a neigé (quand il neige).
4. On peut voir des éclairs quand il y a un orage.
5. On ne voit pas le soleil quand le ciel est couvert (quand il fait nuit).
6. On voit des étoiles quand il fait nuit (quand il fait noir).
7. La visibilité sur la route est mauvaise quand la neige tombe (quand il fait noir, quand il y a du brouillard).
8. On peut faire du patinage sur un lac quand le lac est gelé.

Conversations libres

Avec votre partenaire, choisissez l'un des sujets suivants. Composez le dialogue correspondant à la situation et jouez-le en classe.

1 Les vacances de printemps

Béatrice passe les vacances de printemps à la Martinique où il fait très, très beau. Xavier les passe au Québec où il fait très, très froid. Les deux cousins se téléphonent et parlent du temps.

Rôles: Béatrice, Xavier

2 Un ouragan

Nous sommes en septembre. Carole, une étudiante française, visite la Floride. Aujourd'hui, il y a un terrible ouragan. Elle téléphone à son père qui veut avoir des détails.

Rôles: Carole, son père

3 Weekend

Votre partenaire et vous, vous avez décidé de passer la journée de samedi ensemble. La météo a prédit un temps incertain. Discutez de ce que vous allez faire suivant le temps.

Rôles: vous, votre partenaire

🔆 Expansion: Les proverbes

Give several examples of French proverbs:

- **Après la pluie, le beau temps.** (Joy comes after sadness.)
- **Autant en emporte le vent.** (Gone with the wind.)
- **Le soleil luit pour tout le monde.** (The sun shines on everyone.)

Ask students to come up with their own new proverbs—these may be serious or silly!

LANGUE ET COMMUNICATION

TEACHING RESOURCES

 Transparency 26

 Overhead Visuals Copymasters and Activities, pp. A55–A56

 Practice Activities, pp. 39, 126, 183

 Internet Connection Notes, Project 6, pp. 59–61

A. La description d'un événement: le passé composé et l'imparfait

The following sentences tell about an accident.

The sentences on the left give the main facts.

The sentences on the right describe the scene and the background.

MAIN EVENTS	BACKGROUND AND DESCRIPTION
J'**ai vu** un accident.	C'**était** samedi soir. Il **était** 8 heures. Il **pleuvait**. La visibilité **était** mauvaise. J'**allais** à un rendez-vous. Je **voulais** être à l'heure.
Une voiture **est rentrée** dans un arbre.	C'**était** une voiture de sport. Le conducteur **était** un jeune homme blond.
J'**ai téléphoné** à la police qui **est arrivée** immédiatement.	Le jeune homme ne **portait** pas de ceinture de sécurité. Il **était** légèrement blessé.

The PASSÉ COMPOSÉ tells WHAT HAPPENED and narrates the ACTION	The IMPERFECT sets the SCENE and gives the BACKGROUND

It is used to describe:
• SPECIFIC EVENTS
• the ACTIONS which constitute the STORY LINE
	It is used to describe:
	• EXTERNAL CONDITIONS
	  date weather time scenery
	• DESCRIPTIONS OF THE CHARACTERS
	  age physical traits health attitudes
	  appearance clothing feelings intentions
	• BACKGROUND ACTIVITIES
	  what people were doing
	  what was going on

1 Une question de temps

Expliquez logiquement les actions suivantes en décrivant le temps qu'il faisait.

CE QUI EST ARRIVÉ	QUEL TEMPS?
• J'ai glissé. • Stéphanie s'est bien bronzée. • Nous avons fait du ski. • Vous avez pris vos imperméables. • Patrick a pris sa lampe de poche *(flashlight)*. • On n'a pas vu le sommet de la montagne. • Nous avons fait du patin à glace sur le lac. • J'ai entendu l'avion mais je ne l'ai pas vu.	Il pleut. Il fait noir. Il est gelé. Il y a du verglas. Il y a de la neige. Il y a des nuages. Il y a de la brume. Il y a beaucoup de soleil.

▶ **J'ai glissé parce qu'il y avait du verglas.**

☀ Teaching Strategy: Warm-Up

Passé Composé/Imparfait

Ask students:
• What they were doing at 8:00 last night
• What they were doing when their mother/father got home yesterday
• What they did this past weekend
• What they ate for dinner yesterday

• What they used to do with their friends after a day at grammar school
• Where they were yesterday afternoon at 3:00
• When they began high school
• What they looked like when they were ten years old
• Where they went on vacation last year

Un mauvais témoin

Monsieur Loiseau a été témoin d'un cambriolage samedi dernier. Malheureusement il n'a pas bonne mémoire. Lisez son témoignage *(account)* et rectifiez-le.

Monsieur Loiseau:

«Il était une heure et demie de l'après-midi. Il faisait beau. Il n'y avait pas de voitures dans la rue. Le bandit est sorti par la porte. C'était un homme petit et assez gros. Il avait une barbe noire. Il portait un masque de ski. Il portait un pull. Sa complice l'attendait derrière la banque. C'était une jeune fille brune. Elle avait les cheveux courts et frisés. Elle portait un collier autour du cou. Elle n'avait pas de lunettes. Le bandit et sa complice sont partis en voiture.»

▶ **Mais non! C'est faux! Il n'était pas une heure et demie. Il était trois heures! . . .**

Pourquoi?

Demandez à votre partenaire pourquoi il/elle a fait les choses suivantes. Il/elle va répondre avec l'explication suggérée (ou une autre explication de son choix).

▶ aller au café   — **Pourquoi est-ce que tu es allé(e) au café?**
   (j'ai soif)   — **Parce que j'avais soif.**
           (Parce que je voulais rencontrer mes copains, . . .)

1. aller au restaurant
   (j'ai faim)
2. aller à la plage
   (il fait beau)
3. mettre de la crème anti-solaire
   (il y a du soleil)

4. aller à la disco
   (j'ai envie de danser)
5. rentrer chez toi
   (il est minuit)
6. se dépêcher
   (je veux être à l'heure)

7. téléphoner à ta cousine
   (c'est son anniversaire)
8. prendre de la dramamine
   (j'ai le mal de mer)

Write some of the answers on the board in two separate columns—**passé composé** and **imparfait**. Ask students to explain why the sentences belong in each category.

Variation: Activity 2

Have students work in pairs. One looks at the picture while the other reads the text. The student looking at the picture corrects the mistakes as his/her partner reads.

Variation: Activity 3

Demandez à votre partenaire pourquoi il/elle n'a pas fait les choses suivantes. Il/Elle vous répond en utilisant l'explication suggérée ou une explication de son choix.
Exemple:
– Pourquoi n'es-tu pas allé(e) au café?
– Parce que je n'avais pas soif. (Parce que je ne voulais pas rencontrer mes copains,...)

TEACHING RESOURCES

Transparency 27

Overhead Visuals Copymasters and Activities,
pp. A57–A58

Teacher-to-Teacher,
Et maintenant …,
pp. 39–42;
Jumeaux/Jumelles,
pp. 43–46

Vocabulary Expansion

les pompiers *firefighters*

---

 4 Une promenade romantique?

Pierre habite à Annecy. L'été dernier, il s'est acheté un bateau. Voilà ce qui lui est arrivé un jour.

> C'est samedi. Il est sept heures du soir. Il fait beau. Pierre est chez lui. Il a envie de sortir. Il téléphone à Armelle, sa nouvelle copine. Il lui propose de faire une promenade en bateau sur le lac d'Annecy. Armelle accepte. Pierre prend sa moto et il va chercher Armelle. Il arrive chez elle. Armelle l'attend. Elle porte une belle robe rouge à fleurs et ses nouveaux souliers.°
>
> Pierre et Armelle arrivent au lac. Ils montent dans le bateau de Pierre. Pierre prend sa guitare. Il chante des chansons romantiques. Le ciel est clair. La lune et les étoiles brillent dans le ciel. Armelle écoute Pierre. Elle est très contente.
>
> Tout d'un coup° Pierre fait un mouvement brusque. Il tombe dans l'eau. Armelle perd l'équilibre et tombe dans l'eau aussi. L'eau est très, très froide. Pierre et Armelle nagent jusqu'à la plage. Armelle est trempée° . . . et furieuse. Sa robe et ses nouveaux souliers sont fichus°. Elle demande à Pierre de la raccompagner chez elle. Pauvre Pierre, il n'a pas de chance!

souliers *(shoes)* **tout d'un coup** *(all of a sudden)* **trempée** *(soaked)* **fichus** *(ruined)*

▶ Maintenant, mettez l'histoire au passé.
C'était un samedi pendant les vacances. . . .

5 Faits divers

Vous avez été témoin des faits divers suivants. Votre partenaire va choisir un de ces faits et vous poser des questions comme:

- C'était quand?
- Où étais-tu?
- Qu'est-ce que tu faisais?
- Qu'est-ce qui s'est passé?
- Qu'est-ce que tu as vu?
- Qu'est-ce que tu as fait?

Répondez à ses questions en utilisant votre imagination.

INCENDIE

Un incendie a eu lieu dans la nuit du 5 février aux établissements Dumoulin. Cet incendie, provoqué,° semble-t-il, par un court-circuit, a détruit l'atelier° de constructions mécaniques et a fait deux millions de francs de dégâts.°

provoqué *caused*
atelier *workshop*
dégâts *damages*

ACCIDENT

Un accident de la circulation a eu lieu hier après-midi vers trois heures à l'inter-section de la rue Victor Hugo et l'avenue de la République. Une voiture de tourisme, conduite par Monsieur Picard, professeur au lycée Descartes, est entrée en collision avec un camion de l'armée. L'accident, provoqué par la neige, n'a pas fait de victime.

CAMBRIOLAGE

Un cambriolage a eu lieu le weekend dernier dans un magasin d'antiquités de la rue de la Paix. D'après les déclarations de Madame Durand, la propriétaire, les cambrioleurs ont emporté° quelques statues sans valeur mais ont laissé une collection de monnaies° anciennes estimée à un million de francs.

emporter *to carry off, steal*
monnaies *coins*

MARIAGE PRINCI

Le mariage de la prince Sophie a été célébré le 15 dans la chapelle du château Rambucourt. La princes vêtue de satin blanc, a accompagnée à l'autel° par père, l'archiduc Ferdinand.

autel *altar*

---

6 À votre tour

Racontez un événement de votre vie. Décrivez la scène et les événements principaux. Vous pouvez décrire, par exemple . . .

- un accident
- un anniversaire
- un mariage
- une fête familiale
- un événement sportif auquel vous avez participé
- un concert ou un spectacle

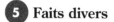

130 **Unité 3 PARTIE 2**

🔲 Teaching Strategy: Multiple Intelligences

Have the students draw or cut out from magazines or newspapers a picture that they could then describe using ten sentences in both the **passé composé** and the **imparfait.** Their sentences should include a description of the background scene and background information as well as an explanation of the specific action that is taking place in the picture. The next day in class they should show their pictures to the class and present their description without reading the prepared sentences. (SPATIAL/LINGUISTIC)

B. L'imparfait et le passé composé dans la même phrase

In describing a past event, we may use both the PASSÉ COMPOSÉ and the IMPERFECT in the same sentence.

SPECIFIC ACTION *(what people did)*	ON-GOING OR PROGRESSIVE ACTION *(what was happening)*
J'**ai vu** un accident ...	pendant que j'**attendais** le bus.
Le cambrioleur **est entré** ...	pendant que les voisins **dormaient**.
Quand tu **as téléphoné**, ...	je **regardais** la télé.
Quand l'orage **a commencé**, ...	nous **nous promenions**.
J'**ai observé** un oiseau ...	qui **chantait** dans un arbre.
Tu **as pris** une photo de ton cousin ...	qui **faisait** de la planche à voile.

The relationship between events and the corresponding choice of the passé composé or the imperfect can be illustrated as follows:

SPECIFIC ACTION	J'**ai vu** un accident	Quand tu **as téléphoné**	J'**ai observé** un oiseau
PROGRESSIVE ACTION	pendant que j'**attendais** le bus.	je **regardais** la télé.	qui **chantait** dans un arbre.

→ Depending on what action is being described, either the PASSÉ COMPOSÉ or the IMPERFECT may be used after **quand**.

J'ai téléphoné **quand tu regardais** la télé.   *I called **when you were watching** television.*
Je téléphonais **quand tu es parti**.   *I was talking on the phone **when you left**.*

Les expressions de temps

PREPOSITION (+ noun)		
pendant	*during*	Qu'est-ce que tu as fait **pendant** les vacances?
CONJUNCTION		
pendant que	*while*	Qu'est-ce que tu as fait **pendant que** je jouais au golf?
lorsque	*when*	J'ai rencontré Paul **lorsqu'**il travaillait à Paris.
au moment où	*just as*	Je suis arrivé à la gare **au moment où** le train partait.

■ Note linguistique

It is also possible for two specific actions or two progressive actions to occur in the same sentence.

Je **suis parti**

quand tu **es rentré**.

Je **prenais** un bain de soleil

pendant que tu **nageais**.

7 Où étais-tu?

Demandez à votre partenaire où il/elle était quand certaines choses sont arrivées. Il/elle va répondre en utilisant l'expression suggérée ou une expression de son choix.

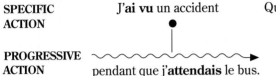

Où étais-tu quand j'ai téléphoné?

Qu'est-ce que tu faisais?

J'étais dans ma chambre.

Je dormais.

1. • je suis passé(e)
   • au jardin
   • tondre la pelouse

2. • tu as vu l'incendie
   • dans la rue
   • me promener

3. • tu t'es cassé la jambe
   • à la montagne
   • faire de l'alpinisme

4. • tu as vu l'ours *(bear)*
   • à la campagne
   • faire du camping

5. • le cambrioleur est entré
   • dans la salle de bains
   • se laver les cheveux

6. • l'homme s'est noyé
   • à la plage
   • prendre un bain de soleil

Langue et communication **131**

■ **Teaching Note**
120 kilomètres à l'heure =
74.5 mph

8 **Rencontres de vacances** ————————————

Décrivez les rencontres suivantes.

▶ à la plage / Thomas / parler à une fille / prendre un bain de soleil
À la plage, Thomas a parlé à une fille qui prenait un bain de soleil.

1. à la montagne / nous / voir des gens / faire de l'escalade
2. pendant l'excursion / Philippe / rencontrer un camarade / se promener dans les bois
3. à la mer / tu / prendre des photos d'un ami / faire de la planche à voile
4. au café / nous / écouter un étudiant / jouer de la guitare
5. au musée / vous / parler à des touristes / visiter la ville
6. dans la rue / Sophie / rencontrer des copains / aller au cinéma

9 **Zut alors!** ————————————

Certaines choses arrivent toujours au mauvais moment. Décrivez ce que les personnes faisaient quand certaines choses sont arrivées.

▶ Je visite la Guadeloupe / quand / il y a un ouragan
Je visitais la Guadeloupe quand il y a eu un ouragan.

1. Philippe regarde les filles / quand / il tombe dans l'eau
2. Mon cousin va à 120 à l'heure / lorsque / la police l'arrête
3. Nous faisons une promenade à pied / quand / l'orage commence
4. Thomas écrit à sa copine / au moment où / le professeur lui pose une question
5. Marc gagne le match de tennis / lorsque / il glisse et se casse le bras
6. Jérôme embrasse *(kisses)* Alice / au moment où / le père d'Alice entre

10 **D'autres mésaventures** ————————————

Décrivez les mésaventures *(mishaps)* suivantes au passé.

1. Nous montons à la Tour Eiffel. Pendant que nous sommes dans l'ascenseur, il y a une panne d'électricité.
2. Caroline et Sandrine font du camping. Pendant qu'elles dorment, un raton-laveur *(raccoon)* mange leurs provisions.
3. Monsieur Malchance monte sur le toit pour réparer l'antenne de télévision. Pendant qu'il la répare, un vent fort souffle et l'échelle *(ladder)* tombe. Monsieur Malchance reste toute la nuit sur le toit.
4. Roméo va sous le balcon de Juliette et lui chante une chanson d'amour. Pendant qu'il chante, le père de Juliette lui jette un seau *(bucket)* d'eau sur la tête.

Le passé simple

ke the PASSÉ COMPOSÉ, the PASSÉ SIMPLE is used to describe what
ople DID, what HAPPENED.

though you do not need to learn how to write the passé simple, you
ould be able to recognize its forms since the tense is often used in
itten narration and literary texts.

Passé simple

Expansion ▶

pp. R32-33

te the passé simple of regular verbs:

INFINITIVE		parler	finir	répondre
PASSÉ SIMPLE	je	parl**ai**	fin**is**	répond**is**
	tu	parl**as**	fin**is**	répond**is**
	il/elle/on	parl**a**	fin**it**	répond**it**
	nous	parl**âmes**	fin**îmes**	répond**îmes**
	vous	parl**âtes**	fin**îtes**	répond**îtes**
	ils/elles	parl**èrent**	fin**irent**	répond**irent**

For most irregular verbs, the stem of the passé simple is similar to the past participle:

aller (**allé**) → il **alla** ils **allèrent**   prendre (**pris**) → il **prit**   ils **prirent**
avoir (**eu**) → il **eut**   ils **eurent**   recevoir (**reçu**) → il **reçut** ils **reçurent**

Note the following common irregular forms:

être → il **fut**   ils **furent**   venir → il **vint**   ils **vinrent**
faire → il **fit** ils **firent**   voir → il **vit**   ils **virent**

) Un peu d'histoire

Lisez l'histoire d'une exploration importante. Puis, racontez
cette histoire à votre partenaire en remplaçant le passé simple
par le passé composé.

Jacques Cartier (1491–1557) est l'un des grands explorateurs
ançais. Il naquit à Saint-Malo en 1491. Dans sa jeunesse, il alla au
ortugal, au Brésil et probablement dans la région de Terre-Neuve.° En
534, le roi de France lui donna la mission d'explorer les côtes° de
Amérique du Nord. Cartier et ses hommes partirent de Saint-Malo
 20 avril et arrivèrent dans la région de Gaspé au Canada le 25 juillet.
artier descendit à terre, planta une croix dans le sol et prit possession
 la région au nom du roi de France. L'expédition revint en France
 elle fut reçue en triomphe. Jacques Cartier fit un second
oyage en 1535 avec la mission cette fois de chercher de l'or et des
erres précieuses. Il ne trouva pas d'or mais il découvrit un immense
euve qu'il nomma Saint-Laurent. Cartier remonta le fleuve jusqu'au
te d'un village indien, Hochelaga, aujourd'hui Montréal. Les premiers
olons français s'installèrent au Canada 70 ans plus tard. C'est ainsi
ue le Canada devint un territoire français.

erre-Neuve *(Newfoundland)*   les côtes *(coast)*

Langue et communication **133**

UNITÉ 3

Interdisciplinary/ Community Connections

Create a travel brochure or
video, in French, for French-
speaking visitors to your area.

Language Arts: Have
students write to various
organizations and clubs in
your town for sites and
activities.

Math: Compile statistics for
busiest times of year. Or
calculate travel time between
sites and use this information
to plan daily itineraries.

Science: Find out about
weather patterns during
different seasons to include
in the brochure.

Social Studies: Write a brief
history of an important
person, building, or organization in town.

Art/Music: Collect photos,
maps, and illustrations to use
in the brochure. Or gather
props and background music
selections typical of your
area to be used in a video.

Technology: Use a computer
to implement the design of
the brochure, or use a video
camera to record a video.
Or investigate how technology has affected your town.

Community: Donate the
brochure or videotape to a
local travel agency or
tourism bureau.

Note culturelle

Jacques Cartier died in Saint-
Malo, France, after having
made another trip to Canada.

Teaching Strategy

For additional recognition practice, have
students identify the infinitives of the
following **passé simple** forms:

il crut (croire)	**il dit** (dire)
il but (boire)	**il lut** (lire)
il partit (partir)	**il mit** (mettre)

Have students guess:
il écrivit (écrire)
il découvrit (découvrir)
il construisit (construire)
il mourut (mourir)

Unité 3 133

LECTURE

 Reading
STRATEGY

Reading fiction

TEACHING RESOURCES

 Transparency L3

Overhead Visuals Copymasters and Activities, pp. A123–A124

Internet Connection Notes, Long-Term Internet Project, p. 62

■ **Additional Information**

Other books featuring Petit Nicolas are: **Le Petit Nicolas,** and **Petit Nicolas et copain.**

■ **Note linguistique**

La récré is the popular abbreviated form of **la récréation** *(recess).*

■ **Pour en savoir plus**

For more information on *Astérix,* refer students to *Interlude 2,* pp. 100–101.

LECTURE

King

Sempé et Goscinny

AVANT DE LIRE

L'histoire suivante est extraite d'un album humoristique intitulé **Les Récrés du petit Nicolas.** Le petit Nicolas est un peu l'équivalent français de «Denis la Menace». C'est un garçon de 6 ou 7 ans. Il est généreux, affectueux, vif d'esprit,° parfois turbulent, mais sans méchanceté.° Il adore ses parents, aime les animaux, et il a toute une bande de copains. Comme à tous les enfants de son âge, il lui arrive parfois° de «faire des bêtises»,° ou bien, très innocemment, de créer des situations plus ou moins embarrassantes pour ses parents, ses voisins ou ses professeurs.

Notez que dans ce récit, c'est le Petit Nicolas qui parle. Les impressions présentées et le style utilisé sont, par conséquent, ceux d'un jeune enfant français.

Les divers albums relatant les aventures du *Petit Nicolas* sont le produit de la collaboration d'un illustrateur et d'un écrivain. **Jean-Jacques Sempé** (né en 1932), l'illustrateur, a collaboré à de nombreux magazines. Il est aussi le père d'un fils qui s'appelle ... Nicolas. **René Goscinny** (1926-1977), l'écrivain, a créé d'autres personnages très célèbres en France comme *Astérix* et le cow-boy *Lucky Luke.*

NOTE CULTURELLE

Le jardin public

Les villes françaises ont généralement un **jardin** ou **parc public** où les petits enfants viennent jouer, les personnes âgées se reposer, et les gens de tout âge se promener. Ces jardins publics sont généralement très bien entretenus° et très bien équipés. On y trouve généralement des massifs de fleurs,° des pelouses de gazon,° une pièce d'eau° avec une fontaine, des jeux pour les petits enfants, et des bancs.° Pour maintenir le bon usage de ces jardins, un grand nombre d'activités sont interdites.° Il est interdit, par exemple, de faire de la bicyclette dans les allées, de marcher sur les pelouses, de jouer au frisbee ou au volley, de faire des pique-niques et d'aller à la pêche dans les pièces d'eau.

Les jardins publics sont généralement placés sous la surveillance d'un gardien. Le gardien est souvent un homme âgé (un ancien militaire, par exemple). Il porte un uniforme et une casquette, del et, pour maintenir l'ordre, il utilise un sifflet.

Anticipons un peu

Pour mieux comprendre une histoire, il est parfois utile de participer indirectement à cette histoire en prenant la place d'un observateur et en essayant d'anticiper ce qui va arriver. Imaginez, par exemple, que vous êtes le frère aîné ou la soeur aînée du petit Nicolas. Vous avez appris que celui-ci est parti faire une promenade avec ses copains dans un endroit où il y a un étang.° Connaissant bien votre petit frère, vous vous doutez bien° qu'il va rapporter quelque créature vivante de cette promenade. Avant de lire l'histoire, essayez de deviner°...

- quel animal le petit Nicolas va rapporter de l'étang
- qu'est-ce qu'il a l'intention de faire avec cet animal
- comment vos parents vont réagir°

vif d'esprit *alert* **méchanceté** = *malice* **il lui arrive parfois de** *it sometimes happens that he* **bêtises** = *choses pas très intelligentes* **étang** *pond* **vous vous doutez bien** = *vous êtes assez sûr* **deviner** *guess* **réagir** *to react* **entretenus** *maintained* **massifs de fleurs** *flower beds* **gazon** *grass* **pièce d'eau** *pool* **banc** *bench* **interdites** *forbidden* **casquette** *cap*

134 Unité 3

 Teaching Strategy

This story uses a variety of verb forms: the *present,* the *passé composé,* the *imperfect,* the *pluperfect,* the *subjunctive,* and also the *future* and *conditional.* With respect to the future and conditional forms in the text, you may ...
- simply treat them as vocabulary items;

- BRIEFLY review the basic forms of the future, which were presented in Unit 8 of DISCOVERING FRENCH–*BLANC;*
- BRIEFLY present the future and conditional as anticipatory structures (cf. Unit 5, pp. 201, 204, 207).

134 Unité 3

1.

Mes copains et moi, nous avons décidé d'aller à la pêche!

Il y a un square° où nous allons jouer souvent, et dans le square il y a un chouette étang. Et dans l'étang il y a des têtards, et c'est ça que nous avons décidé de pêcher. Les têtards, ce sont de petites bêtes qui grandissent et qui deviennent des grenouilles.

À la maison, j'ai pris un bocal à confitures° vide et je suis allé dans le square, en faisant bien attention que le gardien ne me voie pas. Le gardien du square a une grosse moustache, une canne, et un sifflet à roulette comme celui du papa de Raoul, qui est agent de police.° Le gardien nous gronde° souvent, parce qu'il y a des tas de choses qui sont défendues dans le square: il ne faut pas marcher sur l'herbe, monter aux arbres, arracher les fleurs, faire du vélo, jouer au football, jeter des papiers par terre, et se battre.° Mais on s'amuse bien quand même!

Édouard, Raoul, et Clotaire étaient déjà au bord de l'étang avec leur bocaux. Alceste est arrivé le dernier—il nous a expliqué qu'il n'avait pas trouvé de bocal vide et qu'il avait dû en vider un. Il avait encore plein de° confiture sur la figure, Alceste.

Comme le gardien n'était pas là, on s'est tout de suite mis à pêcher.

C'est très difficile de pêcher des têtards! Il faut se mettre à plat ventre° sur le bord° de l'étang, plonger le bocal dans l'eau, et essayer d'attraper les têtards qui bougent et qui n'ont pas du tout envie d'entrer dans les bocaux. Le premier qui a eu un têtard, c'était Clotaire, et il était tout fier, parce qu'il n'est pas habitué° à être le premier en quoi que ce soit.°

Et puis, à la fin, nous avons tous eu notre têtard. C'est-à-dire qu'Alceste n'a pas réussi à en pêcher un, mais Raoul, qui est un pêcheur formidable, en avait deux dans son bocal, et il a donné le plus petit à Alceste.

— Et qu'est-ce qu'on va faire avec nos têtards? a demandé Clotaire.

square = jardin public   **confitures** *jam*   **un agent de police** *policeman*   **gronde** *scolds*   **se battre** *to fight*   **plein de** = beaucoup de
se mettre à plat ventre *lie down on your stomach*   **bord** *edge*   **habitué à** *accustomed, used to*   **quoi que ce soit** *whatever it is*

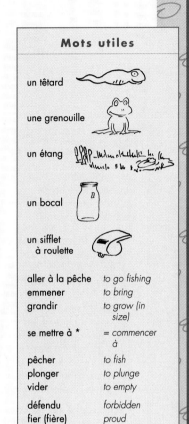

Mots utiles

un têtard	
une grenouille	
un étang	
un bocal	
un sifflet à roulette	

aller à la pêche	*to go fishing*
emmener	*to bring*
grandir	*to grow (in size)*
se mettre à *	= commencer à
pêcher	*to fish*
plonger	*to plunge*
vider	*to empty*
défendu	*forbidden*
fier (fière)	*proud*
vide	*empty*
quand même	*anyhow*

Langage familier

une bête = un animal
chouette = super
rigolo = amusant
des tas de = beaucoup de

■ **Note linguistique**

Le square is a small public park, generally fenced.

■ **Irregular Verbs**

(see Appendix C)
mettre

If you prefer, you may hold this reading until after Unit 5 where the future and conditional are formally introduced.

30   — Ben, a répondu Raoul, on va les emmener chez nous, on va attendr
qu'ils grandissent et qu'ils deviennent des grenouilles, et on va faire des
courses. Ce sera rigolo.

     — Et puis, a dit Édouard, les grenouilles, c'est pratique, ça monte sur
une petite échelle et ça vous dit le temps qu'il fera!

35   — Et puis, a dit Alceste, les cuisses de grenouilles, avec de l'ail, c'est
très, très bon!

     Et Alceste a regardé son têtard, en se passant la langue° sur les lèvres.

langue *tongue*

■ *Avez-vous compris?*

(Sample answers)

1. Un têtard, c'est un petit animal qui devient une grenouille plus tard.
2. Le gardien du square surveille les gens qui viennent dans le square. S'ils font des choses défendues, il utilise son sifflet.
3. Ils ont attrapé les têtards dans des bocaux de confiture vides.
4. Pour obtenir un bocal vide, Alceste a mangé toute la confiture!
5. Il n'a pas attrapé de têtard, mais Raoul lui en a donné un.
6. Ils veulent les emmener chez eux et attendre qu'ils deviennent des grenouilles.

NOTE CULTURELLE

Les grenouilles sont des animaux très communs en France. On les trouve un peu partout: dans les étangs, dans les lacs, dans les rivières. Les grenouilles font partie du folklore français.

● **Les grenouilles et la météo.**
D'après le folklore, on peut prédire le temps en observant les grenouilles. Si les grenouilles restent dans l'eau, il va faire beau. Si les grenouilles sortent de leur étang pour chercher un terrain sec,° il va pleuvoir. Autrefois, on mettait une grenouille dans un grand bocal avec de l'eau et une petite échelle. Si la grenouille montait à l'échelle, c'était un signe d'orage.

● **La course de grenouilles.**
Traditionnellement, à la campagne, les enfants attrapaient des grenouilles et organisaient des courses pour voir laquelle irait le plus vite.

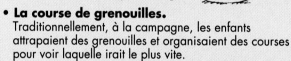

● **Les cuisses de grenouilles.**
Contrairement à ce que pensent beaucoup d'Américains, les cuisses de grenouilles ne sont pas un plat typiquement français. En fait, pratiquement aucun° restaurant français ne sert ce plat.

sec *dry*   **aucun** *no*

Avez-vous compris?

1. Qu'est-ce que c'est qu'un têtard?
2. En quoi consiste le travail du gardien du square?
3. Comment Nicolas et ses copains ont-ils attrapé les têtards?
4. Qu'est-ce qu'Alceste a fait pour obtenir un bocal vide?
5. Comment Alceste a-t-il eu un têtard?
6. Qu'est-ce que les enfants veulent faire avec leurs têtards?

Anticipons un peu

Quelle va être la réaction de la mère du p Nicolas quand elle va voir le têtard?

● Elle va être heureuse que son fils s'intéré à la nature.
● Elle va acheter un aquarium pour le têtard.
● Elle va demander à son fils de se débarrasser de *(to get rid of)* cet animal immédiatement.
● Elle va se débarrasser elle-même de l'animal.
● Autre possibilité?

NOTE CULTURELLE

French children are very familiar with frog stories, such as those in the fables of La Fontaine: **La grenouille qui voulait se faire plus grosse que le boeuf** and **Les grenouilles qui voulaient un roi.**

Ask students if they know any frog stories in English. (Students will know Kermit, from Sesame Street, of course!)

_2._

Et puis nous sommes partis en courant parce que nous avons vu ~~le~~ gardien du square qui arrivait. Dans la rue, en marchant, je voyais mon ~~t~~êtard dans le bocal, et il était très chouette. Il bougeait° beaucoup, et j'étais ~~s~~ûr qu'il deviendrait une grenouille formidable, qui allait gagner toutes les ~~c~~ourses. J'ai décidé de l'appeler King; c'est le nom d'un cheval blanc que j'ai ~~v~~u jeudi dernier dans un film de cow-boys. C'était un cheval qui courait très ~~v~~ite et qui venait quand son cow-boy le sifflait. Moi, je lui apprendrai à faire ~~d~~es tours, à mon têtard, et quand il sera grenouille, il viendra quand je ~~l~~e sifflerai.

Quand je suis entré dans la maison. Maman m'a regardé et elle s'est ~~m~~ise à pousser des cris: «Mais regarde-moi dans quel état tu t'es mis! ~~T~~u as de la boue° partout, tu es trempé comme une soupe! Qu'est-ce ~~q~~ue tu as encore fabriqué?»

C'est vrai que je n'étais pas très propre, surtout que j'avais oublié ~~d~~e rouler° les manches° de ma chemise quand j'avais mis mes bras dans ~~l~~'étang.

— Et ce bocal? a demandé Maman, qu'est-ce qu'il y a dans ce bocal?

— C'est King, j'ai dit à Maman en lui montrant mon têtard. Il va ~~d~~evenir grenouille, il viendra quand je le sifflerai, il nous dira le temps ~~q~~u'il fait, et il va gagner des courses!

Maman a fait une tête avec le nez tout chiffonné.°

— Quelle horreur! a crié Maman. Combien de fois faut-il que je te ~~d~~ise de ne pas apporter des saletés° dans la maison?

— Ce n'est pas des saletés, j'ai dit, c'est propre comme tout, c'est tout ~~l~~e temps° dans l'eau, et je vais lui apprendre à faire des tours!

— Eh bien, voilà ton père, a dit Maman; nous allons voir ce qu'il en ~~d~~it!

Et quand Papa a vu le bocal, il a dit: «Tiens! C'est un têtard.» Et il est ~~a~~llé s'asseoir dans le fauteuil pour lire son journal. Maman était toute ~~f~~âchée.

— C'est tout ce que tu trouves à dire? elle a demandé à Papa. Je ne ~~v~~eux pas que cet enfant ramène toutes sortes de sales bêtes à la maison!

— Bah! a dit Papa, un têtard, ce n'est pas bien gênant…

~~b~~ougeait _was moving around_ **boue** _mud_ **rouler** _to roll up_ **manches** _sleeves_ **chiffonné**
~~w~~rinkled **une saleté** _something gross, dirty_ **tout le temps** = toujours

Mots utiles

faire des tours	to do tricks
pousser des cris	to scream
prévenir *	to warn
ramener	to bring back
siffler	to whistle
fâché	upset
gênant	bothersome
parfait	perfect
propre ≠ sale	clean ≠ dirty, nasty
trempé	soaking wet
partout	everywhere
puisque	since

Langage familier

fabriquer = faire

Avez-vous compris?

1. Pourquoi les enfants ont-ils quitté l'étang en courant?
2. Quel nom le petit Nicolas a-t-il donné à son têtard et pourquoi?
3. Dans quel état le petit Nicolas est-il rentré chez lui?
4. Quelle a été la réaction de sa mère quand elle a vu le bocal?
5. Quelle a été la réaction de son père?

Anticipons un peu

D'après vous, que va faire le père du petit Nicolas pour résoudre le conflit?

■ Irregular Verb

(see Appendix C)
prévenir   (see venir)

■ Avez-vous compris?

(Sample answers)

1. Ils ont quitté l'étang en courant parce que le gardien arrivait, et c'est interdit de pêcher dans l'étang.
2. Il l'a appelé King, le nom d'un cheval qui courait très vite dans un film de cowboy, un nom de champion!
3. Il est rentré très sale et trempé.
4. Sa mère n'a pas été contente. Elle a dit que c'était une saleté.
5. Il a dit: «Tiens! C'est un têtard.» et il a commencé à lire son journal.

⚡ Teaching Strategy

Point out some familiar French expressions from the text. Have students infer their meaning:

- **Il était très chouette**. (It was really great. **chouette** = owl)
- **pousser des cris** (to scream)
- **être trempé comme une soupe** (to be soaking wet)
- **C'est propre comme tout**. (It's very clean.)

3.

70　Eh bien, parfait, a dit Maman, parfait! Puisque je ne compte pas, je ne dis plus rien. Mais je vous préviens, c'est le têtard ou moi!

Et Maman est partie dans la cuisine.

Papa a poussé un gros soupir° et il a plié son journal.

— Je crois que nous n'avons pas le choix, Nicolas, il m'a dit. Il va falloir se débarrasser de cette bestiole.°

Moi, je me suis mis à pleurer. J'ai dit que je ne voulais pas qu'on fasse du mal à King, et que nous étions déjà copains tous les deux. Papa m'a pris dans ses bras.

— Ecoute, mon petit bonhomme,° il m'a dit. Tu sais que ce petit

75　têtard a une maman grenouille. Et la maman grenouille doit avoir beaucoup de peine d'avoir perdu son enfant. Maman ne serait pas contente si on t'emmenait dans un bocal. Pour les grenouilles, c'est la même chose. Alors, tu sais ce qu'on va faire? Nous allons partir tous les deux et nous allons remettre le têtard où tu l'as pris, et puis tous les dimanches tu

80　pourras aller le voir. Et en revenant à la maison, je t'achèterai une tablette° de chocolat.

Moi, j'ai réfléchi un moment, et j'ai dit: «Bon, d'accord.»

Alors, Papa est allé dans la cuisine et il a dit à Maman, en riant, que nous avions décidé de la garder, et de nous débarrasser du têtard.

85　Maman a ri aussi. Elle m'a embrassé et elle a dit que pour ce soir elle ferait un gâteau. J'étais très consolé.

Quand nous sommes arrivés dans le jardin, j'ai conduit Papa, qui tenait le bocal, vers le bord de l'étang. J'ai dit: «C'est là.» Alors, j'ai dit au revoir à King, et Papa a versé dans l'étang tout ce qu'il y avait dans le bocal.

90　Et puis nous nous sommes retournés pour partir et nous avons vu le gardien du square qui sortait de derrière un arbre avec des yeux ronds.

— Je ne sais pas si vous êtes tous fous, ou si c'est moi qui le deviens, a dit le gardien, mais vous êtes le septième bonhomme, y compris° un agent de police, qui vient aujourd'hui jeter le contenu d'un bocal d'eau à cet

95　endroit précis° de l'étang.

a poussé un gros soupir *let out a large sigh*　**une bestiole** = une petite bête
bonhomme = homme　**tablette** *bar*　**y compris** *including*　**cet endroit précis** *this very spot*

Mots utiles

avoir de la peine	= être triste
conduire *	*to lead*
se débarrasser	*to get rid of*
faire du mal à	*to hurt*
plier	*to fold (up)*
réfléchir	*to think things over*
rire *	*to laugh*
tenir *	*to hold*
verser	*to pour*
fou (folle)	*crazy*
vers	*toward*

■ **Avez-vous compris?**

(Sample answers)

1. Il lui explique qu'il ne peut pas garder le têtard à la maison.
2. Il se met à pleurer.
3. Il dit que la maman grenouille est triste parce que le têtard est parti.
4. Elle rit, et elle dit qu'elle va faire un gâteau.
5. Il a vu sept hommes qui ont jeté le contenu de bocaux dans l'étang. Il pense qu'ils sont fous parce qu'il ne sait pas qu'il y a des têtards dans les bocaux.

■ **Irregular Verbs**

(see Appendix C)
conduire
rire
tenir

Avez-vous compris?

1. Qu'est-ce que le père du petit Nicolas explique à son fils?
2. Quelle est la première réaction du petit Nicolas?
3. Quels arguments le père utilise-t-il pour convaincre son fils de remettre le têtard dans l'étang?
4. Que fait la mère lorsqu'elle apprend la bonne nouvelle?
5. Qu'est-ce que le gardien du square a vu? Pourquoi pense-t-il que ces gens sont fous?

👀 Teaching Strategy: Expansion

Divide the class into groups. Have students brainstorm an expansion on the story by imagining an additional scene. After each group has come up with a scenario, have them present it to the class.

Scenario: Le lendemain, Petit Nicolas rencontre son ami Alceste. Ils racontent et comparent ce qui s'est passé quand ils sont rentrés chez eux et ont montré le têtard à leurs parents.

Rôles: Petit Nicolas, Alceste

EXPRESSION ORALE

■ Expérience personnelle

Quand vous étiez petit(e), avez-vous trouvé un jour un animal que vous avez voulu apporter à la maison? Décrivez ce qui est arrivé. Par exemple . . .

- Quel animal était-ce?
- Où l'avez-vous trouvé?
- Quelle a été la réaction de votre père/mère?
- Qu'est-ce que vous avez fait de l'animal? Est-ce que vous l'avez gardé? Sinon, qu'est-ce que vous avez fait de lui?

■ Situations

Avec votre partenaire, choisissez l'une des situations suivantes. Composez le dialogue correspondant et jouez-le en classe.

---

1 Au marché

Au marché, la mère du petit Nicolas rencontre la mère d'Alceste. Elles parlent de ce que leurs enfants ont fait hier et quelles ont été leurs réactions.

Rôles: la mère de Nicolas, la mère d'Alceste

---

2 Au café

Le père du petit Nicolas et le père de Raoul se rencontrent au café et parlent de ce qui s'est passé. Ils décrivent...

- ce que leurs enfants ont fait
- comment leurs épouses ont réagi (reacted)
- comment le problème a été résolu (solved)

Rôles: le père de Nicolas, le père de Raoul

EXPRESSION ÉCRITE

■ Le sens de l'humour

Les Récrés du petit Nicolas sont un livre humoristique. Décrivez deux ou trois scènes ou situations qui vous paraissent humoristiques dans le récit que vous avez lu et expliquez pourquoi vous les trouvez drôles.

■ Une lettre

La mère du petit Nicolas écrit une lettre à sa soeur. Elle lui explique ce qui s'est passé hier.

■ Le rapport du gardien

Le gardien écrit un rapport sur ce qu'il a vu hier dans le square. Il décrit . . .

- où il était
- ce qu'il faisait
- ce qu'il a vu
- pourquoi c'était bizarre

—> **Hier, j'ai été témoin de quelque chose de bizarre. . . .**

🔲🔲 Expansion
Expérience personnelle
Suggestions:

un oiseau blessé (injured)
une salamandre
un petit écureuil
une tortue
un lapin
une souris
une grenouille
un serpent
un petit chat

■ Le sens de l'humour

Exemples de situations comiques:

- comment Alceste a trouvé/obtenu un bocal vide
- ce que les enfants projettent de faire avec leurs têtards
- comment le petit Nicolas essaie de convaincre sa mère
- comment le père essaie de convaincre son fils
- pourquoi le gardien du square est surpris

🌐 Realia Note

Sur la couverture du livre **Les récrés du petit Nicolas**, on voit les enfants jouer au football et jouer à saute-moutons (to play leapfrog).

📁 Student Portfolios

Ask students to respond to the following questions in a short story format:
- Y a-t-il un animal chez vous?
- Quel animal est-ce?
- Comment l'avez-vous eu?
- Comment s'appelle-t-il?
- Vos parents ont-ils accepté cet animal tout de suite? Pourquoi ou pourquoi pas?

The completed story should be included in the student's portfolio.

INTERLUDE CULTUREL

TEACHING RESOURCES

 Transparencies H1, 1, 1(o)

 Overhead Visuals Copymasters and Activities, pp. A5–A6, A141–142

 Internet Connection Notes, Interlude Culturel 3, pp. 63–64

■ Looking Ahead

The **châteaux** of France are featured on p. 147 of this Interlude.

INTERLUDE CULTUREL

■ *Les dates* ■ *Les événements*

La Renaissance (1500-1570)

La Renaissance

- **1453** Fin de la Guerre de Cent Ans

- **1515**

Règne de François Ier

- **1547**

La cour de François Ier

Après la Guerre de Cent Ans et la reconquê de son territoire, la France est finalement paix. La période qui commence s'appe la «**Renaissance**», c'est-à-dire le renouvelleme C'est une période de grande activité artistique culturelle. C'est à cette époque que les rois France ont habité en Touraine où ils ont construit magnifiques châteaux: **Chenonceaux, Amboi Chambord.**

Le château de Chambord est immense, avec plus de 400 pièces et 365 cheminées.

- **1589**

Règne d'Henri IV

- **1610**

Règne de Louis XIII

- **1643**

Le Grand Siècle

Règne de Louis XIV

Le Grand Siècle (1643-1715)

Le Grand Siècle, c'est le siècle de **Louis XIV**, ou «**Roi-Soleil**». C'est aussi période la plus brillante de l'histoire de France. Louis XIV est devenu roi l'âge de cinq ans et il a régné sur la Fran pendant 72 ans. Pendant son règne, il encouragé les arts et les sciences. Il a créé d académies de peinture, de sculpture, sciences, d'architecture. Avec Louis XIV, prestige de la culture française s'est répand dans toute l'Europe. Mais Louis XIV était au un roi autoritaire et ambitieux. De son châte de **Versailles** il exerçait un pouvoir absolu sur reste du pays. C'est lui qui a dit: «L'État, c'e moi!» Louis XIV a engagé la France dans nombreuses guerres qui ont fini par ruiner pays.

- **1715** Mort de Louis XIV

Louis XIV à la guerre

s'est répandu spread

📠🌐 Teaching Strategy: Interdisciplinary/Community Connections

Since history is sometimes difficult for students, you may wish to do an interdisciplinary presentation in conjunction with the history department. Use Transparency H1 and an overlay that shows historical events in other parts of the world. You may also begin by showing sections of the movie version of *Cyrano* (see pp. 142–143) to spark student interest. (Students may know the Steve Martin film *Roxanne* as a version of *Cyrano*.)

Les personnes

François Ier et Mona Lisa

Jean Clouet «François Ier»

Léonard de Vinci la «Joconde»

Le roi **François Ier** (1494-1547) était très grand, très beau et très athlétique. Il aimait tous les sports de son époque, et en particulier le jeu de paume, l'ancêtre du tennis actuel. Sa grande passion était la chasse° qu'il pratiquait dans les forêts de ses châteaux de **Chambord** et **d'Amboise**.

C'était aussi un esprit fin° et cultivé qui aimait la musique, les arts et les lettres. Il a fait venir° dans son château d'Amboise le grand artiste italien **Léonard de Vinci** à qui il a acheté la «**Joconde**» ou «**Mona Lisa**», aujourd'hui le portrait le plus célèbre du monde.

La vie de cour sous François Ier

Louis XIV et sa cour

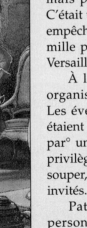

La cour de Louis XIV à Versailles

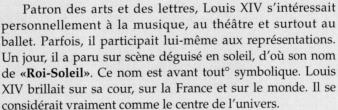

Louis XIV

Louis XIV (1638-1715) a longtemps vécu au château de **Versailles**. Il a construit ce château non seulement pour son plaisir, mais pour attirer les nobles du pays. C'était une façon de les contrôler et de les empêcher° de se révolter contre lui. Trois mille personnes vivaient au château de Versailles.

À la cour de Louis XIV, tout était organisé autour de la personne du roi. Les événements de sa vie quotidienne° étaient des cérémonies officielles, réglées par° une étiquette très stricte. C'était un privilège d'assister au lever, au dîner, au souper, au coucher du roi. Seuls les grands seigneurs° étaient invités.

Patron des arts et des lettres, Louis XIV s'intéressait personnellement à la musique, au théâtre et surtout au ballet. Parfois, il participait lui-même aux représentations. Un jour, il a paru sur scène déguisé en soleil, d'où son nom de «**Roi-Soleil**». Ce nom est avant tout° symbolique. Louis XIV brillait sur sa cour, sur la France et sur le monde. Il se considérait vraiment comme le centre de l'univers.

la chasse *hunting* **fin** *refined* **fait venir** *brought* **empêcher** *to prevent* **quotidienne** *daily* **réglées par** *structured according to* **seigneurs** = *nobles* **avant tout** *above all*

Notes historiques

- C'est au nom de François 1er que Jacques Cartier prit possession du Canada en 1534.
- En 1682, Cavelier de La Salle prit possession d'un vaste territoire en Amérique du Nord qu'il appela Louisiane en l'honneur de son roi, Louis XIV.
- Louis XIV a survécu à son fils et à son petit-fils. À sa mort, ce fut son *arrière-petit-fils* qui a pris sa succession sous le nom de Louis XV.

Notes culturelles

- Léonard de Vinci a peint le tableau *La Joconde* vers 1499-1512. François 1er l'a acheté en 1517 pour un prix de 4000 florins d'or, soit 15 kilos *(33 lbs)* d'or. Léonard de Vinci est mort en France, en 1519, près de la ville d'Amboise. *La Joconde* est aujourd'hui l'attraction principale du musée du Louvre à Paris.
- Le château de Versailles était un modeste pavillon de chasse du roi Louis XIII. Le palais devint un musée de l'histoire de France en 1887. En 1783, la France reconnaît l'indépendance des treize colonies américaines et signe le traité de Paris au château de Versailles.

LECTURE ET CULTURE **141**

Internet Connection—Interlude 3

The following list of Internet addresses expands the material presented in Interlude Unité 3. For alternate links, students can use the following keywords with the search engine of their choice: **"la Renaissance"; "le Grand Siècle"; "Louis XIV".**

Naissance de la culture française http://www.bnf.fr/loc/bnf0004.htm
Université d'Orléans (visite guidée du Val de Loire) http://web.univ-orleans.fr/

▪ *Cyrano de Bergerac* ▪

Cyrano de Bergerac a vraiment existé. Il a vécu à l'époque de **Louis XIV**. C'était un soldat et un écrivain qui a laissé° un curieux roman de science-fiction où il décrit un voyage dans la lune. Ce personnage historique serait cependant resté dans une tranquille obscurité s'il n'avait pas été transformé en héros de légende et immortalisé dans une comédie célèbre du 19ᵉ siècle.

Cette comédie, intitulée *Cyrano de Bergerac*, écrite il y a cent ans par Edmond Rostand, a connu un très grand succès à son époque. Depuis, elle a été mise en musique, adaptée à l'écran,° et maintes° fois transformée et parodiée.* Le dernier film en date, dans lequel l'acteur Gérard Depardieu joue le rôle principal, est une reproduction assez fidèle° de la pièce originale.

Cyrano de Bergerac est essentiellement une histoire d'amour, basée sur un gigantesque quiproquo° tragico-comique. **Cyrano** aime **Roxane** qui aime un autre homme, **Christian**. Mais si Roxane a d'abord été attirée° par la beauté physique de Christian, c'est pour la beauté de sa poésie qu'elle l'aime vraiment. Or, cette poésie n'est pas celle de Christian, mais celle de l'infortuné Cyrano.

Cyrano, le héros de l'histoire, est un vaillant soldat du régiment des Cadets de Gascogne. Il est brave, courageux, téméraire° à l'extrême. C'est aussi un poète à l'âme tendre.° Il est bon, loyal, généreux, intelligent, spirituel,° sensible et il écrit de magnifiques vers. Il a toutes les qualités possibles sauf une: il n'est pas beau.

Cyrano est en effet affligé d'une infirmité incurable: Il a un nez monstrueusement long. Cette infirmité le rend très susceptible° auprès° des hommes, et très timide auprès des femmes. Personne en sa présence ne peut mentionner le mot «nez». Cyrano est secrètement amoureux de sa cousine Roxane, mais il sait qu'il n'a aucune chance, précisément à cause de cet immense nez qui le défigure...

* Une parodie classique est le film américain *Roxanne* où Steve Martin joue le rôle d'un pompier *(fireman)* amoureux.

Documents: «Cyrano de Bergerac»

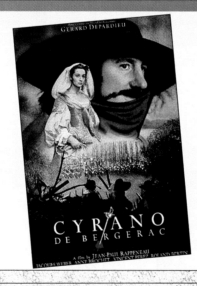

Le film Cyrano de Bergerac (1990) reproduit fidèlement la pièce de théâtre.

L'action de la pièce se passe dans la France du 17ᵉ siècle. Dans la première scène, une foule° se presse° pour assister à un spectacle de **Montfleury**, comédien en vogue, mais ennemi de Cyrano. Dans cette foule, on reconnaît tous les personnages principaux de l'histoire, et d'abord **Roxane**. Elle est belle, coquette, romanesque et éprise° de poésie. Tous les hommes sont amoureux d'elle. Ce jour-là, elle est accompagnée de **de Guiche**, un seigneur noble et puissant° qui lui fait la cour.°

laissé *left* **écran** *screen* **maintes** = plusieurs **fidèle** *faithful* **quiproquo** *misunderstanding* **attirée** *attracted* **téméraire** *bold* **à l'âme tendre** *with a soft heart* **spirituel** *witty* **susceptible** *touchy* **auprès de** = avec **foule** *crowd* **se presse** *hurries* **éprise** *enamoured* **puissant** *powerful* **lui fait la cour** *is courting her*

142 INTERLUDE: Les Grands Moments de l'Histoire de France (1453-1715)

 TEACHING RESOURCES

Internet Connection Notes, *Cyrano de Bergerac,* p. 65

🖥 Teaching Note

Students should be encouraged to see Rappeneau's movie version of *Cyrano de Bergerac,* which is available on videocassette. If the film is used in class, you will want to focus on those scenes where the dialog is clear and understandable, and view rapidly (or skip) those passages which are well above the students' linguistic level.

🌐 Notes culturelles

- Edmond Rostand (1868-1918) was a member of the **Académie française**. He wrote **Cyrano de Bergerac** in 1897.
- **Savinien de Cyrano de Bergerac** (1619-1655) wrote several plays as well as imaginary travel logs such as **Histoire comique des États et Empires de la lune,** and **Histoire comique des États et Empires du soleil.**
- Jose Ferrer won the Oscar for Best Actor for his interpretation of the title role in the 1950 movie *Cyrano de Bergerac.*

🔆 Teaching Strategy: Expansion

Have students look at the movie poster and give their opinion. What do they think the movie is about? Does the poster make them feel like going to see this movie? Why or why not?

142 Unité 3

🌐 Internet Connection—Interlude 3

Any cinephiles in the class? Would your students be interested in seeing what their French peers think about current and classic film? Students may wish to subscribe to the French cinema mailing list, or visit the group's website and archived commentary. Both addresses are listed below.

Address Book: Cinema mailing list
Send an e-mail to listserv@auvm.bitnet. Type **Subscribe CINEMA-L prénom nom** in the subject line.
For an extended list of French language mailing lists, you may wish to consult
http://www.rescol.ca/adm/biblio/repertoire/liste.html

Mais Roxane pense secrètement à un jeune homme qu'elle a aperçu un jour et dont elle est tombée secrètement amoureuse. C'est le beau **Christian**, qui, lui aussi, est dans la foule à la recherche de Roxane. Le public s'impatiente.

On attend Montfleury, mais on attend aussi **Cyrano** qui a promis de lancer un défi° à Montfleury. Montfleury entre en scène. Est-ce que Cyrano viendra? Oui, il arrive! D'une voix éclatante,° il ridiculise Montfleury et le chasse de scène.

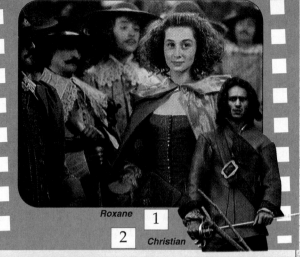

Roxane

1

2 Christian

Tous les spectateurs ne sont pas contents de l'interruption du spectacle, en particulier de Guiche et son neveu Valvert. Celui-ci va défier Cyrano en lui disant «Monsieur, vous avez un grand nez». Stimulé par cette insulte suprême, Cyrano se lance alors dans la fameuse tirade où il fait l'éloge de son appendice nasal. Puis, il traite Valvert de sot° et engage celui-ci dans un duel, tout en composant des vers. Tout cela se passe sous les yeux de la belle Roxane, très fière de la bravoure et de l'intelligence de son cousin.

Après le duel, Cyrano va accompagner un ami chez lui. Il tombe dans une embuscade° d'où il sort victorieux à un contre cent. L'histoire de cet exploit fait le tour° de la ville et Cyrano devient le héros du jour. Entre-temps°, Roxane lui a envoyé sa dame de compagnie° pour lui demander un rendez-vous.

3 Le spectacle a commencé et Cyrano vient d'arriver. En présence de sa cousine Roxane, Cyrano s'adresse à son ennemi, le comédien Montfleury, et le ridiculise.

Intimidé, mais reprenant espoir,° Cyrano va au rendez-vous. Après un long préambule où elle évoque leur enfance passée ensemble et leur longue amitié, Roxane déclare son amour pour . . . Le visage de Cyrano s'illumine.° Pour lui? Hélas, non! Ce n'est pas lui que Roxane aime, mais le beau Christian. Oui, c'est lui qu'elle aime et si elle est venue voir Cyrano, c'est pour lui demander de prendre Christian sous sa protection. Celui-ci va, en effet, entrer au régiment des Cadets de Gascogne, le régiment de Cyrano.

4 La querelle oratoire entre Valvert et Cyrano s'est transformée en duel. Pendant le duel, Cyrano se moque de son adversaire, tout en composant des vers.

ncer un défi *to challenge* éclatante *very loud* sot = *stupide* embuscade *ambush* fait le tour *goes around* entre-temps = *pendant ce temps*
me de compagnie *lady-in-waiting* espoir *hope* s'illumine *brightens*

LECTURE ET CULTURE **143**

■ **Teaching Note**
The film version of *Cyrano*, accompanied by Lesson Plans, is available from FilmArobics, Inc., 9 Birmingham Place, Vernon Hills, IL 60061 1-800-832-2448.

■ **Notes linguistiques**
• In the 17th century, **un cadet** was a young nobleman who served in the army to begin his military career.
• **La Gascogne** is an area between the French regions of Aquitaine and Midi-Pyrénées. Have students locate it using the map on p. R34.

Cyrano de Bergerac
At the Cyrano server, students can send e-mail love letters to anyone they choose, or the "virtual" Cyrano can come to their rescue! Have students fill out the form found at the address below, and Cyrano will compose a customized letter and send it to anyone they admire from afar.

Address Book
http://www.nando.net/toys/cyrano.html

Cyrano promet de protéger Christian, mais c'est déçu° et triste qu'il va rejoindre ses compagnons d'armes. Tout le monde le salue en héros. Cyrano, trop peiné,° ne fait pas attention. Soudain, Christian, la nouvelle recrue du régiment, entre dans la salle d'armes.° Ne connaissant pas Cyrano, il se moque de lui, répétant sans cesse le mot «nez». L'assistance° est pétrifiée! Que va-t-il se passer? Est-ce que Cyrano va tuer° Christian? Non! Fidèle° à la promesse faite à Roxane, Cyrano traite son rival en ami et en frère.

[5]

[6] Dès lors,° Cyrano va assister Christian dans toutes ses démarches amoureuses° auprès de Roxane. Christian avoue° qu'il est sot, qu'il n'a pas d'éloquence, qu'il ne sait pas parler aux femmes. Que cela ne tienne!° C'est Cyrano qui sera sa voix, son porte-parole.° C'est lui qui écrira à Roxane les lettres d'amour que Christian ne sait pas écrire. L'inspiration lui est facile puisque,° lui aussi, il aime éperdument° Roxane.

Les lettres de Cyrano, signées Christian, enflamment de plus en plus le coeur de Roxane qui consent à accorder° un rendez-vous au beau Christian. Celui-ci va seul au rendez-vous, mais sans l'éloquence de Cyrano, il ne dit que des banalités. Roxane, qui s'attendait° à des torrents de déclamations lyriques, est déçue et renvoie° le jeune homme.

[7] Christian obtient un nouveau rendez-vous, mais cette fois, avec l'assistance de Cyrano, qui lui souffle° chaque mot de sa déclaration d'amour, il réussit à conquérir Roxane dans la célèbre scène du balcon. Au cours de° cette scène, Christian monte au balcon de Roxane, entre chez elle où les deux amants sont mariés par un prêtre envoyé par de Guiche, toujours° amoureux de Roxane.

De Guiche arrive lui-même chez Roxane où il apprend le mariage. Furieux et jaloux, il annonce qu'il vient d'être nommé commandant de l'armée française chargée de déloger les Espagnols de la ville d'Arras. Il décide d'y envoyer sur le champ° le régiment des Cadets de Gascogne, séparant ainsi Christian de sa nouvelle femme.

L'action change de lieu.° Nous sommes maintenant Arras où le régiment de Christian et de Cyrano cantonné.° La guerre a mal tourné pour les França Assiégés par les Espagnols, les fougueux° soldats Gascogne meurent de faim.° Cyrano veut tenir promesse qu'il a faite à Roxane. Chaque jour, elle reç une lettre de Christian. En réalité, c'est toujours Cyra qui lui écrit, évidemment à l'insu de° son ami, d billets° d'un lyrisme magnifique.

Dans le camp français, la situation est mainten désespérée. Sur les ordres de de Guiche, le régiment Gascogne doit être sacrifié. Cyrano écrit à Roxane u dernière lettre d'adieu, toujours signée du nom Christian. Entre-temps, émue° par l'intensité d

[8] lettres poétiques de son mari, Roxane décide de to risquer pour le rejoindre à Arras. Elle traverse° lignes espagnoles et arrive dans le camp quelqu heures avant la bataille finale. En présence de Cyra elle avoue à Christian que ce n'est plus pour sa beau qu'elle l'aime, mais pour sa poésie, et qu'elle l'aimer même s'il était laid.° Déconcerté par cet aveu Christian part à l'assaut. Au cours de l'engagement,° est blessé. Il meurt, réconforté par l'amour de Roxa et l'amitié de Cyrano. La bataille finale a lieu. Penda cette bataille, Cyrano et de Guiche combatte

[9] héroïquement. Christian est mort, mais sa femme ses amis sont sauvés.

Quinze ans ont passé. Roxane a pris le deuil° Christian et s'est retirée dans un couvent. Là, e reçoit régulièrement la visite de ses deux amis, Guiche, devenu duc et maréchal de France, et Cyra pauvre, mais toujours aussi fier.° Un jour, celui-ci arri

[10] en retard au rendez-vous. Il a été blessé dans u embuscade tendue par ses ennemis et il va mourir.

Ce jour-là, Roxane comprend enfin que c'est bi lui l'auteur des merveilleuses lettres d'amour qu'e recevait de Christian. Cyrano meurt dans ses bra finalement aimé par celle qu'il avait aimée toute sa vi

Note culturelle

Arras is a city in northern France that fell under Spanish rule in 1492. It was reconquered by Louis XIII in 1640.

■ Note linguistique

L'expression **à l'insu de** vient du participe passé de **savoir** (su) et du préfixe **in-** (sans). Autre usage: **à mon/votre insu** (without my/your knowledge).

---

déçu disappointed   **peiné** in pain   **salle d'armes** fencing hall   **l'assistance** = les personnes dans la salle   **tuer** to kill   **fidèle** faithful
dès lors from then on   **démarches amoureuses** steps in his courtship   **avoue** = admet   **que cela ne tienne** that won't matter
porte-parole spokesperson   **puisque** since   **éperdument** madly   **accorder** to grant   **s'attendait à** was expecting   **renvoie** sends away
souffle prompts   **au cours de** = pendant   **toujours** still   **sur le champ** = immédiatement   **lieu** location   **cantonné** quartered   **fougueux** = braves
meurent de faim dying of starvation   **à l'insu de** without the knowledge of   **billets** = lettres   **émue** moved   **traverse** crosses   **laid** ugly   **aveu** admiss
au cours de l'engagement = pendant la bataille   **blessé** wounded   **a pris le deuil de** is in mourning for   **fier** proud

144   INTERLUDE: Les Grands Moments de l'Histoire de France (1453-1715)

◆ Teaching Strategy: Multiple Intelligences

Make copies of the film scenes (pp. 143, 145), covering the captions. Ask students to write their own dialog or caption for each scene. Alternately, copy the existing captions and separate them from the accompanying scene. In groups, have students match the correct scenes and captions.
(SPATIAL/LINGUISTIC)

Dans la salle d'armes du régiment, Cyrano fait connaissance de son rival Christian qu'il a promis de protéger.

6

Cyrano et Christian deviennent amis. Malgré lui, Cyrano va aider Christian à gagner le coeur de Roxane.

Émue par la poésie des lettres signées Christian, mais écrites en réalité par Cyrano, Roxane a donné rendez-vous à Christian sous son balcon. C'est Christian qui parle, mais c'est Cyrano qui exprime son amour pour elle.

8

Roxane arrive devant Arras avec un chariot de vivres (food) pour les Français assiégés. Elle traverse les lignes espagnoles avec Christian et Cyrano.

Christian est mort héroïquement. Ses amis Cyrano et Ragueneau emmènent sa femme loin du champ de bataille.

10

Bien des années ont passé. Un jour, Cyrano arrive en retard à son rendez-vous habituel avec Roxane. Blessé, il va mourir, mais avant, Roxane apprendra enfin son secret.

LECTURE ET CULTURE 145

Teaching Strategy: Challenge

Ask students if they like the ending of the movie. What could the other possible endings be? Which one would they prefer and why?

Give students the following assignment:

Faites la critique de ce film. Jugez si, d'après vous, c'est un bon film ou non et expliquez pourquoi. Allez-vous recommander ce film? Combien d'étoiles lui donnez-vous?
(cinq étoiles = super; aucune étoile = nul)

Unité 3 145

■ **Notes linguistiques**

- **Maître** est aujourd'hui le titre honorifique des avocats et des notaires; au 17ᵉ siècle, ce titre était donné au gens de condition moyenne.

- **Monsieur du Corbeau** est un titre cérémonieux de noblesse.

- **Le phénix** est un oiseau fabuleux de la mythologie qui, d'après la légende, renaît de ses propres cendres.

Teaching Strategy: Expansion

Expliquez: «Tout flatteur vit aux dépens de celui qui l'écoute.» Êtes-vous d'accord? Pourquoi ou pourquoi pas?

Le corbeau et le renard

À l'école, tous les jeunes Français apprennent par coeur les fables de La Fontaine. Leur auteur est l'un des écrivains les plus célèbres du siècle de Louis XIV. À travers° ses portraits d'animaux, **Jean de La Fontaine** (1621-1695) voulait critiquer les défauts de ses contemporains. La morale de ses fables est en réalité éternelle.

La fameuse fable *Le corbeau et le renard*° s'adresse aux gens qui ont besoin d'être admirés.

Le corbeau et le renard

Maître Corbeau, sur un arbre perché,
 Tenait° en son bec un fromage.
Maître Renard, par l'odeur alléché,°
 Lui tint à peu près ce langage:°
  «Hé! bonjour, Monsieur du Corbeau,
Que vous êtes joli! que vous me semblez beau!
  Sans mentir,° si votre ramage°
  Se rapporte° à votre plumage
Vous êtes le phénix° des hôtes de ces bois.
À ces mots, le Corbeau ne se sent pas de joie;°
  Et pour montrer sa belle voix,
Il ouvre un large bec, laisse tomber° sa proie.°
Le Renard s'en saisit,° et dit: «Mon bon Monsieur,
  Apprenez que tout flatteur
  Vit° aux dépens° de celui qui l'écoute:
Cette leçon vaut° bien un fromage, sans doute.»
  Le Corbeau, honteux° et confus,°
Jura,° mais un peu tard, qu'on ne l'y prendrait plus.°

(Fables choisies, Livre I, 1688)

à travers = avec **le corbeau et le renard** *the crow and the fox* **tenait** = avait **alléché** = attiré **lui tint à peu près ce langage** = lui parla ainsi
sans mentir = en vérité **ramage** = chant **se rapporte** = est égal **le phénix** = l'oiseau le plus fabuleux **ne se sent pas de joie** = est transporté de joi
laisse tomber *drops* **proie** = le fromage qu'il a trouvé **s'en saisit** = la prend **vit** *lives* **aux dépens** *at the expense* **vaut** *is worth*
honteux *ashamed* **confus** *upset* **jura** *swore* **on ne l'y prendrait plus** *he wouldn't be taken in again*

■ L'histoire de France à travers ses châteaux

Carcassonne

Comme beaucoup de villes médiévales, Carcassonne était entourée de hauts remparts qui la protégeaient contre d'éventuels envahisseurs.° Elle résista aux Anglais pendant la Guerre de Cent Ans.

Chenonceaux

Le château de Chenonceaux est de pur style Renaissance. Sur ses murs on peut y lire encore des graffiti (en anglais) laissés par les gardes écossais° du roi Henri II.

Angers

Angers était la capitale des Plantagenêts, ducs d'Anjou et futurs rois d'Angleterre. Avec ses grosses tours rondes, le château est un bel exemple d'architecture féodale.

Fontainebleau

Maintes fois transformé, Fontainebleau a servi de résidence à plus de 20 rois de France, parmi lesquels François 1er et Louis XIII, père de Louis XIV. C'est ici que Napoléon a fait ses adieux avant de partir en exil.

■ Anecdote

En 1814, Napoléon est vaincu et Louis XVIII accède au trône. Napoléon est à Fontainebleau où il essaie de s'empoisonner. Le poison étant trop vieux, il n'agit pas et Napoléon doit faire ses adieux à sa garde avant de partir en exil pour l'île d'Elbe.

Château-Gaillard

Construit en 1196 par Richard Coeur de Lion, Château-Gaillard dominait la Seine et barrait la route entre Paris et Rouen. Dix ans plus tard, le château tomba dans les mains des Français et il n'en reste aujourd'hui que d'imposantes ruines.

Vaux-le-Vicomte

Le château de Vaux-le-Vicomte a été construit par Nicolas Fouquet, surintendant des finances du royaume de France. Un jour, Fouquet eut la mauvaise idée d'y inviter le jeune roi Louis XIV. Celui-ci, jaloux de la richesse de son ministre, le fit emprisonner.

■ Note culturelle

In the 17th century, food and drinks were usually served cold in Versailles because the kitchens were too far away from the dining rooms.

■ Teaching Note

Ask students:
Regardez les photos des châteaux. Lequel préférez-vous et pourquoi?

Amboise

Le château d'Amboise est situé sur un rocher qui domine la Loire. Sa grosse tour ronde permettait aux cavaliers° et aux carrosses° d'accéder directement au château. C'est au château d'Amboise que le roi François 1er recevait Léonard de Vinci.

Versailles

Toute la majesté de Louis XIV et la puissance de la France sont exprimées dans la splendeur du château de Versailles et de ses magnifiques jardins. C'est ici que vivait le roi, entouré de milliers de courtisans.

---

envahisseurs *invaders* **cavaliers** *horsemen* **carrosses** *horse-drawn carriages* **écossais** *Scottish*

🌐 NOTES CULTURELLES

- Quelques châteaux de la Loire célèbres construits sous François 1er: Amboise (en photo), Blois, Azay-le-Rideau, Chambord, Chenonceaux (en photo).
- Nicolas Fouquet (1615–1680), Vicomte de Vaux, devint le surintendant des finances en 1653. Grand amateur d'art, il protégea de nombreux artistes dont Molière, La Fontaine et Poussin. À la suite d'une fête grandiose dans son château de Vaux, Louis XIV devint jaloux de sa fortune. Il accusa Fouquet de fraude et de rébellion puis le condamna à l'exil, avant de changer cette condamnation en une peine de prison. Fouquet fut enfermé sous des conditions rigoureuses au fort de Pignerol où il mourut.

Communication
Functions/Contexts

- Shopping in a stationery store, pharmacy, and convenience store
- Buying stamps/mailing at the post office
- Asking for services at photo and shoe repair shops, cleaners

Linguistic Goals

- Answering questions; using pronouns
- Talking about quantities
- Describing services done by others

■ Photo Note

The word **la maroquinerie** (leather goods, leather goods store) comes from **maroquin**, a type of sheep or goat leather that used to be made in **Maroc** (Morocco).

Internet Connection Notes, Project 1, pp. 69–70

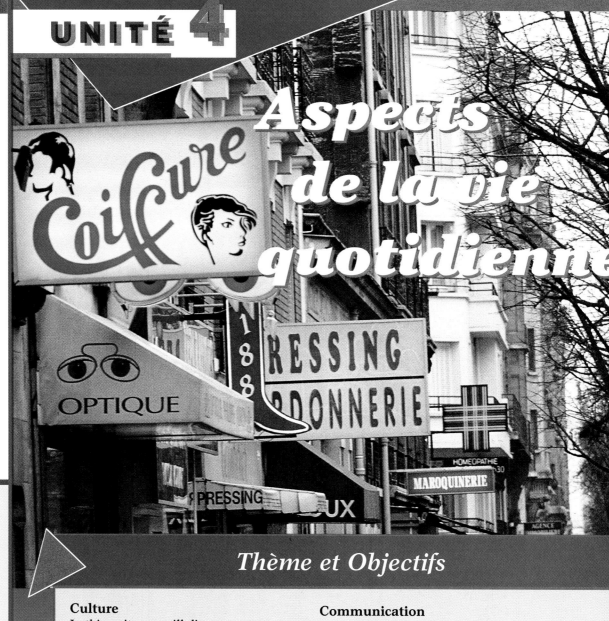

UNITÉ 4

Aspects de la vie quotidienne

Thème et Objectifs

Culture
In this unit, you will discover . . .
- where to buy various items and obtain various services
- how shopping habits differ in France and the United States

Communication
You will learn how . . .
- to buy stamps and mail letters
- to purchase small items you might need
- to have items fixed or cleaned
- to get a haircut
- to ask for various services

Langue
You will learn how . . .
- to answer questions using one or more pronouns
- to talk about numbers of people and things without specifying exact quantities
- to describe actions that people have others do for them

TEACHING RESOURCES

Technology/Audio Visual

 28, 29, 30, 31, 32, 33, 34, 35, L4

 Audio CD Program, Unit 4

 **Audiocassette Program, Unit 4**

 Pas de problème Video Program, Modules 4–5

Print

 Audio Script
Overhead Visuals Copymasters/Activities
Answer Key
Video Activity Book, Modules 4–5
Practice Activities, pp. 45–54, 127–132, 185–186

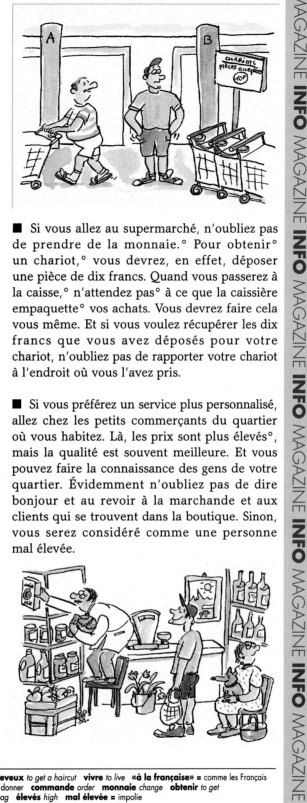

EN FRANCE, FAITES COMME
les Français!

Il y a beaucoup d'endroits où nous devons aller régulièrement pour répondre aux besoins de la vie quotidienne.° Nous allons au centre commercial pour faire nos achats, au supermarché pour faire les courses, à la poste pour acheter des timbres,° à la banque pour déposer ou retirer° de l'argent. Et de temps en temps, nous allons chez le coiffeur pour nous faire couper les cheveux.° Si les Français font les mêmes choses que les Américains, ils les font parfois un peu différemment.

Un jour vous irez peut-être en France. Voilà quelques conseils pour vivre° «à la française».°

■ Avant de faire votre shopping, consultez le Minitel. Avec le Minitel, vous trouverez les magasins qui vendent ce que vous cherchez. Vous pourrez étudier les catalogues, comparer les prix, et vous découvrirez peut-être des soldes° extraordinaires. Si vous ne voulez pas vous déplacer,° vous pourrez passer° votre commande° directement sur Minitel.

■ Si vous allez au supermarché, n'oubliez pas de prendre de la monnaie.° Pour obtenir° un chariot,° vous devrez, en effet, déposer une pièce de dix francs. Quand vous passerez à la caisse,° n'attendez pas° à ce que la caissière empaquette° vos achats. Vous devrez faire cela vous même. Et si vous voulez récupérer les dix francs que vous avez déposés pour votre chariot, n'oubliez pas de rapporter votre chariot à l'endroit où vous l'avez pris.

■ Si vous préférez un service plus personnalisé, allez chez les petits commerçants du quartier où vous habitez. Là, les prix sont plus élevés°, mais la qualité est souvent meilleure. Et vous pouvez faire la connaissance des gens de votre quartier. Évidemment n'oubliez pas de dire bonjour et au revoir à la marchande et aux clients qui se trouvent dans la boutique. Sinon, vous serez considéré comme une personne mal élevée.

---

quotidienne *daily* timbres *stamps* retirer *to withdraw* faire couper les cheveux *to get a haircut* vivre *to live* «à la française» = *comme les Français*
oldes *sales* ne voulez pas vous déplacer = *quitter votre maison* passer = *donner* commande *order* monnaie *change* obtenir *to get*
hariot *cart* caisse *check-out* n'attendez pas *don't expect* empaquette *bag* élevés *high* mal élevée = *impolie*

Unité 4 ■ INFO Magazine   **149**

INFO MAGAZINE

Theme: Shopping in France

Reading Strategy:
Skimming, browsing

Supplementary vocabulary

À la banque
l'argent liquide *cash*
le distributeur automatique de billets *ATM*
la carte bancaire *bank card*
le chéquier *checkbook*
le compte-chèques *checking account*
le retrait *withdrawal*

■ **Notes linguistiques**
• **Les soldes** is a masculine noun, almost exclusively used in the plural form.
• **Le pressing** (*dry cleaner's*) is actually an anglicism, from the English verb "to press."
• **La teinturerie** offers more services than **le pressing**, for example the dyeing of clothes. (**la teinture** = dyeing, dye).

■ **Photo Note**
(*Opposite page*)
The green cross with even branches (also called a Greek cross) is an emblem found on every French pharmacy.

■ **Irregular Verbs**
(*see Appendix C*)
obtenir (*see* **tenir**)
empaqueter is conjugated like **jeter**:
   j'empaquette
   nous empaquetons
   ils empaquettent

ASSESSMENT OPTIONS

Teacher's Resource Package
🌐 **Internet Connection Notes,** pp. 69–83
📖 **Lesson Plans, Unit 4**
👥 **Teacher-to-Teacher,** pp. 47–57

Achievement Tests
Quizzes, Unit 4
Unit Test 4
📕 **Reading and Culture Tests**

Proficiency Tests
📼 **Listening Comprehension**
🗣 **Speaking Performance**
📝 **Writing Performance**
📁 **Portfolio Assessment**

Teaching Strategy: Multiple Intelligences

Ask students to create their own cartoons illustrating cultural «faux pas.» (SPATIAL)

■ **Note linguistique**

Au cinéma comme au théâtre en France, **une ouvreuse** (usher) vous accompagne toujours à votre place.

■ Si vous allez chez le coiffeur, n'oubliez pas de donner un pourboire° à la personne qui vous a coupé les cheveux, même si vous n'êtes pas très satisfait du résultat. Au cinéma, donnez aussi un pourboire à la personne qui vous accompagne à votre siège.° Mais au café et au restaurant, vous n'êtes pas obligé de laisser de pourboire. Il est compris° dans l'addition.

■ Si vous avez besoin d'une photo d'identité, ne perdez pas votre temps à chercher un photographe. Allez dans un grand magasin. Là vous trouverez un «Photomaton» où vous aurez votre photo en cinq minutes. Dans ce même magasin, vous trouverez aussi d'autres services très pratiques: une photocopieuse, un service de réparation de chaussures, un service de reproduction de clés.°

■ Si vous avez besoin de timbres un jour où la poste est fermée, allez alors dans un bureau de tabac.° Là, vous pourrez acheter des timbres ordinaires, et aussi des télécartes, indispensables si vous voulez téléphoner d'une cabine° publique.

Maintenant vous savez comment vivre en France. C'est simple. Faites comme les Français!

pourboire *tip* siège *seat* compris = *inclus*
bureau de tabac *tobacco shop* cabine *booth* clés *keys*

et vous?

DÉFINITIONS

Donnez une définition des mots et expressions suivantes.

- un centre commercial
- une poste
- une banque
- des soldes
- un supermarché
- un chariot
- la caisse
- une télécarte
- un coiffeur
- un pourboire
- l'addition

SITUATIONS

1. Vous habitez en France. Vous faites les courses avec un(e) ami(e) américain(e) qui vous rend visite. Expliquez à votre ami(e) — votre partenaire — les différences entre un supermarché en France et aux États-Unis.

2. Un(e) ami(e) français(e) vous rend visite. Expliquez à votre ami(e) — votre partenaire — dans quelles circonstances on donne un pourboire aux États-Unis.

3. Imaginez que vous allez passer deux ou trois mois en France. Est-ce que vous pourrez vous adapter facilement à la vie quotidienne décrite dans le texte?
   - Quels aspects vous semblent pratiques et intéressants?
   - Avec quels aspects auriez-vous des difficultés?

🌐 NOTES CULTURELLES

- Although a tip is always included on the bill in France, it is customary to leave additional extra change on the table of the café or restaurant upon leaving.
- **Le photomaton** is the name of the machine (booth) that takes pictures automatically.

The same word is also used for photographs taken by such a machine.
- **La carte à puce** was invented by a Frenchman, Roland Moréno, in 1974. It has been in use since 1985.

Scènes de la vie courante

Au supermarché

Si on veut utiliser un chariot, il faut payer une caution.° Pour cela, on introduit une pièce dans un petit réceptacle qui se trouve sur le chariot. Celui-ci se débloque° automatiquement. Quand on a fini ses courses, on rapporte le chariot à l'endroit où on l'a trouvé et on récupère ses 10 francs.

une touche

le ticket

la bascule

Au rayon des fruits et légumes, tout est «self-service». Le client doit peser° les différentes choses qu'il achète. Pour cela, on met chaque produit sur une bascule° automatique et on appuie° sur une touche correspondant à ce produit. La bascule imprime° un ticket qu'on colle° sur le produit.

Chez les petits commerçants

Chez les petits commerçants, le service est plus personnel. En parlant avec les gens, on y apprend les nouvelles du quartier où on habite.

Au café

Partout° en France, il y a des cafés. On va au café non seulement pour prendre une boisson ou un sandwich, mais aussi pour bavarder.°

Pour téléphoner

Signal d'Appel 10 F par mois.

puce

TÉLÉCARTE 50

Si on veut téléphoner d'une cabine téléphonique, on doit avoir une télécarte. Les télécartes sont des «cartes à puce»° qui permettent de téléphoner pendant un certain nombre de minutes. Créées il y a dix ans seulement, les télécartes sont devenues des objets de collection, comme les timbres.

L'usage des télécartes est très simple! On décroche° le récepteur,° on introduit la télécarte dans l'appareil, et on compose° le numéro. Quand on a terminé son appel, on reprend la carte. Les télécartes s'achètent dans les postes ou dans les bureaux de tabac.

---

caution *deposit* **se débloque** *unlocks* **peser** *to weigh* **bascule** *scale* **appuie** *pushes* **imprime** *prints* **colle** *sticks* **partout** *everywhere*
bavarder *to chat* **puce** *microchip* **décroche** *picks up* **récepteur** *receiver* **compose** *dials*

Unité 4 ■ INFO Magazine **151**

PARTIE 1

LE FRANÇAIS
PRATIQUE
Comment faire des achats

TEACHING RESOURCES

 Transparencies 28, 29, 30, 31

 Overhead Visuals Copymasters and Activities, pp. A59–A65

 Practice Activities, pp. 127–128

 Teacher-to-Teacher, Comment faire des achats, pp. 47–49; Trouver celui qui ..., pp. 50–51; Jumeaux/Jumelles, pp. 54–57

Supplementary vocabulary

À la papeterie
le (stylo-) feutre *felt-tip pen*
la cartouche (d'encre) *ink cartridge*
À la poste
faire la queue *to wait in line*
affranchir (une lettre) *to stamp (a letter)*
le chronopost *express-mail delivery*

☼ Teaching Note
Contrast:
avoir besoin de + NOUN
   J'ai besoin de papier à lettres.
il me faut + PARTITIVE + NOUN
   Il me faut du papier à lettres.

■ Note linguistique
Paquet is the general term for *package*. **Colis** usually refers to a package which is sent by mail.

152 Unité 4

LE FRANÇAIS
PRATIQUE
Comment faire des achats

PAPETERIE

À la papeterie

— Vous désirez?
   Je voudrais
   Pouvez-vous me donner   **du papier à lettres.**
   S'il vous plaît, donnez-moi

— Vous désirez | **quelque chose d'autre** *(something else)?*
                | **autre chose?**

   Oui, | **donnez-moi aussi** | **un stylo à bille.**
        | **j'ai besoin d'**
        | **il me faut** *(I need)*

— **Et avec ça?**
   C'est tout, merci!
   Ça fait combien?
   Combien est-ce que je vous dois?
— **Ça fait 30 francs.**
   Voici 50 francs.
— Et voici **votre monnaie** *(change).*
   Merci.

> **devoir** *to owe*

À la poste

— **C'est votre tour** *(it's your turn)*, Mademoiselle.
   Je voudrais **des timbres** *(stamps)* à 3 francs 50.
— **Combien en voulez-vous?**
   Donnez-m'en dix, s'il vous plaît.
— **Voilà. C'est tout?**
   Non, je voudrais aussi . . .
           envoyer | **cette lettre.**
                       | **cette carte postale.**
                       | **ce colis** *(package).*
                       | **ce paquet** *(package).*
           acheter **des aérogrammes.**
           prendre **mon courrier** *(mail)* **à la poste restante** *(general delivery).*

Vous désirez?

Pouvez-vous me donner du papier à lett...

C'est tout?

Oui, c'est tout, merci!

C'est votre tour, Mademoiselle.

Je voudrais des timbres à 3 francs 50.

Combien en voulez-vous?

Donnez-m'en dix, s'il vous plaît.

🌐 NOTES CULTURELLES

• It costs between 4F–5F to send a letter airmail from France to the U.S., a few centimes less for a postcard. You can save money by buying an aerogram: you write on one side of the paper, and fold the other side over to form the airmail envelope.

• In France, the post office also functions as a bank. Many French people have a **compte-chèques postal** (also called **le CCP**). All related banking transactions are done at the post office.

Quelle boutique? Quel rayon (department)?	Quels articles (items)?	Quelles quantités?
À la papeterie Au rayon «Papeterie»	**un carnet** (notebook) **un crayon** **un stylo à bille** (ballpoint pen) **du papier, du papier à lettres** **des enveloppes** **de la colle** (glue) **du scotch** (scotch tape) **un trombone** (paper clip) **un élastique** (rubber band)	**un bloc** de papier **un paquet** d'enveloppes **un tube** de colle **un rouleau** de scotch **une boîte** de trombones d'élastiques
Chez le photographe Au rayon «Photo»	**une pellicule** (film) **en noir et blanc** **une pellicule-couleurs** **des diapos** (slides) **une pile** (battery)	**un rouleau** de diapos
À la pharmacie Chez le pharmacien Chez la pharmacienne Au rayon «Produits d'Hygiène»	**du dentifrice** **de l'aspirine, des vitamines** **du shampooing** **de l'eau de toilette** **un coton-tige** (cotton swab) **un mouchoir en papier** (tissue) **de l'ouate** (cotton) **un pansement adhésif** (Band-aid)	**un tube** de dentifrice d'aspirine **une bouteille** de shampooing d'eau de toilette **une boîte** de coton-tiges de mouchoirs **un paquet** d'ouate de pansements
À la supérette Au rayon «Produits d'entretien» «Produits de maison»	**du savon** **du détergent** **du papier hygiénique** (toilet paper) **du Sopalin** (paper towels) **de la ficelle** (string) **une allumette** (match) **une épingle** (pin) **une épingle de sûreté** (safety pin)	**un paquet** de détergent **un rouleau** de papier hygiénique de Sopalin **une pelote** (ball) de ficelle **une boîte** d'allumettes d'épingles

🌐 Anecdote

In 1962, Jacques Marette, Minister of the PTT, decreed that all letters sent to Santa Claus should be answered. Since then, children from any country who write a letter to Santa in the care of the French post office receive a card.

■ Notes linguistiques

• **Une diapo** is the shortened form of **une diapositive**.
• To ask for a roll of film with a certain number of exposures, one asks for **une pellicule de [24] poses.**
• **Sopalin** est le nom d'une marque (brand) de papier absorbant. Maintenant on utilise ce nom d'une manière générique. Compare, in English: *Kleenex, Jello*

Supplementary vocabulary

À la pharmacie
le démêlant conditioner
le démaquillant makeup remover
un flacon (small bottle, flask) **d'eau de cologne / de parfum**
du fil thread
une aiguille needle
un bouton button

■ Teaching Strategy

As a homework assignment, have students make up flashcards for the vocabulary presented.

Le français pratique 153

• **Le chronopost** (note: no **e** at the end) is an express-mail delivery system set up by the French post office in 1986.

• **Les PTT (Poste, Télégraphe, Téléphone)** is the general name for the ministry and of all mail and telecommunications services.

■ **Variation: Activity 3**

Dites dans quel magasin ces jeunes Français doivent aller et ce qu'ils doivent y acheter pour pouvoir faire les choses suivantes.

• Lucas veut écrire à ses amis pour les inviter à son anniversaire. [à la papeterie: un bloc de papier à lettres, un paquet d'enveloppes, un stylo à bille)

• Samantha veut laver son vélo. [à la supérette: un paquet de détergent, un rouleau de Sopalin]

• Amélie veut prendre des photos au mariage de sa soeur dimanche prochain. [chez le photographe: un rouleau de diapos, une pellicule-couleurs, des piles]

• Stéphane veut fabriquer une marionnette en papier. [à la papeterie: un tube de colle, un rouleau de scotch, du papier]

• Ahmed vient de tomber en faisant du roller. Son genou est égratigné *(scratched)*. [à la pharmacie: un paquet de pansement, un paquet d'ouate]

154 Unité 4

---

1 Votre liste

Vous allez passer les vacances de printemps à la Martinique avec votre partenaire. Chacun va faire une liste de dix articles qu'il va emporter *(take along)* avec lui. Utilisez le tableau qui figure à la page 153.
Puis comparez vos listes:

• Qu'est-ce que vous avez pris de semblable *(similar)*?
• Qu'est-ce que vous avez pris de différent?

2 À la Samaritaine

Vous êtes allé(e) à la Samaritaine, un grand magasin à Paris. Là, vous avez acheté l'un des articles suivants. Dites . . .

• à quel rayon vous êtes passé(e)
• ce que vous avez acheté (nommez l'article)
• deux autres choses que vous avez achetées à ce rayon.

▶ **Je suis passé(e) au rayon «Papeterie». J'ai acheté une boîte de trombones. J'ai aussi acheté . . .**

1	2	3	4	5	6	7

3 Achats

Un groupe d'étudiants américains visite la France. Ces étudiants passent dans un grand magasin. Déterminez les besoins de chacun. Dites à quel rayon il passe et ce qu'il achète.

▶ Betty veut prendre des photos du groupe.
Elle passe au rayon «Photo» où elle achète une pellicule-couleurs (un rouleau de diapos).

1. John veut écrire à ses parents.
2. Jim veut laver ses chemises.
3. Elizabeth a perdu sa trousse de toilette *(toiletry kit)*.
4. Anne a mal à la tête.
5. Jacqueline a des ampoules *(blisters)* aux pieds.
6. Cindy éternue *(sneezes)* constamment.
7. Alice veut se laver les cheveux.
8. Robert veut faire un paquet qu'il va envoyer à ses parents.

☀ **Teaching Strategy: Warm-Up**

Divide the class into groups of three. Each group will prepare two short dialogs based on the following situations (or original scenarios if preferred).
• You need supplies for a first aid kit for a camping trip.

• A friend is leaving for college and needs supplies.
• You have a new penpal in Senegal and you are going to the post office to send a letter.
• You are making a collage of photos with captions for a friend's birthday.

4 À la poste

C'est votre première semaine à Paris. Vous allez à la poste pour certaines choses. Composez le dialogue suivant avec votre partenaire qui va jouer le rôle de l'employé(e) de poste.

Employé(e):	*Say hello.*
Client(e):	Say hello and ask for stamps at 3 francs 50.
Employé(e):	*Ask how many stamps the client wants.*
Client(e):	Mention a number.
Employé(e):	*Ask if that is all.*
Client(e):	Say you need aerograms (give a number) and say that you have something to mail (mention the item: a letter? a postcard? a package?).
Employé(e):	*Determine the price of the items requested and ask the client for the money.*
Client(e):	Pay the postal clerk the sum requested.

■ **Note linguistique**
le postier/la postière = l'employé(e) de la poste

5 Créa-dialogue

C'est samedi aujourd'hui et vous avez beaucoup d'achats à faire. Choisissez une boutique où vous allez faire quelques achats. Avec votre partenaire, composez un dialogue pour cette boutique et jouez-le en classe. Votre partenaire va jouer le rôle du vendeur (de la vendeuse).

> ▶ — Vous désirez, <u>mademoiselle</u>?
> — Je voudrais <u>un tube de dentifrice</u>.
> — Et avec ça?
> — J'ai besoin aussi <u>d'une bouteille de shampooing</u>.
> — Voici <u>le dentifrice et le shampooing</u>.
> — Merci. <u>C'est combien</u>, s'il vous plaît?
> — <u>56 francs</u>.
> — Voici <u>cent francs</u>.
> — Et voici votre monnaie: <u>44 francs</u>.

- *Use appropriate greeting.*
- *Mention another product.*
- *Use another expression.*
- *Use another expression and name another product.*
- *Give client the items requested.*
- *Use another expression.*
- *Give a price under 100 francs.*
- *Give a bill to cover the amount.*
- *Return the correct change.*

■ **Additional Information**
Some popular French brands:
Toothpaste: **Signal, Pepsodent, Fluocaril**
Shampoo: **L'Oréal, Klorane, Neutrogena**
Beauty products: **Nivea, Lancôme, Body Shop, Vichy**

Conversations libres

Avec votre partenaire, choisissez l'une des situations suivantes. Composez le dialogue correspondant et jouez-le en classe.

1 Shopping

Vous êtes un(e) étudiant(e) français(e). Vous venez d'arriver à cette école avec un programme d'échange. Faites une liste de trois ou quatre choses dont vous avez besoin et demandez à votre partenaire où vous pouvez les acheter.

2 Une erreur

Vous êtes allé(e) dans un grand magasin où vous avez acheté plusieurs articles. Quand vous rentrez chez vous, vous vous rendez compte *(realize)* que vous avez pris le sac d'une autre personne. Téléphonez au magasin pour expliquer la situation. L'employé(e) va vous demander ce que vous avez acheté et ce qu'il y a dans le sac que vous avez ramené chez vous.

3 Camping

Ce weekend vous allez faire du camping avec votre partenaire. Pour la préparation de cette expédition, votre partenaire veut acheter toutes sortes d'articles. Vous dites que ce n'est pas nécessaire et vous donnez des raisons *(reasons)*.

- You have a summer job in an office and have been asked to pick up some essential desk supplies.
- Your sister or brother has just moved into a new apartment and needs to shop for kitchen and bathroom supplies.

A. Révision: Le pronom y

The object pronoun **y** replaces a noun or noun phrases introduced by a preposition of place (**à, en, dans, chez, sur, sous**, etc.). It is the equivalent of *there*.

Tu vas **au supermarché**?	Oui, j'**y** vais.
Tu es passé **chez le pharmacien**?	Non, je n'**y** suis pas passé.

➡ **Y** is also used to replace **à** + NOUN referring to a THING.

Tu vas participer **au championnat**?　　Oui, je vais **y** participer.

Verbs used with à

jouer à
participer à
croire à
penser à
assister à
faire attention à

B. Révision: Le pronom en

The object pronoun **en** replaces **du, de la, de l', des, de** + NOUN.
It is the equivalent of *some, any*.

Tu prends **des vitamines**?	Non, je n'**en** prends pas.
Tu as acheté **du dentifrice**?	Oui, j'**en** ai acheté.

➡ **En** is also used to replace:

- the preposition **de** + NOUN
  Tu viens **de la pharmacie**?　　Oui, j'**en** viens.
  Tu as besoin **de ton stylo à bille**?　　Non, je n'**en** ai pas besoin.
- a noun introduced by **un** or **une**
  Tu as **une guitare**?　　Oui, j'**en** ai **une**.
- a noun introduced by a NUMBER
  Marc a acheté **deux cartes postales**.　　Moi, j'**en** ai acheté **trois**.
- **de** + NOUN after an expression of quantity
  Tu as **beaucoup d'argent**?　　Non, je n'**en** ai pas **beaucoup**.
  Vous voulez **deux kilos d'oranges**?　　Oui, j'**en** veux **deux kilos**.
  Combien de rouleaux de diapos as-tu pris?　　J'**en** ai pris **un rouleau**.

➡ Note the use of **en** with **il y a** and **donnez-moi**.
Il y a une papeterie dans mon quartier.　　Il y **en** a une.
Donnez-moi deux blocs de papier.　　Donnez-m'**en** deux.

Verbs used with de

venir de
parler de
avoir besoin de
avoir envie de
avoir peur de

RAPPEL!

The pronouns **y** and **en** come BEFORE the verb, except in affirmative commands.
Compare:

Tu vas à la papeterie?	Tu **y** vas?	Vas-**y**.
Tu achètes des enveloppes?	Tu **en** achètes?	Achètes-**en**.

Notes linguistiques
- The pronoun **y** is commonly used with verbs indicating movement or location:
  aller (à, chez)
  entrer (à, dans)
  monter (à, sur)
  partir (à)
  se rendre (à, chez)
  rentrer (à)
  retourner (à)
  se trouver (à, dans, sous)
- To refer to people, the construction **à** + STRESS PRONOUN is used.
  Je pense **à mon copain**.
  Je pense **à lui**.
  Je pense **à mon travail**.
  J'**y** pense.
- Other verbs with **à**:
  répondre à (une lettre)
  s'intéresser à
- Other verbs with **de**:
  sortir de
  se souvenir de
  s'approcher de
  s'occuper de

Proverbe
Qui s'y frotte, s'y pique.
Gather thistles, expect prickles.

Teaching Strategy: Expansion

Have students note:
- To refer to people, the construction **de** + STRESS PRONOUN is used. Compare:
  Je parle **de ma classe d'anglais**. J'**en** parle.
  Je parle **de mon prof d'anglais**. Je parle **de lui**.
- In affirmative commands, have the students note the liaison /z/ sound and the addition of an "s" in the affirmative imperative before **y** and **en**.
  Va à la boulangerie. **Vas-y.**
  Achète des croissants. **Achètes-en.**
- In affirmative commands, the stress pronoun **moi** can only be used when it is in final position after the verb. Compare:
  Donnez-le-**moi**.
  Donnez-**moi** trois oranges.
  BUT: Donnez-**m'en** trois.

156 Unité 4

1 La vie de star

Vous interviewez un(e) star de cinéma français(e) sur sa vie. Votre partenaire va vous répondre affirmativement en donnant des précisions et en utilisant **y** ou **en**.

Vous allez souvent au concert?

Oui, j'y vais souvent avec mes amis.

▶ aller souvent au concert? (avec mes amis)

1. aller au cinéma? (de temps en temps)
2. jouer au tennis? (pendant les vacances)
3. faire du jogging? (tous les matins)
4. faire attention à votre santé? (tout le temps)
5. boire de l'eau minérale? (à tous les repas)
6. manger des fruits? (beaucoup)
7. donner des interviews? (de temps en temps)
8. participer au festival de Cannes? (tous les ans)
9. avoir une voiture de sport? (une)
10. avoir des admirateurs? (beaucoup)
11. avoir besoin d'encouragement? (souvent)

2 Les courses

Vous passez les vacances dans un petit village de Normandie. Votre partenaire a fait les courses ce matin. Demandez-lui ce qu'il/elle a acheté.

▶ — **Tu es allé(e) à la papeterie?**
— Oui, j'y suis allé(e).
— **Tu as acheté des enveloppes?**
— Oui, j'en ai acheté un paquet.

1. • à la poste
   • des timbres
   • vingt

2. • chez le photographe
   • des diapos
   • deux rouleaux

3. • à la pharmacie
   • du shampooing
   • une bouteille

4. • au marché
   • des tomates
   • deux kilos

5. • chez le crémier
   • des oeufs
   • une douzaine

6. • à la boulangerie
   • des croissants
   • six

3 Camping

Maintenant vous allez faire du camping. Votre partenaire vous demande ce qu'il/elle doit prendre. Répondez-lui en lui donnant des quantités. Soyez logique!

Je prends des allumettes?

Oui, prends-en une boîte.

(deux boîtes)

QUOI?
du dentifrice
du détergent
du shampooing
des coton-tiges
de la ficelle
de l'ouate
des pansements
du Sopalin
des allumettes
du papier hygiénique

QUELLE QUANTITÉ?
un paquet
un tube
une boîte
une bouteille
une pelote
un rouleau

■ **Teaching Note: Activity 1**

You may encourage your more creative students to expand the dialog by giving original answers.

🌐 **Note culturelle**

Le festival de Cannes is an international film festival started in 1946. It takes place every May. The best movie wins **la Palme d'or**. The American movie *Pulp Fiction* won in 1994.

Teaching Strategy: Game

Make a line down the middle of the classroom using tape or string. Tell the students that one side of the line is the **en** side and the other side is the **y** side. Have all the students stand on the line. Present sentences that necessitate **y** or **en** and ask the students to go to the side of the line that represents the correct pronoun. (*Right side of the line is* **en**. *Left side of the line is* **y**.)

You say: **Je vais en Italie.** The students go to the left side of the line.
You say: **Nous avons acheté des fleurs.** The students go to the right side of the line.

Once all students on the correct side, ask one student to give the sentence with the correct pronoun.

C. Expressions indéfinies de quantité

Indefinite expressions of quantity refer to an undetermined number of people or things.

ADJECTIVE (+ NOUN)		PRONOUN	
quelques . . .	some, a few	**quelques-uns** **quelques-unes** }	some, a few
un(e) autre . . . **d'autres . . .**	another other, some other	**un(e) autre** **d'autres**	another one others, some others, other ones
plusieurs . . .	several	**plusieurs**	several
certain(e)s . . .	some, several	**certain(e)s**	some, certain ones
la plupart de . . .	most of	**la plupart**	most (of them)

The above expressions of quantity can be used either as subjects or as objects.

ADJECTIVE	PRONOUN
SUBJECT	
Quelques amies sont venues.	**Quelques-unes** sont venues.
Plusieurs lettres sont arrivées ce matin.	**Plusieurs** sont arrivées ce matin.
OBJECT	
J'ai invité **quelques** amis.	J'en ai invité **quelques-uns**.
Nous avons visité **plusieurs** monuments.	Nous en avons visité **plusieurs**.

⇒ Note that **en** is used with the indefinite <u>pronouns</u> of quantity when these expressions are the direct object of the verb.

4 **S'il te plaît!**

Vous êtes chez votre partenaire. Il/elle vous offre à nouveau certaines choses. Acceptez-les (ou refusez, en expliquant pourquoi).

▶ une limonade
— **Tu veux une limonade?**
— **Oui, donne-m'en une autre,
s'il te plaît.**
(Non, merci, je n'ai pas soif.)

1. un hamburger
2. un jus d'orange
3. une part de pizza
4. un sandwich
5. une tasse de café
6. un thé glacé

💡 **Teaching Strategy: Challenge**

Give students a sentence which includes an indefinite adjective. Ask them to restate the sentence using **en** and an indefinite pronoun. (Give them one or two examples since this concept can be difficult for some students.)

You say: **J'ai mangé la plupart de
mon dîner.**
Students say: **J'en ai mangé la plupart.**

Un après-midi à Montréal

Vous êtes à Montréal avec votre partenaire. Cet après-midi, vous êtes resté(e) à votre hôtel, mais votre partenaire est sorti(e). Demandez-lui ce qu'il/elle a fait.

▶ acheter des souvenirs (quelques-uns)

1. prendre des photos (quelques-unes)
2. écrire des lettres (quelques-unes)
3. envoyer des cartes postales (plusieurs)
4. acheter un guide de la ville (un autre)
5. acheter des CDs (plusieurs)
6. rencontrer des jeunes Canadiens (quelques-uns)

Tu as acheté des souvenirs?

Oui, j'en ai acheté quelques-uns.

■ **Realia Note**
2 km = 1.2 miles

- **Montréal** started as a small colony called **Ville-Marie de Montréal**. It was founded in 1642 by **Paul de Chomedey, sieur de Maisonneuve**.
- The **Vieux-Port** is a popular tourist attraction, offering many sights and activities. For example, you can shop at a flea-market, visit the replica of a 1693 tall ship, cruise the harbor, or rent a bicycle. Carriage rides are also a popular way to discover **la vieille ville**.

■ **Note linguistique**

Un(e) **visagiste** is a hairstylist who enhances the natural characteristics of a face by choosing an appropriate hairstyle.

■ **Teaching Note**

For a review of related vocabulary, see Unité 1, p. 36.

À chacun son style

D ans notre apparence personnelle, nous sommes tous un peu différents. Chacun peut choisir son style de vêtements, son style de chaussures et son style de coiffure.

Quel style de coiffure demanderiez-vous à votre coiffeur si vous étiez en France? Aimeriez-vous avoir . . .

les cheveux en brosse

les cheveux au carré

une raie sur le côté

un style punk

une frange sur le devant

des tresses très serrées

des mèches

une permanente

Teaching Strategy: Multiple Intelligences

You may wish to use this short optional article to personalize the practical situational vocabulary presented on p. 161.

Ask students to look at the pictures and choose the hairstyle that is closest to their own.

Have students imagine they are in a hair salon in France and ask them to prepare short dialogs.
(INTRAPERSONAL)

PARTIE 2

LE FRANÇAIS PRATIQUE

Au salon de coiffure

Pouvez-vous me couper les cheveux?

Oui, bien sûr.

JORDI COIFFURE

Coiffure Hommes et Dames
Spécialiste des Enfants
Garçons et Filles

20 av de Breteuil
75007 Paris _____ 01 45 51 47 05

ZINZIUS ALAIN

Haute Coiffure Création
Visagiste Ouvrier de France 1982

108 av Gambetta
75020 Paris _____ 01 40 30 55 57
1 r Paris (face au RER)
94340 Joinville le Pont ____ 01 42 83 86 15

— **C'est votre tour**, monsieur (mademoiselle).

Pouvez-vous **me couper les cheveux**?

Est-ce que vous pouvez me faire

une coupe de cheveux (haircut)?
une coupe-brushing (haircut and blow-dry)?
un shampooing?
une permanente?
une mise en pli (set)?

— Comment est-ce que je vous coupe les cheveux?

Dégagez-les	**sur les côtés** (on the sides).	**dégager** to cut back, shorten (hair)
Coupez-les-moi courts	**sur le devant** (in front).	
Laissez-les-moi longs	**sur le dessus** (on top).	**laisser** to leave
Ne me les coupez pas trop courts	**derrière** (in back).	

1 Chez le coiffeur (At the hairdresser)

Vous êtes dans un salon de coiffure. Votre partenaire va jouer le rôle
du coiffeur (de la coiffeuse). Inventez votre dialogue.

Coiffeur(se): *Tell the client that it is his/her turn.*
Client(e): Ask for a haircut.
Coiffeur(se): *Ask if the client wants something else (for example, a shampoo).*
Client(e): Accept or refuse politely.
Coiffeur(se): *Ask how the client wants his/her hair cut.*
Client(e): Tell the hairdresser how to cut your hair.

Le français pratique (161)

LE FRANÇAIS PRATIQUE

Au salon de coiffure

TEACHING RESOURCES

- **Transparency 33**
- **Overhead Visuals Copymasters and Activities,** pp. A68–A69
- **Practice Activities,** p. 130
- **Audio CD 4,** Tracks 7–9
- **Audiocassette 4,** Sides 1/2
- **Audio Script,** pp. 22–24

Supplementary vocabulary

mettre un après-shampooing *to condition, to use a conditioner*
faire une décoloration *to bleach (one's hair)*
faire des mèches *to streak (one's hair)*
colorer les cheveux *to color one's hair*

Also:

Faites-moi
une raie *part*
une frange *bangs*
des boucles *curls*
des nattes, **des tresses** *braids*

Tressez-moi les cheveux *braid my hair*

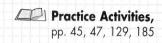
■ **Teaching Notes**

You may review the forms of the object pronouns very quickly. The focus in this section is on the contrast between these pronouns and **y** and **en**. The next section practices word order in sentences with two object pronouns.

LE, LA, LES

- You may remind students that direct objects answer the questions *whom? what?*
- Remind students that **le** and **la** become **l'** before a vowel sound:

  Cécile: Je **la** connais. Je **l'**invite au concert.

  Vincent: Je ne **le** connais pas. Je ne **l'**invite pas à la boum.

- In French, the past participle agrees with a preceding direct object.
  Quelle veste as-tu achet**ée?**
  Où est la veste **que** tu as achet**ée?**

LUI, LEUR

- You may remind students that indirect objects answer the question *to whom?*
- The following verbs are frequently used with indirect objects:

  dire à   promettre à
  écrire à   rendre visite à
  parler à   répondre à
  permettre à   téléphoner à
  obéir à   désobéir à
  donner à   demander à
  montrer à   envoyer à

- Remind students that there is no agreement of the past participle with **lui, leur.**

162 Unité 4

LANGUE ET COMMUNICATION

A. Révision: les pronoms **le, la, les** et **lui, leur**

LE, LA, LES

Le, la, les are direct-object pronouns.
They replace PEOPLE or THINGS.

Tu vois **cette fille** là-bas?	Oui, je **la** vois.
Tu vois **ces maisons?**	Oui, je **les** vois.

➡ Compare the use of **en** and **le, la, les.**

Tu achètes **le journal?**	Oui, je **l'**achète.
Tu achètes **du pain?**	Oui, j'**en** achète.

➡ In the passé composé, the past participle agrees with **le, la, les,** but not with **en.**

Tu as pris **la carte postale?**	Oui, je **l'**ai pri<u>se.</u>
Tu as pris **mes photos?**	Oui, je **les** ai pri<u>ses.</u>
BUT: Tu as pris **des photos?**	Non, je n'**en** ai pas **pris.**

> **L'accord du participe passé**
>
> *Pratique* ▶ p.49

LUI, LEUR

Lui and **leur** are indirect-object pronouns.
They replace **à** + NOUN designating PEOPLE.

Tu as écrit **à tes cousins?**	Non, je ne **leur** ai pas écrit.

➡ Compare the use of **y** and **lui, leur.**

Tu as répondu **à Pauline?**	Oui, je **lui** ai répondu.
Tu as répondu **à cette lettre?**	Oui, j'**y** ai répondu.

➡ Note that **lui, leur** are not used with **penser.**

Tu penses **à tes amis?**	Oui, je pense **à eux.**

RAPPEL!

Object pronouns always come BEFORE the verb, <u>except</u> in affirmative commands.
Compare:

Je prends ces magazines?	Ne **les** prends pas.	Oui, prends-**les.**
Je téléphone à Christine?	Ne **lui** téléphone pas.	Oui, téléphone-**lui.**

C'EST TOI QUI L'AS INVITÉ?

OUI, MAIS JE LUI AVAIS DIT QUE CE N'ÉTAIT PAS UN BAL COSTUMÉ!

162 Unité 4 PARTIE 2

 Teaching Strategy: Game

Les pronoms

Prepare a variety of sentences that include direct and indirect objects and phrases that begin with **de** and **à**. Cut apart the sentences, place each group of pieces in an envelope and give one or two envelopes to each pair of students. Prepare several copies of all the pronouns and put these in front of the classroom. Students must put together their sentences using the appropriate pronouns. The first pair to finish successfully wins. All students must then show their completed sentences and the words that were replaced to the class.

Au revoir!

Vous avez visité Genève avec vos amis. C'est bientôt *(soon)* le départ. Dites que vos amis ont fait les choses suivantes en répondant affirmativement aux questions. Utilisez le pronom qui convient (**l'**, **les**, **lui**, **leur**, **en**, **y**).

▶ Catherine a acheté du parfum?   **Oui, elle en a acheté.**

1. Julien a fait ses valises?
2. Pauline a téléphoné à sa mère?
3. Pierre est allé à l'agence de voyages?
4. Marc et Éric ont acheté leurs billets?
5. Claire a trouvé son passeport?
6. Thomas a pris des photos?
7. Isabelle a acheté des souvenirs?
8. Antoine a dit au revoir à ses amis?
9. Alice a acheté un foulard?
10. Véronique a écrit plusieurs cartes postales?

Le weekend dernier

Demandez à votre partenaire s'il/si elle a fait l'une des choses suivantes le weekend dernier. Il/elle va répondre affirmativement ou négativement en utilisant le pronom qui convient (**l'**, **les**, **lui**, **leur**, **en**).

▶ — **Est-ce que tu as écouté de la musique classique le weekend dernier?**
   — **Oui, j'en ai écouté.   (Non, je n'en ai pas écouté.)**

- lire le journal du dimanche?
- regarder les bandes dessinées?
- acheter des vêtements?
- voir un film?
- voir tes voisins?

- téléphoner à ton copain/ta copine?
- ranger ta chambre?
- écouter de la musique classique?
- écouter du rap?
- faire du jogging?

- écrire à ta cousine?
- rendre visite à tes grands-parents?
- aider tes parents?
- ??

Pourquoi pas?

Demandez à votre partenaire s'il/si elle a fait les choses suivantes, et ensuite pourquoi pas. Il/elle va vous répondre avec l'excuse suggérée ou une autre excuse.

▶ inviter Pauline
  (elle est trop snob)

— **Tu as invité Pauline?**
— **Non, je ne l'ai pas invitée.**
— **Mais pourquoi est-ce que tu ne l'as pas invitée?**
— **Elle est trop snob.**

1. téléphoner à tes copains
  (ils ne sont pas chez eux)
2. laver ta voiture
  (elle n'était pas sale)
3. acheter de la limonade
  (je n'avais pas soif)
4. faire les courses
  (j'ai dîné au restaurant)
5. aller chez le coiffeur
  (je n'ai pas les cheveux longs)

6. écrire à Catherine
  (j'ai perdu son adresse)
7. prendre des photos
  (je n'avais pas mon appareil)
8. finir tes devoirs
  (j'avais mal à la tête)
9. tondre la pelouse
  (la tondeuse est cassée)
10. aller à la pharmacie
  (elle est fermée aujourd'hui)

L'assistant(e)

Vous êtes l'assistant(e) du président (de la présidente) d'une compagnie française. Demandez-lui si vous devez faire les choses suivantes. Votre partenaire va répondre affirmativement ou négativement.

▶ téléphoner à Madame Simon (oui)

1. téléphoner à Monsieur Lamy (non)
2. répondre à ces clients (oui)
3. copier ces documents (oui)
4. répondre à cette lettre (non)
5. écrire à Madame Susuki (oui)
6. inviter Monsieur Schmidt (non)
7. passer à la poste (oui)
8. acheter des timbres (oui)
9. envoyer ce chèque (non)
10. aller à la papeterie (oui)
11. commander du papier à lettres (oui)
12. acheter des enveloppes (non)
13. acheter votre billet d'avion (oui)
14. réserver une chambre d'hôtel (oui)
15. confirmer la réservation (non)

Je téléphone à Madame Simon?

Oui, téléphonez-lui!

Langue et communication   163

Unité 4   163

■ Teaching Note

These activities practice and contrast the use of the various pronouns reviewed: **y**, **en**, **le**, **la**, **les**, **lui**, **leur**.

■ Expansion: Activity 2

Encourage students to continue their conversation, e.g.:

  Quelles bandes dessinées est-ce que tu as lues?
  J'ai lu ...
  Est-ce que tu les as trouvées drôles? etc.

📺 Teaching Strategy: Personalization

In Activity 3, encourage students to invent original excuses.

■ Expansion: Activity 4

Also:

  faire attention à
  Nous faisons attention à eux.
  s'intéresser à
  Paul s'intéresse à eux.

■ **Note linguistique**

The past participle always agrees with a preceding direct object, even in sentences where there are two object pronouns.

J'ai prêté **mes cassettes** à Paul.

Je **les** lui ai prêt**ées**.

B. L'ordre des pronoms

Sometimes a sentence may contain two object pronouns. Note the sequence of these pronouns in the following sentences:

DIRECT- AND INDIRECT-OBJECT PRONOUNS

le la les	before	lui leur	Je prête **mon vélo à Alice.** Tu envoies **cette carte à tes cousins.** Nous montrons **nos diapos à Éric.**	Je **le lui** prête. Tu **la leur** envoies. Nous **les lui** montrons.

➡ This order is also used in affirmative commands.

Montre **la photo à Catherine.**   Montre-**la-lui.**

me te nous vous	before	le la les	Vous **me** donnez **le journal.** Le coiffeur **te** coupe **les cheveux.** Paul **nous** vend **sa chaîne-stéréo.** Sylvie **vous** prête **ses CDs.**	Vous **me le** donnez. Il **te les** coupe. Paul **nous la** vend. Elle **vous les** prête.

➡ Note the order in affirmative commands:

le la les	before	moi nous	Donne-**moi ton adresse.** Montre-**nous ces photos.**	Donne-**la-moi.** Montre-**les-nous.**

OBJECT PRONOUNS AND **Y, EN**

le/la/les lui/leur me/te/nous/vous	before	y en	J'amène **mes amis au concert.** Je donne **des conseils à Marc.** Alice **me** prête **de l'argent.** L'employé **nous** vend **des timbres.**	Je **les y** amène. Je **lui en** donne. Elle **m'en** prête. Il **nous en** vend.

➡ This order is also used in affirmative commands.

Donne **des timbres à Catherine.**   Donne-**lui-en.**
Donne-**moi du papier à lettres.**   Donne-**m'en.**

ALLONS PLUS LOIN

When two pronouns are used with a reflexive verb, the reflexive pronoun always comes first.

Je m'achète des vêtements.   Je **m'en** achète.
Alice s'est coupé les cheveux.   Elle **se les** est coupés.

Comment est ce je vous les coupe

🄷 **Teaching Strategy: Multiple Intelligences**

Have students write their names on a slip of paper and put them into a hat. Have them write the name of an *item* on another slip of paper and put these into another hat. Ask each student to pick one piece of paper from each hat. They must then make a complete sentence using the item as a d.o., the student name as an i.o., and using the verb **donner (Je donne les fleurs à Catherine).** Then, have each student hand the papers they chose to the student whose name appears while they replace the d.o. and i.o. with pronouns. (e.g. **Je les lui donne...** Hands the papers to Catherine.) (LINGUISTIC)

Conversation

Demandez à votre partenaire s'il/si elle fait les choses suivantes. Il/elle va répondre affirmativement ou négativement.

▶ prêter tes disques à ton copain?
  — **Est-ce que tu prêtes tes disques à ton copain?**
  — **Oui, je les lui prête. (Non, je ne les lui prête pas.)**

1. prêter de l'argent à tes copains?
2. montrer ton journal *(diary)* à ta copine?
3. montrer tes notes *(grades)* à tes parents?
4. emprunter la tondeuse à tes voisins?
5. demander des conseils à ton prof?
6. donner de l'argent aux pauvres?
7. dire la vérité à tes amis?
8. couper les cheveux à ton petit frère?

Échanges

Votre partenaire va vous demander de lui prêter une des choses suivantes. Négociez un échange avec lui/elle. Votre partenaire va accepter ou refuser.

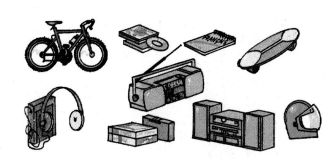

▶ — **Dis, prête-moi <u>ton walkman</u>.**
  — **D'accord, je vais te le prêter si tu me prêtes ta bicyclette.**
  — **Bon, je vais te la prêter.**
       (Non, je ne veux pas te la prêter.)

■ **Note linguistique**
The expression **le walkman** is commonly used in France, even though the French government officially recommends the use of the French term: **le baladeur**.

Oui ou non?

Répondez aux questions suivantes, affirmativement ou négativement. Utilisez les pronoms **lui/leur** et **en**. Soyez logique!

▶ Est-ce qu'on donne de l'aspirine à un malade?
  Oui, on lui en donne.

1. Est-ce qu'on donne des allumettes aux enfants?
2. Est-ce qu'on parle de ses problèmes à ses amis?
3. Est-ce qu'on offre du chocolat à une personne qui est au régime *(on a diet)*?
4. Est-ce qu'on demande des conseils à ses parents?
5. Est-ce qu'on raconte des histoires de fantômes à une personne impressionnable?
6. Est-ce qu'on envoie des cartes de voeux *(season's greetings)* à ses amis?
7. Est-ce qu'on donne un bon pourboire à un serveur désagréable?
8. Est-ce qu'on sert de la viande à un végétarien?
9. Est-ce qu'on écrit des poèmes à une personne qu'on aime?

8 À Paris

Vous travaillez à Paris dans l'un des endroits suivants. Offrez certains services à votre partenaire, qui va accepter. (S'il/si elle refuse, votre partenaire va vous donner une explication.)

▶ — **Je vous apporte le menu?**
  — **Oui, apportez-le-moi, s'il vous plaît.**
       (Non, pas maintenant! Je vais attendre un peu.)

AU RESTAURANT	CHEZ LE COIFFEUR
• apporter le menu • décrire le plat du jour • donner du pain • servir du café	• faire un shampooing • couper les cheveux très courts • mettre du gel
DANS UN MAGASIN DE DISQUES	**À L'HÔTEL**
• montrer nos nouveaux CDs • faire un paquet • donner un sac en plastique	• montrer votre chambre • monter vos bagages • préparer votre note *(bill)* • commander un taxi

Langue et communication **165**

Supplementary vocabulary

coudre (recoudre) ce bouton
  to sew this button (back on)
réparer la fermeture éclair
  to fix the zipper

■ **Notes linguistiques**
• **La cordonnerie** est la boutique du cordonnier.
• **La teinturerie** est la boutique du teinturier. On porte des vêtements chez le teinturier/à la teinturerie.

LE FRANÇAIS
PRATIQUE
Services

Est-ce que vous pou... réparer ces chaussu...

Oui, bien sûr.

D'ici une semaine.

Quand est-ce q... ce sera prêt?

Chez le cordonnier
(At the shoe repair shop)

— Est-ce que vous pouvez | **réparer** ces chaussures?
                          | **changer les talons** *(heels)*?

| **réparer** *to fix* |

— Quand est-ce que **ce sera prêt** *(when will it be ready)*?
    Tout à l'heure! *(In a little while!)*
    Dans deux jours.
    D'ici une semaine. *(A week from now.)*

Est-ce que vous pouvez enlever cette tache?

Chez le teinturier *(At the cleaners)*

— Est-ce que vous pouvez | **nettoyer** cette veste?
                         | **laver** ces chemises?
                         | **repasser** ce pantalon?
                         | **enlever cette tache**
                             (spot, stain)?

| **repasser** *to iron* |
| **enlever** *to remove* |

Oui, mademoiselle.

Chez le photographe

Est-ce que vous pouvez développer ces photos?

— Est-ce que vous pouvez **développer ces photos**?
   Est-ce que vous pouvez aussi **réparer mon appareil-photo**?
    Oui, quel est le problème?
    Qu'est-ce qu'il y a?
    Qu'est-ce qui ne marche pas?
    Le flash | **est cassé.**
             | **ne fonctionne pas.**
             | **ne marche pas.**
    La pile est **usée** *(worn out).*

| **marcher** *to work, to function* |

Oui, monsi...

le flash
le téléobjectif
le bouton
la lentille
l'objectif
le filtre

☀ **Teaching Strategy: Warm-Up**

Use actual items to spark student interest: a pair of shoes, a suit to be cleaned, a camera, a bike, a T.V., a pair of pants to be cleaned or ironed, a stereo...

Ask students to come to the front of the class and explain what is wrong with the item and what needs to be done, using the vocabulary from pp. 166–167 in their demonstration.

Réparations

Vous avez un objet à réparer et vous allez chez un spécialiste. Avec votre partenaire, choisissez un des objets suivants et composez le dialogue correspondant.

▶ — S'il vous plaît, est-ce que vous pouvez réparer <u>ma montre</u>?
— Oui, bien sûr. Quel est le problème?
— <u>Le ressort</u> (spring) est cassé.
— Bon, je vais voir ça.

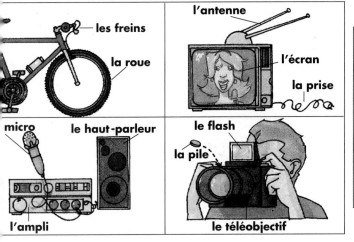

* **mon appareil-photo**
  le flash? la pile? le téléobjectif?
* **ma chaîne stéréo**
  le micro? l'ampli?
  le haut-parleur?
* **ma télé**
  l'antenne? l'écran?
  la prise?
* **mon vélo**
  les freins? la roue?

■ Variation: Activity 1
* mon ordinateur
  le lecteur de CD-ROM? le modem? le lecteur de compacts?
* mes rollers (rollerblades)
  les roues? les freins? la chaussure?
* mon caméscope (camcorder)
  le zoom? l'objectif? la prise de son? (sound recorder)

Créa-dialogue

Lisez le dialogue «Chez l'électricien». Puis, avec votre partenaire, choisissez une autre boutique et préparez un nouveau dialogue. Par exemple, vous allez chez le teinturier, chez le photographe, ou chez le cordonnier.

«CHEZ L'ÉLECTRICIEN»

— Bonjour, <u>madame</u>. Est-ce que vous pouvez <u>changer cette prise</u> *(plug)*?	• *Use the appropriate form of address.* • *Ask for a service available at the shop.*
— Bien sûr, <u>monsieur</u>. Ce sera tout?	• *Use the appropriate form of address.*
— Non, est-ce que vous pouvez aussi <u>réparer cette lampe</u>?	• *Ask for another service.*
— D'accord, je vais faire ça.	
— Quand est-ce que ce sera prêt?	
— <u>D'ici dix jours</u>.	• *Give the number of days from now.*
— Ce n'est pas possible avant?	
— Si, peut-être. Revenez <u>lundi prochain</u>.	• *Give another day closer in time.*

Le français pratique (167)

■ Student Portfolios

Ask students to make up their own proverbs, using the following as an example:

Les cordonniers sont les plus mal chaussés.
Shoemakers are always the worst shod.

Have students illustrate their proverbs. For students who prefer working on computer, borders, clip art, and scanned photos or illustrations can be included. The final product can be displayed in the classroom or put directly in the portfolios.

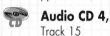
Supplementary vocabulary

faire savoir *to let (someone) know*
Faites-le moi savoir dès que possible.

faire faire *to have done, made*
Je me suis fait faire une robe.

faire construire *to have built (a house)*
Ils ont fait construire (la maison) l'année dernière.

A. La construction faire + infinitif

Note the use of the construction **faire** + INFINITIVE.

Je **fais développer** les photos.	*I **am having** the pictures **developed**.*
Tu **as fait réparer** ton vélo.	*You **had** your bicycle **fixed**.*
Nous allons **faire laver** notre auto.	*We are going **to have** our car **washed**.*

The construction **faire** + INFINITIVE is used to describe actions that people <u>have done by someone else</u>.

➡ In this construction, it is the verb **faire** that is used:
  • in the negative
    Je fais réparer ma télé.   Je **ne fais pas** réparer ma caméra.
  • with pronouns
    Ma montre était cassée.   Je **l'**ai fait réparer.
    Ta voiture est sale.   Fais-**la** laver.

Faire + infinitif

Pratique ▶ p.51

The construction **faire** + INFINITIVE is also used to describe actions that we make or have other people do.

Le professeur **fait étudier** les élèves.   *The teacher **makes** the students **study**.*

ALLONS PLUS LOIN

• The construction **faire** + INFINITIVE is used in certain expressions:
  faire cuire *to cook*   **faire frire** *to fry*   **faire bouillir** *to boil*
  Also: **faire marcher** *to operate (equipment)*   **faire voir** *to show*

• Note the use of **se faire** + INFINITIVE to describe actions that people are having done for themselves.
  Je vais **me faire couper** les cheveux.   *I am going **to have my hair cut**.*

💡 Teaching Strategy: Challenge

Ask students to look at the following sentence and notice that there is no agreement of the past participle:

[ma montre]   Je l'ai fait réparer.

There is no agreement of the past participle in the **faire** + INFINITIVE construction. This is because the pronoun **le/la/les** is not the direct object of **faire**, but rather the direct object of the infinitive.

The reflexive pronoun is generally omitted before an infinitive introduced by **faire**:

Je l'ai fait asseoir.

Elle s'était levée, mais le docteur l'a fait coucher.

Services

Demandez à votre partenaire pourquoi il va à certains endroits. Il/elle va répondre logiquement.

▶ — **Tu vas à la teinturerie?**
— Oui, je vais faire nettoyer mon blazer.

OÙ?	POURQUOI?
• à la station-service	• réparer mon vélo
• chez le mécanicien	• réparer mon séchoir
• à la teinturerie	• changer cette serrure *(lock)*
• chez le photographe	• nettoyer mon blazer
• à la laverie *(laundry)*	• laver mon linge
• à la boutique d'appareils électriques	• laver ma voiture
• à la serrurerie *(locksmith)*	• vacciner mon chien
• chez le vétérinaire	• développer mes diapos

Que faire?

Votre partenaire vous explique certains problèmes. Dites-lui ce qu'il/elle doit faire.

▶ — **Ma montre est cassée.**
— **Fais-la réparer.**

PROBLÈMES	QUE FAIRE?
• Ma montre est cassée.	changer . . .
• Ma veste a une tache *(spot)*.	couper . . .
• Mes cheveux sont trop longs.	nettoyer . . .
• Mon walkman ne marche pas.	réparer . . .
• Les piles de ma radio-cassette sont usées *(worn out)*.	vacciner . . .
• Mon chien n'a pas eu ses piqûres *(shots)*.	

«Ma montre est cassée.»

«Mes cheveux sont trop longs.»

«Mon walkman ne marche pas.»

«Les piles de ma radio-cassette sont usées.»

«Ma veste a une tache.»

«Mon chien n'a pas eu ses piqûres.»

Langue et communication **169**

 UNITÉ 4

Interdisciplinary/ Community Connections

Create a directory, in French, of services available in your town. Include picture as well as words for those who do not speak French.

Language Arts: In small groups, list and describe all the services available in your town.

Math: Find out the cost for each service and list in a chart.

Science/Health: Be sure to find out about health clubs, gyms, and emergency and non-emergency health care providers in the area.

Social Studies: Choose one of the services you have identified and report on the training and education needed for the job.

Art/Music: Design the directory, including pictures or icons representing different services.

Technology: Find out about computer, fax, and other technological services in the area.

Community: Donate your directory to the local library, a travel agency, or the chamber of commerce.

🎬 Expansion: Activity 2

Have each pair of students come up with an original problem scenario and then exchange with another pair of students. Then ask pairs to develop a dialog giving an original solution.

This activity can be an amusing one to videotape and use as a problem-solving authentic assessment piece. Play the problem scenario first, then stop the tape and ask students to offer solutions. Finally, play the video to show the original solution; compare and contrast.

TEACHING RESOURCES

 Transparency L4

 Overhead Visuals Copymasters and Activities, pp. A125–126

Internet Connection Notes, Project 2 p. 71

🌐 Realia Notes

- **UV** means that the place offers a tanning booth.
- **Le hammam** is a place to have a steam bath. **Hammam** is a turkish/arabic word meaning "hot bath."
- **Le cireur** = shoeshiner (**cirer:** to wax, to polish; **la cire** wax, shoe polish)
- **Le voiturier** = car service
- **80F** = (about) $16 ; **100F** = (about) $20

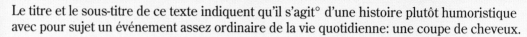

LECTURE

Une histoire de cheveux
Comédie en 4 scènes

Le titre et le sous-titre de ce texte indiquent qu'il s'agit° d'une histoire plutôt humoristique avec pour sujet un événement assez ordinaire de la vie quotidienne: une coupe de cheveux.

Pour vous mettre dans l'esprit de cette histoire, répondez aux questions suivantes.

- Est-ce que vous attachez beaucoup d'importance à votre coiffure? Pourquoi ou pourquoi pas?
- Quel style de coiffure préférez-vous?
- Est-ce que vos parents sont toujours d'accord avec ce style? (Si non, pourquoi pas?)
- Quel coiffeur vous coupe les cheveux habituellement? Combien de fois par an (ou par mois) y allez-vous?
- Si votre coiffeur était indisponible° un jour, est-ce que vous permettriez à quelqu'un d'autre (un copain ou une copine, votre soeur ou votre frère, votre mère ou votre père…) de vous couper les cheveux? Pourquoi ou pourquoi pas?

il s'agit de *it is about* **indisponible** *unavailable*

Alain
MAITRE BARBIER COIFFEUR
"SALON MUSEE"
DU MARDI AU SAMEDI DE 9H15 A 19H
8 rue St Saint-Claude 01 42 77 55 80
75003 Paris

MARC DELACRE
Coiffure et Soins Esthétiques
Pour Hommes
Soins Cheveux Corps Visage
Manucure Pédicure Médicale
UV, Sauna, Hammam
Restaurant, Cireur, Voiturier
17 av George V
75008 Paris 01 40 99 77 70

Une histoire de cheveux
Comédie en 4 scènes

👥 Teaching Strategy

Use the *Avant de lire* questions to focus student interest on the theme of the story and generate a pre-reading discussion.

As a follow-up, students may write their own **Histoire de cheveux**. Personalizing the reading can help students to pay closer attention to the storyline and develop their reading skills.

Scène 1

Patrick, 15 ans, a un problème commun à tous les jeunes de son âge.
Il n'a jamais assez d'argent. Alors, de temps en temps, il en demande à son père.
Malheureusement, aujourd'hui, celui-ci n'est pas d'humeur généreuse.

—Dis, Papa, tu peux me donner un peu d'argent?

—Mais, je t'ai donné cent francs la semaine dernière.

—S'il te plaît, papa, c'est la dernière fois que je t'en demande.

—N'insiste pas, Patrick, la dernière fois, c'était la dernière
  fois…

Le père de Patrick examine son fils de plus près.

—Dis donc, Patrick, tourne-toi un peu.

Patrick se retourne.

— Tu as les cheveux drôlement longs.

— Mais Papa, c'est la mode.

— Eh bien, moi, je n'aime pas tellement la mode des cheveux longs…
  Il faut absolument que tu ailles chez le coiffeur.

— Tu oublies que je n'ai pas d'argent.

— Ah oui, c'est vrai. Combien est-ce que ça coûte, une coupe de cheveux?

— Dans les° quatre-vingt francs.

— Bon. Eh bien, voilà. Je te donne cent francs, mais je ne veux plus voir
  cette horrible tignasse!

— Merci, papa, à ce soir!

° dans les = approximativement

une tignasse

Mots utiles	
l'humeur	*mood*
se tourner	*to turn around*
de près	*closely, from close up*
de temps en temps	*from time to time*

Langage familier

drôlement = vraiment
tellement = beaucoup

Avez-vous compris?

1. Qu'est-ce que Patrick demande à
   son père?
2. Pourquoi est-ce que le père refuse?
3. Qu'est-ce qu'il remarque quand il
   examine Patrick de près?
4. Qu'est-ce qu'il demande à son fils
   de faire?
5. Combien d'argent lui donne-t-il?

Anticipons un peu!

Selon vous, est-ce que Patrick va aller chez
le coiffeur ou non? Expliquez pourquoi.

Lecture **171**

Scène 2

25   Patrick prend le billet de cent francs que son
     père a sorti de son portefeuille, puis il met son
     blouson et quitte la maison. En route, il
     rencontre Béatrice, une nouvelle élève du lycée
     où il va. C'est une grande fille brune avec de
30   merveilleux yeux bleus. Patrick la trouve très
     sympa et très mignonne, mais jusqu'ici, il n'a pas
     eu vraiment l'occasion de lui parler.

— Salut, Béatrice! Ça va?

— Oui, ça va.

35   — Dis donc, où est-ce que tu vas comme ça?

— Je vais au ciné.

— Qu'est-ce que tu vas voir?

— Le dernier film de Depardieu. Il paraît° que c'est très bon... Si tu
     veux, on peut y aller ensemble.

40   Patrick voudrait bien accepter la proposition de Béatrice.
     Malheureusement, il y a cette maudite° coupe de cheveux.

— Euh, c'est que je dois aller chez le coiffeur.

— Mais, pourquoi? Je t'aime bien comme ça avec tes cheveux longs...

Patrick rougit.

45   — Malheureusement, j'ai un père qui préférerait me voir avec les
     cheveux courts.

— Ah bon, je comprends... Écoute, j'ai une idée!

— Quoi donc?

— On peut aller au ciné, et puis après, on peut aller chez moi. Mon
50   père est coiffeur. Il va te faire une coupe super... Et, en plus, tu
     économiseras ton argent.

— Ben, oui, c'est une idée! Tu es bien sûre que ton père sera chez
     toi tout à l'heure?

— Absolument! C'est son jour de congé aujourd'hui.

55   — Alors, dans ce cas, j'accepte!

il paraît que = on dit que   **maudite** *damned*

Mots utiles

un jour de congé	*day off*
rougir	*to blush*
jusqu'ici	*until now*
tout à l'heure	*in a while*

Avez-vous compris?

1. Qui est Béatrice et qu'est-ce que Patrick pense d'elle?
2. Pourquoi Patrick n'accepte-t-il pas immédiatement la proposition de Béatrice?
3. Selon vous, pourquoi Patrick rougit-il?
4. Quelle solution Béatrice propose-t-elle à Patrick?

Anticipons un peu!

Selon vous, qu'est-ce qui va se passer après le film?

Notes linguistiques

• **Un congé** is a short period of time taken off from work, such as a national holiday, or a weekend. **Les vacances** implies a longer period of time off.

• **se rendre compte** = to realize
(**Rappel: réaliser** = to achieve)

■ *Avez-vous compris?*

(Sample answers)

1. Béatrice est une nouvelle élève du lycée. Patrick la trouve très sympa et mignonne.

2. Il n'accepte pas immédiatement la proposition de Béatrice parce qu'il doit aller chez le coiffeur.

3. Il rougit parce que Béatrice lui dit des choses gentilles et il est un peu amoureux d'elle.

4. Elle propose que son père, qui est coiffeur, coupe les cheveux de Patrick après le cinéma.

🄑 Teaching Strategy: Multiple Intelligences

Expansion linguistique
Remind students of the difference between forms in written and spoken French. Ask students if similar differences exist in spoken and written English; ask for examples.

Then point out the abbreviations used in spoken French which appear in this story:

sympa (sympathique)
le ciné (le cinéma)
Et aussi: **T'en fais pas (ne t'en fais pas s'en faire** = to worry *fam.*),
c'est pas si mal (ce n'est pas si mal).
(LINGUISTIC)

Scène 3

Patrick et Béatrice sont allés au cinéma. Après le film, Patrick a invité Béatrice dans un petit restaurant italien où ils ont mangé une pizza. Ensuite, ils sont allés chez Béatrice. Là, ils ont une mauvaise surprise: il n'y a personne à la maison. Patrick s'inquiète.

— Où est ton père?

— Je ne sais pas! Il a dû faire un tour en ville avec ma mère. Ne t'inquiète pas. Je suis sûre qu'ils rentreront bientôt.

Une heure passe, et toujours personne. Finalement, le téléphone sonne. C'est la mère de Béatrice qui lui dit de ne pas l'attendre. Elle et son mari sont invités à dîner chez des amis. Ils ne vont pas rentrer avant onze heures. Béatrice se rend compte du problème.

— Dis, Patrick, mes parents ne vont pas rentrer ce soir.

— Et ma coupe de cheveux?

— T'en fais pas! C'est moi qui vais te les couper.

— Comment? Tu sais couper les cheveux, toi?

— Ben oui, tu sais, j'ai souvent regardé mon père.

Patrick n'est pas très rassuré, mais il n'a pas le choix. Il est bien obligé d'accepter l'offre de Béatrice.

Béatrice va chercher les ciseaux de son père. Elle demande à Patrick de s'asseoir sur un tabouret. Puis, elle commence à lui couper les cheveux. Clic, une mèche par ci! Clac, une mèche par là. Clic! Clac! Clic! Clic! Il est bien évident que Béatrice n'a jamais coupé de cheveux de sa vie et le résultat est un véritable désastre. Elle a beau° passer° de l'eau et du gel fixatif sur les cheveux de Patrick, elle n'arrive pas à masquer les échelles qu'elle a faites de tous les côtés.

Patrick se regarde dans la glace. Il comprend alors l'ampleur° de la catastrophe.

— Mon Dieu, qu'est-ce que je vais faire?

Béatrice essaie de le rassurer.

— Écoute, c'est pas si mal que ça! Mets-toi un peu dans l'obscurité°... Non, ce n'est pas trop mal. Un conseil: quand tu seras chez toi, ne te mets pas trop près de la lumière, et personne ne verra rien.

Mais Patrick n'écoute pas. Il prend son blouson et sort de chez Béatrice, très inquiet...

Mots utiles

un côté	*side*
un désastre	*= une catastrophe*
la lumière	*light*
arriver à	*to manage to*
sonner	*to ring*

Langage familier

t'en fais pas = ne t'inquiète pas

un tabouret

une mèche

des échelles

elle a beau = c'est en vain qu'elle essaie de
passer = mettre
ampleur *extent*
l'obscurité = un endroit où il fait noir

Avez-vous compris?

1. Pourquoi est-ce que Patrick s'inquiète?
2. Qu'est-ce que la mère de Béatrice annonce à sa fille quand elle lui téléphone?
3. Qu'est-ce que Béatrice fait pour résoudre le problème de Patrick?
4. Comment réussit-elle dans ce projet? Expliquez.
5. Qu'est-ce qu'elle conseille à Patrick de faire pour ne pas être trop visible?

Anticipons un peu!

Selon vous, quelle va être la réaction du père de Patrick quand il va voir son fils? Est-ce qu'il va être heureux? furieux? perplexe? Expliquez pourquoi.

■ **Avez-vous compris?**

(Sample answers)

1. Il s'inquiète parce que les parents de Béatrice ne sont pas chez eux.
2. Elle lui dit qu'elle et son père rentreront tard.
3. Béatrice coupe elle-même les cheveux de Patrick.
4. C'est une catastrophe! Elle coupe trop, et mal, elle fait des échelles de tous les côtés.
5. Elle lui dit de ne pas se mettre près de la lumière.

■ **Verb**

s'inquiéter is conjugated like
espérer:
 je m'inquiète
 nous nous inquiétons
 ils s'inquiètent

💡 **Teaching Strategy: Expansion**

Ask students:
Pourquoi Patrick est-il obligé d'accepter de se faire couper les cheveux par Béatrice?

Scène 4

Vingt minutes après, Patrick arrive chez lui. 100
Il a l'air vraiment pitoyable. Sa mère ne peut
pas s'empêcher de rire.

— Mon pauvre Patrick! Tu as l'air d'un
chat qui est tombé dans l'eau...
Qui est-ce qui t'a coupé les cheveux? 105
Allez, dis-moi la vérité.

Patrick hésite un peu. Puis, il raconte à sa
mère ce qui s'est passé.
Celle-ci essaie de le consoler.

—Tu as de la chance! Ton père n'est pas encore rentré! En 110
attendant qu'il rentre, je vais essayer d'arranger cela!

Elle va dans la salle de bains chercher la tondeuse qu'elle utilisait
quand Patrick était petit. Puis elle commence l'opération... En cinq
minutes, elle a complètement tondu le crâne de Patrick.

— C'est un peu court, mais au moins ça peut passer... 115

Puis elle va ranger la tondeuse pendant que Patrick va se regarder
dans la glace.

—J'ai la boule à zéro! Qu'est-ce que mes copains vont penser
de moi?

— Ils vont trouver ça très bien. Je suis sûre que tu vas lancer 120
une nouvelle mode... Tiens, voilà ton père.

Le père de Patrick vient en effet de rentrer. Il regarde Patrick avec
surprise.

— Bravo, mon garçon! Tu as beaucoup de courage... Je te
félicite! Tiens, pour te récompenser, je vais t'emmener au 125
cinéma ce soir. Est-ce que tu veux aller voir le dernier film de
Depardieu? Il paraît que c'est très bon!

— Merci, Papa, ...mais j'ai des devoirs à faire!

— Comme tu veux! Et excuse-moi d'avoir été un peu brusque
avec toi cet après-midi. 130

la tondeuse

le crâne

avoir la boule à
zéro

Mots utiles

arranger	to fix
s'empêcher de	to stop, prevent oneself from
lancer	to launch
récompenser	to reward
rire *	to laugh
tondre	to clip very short
pitoyable	pitiful

Avez-vous compris?

1. Quelle est la réaction de la mère de Patrick quand elle voit son fils?
2. Qu'est-ce qu'elle fait pour aider Patrick?
3. Quel est le résultat de cette action?
4. Quelle est la réaction du père de Patrick?
5. Qu'est-ce qu'il propose à son fils?
6. Qu'est-ce que Patrick répond à l'invitation de son père? Quelle est la véritable raison de son refus?

■ Teaching Note

For an overview of a Gérard Depardieu movie, see **Cyrano de Bergerac**, pp. 142–145.

■ Verb

Convaincre is conjugated like **vaincre**:
je convaincs
il convainc
nous convainquons
ils convainquent

■ Avez-vous compris?

(Sample answers)
1. Elle rit.
2. Elle utilise la tondeuse.
3. Il a le crâne complètement tondu, «la boule à zéro».
4. Il est surpris et fier de son fils. Il admire son courage.
5. Il lui propose d'aller voir le dernier film de Depardieu avec lui.
6. Patrick répond qu'il ne peut pas parce qu'il a des devoirs. Mais la vraie raison, c'est qu'il vient de voir ce film avec Béatrice.

■ Irregular Verb

(see Appendix C)
rire

EXPRESSION ORALE

■ Dramatisation

En petits groupes, préparez une lecture dramatique de cette histoire. Chaque groupe présentera une scène.

- D'abord, choisissez un narrateur et distribuez les autres rôles.
- Pendant les parties «narratives», les acteurs feront les gestes et montreront les émotions indiquées.
- Pendant les dialogues, chaque acteur lira son texte avec beaucoup d'expression.

■ Situations

Avec votre partenaire, choisissez l'une des situations suivantes. Composez le dialogue correspondant et jouez-le en classe.

1. Au téléphone

Le soir, après le dîner, Béatrice téléphone à Patrick pour lui demander ce qui est arrivé quand il est rentré chez lui. Patrick le lui explique.

Les rôles: Béatrice, Patrick

2. En classe

Le lendemain, un(e) camarade de classe de Patrick est très étonné(e) de voir son ami avec «la boule à zéro». Il/Elle lui demande ce qui s'est passé. Patrick lui répond. (Patrick peut lui dire la vérité ou bien il peut inventer une histoire complètement différente.)

Les rôles: le/la camarade de classe, Patrick

3. La nouvelle mode

Maintenant, Patrick est très fier de sa nouvelle coiffure. Il explique à un autre copain les avantages d'avoir «la boule à zéro» et il essaie de le convaincre de faire la même chose. Le copain n'est pas tellement convaincu.

Les rôles: Patrick, le copain

EXPRESSION ÉCRITE

■ Imaginons un peu

Quelle va être la réaction des copains de Patrick quand celui-ci ira au lycée demain matin? Qu'est-ce que Patrick va leur dire? À vous d'écrire la Scène 5.

■ Page de journal

Imaginez que vous êtes Patrick ou Béatrice. Écrivez une page ou deux dans votre journal intime (diary) où vous ferez un résumé des événements de la journée.

Lecture **175**

■ **Teaching Notes**
- You may wish to use the short **Lecture** quiz as a comprehension check or as an assessment option.

⌐ Use the **Overhead Visual Copymasters and Activities** to expand/retell the story.

Teaching Strategy: Expansion

Pose this problem scenario to students:

Votre meilleur(e) ami(e) arrive à l'école avec la boule à zéro. Quelle est votre réaction? Que lui dites-vous? Imaginez votre dialogue.

Rôles: Vous, votre ami(e)

■ Student Portfolios

Use the *Situations* to prepare dialogs on audiocassette or video for portfolios or presentation.

Use the *Page de journal* above as the basis for student writing samples. If your students enjoy performing, you may also use the *Expression orale* suggestion as the basis for recording or presenting a dramatic reading of the story.

VIVE LA MUSIQUE!

INTERLUDE CULTUREL

▪ *Histoire de la chanson française* ▪

Un proverbe français dit que «tout finit par une chanson». On pourrait° dire aussi que tout a commencé par une chanson. L'histoire de la chanson française est en effet un peu l'histoire de France. La première grande oeuvre° littéraire française date du douzième siècle.° C'était une chanson: *La Chanson de Roland.*

Troubadour du Moyen Âge

Au Moyen Âge,° les **«troubadours»** allaient de cour° en cour chantant des poèmes qu'ils composaient. Sous **Louis XIV**, soldats allaient à la guerre en chantant des chansons comm «Malbrough s'en va-t-en guerre»° ou «Auprès° de ma blonde En 1789, les Français ont fait la Révolution en chanta «Ça ira!»° Pendant la guerre de 1940, le «Chant des partisan était le cri de ralliement° de la Résistance contre les troup allemandes.

Mais la chanson n'est pas seulement un phénomè historique. C'est aussi un art populaire et un spectacle. L premiers chanteurs populaires chantaient dans la rue. recevaient un peu d'argent si leurs chansons étaient bonnes . et parfois un seau° d'eau sur la tête si leurs chansons étaie mauvaises.

Plus tard, la chanson a fait son entrée dans les **«cabaret** Le cabaret le plus célèbre était un cabaret de Montmartre q s'appelait le «Chat noir». C'était un cabaret artistique où réunissaient° les peintres, les musiciens, les poète les étudiants pour écouter les «chansonniers» de l'époque. C chansonniers chantaient surtout des chansons politiques, des chansons satiriques et parfois des chansons comiques.

Picasso *«Femme à la Mandoline»*

Le «Chat Noir», cabaret artistique à Montmartre.

pourrait *could* **oeuvre** *work* **siècle** *century* **au Moyen Âge** *in the Middle Ages* **cour** *court* **s'en va-t-en guerre** *goes off to war* **auprès de** *next* **ça ira** *things will go well* **cri de ralliement** *rallying cry* **seau** *bucket* **se réunissaient** *used to get together*

176 INTERLUDE: Vive la musique!

Édith Piaf:
La vie en rose
Mon légionnaire, Milord
Non, je ne regrette rien

Yves Montand:
Les feuilles mortes
Les grands boulevards
À Paris
Mon manège à moi

Georges Brassens:
Chanson pour l'Auvergnat
Une jolie fleur
Auprès de mon arbre
Les croquants

Jacques Brel:
Ne me quitte pas
Amsterdam
Le plat pays

Charles Aznavour:
La Mamma
Il faut savoir
Tu te laisses aller

Le grand public, lui, allait au «café-concert» ou au «music-hall». Dans les années 1930, la grande vedette° était **Joséphine Baker**, une danseuse noire américaine que tout le monde applaudissait quand elle chantait «J'ai deux amours: mon pays et Paris». Peu après, les Français ont découvert **Édith Piaf**, célèbre pour ses robes noires et sa voix terriblement poignante. Dans les années 1960, avec le développement de l'amplificateur et le succès de la guitare électrique, une nouvelle forme de chanson est apparue en France. C'était la chanson «yé-yé». Ce qui comptait,° ce n'était plus° le texte de la chanson, mais son rythme et surtout les contorsions du chanteur ou de la chanteuse sur scène . . . La vedette de l'époque était **Johnny Hallyday** qui en quelques mois est devenue l'idole des jeunes Français. La chanson personnelle n'a cependant pas disparu. Elle est restée vivante° et variée avec **Georges Brassens**, l'anarchiste sympa, **Yves Montand**, le gentleman romantique, **Jacques Brel**, le poète venu du pays des brumes,° et **Charles Aznavour**, le petit bonhomme° à la voix grêle.°

Yves Montand   Georges Brassens   Jacques Brel   Charles Aznavour

- **Le café-théâtre** is a café where people can watch new plays or performance artists.
- **Le music-hall** generally presents variety and vaudeville acts, reviews, and singers.

Notes culturelles

- Up to 1914, French people could go to le **café-concert** (or le **caf'conc'**) to watch vaudeville acts.
- **Jacques Brel** was born in Bruxelles in 1929. The quality and poignancy of his lyrics made him one of the best French songwriters. He spent his last years living on the Marquesas Islands (**les îles Marquises**) before dying in France in 1978.
- **Georges Brassens** (1921–1981) sang his poems accompanying himself on an acoustic guitar. He was able to play with and manipulate the French language into witty lyrics, expressing gentle mockery and nonconformism.
- **Yves Montand** was born in Italy in 1921. He made his career in France as a singer and actor, playing leads in such movies as **Le Salaire de la peur** (*Wages of Fear*). He died in 1991.
- **Charles Aznavour** is a singer and actor. He was born in Armenia in 1924.

Les vedettes d'hier . . .

Édith Piaf (1915-1963)

Édith Piaf a disparu il y a plus de trente ans, mais sa voix est restée immortelle. Pour les millions de gens qui ont écouté cette voix vibrante d'émotion, elle est toujours la plus grande des chanteuses françaises. Édith Piaf a eu une enfance° misérable. Elle est née dans la rue et c'est dans la rue qu'elle a commencé à chanter pour gagner quelques pièces d'argent.° Un jour, alors° qu'elle chantait au coin° du boulevard MacMahon à Paris, le directeur d'un cabaret célèbre l'a entendue. Ému° par sa voix poignante, il l'a immédiatement engagée.° La phénoménale carrière de Piaf venait de commencer.

Le succès de ses chansons est facile à expliquer. Édith Piaf a chanté passionnément sa vie passionnée. Cette vie a été faite de moments heureux et surtout de moments tragiques. C'est donc avec une extraordinaire sincérité qu'Édith Piaf pouvait chanter le bonheur et le malheur, la fatalité et l'espoir,° l'amour merveilleux et l'amour désespéré. Quand Édith Piaf était sur scène, le public ne pouvait pas faire la différence entre sa vie et ses chansons.

...dette *star*   **ce qui comptait** *what counted*   **plus** *no longer*   **sur scène** *on the stage*   **vivante** *alive*   **brumes** *fog, mist*
...nhomme = *homme*   **grêle** *frail*   **enfance** *childhood*   **pièces d'argent** *coins*   **alors que** *while*   **au coin** *on the corner*
...u *moved*   **engagée** *hired*   **espoir** *hope*

Internet Connection—Interlude 4

The following Internet address expands the material presented in Interlude Unité 4. For alternate links, students can use the following keywords and the search engine of their choice: **radio + France.**

Bienvenue sur le site de Radio France http://www.radio-france.fr/france-info/
Dernière-née du réseau Radio France, France Info, seule radio d'information continue en Europe, propose à toute heure du jour et de la nuit, une information complète sans cesse réactualisée.

Joséphine Baker (1906-1975)

Joséphine Baker sur scène

Joséphine Baker était une artiste de music-hall. Pour des millions de Français, elle a aussi été une grande héroïne nationale. Pourtant Joséphine Baker n'était pas d'origine française, mais américaine. Elle est née dans une famille pauvre de la ville de Saint Louis dans le Missouri. À seize ans, elle est partie à New York pour faire une carrière dans le théâtre. Mais là, victime de la discrimination et du chômage,° elle n'a pas trouvé de travail.

Heureusement, un jour, la chance° lui a souri.° Un imprésario français l'a engagée° pour faire une tournée° en France avec un groupe d'artistes noirs américains. Joséphine a fait ses débuts au Théâtre des Champs-Élysées en octobre 1925. Chacune° de ses entrées en scène était un triomphe. Pendant cette tournée, Joséphine Baker est tombée amoureuse° de Paris et Paris est tombé amoureux de «l'oiseau des îles». Joséphine Baker était la grande star du spectacle. Tous les soirs, elle donnait aux Français des leçons de danse. Bientôt, toute la France s'est mise° à danser le charleston. En quelques semaines, Joséphine Baker est devenue la reine° de Paris. Elle avait tout juste vingt ans.

Joséphine Baker a fait de nombreuses tournées à travers° l'Europe, mais c'est en France qu'elle se sentait chez elle.° En 1937, elle a décidé d'adopter la nationalité française. Pendant la guerre, fidèle° à son nouveau pays, elle a travaillé dans la Résistance. Pour ses services, elle a reçu les deux plus hautes décorations françaises: la Légion d'honneur et la Médaille de la Résistance. Pour la cérémonie, Joséphine Baker portait son uniforme de lieutenant de l'Armée de l'Air Française.

Après la guerre, Joséphine Baker a voyagé aux États-Unis. En butte° à nouveau à la discrimination, elle a décidé de se fixer° définitivement en France et de consacrer sa vie et sa fortune aux oeuvres° de charité. Elle a acheté un château pour accueillir° une douzaine d'orphelins de différentes races qu'elle avait adoptés et sauvés de la faim° et de la misère. C'était sa «tribu arc-en-ciel».° Ses ressources financières n'étant plus° suffisantes, elle est remontée sur scène à l'âge de 69 ans pour subvenir aux besoins° de sa famille d'adoption. À nouveau elle a connu le succès et c'est en plein triomphe qu'elle est morte en 1975.

Le jour de son enterrement,° la France entière a pris le deuil.° À Paris, une foule° immense a suivi le cortège funèbre.° Vingt et un coups de canon° ont été tirés° en son honneur: le plus grand adieu° français réservé à une femme américaine!

Joséphine Baker et sa «tribu arc-en-ciel»

---

chômage *unemployment* **chance** *luck* **souri** *smiled* **engagée** *hired* **tournée** *tour* **chacune** *each one* **tombée amoureuse de** *fell in love with* **s'est mise à** *began to* **reine** *queen* **à travers** *across* **se sentait chez elle** *felt at home* **fidèle** = *loyale* **en butte à** *faced with* **se fixer** *to settle* **oeuvres** *works* **accueillir** *to provide shelter* **faim** *hunger* **arc-en-ciel** *rainbow* **n'étant plus** *no longer being* **subvenir aux besoins** *meet the ne[...]* **enterrement** *funeral* **pris le deuil** *went into mourning* **foule** *crowd* **cortège funèbre** *funeral procession* **vingt et un coups de canon** *21-gun salut[...]* **tirés** *fired* **adieu** *farewell*

. . . et vedettes d'aujourd'hui

Johnny Hallyday

Johnny Hallyday, le roi° du rock'n roll français, est entré en scène dans les années 1960. Comme° il avait un nom anglais, on pensait qu'il était américain. En réalité, il s'appelait Jean-Philippe Smet, était belge et ne parlait pas un mot d'anglais. Il portait un blouson de cuir, roulait° en grosse moto, jouait de la guitare et chantait «Je suis l'idole des jeunes».

Trente ans plus tard, Johnny Hallyday n'a pas quitté la scène. Il est toujours° l'idole des jeunes... et des moins jeunes. Et quand il donne un grand concert public, 200 000 spectateurs viennent l'applaudir. Un record pour un chanteur français!

Jean-Jacques Goldman

Jean-Jacques Goldman est l'un des représentants du rock français moderne. Il compose lui-même ses chansons et les interprète à la guitare électrique. Il a commencé sa carrière avec un grand succès, «Quand la musique est bonne», et depuis quinze ans ses chansons sont généralement à tête du hit-parade français.

Simple et généreux, Jean-Jacques Goldman participe souvent aux concerts organisés pour soutenir° les grandes causes humanitaires: lutte° contre la misère, la faim et l'injustice.

Vanessa Paradis

Vanessa Paradis, la chanteuse à la voix d'enfant, a commencé sa carrière à l'âge de quatorze ans. Elle a été mannequin,° actrice, danseuse et elle a fait de la publicité à la télé, mais sa véritable vocation reste la chanson. Après plusieurs séjours° aux États-Unis, Vanessa Paradis chante maintenant en anglais aussi bien qu'en français.

Patricia Kaas

D'origine alsacienne, **Patricia Kaas** est la plus internationale des vedettes françaises. Ses chansons ont, en effet, presque autant de° succès au Canada, en Allemagne, en Angleterre qu'en France. Comme pour Vanessa Paradis, sa carrière a commencé très tôt. À treize ans, Patricia Kaas chantait dans les bals du samedi soir. Un jour, elle a été découverte par l'acteur Gérard Depardieu qui a produit son premier album. Depuis, ses chansons ont fait le tour du monde.°

Patrick Bruel

Très romantique, **Patrick Bruel** est la nouvelle idole des jeunes Français . . . et surtout des jeunes Françaises. Ses chansons sentimentales l'ont placé en tête du hit-parade des années '90. Chacun° de ses albums est un succès et se vend à des millions d'exemplaires.

■ **Note linguistique**
Le hit-parade (*pl.* **les hit-parades**) lists the top singers, songs, actors, or movies of the moment. The French government recommends the use of **le palmarès** instead of **le hit-parade**.

---

king **comme** *since* **roulait** *drove* **toujours** *still* **soutenir** *to support* **lutte** *fight* **mannequin** *model* **séjours** *stays*
tant de *as much* **ont fait le tour du monde** *have gone around the world* **chacun** *each one*

«D e la musique avant toute chose» a dit un poète français.* Aujourd'hui, la musique fait partie de la vie de tout le monde, et en particulier des jeunes. À la maison, on peut écouter des CDs sur sa chaîne hi-fi. En voiture, on peut écouter la radio ou des cassettes. Quand on se promène dans la rue ou quand on fait du jogging, on peut écouter son walkman.

Pour exprimer leur amour de la musique, les Français organisent chaque année une grande fête nationale appelée «la Fête de la Musique». Cette fête a lieu le dernier weekend de juin. Dans toutes les villes de France, il y a des concerts publics gratuits.° Ce jour-là, tous les Français sont dans la rue. Ils dansent, chantent, ou bien, ils écoutent la musique des orchestres° qui jouent un peu partout° dans les villes. Le slogan du jour est: «Pour la Fête de la Musique, faites de la musique.»

Quelle musique écoute-t-on en France quand on est jeune? En tête° du hit-parade, viennent les grandes vedettes de la chanson française: Jean-Jacques Goldman, Patrick Bruel, Patricia Kaas, Vanessa Paradis…. Mais à côté° de cette musique relativement traditionnelle existe une autre musique très populaire chez les jeunes. Cette musique reflète la réalité multiculturelle de la France d'aujourd'hui. La France est, en effet, une mosaïque de gens d'origines très différentes. À côté des Français de souche,° il y a aussi les immigrés venus d'autres pays européens, du Maghreb,** d'Afrique Noire, d'Asie..Chaque groupe a apporté sa culture et, en particulier, sa musique.

La musique française s'est enrichie de ces apports° et aussi des influences d'autres musiques populaires dans le monde: musiques américaine, anglaise, espagnole. . . . Elle est ainsi devenue une musique originale et variée.

■ L'influence américaine: le rap

Le rap est né aux États-Unis dans les années 1980 et depuis il a fait le tour du monde. En France, il est représenté par **MC Solaar**. Ce «Monsieur Rap» est un Français d'origine tchadienne.*** Dans ses chansons, il exprime des messages sociaux positifs où il met en garde° les jeunes contre la violence et la délinquance.

MC Solaar, «Monsieur Rap»

■ L'influence antillaise: le zouk

Le groupe Malavoi

Le zouk vient des **Antilles françaises** (**Martinique** et **Guadeloupe**). Pour les Antillais, «zouk» signifie «fête». Le zouk est donc une musique de fête où s'expriment la joie, l'humour et la fierté° d'être ce qu'on est.

La musique de zouk est typiquement antillaise. Expression de la culture martiniquaise et guadeloupéenne, elle représente la fusion d'éléments caraïbes, africains, français et espagnols. Dans un orchestre de zouk, le chanteur chante en créole. L'instrument principal est le tambour° ou la batterie° qui donne un rythme fort. Les autres instruments sont le synthétiseur, la basse, la guitare et parfois le piano.

Né il y a dix ans, le zouk est très populaire chez les jeunes Français. Il est représenté par des groupes comme *Kassav* (Martinique et Guadeloupe) et *Malavoi* (Martinique). Ces groupes ont fait connaître° le zouk en dehors° de la France et, en particulier, sur la côte est des États-Unis. Aujourd'hui, le zouk a un succès international.

---

* Paul Verlaine (1844-1896)
** Le Maghreb: l'Algérie, le Maroc, la Tunisie.
   Ces pays, en majorité arabes et musulmans, sont d'anciennes colonies ou protectorats français.
*** le Tchad: un pays d'Afrique

gratuits *free* **orchestres** *bands* **partout** *everywhere* **en tête** *on top* **à côté** *besides* **de souche** *native born* **les apports** *contributions* **met en garde** *warns* **la fierté** *pride* **le tambour** *drum* **la batterie** *drums* **fait connaître** *made known* **en dehors** *outside*

180 INTERLUDE: Vive la musique!

Supplementary vocabulary

le clip *video clip*
le hip-hop *hip-hop music*
rapper *to sing/play rap music*
le rapper *rap artist*
la tournée *tour*

🌐 Notes culturelles

• **MC Solaar** is the stage name of **Claude M'Barali**. He pronounces MC as in English: "emcee."
• **Ménélik** is a French rap artist, originally from Cameroon. His album **Phénoménélik** is available in the US as is MC Solaar's album **Prose Combat**.

🌐 NOTES CULTURELLES

• Since January 1, 1996, at least 40% of the songs played on French radio stations must be in French. This new law has boosted French rap sales and widened its audience by giving it more air time.

• Other French-speaking African artists whose albums are sold in the US: **Ismael Lo** was dubbed the Bob Dylan of Senegal. Album: **Iso** (Mango records). **Salif Keita**, from Mali, has worked on the music of Disney's Lion King (*Le Roi Lion*). Album: *Folon* (**"le passé,"** Mango Islands records).

■ L'influence arabe: le raï

Le raï vient d'**Afrique du Nord** et plus particulièrement d'**Algérie**. Il exprime la mélancolie mais aussi la joie et l'espoir° des jeunes **Maghrébins**. C'est un peu leur «soul music». Le chanteur de raï chante en arabe et parfois en français ou même en anglais. Il est accompagné d'instruments traditionnels et aussi de guitare et de synthétiseur. Le grand représentant du raï est algérien et s'appelle **Cheb Khaled**.

Cheb Khaled

■ L'influence africaine: le rythme

Depuis une vingtaine d'années, **la musique africaine** a beaucoup de succès en France. Très variée, elle est représentée par un grand nombre de musiciens et de groupes qui viennent des différents pays de l'Afrique francophone.

1. **Touré Kunda** vient du **Sénégal** et chante en wolof,* sa langue maternelle,° et en français. Sa musique est traditionnelle et raffinée.

2. **Youssou N'Dour** vient aussi du **Sénégal**. Ses disques ont été produits aux États-Unis par le cinéaste américain, Spike Lee.

3. Le groupe **Soukous Stars** vient du **Zaïre** et joue de la musique africaine très rythmée avec beaucoup de tambour.

4. Les chanteuses du groupe **Zap Mama** sont d'origine européenne (belge) et africaine (zaïroise). Elles reprennent les chants traditionnels des peuples d'Afrique centrale. Dans d'autres chansons, elles mélangent° le français, l'espagnol, l'arabe et les langues africaines.

▣ Notes culturelles

• **Raï** is an Arab word that means "opinion." Raï takes its roots in the music of the Bedouins, the nomadic people of the desert. In the Maghreb, raï was a poetic improvisation sung by its author who used this medium to share his vision of the world. Today, raï reflects the diverse influences of new rhythms, such as pop, reggae, and soul music.

• En mai 1997, le président Laurent Kabila a changé le nom du Zaïre en République démocratique du Congo (le Congo démocratique).

■ Le groupe MANO NEGRA

Ce groupe très populaire représente l'avant-garde de la musique française contemporaine. Son nom, qui signifie° «main noire» en espagnol, indique

son caractère international et son origine multi-ethnique. Ses membres sont, en effet, d'origine française, arabe et espagnole et chantent dans toutes ces langues (et aussi en anglais!).

Mano Negra est essentiellement un groupe de rock alternatif qui joue une musique très éclectique. Dans leurs nombreux concerts en France et à l'étranger,° les musiciens de Mano Negra lancent° au monde un message de paix,° de solidarité entre les peuples, et aussi de révolte contre la faim,° l'injustice et la répression. Quelle que soit° la langue dans laquelle° il est exprimé, ce message est universellement compris.

---

* la principale langue du Sénégal

espoir *hope* **la langue maternelle** *native language* **mélangent** *mix* **signifie** *means* **à l'étranger** *abroad*
lancent = donnent **la paix** *peace* **la faim** *hunger* **quelle que soit** *whatever* **laquelle** *which*

▮ Teaching Strategy: Multiple Intelligences

Ask students if they are familiar with any of the musicians or groups mentioned. If so, they may be able to bring in recordings to share with the class. Local music stores or libraries may also have copies available. While playing music, ask students to compare the music from the francophone world to music they listen to at home. Do they see similarities? What differences can they point out? Have each student discuss his/her personal reaction. (INTRAPERSONAL)

■ Notes culturelles

- Your students may know **Céline Dion**, since she sang the title song of Disney's animated *Beauty and the Beast* (**La Belle et la bête**), and her record *The Color of Love* topped the American charts.
- **Gilles Vigneault** was born in Natashquan, Quebec, in 1928.
- **Laissez les bons temps rouler**, the literal translation of "Let the good times roll," is the unofficial motto of New Orleans.

■ Notes linguistiques

- Notez qu'en Louisiane, on prononce **les haricots** avec liaison: /lezarico/.
- Certains attribuent une origine plus ancienne au mot **zydéco** qui pourrait être un terme africain.
- Le terme **la-la** est encore utilisé par les francophones d'origine africaine. Il désigne une musique de danse, voisine du zydéco, ou la danse elle-même.
- En pays cajun, particulièrement dans les zones rurales, il y avait de nombreuses familles d'origine africaine dont la langue maternelle était le français. Certains de leurs descendants parlent encore français.

■ La chanson québécoise

Au Québec, chanter c'est affirmer son identité et sa culture, c'est exprimer sa fierté° d'être différent, c'est manifester° sa joie de vivre. Les interprètes de la chanson québécoise sont nombreux: **Gilles Vigneault**, le «poète de la chanson» qui chante son pays, **Félix Leclerc**, **Robert Charlebois**, **Carole Laure** et la nouvelle, **Céline Dion**, qui a donné un grand coup de neuf° à la chanson traditionnelle.

Il faut également° mentionner les chanteurs acadiens du Nouveau Brunswick comme **Roch Voisine**, devenu une «idole» en France.

Céline Dion

■ La musique cajun

En pays cajun, on travaille dur,° mais on aime aussi la nourriture, la fête, la musique et la danse. Il n'est donc pas surprenant° que le grand événement de l'année soit le festival de musique cajun qui a lieu au mois de septembre à Lafayette.

Un orchestre joue du zydéco au festival

On vient de toute la région pour écouter l[a] musique et danser aux sons° des orchestres d[e] musique cajun et de zydéco.

La musique cajun est une musique de fête très rythmée, où les musiciens utilisent de[s] instruments traditionnels comme le violo[n,] l'accordéon et la guitare, et où le chanteu[r] mélange° l'anglais, le vieux français et le françai[s] moderne. Cette musique descend directement d[e] la musique acadienne d'autrefois, mais au cours° des siècles et au contact de groupes ethnique[s] différents, elle s'est enrichie d'éléments anglai[s,] espagnols, indiens et africains. Aujourd'hu[i] grâce° à ses interprètes comme **Zachary Richar[d]** et le groupe **Beausoleil**, la musique cajun conna[ît] un regain° de popularité non seulement e[n] Louisiane, mais dans tout le monde francophone[.]

Le zydéco

Le **zydéco** tire son nom du mot français «les haricots» et plus précisément du titre d'une chanson célèbre «Les haricots sont pas salés» composée par le légendaire **Clifton Chénier** (1925-1987). Le zydéco est né en Louisiane dans la région de Lafayette. C'est la forme moderne du **la-la**, musique de danse traditionnelle des Louisianais francophones d'origine africaine.

Le zydéco est une variété de musique cajun, encore plus rythmée avec des accents de rock et de blues. Le chanteur chante en français ou en anglais et s'accompagne toujours d'un accordéon qui est l'instrument caractéristique du zydéco.

Clifton Chénier

la fierté *pride* **manifester** = montrer **a donné un grand coup de neuf** = rénové **également** = aussi **dur** *hard* **surprenant** *surprising* **les sons** *bea[ts]* **mélange** *mixes* **au cours** *across* **grâce à** *thanks to* **regain** *renewal*

☼ Teaching Strategy: Challenge

Ask students to compare the Canadian and French phrases. Are there particular usages (such as the importation of English words) that seem more frequent in one than the other?

Quelques expressions canadiennes:	**Expressions françaises correspondantes:**
faire du magasinage	faire du shopping/des achats
la fin de semaine	le weekend
séraphin *(adj.)*	avare
la gang	la bande d'amis/de copains
le fun	l'amusement
le char	la voiture

Une chanson: Mon pays

Mon pays ce n'est pas un pays c'est l'hiver
Mon jardin ce n'est pas un jardin c'est la plaine
Mon chemin ce n'est pas un chemin c'est la neige°
Mon pays ce n'est pas un pays c'est l'hiver

Dans la blanche cérémonie
Où la neige au vent° se marie
Dans ce pays de poudrerie°
Mon père a fait bâtir° maison
Et je m'en vais être fidèle°
À sa manière à son modèle
La chambre d'amis sera telle°
Qu'on viendra des autres saisons
Pour se bâtir à côté° d'elle

Mon pays ce n'est pas un pays c'est l'hiver
Mon refrain ce n'est pas un refrain c'est rafale°
Ma maison ce n'est pas une maison c'est froidure°
Mon pays ce n'est pas un pays c'est l'hiver

De mon grand pays solitaire
Je crie° avant que de me taire
À tous les hommes de la terre
Ma maison c'est votre maison
Entre mes quatre murs de glace°
Je mets mon temps et mon espace
À préparer le feu° la place
Pour les humains de l'horizon
Et les humains sont de ma race

Mon pays ce n'est pas un pays c'est l'envers°
D'un pays qui n'était ni pays ni patrie°
Ma chanson ce n'est pas ma chanson c'est ma vie
C'est pour toi que je veux posséder mes hivers

Gilles Vigneault

Dans les chansons qu'il compose, Gilles Vigneault exprime l'amour, l'amitié, la joie, l'attachement à son pays. Voici l'une des ses chansons les plus connues: *Mon pays*.

neige *snow* **le vent** *wind* **la poudrerie** *powdery snow* **bâtir** = construire **fidèle** *faithful* **telle** *such* **à côté de** *next to* **rafale** *gust of wind*
froidure *cold weather* **crie** *scream* **la glace** *ice* **le feu** *fire* **l'envers** *reverse* **la patrie** *motherland*

LECTURE ET CULTURE **183**

Teaching Strategy: Multiple Intelligences

There are many excellent recordings of *Mon pays* which may be played for students. If any of the students play an instrument or sing, perhaps they might perform the song, giving their own interpretation. Illustrations of the song may also be created and displayed in the classroom, or used for Parents' Night activities. (MUSICAL)

■ *Et la musique classique?* ■

Quand on pense à la musique classique, on pense généralement aux grands compositeurs allemands (Mozart, Beethoven . . .) ou italiens (Vivaldi, Verdi . . .). À tort,° on a tendance à oublier la musique classique française. Pourtant, au cours° des siècles, la France a produit de grands musiciens dont° les oeuvres° sont toujours au répertoire des plus grands orchestres du monde.

Aujourd'hui, la musique classique connaît un regain° de popularité chez les Français de tout âge et de toute condition sociale. Pour un quart d'entre° eux, c'est la musique qu'ils écoutent le plus souvent. Et, contrairement à ce qu'on peut penser, les jeunes ne lui sont pas hostiles. En fait, la musique classique vient au cinquième rang de leurs préférences musicales, après le rock et les chansons bien sûr, mais avant le jazz et la musique populaire.

Lully et le ballet

Le ballet est né en Italie, mais c'est en France qu'il s'est développé à l'époque de **Louis XIV** (1638-1715). Ce roi était un grand patron des arts et il aimait particulièrement la musique et la danse. Pour mettre en musique les comédies-ballets dans lesquelles° il jouait parfois lui-même, il a fait appel° à **Jean-Baptiste Lully** (1632-1687), un musicien d'origine italienne. Celui-ci a composé un grand nombre de ballets et d'opéras. C'est sous son influence que le ballet s'est codifié et a acquis sa technique classique. Le ballet était alors un spectacle à la fois grandiose et formel où les danseurs entraient en scène masqués et habillés des magnifiques costumes de l'époque.

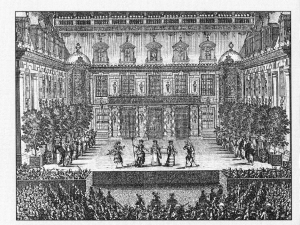

Un ballet de Lully présenté à la cour de Louis XIV

Chopin: le poète du piano

T. Kwiatkouski *«La polonaise de Chopin»*

Frédéric Chopin (1810-1849) est né en Pologne° d'un père français et d'une mère polonaise. Enfant prodige, il compose et donne son premier concert à l'âge de neuf ans. À vingt ans, il quitte son pays, emportant dans une urne un peu de la terre° natale qu'il ne reverra° jamais.

Chopin s'établit° à Paris où il rencontre les artistes et les écrivains les plus célèbres de son époque. Parmi ceux-ci, il y a une jeune femme, **George Sand**, pour qui il va éprouver° une grande passion. Inspiré par l'amour et plus tard par la tristesse de la séparation, il compose pour le piano des oeuvres d'une grande intensité émotionnelle: études, ballades, nocturnes, fantaisies, préludes, impromptus, sonates et aussi polonaises et mazurkas en l'honneur de son pays natal. De santé° délicate et miné° par la tuberculose, il meurt à Paris à l'âge de 39 ans.

À tort *wrongly* **au cours** *across* **dont** *whose* **les oeuvres** *works* **un regain** *renewal* **d'entre** *of* **lesquelles** *which* **a fait appel** *asked* **Pologne** *Poland* **la terre** *soil* **ne reverra jamais** *will never see* **s'établit** *settles* **éprouver** *feel* **la santé** *health* **miné** *weakened*

🌐 NOTES CULTURELLES

- **George Sand** was the pseudonym of Aurore Dupin (1804–1876). She wrote many books, including **La Mare au diable, La Petite Fadette, François le Champi.**
- **Chopin** was a leader of a new musical movement called **la musique romantique.** In this genre, music becomes descriptive and tries to express the feelings of its composer. At 19, Chopin was the best pianist in Poland. He left on November 1, 1830 to study abroad, but never returned to his homeland. He composed 14 **polonaises**, and 20 **nocturnes**.

«Carmen» présenté à New York (Metropolitan Opera)

Bizet et l'opéra romantique

Tous les amateurs d'opéra connaissent l'air° célèbre «Toréador, en garde, Toréador! Toréador!» Cet air est tiré° de l'opéra *Carmen*, oeuvre du compositeur **Georges Bizet**.

Bizet (1838-1875) était un prodige musical. Il est entré au Conservatoire de Paris à l'âge de neuf ans et il en est sorti à dix-huit ans avec le premier Grand Prix de Rome, distinction réservée aux meilleurs jeunes musiciens de l'époque. De ses nombreuses compositions, la plus connue reste *Carmen*, opéra romantique plein° de passion, d'émotions intenses et d'action dramatique. Jugé immoral, cet opéra n'a pas eu de succès à l'époque de sa création. Très affecté par cet échec,° Bizet est mort trois mois après la première représentation° de son chef-d'oeuvre.°

Aujourd'hui, *Carmen* est le plus populaire des opéras français. Modernisé, il a été adapté pour le cinéma dans plusieurs versions.

Une affiche: «Carmen» vers 1900

L'action se passe à Séville dans l'Espagne romantique du dix-neuvième siècle. L'héroïne est Carmen, une gitane° belle, fière, passionnée, mais d'humeur changeante . . . Carmen travaille dans une manufacture de tabac. Un jour, elle blesse° une de ses collègues d'un coup de couteau à la joue. Le brigadier Don José vient l'arrêter. Pendant qu'elle est sous sa garde, Don José tombe éperdument amoureux de la belle gitane et il la laisse s'échapper. Il déserte lui-même et s'enfuit avec Carmen dans les montagnes où ils rejoignent une bande de contrebandiers. Don José devient alors contrebandier.

Un jour, Micaela, une jeune fille du village où il habitait vient annoncer à Don José que sa mère est sur le point° de mourir. Celui-ci retourne dans son village pour voir sa mère. Pendant ce temps, Carmen va à Séville avec ses amies pour assister à une corrida. Là, elle n'a d'yeux que pour le héros de la corrida, le toréador Escamillo, qui est son nouvel amour. Don José revient pour chercher Carmen. Il la trouve à la corrida et il la tue° dans une crise° de jalousie. Puis, il se livre° à la police.

Debussy et la musique impressionniste

On considère **Claude Debussy** (1862-1918) comme l'un des fondateurs de la musique moderne. Élève au Conservatoire de Paris, il étudie les oeuvres des grands compositeurs, mais il refuse absolument d'imiter leur style ou leur technique. Il se révolte en particulier contre la musique romantique dominée par l'intensité dramatique et l'émotion.

Claude Debussy (1862-1918)

Comme l'ont fait les peintres impressionnistes pour la peinture, Debussy veut libérer la musique de tout principe, de toute convention, de toute tradition. En rejetant, par exemple, la règle des accords° progressifs et en utilisant les dissonances et les silences, il donne à la musique des sonorités nouvelles qui ont pu sembler étranges aux gens de son époque. La musique de Debussy, exemplifiée par son célèbre poème symphonique «La Mer», est une musique fluide, délicate, toute en nuances, où l'impression produite remplace l'émotion.

l'air *aria* **tiré de** = vient **plein** *full* **un échec** *failure* **la représentation** *performance* **le chef-d'oeuvre** *masterpiece* **gitane** *gypsy* **blesse** *wounds* **contrebandiers** *smugglers* **sur le point** *is going* **tue** *kills* **une crise** *fit* **il se livre** *gives himself up* **accords** *chords*

- **Debussy** was a composer of **musique impressionniste**, a music written in small **touches** as if to capture colors. (For more on the Impressionist movement, see pp. 60–63.)
- **Lully** was a composer of **musique baroque**, an ornate style of music developed in Italy.

- Some other famous French composers are:
  Hector Berlioz (1803–1869): *Symphonie Fantastique*
  Charles Gounod (1813–1893): *Faust*
  Paul Dukas (1865–1935): *L'Apprenti Sorcier*
  Maurice Ravel (1875–1937): *Boléro*

**Communication
Functions/Contexts**
- Planning a trip abroad
- Going through customs
- Making travel arrangements
- Travel in France

Linguistic Goals
- Making negative statements
- Describing future plans
- Hypothesizing about what one would do

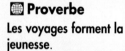 **Proverbe**
Les voyages forment la jeunesse.

UNITÉ 5

Bon voyage!

Thème et Objectifs

Culture
In this unit, you will discover . . .
- what French young people do when they travel abroad and where they go
- why the train is the most popular means of transportation in France
- how the Eurotunnel has linked Great Britain to France and the rest of Europe

Communication
You will learn how . . .
- to make travel plans and purchase tickets
- to go through passport control and customs
- to travel by plane and by train

Langue
You will learn how . . .
- to discuss future plans
- to talk about future events
- to describe what you would do under certain conditions

TEACHING RESOURCES

Technology/Audio Visual
 36, 37, 38, L5, H3
 Audio CD Program, Unit 5
 Audiocassette Program, Unit 5
 Pas de problème Video Program, Module 5

Print
 Audio Script
Overhead Visuals Copymasters/Activities
Answer Key
Video Activity Book, Module 5
Practice Activities, pp. 55–62, 133–138, 187–188

La *Passion des Voyages*

■ Pour ces jeunes voyageurs, «vacances» est synonyme de «voyage»!

Pour les jeunes Français, le terme «vacances» est synonyme de «voyage.» Ceux qui restent en France vont se bronzer sur les plages de l'Atlantique et de la Méditerranée ou faire de la marche à pied dans les Alpes et les Pyrénées. Mais aujourd'hui, ceux qui vont à l'étranger sont de plus en plus nombreux. Aller dans un pays où la langue, les gens, et les coutumes sont différents, ça, c'est l'aventure!

Suivant° leurs objectifs, on peut classer ces jeunes voyageurs en différentes catégories.

Les «linguistes»

Les «séjours linguistiques» représentent la majorité des voyages à l'étranger. La formule classique consiste à passer deux ou trois semaines dans une famille en Angleterre (l'anglais étant° la langue la plus étudiée dans les lycées français).

Aujourd'hui, avec le développement des transports aériens et la diminution° du prix des voyages, les jeunes Français vont de plus en plus loin pour perfectionner° leur anglais. Patrick, par exemple, a passé le mois d'août dans une famille de Denver. Le haut point de son voyage a été la dernière semaine où la famille est allée faire du rafting dans le Colorado. Charlotte, elle, est allée en Australie dans une famille de ranchers. Là, elle a participé à toutes les activités, y compris la tonte des moutons.°

Les «actifs»

Ce sont ceux qui ont un projet particulier. Certains font un «stage» payé ou non payé dans une entreprise. Catherine a ainsi passé un mois en Allemagne à mélanger des colorants° dans une compagnie de produits chimiques. Là, elle a appris les dangers de la pollution et les moyens° de contrôler celle-ci.

Pour d'autres, leur projet a un objectif humanitaire. Jean-Baptiste, un lycéen de 17 ans, est allé au Sénégal avec une bande de copains de son lycée. Il explique: «Notre but° n'était pas de faire du tourisme, mais d'accomplir quelque chose d'utile. Nous avons participé à la construction d'un système d'irrigation dans un petit village. Pendant notre séjour, nous avons travaillé très dur, mais aussi nous avons découvert un mode° de vie tout à fait° différent et nous avons fait connaissance de gens absolument extraordinaires. Pendant ces trois semaines, nous avons appris plus que pendant un an au lycée!»

suivant *according to* **étant** *being* **diminution** *decrease* **perfectionner** *improve* **tonte des moutons** *sheep shearing* **mélanger des colorants** *to mix dyes* **moyens** *means* **but** = *objectif* **mode** *way* **tout à fait** *quite*

INFO MAGAZINE

Theme: Travel

Reading Strategy: Browsing, reading for pleasure, scanning

■ Teaching Strategy
These optional readings can be done:
• in class or as homework
• at the beginning of the unit or as a wrap-up activity

■ Note linguistique
la marche à pied = hiking
le rafting = whitewater rafting
le stage = training course, work placement

🌐 Notes culturelles
• On distingue les langues vivantes (*modern languages*) et les langues mortes (*dead languages*).
• Les langues les plus étudiées par les étudiants français sont (dans l'ordre): l'anglais, l'allemand, l'espagnol, l'italien, le russe, le portugais, l'hébreu moderne et le chinois.
• Les étudiants français sont obligés d'étudier au moins une langue étrangère.
• L'apprentissage d'une langue est obligatoire à partir de la sixième (1e année de collège).
• Les étudiants peuvent ensuite choisir d'apprendre le latin à partir de la 4e.
• Le basque, le breton, le corse, l'alsacien, le catalan et l'occitan sont des langues régionales enseignées dans certains lycées français.

ASSESSMENT OPTIONS

Teacher's Resource Package
🌐 Internet Connection Notes, pp. 85–99
📖 Lesson Plans, Unit 5
👥 Teacher-to-Teacher, pp. 58–68

Achievement Tests
Quizzes, Unit 5
Unit Test 5 🎧 *CD*
📖 Reading and Culture Tests

Proficiency Tests
🎧 Listening Comprehension
👥 Speaking Performance
📝 Writing Performance
📋 Portfolio Assessment

TEACHING RESOURCES

 Transparencies 1, 1(o), 2, 3, 4, 5, 5(o)

 Overhead Visuals Copymasters and Activities, pp. A5–A13

📖 Teaching Note

In Activity 1, p. 190, students list countries that they would like to visit. You may want to compare those lists to the one on this page.

🌐 Realia Notes

(Stamps)

• **La Gorée** is an island off the coast of Senegal where slaves were held before being transported to other countries. There is now an historical museum on the island. The doll on the stamp represents **la marchande** *(the vendor)*.

• **Le Dahomey** is an African country now called **le Bénin**. French is the official language of this former colony. The Nagos (pictured on the stamp) are one of the many tribes of Benin.

• **L'artocarpus** is a tree most commonly known as **l'arbre à pain** (breadfruit tree). Its fruits generally need to be cooked before eating.

■ Note linguistique

Le trekking (or **le trek**) is a difficult hike high up in the mountains.

■ Irregular Verbs

(see Appendix C) **parcourir** (see **courir**)

Leurs destinations préférées

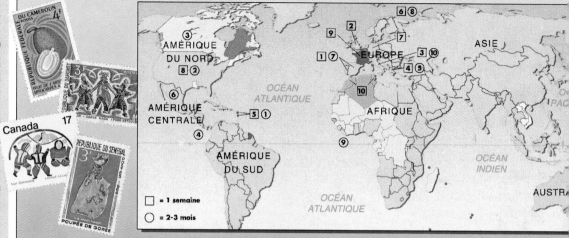

= 1 semaine
= 2-3 mois

Dans quel pays ou région du monde aimeriez-vous passer vos vacances? Évidemment votre choix dépendra du temps que vous aurez à votre disposition. Voici, dans l'ordre, les destinations préférées des Français.

VACANCES D'UNE SEMAINE
1. l'Espagne, le Portugal
2. l'Angleterre
3. l'Italie
4. la Grèce
5. la Martinique, la Guadeloupe
6. les pays scandinaves*
7. l'Allemagne
8. les États-Unis
9. la France
10. l'Algérie, le Maroc, la Tunisie

VACANCES D'UN OU DEUX MOIS
1. la Martinique, la Guadeloupe
2. les États-Unis
3. le Canada
4. les pays d'Amérique latine**
5. la Grèce
6. le Mexique
7. l'Espagne, le Portugal
8. les pays scandinaves*
9. les pays d'Afrique noire***
10. l'Italie

* le Danemark, la Suède, la Norvège
** le Pérou, l'Argentine, le Brésil, l'Équateur, le Costa Rica, etc.
*** le Sénégal, la Côte d'Ivoire, le Cameroun, etc.

Les «explorateurs»

Ceux-là renouvellent la tradition des explorateurs français d'autrefois. Ils partent à l'aventure, sac au dos,° sans but précis pour des destinations mystérieuses. Julien, un étudiant en médecine, a parcouru° les hauts plateaux du Pérou en bus et en autostop. Marthe et Véronique, deux étudiantes d'une école de commerce, ont fait du trekking dans l'Himalaya. Elles sont parties du Népal et sont allées à pied par des sentiers° de haute montagne jusqu'au Tibet.

Pendant des semaines, les parents de ces voyageurs intrépides n'entendent pas parler° d'eux et s'inquiètent.° Mais finalement, ils reviennent, bronzés, heureux et avec plein° d'anecdotes sur les dangers qu'ils ont évités° et les rencontres qu'ils ont faites pendant leur fabuleux voyage. ■

sac au dos *with a backpack* **parcourir** ＊ *to travel through* **sentiers** *trails* **n'entendent pas parler** *do not hear* **s'inquiètent** *worry* **plein** = *beaucoup* **évités** *avoided*

et vous?

DISCUSSION
Avec votre partenaire, imaginez que vous allez visiter la France (ou un autre pays francophone) cet été. Est-ce que vous voyagerez plutôt comme «linguiste,» comme «actif,» ou comme «explorateur»? Expliquez vos projets.

COMPOSITION
Décrivez des vacances «actives» que vous avez passées.

➗ Teaching Strategy: Multiple Intelligences

Put two categories on the board:
VACANCES DE DEUX SEMAINES
VACANCES DE DEUX MOIS
Ask students to indicate their preferred destinations in each category, then compare with the ones chosen by French students. Are the kinds of activities and destinations similar or quite different? Ask students to suggest reasons for differences (Ex: geographically closer etc.). Have students do a survey of other French classes and compile the results. (MATHEMATICAL-LOGICAL)

Impressions d'Amérique

Les États-Unis ont toujours fasciné les jeunes Français. Chaque été, ils sont toujours plus nombreux à réaliser leur rêve:° faire un voyage aux «States.»

Nous sommes à Roissy, l'aéroport international de Paris. Un groupe de jeunes Français de 15 à 18 ans vient de débarquer° d'un vol° Air France qui arrive de New York. Ils ont passé six semaines dans des familles américaines avec un programme d'échange. Voici quelques-unes de leurs impressions.

■ Émilie, Jean-Pascal, Sibylle, Christophe, Sonia et Arnaud à Roissy

Jean-Pascal «Les États-Unis sont un pays vraiment gigantesque. Là-bas, tout est grand: les gens, les maisons, les voitures, les distances. C'est aussi un pays magnifique. J'ai eu la chance d'aller dans une famille qui habite au Nouveau Mexique. Les villages indiens, les canyons, le désert, c'est fabuleusement beau!»

Émilie «Moi, ce qui m'a frappée,° c'est la variété ethnique des Américains. Ce qui est formidable,° c'est que toutes les races de la terre° y sont représentées. À Boston, par exemple, la ville où je suis restée, j'ai pu parler français avec des Haïtiens, et espagnol avec des Portoricains. Ça, c'est super.»

Christophe «Les Américains sont des gens vraiment sympas et hospitaliers. Ils sont beaucoup plus ouverts et plus décontractés° que nous. Aux États-Unis, par exemple, il est tout à fait facile de lier conversation° avec des gens qu'on ne connaît pas. En France, c'est quasi-impossible. Les Américains sont honnêtes. Ils disent toujours ce qu'ils pensent... Pendant mon séjour, il y a une seule chose que je n'ai pas aimée: la bouffe.»°

Sibylle «Je ne suis pas d'accord avec Christophe. La bouffe américaine n'est pas si mauvaise que ça, et puis, elle est très bon marché. Et il ne faut pas manger tout le temps des hamburgers ou des hot-dogs. Il y a des tas° de restaurants italiens, chinois, mexicains, thaïlandais, où on peut manger des choses absolument délicieuses. On n'est pas obligé de prendre ses repas que dans les fast-food!»

Arnaud «Les Américains sont des gens dynamiques et superactifs. Malheureusement, ils sont obsédés° par l'argent. Et ils sont stressés parce qu'ils travaillent trop. Dans la famille où j'étais, la mère retournait à son bureau le samedi pour finir ce qu'elle n'avait pas terminé pendant la semaine. Et le fils travaillait dans un supermarché. La détente,° ça n'existe pas. Et puis, la vie de famille est limitée. Le soir, par exemple, les parents et les enfants faisaient réchauffer° des portions de pizza qu'ils mangeaient séparément. Il n'y avait jamais de repas commun.»

Sonia «Les États-Unis sont un pays très intéressant. Ce serait° un pays presque° parfait s'il n'y avait pas autant° de violence. Dans les journaux et à la télévision, on ne parle que° de crime. Et le soir, dans la ville où j'étais, il n'est pas recommandé de sortir seule. J'ai aimé mon voyage, mais je suis bien contente de rentrer en France.» ■

et vous?

SUJET DE DISCUSSION
Avec votre partenaire, choisissez deux des jeunes Français qui ont visité les États-Unis et analysez leurs impressions. Dites si vous êtes entièrement, partiellement ou pas du tout d'accord avec eux. Expliquez.

COMPOSITION: UNE LETTRE
Un copain français va venir passer un mois dans votre région. Vous voulez lui donner une bonne impression de cette région. Écrivez-lui une lettre où vous allez parler des sujets suivants:

- le pays   - la nourriture
- les gens   - les activités

---

rêve *dream* **débarquer d'un vol** *to land / flight* **frappée** *struck* **formidable** = *super* **terre** *earth* **décontractés** *relaxed* **lier conversation** = *parler* **bouffe** *food (slang)* **des tas** = *beaucoup* **obsédés:** *obsessed* **détente** *relaxation* **faisaient réchauffer** *would reheat* **serait** *would be* **presque** *almost* **(s'il n'y avait pas) autant** *not that much* **ne...que** *only*

■ **Notes linguistiques**

- Le nom des états américains en français: le Nouveau-Mexique, la Caroline du Nord/du Sud, la Floride, la Louisiane, la Géorgie, la Californie, la Pennsylvanie, la Virginie. (All other state names remain the same in French as in English.)
- The expression **la bouffe** comes from the verb **bouffer** *(to puff up)* by analogy, since the cheeks of someone who eats are puffed up with food. Consequently **bouffer** also means *to eat.*

■ **Sujets de discussion**

- Décrivez une région des États-Unis que vous avez visitée. Comment avez-vous trouvé le pays? les gens? la nourriture? Quelles autres impressions avez-vous de cette région?
- Un jour, vous visiterez peut-être la France. Avec votre partenaire, discutez des impressions que vous avez déjà sur ce pays. Vous pouvez donner vos impressions sur:
  - le pays
  - les gens
  - la nourriture
- Quand on visite un pays étranger, on découvre des similarités et des différences avec son propre *(own)* pays. Choisissez un pays que vous aimeriez visiter. Quelles similarités et quelles différences pensez-vous rencontrer? Expliquez votre opinion. Vous pouvez considérer les éléments suivants:
  - le pays   • les villes
  - la nourriture   • les gens
  - les voitures   • le confort

📼 Teaching Strategy

Divide the class into pairs and assign each pair one of the French students from p. 189. In each group, one student is to be an interviewer and the other is to be a French student. Have the students prepare an interview which will appear on their school's radio station. They are to ask and answer questions that could be answered by reading and/or logically expanding on the quotation given. The "interviews" may be recorded and retained in student portfolios.

PARTIE 1

LE FRANÇAIS PRATIQUE

Les voyages

TEACHING RESOURCES

 Transparencies 2, 3, 4

 Overhead Visuals Copymasters and Activities, pp. A6–A11

 Practice Activities, pp. 133–135

 Audio CD 5, Tracks 1–5

 Audiocassette 5, Side 1

 Audio Script, pp. 27–29

■ **Pronunciation**
un pays /pei/

🌐 **Note culturelle**
The name **Sénégal** comes from the Wolof expression: **Sunu Gaal,** which means "our **pirogue** (canoe)." (**Wolof** is one of the main tribal languages of Senegal.)

■ **Realia Notes**
• **composter** = to stamp
• Uri, Schwyz, and Obwalden are Swiss cantons (districts). There are 20 cantons in Switzerland. The country takes its name from one of the original cantons: Schwytz.

LE FRANÇAIS PRATIQUE

Les voyages

Les voyages

— Où vas-tu aller cet été?
  Je vais | **voyager**
          | **faire un voyage** | **à l'étranger** *(abroad).*
          | **faire un séjour**

| **faire un séjour** | to spend some time |

— Ah bon? Dans quels **pays** *(countries)*?
  Je vais visiter . . .   Je vais aller . . .
    le Portugal.   **au Mexique.**
    la Grèce.   **en Russie.**
    les Canaries.   **aux États-Unis.**

Les pays

Révision ▶ pp. R14–R15

1 ### Voyages à l'étranger

Faites une liste de dix (10) pays que vous aimeriez visiter. Classez les pays par ordre de préférence. Comparez votre liste avec celle de votre partenaire.

Ma Liste
1.
2.
3.

• Quels sont les pays qui sont sur les deux listes?
• Quels sont les pays qui sont seulement *(only)* sur votre liste?

Maintenant expliquez pourquoi vous aimeriez aller dans les trois premiers pays de votre liste.

▶ **J'aimerais visiter le Sénégal parce que je voudrais mieux connaître l'Afrique . . .**

☀ **Teaching Strategy: Warm-Up**

Ask the class to suggest 15 countries to visit. List them on the board, then ask students to provide the correct country name in French (including article!), and to locate the countries on a world map. Ask if any students have traveled to one or more of the locations, or know of someone who has. What were their impressions? Do they have photographs or realia to share with the class?

ÉGAL

Au contrôle des passeports

Vous avez une pièce d'identité?

Oui, j'ai un passeport.

— Vous avez **une pièce d'identité** (ID document)?
  Oui, j'ai | **un passeport.**
            | **une carte d'identité.**
            | **un permis de conduire** (driver's license).

À la douane (customs)

— Vous avez des **bagages** (luggage)?
  Oui, j'ai | **une valise** (suitcase).   **un bagage à main** (carry-on bag).
            | **un sac.**   **un sac à dos** (backpack).

— Est-ce que vous avez **quelque chose à déclarer**?
  Non, je n'ai **rien à déclarer**.

NOTE CULTURELLE

Les Américains qui vont en France ont besoin d'un passeport
(et aussi d'un visa, s'ils veulent faire un long séjour).
  Les citoyens (citizens) des pays de la Communauté Européenne
ont besoin seulement d'une pièce d'identité.

Arrivée en France

Cet été, vous faites un grand voyage autour du monde (around the world). Vous arrivez en France,
après avoir visité plusieurs pays. Vous passez au contrôle des passeports et à la douane.
Composez et jouez le dialogue avec votre partenaire.

— Bonjour, monsieur/mademoiselle. Avez-vous une pièce d'identité?
— *(Present an ID document.)*
— Quels pays avez-vous visités avant de venir en France?
— *(Name a few countries.)*
— Avez-vous des bagages?
— *(Indicate the luggage that you are carrying.)*
— Avez-vous quelque chose à déclarer?
— *(Answer negatively.)*
— Où avez-vous acheté . . . ? *(customs officer names two or three things in your luggage,
    such as items of clothing, perfume, souvenirs)*
— *(For each item, mention a different country where you purchased it.)*
— Merci, monsieur/mademoiselle, et bon séjour en France.

🌐 **NOTE** CULTURELLE

The European Community (now known as the
European Union) is composed of 15 European
countries that have united to form a political
and economic whole. The countries are: France,
Germany, Italy, Belgium, the Netherlands,
Great Britain, Ireland, Denmark, Greece,
Spain, Luxembourg, Portugal, Austria,
Finland, and Sweden. Although citizens of
these countries use a European passport to
travel outside of Europe, they need none to
travel within the continent.

🖥 Teaching Strategy: Multiple Intelligences

Have each student choose a
French-speaking country and
draw a map with labels in
French. Next, have students
prepare a two-minute
explanation of the country's
attractions and a discussion of
what they would need to bring
and how long they would plan
to stay. All students will make
presentations to the class.
(SPATIAL/LINGUISTIC)

■ Additional Information

The French passport is valid for
five years. Young people under
15 can have their own
passport or be registered on a
parent's passport.

LANGUE ET COMMUNICATION

TEACHING RESOURCES

📖 **Practice Activities,** pp. 45, 47, 129, 185

💿 **Audio CD 5,** Tracks 6–7

📼 **Audiocassette 5,** Side 1

📖 **Audio Script,** p. 29

■ **Notes linguistiques**

• **Personne** and **rien** may also be used after a preposition.
Je n'ai parlé **à personne.**

• The expressions **aucun** and **ni ... ni** may introduce the subject.
Aucun invité n'est venu.
Ni Pierre **ni** Marc n'est venu.

• They may also be used with prepositions. Note the word order:
Je n'ai parlé à **aucun** invité.
Je n'ai parlé **ni** à Pierre **ni** à Marc.

💡 **Teaching Note**

Have students note in the **passé composé:**
Je n'ai rien fait **d'intéressant.**

💡 **Teaching Strategy: Challenge**

You may also want to present the construction **ne faire que:**
Je ne fais que travailler.
The only thing I do is work.
Tu ne fais que te plaindre.
The only thing you do is complain.

A. Les expressions négatives

Note the following negative expressions and their use in the present and the passé composé.

AFFIRMATIVE	NEGATIVE	
quelqu'un (someone, somebody)	**ne . . . personne** (no one, nobody)	Je **ne** connais **personne** ici. Je **n**'ai rencontré **personne.**
quelque chose (something)	**ne . . . rien** (nothing)	Je **n**'ai **rien** à déclarer. Je **n**'ai **rien** acheté.
quelque part (somewhere)	**ne . . . nulle part** (nowhere)	Je **ne** me promène **nulle part.** Je **ne** suis allé **nulle part.**
quelque(s) (some)	**ne . . . aucun(e)** (no, not any)	Je **n**'ai **aucune** idée. Je **n**'ai acheté **aucun** cadeau.
et / ou (and/or)	**ne . . . ni . . . ni** (neither . . . nor)	Je **ne** vais **ni** au ciné **ni** au théâtre. Je **n**'ai visité **ni** Paris **ni** Québec.

➡ In the passé composé, negative expressions come AFTER the past participle, except **rien** which comes before.

Nous **n**'avons vu **personne.**   BUT: Nous **n**'avons **rien** vu.

➡ **Personne** and **rien** can be used as subjects.

Personne n'a téléphoné.   **Rien n**'est impossible.

ALLONS PLUS LOIN

Note the following constructions:

quelqu'un, quelque chose } + **de** + masculine   J'ai rencontré **quelqu'un**
personne, rien   adjective   **d'intéressant.**

quelqu'un, quelque chose } + **à** + infinitive   Nous **n**'avons **rien à déclarer.**
personne, rien

B. L'expression ne . . . que

The expression **ne . . . que** is not a negative expression. It is a limiting expression that means *only.* Its equivalent is **seulement.** Note its use in the following sentences.

Je parle français.
Je **ne** parle **que** français.   *I speak **only** French.*
Je **ne** parle français **qu**'en France.   *I speak French **only** in France.*
Je **ne** parle français en France   *I speak French in France*
    qu'avec mes amis.   ***only** with my friends.*

➡ Note the word order with **ne . . . que:**
• **ne** comes before the verb
• **que** comes before the word or phrase to which the restriction applies.

➡ Since **ne . . . que** is not a negative expression, the indefinite and partitive articles do not change after the verb.
Je mange **des légumes.**   Je **ne** mange **que des légumes.**

(192) Unité 5 PARTIE 1

☀ **Teaching Strategy: Warm-Up**

Divide the class into pairs and have them draw a cartoon representing a good person and a bad person at the top right and left hand side of a piece of paper. Then, using the negative expressions listed on p. 192, have them write sentences in the affirmative and the negative that describe what each of these people does or doesn't do. They may use each of the affirmative and negative expressions *once.* Copy the answers on the board.

C'est évident!

Informez-vous sur les personnes suivantes et dites ce qu'elles ne font pas. Utilisez les verbes entre parenthèses et une expression négative: **ne . . . personne, ne . . . rien, ne . . . nulle part**.

▶ Jean-Pierre est timide. (parler à)
Il ne parle à personne.

1. Carole se repose. (faire)
2. Pauline est très malade. (manger)
3. Marc n'est pas sociable. (inviter)
4. Thomas reste chez lui. (aller)
5. Antoine n'a pas soif. (boire)
6. Philippe ne voyage pas cet été. (partir)
7. Bernard est un nouvel élève. (connaître)
8. Catherine n'a pas d'argent. (acheter)

■ Réponses: Activité 1
1. Elle ne fait rien.
2. Elle ne mange rien.
3. Il n'invite personne.
4. Il ne va nulle part
   (Il ne va chez personne).
5. Il ne boit rien.
6. Il ne part nulle part.
7. Il ne connaît personne.
8. Elle n'achète rien.

Une mauvaise surprise

Quand Brigitte est rentrée du concert, elle a trouvé la porte et les fenêtres de son appartement grandes ouvertes *(wide open)* et les lumières allumées *(turned on)*. Elle appelle un inspecteur de police qui lui pose les questions suivantes. Brigitte répond négativement. Jouez le rôle de Brigitte.

▶ L'inspecteur: Avez-vous entendu quelque chose?
   Brigitte: **Non, je n'ai rien entendu.**

1. Avez-vous vu quelqu'un quand vous êtes rentrée?
2. Avez-vous observé quelque chose d'anormal?
3. Avez-vous remarqué quelqu'un de suspect?
4. Est-ce que vous avez donné votre adresse à quelqu'un récemment?
5. Est-ce que vous avez fait quelque chose de spécial hier soir?
6. Est-ce que vous avez invité quelqu'un chez vous la semaine dernière?
7. Est-ce que quelqu'un vous a téléphoné dans l'après-midi?
8. Est-ce que quelque chose d'important a disparu *(disappeared)*?
9. Est-ce que quelqu'un est venu réparer l'électricité récemment?
10. Est-ce qu'il y avait quelque chose de grande valeur *(value)* dans votre appartement?

À la douane

Vous arrivez à l'aéroport de Dorval à Montréal. Le douanier (joué par votre partenaire) vous pose certaines questions. Répondez-lui en choisissant une expression entre parenthèses.

Vous avez des bagages?

Je n'ai qu'un bagage à main.

(Je n'ai que deux valises.)

QUESTIONS	RÉPONSES
Vous avez des bagages?	(deux valises / un sac à dos / un bagage à main)
Vous avez une pièce d'identité?	(mon passeport / mon permis de conduire / une carte d'étudiant)
Vous avez des cadeaux?	(du parfum / des chocolats / des t-shirts)
Vous avez de l'argent?	(des dollars / des travellers chèques / une carte de crédit)
À part l'anglais, vous parlez d'autres langues?	(espagnol / allemand / français)
Vous allez rester longtemps?	(3 jours / 2 semaines / un mois)
Vous allez visiter plusieurs villes?	(Québec / Montréal / Toronto)

Langue et communication 193

📁 Student Portfolios

Using the same French-speaking country that students chose for the assignment suggested on p.191, have them write you a postcard/letter. On the postcard they should tell you what they did and didn't do/see/like/eat, etc. There should be at least six sentences (more if necessary) using all of the affirmative and negative expressions from p. 192. These postcards may be displayed in the classroom or saved in the student portfolios.

La France en train

■ Le train: c'est plus rapide,
plus pratique, et plus sûr!

Pour les vacances de Mardi Gras, Marie-Hélène, une étudiante parisienne, est allée chez sa grand-mère qui habite à Marseille. Elle aurait pu° prendre l'avion ou conduire° sa voiture, mais elle a choisi d'y aller en train. Pourquoi? Parce que c'est plus rapide, plus pratique, et plus sûr. Avec le TGV (Train à Grande Vitesse), on peut aller de Paris à Marseille (650 kilomètres) en 3 heures. Il n'y a pas d'embouteillage,° pas de péage° à payer, et on arrive à sa destination frais et dispos.°

Le TGV, produit de la technologie française, est ce train super rapide qui circule sur un système spécial de rails et peut rouler° à une vitesse de 300 kilomètres à l'heure. La première ligne (Paris-Lyon) a été inaugurée en 1981, mais aujourd'hui le TGV dessert° presque° toutes les grandes villes françaises. Il y a un TGV Sud-est (orange), un TGV Atlantique (bleu) et un TGV Nord... En fait, 50% du service voyageurs est assuré par le TGV. Les autres trains sont peut-être un peu moins rapides, mais ils sont aussi confortables et aussi pratiques.

Les Français sont très fiers° de leurs trains et ceci pour de bonnes raisons:

■ Les trains français sont toujours à l'heure. Ils partent à l'heure indiquée et arrivent à l'heure indiquée. Avec le train, on n'est jamais en retard.

■ Les trains sont propres et confortables. Si on a faim, on peut prendre un repas au wagon-restaurant.° Sur les grandes distances, on peut voyager en wagon-lit.°

■ Le train est bon marché et très flexible. Il y a des réductions de prix pour les jeunes, pour les familles, pour les personnes âgées, pour les personnes qui voyagent souvent. Pour toutes ces personnes, les prix des billets varient selon l'époque où on voyage. Ils sont plus élevés en période rouge (vacances) ou blanche (week-ends), et moins élevés en période bleue (le reste du temps).

Pour les touristes, il y a d'autres services intéressants. Avec «train + vélo» et «train + auto,» on peut voyager en train et louer un vélo ou une voiture quand on arrive à sa destination. Avec «train + hôtel,» on trouve toujours une chambre d'hôtel.

Les jeunes Américains peuvent acheter un Eurailpass. Cette carte leur permet de sillonner° l'Europe pendant plusieurs semaines pour un prix relativement modique.° Pour beaucoup de jeunes qui utilisent ce système, le train est non seulement un moyen° de transport mais c'est aussi un hôtel, un restaurant, une cafétéria et un lieu où ils peuvent rencontrer d'autres jeunes qui, comme eux, viennent découvrir le vieux continent. ■

Paris à Marseille

✈ (480 km l'heure)	640 km aériens	1h20
SNCF (≈200 km l'heure)	600 km	3h30
🚗 (100 km l'heure)	773 km	7h35

et vous?

DISCUSSION
Vous allez visiter la France avec votre partenaire. Il/Elle voudrait voyager en avion, mais vous préférez voyager en train. Expliquez-lui les avantages du train. Votre partenaire va poser des questions.

COMPOSITION: UNE LETTRE
Alice, une copine française, va visiter les États-Unis cet été. Elle ne sait pas si elle va voyager en train ou en bus, et elle vous demande votre avis (opinion). Dites-lui quel système vous préférez et expliquez-lui les avantages et les inconvénients de ce système.

aurait pu *could have* **conduire** ✳ *to drive* **embouteillage** *traffic jam* **péage** *toll* **frais et dispos** *fresh and rested* **rouler** = *aller* **dessert** *services* **presque** *almost* **fiers** *proud* **wagon-restaurant** *dining car* **wagon-lit** *sleeping car* **élevés** *higher* **sillonner** = *voyager à travers* **modique** *low* **moyen** *means*

L'EUROTUNNEL

Aujourd'hui, l'Angleterre n'est plus une île. Avec l'Eurotunnel, on peut maintenant franchir° les 50 kilomètres qui séparent Coquelles (France) et Cheriton (Angleterre) sans quitter la terre ferme.° L'idée d'un tunnel sous la Manche est très ancienne. Le premier projet remonte° à Napoléon et date de 1802. Malheureusement, la rivalité franco-britannique, les guerres européennes, les difficultés techniques, et l'énorme coût financier ont pendant longtemps empêché° la réalisation de ce projet. Finalement, les travaux ont commencé en 1988 et depuis 1994, l'Eurotunnel est une réalité.

L'ANGLETERRE

Londres☆
Douvres
Cheriton · · Calais
Coquelles

LA MANCHE

LA FRANCE

Paris☆

■ Chaque année, trente millions de voyageurs passent sous la mer pour aller de France en Angleterre, ou vice versa, en moins de 20 minutes.

Chaque année, trente millions de voyageurs passent sous la mer pour aller de France en Angleterre, ou vice versa, en moins de 20 minutes. Il y a en réalité deux tunnels, un tunnel nord et un tunnel sud, permettant le trafic dans les deux sens.° Ces deux tunnels sont exclusivement réservés au trafic ferroviaire,° mais les automobilistes peuvent tout de même° utiliser l'Eurotunnel en chargeant° leurs voitures sur des trains spéciaux.

Imaginez, par exemple, que vous habitez à Paris et que vous voulez déjeuner avec votre copain qui habite à Londres. C'est simple. Si vous préférez le train, vous prendrez le TGV à 9 heures et vous arriverez à Londres à midi et quart. Si, au contraire, vous préférez conduire, vous devez partir plus tôt. Vous prendrez l'autoroute° qui va de Paris jusqu'à l'accès de l'Eurotunnel. Là, vous monterez avec votre voiture sur une navette° spéciale qui vous amènera jusqu'au° terminal britannique. De là vous continuerez votre route. S'il n'y a pas trop d'embouteillages° dans Londres, vous serez à votre rendez-vous pour le déjeuner.

L'Eurotunnel est beaucoup plus qu'un grand exploit technique. Autrefois, la Manche représentait une formidable barrière qui protégeait l'Angleterre contre les invasions, mais qui la maintenait aussi dans son «splendide isolement». Aujourd'hui l'Eurotunnel joint l'Angleterre à la France et, par la France, à l'Allemagne, à la Belgique, à la Hollande et à tout le continent européen. C'est le symbole de la Nouvelle Europe, unie et en paix° avec elle-même. ■

QUESTIONS

1. Comment peut-on aller de Paris à Londres par la terre ferme?
2. Quels ont été les obstacles à la construction de l'Eurotunnel?
3. Pourquoi l'Eurotunnel est-il un grand exploit technique?
4. Quel est le symbole politique de l'Eurotunnel?

franchir = traverser   **terre ferme** ground   **remonte** goes back   **empêché** prevented   **sens** = directions   **ferroviaire** railroad   **tout de même** nevertheless
chargeant loading   **l'autoroute** turnpike   **navette** shuttle train   **jusqu'au** up to   **embouteillages** traffic jams   **paix** peace

Unité 5 ■ INFO Magazine   **195**

NOTES CULTURELLES

- It is as fast to take the TGV from Paris to London via the Eurotunnel as to fly the same distance and then take a taxi or a train to London. Both trips take about three hours.
- Eurostar (or **TGV Transmanche**) is the name of the high-speed train that travels between Paris and London.

- A total of 139 plans have been made since 1802 to build an underwater connection between France and Great Britain. The first project (1802) called for a stone-paved road in a underground passageway under the Channel. The second project (1803) called for a tunnel made of metal tubes.

Teaching Strategy: Challenge

Initiate a discussion on the different modes of transportation used in the United States, and how and why these differ from those most commonly used in France. (e.g.: Do we use the train or the plane more in the United States? What about France? Why the difference? Do we have anything like the TGV or the EuroTunnel here in the U.S.?)

PARTIE 2

LE FRANÇAIS
PRATIQUE

Partons en voyage

TEACHING RESOURCES

Transparency 36

Overhead Visuals Copymasters and Activities, pp. A74–A75

Practice Activities, pp. 136–137

🌐 Note culturelle

Air France and Air Inter are France's major airlines. Air Inter specializes in domestic flights. There are also many regional airlines, such as Air Guadeloupe, Air Guyane, or Air Transport Pyrénées.

■ Teaching Note

You might want to remind students that all schedules in France are posted in the 24-hour time system.

196 Unité 5

LE FRANÇAIS
PRATIQUE

Partons en voyage

Quelle sorte de billet désirez-vous?

En quelle classe?

Je voudrais ach... un billet.

Un alle... et retou...

En class... touriste

À l'agence de voyages

—Je voudrais | **acheter un billet** (ticket).
réserver une place (seat).
confirmer ma réservation.
annuler ma réservation.
louer une voiture.

> **annuler** to cancel
> **louer** to rent

POUR ACHETER UN BILLET DE TRAIN OU D'AVION

— **Quelle sorte de** billet désirez-vous?
    Un aller simple (one way).   **Un aller et retour** (round trip).

—En quelle classe?
    En **première classe.**   En **deuxième classe** [en train].
                         En **classe touriste** [en avion].

—En quelle section?
    En section **fumeur.**   En section **non-fumeur.**

— **Quel siège** (seat) |
— **Quelle place** | préférez-vous?
    Un siège | près de la fenêtre.
    Une place | près du **couloir** (aisle).

—Voici | votre billet.
          | votre **carte d'embarquement** (boarding pass).

POUR OBTENIR DES RENSEIGNEMENTS (information)

—Est-ce que | **le vol** (flight) pour Nice
                | le train pour Marseille | est **direct**?

    Non, il y a | **une escale** (stop, stopover [of the plane])
                  | **une correspondance** (change of plane, train) | à Lyon.

—Est-ce que le vol/le train est **à l'heure** (on time)?
    Non, il est | **en avance** (early).   Il a **dix minutes d'avance.**
               | **en retard** (late).   Il a **une heure de retard.**

    Le vol numéro 23 à destination de Londres est **annulé.**

—Est-ce que le vol/le train est **complet** (full)?
    Non, il y a **de la place** (room).

—Est-ce que ce siège/cette place est **libre** (free)?
    Non, il/elle est **occupé(e).**

👀 Teaching Strategy

Divide students into groups of 4 or 5. One person from each group will be the travel agent working behind the counter at the airport/train station. The other 3 or 4 people will be travelers in need of information. The travel agent should ask at least one question of each person and answer all of their questions. Each person should ask at least two questions of the travel agent. In the dialogs, the students should attempt to be as original as possible and use as much vocabulary from the text as possible.

À l'aéroport

les horaires • le comptoir • la salle d'attente • l'hôtesse de l'air • le pilote • le steward • un douanier • la livraison des bagages • le contrôle de sécurité • la porte • PORTE 32 • ARRIVÉES • DOUANE

Les passagers doivent . . .

AU DÉPART
présenter leur billet.
obtenir leur carte d'embarquement.
enregistrer leurs bagages.
se présenter à la porte de départ.
embarquer.

> **obtenir** *to get*
> **enregistrer** *to check [luggage]*
> **embarquer** *to board [a plane]*

PENDANT LE VOL
mettre leur bagage à main sous le siège.
attacher leur **ceinture de sécurité** *(seat belt).*

> **attacher** *to fasten*

À L'ARRIVÉE
débarquer.
chercher leurs bagages.
passer par la douane.

> **débarquer** *to deplane*
> **passer par** *to go through*

L'avion va | **décoller** / **atterrir** | dans 10 minutes.

> **décoller** *to take off*
> **atterrir** *to land*

> *Mesdames et messieurs, bonjour.*
> *Le capitaine Pasquier et son équipage vous souhaitent la bienvenue à bord du vol Air France numéro 108 à destination de Montréal.*
> *La durée du vol sera approximativement de 7 heures et 25 minutes et notre arrivée à Montréal est prévue pour 15h38 heure locale.*
> *En prévision du départ, veuillez attacher votre ceinture de sécurité et vous abstenir de fumer.*

Départs

Arrivée

Livraison des bagages
Métro Orlyval porte E - F
et autres moyens de transport

■ Irregular Verb
(See Appendix C.)
obtenir is conjugated like **tenir.**

■ Language Note
l'équipage *(m.)* = crew

■ Photo Note
Orlyval is the subway line that connects Orly airport to Paris.

🔷 Teaching Strategy: Multiple Intelligences (SPATIAL/LINGUISTIC)

Have students draw a map or illustration of an airport and train station, adding the following labels:

À L'AÉROPORT		EN AVION	
la piste de décollage/d'atterrissage *(take off/landing) runway*		**le stand-by** *stand-by*	
la tour de contrôle *control tower*		**la classe affaires** *business class*	
la boutique hors-taxe *duty-free shop*		**la soute à bagages** *cargo bay*	
EN VOITURE **la voiture de location** *rental car*		**EN TRAIN** **la couchette** *berth*	
le kilométrage illimité *unlimited mileage*		**le compartiment** *compartment*	
		le wagon *(train) car*	

Transparencies 37, 38

Overhead Visuals Copymasters and Activities, pp. A76–A80

Teacher-to-Teacher, Bon voyage!, pp. 58–60; Trouver celui qui ..., pp. 61–62

🌐 Notes culturelles

• In every French station, you will find **un composteur** on your way to the platforms. It is an orange-colored machine (see illustration and photo) in which the traveler inserts his train ticket to have it automatically stamped with the time and date.

• **Lille** is the main city in the north of France. It is located just below the Belgian frontier.

■ Note linguistique

Un **haut-parleur** (loudspeaker) est utilisé pour annoncer les départs et les arrivées (voir photo).

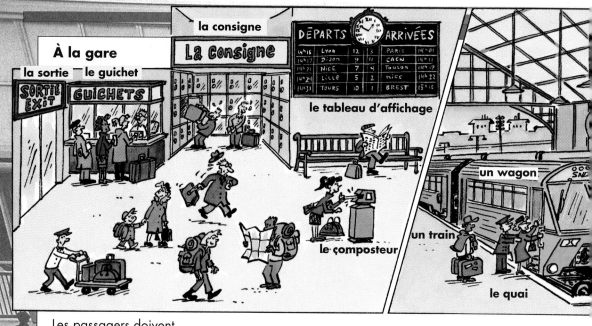

À la gare — la sortie — le guichet — la consigne — La consigne — DÉPARTS ARRIVÉES — le tableau d'affichage — un wagon — un train — le composteur — le quai

Les passagers doivent . . .

acheter un billet.
composter le billet.
monter dans leur train.
descendre de leur train à l'arrivée.

Mais attention, il ne faut pas **rater** le train.
Si on rate le train, il faut | **prendre** | **le prochain train.**
| **attendre** | **le train suivant.**

> **composter** to punch [a ticket]
> **monter (dans)** to get on [a train]
> **descendre (de)** to get off [a train]

> **rater** to miss

NOTE CULTURELLE

Avant de monter dans le train, les voyageurs doivent <u>composter</u> leurs billets. Le <u>composteur</u> indique l'heure et la date à laquelle le billet a été composté. Pendant le voyage, le <u>contrôleur</u> (conductor) passe dans les <u>wagons</u> pour contrôler les billets. Si on n'a pas composté son billet, on reçoit une <u>amende</u> (fine).

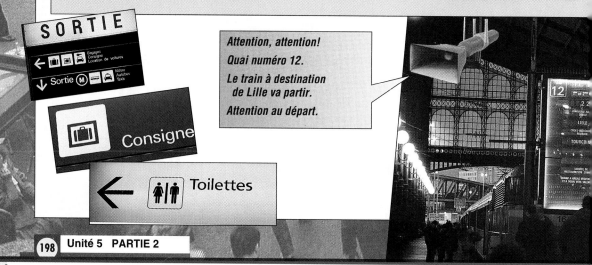

SORTIE
Bagages — Consigne — Location de voitures
↓ Sortie Ⓜ — Métro — Autobus — Taxis

Consigne

← 🚻 **Toilettes**

Attention, attention!
Quai numéro 12.
Le train à destination de Lille va partir.
Attention au départ.

(198) Unité 5 PARTIE 2

⊞ Teaching Strategy: Game

Charades
Write each of the vocabulary words from pp. 196–198 on an index card. Distribute two to every member of the class (more if the class is small). Students must attempt to act out a word so that the class can guess it. (If they have **la salle d'attente** they could sit down, look around, look bored, look at the clock and whistle.) Whoever guesses correctly is the next one to act out his/her word. The game continues until everyone has acted out all of his/her words.

1 Un voyage en avion

Vous êtes à Genève avec votre partenaire. Demain, vous avez l'intention d'aller à Nice en avion. Décrivez toutes les étapes *(steps, stages)* de ce voyage en avion en mettant les activités suivantes dans l'ordre chronologique.

- attacher nos ceintures de sécurité
- aller à l'aéroport
- débarquer
- embarquer
- dormir un peu
- passer à la douane
- aller à la porte 18
- chercher nos places dans l'avion
- passer au contrôle de sécurité

- aller au comptoir d'Air France
- montrer notre carte d'embarquement à l'hôtesse
- enregistrer nos bagages
- réserver deux places pour Nice
- sortir de l'aéroport
- téléphoner à l'agence de voyages
- chercher nos valises à la livraison des bagages

▶ **D'abord, nous allons téléphoner à l'agence de voyages. Nous allons . . .**

2 Un voyage en train

Maintenant vous allez de Nice à Cannes en train. Avec votre partenaire, décrivez ce que vous allez faire pendant ce voyage, dans l'ordre chronologique.

3 À l'Agence Tours-Soleil

L'Agence Tours-Soleil organise des voyages très bon marché. Choisissez un voyage et une date de départ. Avec votre partenaire, complétez le dialogue correspondant et jouez-le en classe. (Votre partenaire va jouer le rôle de l'agent de voyages.)

L'AGENT:	Où désirez-vous aller, monsieur/ mademoiselle?
VOUS:	– – –
L'AGENT:	Quel jour désirez-vous partir?
VOUS:	– – –
L'AGENT:	Désirez-vous un aller simple?
VOUS:	– – –
L'AGENT:	En quelle classe?
VOUS:	– – –
L'AGENT:	Quelle section préférez-vous?
VOUS:	– – –
L'AGENT:	Quelle place préférez-vous?
VOUS:	– – –
L'AGENT:	Désirez-vous louer une voiture? (Quelle voiture?)
VOUS:	– – –

VOYAGES TOURS-SOLEIL

DESTINATIONS	DÉPARTS	
Dakar	3 juin	4 juillet
Casablanca	10 avril	5 septembre
Tahiti	8 juillet	2 août
Hong Kong	1ᵉʳ août	3 septembre
Moscou	6 mai	4 juin
Tel Aviv	12 juin	10 août
Fort-de-France	1ᵉʳ juillet	10 septembre

HONG KONG

MOSCOU

MARTIN
LE NORD SAINT-PIERRE VOYRE-PS

HONG KONG
Prenez le temps . . .

💡 **Teaching Strategy:
Expansion, Activity 5**

Have students do the same
activity comparing:
la voiture/le train;
le bateau/l'avion;
le bus/le train.

■ **Additional Situations**

■ **Pas de chance!**

Jacques Lachance n'a pas de
chance. Ce soir, il doit prendre
l'avion de Montréal. Quand il
arrive au comptoir, il ne peut
pas trouver son billet.

*Rôles: Jacques Lachance /
l'employé(e)*

■ **Le passager nerveux**

Sur le vol Paris–Athènes, il y a
un passager très, très nerveux.
L'hôtesse de l'air essaie de le
calmer.

*Rôles: l'hôtesse / le passager
nerveux*

---

④ **Pas de chance**

Il y a des voyageurs qui n'ont pas de chance. Avec votre partenaire,
complétez les échanges suivants.

1. «Est-ce que cette place est libre?»
   «Non, – – –.»

2. «Est-ce que le train est à l'heure?»
   «Non, – – –.»

3. «Est-ce que le vol à destination de
   Toronto a été confirmé?»
   «Non, – – –.»

4. «Est-ce que le vol est direct?»
   «Non, – – – à Genève.»

5. «Est-ce que le train pour Tours est
   direct?»
   «Non, – – – à Saint-Pierre.»

6. «Est-ce qu'il y a de la place sur le
   prochain vol?»
   «Non, – – –.»

⑤ **Train ou avion?**

Vous voulez visiter l'Europe avec votre partenaire. Vous n'êtes pas d'accord
sur le mode de transport que vous allez utiliser pendant le voyage: train ou avion?

Chacun va choisir un mode de transport (train ou avion) et essayer de convaincre
(to convince) son partenaire. Présentez vos arguments par ordre de préférence.
Qui va gagner le débat? Voici quelques idées:

TRAIN

- C'est moins cher.
- On peut mieux voir le paysage.
- On peut faire connaissance
  de plus de personnes.
- On peut se déplacer *(to get
  around)* plus facilement.
- ??

AVION

- C'est plus rapide.
- C'est plus confortable.
- On est moins fatigué.
- On a plus de temps pour visiter
  le pays.
- ??

⑥ *Conversations libres*   Avec votre partenaire, choisissez l'une des situations suivantes.
Composez le dialogue correspondant et jouez-le en classe.

1   **Un voyage à Genève**

Madame D'Argent est une femme d'affaires très occupée. Demain
matin, elle a un rendez-vous à Genève. Elle téléphone à son
agence de voyage qui lui annonce que malheureusement il n'y a
plus de place sur l'avion Paris-Genève. L'employé(e) propose
d'autres solutions, par exemple, le train, le vol Paris-
Londres/Londres-Genève, etc.

Rôles: Madame D'Argent / l'employé(e)

2   **Un voyage en avion**

Caroline va aller à la Martinique
avec son petit frère Julien, 8
ans. C'est la première fois que
Julien prend l'avion. Il pose
beaucoup de questions à sa
soeur qui lui explique comment
va se passer le voyage.

Rôles: Caroline / Julien

3   **Trop tard!**

Aujourd'hui vous partez en France.
Malheureusement vous arrivez à l'aéroport
avec cinq minutes de retard. Votre avion
vient juste de partir. Allez au comptoir
d'Air France et expliquez la situation à
l'employé(e). (Donnez des précisions sur le
vol que vous avez raté.) Demandez-lui de
vous trouver une place sur le vol suivant.

Rôles: vous / l'employé(e) d'Air France

4   **Contrôle de billets**

Vous êtes dans le train Paris-
Strasbourg. Vous avez acheté un
billet de 2ᵉ classe. Vous n'avez p[as]
fait attention et vous êtes allé(e)
dans un wagon de 1ʳᵉ classe. Le
contrôleur *(conductor)* arrive. Il
vous demande de payer un sup-
plément. Vous n'avez pas assez
d'argent. Expliquez-lui la situatio[n]

Rôles: vous / le contrôleur

A. Le futur

The FUTURE tense is used to describe what people WILL DO, what WILL HAPPEN.
The verbs in the following sentences are in the future tense.

L'avion **partira** dans dix minutes.   *The plane **will leave** in ten minutes.*
Nous **irons** en France cet été.   *We **will go** to France this summer.*

The future tense is a SIMPLE tense. It is formed as follows:

> FUTURE STEM + FUTURE ENDINGS

INFINITIVE		**parler**	**finir**	**vendre**	FUTURE ENDINGS
FUTURE STEM		**parler-**	**finir-**	**vendr-**	
FUTURE	je	**parlerai**	finirai	vendrai	-ai
	tu	**parleras**	finiras	vendras	-as
	il/elle/on	**parlera**	finira	vendra	-a
	nous	**parlerons**	finirons	vendrons	-ons
	vous	**parlerez**	finirez	vendrez	-ez
	ils/elles	**parleront**	finiront	vendront	-ont
NEGATIVE		je **ne parlerai pas**			
INTERROGATIVE		est-ce que tu **parleras?** **parleras-tu?**			

The stem of the future always ends in **-r.**

➡ For most verbs,

> FUTURE STEM = INFINITIVE (*minus* -e, *if any*)

partir → je **partir**ai   **écrire** → j'**écrir**ai

La prochaine fois, je partirai à temps, je ne m'arrêterai pas en route, et j'arriverai le premier.

➡ Some verbs have irregular future stems.

INFINITIVE	FUTURE STEM	
acheter	**achèter-**	j'**achèterai**
appeler	**appeller-**	j'**appellerai**
payer	**paier-**	je **paierai**
avoir	**aur-**	j'**aurai**
être	**ser-**	je **serai**
aller	**ir-**	j'**irai**
faire	**fer-**	je **ferai**
venir	**viendr-**	je **viendrai**

INFINITIVE	FUTURE STEM	
devoir	**devr-**	je **devrai**
pouvoir	**pourr-**	je **pourrai**
vouloir	**voudr-**	je **voudrai**
envoyer	**enverr-**	j'**enverrai**
recevoir	**recevr-**	je **recevrai**
savoir	**saur-**	je **saurai**
voir	**verr-**	je **verrai**

Also: il y a → **il y aura**   il pleut → **il pleuvra**

> **Le futur**
>
> *Pratique* ▶ p. 57

Teaching Strategy: Game

Le futur
Draw a 6x6 grid on the board with subject pronouns on the vertical axis and six different verbs on the horizontal axis. Write down on a slip of paper the future conjugation from *one* of the boxes of the grid and ask each student to guess which conjugation you have chosen: «Est-ce que c'est....» Write that conjugation into the appropriate box on the grid but say «Non, ce n'est pas...» The game continues until a student guesses the conjugation that you had written down. That student then takes your place.

🌐 NOTE CULTURELLE

Le Lièvre et la tortue is a famous fable by French author Jean de La Fontaine (see pp. 136 and 146 for more information). It is the story of how a hare lost a race to a turtle. The hare was so sure of his speed that he took a rest along the way. When he finally realized that the turtle would win the race, it was too late for him to catch up. The moral of the fable is: **Rien ne sert de courir, il faut partir à point** (*on time*).

Transparency 3

Overhead Visuals Copymasters and Activities, pp. A8–A9

Internet Connection Notes, Project 3, pp. 90–91

■ **Notes linguistiques**
épicé = spicy, hot
une épice = spice
épicer = to spice

↩ **Teaching Note**
Activity 3 reviews object pronouns.

① Cet été

Demandez à votre partenaire s'il/si elle fera les choses suivantes cet été.
Si votre partenaire répond affirmativement, essayez de continuer la conversation.

▶ travailler?

Tu travailleras cet été?

Oui, je travaillerai.

Ah bon, qu'est-ce que tu feras?

Je serai serveur/serveuse dans un restaurant.

(Non, je ne travaillerai pas.)

- gagner de l'argent?
- rester chez toi?
- écrire à tes copains?
- être chez toi en août?
- avoir un job?
- faire du sport?

- faire du camping?
- aller à la mer?
- avoir l'occasion de voyag
- aller à l'étranger?
- voir tes grands-parents?
- rendre visite à tes cousin

② Des vacances différentes

Cet été vous allez faire les choses de la colonne A. Votre partenaire a des projets différents (des projets de la colonne B ou d'autres projets). Chacun expliquera ses projets à l'autre.

A	B
aller à la Martinique	aller au Canada
prendre l'avion	prendre le train
louer une voiture	louer un vélo
aller à l'hôtel	faire du camping
manger des plats épicés	manger du homard (lobster)
faire de la planche à voile	visiter les Parcs Nationaux
assister aux spectacles folkloriques	voir les matchs de baseball
voir mes copains	rendre visite à mon oncle
se reposer	être très actif/active
??	??

— Moi, j'irai à la Martinique. Je prendrai l'avion.
— Eh bien, moi, je n'irai pas à la Martinique. J'irai au Canada. Je . . .

③ Procrastination

Vous faites un voyage avec un(e) camarade qui ne fait jamais immédiatement ce qu'il/elle doit faire. Votre partenaire va répondre à vos questions en utilisant un pronom complément.

▶ visiter le musée (samedi)
— **Quand est-ce que tu visiteras le musée?**
— **Je le visiterai samedi.**

1. écrire à tes parents (demain)
2. téléphoner à ta copine (samedi)
3. envoyer ces lettres (ce soir)
4. acheter ton billet (la semaine prochaine)
5. confirmer ta réservation (dans une semaine)
6. acheter des cadeaux (le jour du départ)
7. prendre des photos (pendant le weekend)
8. voir ce monument (dimanche)

 NOTES CULTURELLES

- In a typical restaurant in Quebec, you will be served **la poutine**, a dish consisting of french fries topped with melted white cheese and brown gravy. (Even McDonald's in Montreal serves this typical side dish.)

- Two Canadian baseball teams are the Toronto Blue Jays and the Montreal Expos.

ALLONS PLUS LOIN

Note the different uses of **quitter** and **partir**:

quitter + NOUN	*to leave (a place)*	Nous **quitterons** l'hôtel à 6 heures.
	to take leave of, to leave (a person)	J'**ai quitté** mon cousin à la gare.
partir	*to leave*	Je **partirai** demain matin.
partir de	*to leave from (a place)*	Nous **partirons de** New York.
partir à (en, pour)	*to leave for (a destination)*	Nous **partons en** France.

Un voyage à Québec

Vous allez visiter Québec avec un voyage organisé. Demandez à votre guide (votre partenaire) des détails sur ce voyage. Il/elle va vous répondre sur la base du programme.

Voyage À QUÉBEC . . .

vendredi 4 mai

10h25 arrivée à Québec
Air Canada, vol 208

14h00 tour de la ville en calèche

15h30 visite de la Citadelle et des plaines d'Abraham

19h30 dîner dans un restaurant québécois typique

samedi 5 mai

9h30 promenade en bateau sur le Saint-Laurent
après-midi libre

20h30 concert de chansons québécoises

dimanche 6 mai

8h45 excursion à Sainte Anne de Beaupré en autocar

16h38 départ de Québec
Air Canada, vol 209

▶ comment / aller à Québec?

— **Comment est-ce qu'on ira à Québec?**
— **On ira en avion.**

- quel jour / arriver à Québec?
- combien de jours / rester?
- comment / faire un tour de la ville?
- quel monument / voir vendredi après-midi?
- où / dîner vendredi soir?
- quand / faire une promenade en bateau?
- quoi / faire dimanche matin?
- comment / aller là-bas?
- quel jour / pouvoir faire du shopping?
- quel jour / revenir aux États-Unis?
- à quelle heure / partir?

SITE HISTORIQUE
MAISON ST-HUBERT
1 km

Sainte Anne de Beaupré

5 Une lettre

Maintenant écrivez une lettre à votre cousin Patrick. Dans cette lettre, décrivez le voyage que vous allez faire.

```
Mon Cher Patrick,
    Voici le programme de
notre voyage organisé
à Québec. Nous partirons
le 4 mai. Nous voyagerons
en avion...
```

Langue et communication 203

■ **Notes linguistiques**
le voyage organisé = package tour
1 km = 0.6214 mile
la calèche = carriage

Student Portfolios
Have students prepare the letters they have written in Act. 5 for inclusion in their portfolios.

🌐 NOTES CULTURELLES

- The British built **la Citadelle** in 1759 after the battle between the French and the British. Its purpose was to protect Quebec City from further attack. Visitors can see the changing of the guard (**la relève de la garde**) by the Royal 22nd Regiment.
- The Quebec National Battlefields Park (**le Parc des Champs de bataille**) is located on **les plaines d'Abraham**, commemorating the battle of 1759. It is now a favorite spot for strollers, joggers, picnickers, and tourists.
- **Sainte-Anne de Beaupré:** Pilgrims have come to this church since the 17th century to pay their respects to Saint Anne, the mother of the Virgin Mary.

B. L'usage du futur dans les phrases avec **si**

Note the use of the future in the following sentences.

Si le bus **n'arrive pas,** nous **prendrons** le train.	*If* the bus *does not come, we will take* the train.
Si je **passe** par l'agence de voyages, j'**achèterai** les billets.	*If I go* by the travel agency, I *will buy* the tickets.

The above sentences express what WILL HAPPEN *if* a certain condition is met.
They consist of two parts:
• the **si** *(if)* clause, which expresses the condition
• the result clause, which tells what WILL HAPPEN

In French, as in English, the pattern of tenses is:

si-clause: PRESENT	result clause: FUTURE
Si j'**ai** de l'argent,	je **voyagerai**.

C. L'usage du futur après **quand**

Compare the use of tenses in French and English in the following sentences.

J'**attacherai** ma ceinture **quand** l'avion **partira**.	*I will fasten* my seat belt *when* the plane *leaves*.
Quand nous **arriverons** à Paris, nous **passerons** par la douane.	*When we arrive* in Paris, *we will go* through customs.

When referring to future events, the French use the future tense in <u>both</u> the **quand** *(when)* clause and the main clause. The pattern is:

quand-clause: FUTURE	result clause: FUTURE
Quand j'**aurai** de l'argent,	je **voyagerai**.

➡ The future is also used after **quand** when the main clause is in the IMPERATIVE and a future event is implied.

Écris-moi quand tu **seras** à Nice. *Write me when you are in Nice.*

Vocabulaire: Quelques conjonctions de temps

lorsque	*when*	**Lorsque** j'aurai mon passeport, je partirai.
dès que	*as soon as*	J'écrirai à Sylvie **dès que** j'aurai son adresse.
aussitôt que	*as soon as*	Nous vous téléphonerons **aussitôt que** nous serons à Nice.

➡ The future is used after these conjunctions, as it is after **quand.**

Attention!

Quand on voyage, il faut faire certaines choses sinon on aura un problème.
Exprimez cela pour les personnes suivantes.

PERSONNES	CHOSES À FAIRE	PROBLÈMES
vous	arriver à l'heure	rater la correspondance
nous	se dépêcher	rater le train
Béatrice	réserver à l'avance	ne pas trouver de place
les touristes	confirmer la réservation	payer un supplément
M. Duval	composter le billet	avoir une amende *(fine)*
	avoir un passeport	ne pas pouvoir voyager
	présenter la carte	monter dans l'avion
	d'embarquement	devoir les mettre sous le siège
	enregistrer les bagages	

▶ **Si M. Duval ne se dépêche pas, il ratera la correspondance.**

Une question de circonstances

Ce que nous faisons dépend des circonstances. Choisissez une question et dites ce que vous ferez suivant les circonstances. Comparez vos réponses avec celles de votre partenaire.

1. Qu'est-ce que tu feras ce weekend . . .
   - s'il pleut?
   - s'il fait beau?
   - si tu restes chez toi?

3. Qu'est-ce que tu feras après l'école secondaire . . .
   - si tu vas à l'université?
   - si tu veux gagner ta vie?
   - si tu ne trouves pas de travail?

2. Qu'est-ce que tu feras cet été . . .
   - si tu travailles?
   - si tu as assez d'argent?
   - si tu vas à la mer?

4. Qu'est-ce que tu feras plus tard . . .
   - si tu es marié(e)?
   - si tu gagnes beaucoup d'argent?
   - si tu n'aimes pas ton travail?

Projets de voyage

Choisissez une personne et dites ce qu'elle fera quand elle sera dans un certain endroit.

nous	aller	(l') Égypte	assister à (une corrida, ??)
vous	être	(la) France	voir (les pyramides, ??)
Pauline	visiter	(le) Canada	aller à (un match de hockey, ??)
mes cousins		(les) États-Unis	visiter (le Grand Canyon, ??)
		(l') Espagne	parler (français, ??)
		(le) Mexique	acheter (du parfum, ??)
		(la) Chine	manger (du poulet frit, ??)

▶ **Quand Pauline sera en Espagne, elle parlera espagnol. Elle mangera . . .**

■ **Teaching Strategies**

Activité 7
You may wish to suggest the following variations:
1. si tu es malade
2. si tu es en France
3. si tu as ton diplôme
4. si tu habites seul(e)

Activité 8
Autres pays: Israël, le Japon, l'Inde, la Russie, l'Italie, l'Australie.

⊗ Teaching Strategy: Multiple Intelligences

Divide the class into groups and ask each group to prepare suggested activities for the circumstances presented in Act. 7 based on different learning styles. You may wish to prepare an overhead transparency explaining the following seven intelligences:

 Bodily-Kinesthetic   **Logical-Mathematical**   **Linguistic**

Spatial   **Interpersonal**

 Musical   **Intrapersonal**

📖 **Practice Activities,**
pp. 60–62, 188

💿 **Audio CD 5,** Tracks
13–15

📼 **Audiocassette 5,**
Side 2

📖 **Audio Script,**
p. 31–32

👥 **Teacher-to-Teacher,**
Jumeaux/Jumelles,
pp. 65–68

🖥 **Teaching Strategy:
Multiple Intelligences**

Have students prepare a tourist brochure — with illustrations — inviting French visitors to your city or region. Use the future tense to explain what the tourists will be able to do.

Venez visiter Boston! Vous vous promenerez dans la vieille ville. Vous visiterez Fanueil Hall et King's Chapel. Vous verrez ... *etc.*
(SPATIAL)

📔 **Student Portfolios**

Have students keep their letters from Act. 11 for their portfolios. Remind them that a French letter starts with: **Cher/Chère + prénom** or **Mon cher...**/ **Ma chère + prénom**. It can be ended with one of the following expressions: **Amitiés, Affectueusement, Bien à toi, Sincèrement,** or, if you are very familiar with the person, **Bisous,** or **Grosses bises** (kisses).

9 S'il te plaît!

Votre partenaire vous dit ce qu'il/elle va faire. Demandez-lui de faire les choses suggérées (ou d'autres choses de votre choix).

Je vais aller à la poste.

Eh bien, quand tu iras à la poste, envoie cette lettre, s'il te plaît.

D'accord, j'enverrai cette lettre.

1. partir
   (fermer la porte)
2. faire les courses
   (acheter du fromage)
3. passer à la bibliothèque
   (rendre ce livre)
4. aller à la gare
   (prendre les billets)
5. aller à l'agence de voya
   (réserver les places)
6. voir Patrick
   (l'inviter à la boum)

10 Une visite à Genève

Jean-Philippe, un étudiant belge, va aller à Genève. Il écrit à sa copine Nathalie qui habite dans cette ville. Complétez sa lettre avec le présent ou le futur des verbes indiqués.

Ma chère Nathalie,

Je _____ le vol Swissair 804 qui _____ à Genève le 2 juin à 10h35. Je te _____ dès que je _____ à mon hôtel. Si tu _____ libre, on _____ déjeuner ensemble. Sinon, je_____ un peu, et s'il _____ beau, je _____ un tour en ville.

De toute façon (anyway), on _____ ensemble le soir. Si tu _____, on _____ dans un restaurant qu'un copain m'a recommandé. Quand je te _____, je te _____ les photos que j'ai prises l'année dernière. Écris-moi lorsque tu _____ cette lettre.

À bientôt,
Jean-Philippe

(prendre / arriver)
(téléphoner / être)
(être / pouvoir / se repo
(faire / faire)
(sortir)
(vouloir / aller)
(voir / montrer)

(recevoir)

11 Bienvenue chez nous!

Votre amie française Frédérique va passer le weekend dans votre ville. Préparez un programme d'activités que vous ferez ensemble et écrivez une lettre à Frédérique où vous expliquez ce programme. Utilisez des verbes comme **aller, voir, visiter, faire, dîner, déjeuner, prendre, se promener, s'arrêter.**

Ma chère Frédérique,
Je suis très content(e) que tu pas le weekend dans ma ville. J'irai te chercher à l'aéroport [à la gare/à station de bus] vendredi soir. Voici que nous ferons lorsque tu seras Le samedi matin, nous ...

☀ **Warm-Up/Pre-Teaching**

Draw a picture on the board/transparency of a person who needs a lot of help. He/she could have a horrible hair style, pants too short, a test on which he/she received a 40/100. Have students suggest additional problems and illustrate each one on a separate piece of paper.

Collect all the papers. After presenting the conditional (p. 207), have the students individually or in pairs write **si** clause sentences beginning with something like «**Il/elle serait plus belle si...**» or «**Il/elle aurait plus d'amis si...**»

D. Le conditionnel

In the sentences below, the verbs in heavy print are in the CONDITIONAL.

Si c'était les vacances, . . .

- je **voyagerais**
- nous **irions** au Sénégal
- vous **n'étudieriez pas**

If it were summer vacation, . . .

- *I **would travel***
- *we **would go** to Senegal*
- *you **would not study***

The CONDITIONAL is used to describe what people WOULD DO, what WOULD HAPPEN if a certain condition were to be met.

The CONDITIONAL is a simple tense which is formed as follows:

> FUTURE STEM + IMPERFECT ENDINGS

INFINITIVE		parler	finir	vendre	aller	IMPERFECT ENDINGS
FUTURE		je **parler**ai	**finir**ai	**vendr**ai	**ir**ai	
CONDITIONAL	je	**parler**ais	**finir**ais	**vendr**ais	**ir**ais	-ais
	tu	**parler**ais	**finir**ais	**vendr**ais	**ir**ais	-ais
	il/elle/on	**parler**ait	**finir**ait	**vendr**ait	**ir**ait	-ait
	nous	**parler**ions	**finir**ions	**vendr**ions	**ir**ions	-ions
	vous	**parler**iez	**finir**iez	**vendr**iez	**ir**iez	-iez
	ils/elles	**parler**aient	**finir**aient	**vendr**aient	**ir**aient	-aient
NEGATIVE		je ne **parler**ais pas				
INTERROGATIVE		est-ce que tu **parler**ais?				
		parlerais-tu?				

➡ Verbs that have an irregular future stem keep the same stem in the conditional.

avoir **aur**- j'**aur**ais   être **ser**- je **ser**ais

12 **Vivement les vacances!** *(Waiting for summer vacation)*

Les personnes suivantes rêvent des vacances. Dites ce qu'elles feraient et ce qu'elles ne feraient pas. Soyez logique!

▶ Mme Leduc (travailler? se reposer?)
Mme Leduc ne travaillerait pas. Elle se reposerait.

1. nous (préparer l'examen? voyager?)
2. les élèves (aller à la plage? étudier?)
3. vous (rester chez vous? faire du camping?)
4. Marc (être tout le temps à la plage? regarder la télé?)
5. toi (te lever tôt? dormir jusqu'à dix heures?)
6. moi (faire mes devoirs? sortir avec mes copains?)

Le conditionnel

Pratique ▶ p. 60

UNITÉ 5

Interdisciplinary/ Community Connections

Plan several possible class trips, each focusing on a different mode of transportation (bus, train, plane). Display the finished plans in the school library for future classes, or develop into a formal presentation to school governing bodies to gain approval for a trip.

▣ **Language Arts:** In small groups, write why you want to travel, what you hope to learn, and how you might raise funds.

▦ **Math:** For each destination, calculate cost of travel, food, lodging, and entertainment.

⚗ **Science:** Choose several modes of transportation, and investigate the history of each. Then, in small groups, figure out where you could travel from your town using that mode of transportation, and choose destinations.

🌐 **Social Studies:** Choose a museum or historic site at your destination and explain why you want to visit it.

💻 **Technology:** Find out how you can use the computer to make travel plans and reservations.

🏠 **Community:** If you take a trip, keep a log to share with future classes. If you do not travel, donate your research to the school library as a reference for others planning school trips.

☁ Teaching Notes

- The conditional is presented here primarily for recognition. The use of the conditional is presented in more detail in Unit 8.
- To review the imperfect tense, see Unité 3, page 116.

⚙ Teaching Strategy: Expansion

Ask students:
Que feriez-vous si vous étiez riche? Répondez aux questions affirmativement ou négativement en formant des phrases complètes. **Si j'étais riche,...**

1. acheter des vêtements au marché aux puces? (j'achèterais.../ je n'achèterais pas de...)
2. avoir un ordinateur portable? (j'aurais/je n'aurais pas d'...)
3. être généreux(euse) avec vos amis? (je serais/je ne serais pas...)
4. utiliser une petite voiture? (j'utiliserais/je n'utiliserais pas de...)
5. prendre beaucoup de vacances? (je prendrais/je ne prendrais pas...)
6. sortir tous les soirs? (je sortirais/je ne sortirais pas...)

LECTURE

Le mystérieux homme en bleu

TEACHING RESOURCES

 Transparency L5

 **Overhead Visuals
Copymasters and
Activities,**
pp. A127–A128

**Internet Connection
Notes,** Long-Term
Internet Project,
pp. 92–93

AVANT DE LIRE

Quand on lit une histoire illustrée, il est important de regarder les illustrations pour comprendre le sens général. Si on peut deviner° plus ou moins ce qui va arriver, il est beaucoup plus facile de comprendre les détails.

Le mystérieux homme en bleu est une histoire policière illustrée. Avec votre partenaire, regardez bien les illustrations pour avoir une idée générale de ce qui se passe. Avant de commencer la lecture de l'histoire à la page suivante, essayez de répondre aux questions suivantes.

1. Qui est le mystérieux homme en bleu?
   - un détective privé
   - un inspecteur de police
   - un espion international

2. Qui est Caroline?
   - une jeune touriste
   - la complice de l'homme en bleu
   - la cousine de l'homme à la mallette jaune

3. Pourquoi est-ce que la chambre de Caroline est en désordre?
   - Des voleurs sont entrés pour voler ses chèques de voyage.
   - La police est venue chercher des documents volés.
   - L'homme à la mallette est venu chercher son passeport.

Maintenant lisez l'histoire et voyez si vous aviez raison.

deviner *to guess*

■ **Note linguistique**
Familles de mots:
   l'inspecteur, inspecter,
      l'inspection (f.)
   l'espion, espionner,
      l'espionnage (m.)
   le voleur, voler, le vol

■ **Irregular Verbs**
(see Appendix C)
disparaître *(see* **connaître***)*

Mots utiles

LES PERSONNAGES		LES ACTIONS	
un détective privé	*private eye*	récupérer	*to get back, recuperate*
un inspecteur de police	*police detective*	arrêter	*to arrest*
un(e) espion(ne)	*spy*	cacher	*to hide*
un voleur (une voleuse)	*thief*	voler	*to steal*
un(e) complice	*accomplice*	sauver	*to save*
une bande	*gang*	disparaître *	*to disappear, to go away*

QUELQUES OBJETS
une loupe	*magnifying glass*
une mallette	*briefcase*
une plaque d'immatriculation	*license plate*

Note culturelle

This story is presented here as a **bande dessinée**, the most popular form of reading material among French teens. Ask students if there are similar formats read by teens in the U.S.

Teaching Strategy: Expansion

Divide the class into groups. Each group is assigned one of the numbered pictures and must then write a description and a corresponding narrative (saying who the character is, what is happening, where the character is going and what he is doing and why). Then gather the material and have groups read their descriptions in the order of the pictures. Ask students:
• Do you have a coherent story?
• Can you develop one from what the group wrote?

Le mystérieux homme en bleu

Première partie

Caroline a fait ses valises. Puis elle a pris son passeport et son billet d'avion et elle a appelé un taxi pour aller à Mirabel, l'aéroport international de Montréal. Dans le taxi, Caroline pense au voyage qu'elle va faire. 5
C'est la première fois qu'elle va en France. Elle passera trois semaines là-bas, avec l'argent qu'elle a économisé pendant l'année. Elle espère faire un excellent voyage. Ce sera peut-être un voyage plein d'aventures 10
extraordinaires. Qui sait?

Caroline est arrivée à l'aéroport une heure avant le départ de l'avion Montréal-Paris. Elle est allée au comptoir d'Air Canada où elle a présenté son billet 15
et son passeport et elle a enregistré ses bagages.

Puis, elle est allée dans la salle d'embarquement. Là, elle a immédiatement remarqué un mystérieux homme vêtu de 20
bleu:° pantalon bleu, pull bleu, blouson bleu, casquette bleue et lunettes de soleil. «Quel homme étrange!» a pensé Caroline.

Bientôt° on a annoncé le départ pour Paris. Caroline et les autres passagers sont montés dans l'avion. L'homme en bleu aussi. 25

Caroline est allée à sa place. Le mystérieux homme en bleu est venu s'asseoir derrière elle. Pendant le voyage, Caroline a regardé quelques magazines, puis elle a dîné et elle a vu le film. Après le film, elle a dormi un peu. 30
Quand elle s'est réveillée, Caroline a regardé derrière elle. L'homme en bleu n'était plus là… il avait changé de place.
Finalement, après six heures de vol, l'avion est arrivé à Roissy, l'aéroport de Paris. 35

vêtu de bleu = qui portait des vêtements bleus   **bientôt** = dans peu de temps

🌐 NOTES CULTURELLES

• **Mirabel** is also the name of a town near the airport. It is located north-west of Montreal. Ask students to locate Montreal on a map. Have any students in the class visited Montreal?

• There are two main airports in Paris: **Roissy-Charles de Gaulle** (north of the city) and **Orly** (south of the city).

Supplementary vocabulary

Dans l'avion
la cabine cabin
le hublot window
les écouteurs (m.) headphones
le porte-bagages overhead bin
le compartiment de rangement storage bin

Caroline a pris son sac à main et elle est sortie de l'avion. Puis elle est allée chercher ses deux valises. Malheureusement, celles-ci sont très lourdes et Caroline n'est pas très forte. Voyant° l'embarras° de Caroline, un grand jeune homme blond avec une mallette de cuir jaune s'est approché d'elle.

40

– Est-ce que je peux vous aider avec vos valises?

– Ah oui, s'il vous plaît.

– Tenez, prenez ma mallette et moi, je vais porter vos valises.

45

Caroline a pris la mallette du jeune homme et le jeune homme a pris les valises de Caroline. Ils sont passés ensemble à la douane, sans problème.

De l'autre côté de° la douane, il y avait l'homme en bleu. Il a regardé longuement Caroline, puis il a disparu. «Ce type° est vraiment bizarre,» a pensé Caroline.

50

Caroline et son compagnon sont sortis de l'aéroport. Une femme très élégante, dans une petite voiture de sport rouge, attendait le jeune homme. Elle avait l'air un peu irritée de voir Caroline. Le jeune homme a posé les valises de Caroline par terre° et il a appelé un taxi pour elle. Caroline a remercié le jeune homme et elle lui a demandé un petit service.

55

– J'ai promis à mes amies de leur envoyer des photos de moi à Paris. Voici mon appareil. Est-ce que vous pouvez prendre une ou deux photos?

60

– Mais, bien sûr! Avec plaisir!

Caroline s'est mise° à côté de la voiture de sport et le jeune homme a pris plusieurs photos.

– Merci beaucoup.

– Bon séjour en France!

65

Le jeune homme est monté dans la voiture de sport qui est partie très vite. Caroline est montée dans le taxi et elle est allée directement à son hôtel.

voyant = quand il a vu   **l'embarras** = la difficulté   **de l'autre côté de** = après   **ce type** = cette personne
a posé = a mis   **par terre** = sur le trottoir (sidewalk)   **s'est mise** = est allé se placer

Avez-vous compris?

1. À quelle occasion est-ce que Caroline a rencontré l'homme en bleu pour la première fois? Décrivez-le.
2. Qu'est-ce que Caroline a fait dans l'avion Montréal-Paris?
3. À l'arrivée à l'aéroport, que fait le jeune homme blond pour aider Caroline? Qu'est-ce qu'elle fait en échange?
4. Quel service est-ce que Caroline demande au jeune homme à la sortie de l'aéroport?

À votre avis

Pourquoi la femme élégante était-elle irritée de voir Caroline?
- Elle était jalouse de Caroline.
- Elle était très pressée (in a hurry) de partir.
- Elle avait une autre raison. Laquelle?

■ **Irregular Verb**
(See Appendix C.)
promettre is conjugated like **mettre**

■ *Avez-vous compris?*
(Sample answers)
1. Elle l'a vu pour la première fois dans la salle d'embarquement de l'aéroport de Montréal. Il était habillé tout en bleu: pantalon, pull, blouson, casquette, tout était bleu. Il portait des lunettes de soleil.
2. Elle a regardé des magazines, elle a dîné et elle a vu le film.
3. Il porte les valises de Caroline, qui sont très lourdes. En échange, elle porte la mallette du jeune homme.
4. Elle lui demande de prendre des photos d'elle parce qu'elle veut les envoyer à ses amies.

☼ **Teaching Strategy: Expansion**
Ask students:
Pourquoi Caroline pense-t-elle que l'homme en bleu est mystérieux? Et vous? Auriez-vous remarqué cet homme? Pourquoi?

Deuxième Partie

À l'hôtel, Caroline a défait ses valises. Elle a changé de vêtements et elle est sortie. Elle est allée d'abord dans un café où elle a commandé un café et des croissants. Quelques minutes après, l'homme en bleu est, lui aussi, entré dans le café. 70

«Encore lui!° Mais qu'est-ce qu'il fait ici?» a pensé Caroline. 75

Elle a fini son café et ses croissants, et elle est sortie du café en vitesse.°

Caroline est allée au jardin du Luxembourg où elle a fait une promenade. Derrière, il y avait l'homme en bleu. Elle a pris un taxi et elle est allée au musée du Louvre. L'homme en bleu est sorti d'un autre taxi et il est entré au Louvre. 80

«Zut, zut et zut! Pourquoi est-ce que ce type me suit partout?» Caroline est sortie

du musée et elle a pris un bus pour aller aux Champs-Elysées. Elle a regardé derrière elle. Cette fois-ci, l'homme en bleu ne la suivait pas. «Je l'ai finalement perdu… Je suis sauvée!» a-t-elle pensé. 85

À sept heures, Caroline a décidé de dîner sur un bateau-mouche.* Quelle façon magnifique de passer une première soirée à Paris! Finalement, à onze heures, elle est rentrée à son hôtel. Pas de trace de l'homme en bleu! 90

Quand Caroline a ouvert la porte de sa chambre, elle a tout de suite° vu que celle-ci° était dans le désordre le plus complet. Et debout,° au milieu de la chambre, était l'homme en bleu accompagné de deux hommes en imperméable beige.

«Qu'est-ce que vous faites dans ma chambre? a crié Caroline. Si vous ne sortez pas immédiatement, j'appellerai la police.» 95

«Mais, mademoiselle, a répondu l'homme en bleu, nous sommes de la police.» Et il a montré sa carte de police à Caroline.

– Qu'est-ce que vous voulez?
– Nous voulons savoir où est la mallette. 100
– Quelle mallette?
– La mallette de cuir jaune que votre complice vous a donnée.
– Je ne comprends pas. De quel complice parlez-vous?
– Allons, mademoiselle, ne faites pas l'innocente.°
– Mais je suis innocente! 105
– Alors, qui est ce jeune homme blond qui est sorti de l'aéroport avec vous ce matin?
– Mais, je ne sais pas! Je ne le connais pas!

* Les bateaux-mouches sont des bateaux touristiques qui traversent Paris. Le soir, on peut y dîner.
encore lui = toujours la même personne **en vitesse** = rapidement
tout de suite = immédiatement **celle-ci** *the latter* [= sa chambre] **debout** *standing* **ne faites pas l'innocente** *don't act innocent*

Illustrations
Clockwise from bottom left:
– Caroline au jardin du Luxembourg
– Caroline à la terrasse d'un café
– la pyramide dans la cour Napoléon au musée du Louvre
– l'Arc de Triomphe au bout des Champs-Élysées
– le bateau-mouche sur la Seine.

L'homme en bleu a compris que Caroline disait la vérité. Alors, il a expliqué: 110

«Je suis l'inspecteur de police Louis Legrand. Il y a un mois, des documents secrets très importants ont été volés au Ministère des Transports. Ces documents concernent la construction de la station 115 spatiale franco-canadienne. La semaine dernière, un de nos agents a signalé la présence à Montréal du chef de la bande responsable de ce vol. Cette personne, c'est le jeune homme blond avec qui vous étiez ce 120 matin. Samedi dernier, je suis allé à Montréal pour prendre contact avec notre agent. Grâce aux renseignements,° j'ai pu retrouver la trace du jeune homme en question. Je l'ai suivi quand il a pris l'avion Montréal-Paris.

«À Roissy, il vous a donné la mallette dans laquelle sont les documents. J'ai pensé 125 que vous étiez sa complice. En réalité, il a profité de vous pour passer la mallette à la douane sans problème. Je vous ai suivie parce que je pensais que vous aviez toujours° la mallette. J'ai fait erreur et je m'excuse. Évidemment, le problème pour nous, c'est que nous avons perdu la trace de ce dangereux bandit et de la mallette.»

«Je crois que je peux vous aider,» a répondu Caroline. 130
– Mais comment?
– Attendez demain, et donnez-moi votre adresse.
L'inspecteur Legrand a donné sa carte à Caroline et il a quitté l'hôtel, accompagné de ses deux assistants.

grâce aux renseignements = avec l'information qu'il m'a donnée **toujours** *still*

Avez-vous compris?

1. Où est-ce que Caroline a revu l'homme après être sortie de l'hôtel? Où est-ce qu'elle l'a perdu?
2. Quelle surprise Caroline a-t-elle eue quand elle est rentrée chez elle?
3. Comment est-ce que l'homme en bleu et ses assistants ont justifié leur présence dans la chambre de Caroline?
4. D'après l'homme en bleu, qui est le jeune homme blond? Pourquoi a-t-il pensé que Caroline était sa complice?

Anticipons un peu!

Comment est-ce que Caroline va aider les policiers à retrouver le jeune homme blond?
• Elle a sa photo.
• Elle a son adresse.
• Elle a un autre renseignement. Lequel?

Lecture 213

• In many Parisian cafés, you will find a basket filled with croissants on the table. You may help yourself, but they are not free! The waiter will know how many croissants you have eaten by counting those that are left.

Troisième Partie

Notes linguistiques

- Le numéro d'immatriculation est inscrit sur la plaque d'immatriculation, aussi appelée la plaque minéralogique.
- Un inspecteur de police est un policier en civil (in civilian clothes) qui est chargé de mener les enquêtes. Le commissaire de police est chargé des travaux de police administrative. L'agent de police porte un uniforme.

Le lendemain à deux heures de l'après-midi, Caroline est allée voir l'inspecteur Legrand au quartier général de la police. 135

– Bonjour, Inspecteur, j'ai une très bonne nouvelle pour vous. 140

– Ah bon? Quoi?

– Vous allez pouvoir retrouver la trace de vos voleurs de documents.

– Vraiment? Comment?

Caroline a ouvert son sac d'où 145
elle a tiré° les photos prises hier à l'aéroport.

– Regardez bien ces deux photos. Je les ai fait développer ce matin.

– Mais ce sont des photos de vous!

– Oui, bien sûr, mais regardez de plus près la voiture de sport rouge.

– Je vois bien. C'est une Alfa-Roméo. 150

– C'est aussi la voiture qu'ont prise le jeune homme et sa véritable° complice à l'aéroport. Prenez votre loupe. Vous pourrez lire très nettement son numéro d'immatriculation.

L'inspecteur Legrand a pris sa loupe.

– Vous avez raison, mademoiselle. Je vais alerter immédiatement tous les postes 155
de gendarmerie pour qu'on retrouve cette voiture et ses occupants.

Une semaine après, la police a arrêté le chef de bande et sa complice et les documents secrets ont été récupérés.

L'histoire de Caroline a été 160
publiée en première page de tous les journaux. Caroline a donné plusieurs interviews à la radio et à la télévision. Un studio de cinéma lui a proposé un rôle dans un prochain 165
film et une maison d'édition a pris contact avec elle pour publier le récit° de ses aventures.

a tiré = a sorti   **véritable** = réelle   **le récit** = l'histoire

Avez-vous compris?

(Sample answers)

1. Elle a apporté les photos prises par le jeune homme blond.
2. Sur les photos on voyait la voiture rouge des bandits et on pouvait lire son numéro d'immatriculation.
3. Le jeune homme a été arrêté, et Caroline est devenue célèbre. On lui a proposé un rôle dans un film, et elle va écrire le récit de ses aventures.

Avez-vous compris?

1. Qu'est-ce que Caroline a apporté le lendemain?
2. En quoi est-ce que cela a aidé l'inspecteur?
3. Comment s'est terminée l'histoire pour le jeune homme blond? pour Caroline?

Et vous?

Imaginez que vous êtes Caroline. Qu'est-ce que vous allez faire?
- Accepter l'offre du studio de cinéma?
- Écrire le récit de vos aventures?
Pourquoi avez-vous choisi cette option?

EXPRESSION ORALE

■ Dramatisation

Avec un groupe de camarades, transformez cette histoire en petite pièce de théâtre et jouez-la.

■ Situations

Avec votre partenaire, choisissez l'une des situations suivantes. Composez le dialogue correspondant et jouez-le en classe.

---

1 Un coup de téléphone

Caroline téléphone à un(e) ami(e) québécois(e) pour lui raconter ses aventures. L'ami(e) interrompt souvent et lui pose beaucoup de questions sur ce qui est arrivé.
(Utilisez la forme **tu**.)

Rôles: Caroline, son ami(e)

---

2 Une interview

Un(e) journaliste pour Radio-Québec a obtenu une interview avec Caroline et lui pose beaucoup de questions. Il/Elle voudrait savoir ce que Caroline fera si elle accepte la proposition du studio de cinéma ou de la maison d'édition. Caroline est très contente de répondre. (Utilisez la forme vous.)

Rôles: le/la journaliste, Caroline

APRÈS **LA LECTURE**

EXPRESSION ÉCRITE

L'histoire de «l'homme en bleu» est écrite objectivement, et cependant vous avez pu remarquer que l'auteur décrit les événements du point de vue de Caroline. Utilisez votre imagination pour raconter la même histoire d'un autre point de vue. Voici trois options:

■ Le rapport de l'inspecteur de police

L'inspecteur Louis Legrand, qui vient de recevoir les photos de Caroline, écrit un rapport à son chef. Dans ce rapport, il décrit ce qui est arrivé et aussi comment il arrêtera les voleurs.

■ Journal d'un prisonnier

L'homme à la mallette jaune (vous pouvez lui donner un nom) est maintenant en prison. Dans son journal intime, il décrit les événements qui ont mené à son arrestation.

■ Article de journal

Un(e) journaliste écrit un article où il décrit comment la police a récupéré les documents volés. Il utilise un style très direct.

■ Student Portfolio

These closing activities may be used for portfolio assessment.

■ Notes linguistiques

éditer/publier *to publish*
l'édition *publishing*
l'éditeur *publisher*
Note: **le réviseur/ le correcteur** *editor/ proofreader*
le rédacteur *editor (of a magazine)*

Lecture 215

🔧 Teaching Strategies: Expansions

- Now that your students know the story, have them go back to the comic strip on p. 209. In pairs or groups, have them make up captions and/or speech bubbles in French for each numbered frame.

- If your school has the appropriate audio-visual equipment, you could use this story as the basis for a short video. Students can participate as script writers, actors, directors, set designers, costume people, etc.

INTERLUDE CULTUREL

TEACHING RESOURCES

Transparencies 1, 1(o), 6, H3

Overhead Visuals Copymasters and Activities, pp. A5–A6, A13–A14, A141–A142

Internet Connection Notes, Project 5, pp. 94–99

■ Note linguistique

le moulin à vent = windmill

⊕ Note historique

Après sa défaite à Leipzig (Allemagne) en 1814, **Napoléon** est exilé à l'île d'Elbe. Il revient en France en mars 1815 et remonte sur le trône, mais son nouveau règne ne dure que cent jours. Son armée est vaincue à **Waterloo** (Belgique) le 18 juin 1815, et Napoléon est exilé à **Sainte-Hélène** où il passera la fin de sa vie.

■ Irregular Verb

conquérir is conjugated like **acquérir:**

   je conquiers
   il conquiert
   nous conquérons
   ils conquièrent

INTERLUDE CULTUREL

■ *Les dates*

- 1715

   Règne de Louis XV

- 1774

   Règne de Louis XVI

- 1789: Prise de la Bastille

   Révolution française

- 1804

   Premier Empire: Napoléon Ier

- 1814

- 1830 *Révolution*

- 1852

   Second Empire: Napoléon III

- 1870

■ *Les événements*

La Révolution française (1789-1799)

La Révolution française est peut-être la période la pl importante de l'histoire de France. Cette révolution a été inspir par la Révolution américaine. Le 14 juillet 178 les Français ont pris **la Bastille**, une prison q était le symbole de l'autorité royale. Le 26 ao de la même année, ils ont voté la **Déclaratic des Droits de l'Homme et du Citoyen** q proclamait un principe nouveau: l'égalité et liberté pour tous les hommes.

   Trois ans plus tard, les Français o aboli la monarchie et ont institué République. C'est la Révolution qui donné à la France sa devise:° «Libert **Égalité, Fraternité».**

   La Révolution a aussi divisé France en «départements» et institué le système métrique.

L'épopée napoléonienne (1799-1815)

Napoléon Bonaparte (1769-1821) était le plus brillant général de Révolution française. En 1799, à l'âge de 30 ans, il a p le pouvoir° absolu. Cinq ans plus tard, en 1804, il s'est proclar empereur des Français sous le nom de **Napoléon Ier.**

   À cette époque, la France avait beauco d'ennemis: tous les pays d'Europe étaie coalisés° contre elle. Allant de victoire victoire, «l'Aigle» (c'était le nom que soldats avaient donné à Napoléon) a battu s adversaires les uns après les autres. passage, Napoléon annexait les pays q venait de conquérir. En dix ans, il a conq presque toute l'Europe. Mais finalement chance a tourné et l'armée de Napoléon été défaite en Russie. Prisonnier des Angla Napoléon est mort en exil sur une petite loin de la France.

   Génie militaire, Napoléon a été aussi un grand administrate Il a développé l'industrie. Il a encouragé les sciences. Il a ouv de nombreuses écoles d'ingénieurs. Il a établi une soli administration. Il a institué le **Code Napoléon** qui reste la base système de justice en France.

devise *motto* **coalisés** = alliés **chance** *luck*

Teaching Strategies

🖳 Interdisciplinary/Community Connections

Prepare a combined project with the history, social studies and English teachers to help students understand the importance of the French revolution. Ask students to prepare a comparative time line showing world events, US events, and overlay the French timeline.

▓ Multiple Intelligences

Play recordings of *La Marseillaise* and *Les Misérables* while students scan the *Interlude.*
(MUSICAL)

Les personnes

Marie-Antoinette, Reine de France

Marie-Antoinette (1755-1793) est peut-être la figure la plus tragique de l'histoire de France. C'était une princesse autrichienne,° mais elle avait autant de sang° français que son mari, **Louis XVI**. Elle a épousé° celui-ci à l'âge de 15 ans et est devenue reine° à 19 ans.

Idéaliste et généreuse, elle a pris parti pour la cause des insurgés américains. C'est en partie grâce à° son influence que Louis XVI a envoyé sa marine et ses meilleures troupes aider les Américains pendant la Guerre d'Indépendance.

Romantique, très belle et pleine° de vie, elle aimait les fêtes. Pendant la Révolution, la famille royale a tenté, sans succès, de s'échapper de France. Arrêtée, Marie-Antoinette a été accusée d'avoir aidé les ennemis de la patrie. Elle a été emprisonnée, jugée, condamnée à mort et guillotinée.

Marie-Antoinette (1755-1793)

Napoléon couronné empereur

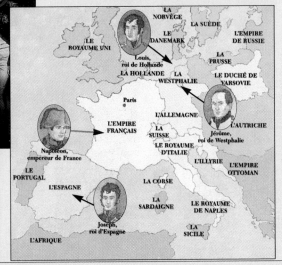

L'Empereur Napoléon et sa famille

Napoléon (1769-1821) est né en Corse,° une petite île au sud de la France. À l'âge de dix ans, il est allé en France faire ses études dans une école militaire. Ses camarades se moquaient° de lui parce qu'il parlait français avec l'accent corse. Napoléon, lui, pensait à sa famille à laquelle il était très attaché.

Vingt-cinq ans plus tard, quand il a été couronné empereur, toute sa famille était présente. Napoléon avait trois frères: **Joseph**, **Louis**, **Jérôme**. Quand il a conquis l'Europe, il a donné à chacun un royaume.° C'est ainsi que Joseph est devenu roi d'Espagne, Louis, roi de Hollande, et Jérôme, roi de Westphalie.

Napoléon avait une famille encore plus grande qui était son armée, la «**Grande Armée**». Il a couvert d'honneurs ses généraux victorieux, et il leur a donné des titres rappelant° leurs victoires ou leurs campagnes. Son meilleur général, **Murat**, était aussi son meilleur ami et le mari de sa soeur, Caroline. Napoléon l'a nommé maréchal, grand amiral, prince d'Empire, grand duc de Berg et finalement roi de Naples.

Napoléon avait un fils, qu'il a nommé Roi de Rome à sa naissance, mais qui n'a pas régné. Son neveu, **Charles Louis Napoléon**, est devenu empereur des Français en 1852, sous le nom de **Napoléon III**.

autrichienne *Austrian* sang *blood* a épousé *married* reine *queen* grâce à *thanks to* pleine *full*
Corse *Corsica* se moquaient de *were laughing at* royaume *kingdom* rappelant *recalling*

LECTURE ET CULTURE 217

Notes historiques

- **Louis XVI:** fils de Louis XV et d'une princesse polonaise, Louis XVI avait seulement un grand-père français.
- **Marie-Antoinette:** fille de l'impératrice autrichienne Marie-Thérèse et de François, duc de Lorraine, Marie-Antoinette avait une grand-mère et un grand-père français.
- La ville de **Marietta** (Ohio) est nommée en l'honneur de Marie-Antoinette.
- **La guillotine** est une machine servant à exécuter les condamnés à mort. Elle a été inventée pendant la Révolution par un certain docteur Guillotin, qui a été lui-même guillotiné.
- Les autres membres de la famille de Napoléon:
  Lucien Bonaparte, prince de Canino
  Elisa Bonaparte, grande duchesse de Toscane
  Pauline Bonaparte, duchesse de Guastalla
  Caroline Bonaparte, reine de Naples

NOTE: Napoléon III était le fils de Louis Bonaparte.

■ Photo Note

In his painting called *Le Sacre* (coronation), French artist Louis David recorded the coronation of Napoleon in the Cathedral of Notre-Dame in Paris. Napoleon is shown crowning his wife, Joséphine, after he himself received the crown of emperor.

Internet Connection—Interlude 5

The following list of Internet addresses expands the material presented in Interlude Unité 5. For alternate links, students can use the following keywords and the search engine of their choice: **"le Louvre"; "tourisme à Paris"; "monuments historiques."** Have your students explore the Louvre by looking at the collection of Internet resources below.

Musée du Louvre http://www.paris.org/Musees/Louvre/
http://mistral.culture.fr/louvre/

■ *L'héritage de la Révolution* ■

La prise de la Bas[tille]

L a **Révolution** est probablement la période la plus importante de l'histoire de France. Elle met fin° à l'**Ancien Régime*** et à ses abus. Elle établit les bases d'un gouvernement démocratique en affirmant l'égalité de tous les citoyens.° Ce fut pendant la Révolution que furent proclamés la République, l'abolition de l'esclavage° et les droits° de l'homme et du citoyen. La Révolution française fut aussi marquée par un énorme effort de centralisation qui unifia la France en donnant un certain nombre d'institutions communes au pays. La plupart de ces institutions subsistent aujourd'hui. Voici quelques institutions françaises qui remontent° à la Révolution.

Documents: Déclaration des Droits de l'Homme

Déclaration des Droits de l'Homme

Article I

«Les hommes naissent et demeurent libres et égaux en droits.»

Article IV

«La liberté consiste à pouvoir faire tout ce qui ne nuit pas à autrui.»

Article IX

«La libre communication des pensées et des opinions est un des droits les plus précieux de l'homme.»

■ La devise de la France: Liberté, égalité, fraternité

Cette devise° rappelle les objectifs politiques et sociaux de la Révolution. Elle fut adoptée en juin 1793. Malgré plusieurs interruptions, la fameuse trilogie est restée la devise officielle de la France. Aujourd'hui elle figure° sur les documents officiels et sur les pièces de monnaie.

2,50 LA POSTE 1993 RÉPUBLIQUE FRANÇAISE

* L'Ancien Régime: entre le 15ᵉ siècle et 1789, la France était une monarchie et la société française était divisée en trois ordres: le clergé, la noblesse *(nobility)* et le Tiers État *(third estate)*.

met fin à *puts an end to*   **citoyen** *citizen*   **droits** *rights*   **esclavage** *slavery*
remontent *go back*   **devise** *motto*   **figure** *is on*

⊕ NOTE CULTURELLE

The fortress of the Bastille was built between 1370 and 1382. Originally designed as a citadel to house soldiers and protect the city, it became a jail under Louis XIII (1601–1643). Soon it came to symbolize royal power in its most abusive form. Most prisoners in the Bastille were of noble origins. There were also dissenting writers such as Voltaire. When the Parisians stormed the Bastille, they found only seven prisoners within its walls: four counterfeiters, two insane persons, and one young noble who was in too much debt.

La première fête du 14 juillet en 1790

■ La fête nationale du 14 juillet

La **fête nationale** commémore la prise° de la Bastille par les Parisiens le 14 juillet 1789. Par ce geste symbolique, la population mettait en question° le pouvoir° royal. La Bastille fut démolie et ses pierres servirent à la construction de nombreuses maisons parisiennes. Ce n'est qu'en 1880 que la date du 14 juillet a été adoptée comme fête nationale.

La «Fête nationale» aujourd'hui

■ Le drapeau bleu, blanc, rouge

Avant la Révolution, il n'existait pas de drapeau national mais uniquement des drapeaux militaires dont les couleurs et les motifs variaient de régiment à régiment. (Le seul symbole national était alors la personne du roi.) L'origine du drapeau français remonte à la prise de la Bastille le 14 juillet 1789. Les révolutionnaires qui participèrent à cet événement portaient au chapeau une cocarde bleue et rouge, aux couleurs de la ville de Paris. Quelques jours plus tard, le roi Louis XVI ajouta° cette cocarde° bleue et rouge à la cocarde blanche royale (le blanc était alors le symbole de la monarchie française), créant ainsi la cocarde tricolore.

Ces trois couleurs — bleu, blanc, rouge — firent leur apparition sur les drapeaux et les étendards° des armées révolutionnaires. En 1830, le drapeau tricolore à bandes verticales égales devint de façon définitive l'emblème national.

■ Marianne: symbole de la République

Marianne

Cette femme coiffée du bonnet révolutionnaire est le symbole de la République française. (On attribue le nom «Marianne» à une citoyenne de Colmar, Marie-Anne Reubell.) Cette figure allégorique apparut d'abord sur les pièces de monnaie de la Révolution. Elle réapparut brandissant un drapeau dans le fameux tableau de Delacroix, *La Liberté guidant le peuple*. Depuis 1880, les bustes de Marianne ornent° toutes les mairies de France et son portrait est représenté sur les timbres et les pièces de monnaie.

Delacroix «La Liberté guidant le peuple»

🌐 **Note culturelle**
Delacroix's painting *La Liberté guidant le peuple* commemorates the July Revolution (**La Révolution de Juillet**) that took place in 1830.

prise *taking* **mettait en question** *was questioning* **pouvoir** *power* **ajouta** *added* **cocarde** *cockade* **étendards** *military banners*
ornent = décorent

🌐 NOTE CULTURELLE

The statues of Marianne are changed regularly, and Marianne takes on a new appearance, generally that of a famous Frenchwoman of the time. Brigitte Bardot, Catherine Deneuve (see 5.00F stamp pictured), and fashion model Inès de la Fressange have been models for Marianne.

■ Le musée du Louvre

Situé dans l'ancien palais royal du **Louvre**, le musée du Louvre est une création de la Révolution. Construit au 12e siècle, le Louvre était à l'origine une forteresse. Embelli et maintes° fois transformé, il a été pendant longtemps la résidence des rois de France. Quand Louis XIV a installé sa cour à Versailles, le Louvre est laissé plus ou moins à l'abandon. En 1793, le gouvernement de la Révolution a décidé d'en faire un grand musée national où le peuple pouvait admirer les collections confisquées aux rois de France.

Sous l'Empire, le Louvre est devenu le Musée Napoléon. Napoléon y apportait les trésors d'art qu'il avait saisis° au cours de ses campagnes à travers° l'Europe. Plus tard, le Louvre s'est enrichi

Le Louvre et la pyramide du Louvre

d'antiquités romaines, grecques, égyptiennes et orientales. Aujourd'hui, c'est l'un des plus grands musées du monde.

■ Les départements français

Les **départements** ont remplacé les «généralités» de l'Ancien Régime. Leur création est le résultat d'une réforme proposée peu avant la Révolution et mise en place en 1790. Le découpage° de la France en départements permettait une administration plus facile du pays. (Il était possible à un homme à cheval de parcourir° un département en une journée.) À l'origine, il y avait 83 départements. Aujourd'hui, il y a 96 départements métropolitains.

maintes = beaucoup de   saisis = pris par force   à travers *across*
le découpage = la division   parcourir *to travel across*

■ Le franc et la monnaie française

Avant la Révolution, la monnaie consistait en une multitude de pièces d'or, d'argent et de bronze (écus, louis, sous, deniers, liards**) dont la valeur et le poids° pouvaient varier. La Révolution française uniformisa le système monétaire en adoptant une unité décimale, le **franc**, divisible en décimes et centimes.

* **Écus, louis, sous, deniers, liards**: ce sont les noms de ces diverses pièces de monnaie.

■ Le système métrique

Avant la Révolution, on utilisait des unités de distance, de poids et de volume qui variaient de région en région. Ainsi, suivant les provinces, le pied pouvait représenter 10 ou 12 pouces°. Suivant les villes, la livre° pouvait représenter 12, 14 ou 15 onces. . . Le gouvernement révolutionnaire décida de créer un système simple et uniforme. C'est ainsi que fut créé en 1793 le système métrique décimal.

■ L'armée nationale

Avant la Révolution, l'armée était un privilège de la noblesse. Pour être officier, il fallait être noble ou acheter sa charge.° Les soldats étaient des engagés° et des mercenaires étrangers. Les armées de la Révolution incorporèrent les Français de toute condition sociale. À la bataille de Valmy (20 septembre 1792), l'armée française crie pour la première fois: «Vive la Nation!»

La bataille de Valmy, 1792

poids *weight* **pouces** *inches* **la livre** *pound* **charge** *rank* **engagés** = *volontaires*

LECTURE ET CULTURE 221

■ Note linguistique

Literally, the word **pouce** means *thumb*. In the old measurement system, **un pied** was the length of a man's foot, and **un pouce** was the length of the last joint of the thumb.

⊕ Photo Notes

• **Rivière-Beaudette** and **Saint-Télesphore** are two cities in Quebec, located south of Montreal, by the Ontario border.
• **Montluçon** is a French city located in the central department of **Allier**.

↶ Teaching Note
Rappel:
  1 mile = 1.609 kilomètres;
  1 pied = 30 centimètres
    (0.3 mètre);
  1 livre = 453 grammes
    (0.453 kilogramme)

⊕ Note historique

The French army regained confidence after its victory against the Prussians at **Valmy**. This battle stopped their advance and prevented the occupation of France by the Prussians.

■ *L'histoire de la «Marseillaise»*

La «Marseillaise» est l'hymne national de la France. Elle a été composée pendant la Révolution, mais, malgré° son nom, elle n'est pas d'origine marseillaise. Où donc est née cette célèbre chanson et dans quelles circonstances? Voici son histoire.

Avril 1792. Nous sommes en pleine effervescence révolutionnaire. La France vient de déclarer la guerre à l'Autriche.° Pour protéger la frontière,° une armée, l'armée du Rhin, a été cantonnée° à Strasbourg. Il y a des soldats partout° dans les rues. Le 24 avril, le maire° de Strasbourg offre un grand banquet aux officiers de la garnison. On mange, on boit, on chante, et on crie des slogans: «Vive la patrie!», «À bas° la tyrannie!», «À bas les ennemis de la France!» La ferveur patriotique et révolutionnaire est à son comble.°

Parmi° les officiers, il y a un jeune capitaine. Il s'appelle **Rouget de Lisle**. Militaire, il aime aussi la poésie et il joue du violon. Le maire de Strasbourg s'adresse à lui: «Dites donc, Rouget, vous êtes bien poète et musicien. Alors, pourquoi est-ce que vous ne composez pas quelque chose pour ces braves soldats qui vont défendre la patrie?»°

Rouget de Lisle ne dit rien, mais, rentré chez lui, il prend son violon et joue quelques notes. Puis il prend une plume° et écrit ces mots sur une feuille de papier: **«Allons, enfants de la patrie. . . Le jour de gloire est arrivé**. . . » Toute la nuit, il travaille et retravaille les paroles et la musique d'un puissant° chant de guerre. Au petit matin, il a fini.

À dix heures, il se présente chez le maire. «Monsieur le maire, j'ai votre chanson.» Il se met° au piano et commence: «Allons, enfants de la patrie. . .» Chez le maire, c'est l'enthousiasme général. Rouget joue et rejoue l'air qu'il a intitulé «Chant de guerre pour l'armée du Rhin».

Le lendemain, le texte de cette chanson est imprimé° et distribué. Quelques jours plus tard, la musique de la Garde Nationale joue cet hymne révolutionnaire sur la place d'Armes° de Strasbourg. Dans la foule,° c'est le délire. Tout le monde reprend en choeur «Marchons, marchons. . .»

Bientôt° le «Chant de guerre pour l'armée du Rhin» est dans la bouche de tous les soldats. Il passe de garnison en garnison. Partout il enflamme les esprits. En juin 1792, la chanson arrive à Marseille. Là, un régiment de volontaires l'adopte comme son chant de marche. Ces soldats marseillais montent à Paris en chantant la redoutable chanson. Le chant de l'armée du Rhin devient le «Chant des Marseillais», puis, plus simplement, la «Marseillaise».

Le 14 juillet 1795, jour anniversaire de la Prise de la Bastille, la Marseillaise devient officiellement l'hymne national, mais pour quelques années seulement. En 1799, la Révolution est terminée. Un peu plus tard, Napoléon devient empereur. Général issu de la Révolution, il se méfie° maintenant de la révolution en général et des chants révolutionnaires en particulier. Il interdit° de jouer la Marseillaise.

La Marseillaise n'est plus l'hymne national français, mais elle devient un hymne révolutionnaire universel. C'est aux accents° de la Marseillaise que se font les révolutions du 19ᵉ siècle, en Allemagne, en Italie, dans le monde entier. . . Finalement, la République est rétablie en France et la Marseillaise redevient l'hymne national, mais seulement en 1879.

Depuis 1792, de nouvelles strophes° ont été ajoutées° au texte de la Marseillaise. Aujourd'hui, ce texte est l'objet de controverse. La Marseillaise est, en effet, un hymne terriblement guerrier° qui incite à la lutte° sans merci contre les ennemis de la patrie. À l'heure actuelle, la France n'a plus d'ennemis et elle veut la paix dans le monde. Pourquoi ne pas transformer la Marseillaise en un hymne pour la paix en changeant le texte? Beaucoup de Français seraient d'accord, mais beaucoup d'autres préfèrent garder ce texte traditionnel.

---

malgré *in spite of* **Autriche** *Austria* **frontière** *border* **cantonnée** *stationed* **partout** *everywhere* **maire** *mayor* **à bas** *down with* **à son comble** *at its height* **parmi** *among* **patrie** *homeland* **plume** *(quill) pen* **puissant** *powerful* **se met** = s'assied **imprimé** *printed* **place d'Armes** *parade ground* **foule** *crowd* **bientôt** *soon thereafter* **se méfie** *is distrustful* **interdit** *prohibits* **accents** *tune* **strophes** *verses* **ajoutées** *added* **guerrier** *warlike* **lutte** *fight*

■ Note linguistique
au petit matin = très tôt le matin
le délire = frenzy, great joy/excitement

☼ Teaching Strategy: Expansion

Ask students:
- À votre avis, est-ce une bonne idée de changer les paroles d'un hymne national?
- Doit-on garder l'hymne national sans y toucher? Pourquoi?
- Connaissez-vous l'hymne de votre pays?
- Souhaiteriez-vous le changer? Pourquoi?

Documents: «La Marseillaise»

MARCHE DES MARSEILLOIS
CHANTÉE SUR DIFERINS THEATRES
Chez Frere Paßage du Saumon

La Marseillaise

Allons, Enfants de la Patrie,
Le jour de gloire est arrivé!
Contre nous de la tyrannie,
L'étendard sanglant° est levé,
L'étendard sanglant est levé.
Entendez-vous dans les campagnes
Mugir° ces féroces soldats?
Ils viennent jusque dans nos bras
Égorger° nos fils, nos compagnes.
refrain:
Aux armes, Citoyens!
Formez vos bataillons!
Marchons, marchons!
Qu'un sang impur abreuve nos sillons°!

Claude Joseph Rouget de Lisle (1760-1836)

Dans sa vie, le compositeur de la Marseillaise n'a pas eu de chance. Rouget de Lisle était d'origine noble. Quelque temps après avoir composé le célèbre hymne révolutionnaire, il est accusé d'être royaliste et, paradoxalement, d'être un ennemi de la Révolution. Condamné à mort, il échappe in extremis à la guillotine. (C'est la mort du dictateur Robespierre qui le sauve!)

Rouget de Lisle reprend l'uniforme et il est blessé° au combat. Il quitte l'armée et retourne à sa véritable vocation: la poésie et la musique. Il compose des chansons et écrit des pièces de théâtre, mais celles-ci n'ont pas beaucoup de succès. Vers° la fin de la vie, il n'a plus d'argent, mais beaucoup de dettes. Il meurt dans la misère.

blessé *wounded* **vers** *towards* **étendard sanglant** *blood-stained battle flag* **mugir** *roar* **égorger** *to slit the throats of*
qu'un sang impur abreuve nos sillons *may the impure blood [of our enemies] soak the furrows [of our fields].*

Teaching Strategy: Multiple Intelligences

Play a recording of the *Marseillaise* for students. Next, play a recording of the *Star-Spangled Banner* and *O Canada*. Ask students to compare and contrast these national anthems, describing similarities, and differences in tone, subject matter, etc. (MUSICAL)

Note linguistique

In extremis is a commonly used adverbial phrase. These latin words literally mean "at the extremity." The expression itself means *at the last minute.*

NOTE CULTURELLE

In 1974, French president Giscard d'Estaing ordered the Marseillaise to be reorchestrated, following the rhythm of an older version. It was reinstated as a military march in 1981.

Before the Revolution, different religious hymns were used as anthems. They were picked according to the circumstances (parades, war...).

Chef-d'oeuvre° de la littérature française, *Les Misérables* a été adapté plus de 30 fois au cinéma. Plus récemment, une comédie musicale, tirée° du roman, a connu un succès retentissant° en France, en Angleterre et aux États-Unis.

L'action des *Misérables* se passe en France et se déroule° sur une période d'une vingtaine d'années au début du 19e siècle. Le personnage principal s'appelle **Jean Valjean**. Dans sa jeunesse, il a été arrêté pour avoir volé° un pain, un jour d'hiver. Arrêté pour ce menu° larcin,° il a été condamné au bagne* où il passe dix-neuf ans. Après plusieurs tentatives d'évasion,° il est finalement relâché,° mais il sera poursuivi toute sa vie par un policier implacable nommé **Javert**.

Sans argent, Jean Valjean va demander l'aumône° à la porte d'un évêque.° Celui-ci es[t] un homme bon qui non seulement reçoit Jea[n] Valjean, mais le traite comme un égal, l'invite [à] sa table et lui offre l'hospitalité. La nuit, Jean Valjea[n] quitte la maison de l'évêque en emportant° de[s] plats d'argent. Il est arrêté par la police et recondu[it] chez l'évêque. Au lieu de l'accuser, ce personnag[e] charitable explique aux policiers qu'il a donn[é] les plats d'argent à Jean Valjean et qu'il n'y a pa[s] conséquent aucune raison de l'arrêter.

* **Le bagne:** Lieu où on envoyait les hommes condamnés à des travaux forcés. On appelait ces prisonniers des «bagnards» ou des «forçats».

Victor Hugo, écrivain et homme politique

Victor Hugo (1802-1885), l'auteur des *Misérables*, est l'un des géants de la littérature française. C'est peut-être le plus grand écrivain du 19ᵉ siècle. Chef de l'école romantique, il a écrit un grand nombre de poésies, de romans et de pièces de théâtre qui ont fait scandale à l'époque pour leur audacité et leur caractère révolutionnaire.

Victor Hugo a aussi joué un rôle politique important. C'était le fils d'un général de Napoléon. S'il admirait beaucoup cet empereur, il détestait profondément son neveu, Louis-Napoléon, qui avait lui-même pris le pouvoir° par un coup d'état et était devenu empereur sous le nom de Napoléon III. Condamné pour ses idées républicaines, Victor Hugo a été obligé de s'enfuir° en Angleterre où il a passé plusieurs années d'exil.

Victor Hugo est rentré en France après l'abdication de Napoléon, acclamé comme un héros. Devenu sénateur, il a pris le parti des opprimés°, des déshérités, des gens sans protection et sans ressources et il s'est battu° pour la liberté, l'égalité et la justice. C'est cet esprit de compassion pour les petits gens qu'il manifeste dans sa grande oeuvre° *Les Misérables*.

Victor Hugo (1802-1885)

chef-d'oeuvre *masterpiece* **tirée de** = basée sur **retentissant** = très grand **se déroule** *takes place* **volé** *stolen* **menu** = petit **larcin** *theft*
tentatives d'évasion *escape attempts* **relâché** *released* **l'aumône** = la charité **évêque** *bishop* **emportant** = prenant avec lui **pouvoir** *power*
s'enfuir *to flee* **opprimés** *oppressed* **s'est battu** *fought* **oeuvre** *work*

Victor Hugo est aussi connu pour son roman du Moyen Âge, *Notre Dame de Paris,* avec Quasimodo, le sonneur de Notre-Dame, et la belle Esmeralda qui se promène à travers Paris avec sa chèvre.

NOTE CULTURELLE

When Victor Hugo died, his body lay in state under the Arc de Triomphe in Paris. He was then given a magnificent national funeral before being brought to the Panthéon, where he was laid to rest beside France's greatest figures, such as Voltaire, Rousseau, Bonaparte, and La Fayette.

You may wish to show a picture of the **Panthéon**, or ask students to locate it on a map of Paris.

Cet acte généreux va transformer Jean Valjean.
[p]rend le nom de **Monsieur Madeleine** et sous ce
[no]m devient un personnage riche et respecté de
[to]us. Élu° maire° de sa ville, il mène° une vie simple
[et] exemplaire. À son tour, il est charitable et
[gé]néreux avec tout le monde.

Un jour, il apprend qu'un homme vient d'être
[arr]êté pour un vol° que lui, Jean Valjean, a commis
[au]trefois. Pris° de remords, il va se dénoncer à
[la] police. Condamné cette fois à la prison à vie,
[il ar]rive° à s'évader,° toujours poursuivi par Javert.

Les années ont passé. Jean Valjean habite
maintenant à Paris. Il a recueilli° **Cosette**, une petite
orpheline dont il a connu la mère autrefois. Cosette
est fiancée à **Marius**, un étudiant aux idées
révolutionnaires. Un jour la révolution éclate.°
Marius prend la tête d'une barricade. Javert est fait
prisonnier par les insurgés, mais Jean Valjean
intervient en sa faveur et lui sauve la vie.

Marius est blessé lors d'une contre-attaque des
forces gouvernementales. Averti° par **Gavroche**,
un gamin° de Paris, Jean Valjean arrive. Il prend
Marius dans ses bras et le transporte pendant des
kilomètres à travers les égouts° de Paris. Javert
l'attend. Il reconnaît l'ancien bagnard évadé.
Les deux hommes se font face. Javert n'ose° pas arrêter
l'homme qui lui a sauvé la vie. Il se suicide. . . Peu
après, Marius et Cosette se marient, et Jean Valjean
meurt, heureux d'avoir contribué à leur bonheur.

[G]avroche, gamin de Paris

[Im]mortalisé par Victor Hugo dans
[le]s Misérables, Gavroche est
[l'é]ternel «gamin° de Paris». Il a une
[dou]zaine d'années. On ne sait où il
[vit], ni de quoi il vit. Sa vraie famille,
[c'e]st le petit peuple du quartier où
[il p]asse ses jours et ses nuits. C'est
[un] rebelle, mais il n'est pas révolté.
[Il] siffle,° il chante. . . Il est libre,
[ins]ouciant,° joyeux. . . Il n'a peur
[de] rien. Quand la révolution éclate,
[il] monte sur les barricades.
[Fra]ppé° par une balle,° il meurt
[hé]roïquement, en chantant une
[ch]anson.

[é]lected **maire** *mayor* **mène** *leads* **vol** *theft* **pris par** *seized by* **arrive à** *manages to* **s'évader** *to escape* **recueilli** = adopté
[écl]ate *breaks out* **averti** *notified* **gamin** *kid* **égouts** *sewers* **ose** *dares* **siffle** *whistles* **insouciant** *carefree*
[fra]ppé *hit* **balle** *bullet*

■ **Teaching Strategy**
Play portions of a recording
of *Les Misérables* for students.

■ **Note culturelle**
Parts of the sewers of Paris
are open to the public.
Visitors can even take an
underground boat ride!

■ **Irregular Verbs**
(See Appendix C).
Commettre *(to commit)* is
conjugated like **mettre**
(See Appendix C).
Intervenir *(to intervene)* is
conjugated like **venir**

■ **Note historique**
This is the revolution of 1830,
during which the Parisians
deposed King Charles X.
(See historical time line on
p. 216.)

● NOTES CULTURELLES

• Eugène Delacroix (1798–1863) painted
La Liberté guidant le peuple shortly after
the events of July 1830.

• In his depiction of Gavroche, Victor Hugo
was probably inspired by the young boy in
the Delacroix painting. For a full picture of
Delacroix's painting, see p. 219.

MAIN THEME
Places to stay
when traveling

Communication Functions/Contexts
• Deciding where to stay
• Reserving a hotel room
• Asking for hotel services

Linguistic Goals
• Comparing people, things, places, situations
• Asking for an alternative
• Pointing out people or things

☀ **Warm-Up**
After having students look at illustrations and compile lists of cognates, ask them to guess the meaning:
• **le tourisme vert** = séjours à la ferme ou dans un petit village, pour redécouvrir la nature et la campagne française
• **le tourisme du souvenir** = visite des champs de bataille et des sites historiques
• **le tourisme industriel** = visite d'usines ou de manufactures locales

UNITÉ 6

Séjour en France

Thème et Objectifs

Culture
In this unit, you will discover . . .
• the different places where you can stay while visiting France
• how to use a French guidebook to find a hotel

Communication
You will learn how . . .
• to reserve a hotel room
• to ask for services in a hotel

Langue
You will learn how . . .
• to compare people or things
• to express who or what is the best
• to indicate what belongs to you and what belongs to other people
• to point out specific people or things and ask questions about them

TEACHING RESOURCES

Technology/Audio Visual

 39, 40, 41, 42, L6, H4

 Audio CD Program, Unit 6

 Audiocassette Program, Unit 6

 Pas de problème Video Program, Modules 6–7

Print

 Audio Script
Overhead Visuals Copymasters/Activities
Answer Key
Video Activity Book, Modules 6–7
Practice Activities, pp. 63–68, 139–144, 189–190

Les jeunes touristes en France

Chaque année, trente-cinq millions de touristes étrangers visitent la France. Ces touristes viennent principalement d'Allemagne, d'Angleterre, de Belgique, de Hollande et d'Italie, mais il y a aussi beaucoup de touristes américains, canadiens, japonais .... Pour accueillir° ces millions de touristes, la France dispose° d'un grand nombre d'hôtels de toutes catégories. Il y a des hôtels très simples et des hôtels très luxueux. Le sommet du luxe consiste à passer quelques jours dans un château historique datant du seizième ou du dix-septième siècle. Là, vous serez vraiment traité comme un prince — ou une princesse! Évidemment, tout le monde n'a pas les moyens° financiers de se payer «la vie de château.» Heureusement, pour les jeunes qui préfèrent l'aventure au confort et au luxe, il y a d'autres solutions moins chères et aussi intéressantes. En voici quelques-unes.

Les auberges de jeunesse

Ce sont des hôtels très bon marché réservés aux jeunes touristes qui sont de passage dans une ville. Certaines auberges ont des chambres individuelles, mais généralement on dort dans un dortoir pour 6 à 10 personnes. L'atmosphère des auberges est sympathique et communale: on rencontre d'autres jeunes venus de tous les pays du monde, on fait la cuisine et on mange ensemble. On parle de ses voyages, on raconte des histoires et on rit° beaucoup. Si le confort est élémentaire,° la bonne humeur est toujours présente.

Pour aller dans les auberges de jeunesse, il faut être âgé de 18 ans et posséder une carte de la FUAJ (Fédération Unie des Auberges de Jeunesse) qu'on peut acheter pour 100 francs.

Le camping

Il y a différentes façons de faire du camping. On peut aller dans un terrain de camping aménagé.° En France il existe des milliers° de terrains de camping équipés d'eau courante, de WC et de douches. Si on préfère la nature ou la solitude, on peut aussi faire du «camping sauvage.» Dans ce cas, on plante sa tente là où on veut: dans une prairie, dans une forêt, près d'une rivière.... Mais attention! Si on est sur une propriété privée, il faut demander et obtenir° l'autorisation du propriétaire.°

Le séjour à la ferme

Si on aime le grand air et si on n'a pas besoin de grand confort, on peut faire un séjour dans une ferme. Pendant les vacances, beaucoup de fermiers louent des «chambres d'hôte»° pour des prix très raisonnables. Le petit déjeuner est généralement compris° dans le prix de la chambre. Si on veut, on peut prendre les autres repas à la ferme aussi. L'ambiance est familiale et les produits de la ferme (souvent des spécialités régionales) sont absolument délicieux!

En été, il y a beaucoup de travail à faire dans les champs. Les fermiers ont souvent besoin de main d'oeuvre.° Ils recrutent parfois des étudiants pour participer à ces travaux. Dans ce cas le logement et la nourriture sont gratuits° et, en plus,° on reçoit° un peu d'argent.

et vous?

DISCUSSION

Avec votre partenaire, discutez le sujet suivant:
- Vous allez faire un voyage en France cet été, mais vous n'avez pas beaucoup d'argent. Quelle solution allez-vous choisir pour votre logement? (faire du camping? aller dans les auberges de jeunesse? prendre une chambre dans une ferme? trouver une autre solution?) Expliquez les avantages et les inconvénients de la solution que vous avez choisie.

---

accueillir ✳ *to welcome* **dispose** = *a* **moyens** = *les ressources* **rire** ✳ *to laugh* **élémentaire** = *rudimentaire* **aménagé** = *équipé*
milliers *thousands* **obtenir** ✳ *to get, obtain* **propriétaire** *owner* **chambres d'hôte** *guest rooms* **compris** = *inclus* **main d'oeuvre** = *travailleurs*
gratuits *free* **en plus** *in addition* **recevoir** ✳ *to get, receive* **reçoit** = *gagner*

INFO MAGAZINE

Theme: Student travel in France

Reading Strategy: Scanning, browsing, reading for information

🌐 Notes culturelles

- The first youth hostel (**auberge de jeunesse**) was created in France in 1929 by Marc Sangnier, an advocate for world peace. Now, there are more than 200 youth hostels in France, and more than 6,000 in 62 countries.
- Some youth hostels organize activity camps, for skiing or handicrafts, etc.
- In France, **le camping sauvage** (also called: **le camping libre**) is illegal on public beaches and in nature reserves. Signs are generally posted to warn potential campers.
- Campgrounds are also rated. There are four-star campgrounds, with all amenities, and no-star camps which are cheaper, but also more crowded and less well-equipped.
- Since most French people vacation in July or August, reservations must be made as early as January or February for popular tourist spots.

■ Irregular Verbs

(see Appendix C)

accueillir	(see **cueillir**)
rire	(see **dire**)
obtenir	(see **tenir**)
recevoir	

ASSESSMENT OPTIONS

Teacher's Resource Package

- Internet Connection Notes, pp. 101–110
- Lesson Plans, Unit 6
- Teacher-to-Teacher, pp. 69–79

Achievement Tests

- Quizzes, Unit 6
- Unit Test 6
- Reading and Culture Tests

Proficiency Tests

- Listening Comprehension
- Speaking Performance
- Writing Performance
- Portfolio Assessment

Le Guide MICHELIN

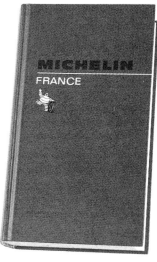

Quand on voyage, il est utile d'avoir des renseignements° pratiques sur les villes qu'on va visiter. Par exemple: Quelles sont les choses les plus intéressantes à voir? Quel est l'hôtel le plus confortable, ou le moins cher? Où sont les meilleurs restaurants? Pour obtenir ces renseignements, on peut téléphoner au bureau de Tourisme de la ville ou on peut suivre° les recommandations d'un ami, mais le plus simple est d'acheter un guide. Le plus célèbre guide français est le Guide Michelin.

Pour chaque ville, le Guide Michelin Rouge présente une sélection d'hôtels et de restaurants (et, si la ville est assez grande, un plan de la ville). Pour chaque hôtel et chaque restaurant de cette liste, tous les renseignements nécessaires sont donnés: adresse, qualité, prix, etc.... Les touristes peuvent facilement choisir les hôtels et les restaurants qui correspondent à leurs goûts . . . et à leurs ressources financières.

Le Guide Michelin est publié chaque année. Pour s'assurer de la qualité d'un restaurant ou du confort d'un hôtel, les inspecteurs Michelin visitent régulièrement, mais à l'improviste,° ces établissements. Suivant° les résultats de l'enquête, un restaurant ou un hôtel peut monter ou descendre de catégorie. Pour les grands restaurants, la classification dans le Guide Michelin est extrêmement importante. Une étoile signifie le succès, deux étoiles l'honneur, trois étoiles la gloire. Dans toute la France, il y a seulement 19 restaurants «trois étoiles.»

une étoile **deux étoiles** **trois étoiles**

La société Michelin

Michelin est l'une des plus grandes entreprises françaises. Son activité principale n'est pas la publication de guides touristiques, mais la fabrication des pneus.° Aujourd'hui Michelin est le deuxième producteur de pneus du monde avec 18% de la production mondiale.

Le succès de cette firme remonte° à l'invention en 1891 du pneumatique démontable° avec chambre à air° par deux frères, André et Édouard Michelin. Cette invention a d'abord été appliquée à la bicyclette, puis à la voiture à cheval et finalement à l'automobile. Premier succès: en 1895, une voiture équipée de

pneus Michelin a terminé la course Paris-Bordeaux-Paris, faisant ainsi la preuve° qu'on pouvait rouler° sur de l'air. En 1899, grâce° au pneu, une autre automobile, la «Jamais Contente» a atteint° pour la première fois la vitesse° alors inimaginable de 100 kilomètres à l'heure.

Pour encourager la vente des pneus, il fallait encourager le tourisme. Pour cela, les frères Michelin ont eu l'idée géniale de publier des cartes et des guides touristiques (les Cartes et les Guides Michelin). Le Guide Michelin a été créé en 1900. Jusqu'en 1920, il était distribué gratuitement° à tous les automobilistes. Aujourd'hui, c'est le «best seller» français: 1.500.000 exemplaires° du fameux guide rouge sont vendus chaque année dans le monde!

---

renseignements = informations **suivre** ❋ *to follow* **l'improviste** *unannounced* **suivant** *according to* **pneus** *tires* **remonte** *goes back*
démontable *which can be removed* **chambre à air** *innertube* **preuve** = *prouvant* **rouler** *drive* **grâce à** *thanks to* **atteindre** ❋ *to reach*
vitesse *speed* **gratuitement** *free of charge* **exemplaires** *copies*

🌐 Expansion culturelle

- The **Clos-Lucé**, seen on the map of Amboise, is the manor where François 1er spent part of his youth, and where the great artist **Leonardo da Vinci** died in 1519.
- The castle at Amboise was built between 1492 and 1498. Its architecture foreshadows

that of the Renaissance, giving for the first time some emphasis on comfort. Its two large towers have spiral staircases with ramps instead of steps so people could climb up on horseback. See p. 147 for a photo and description.

omment lire le Guide Michelin

aginez que vous allez visiter le château d'Amboise, près de Tours. Vous avez
ervé une chambre à l'hôtel Belle Vue. Voici la description de cet hôtel:

| 1 | 2 | 3 | 4 | 5 |

Belle Vue sans rest, 12 quai Ch. Guinot ☎ 47 57 02 26 – 🛗 📺 ☎. GB 🎏
20 mars-15 nov. – ☑ 32 – **33 ch** 250/300.

| 6 | 7 | 8 |

la catégorie
L'hôtel Belle Vue est un hôtel
confortable. (C'est un hôtel de
bon confort.)

le restaurant
Cet hôtel n'a pas de restaurant.
(Il est sans restaurant.)

l'adresse et le numéro de téléphone
Cet hôtel est situé 12, quai
Charles Guinot. Le numéro de
téléphone est le 47 57 02 26.

les éléments de confort
Il y a un ascenseur. Les chambres
ont la télévision et le téléphone.

5 mode de paiement
On accepte les cartes bancaires:
Visa et Mastercard.

6 période d'ouverture
L'hôtel est ouvert du 20 mars au
15 novembre.

7 le petit déjeuner
Le petit déjeuner coûte 32 francs.

8 le nombre et le prix des chambres
Il y a 33 chambres. Le prix des
chambres est de 250 à 300
francs par jour.

AMBOISE

🏨 ✿ **Le Choiseul**, 36 quai Ch. Guinot ☎ 47 30 45 45, Télex 752068, Fax 47 30 46 10, ≤, 🏡,
« Élégante installation, piscine et jardin fleuri » – 🛗 rest 📺 ☎ 👪 🅿 – 🔬 80. GB
fermé 29 nov. au 16 janv. – **R** 200/380 et carte 230 à 370 – ☑ 75 – **28 ch** 520/900. 4 appart.
– ½ P 635/825.
Spéc. Marbré de foie gras et ris de veau. Sandre poché au beurre blanc. Croquant aux griottines.
B v

🏨 **Novotel** Ⓜ ✿, S : 2 km par ③ rte de Chenonceaux ☎ 47 57 42 07, Télex 751203,
Fax 47 30 40 76, ≤, 🏡, 🚲 – 🛗 ⇔ ch 📺 ☎ 👪 🅿 – 🔬 300. AE ① GB
R carte environ 150, enf. 50 – ☑ 50 – **121 ch** 400/560.

🏨 **Belle Vue** sans rest, 12 quai Ch. Guinot ☎ 47 57 02 26 – 🛗 📺 ☎. GB. 🎏
20 mars-15 nov. – ☑ 32 – **33 ch** 250/300.
B s

Parc, 8 av. L. de Vinci ☎ 47 57 06 93, Fax 47 30 52 06, 🏡, parc – ☎ 🅿. AE GB. 🎏 rest
hôtel : fermé 15/12 au 15/1 et dim. hors sais. : rest. : fermé nov. à fév., dim. hors sais. et
lundi midi – **R** 95/210, enf. 65 – ☑ 40 – **17 ch** 230/425 – ½ P 260/350.
B y

🏨 **Ibis**, E : La Boitardière par ③ et D 31 : 3 km ☎ 47 23 10 23, Télex 752414, Fax 47 57 31 41,
🏡, ✤ – ⇔ ch 📺 ☎ 🅿 – 🔬 30 à 120. AE GB
R 98 👶, enf. 39 – ☑ 33 – **70 ch** 270/330.

🏨 **La Brèche**, 26 r. J. Ferry par ① ☎ 47 57 00 79, 🏡, ✤ – ☎ 🅿. GB. 🎏 ch
fermé 24 déc. au 15 janv. et dim. soir hors sais. – **R** 75/165 👶, enf. 49 – ☑ 29 – **12 ch**
180/280 – ½ P 165/230.

🏨 **Blason**, 11 pl. Richelieu ☎ 47 23 22 41, Fax 47 57 56 18, 🏡 – 🛗 rest 📺 ☎ 👶 AE ① GB 🎏
fermé fév. (sauf hôtel) et mars – **R** (fermé sam. midi et jeudi hors sais.) 75/215 – ☑ 32 –
29 ch 290/320 – ½ P 255.
B a

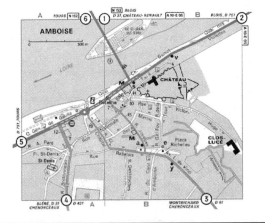

MICHELIN

🏰	Grand luxe	🏰🏰🏰🏰🏰
🏰	Grand confort	🏰🏰🏰🏰
🏰	Très confortable	🏰🏰🏰
🏠	De bon confort	🏠🏠
🏠	Assez confortable	
	Simple mais convenable	

❀❀❀	La table vaut le voyage	
❀❀	La table mérite un détour	
❀	Une très bonne table	
Repas	Repas soigné à prix modérés 100/130	
☑	Petit déjeuner	
enf. 55	Menu enfant	

🏠 ✗	Menu à moins de 75 F

🏰 ... 🏠	Hôtels agréables
XXX ... ✗	Restaurants agréables
≤	Vue exceptionnelle
≤	Vue intéressante ou étendue
⚬	Situation très tranquille, isolée
⚬	Situation tranquille

🏡	Repas au jardin ou en terrasse
🏋	Salle de remise en forme
🏊	Piscine en plein air ou couvert
🎾	Jardin de repos – Tennis à l'hôtel

🛗	Ascenseur
⊗	Non-fumeurs
❄	Air conditionné
☎	Téléphone dans la chambre
☎	Téléphone direct
👪	Accessible aux handicapés physiques
🅿	Parking – Garage
🔬	Salles de conférence, séminaire
🐕	Accès interdit aux chiens
AE	American Express – Diners Club
GB	Carte Bancaire
JCB	Japan Card Bank

REPAS

enf. 55	Prix du menu pour enfants
✦	Établissement proposant un menu simple à moins de 75 F
R70/120	Menu à prix fixe minimum 70 maximum 120
70/120	Menu à prix fixe minimum 70 non servi les fins de semaine et jours fériés
bc	Boisson comprise
👶	Vin de table en carafe
R carte 130 à 285	**Repas à la carte** - Le premier prix correspond à un repas normal comprenant: hors-d'oeuvre, plat garni et dessert. Le 2e prix concerne un repas plus complet (avec spécialité) comprenant: deux plats, fromage et dessert.
☑ 30	Prix du petit déjeuner (généralement servi dans la chambre)

et vous?

À VOTRE TOUR
Choisissez un autre hôtel à Amboise et décrivez-
le à votre partenaire.

🌐 **Note culturelle**
Since October 1996, French
phone numbers have had ten
digits rather than eight. Each
number now begins with 01,
02, 03 or 04, depending on
the region. All numbers for
Paris and its area start with
01. Minitel numbers remain
the same. The new number for
the Belle Vue hotel is
02.47.57.02.26.

■ Additional Information
Michelin publishes road
maps of cities, regions, and
countries throughout the
world. Its green guides are
also published in English.

☼ Teaching Strategy
You may wish to bring in a
copy of a **Guide Michelin** if
available so that students can
see the many different kinds of
information listed.

En voyage: Pour en savoir plus

For additional information on student travel,
you may wish to share the following with your
class or French club:

- The address of the Fédération Unie des Auberges
de Jeunesse is: FUAJ, 27 rue Pajol, 75018 Paris
Tél (33) 01-44-89-87-27; Métro: La Chapelle
- The Fédération Française de Camping et Cara-
vaning, 78 rue de Rivoli, 75004 Paris (Tél. 01-42-
72-84-08) publishes a comprehensive camping
guide called *Guide Officiel Camping/Caravaning.*
- Cultural Services of the French Embassy in the
United States, 972 Fifth Avenue, New York, NY
10021 (Tel. 212-439-1400) provides general information about work programs in France (together
with a list of government approved organizations
through which students may obtain jobs).

PARTIE 1

LE FRANÇAIS PRATIQUE

À l'hôtel

TEACHING RESOURCES

 Transparency 40

 Overhead Visuals Copymasters and Activities, pp. A84–A85

 Practice Activities, pp. 139–141

 Internet Connection Notes, Project 2 pp. 103–105

 Teacher-to-Teacher, Séjour en France, pp. 69–71

Supplementary vocabulary

payer en liquide *to pay cash*
la suite *suite*
la chambre climatisée *air-conditioned room*
la télévision avec câble *cable T.V.*
le bain à remous *whirlpool bath*
le jacuzzi *jacuzzi*
le forfait *package deal*
un grand lit *double bed*
un lit double
des lits jumeaux *twin beds*
donner sur *to look out on, to have a view over*
une chambre qui donne sur la mer

À NOTER:
l'hôtel particulier *large private house in a city, owned by one family*
l'hôtel de ville *town hall*
l'hôtel-Dieu *city hospital (generally founded in a past century)*

LE FRANÇAIS PRATIQUE

À l'hôtel

Je voudrais une chambre.

J'aimerais une chambre pour une personne.

Bonjour, monsieur Vous désirez?

Quel genre de chambre désirez-vous?

Où loger?

| On peut | aller / loger / séjourner / passer la nuit | dans | un hôtel de luxe. un hôtel bon marché mais confortable. une auberge *(inn)* à la campagne. une auberge de jeunesse *(youth hostel)*. |

loger *to stay*
séjourner *to stay*

À la réception *(reception desk)*

— Bonjour, mademoiselle/monsieur. Vous désirez?
  Je voudrais / Je voudrais **réserver** | une chambre.

— **Quel genre** *(type)* de chambre désirez-vous?
  J'aimerais une chambre . . .

| pour une personne / à un lit | pour deux personnes / à deux lits |

| avec | douche / salle de bains privée / téléphone / télévision | la climatisation *(air conditioning)* / l'air conditionné / un balcon / une belle vue *(view)* |

CHAMBRES AVEC: TÉLÉPHONE — BAIGNOIRE OU DOUCHE et WC — CABINET DE TOILETTE

☀ Teaching Strategy: Warm-Up

Divide the class into groups and ask each group to develop a short hotel scenario. Have groups exchange their scenarios. Using the new vocabulary presented on these pages, have students create a dialog appropriate to their scenario.

Encourage students to be creative. You may wish to put additional vocabulary on the board or on an overhead transparency for reference. Each group will present to the whole class.

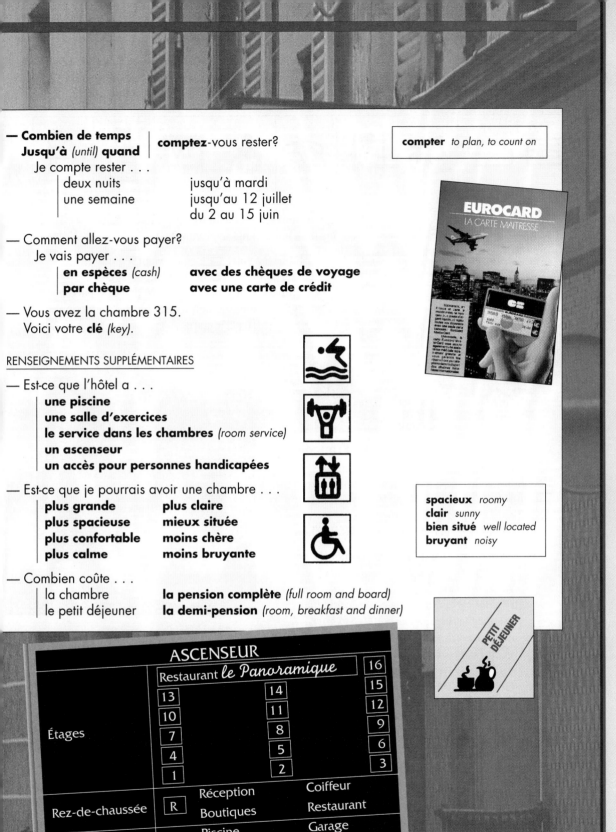

— **Combien de temps** **comptez**-vous rester?
Jusqu'à *(until)* **quand**
Je compte rester . . .

deux nuits	jusqu'à mardi
une semaine	jusqu'au 12 juillet
	du 2 au 15 juin

compter *to plan, to count on*

— Comment allez-vous payer?
Je vais payer . . .

en espèces *(cash)*	**avec des chèques de voyage**
par chèque	**avec une carte de crédit**

— Vous avez la chambre 315.
Voici votre **clé** *(key)*.

RENSEIGNEMENTS SUPPLÉMENTAIRES

— Est-ce que l'hôtel a . . .
une piscine
une salle d'exercices
le service dans les chambres *(room service)*
un ascenseur
un accès pour personnes handicapées

— Est-ce que je pourrais avoir une chambre . . .

plus grande	**plus claire**
plus spacieuse	**mieux située**
plus confortable	**moins chère**
plus calme	**moins bruyante**

— Combien coûte . . .

la chambre	**la pension complète** *(full room and board)*
le petit déjeuner	**la demi-pension** *(room, breakfast and dinner)*

spacieux *roomy*
clair *sunny*
bien situé *well located*
bruyant *noisy*

EUROCARD
LA CARTE MAÎTRESSE

PETIT DÉJEUNER

ASCENSEUR
Restaurant *le Panoramique*

			16
13		14	15
10		11	12
Étages	7	8	9
	4	5	6
	1	2	3

Rez-de-chaussée	R	Réception	Coiffeur
		Boutiques	Restaurant
Sous-sol	SS	Piscine	Garage
		Salle d'exercices	

📡 **Realia Note**

Eurocard est une carte de crédit délivrée par les banques françaises mais utilisable dans toute l'Europe. On utilise les cartes de crédit, appelées aussi «les cartes bleues», de plus en plus fréquemment en Europe. Son système est un peu différent du nôtre, car en France, on doit payer un abonnement d'un an d'environ 150 francs après lequel l'argent est retiré du compte en banque.

■ **Notes linguistiques**
• In Canada, you might hear the expressions **le petit déjeuner continental, le garage** *(parking lot)*
• **W.C.** = **le water closet** *(or* **les water-closets)***.*

🌐 **Teaching Strategy: Multiple Intelligences** (SPATIAL/LINGUISTIC)

Have the students fold a piece of notebook size paper into three columns. In Column 1, have them write 15 vocabulary words they find most difficult (with their books open). Then, have them exchange these papers with the person next to them who must write the English translation and draw a picture representing the French word in Column 2. Once the second column is completed and verified by the students, the paper should go back to its original owner with the first column folded under so it can't be seen. The original student must then, in Column 3, write the French word that he/she had already written in Column 1.

Audio CD 6, Tracks 1–5

Audiocassette 6, Side 1

Audio Script, pp. 33–35

Teacher-to-Teacher, Trouver celui qui voudrait ..., pp. 72–73

■ Teaching Notes: Activity 1

The pictograms show the following:

un climatiseur
un lavabo
une bicyclette (un vélo) d'intérieur
deux flèches
un téléphone
une personne handicapée/un fauteuil roulant
un poste de télévision (T.V. set)
un plongeur/une piscine
une terrasse/une chaise-longue
une femme de chambre

The corresponding amenities are (left to right):

l'air conditionné
une salle de bains privée
une salle d'exercices
l'ascenseur
le téléphone dans la chambre
l'accès pour les personnes handicapées
la télévision
la piscine
une belle vue
le service dans les chambres

1 La chose la plus importante

Quand on voyage, il est toujours agréable de séjourner dans des hôtels confortables. Voici certains éléments de confort symbolisés par des illustrations.

Liste

1.
2.
3.
4.
5.
6.

Quels sont les six éléments que vous considérez être les plus importants pour vous?

• Établissez votre liste en écrivant le nom de ces éléments par ordre d'importance.
• Comparez votre liste avec celle de votre partenaire.
• Quels sont les éléments que vous avez en commun avec votre partenaire?

2 Créa-dialogue: À l'hôtel Saint-François

Les touristes suivants veulent réserver une chambre à l'hôtel Saint-François. Choisissez l'un(e) de ces touristes. Avec votre partenaire, composez et jouez le dialogue entre ce/cette touriste (T) et le/la réceptionniste (R) de l'hôtel.

R: Allô, ici Hôtel Saint-François, bonjour!
T: *Say hello and say that you would like to reserve a room.*
R: *Ask what type of room the client would like.*
T: *Describe the room you would like to have, giving as many details as you wish.*
R: *Ask how long the client wants to stay.*
T: *Answer by giving the length of your stay.*
R: Je peux vous réserver une chambre *(give a price between 50 and 200 dollars).*
T: *Say whether you are going to take the room or not. If not, say thank you and good-bye.*
R: *If the client accepts, ask how he/she is going to pay.*
T: *Indicate your mode of payment.*
R: Parfait! Je vous réserve votre chambre.

TOURISTES

• un(e) étudiant(e) qui n'a pas beaucoup d'argent
• un professeur de français en vacances
• un(e) représentant(e) de commerce *(travelling salesperson)* en voyage d'affaires *(business trip)*
• un(e) journaliste
• un(e) millionnaire avec sa femme/son mari
• un couple de jeunes mariés *(newlyweds)*
• un couple de retraités *(retired couple)*

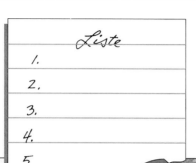

👀 Teaching Strategy

Divide the class into groups. Make a set of cards (using the icons from Activity 1) for each group of students. One student from each group distributes one or more cards to each member of the group, then takes the role of the desk clerk at a hotel. The other students arrive, greet the clerk, and request the services on their card. The clerk may respond positively or negatively.

Conversations libres

Avec votre partenaire, choisissez l'une des situations suivantes. Composez le dialogue correspondant et jouez-le en classe.

1 Un touriste difficile

Vous êtes réceptionniste dans un hôtel à Québec. Un(e) touriste très difficile veut une chambre. Vous lui montrez plusieurs chambres, mais le/la touriste difficile veut toujours quelque chose de différent. Il/elle n'est jamais satisfait(e).

Rôles: le/la réceptionniste, le/la touriste

2 Une auberge de campagne

Vous voyagez en France avec toute votre famille — 5 personnes au total. Un soir vous arrivez dans une petite auberge de campagne. Vous n'avez pas réservé. L'hôtelier *(innkeeper)* vous informe qu'il y a seulement deux possibilités: une très petite chambre sans confort et un grand appartement très confortable mais très cher. Négociez avec lui.

Rôles: le/la touriste, l'hôtelier

3 Une erreur

Vous avez réservé une chambre bon marché dans un grand hôtel à la Martinique. Quand vous arrivez, on vous donne un magnifique appartement avec plage privée. Vous vous installez. Dix minutes après, la réceptionniste vous téléphone pour vous dire qu'il y a erreur et que vous devez changer de chambre. Négociez avec la réceptionniste pour garder votre appartement.

Rôles: la réceptionniste, le/la touriste

4 Déception

Vous allez passer deux semaines en Normandie avec votre famille. Avant votre départ, votre agence de voyages vous a réservé des chambres dans «une auberge de campagne très pittoresque». En réalité, c'est un vieil hôtel sans confort situé près d'une gare où passent des trains toute la nuit. À votre retour, vous passez chez votre agent de voyages pour vous plaindre *(to complain)*.

Rôles: le/la touriste, l'agent de voyages

5 La note

Vous venez de passer une semaine dans une petite auberge en Touraine. Au moment de payer, vous présentez votre carte de crédit américaine. La propriétaire vous dit que l'hôtel accepte seulement l'argent français. Expliquez la situation et négociez une solution.

Rôles: le/la touriste, la propriétaire

4 Une lettre de réservation

Vous voulez passer plusieurs jours cet été dans la ville d'Amboise avec votre cousin(e). Consultez le Guide Michelin (à la page 229) et choisissez un hôtel. Écrivez une lettre de réservation, en suivant le modèle proposé.

AMBOI...SE
...berge de la ramberge

Annuelle 30/10-31/3 - Heb. rest. lundi sa...

Auberge Saint-Christophe
Cave Médiévale - Dîners aux Chandelles
2, rue de l'Église
95510 - Vétheuil
téléphone 3478 11 50   fermé le mercredi

938 Grant Place
Boulder, CO 80302 USA
le 10 avril 199___

Novotel
Route de Chenonceaux
37400 Amboise, France

Monsieur, Madame,

Je voudrais réserver une chambre non-fumeur pour une personne. Je préférerais une chambre avec une vue sur le château. J'arriverai à Amboise le 21 juillet et je partirai le 23.

Dans l'attente de votre confirmation, je vous prie d'agréer, Monsieur, Madame, l'expression de mes sentiments distingués.

Patricia McDougall

Patricia McDougall

Student Portfolios

Using the francophone country previously chosen by students, have them create a travel brochure. The brochure should describe the different types of lodging possibilities, and give a sample of a Michelin Guide entry for an interesting hotel; also highlight local features. The brochure should have pictures, captions, and explanations.

LANGUE ET COMMUNICATION

TEACHING RESOURCES

 Practice Activities,
pp. 107–108

 Teacher-to-Teacher,
Et maintenant ...,
pp. 74–75

■ Notes linguistiques

• **Moindre** is the comparative of **petit**. It is used when **petit** conveys the meaning of inferiority, or something smaller in size or quantity. Examples: **C'est la moindre des choses.** *It's the least I can do.* **Le moindre bruit la réveille.** *The least noise wakes her.*

• In a list of several comparisons, **plus/moins/aussi** must be repeated with each adjective. Example: **Il est plus généreux, plus intelligent, plus gentil et plus patient que son frère aîné.**

• The other forms are regular:
moins bon(ne) que
aussi bon(ne) que
moins bien que
aussi bien que

🌐 Proverbes

• On ne trouve jamais meilleur messager que soi-même.

• Le mieux est l'ennemi du bien.

■ Illustration Note

un break *station wagon*
une enseigne *(store) sign*

A. Le comparatif

Comparative constructions are used to compare people or things.

Cet hôtel est **aussi moderne que** l'autre.
J'ai **moins d'argent que** vous.

*This hotel is **as modern as** the other one.*
*I have **less money than** you.*

ADJECTIVES AND ADVERBS

+ plus − moins = aussi } ADJECTIVE (or ADVERB) (+ que)	**plus** moderne **(que)** *more* modern *(than)* **moins** moderne **(que)** *less* modern *(than)* **aussi** moderne **(que)** *as* modern *(as)*

➡ STRESS PRONOUNS are used after **que.**
Je suis aussi intelligent **que toi.**

➡ The comparative of the ADJECTIVE **bon/bonne** is **meilleur/meilleure.**
The comparative of the ADVERB **bien** is **mieux.**
Compare:
Je suis **meilleur** en tennis **que** toi.   *I am **better** at tennis **than** you.*
Je joue **mieux.**   *I play **better.***

NOUNS

+ plus de − moins de } NOUN (+ que) = autant de	**plus d'**argent **(que)** *more* money *(than)* **moins d'**argent **(que)** *less* money *(than)* **autant d'**argent **(que)** *as much* money *(as)*

1 Ah, le bon vieux temps!

Monsieur Ladoux a passé toute sa vie dans le même village. Il se souvient du bon temps de sa jeunesse où tout était meilleur qu'aujourd'hui. Jouez le rôle de Monsieur Ladoux. Soyez logique!

▶ air / pur?

Autrefois, l'air était plus pur.

1. les rivières / polluées?
2. les produits / artificiels?
3. la nourriture / bonne?
4. les jeunes / sérieux?
5. les gens / préoccupés par l'argent?
6. les relations entre les gens / bonnes?
7. la société / matérialiste?
8. les problèmes de l'existence / compliqués?
9. la vie / simple?

☀ Teaching Strategy: Warm-Up

Have the students bring in five pairs of pictures that can be compared to each other. For each picture have them write three comparative sentences using **plus...que**, **moins...que** and **aussi...que**, as well as **meilleur...que** and/or **mieux...que** comparing, for example, two famous people. Students can hold up their pictures and have other students in the class make comparative sentences based on them.

Où loger?

Vos amis et vous, vous voyagez en Touraine. Où allez-vous loger? Dans une auberge de campagne *(country inn)* ou dans un grand hôtel à Tours? Avec votre partenaire (ou votre groupe), faites une liste des avantages que vous désirez et classez-les par ordre d'importance. Faites votre choix sur la base de cette liste.

Auberge de campagne
- C'est moins cher.
- C'est plus calme.
- On s'y repose mieux.
- La nourriture est meilleure.
- On mange plus de produits naturels.
- L'air est plus pur.
- Les chambres sont moins bruyantes.
- Le service est plus personnel.
- On dort mieux.
- ??

Grand hôtel en ville
- C'est plus luxueux.
- C'est plus confortable.
- Les chambres sont mieux équipées.
- La piscine est plus grande.
- Le service est mieux organisé.
- On est servi plus rapidement.
- On visite plus facilement la ville.
- Il y a plus de choses à faire.
- Il y a plus de choses intéressantes à faire.
- ??

Décisions, décisions

Avec votre partenaire, discutez les choix suivants. Chacun va expliquer son choix et essayer de convaincre l'autre personne. Utilisez les suggestions suivantes ou votre imagination.

> **Tu vas visiter le Canada ou le Mexique?**
>
> **Je vais visiter le Mexique.**
>
> **Ah bon? Pourquoi?**
>
> **C'est un pays plus accueillant!**
>
> **D'accord, mais le Canada est un pays aussi accueillant et plus pittoresque. . . .**

▶ Visiter le Canada ou le Mexique?
   C'est un pays (intéressant? pittoresque? accueillant *[welcoming]*?. . .)

1. Visiter San Francisco ou New York? C'est une ville (jolie? grande? intéressante? polluée?. . .)
2. Prendre l'avion ou le train? C'est un transport (cher? rapide? dangereux? polluant?. . .)
3. Étudier le japonais ou l'espagnol? C'est une langue (facile? difficile? utile?. . .)
4. Dîner dans un restaurant italien ou chinois? La nourriture est (bonne? légère? riche en calories? chère? naturelle?. . .)
5. Manger du poulet frit ou de la sole? C'est un plat (bon? naturel? léger? riche en calories?. . .)
6. Apprendre à faire du parapente ou de la voile? C'est un sport (facile? dangereux? spectaculaire? excitant?. . .)

C'est évident!

Comparez les choses ou les personnes suivantes en utilisant l'adjectif entre parenthèses. Faites une autre comparaison en utilisant la phrase qui suit. Soyez logique!

▶ Jacques (+ pauvre) Annie / Il a de l'argent.
   Jacques est plus pauvre qu'Annie. Il a moins d'argent.

1. Nathalie (+ sportive) Philippe /
   Elle fait du sport.
2. Roger (+ économe) Antoine /
   Il dépense de l'argent.
3. Albert (= brillant) Thérèse /
   Il a des idées originales.
4. Sandrine (– heureuse) Sophie /
   Elle a des problèmes.
5. les voitures américaines (= économiques) les voitures japonaises /Elles consomment de l'essence *(gas)*.
6. l'hôtel Méridien (+ grand) l'hôtel Ibis /
   Il a des chambres.

Langue et communication 235

■ **Teaching Strategy: Activity 4**

Be sure students do not use articles after **plus/moins/ autant de.**
1. Elle fait plus de sport.
2. Il dépense moins d'argent.
3. Il a autant d'idées originales.
4. Elle a plus de problèmes.
5. Elles consomment autant d'essence.
6. Il a plus de chambres.

🖥 Module 6: Le Château Saint-Jean

Show Module 6 and ask students to imagine spending the night in the Château Saint-Jean as a tourist long ago. What kind of amenities would be available? Ask students to develop scenarios based on modern tourists suddenly finding themselves asking for lodging and services at the chateau. Encourage them to imagine scenes that extend beyond those they see in the video.

📖 **Practice Activities,**
pp. 64–65, 189

💿 **Audio CD 6,** Tracks
6–7

▭ **Audiocassette 6,**
Side 1

📖 **Audio Script,** p. 35

■ **Note linguistique**
If the adjective normally precedes the noun, the superlative construction may either precede or follow it, depending on the emphasis: **le plus petit hôtel** or **l'hôtel le plus petit.**

With other adjectives, however, the superlative always follows the noun: **la ville la plus intéressante.**

236 Unité 6

B. Le superlatif

Superlative constructions are used to compare people or things with the rest of a group.

Voici l'hôtel **le plus moderne de** la ville.   *Here is **the most modern** hotel **in** the city.*
Et voilà **le plus petit** hôtel.   *And here is **the smallest** hotel.*

ADJECTIVES			
le/la/les { plus / moins } + ADJECTIVE (+ **de**)	le/la/les plus moderne(s) (**de**)	***the most** modern **(in)***	
	le/la/les moins moderne(s) (**de**)	***the least** modern **(in)***	

➡ After a superlative construction, **de** is used to introduce the reference group.
➡ The superlative of **bon / bonne** is **le meilleur / la meilleure** *(the best).*
    Voici **le meilleur** restaurant du quartier.
➡ In a superlative construction, the position of the adjective (before or after the noun) is usually the same as in the regular construction. Note that when the adjective comes AFTER the noun, the article (**le, la, les**) is used twice.
    le plus grand musée   le musée **le plus** intéressant
➡ A superlative construction may be introduced by a possessive adjective.
    Compare: **ma plus belle** veste   **mon** livre **le plus intéressant**

ADVERBS	
le plus / le moins + ADVERB	Qui voyage **le plus souvent?** Qui voyage **le moins vite?**

➡ The superlative of **bien** is **le mieux.**
    C'est moi qui joue **le mieux** au volley.

NOUNS	
le plus de / le moins de + NOUN	C'est moi qui ai **le plus d'idées** mais **le moins d'argent.**

5 **Compliments**
Faites un compliment à votre partenaire.
Il/elle va vous faire un compliment aussi.

- amusant
- sympa
- gentil
- drôle
- intéressant
- sportif
- intelligent
- patient
- étonnant *(amazing)*
- mignon
- dynamique
- ??

🔆 **Expansion linguistique**

When a superlative construction is followed by a relative clause, the verb is usually in the subjunctive if the speaker has used the superlative to express an opinion. Compare:
Paris est **la plus belle ville que je connaisse**.
(This is my opinion, based on cities I am familiar with.)

Paris est **la plus grande ville que j'ai visitée** cet été. *(This is a fact.)*
The superlative may also be used when only two people or things are involved.
Il y a deux hôtels dans le quartier.
There are two hotels in the neighborhood.
Lequel est **le plus moderne?**
*Which one is the **most modern?***

Au Bureau de Tourisme

Vous travaillez au Bureau de Tourisme. Des touristes (vos partenaires) cherchent des hôtels avec l'une des caractéristiques suivantes. Renseignez-les.

▶ — **Je cherche un hôtel.**
— **Quelle sorte d'hôtel cherchez-vous?**
— **Un hôtel <u>calme</u>.**
— **L'hôtel le plus calme de la ville est l'hôtel Bellevue.**

• calme	• confortable
• grand	• bon marché
• cher	• petit

Bureau de Tourisme				
HÔTEL	NOMBRE DE CHAMBRES	CONFORT	CALME	PRIX DES CHAMBRES
Hôtel Ibis	45	★ ★	🛶	300 F
Hôtel Napoléon	150	★ ★ ★	🛶 🛶	600 F
Hôtel d'Isly	18	★	🛶	250 F
Hôtel Bellevue	30	★ ★ ★ ★	🛶 🛶 🛶	800 F

Le meilleur choix

Vous voyagez avec votre partenaire. Expliquez-lui pourquoi vous faites certains choix.

▶ aller dans cet hôtel (moderne / la ville)

— **Allons dans cet hôtel!**
— **Pourquoi cet hôtel?**
— **C'est l'hôtel le plus moderne de la ville.**
— **Alors, d'accord!**

1. visiter ce musée (intéressant / la région)
2. prendre ce train (rapide / la journée)
3. acheter ces souvenirs (bon marché / le magasin)
4. dîner dans ce restaurant (bon / le quartier)
5. choisir ce plat (typique / le menu)

8 Les Oscars

Dites qui à votre avis est le/la meilleur(e) dans les catégories suivantes.

• un bon acteur	• une comédie drôle
• une bonne actrice	• une émission (TV program) intéressante
• un athlète sympathique	• un sport intéressant
• une comédienne amusante	• une classe facile
• un bon film de l'année	• une bonne équipe de basket

▶ **Quel est le sport le plus intéressant?**
À mon avis, c'est le football.
(C'est le sport le plus spectaculaire.)

Au Syndicat d'Initiative

(At the Chamber of Commerce)

Vous travaillez pour le Syndicat d'Initiative de votre ville. Votre bureau vient de recevoir la lettre suivante d'un(e) touriste français(e). Répondez à sa lettre.

Monsieur, Madame,

Nous pensons visiter votre ville le mois prochain. Pourriez-vous nous indiquer:

un hôtel moderne
un bon restaurant
des boutiques intéressantes
des endroits pittoresques

En vous remerciant de votre attention, je vous prie de croire, Monsieur, Madame, à l'expression de mes sentiments distingués.

Jacques Delavigne
Jacques Delavigne

OFFICE DE TOURISME SYNDICAT D'INITIATIVE

Monsieur,

Nous vous remercions de l'intérêt que vous portez à notre ville. Permettez-moi de répondre à vos questions. L'hôtel le plus moderne est . . .

En espérant que les renseignements vous seront utiles, nous vous prions de croire, Monsieur, à l'expression de nos sentiments distingués.

🌐 Note culturelle

Rappel: $1 = environ 5 francs

■ Expansion: Activity 7

Additional items for Activity 7:
6. acheter ces cartes postales (joli/le magasin)
7. aller voir ce film (bon/la semaine)
8. aller dans ces magasins (grand/le quartier)

Teaching Strategy: Multiple Intelligences

Activity 8 may also be conducted as a class poll. Have students make two or three nominations in each category and then vote on the choices. Tally the results on the board or overhead projector. If you have more than one Level Three class, students may be interested in comparing the results between classes.
(LOGICAL-MATHEMATICAL)

🎞 Teaching Strategy

Divide the class into groups of five. Have each group create five sentences (three comparative and two superlative) about their group. Each student should be mentioned at least once. Have Group 1 write the five adjectives they used on the board. The other groups should then write down the comparisons they think were made by Group 1. The sentences should then be read aloud, and responses compared.

INFO MAGAZINE

Theme: Good and bad hotels

■ Teaching Strategy

This short anecdote provides an opportunity for students to read for pleasure while practicing new vocabulary. Before reading the text, ask students to look at the illustrations and guess what is happening in each situation.

■ Note culturelle

Le Finistère is a **département** in the western part of Brittany (**la Bretagne**). It is known for its rugged coastline.

■ Language Notes

le grand air *open air*
3 km = 1.86 miles

■ Notes linguistiques

- **Quant à** is a preposition (**locution prépositionnelle**), meaning *"as for."*
- **Quant à** comes from the Latin expression *Quantum ad* (= **autant que cela intéresse**). **Quand** comes from the Latin word *quando* (= **quand**).

À l'Hôtel de la Plage

Après une année de dur° travail, finalement arrive l'époque heureuse des vacances. Quand on décide de partir, on peut faire du camping ou louer une villa, mais l'idéal est d'aller à l'hôtel. Là, il n'y a pas de travaux domestiques à faire, pas de repas à préparer, pas de problèmes à résoudre.° Comme tout est fait pour vous, vous pouvez jouir° complètement et totalement d'un repos bien mérité.

Parfois, l'hôtel réserve quelques surprises aux touristes inexpérimentés.° Prenons, par exemple, le cas de Monsieur et Madame Lagarde. Les Lagarde ont réservé une chambre pour deux semaines à l'Hôtel de la Plage, réputé, d'après la brochure, pour le bon air marin qu'on y respire.° Mais quand ils arrivent à leur destination, ils ont la mauvaise surprise de découvrir que l'Hôtel de la Plage est situé près d'une voie de chemin de fer.° Quant à° la plage …

✴ À l'hôtel, le meilleur accueil est réservé aux heureux voyageurs.

—Où est la plage?
—La plage, la plage … eh bien, elle est à trois kilomètres d'ici. Quand il fait beau, on la voit très bien du sixième étage. … Ah, je vois que votre chambre est au deuxième… Si vous vouliez voir la mer, il fallait réserver plus tôt.

✴ À l'hôtel, vous profiterez du calme et de la tranquillité absolue.

—Oh, excusez-moi! Je reviendrai faire la chambre plus tard.

238 Unité 6 ■ INFO Magazine

■ Student Portfolios

Have students participate in writing, designing, performing, and recording a short advertisement for a hotel, followed by a "real" tourist experience in the same hotel. These productions may be recorded on video, or presented to other French classes, or to parents.

✳ **Les hôtels de qualité offrent à leurs clients tout le confort de la vie moderne.**

Oh là là, chéri!° Quelle chaleur!° Peux-tu vérifier si le climatiseur° fonctionne?
Oui, il fonctionne, mais c'est de l'air chaud qui sort!

✳ **Le grand air de la campagne vous permettra de dormir comme si vous étiez un enfant.**

—Je n'arrive pas° à dormir. Qu'est-ce que c'est que ce bruit? Est-ce qu'il y a des souris° ici?
—Mais non, ce sont les voisins d'à côté° qui mangent des chips.

✳ **La nuit personne ne viendra troubler votre sommeil.°**

Bonjour, Monsieur Martin. Vous m'avez demandé de vous réveiller à cinq heures et demie. Bonne journée!
Alllô! Quoi! Qu'est-ce que vous dites? Martin? Vous faites erreur! Je suis Monsieur Lagarde!

✳ **Les hôtels offrent un service complet à des prix très raisonnables.**

—Comment? mille francs pour le petit déjeuner? Je croyais que tout était compris dans le prix! Et cette taxe locale de 5%! Qu'est-ce que c'est?

---

et vous?

EXPRESSION ORALE

Vous êtes Monsieur ou Madame Lagarde. Pour chaque épisode, vous téléphonez au directeur de l'hôtel (joué par votre partenaire) pour expliquer le problème. Le directeur essaie de trouver une solution.

EXPRESSION ÉCRITE

• Vous êtes Monsieur ou Madame Lagarde et vous écrivez à un(e) ami(e). Dans votre lettre, vous parlez des problèmes que vous avez eus pendant votre séjour.

• Décrivez un problème (réel ou imaginaire) que vous avez eu pendant un voyage et comment vous avez résolu ce problème.

---

hard **résoudre** ✳ to solve **inexperimentés** = sans expérience **jouir** to enjoy **respire** breathes **chemin de fer** railroad track **Quant à** As for
eil welcome **chéri** darling **chaleur** heat **climatiseur** air conditioner **Je n'arrive pas** = je ne peux pas **souris** mice **d'à côté** next door
meil sleep

🌐 **Note culturelle**
The tax in France is called the **T.V.A. (Taxe à Valeur Ajoutée)**. Its rate is generally 18.6%.

■ **Irregular Verb**
(see Appendix C)
résoudre

LE FRANÇAIS
PRATIQUE

Services à l'hôtel

Supplementary vocabulary

le directeur de l'hôtel *hotel manager*
le groom *bellboy*
le chasseur *messenger, bellhop*
le portier *doorman*
l'heure d'arrivée/de départ *check-in/out time*
Also: **le caissier/la caissière** *cashier*

■ Notes linguistiques

• Remind students that **monter** and **descendre,** when used in this sense, are conjugated with **avoir** in the **passé composé.**
  Nous **avons monté/descendu** les bagages.
• Remind students that **servir** is conjugated like **dormir.**

240 Unité 6

LE FRANÇAIS
PRATIQUE
Services à l'hôtel

Bien sûr, monsieur, tout de suite.

Pouvez-vous m'apporter une couverture?

COMMENT DEMANDER UN SERVICE

Au garçon *(bellboy)*

| Pouvez-vous | **monter** **descendre** | mes bagages? |

> **monter** *to bring up, carry up*
> **descendre** *to bring down, carry down*

À la femme de chambre *(chambermaid)*

| Pouvez-vous m'apporter | **une couverture** *(blanket)*? **un drap** *(sheet)*? **un oreiller** *(pillow?)* **une serviette** *(towel)*? **un portemanteau** *(coat rack)*? **un cintre** *(hanger)*? |

| Pouvez-vous | **mettre** **augmenter** **baisser** | **le chauffage** *(heat)*? **la climatisation?** **l'air conditionné?** |

> **mettre** *to turn on*
> **augmenter** *to turn up, raise*
> **baisser** *to turn down, lower*

Au (à la) réceptionniste

| Pouvez-vous | me **servir** le petit déjeuner dans la chambre? m'**appeler** un taxi**?** |

> **servir** *to serve*
> **appeler** *to call*

Au standard *(operator)*

Pouvez-vous me **réveiller** à six heures et demie?

> **réveiller** *to wake*

Au (à la) gérant(e) *(manager)*

Pouvez-vous préparer ma **note** *(bill)*?

☀ Teaching Strategy: Warm-Up

Have the students think of original questions/comments that they would ask/say to each of the hotel workers listed on p. 240. (**Au standard: Quel est le numéro pour service dans les chambres?**) Encourage them to use the vocabulary from pp. 230-231. Once they have thought up one question/comment per hotel employee, have them volunteer to read each one so that the class can guess to whom this question/comment would be directed.

Que dire?

Vous voyagez en France et vous êtes à l'hôtel. Qu'est-ce que vous allez demander dans les circonstances suivantes? (Votre partenaire va jouer le rôle du personnel de l'hôtel.)

▶ Vous arrivez à l'hôtel avec deux grosses valises.
 — **Est-ce que vous pouvez monter mes bagages, s'il vous plaît?**
 — **Oui, mademoiselle (monsieur). Tout de suite.**
 — **Merci bien.**

- Vous voulez payer.
- Vous avez un train à 6h30 demain matin.
- Il fait très, très chaud dans votre chambre.
- Vous avez froid.
- Vous voulez rester au lit tard, mais vous voulez prendre votre petit déjeuner.
- Vous avez payé votre note et vous voulez aller à l'aéroport.
- Il va faire froid cette nuit.
- Vous devez quitter l'hôtel mais les bagages dans votre chambre sont très lourds.
- Vous avez beaucoup de vêtements que vous voulez pendre *(to hang up)*.

Le français pratique 241

■ Teaching Strategy

Ask students:
- Regardez les photos des hôtels à la page 241. Lequel choisiriez-vous si vous alliez en vacances en France? Pourquoi?
- Quels services particuliers offre-t-il?

🌐 Realia Notes

- S.V.P. = s'il vous plaît
- Most kings of France were crowned in **Reims**, a city which is also known for its local wine: **le champagne**.
- **un relais** *posthouse, inn*

Teaching Strategy: Multiple Intelligences

Bring in as much tourist information on francophone countries as possible from local travel agents, magazines, and newspapers. Ask students to decide which of the multiple intelligences (see p. 205) best describes their own strengths and ask them to devise an advertisement for a hotel to appeal to that type of "customer." The ads may be in <u>any</u> form: music, print, informational statistics, etc. Then ask students to look at the material you brought to class and attempt to categorize the real ads in a similar way.

Unité 6   241

■ Notes linguistiques

- **Lequel** and its forms can also be used as relative pronouns.
- You may remind students that when a preposition (**à, de, avec,** etc.) is used in a question, it must come at the beginning of the question:
  À qui parles-tu?
  De quoi as-tu besoin?
- You may also wish to remind students that the demonstrative pronouns are a combination of **ce** + the third person stress pronouns:

  ce + lui   → celui
  ce + elle → celle
  ce + eux   → ceux
  ce + elles → celles

A. Le pronom interrogatif lequel?

The interrogative pronoun **lequel?** *(which one?)* replaces **quel?** + NOUN.

  Quel hôtel préfères-tu?   **Lequel** préfères-tu?

Lequel? has the following forms:

	MASCULINE	FEMININE
SINGULAR	lequel?	laquelle?
PLURAL	lesquels?	lesquelles?

➡ The pronoun **lequel** consists of two parts, both of which agree with the noun it replaces:

  lequel = le + quel

➡ Note how **à** and **de** contract with **lequel** to give the following forms:

à + lequel → **auquel**	de + lequel → **duquel**
à + lesquels → **auxquels**	de + lesquels → **desquels**
à + lesquelles → **auxquelles**	de + lesquelles → **desquelles**

Il y a deux concerts.   **Auquel** veux-tu aller?   (= **à quel concert**?)
J'ai plusieurs cartes de la région.   **Desquelles** as-tu besoin?   (= **de quelles cartes**?)

B. Le pronom démonstratif celui

The demonstrative pronoun **celui** *(this one, the one)* replaces **ce** or **le** + NOUN.

Celui has the following forms:

	MASCULINE	FEMININE
SINGULAR	celui	celle
PLURAL	ceux	celles

Celui is never used alone. It occurs in the following combinations:

- **celui-ci, celui-là** *(this one, that one)*
  — Ta valise, c'est **celle-ci**?   *Your suitcase, is it **this one**?*
  — Non, c'est **celle-là**.   *No, it's **that one**.*

- **celui de** *(that of, the one belonging to)*
  Ce n'est pas mon passeport.
  C'est **celui de Valérie**.   *It's **Valérie's**. (= **that of Valérie**)*

  J'ai raté le train de 10 heures.
  Je prendrai **celui de 11 heures**.   *I will the take **the 11 o'clock**.
                                            (= **the one of 11 o'clock**)*

⬛ Teaching Strategy: Multiple Intelligences

Before class, draw, cut out or bring in two like objects (two hats: one red, one blue). Place the objects at different spots around the room: some next to each other, some under or on top of the desk, etc. Then ask: **Aimez-vous le chapeau?** To answer your question they will have to ask you: **Lequel?** You can then answer: **Celui qui est bleu.** Continue, asking them **Lequel est plus grand?** Students must answer with **Celui qui.../ celui de...** You can also bring in a pen and a pencil and ask the students **Est-ce que vous vous servez des stylos? des crayons?...**

celui qui, celui que *(the one who(m), the one that)*

J'aime les hôtels confortables,
mais je préfère **ceux qui** ont
une belle vue.

*I prefer those (the ones) that
have a nice view.*

Préférences

Vous faites du shopping avec votre partenaire.
Vous discutez des choses que vous voyez.

1. ces chaussures / plus élégantes
2. ce vélo / plus solide
3. ces livres / plus intéressants
4. cette voiture / plus rapide
5. cet ordinateur / plus moderne
6. ces tee-shirts / plus à la mode

Tu aimes cette veste?

Alors, laquelle préfères-tu?

Pourquoi?

Non, pas vraiment.

Celle-ci!

Elle est plus jolie.

Comparaisons

Lisez les descriptions suivantes et comparez
ces choses à celles qui sont indiquées entre
parenthèses.

▶ Ma maison est grande.
   (mon meilleur ami?)

   **Ma maison est plus (moins / aussi)
   grande que celle de mon meilleur
   ami.**

1. Notre voiture est grande.
   (les voisins?)
2. Ma chambre est spacieuse.
   (mes parents?)
3. Mes progrès en français sont rapides.
   (les autres étudiants?)
4. La cuisine de ma mère est bonne.
   (la cafétéria?)
5. L'air de la campagne est pollué.
   (la ville?)
6. Le climat de la Nouvelle-Angleterre
   est agréable.
   (la Floride?)
7. Les monuments de Paris sont beaux.
   (New York?)

3 Au choix

Vous voyagez à Paris avec votre partenaire. Vous
avez le choix entre deux possibilités. Demandez
à votre partenaire de choisir.

▶ deux hôtels (l'un a une grande piscine /
   l'autre, des chambres confortables)
   — **Il y a deux hôtels. Auquel veux-tu aller?**
   — **Je préfère aller à celui qui a
      des chambres confortables.
      (Je préfère aller à celui qui a
      une grande piscine.)**

1. deux restaurants
   (l'un sert des spécialités françaises /
   l'autre, des spécialités vietnamiennes)
2. deux musées
   (l'un a une exposition de photos /
   l'autre, une exposition d'art moderne)
3. deux piscines
   (l'une est au centre-ville /
   l'autre, dans la banlieue)
4. deux cinémas
   (l'un joue une comédie /
   l'autre, un western)
5. deux boutiques
   (l'une vend des jeans /
   l'autre, des chaussures)

■ **Note linguistique**
Note also the expression
celui où:
   J'aime bien ce restaurant
   mais je préfère **celui où**
   nous avons dîné hier.

💡 **Teaching Strategy:
Expansion**

The conversations in Activity
3 could be expanded to a
negotiation situation in which
the two students come to an
agreement.

Duquel vous servez-vous le plus souvent?
This will give them further practice using/hear-
ing the contractions with **lequel.** As students
use the important expression, write it on the
board for visual reinforcement.
(SPATIAL/LINGUISTIC)

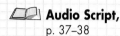
C. Le pronom possessif le mien

POSSESSIVE PRONOUNS replace nouns introduced by a possessive adjective. Note the forms of the French possessive adjectives in the following sentences.

Ce n'est pas ta guitare.	C'est **la mienne**.	*It's **mine**.*
Marc écoute ses disques.	Anne écoute **les siens**.	*Anne is listening to **hers**.*
Votre chambre est grande.	**La nôtre** est confortable.	***Ours** is comfortable.*

	SINGULAR		PLURAL	
	MASCULINE	**FEMININE**	**MASCULINE**	**FEMININE**
mine	**le mien**	**la mienne**	**les miens**	**les miennes**
yours	**le tien**	**la tienne**	**les tiens**	**les tiennes**
his, hers, its	**le sien**	**la sienne**	**les siens**	**les siennes**
ours	**le nôtre**	**la nôtre**	**les nôtres**	
yours	**le vôtre**	**la vôtre**	**les vôtres**	
theirs	**le leur**	**la leur**	**les leurs**	

➡ Possessive pronouns consist of two parts, both of which agree with the noun they replace:

le + POSSESSIVE WORD

➡ Note how **à** and **de** contract with the possessive pronoun:

à + le mien	→	**au mien**	de + le mien	→	**du mien**
à + les miens	→	**aux miens**	de + les miens	→	**des miens**
à + les miennes	→	**aux miennes**	de + les miennes	→	**des miennes**

Pronoms possessifs

Pratique ▶ p. 67

4 Possessions

Insistez sur la propriété des choses suivantes.

▶ Ce sont mes cassettes.
  Ce sont les miennes!

▶ C'est la voiture de mes parents.
  C'est la leur!

1. C'est ma serviette.
2. Ce sont tes lunettes de soleil.
3. C'est sa valise.
4. Ce sont ses cassettes.
5. Ce sont vos bagages.
6. C'est notre sac.
7. C'est la guitare de Paul.
8. C'est le vélo d'Alice.
9. Ce sont les disques de Jérôme.
10. C'est la maison de tes cousins.
11. Ce sont les valises de Pierre et d'Isabelle.
12. C'est la tondeuse de nos voisins.

☼ Expansion linguistique

Possessive pronouns are used less frequently in French than in English.

• The possessive pronoun is not used after **être** when the subject is a noun or a personal pronoun. Instead French uses the construction **être à** + STRESS PRONOUN.
  Ce livre **est à moi**. *That book is **mine**.*

However, possessive pronouns are used after **c'est/ce sont**.
  C'est le mien. *It's **mine**.*

• Note the following constructions:
  une de mes amies *a friend of mine*
  des amis à nous *friends of ours*
  un de ses cousins *a cousin of his/hers*
  des cousines à lui *cousins of his*

Camping

Vous faites du camping avec votre partenaire. Vous avez oublié certaines choses. Demandez à votre partenaire si vous pouvez prendre les siennes.

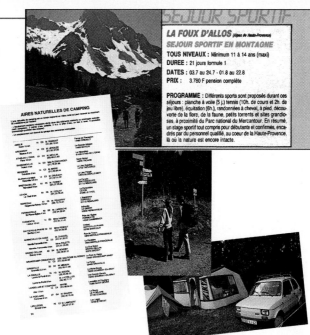

▶ mon couteau
— **Dis, Daniel, j'ai oublié mon couteau. Est-ce que je peux prendre le tien?**
— **Le mien? Oui, d'accord!**
   (Le mien? Ça non, pas question!)

1. ma lampe de poche
2. mon sac de couchage
3. mes jumelles *(f. binoculars)*
4. ma serviette
5. mon savon
6. mon dentifrice
7. ma guitare
8. mes vitamines *(f)*

À qui est-ce?

Vous faites un voyage au Canada avec votre école. Vous avez trouvé certains objets mais vous ne savez pas à qui ils sont. Votre partenaire va vous aider à identifier le propriétaire.

▶ — **C'est ta serviette?**
— **Non!**
— **Tu es sûr(e)?**
— **Absolument! La mienne est plus grande.**
— **Alors, c'est celle de François.**
— **Oui, c'est probablement la sienne.**

1. • ton sac
   • moins grand
   • Philippe

2. • ton appareil-photo
   • plus petit
   • Isabelle

3. • tes lunettes de soleil
   • noires
   • Claire

4. • ta veste
   • verte
   • David

5. • ta caméra
   • moins chère
   • Éric et Thomas

6. • tes valises
   • jaunes
   • Alice et Pauline

À l'aéroport

Vous êtes à l'aéroport avec votre partenaire. Il/elle vous dit ce qu'il/elle va faire. Dites-lui que vous allez faire les mêmes choses.

1. Je vais téléphoner à mes cousins.
2. Je vais dire au revoir à ma mère.
3. Je vais prendre une photo de ma soeur.
4. Je vais m'occuper de mon billet.
5. Je vais m'occuper de mes valises.
6. Je vais écrire une carte postale à mon professeur.

Je vais téléphoner à mon copain.

Eh bien, moi, je vais aussi téléphoner au mien.

Langue et communication (245)

Create a restaurant guide for your area. In small groups, visit restaurants and note all your opinions for the class guide. Publish the ratings and comments in a class newsletter.

Language Arts: Brainstorm restaurants in the area, using telephone books, calling the chamber of commerce, and asking family members for names of restaurants. Then, as a class, develop a checklist of categories on which to rate the establishments.

Math: Note and list in a chart the prices of a typical meal at each restaurant visited.

Science/Health: When visiting the restaurant, note if it is possible to create a balanced meal, and if the restaurant offers health-conscious items.

Social Studies: Include a history of the restaurant, or information about ethnic foods served there.

Art/Music: Comment on the decor and background music of the eatery, and describe how each affects the ambiance of the place.

Technology: Observe and ask about how technology is used in the restaurant: in entering orders with the kitchen? in recording reservations? in placing orders with suppliers?

Community: Publish your comments and ratings in a newsletter to share with other French classes.

• With more advanced students, you may contrast the following constructions:

This is *her* suitcase.	C'est **sa** valise.
It is *hers.*	C'est **la sienne.** (or: **Elle est à elle.**)
It is not *Catherine's.*	Ce n'est pas **celle de Catherine**. (or: Elle n'est pas **à Catherine**.)

🌐 Realia Notes
• l'aire *(f.)* = area
• Le **parc du Mercantour** est un parc national situé dans les Alpes Maritimes, au sud-est de la France. La Foux d'Allos est une station de sports d'hiver près de la ville d'Allos, dans les Alpes de Haute-Provence.

Transparency L6

**Overhead Visuals
Copymasters and
Activities,**
pp. A129–A130

**Internet Connection
Notes,** Long-Term
Internet Project, p. 106

LECTURE

Une étrange aventure

AVANT DE LIRE

Le titre d'une histoire donne parfois aux lecteurs une idée générale du contenu et du ton de l'histoire. Elle leur permet ainsi d'anticiper ce qui va arriver. C'est le cas, par exemple, du titre «Une étrange aventure».

- Vous savez que vous allez lire une **aventure**, c'est-à-dire un récit où l'<u>action</u> joue un rôle important.
- Vous savez aussi qu'au cours du récit quelque chose d'**étrange** va arriver.

En général, les histoires de ce genre commencent de façon très normale, très ordinaire. Puis, un petit problème survient et le mystère commence.

Au début (Partie I)
Déterminez le cadre général de l'histoire.
- Qui sont les protagonistes?
- Qu'est-ce qu'ils vont faire? Où vont-ils?
- Quel problème rencontrent-ils?

Au milieu (Partie II)
À mesure que l'histoire se développe, essayez de déterminer . . .
- les éléments qui vous semblent réels, vrais, ordinaires
- les éléments qui vous semblent étranges, mystérieux, irréels, bizarres

À la fin (Partie III)
Essayez . . .
- d'anticiper ce qui va se passer ensuite
- de trouver une solution au mystère de l'histoire

NOTE CULTURELLE

Les villages en France
Autrefois, la France était un pays rural. La majorité des Français habitaient dans des petits villages de moins de 2 000 habitants. Construits généralement autour d'une église, ces villages étaient reliés° entre eux par des petites routes le long desquelles° se trouvaient des fermes isolées. Les cafés, les boutiques, les petits commerces de toutes sortes, les nombreux ateliers d'artisan° donnaient beaucoup de vie et d'animation aux villages d'autrefois.

Avec l'exode rural et le développement des grandes villes, ces villages ont perdu de leur importance et surtout de leur animation. Aujourd'hui, la vie y est calme et monotone. La nuit, leurs rues sont complètement désertes.

reliés *linked* **le long desquelles** *along which* **ateliers d'artisan** *workshops*

📖 **Teaching Strategy**

The students will better appreciate the strange ending of this story if they are somewhat familiar with the Nazi occupation of France and the French Resistance in World War II. You may first want to read *Interlude 6*, especially the texts *Les Guerres Mondiales* (p. 252) and *Jean Moulin* (p. 253).

UNE ÉTRANGE AVENTURE

I

John et Bob, deux étudiants américains, sont arrivés à Paris à la fin de juin. Là, ils ont acheté un scooter d'occasion avec l'intention de visiter la France pendant l'été. Ils sont partis de Paris le premier juillet dans la matinée°. Ils espèrent être à Clermont-Ferrand dans la soirée. Ils ont un copain là-bas qui les a invités.

Hélas, John et Bob ne savent pas que le premier juillet, c'est le jour des grands départs.* Il y a beaucoup de circulation sur les autoroutes et même sur les routes nationales. Alors, John et Bob décident de prendre des petites routes. Là, il y a moins de circulation, mais le scooter n'avance pas vite.

Il est neuf heures du soir maintenant. La nuit commence à tomber et les deux garçons sont encore loin de leur destination. C'est John qui conduit le scooter. Il demande à Bob : « Tu sais où nous sommes ? »

Bob regarde la carte.

— Non, pas exactement. Dis, est-ce que tu as encore de l'essence ?

— Euh non ! Pas beaucoup.

Le jour des grands départs: Le jour où des millions de Français partent en vacances.

la matinée = le matin   **il fait . . . nuit noire** it is pitch black

— Alors, il faut s'arrêter au prochain village. J'espère qu'il y a une station-service.   25

— . . . Ou un hôtel !

Au prochain village, il y a bien une station-service, mais elle est fermée . . . et il n'y a pas d'hôtel. John demande :

— On continue ?   30

— Oui, on continue . . . on n'a pas le choix.

Il fait maintenant nuit noire.° Pas une voiture sur la route. John aperçoit une toute petite lumière au loin.

— Regarde la lumière là-bas !   35

— C'est probablement une ferme. Nous avons de la chance !

Les deux garçons arrivent à la ferme. Ils frappent à la porte. Toc, toc, toc . . . Une voix d'homme répond :   40

— Qui êtes-vous ? Et qu'est-ce que vous voulez ?

— Nous sommes Américains. Nous sommes perdus.

— Américains ? Attendez ! Je vous ouvre.   45

Mots utiles

une autoroute	superhighway
la circulation	traffic
l'essence	gas
une ferme	farm
une lumière	light
apercevoir *	to notice
conduire *	to drive
au loin	in the distance
d'occasion	second-hand, used

Avez-vous compris?

1. Qui sont John et Bob?
2. Comment vont-ils voyager en France?
3. Pourquoi est-ce qu'ils décident de prendre des petites routes?
4. Qu'est-ce qu'ils doivent trouver avant la nuit?
5. Qu'est-ce qu'ils font quand ils ne trouvent pas d'hôtel?

🌐 NOTES CULTURELLES

• Scooters and mopeds are popular means of transportation among French teens since they are unable to hold a driver's license before the age of 18.

• **Clermont-Ferrand** is a city in **Auvergne**, a central region of France. It is located 388 km (241 miles) south of Paris.

• The speed limit on a French highway varies between 110 and 130 km/h (68-80 mph). On a **route nationale** the speed is limited to 90 km/h (55 mph), and to 50 km/h (30 mph) when crossing a village.

II

La porte de la ferme s'ouvre.

— Entrez vite . . . La nuit, cette route est très dangereuse, surtout pour vous!

50 John et Bob entrent dans la ferme. À l'intérieur, il y a un homme et une femme, le fermier et la fermière. Ils sont habillés en noir, comme les paysans d'autrefois. C'est la femme qui parle:

— Vous avez certainement faim. Hélas, nous
55 n'avons pas grand-chose.° Je vais vous préparer des pommes de terre avec du lard.° Mon mari va vous chercher une bouteille de cidre à la cave.

John et Bob examinent la salle où ils sont. Les meubles sont rustiques et très anciens. Dans la
60 cheminée, il y a un feu et sur la table il y a des chandelles.

L'homme revient avec la bouteille de cidre. La femme apporte le plat de pommes de terre. John et Bob mangent avec grand appétit.

65 — Merci, c'est délicieux!

L'homme parle: «Pourquoi merci? Nous sommes tellement heureux de vous recevoir! Mais vous êtes probablement très fatigués . . . Je vais vous montrer votre chambre.»

70 L'homme prend une chandelle et accompagne les deux garçons jusqu'à leur chambre.

— Excusez-nous, mais nous n'avons plus d'électricité. Je vous laisse la chandelle . . .
75 Bonne nuit!

Puis l'homme descend les escaliers.

Bob dit à John:

— C'est rustique ici!

— Oui, c'est vraiment la campagne. Nous
80 avons de la chance d'avoir trouvé cette ferme.

— Ces gens sont pauvres, mais ils sont vraiment généreux!

Quand Bob et John se réveillent le lendemain, il fait grand jour.°
85 — Quel jour sommes-nous?

— Nous sommes le deux juillet!

grand-chose = beaucoup
du lard salt pork
il fait grand jour the sun is up and shining

la cheminée

un feu

une chandelle

des meubles

— Au fait, tu as entendu les voitures qui se sont arrêtées devant la ferme pendant la nuit?

— Oh là là, oui! Quel bruit!

— Qu'est-ce que disaient les passagers?

— Je ne sais pas. Ils ne parlaient pas français. Je n'ai pas compris. Mais vraiment ils avaient l'ai furieux!

— Je me demande bien qui c'était.

— Dis, il faut partir maintenant.

— C'est vrai! Il est dix heures déjà!

Bob et John descendent dans la salle où ils étaient hier. Mais il n'y a personne.

— Où sont nos hôtes?

— Je ne sais pas. Appelons-les.

— Monsieur? Madame?

Silence. Ils crient plus fort: «Monsieur! Madame!» Personne ne répond.

— Ils sont peut-être partis travailler dans les champs.

Bob et John sortent de la ferme, mais il n'y a personne dans les champs.

— Qu'est-ce qu'on fait?

— Il faut partir. On va laisser un mot sur la table et quand on reviendra à la fin de juillet, on s'arrêtera pour remercier ces gens de leur hospitalité.

— Bonne idée!

Mots utiles

un bruit	noise
les champs	fields
un paysan	peasant,
apporter	to bring
remercier	= dire me
le lendemain	= le jour
fort	loudly

■ **Note linguistique**
le lard *bacon*
le bacon *Canadian bacon*
le saindoux/la graisse de porc *lard*

■ *Avez-vous compris?*

(Sample answers)
1. Les habitants de la ferme sont un homme et une femme. Ils sont habillés en noir.
2. L'atmosphère est ancienne: les meubles sont rustiques, et il y a un feu dans la cheminée. Il n'y a pas d'électricité, on utilise des chandelles.
3. Ils sont très gentils envers les jeunes Américains.
4. Le repas consiste en des pommes de terre et du cidre.
5. Après le dîner, John et Bob vont dormir dans une chambre.
6. Ils entendent des voitures, et aussi des gens furieux qui ne parlent pas français.
7. Le lendemain ils ne trouvent personne dans la ferme ou dans les champs.

Avez-vous compris?

1. Qui sont les habitants de la ferme? Décrivez-les.
2. Quelle est l'atmosphère générale de la ferme? Décrivez-la.
3. Quelle est l'attitude du fermier et de la fermière envers *(toward)* les jeunes Américains?
4. En quoi consiste le repas?
5. Que font John et Bob après le dîner?
6. Qu'est-ce qu'ils entendent pendant la nuit?
7. Quelle surprise les attend le lendemain?

☀ **Expansion linguistique**

• The expression **grand-chose** is used as an object pronoun. The word **chose** loses its feminine gender and all words agreeing with this expression are in the masculine singular. Example: **Il n'y a pas grand-chose de bon à manger.**
• In some expressions, **grand** remains in the masculine. Examples: **la grand-rue** *(main street)*; **la grand-mère**; **la grand-messe** *(high mass)*.
• **Le cidre** is a drink made with fermented apple juice. It is produced mainly in Normandy **(la Normandie)**, where there are many apple orchards.

III

Bob et John sont partis vers onze heures. Ils ont trouvé une station d'essence au prochain village et ils ont continué leur route . . .

Pendant quatre semaines ils ont parcouru la France en scooter. C'est maintenant la fin des vacances et le retour vers Paris. Bob et John pensent à leur aventure du premier juillet . . . Ils ont acheté des cadeaux pour leurs hôtes: une bouteille de cognac pour le fermier et un joli vase de cristal pour sa femme.

John regarde la carte. Dans dix minutes, ils seront à la ferme. Ils pourront finalement remercier leurs hôtes de leur hospitalité . . .

— Je reconnais bien la route maintenant.
— Moi, aussi.
— Regarde les grands arbres là-bas. La ferme est juste en face.

Le scooter s'est arrêté devant les grands arbres, mais il n'y a pas de ferme. 135
— Tu es sûr que c'est ici?
— Absolument certain!

À la place de la ferme, il y a une haie d'arbustes et devant cette haie, une stèle avec une inscription. 140
— Dis, Bob, va voir ce qui est écrit.
Bob descend du scooter et va regarder l'inscription. Il revient vite, très, très pâle.
— Mon Dieu, c'est impossible! 145
— Qu'est-ce qu'il y a?
— Va voir toi-même!

Note culturelle
Le cognac is a liquor that comes from the city of Cognac, in the western **département** of **Charente**.

une haie d'arbustes

une stèle

Anticipons un peu!

Avant de tourner la page, essayez de deviner ce que Bob a vu sur la stèle.

Mots utiles	
un mot	= une note
un cadeau	gift, present
parcourir *	to travel across
en face	opposite

■ **Irregular Verb**
(*see Appendix C*)
parcourir   (*see* **courir**)

John descend à son tour du scooter. Il lit l'inscription suivante:

ICI REPOSENT
EUGÉNIE ET MARCEL DUVILLARD
HÉROS DE LA RÉSISTANCE
FUSILLÉS° PAR LES NAZIS
LE DEUX JUILLET 1944
POUR AVOIR HÉBERGÉ°
DES PARACHUTISTES
AMÉRICAINS

À L'EMPLACEMENT°
DE CETTE STÈLE
S'ÉLEVAIT LEUR FERME
QUI FUT INCENDIÉE°
LE LENDEMAIN.
PASSANTS,° PRIEZ° POUR EUX!

■ Avez-vous compris?
(Sample answers)
1. Ils laissent un mot sur la table.
2. Ils veulent retourner à la ferme pour remercier le fermier et la fermière de leur hospitalité. Ils ont acheté des cadeaux pour eux.
3. Il n'y a plus de ferme. Il y a une stèle avec une inscription.
4. Le fermier et la fermière ont été fusillés par les nazis parce qu'ils ont aidé des parachutistes américains, et la ferme a été incendiée.

Avez-vous compris?
1. Que font Bob et John avant de quitter la ferme?
2. À la fin des vacances, pourquoi est-ce qu'ils veulent retourner à la ferme?
3. Quelle surprise les attend?
4. Qu'est-ce qui s'est passé à la ferme au début de juillet 1944?

fusillés shot and killed   **pour avoir hébergé** for having sheltered   **emplacement** = endroit   **s'élevait** stood   **incendiée** burned to the ground   **passants** = vous qui passez par ici   **priez** to pray

LECTURE SUPPLÉMENTAIRE
L'histoire que vous avez lue évoque une époque très tourmentée de l'histoire de France: **l'Occupation** par les Allemands (1940-1944), puis la **Libération** par les Alliés (principalement des soldats américains et anglais), et par la **Résistance française**. Voir Interlude 6, pp. 252-255.
Pour découvrir un autre récit concernant cette période, lisez le texte *Au Revoir, les Enfants* (pp.256-259).

Teaching Strategies
Ask students:
• À votre avis, quelle est la réaction de John et Bob quand ils lisent l'inscription de la stèle?
• Est-ce qu'ils ont peur? sont curieux?
• Est-ce qu'ils pensent qu'ils rêvent *(dream)*?

Divide the class into groups. Ask students to imagine their own reactions as if they were characters in the story. Each group may present a short scenario to the class.

EXPRESSION ORALE

■ Discussion
Selon vous, est-ce que l'histoire que vous avez lue est possible ou impossible? Discutez votre opinion avec un(e) partenaire qui n'a pas la même opinion que vous.

■ Débat
Dans beaucoup de cultures, on peut trouver des «histoires de fantômes» *(ghost stories)* semblables à l'histoire racontée dans **Une étrange aventure**. Vous-même, croyez-vous aux fantômes ou non? Exprimez votre opinion sur ce sujet et débattez la question avec un(e) partenaire qui n'a pas la même opinion que vous. Si possible, donnez des exemples en support de votre opinion.

■ Situations
Avec votre partenaire, choisissez l'une des situations suivantes. Composez le dialogue correspondant et jouez-le en classe.

1 Devant la stèle.
Bob et John sont devant la stèle. Ils viennent de lire l'inscription et maintenant ils essaient d'interpréter ce qui est arrivé lors de leur passage la nuit du premier juillet, en fonction des événements qui ont eu lieu les 1er et 2 juillet 1944. Par exemple:
• pourquoi le fermier a dit que la route était dangereuse
• selon les fermiers, qui étaient Bob et John et pourquoi ils étaient heureux de les recevoir
• qui étaient les gens qui étaient venus dans la nuit et qu'est-ce qu'ils cherchaient
• pourquoi le fermier et sa femme n'étaient pas là le lendemain matin
Rôles: Bob, John

2 Aux États-Unis.
En rentrant aux États-Unis, John a une conversation avec son grand-père qui lui aussi a été parachuté en France lors de l'invasion en 1944. Au cours de cette conversation, l'ancien soldat raconte ses aventures de guerre, par exemple, comment il a été recueilli *(picked up)* par les Résistants français.
Rôles: John, son grand-père

EXPRESSION ÉCRITE

■ Un peu d'histoire
Écrivez un petit rapport sur l'histoire de France entre 1940 et 1944. Dans ce rapport, expliquez en particulier le rôle ...
• des Allemands
• des Américains
• de la Résistance française
(Source: Encyclopédies, Manuels d'histoire)

■ Une étrange aventure
Écrivez votre propre «étrange aventure». Commencez par une situation très réaliste. Ensuite, ajoutez un élément mystérieux ou bizarre. Utilisez votre imagination.

■ Teaching Strategies
• DISCUSSION
As a preliminary step, you may conduct a poll:
– Qui croit que cette histoire est possible?
– Qui croit qu'elle n'est pas possible?
Group students according to their responses.

• EXPANSION
Autre dialogue: John raconte son aventure à un(e) ami(e) qui ne le croit pas. John essaie de le/la persuader qu'il a rencontré deux fantômes. L'ami(e) exprime ses doutes et pose des questions à John qui y répond en détail.
Rôles: John, son ami(e)

• ASSESSMENT
You may wish to use the *Lecture* quiz as a basis for discussion or as a quick comprehension check.

Lecture 251

Student Portfolios
Using either the *Situations* or the *Expression écrite* activities, have students prepare these materials to be included in their portfolios. If students frequently choose the oral activity, suggest that they change to a written activity and expand their portfolios in a new direction.

INTERLUDE CULTUREL

TEACHING RESOURCES

 Transparency H4

 Overhead Visuals Copymasters and Activities, pp. A143–A144

 Internet Connection Notes, Interlude Culturel 6, pp. 107–110

■ **Pre-reading Questions**

Pouvez-vous répondre aux questions suivantes?
- Quel pays d'Asie a été colonisé par la France?
- Où est situé Utah Beach?
- Qu'est-ce que le «Marché Commun»?

■ **Notes historiques**
- Les événements du 6 juin 1944 (D-Day ou **Jour-J**) ont été immortalisés dans le film *Le jour le plus long*.
- La Cochinchine, l'Annam, le Tonkin, le Cambodge et le Laos formaient l'Indochine française.

■ **Pour en savoir plus**
- La Communauté Européenne et le Traité de Maastricht sont présentés dans *Interlude 7*, p. 292.
- Pour des renseignements sur les mouvements artistiques mentionnés, voir *Interlude 1*, p. 60.

INTERLUDE CULTUREL

■ Les dates   ■ Les événements

- **1870** *La France devient une république*

La Belle Époque (1870-1914)

Paris à la Belle Époque, représenté par le peintre Jean Béraud

C'est une époque de prospérité économi et d'intense création artistique, littéraire scientifique. D'importants mouvements artistiq (impressionnisme, fauvisme, cubisme, surréalism naissent en France. Paris devient la capita mondiale des lettres et des arts.

À l'extérieur, la France s'engage dans d expéditions coloniales et se construit un empire Afrique occidentale et en Asie (Indochine).

- **1914** *Première Guerre Mondiale*
- **1918**

Les guerres mondiales (1914-1918 et 1939-1945)

Soldats américains défilant sur les Champs-Élysées

Ces deux terribles guerres opposent la France l'Allemagne impériale (Première Guerre Mondial puis l'Allemagne nazie (Deuxième Guer Mondiale). Dans ces deux guerres, l'interventi américaine est décisive.

En 1940, la France est occupée par l Allemands. Le 6 juin 1944, les troupes allié commandées par le Général Eisenhowe débarquent sur les plages de Normandi Utah Beach, Omaha Beach . . . La Libération de France commence.

- **1939** *Deuxième Guerre Mondiale*

- **1945**

La France moderne (1945 - présent)

Le Louvre et sa pyramide, symboles du passé et de l'avenir.

Ruinée par la guerre, la France reconstruit s économie. La construction de la France moder passe par deux étapes° importantes.

- La décolonisation (1945-1962). Les ancienn colonies françaises d'Afrique du Nord, d'Afriq occidentale, et d'Asie deviennent des républiqu indépendantes.
- L'intégration à l'Europe (1957 - présent). En 195 la France devient membre de la **Communau Économique Européenne** ou «Marc Commun». La création de cette grande zone d libre-échange permet l'expansion commerciale industrielle de la France. Intégrée à l'Europe, France est aujourd'hui un pays moderne avec l'u des niveaux de vie° les plus élevés du monde.

- **1957** *Marché Commun*
- **1960** *Fin de l'ère coloniale*
- **1979** *Premier Parlement Européen*
- **1992** *Traité de Maastricht*

étapes *steps, stages*   **niveau de vie** *standard of living*

🌐 NOTES CULTURELLES

- Parmi les artistes étrangers qui viennent en France et qui ont constitué **l'École de Paris,** on peut mentionner: **Picasso** (Espagne), **Modigliani** (Italie), **Diego Rivera** (Mexique), **Foujita** (Japon), **Soutine** (Lithuanie), **Chagall** (Russie).

- Quelques anciennes colonies et protectorats français:
Afrique du Nord: **Maroc, Algérie, Tunisie**
Afrique occidentale: **Sénégal, Côte d'Ivoire**, etc.
Asie: **Vietnam, Cambodge, Laos**

■ *Les personnes*

Marie Curie (1867-1934)

Marie Curie, née Sklodowska, est l'un des grands génies scientifiques des temps modernes. D'origine polonaise, elle vient à Paris en 1891 pour continuer ses études scientifiques. En 1895, elle épouse son professeur, **Pierre Curie**. Ensemble, ils découvrent le radium et le polonium, auquel elle donne le nom de son pays d'origine. En accord avec l'esprit scientifique, les Curie refusent de prendre une patente sur leur découverte et d'en tirer° tout° bénéfice commercial.

En 1898, Pierre et Marie Curie reçoivent le Prix Nobel de Physique pour leurs travaux sur la radioactivité. Après la mort accidentelle de son mari en 1905, Marie Curie continue ses travaux, isole le radium et reçoit le Prix Nobel de Chimie en 1911.

Marie Curie dans son laboratoire.

Jean Moulin, héros de la Résistance

Jean Moulin (1899-1943)

Jean Moulin est le héros de **la Résistance** française pendant la Deuxième Guerre Mondiale. En 1940, il se rallie au gouvernement de la France Libre, dirigé à Londres par le **Général de Gaulle**. Parachuté en France, il organise la Résistance contre les Allemands. Il est arrêté et torturé par la Gestapo.* Après sa mort, la Résistance continue. Les résistants, organisés en «maquis»° harcèlent les troupes d'occupation et préparent la **Libération**.

Simone Veil (1927-   )

Simone Veil est une championne de l'Europe unie et des droits de la femme. Pendant la Deuxième Guerre Mondiale, elle est déportée dans un camp de concentration nazi. Après la guerre, elle fait de brillantes études de droit et de sciences politiques. À l'âge de 20 ans, elle devient attachée auprès du Ministre de la Justice. De 1974 à 1979, elle est nommée Ministre de la Santé. En 1979, elle est élue Député au Parlement européen et elle en est la première présidente.

Simone Veil et le drapeau européen

* La Gestapo (Geheime Staats Polizei = police secrète d'état) était l'instrument le plus dangereux du régime policier nazi.

tirer *to derive*   **tout** *any*   **maquis** *guerrilla groups*

⊕ Notes culturelles

- **Jean Béraud** (1849–1935) was a successful French painter, born in Saint Petersburg. He painted many scenes of daily life, representing people in their homes, on the street, or at the theater.
- **Dwight David Eisenhower** was the 34th president of the United States (1953–1961).
- **Marie Curie** was the first woman to hold a chair at the Sorbonne University in Paris.
- **Irène Joliot-Curie**, daughter of Pierre and Marie Curie, became a scientist herself, and won the Nobel prize for Chemistry in 1935, along with her husband (**Frédéric Joliot-Curie**) for discovering artificial radioactivity.

⊕ Internet Connection—Interlude 6

The following list of Internet addresses expands the material presented in Interlude Unité 6. For alternate links, students can use the keywords with the search engine of their choice: **"la Résistance" + France; "Marché commun"; "Première/Deuxième Guerre Mondiale"**.

Charles de Gaulle	http://www.paris.org/Expos/Liberation/Actors/degaulle.html
Hommage à Louis Malle	http://www.sv.vtcom.fr/ftv/fr3/malle/malle1.html
Au revoir, Louis Malle	http://www.info-france.org/newstatmnt/nff19/culture1.html

🌐 **Notes culturelles**

Les endroits suivants sont nommés en l'honneur de Charles de Gaulle:

• l'aéroport Charles de Gaulle (ou Roissy, l'aéroport international de Paris)

• la place Charles de Gaulle (ou Place de l'Étoile, en haut des Champs-Élysées)

■ **Additional Information**

General De Gaulle was born in Lille in 1890, and died in Colombey-les-Deux-Églises in 1970.

■ *Charles de Gaulle, homme d'action*

Charles de Gaulle est peut-être l'homme qui a eu la plus grande influence sur l'histoire de la France du vingtième siècle. Jeune officier, il est fait prisonnier par les Allemands pendant la première guerre mondiale. Plus tard, il préconise° une stratégie militaire basée sur l'utilisation massive des tanks, mais on ne l'écoute pas.

Charles de Gaulle, Président de la République

Le Général de Gaulle passe en revue les volontaires féminines de la France Libre.

En 1940, la France capitule et est occupée par l'armée allemande. De Gaulle refuse d'accepter la défaite et part pour l'Angleterre. Le 18 juin 1940, il lance° à la radio de Londres son célèbre appel où il demande à tous les Français de continuer le combat contre l'Allemagne nazie. Pour cet acte de rébellion contre l'autorité officielle, il est condamné à mort par le gouvernement français d'alors. Il organise la Résistance et crée un gouvernement de la «**France Libre**».

Documents: Appel du 18 juin 1940

Appel du 18 juin 1940

Moi, Général de Gaulle, actuellement à Londres, j'invite les officiers et les soldats français qui se trouvent en territoire britannique ou qui viendraient à s'y trouver, avec leurs armes ou sans leurs armes, j'invite les ingénieurs et les ouvriers spécialistes des industries d'armement qui se trouvent en territoire britannique ou qui viendraient à s'y trouver, à se mettre en rapport avec moi. Quoi qu'il arrive,° la flamme de la résistance française ne doit pas s'éteindre° et ne s'éteindra pas.

Général de Gaulle

préconise *advocates*   **lance** *sends out*   **quoi qu'il arrive** *whatever happens*   **s'éteindre** *to go out, to be extinguished*

📘 Teaching Strategy: Multiple Intelligences

Ask students to research in their own families and communities, interviewing people who experienced the events leading up to and including World War II. Relatives may be willing to talk to the class about their experiences.

Local veterans groups may also be contacted. It is important for students to make these events in the recent past as personal and as real as possible.

(INTRAPERSONAL)

n août 1944, le Général de Gaulle rentre dans
aris libéré par les troupes alliées. En 1945, il est
lu président provisoire de la République
ançaise, mais il démissionne° parce qu'il n'a pas
s pouvoirs° de gouverner.

Peu après, la France connaît deux longues et
agiques guerres coloniales, d'abord la guerre
'Indochine, puis la guerre d'Algérie. L'Algérie
st alors un territoire français avec une
opulation en majorité musulmane.° Les
lgériens musulmans veulent leur indépendance
t décident de prendre les armes contre la France.
e gouvernement français ne sait pas comment
rrêter cette guerre impopulaire. La France est au
ord° de la guerre civile.

Les Français font appel à de Gaulle qui
evient Président de la République en 1959. De
aulle comprend que l'ère coloniale est finie. Il
égocie l'indépendance avec l'Algérie, puis avec
s colonies françaises d'Afrique Noire qui
eviennent des républiques amies de la France.

De Gaulle veut restaurer la grandeur de la
rance. Il comprend que l'avenir° de la France
épend de son intégration dans une Europe forte
t indépendante. Il mène° alors une politique
arquée par la réconciliation avec l'Allemagne et
ne certaine distance vis-à-vis des États-Unis. De
aulle veut aussi réformer les institutions
rançaises. Beaucoup de Français n'acceptent pas
s réformes et protestent en organisant de
iolentes manifestations en mai 1968. Peu après,
e Gaulle se retire de la vie publique.

Le Général de Gaulle sur les Champs-Élysées
à la Libération de Paris en 1944

Le Général de Gaulle avec un chef d'état africain

es manifestations à Paris, mai 1968

émissionne *resigns* pouvoirs *powers* musulmane *Moslem*
u bord de *on the edge of* l'avenir = le futur il mène = il fait

🌐 Realia Notes
La Nouvelle-Calédonie is an
island in Melanesia, in the
Pacific Ocean. Discovered by
Cook in 1774, it became
French in 1853, and still
remains a French territory. Its
inhabitants are called **les
néo-calédoniens**.

🌐 NOTE CULTURELLE

The revolution of May 1968 (**la Révolution de
Mai 68**), started with demonstrations in high
schools and universities in January 1968. In
May, students in the Latin Quarter set up
barricades and organized demonstrations that
became violent. Student leader Daniel Cohn-
Bendit was then deported to Germany, his
native country. Workers joined the students,
and many strikes paralyzed the country. One of
the most significant consequences was the
reform of the educational system. Universities,
which were still operating as they did under
Napoleon 1st, became less elitist, more accessible and more affordable.

Pour en savoir plus

- For a description of surrealism, see *Interlude 1*, pp. 66–67.

- **Fernand Léger** (1881–1955) was a French painter. He started as a cubist, then went on to take his inspiration from the dynamism of modern life and industry. He also made stained glass, ceramics and mosaics.

Language Notes

- **réaliser** *to produce/ make a movie*
  le réalisateur *film director*
- **Un pupitre** is an old-fashioned school desk, with an inclined desktop.

Anecdote

Louis Malle appeared in an episode of the sitcom "Murphy Brown" starring his wife, Candice Bergen.

■ *Liberté, liberté*

Pour l'humanité, la liberté est le bien° le plus précieux. C'est le principe fondamental de la démocratie. Dans la *Déclaration d'indépendance* américaine et dans la *Déclaration des droits de l'homme* de la Révolution française, la liberté est un droit inaliénable et imprescriptible.°

Pourtant,° tous les êtres humains ne sont pas libres. Les Français, par exemple, ont perdu leur liberté quand leur pays a été occupé par les troupes allemandes entre 1940 et 1944. Ils rêvaient° alors de cette liberté qu'il fallait reconquérir et beaucoup sont morts pour elle en combattant dans la Résistance.

Paul Éluard

Paul Éluard, auteur du poème *Liberté*, était un poète surréaliste et un membre très actif de la Résistance. Il a publié ce poème pendant l'occupation dans un livre intitulé *Poésie et vérité* 1942. Interdit° par la censure allemande, ce livre était distribué clandestinement et parachuté en milliers d'exemplaires° par l'aviation alliée.

un bien = une possession **imprescriptible** *which cannot be legally taken away*
pourtant *however* **rêvaient** *dreamed* **interdit** *forbidden* **exemplaires** *copies*

Illustrations du poème par l'artiste Fernand Lé[...]

■ *Au Revoir, les Enfants*

Au Revoir, les Enfants est un film réalisé par le cinéaste français contemporain **Louis Malle**. C'est un film autobiographique dans lequel Louis Malle évoque un épisode dramatique de sa jeunesse.

Louis Malle, réalisateur du film, avec deux des acteurs principaux

■ Teaching Strategy: Multiple Intelligences

Students might enjoy listening to readings and music of the **Résistance**. A local library or music store may be able to locate *La Résistance: Ses chants et ses poètes*, or you might contact Disquesades, 54, rue Saint-Lazare, 75009 Paris; ADE 652/3-229262-036825 (MUSICAL)

Liberté

Paul Éluard

Sur mes cahiers d'écolier
Sur mon pupitre° et les arbres
Sur le sable° sur la neige
J'écris ton nom

Sur toutes les pages lues
Sur toutes les pages blanches
Pierre sang° papier ou cendre°
J'écris ton nom

Sur les images dorées°
Sur les armes des guerriers°
Sur la couronne° des rois
J'écris ton nom

Sur la jungle et le désert
Sur les nids° sur les genêts*
Sur l'écho de mon enfance
J'écris ton nom

Sur mes refuges détruits
Sur mes phares écroulés°
Sur les murs de mon ennui
J'écris ton nom

Sur l'absence sans désirs
Sur la solitude nue°
Sur les marches° de la mort
J'écris ton nom

Sur la santé revenue
Sur le risque disparu
Sur l'espoir° sans souvenirs
J'écris ton nom

Et par le pouvoir° d'un mot°
Je recommence ma vie
Je suis né pour te connaître
Pour te nommer *Liberté.*

*Genêt or *broom* is a European shrub with bright yellow flowers that grows wild in the woods and uncultivated fields

pupitre *school desk* **sable** *sand* **sang** *blood* **cendre** *ashes* **dorées** *gilded* **guerriers** *warriors* **couronne** *crown* **nids** *nests*
phares écroulés *lighthouses that have collapsed* **nue** *naked* **marches** *steps, stairs* **espoir** *hope* **pouvoir** *power* **mot** *word*

Le film se passe au cours de° l'hiver 1944. À cette époque la France est occupée par les Allemands qui ont imposé la loi° hitlérienne partout. Les Juifs,° en particulier, sont traqués,° et quand ils sont pris, ils sont envoyés dans les camps d'extermination. Les Français qui les aident ou les abritent° sont, eux aussi, passibles de mort.

Parmi les Français, il y a ceux qui résistent aux Allemands, et ceux qui collaborent avec eux, mais la majorité attend passivement l'arrivée des Alliés et la fin de la guerre.

La vie est difficile. Comme la nourriture manque,° le marché noir s'installe partout. De plus en plus fréquemment, la population civile est soumise aux bombardements de l'aviation alliée . . .

au cours de = *pendant* **loi** *law* **Juifs** *Jews* **traqués** *hunted down* **abritent** *shelter* **manque** *is lacking*

LECTURE ET CULTURE 257

À NOTER:
The middle section of *Liberté* reads as follows:

Sur les merveilles des nuits
Sur le pain blanc des journées
Sur les saisons fiancées
J'écris ton nom

Sur tous mes chiffons d'azur
Sur l'étang soleil moisi
Sur le lac lune vivante
J'écris ton nom

Sur les champs sur l'horizon
Sur les ailes des oiseaux
Et sur le moulin des ombres
J'écris ton nom

Sur chaque bouffée d'aurore
Sur la mer sur les bateaux
Sur la montagne démente
J'écris ton nom

Sur la mousse des nuages
Sur les sueurs de l'orage
Sur la pluie épaisse et fade
J'écris ton nom

Sur les formes scintillantes
Sur les cloches des couleurs
Sur la vérité physique
J'écris ton nom

Sur les sentiers éveillés
Sur les routes déployées
Sur les places qui débordent
J'écris ton nom

Sur la lampe qui s'allume
Sur la lampe qui s'éteint
Sur mes maisons réunies
J'écris ton nom

Sur le fruit coupé en deux
Du miroir et de ma chambre
Sur mon lit coquille vide
J'écris ton nom

Sur mon chien gourmand et tendre
Sur ses oreilles dressées
Sur sa patte maladroite
J'écris ton nom

Sur le tremplin de ma porte
Sur les objets familiers
Sur le flot du feu béni
J'écris ton nom

Sur toute chair accordée
Sur le front de mes amis
Sur chaque main qui se tend
J'écris ton nom

Sur la vitre des surprises
Sur les lèvres attentives
Bien au-dessus du silence
J'écris ton nom

Teaching Strategies

• If students are interested, you might draw their attention to how the poem begins with familiar images of childhood, and then moves to more violent images (**sang, cendre**) and scenes of destruction (**mes refuges détruits**), before ending on a note of hope.
• Special project: Have students select one phrase from the poem and illustrate it in a poster.

• Ask students the following questions:
  – Et vous? Qu'est-ce que la liberté pour vous?
  – Donnez-votre définition de la liberté et des exemples.
• Point out that **soumettre** (*p.p.* **soumis**) is conjugated like **mettre**. (See Appendix C.)

Unité 6 257

Louis Malle died in November 1995. He also made the following films in English:

• *Crackers* (1984), with Sean Penn, a remake of *Big Deal on Madonna Street*.
• *God's Country* (1985) about the life of a small farming town in Minnesota.
• *Alamo Bay* (1985) with Ed Harris and Ho Nguyen, about the conflict between Vietnamese immigrants and Texas fishermen.

🌐 Note culturelle

En 1988, *Au Revoir, les Enfants* a gagné le César (l'équivalent français de l'Oscar) pour le meilleur film de l'année.

L 'action du film a lieu dans une école catholique de garçons dont le directeur, **le père Jean**, est un prêtre° d'une grande intégrité morale. Le héros du film est un jeune garçon d'une douzaine d'années, **Julien Quentin** (c'est, bien sûr, Louis Malle lui-même), qui est pensionnaire° avec son frère aîné François dans cette école.

1 Le film commence à la rentrée des classes après les vacances de Noël. Dans la première scène, Julien est à la gare. Il dit au revoir à sa mère, puis il prend son train. Quand il arrive au collège, il retrouve tous ses copains. Dans la classe, il y a un nouvel élève qui s'appelle 2 **Jean Bonnet**. C'est un garçon timide et réservé qui ne parle jamais de sa famille. C'est aussi un brillant élève, en maths, en français, en musique. Julien, qui était jusqu'alors° le meilleur élève de la classe, sent en lui un rival. Il questionne Jean sur son passé, mais celui-ci lui répond d'une façon évasive.

Louis Malle (1932-19

Louis Mal est l'un d grands réalisateu du ciném: français moderne. Il a d'abord fait des films documentaires, comme premier film *Le monde du sile* réalisé en coopération avec Jacques-Yves Cousteau, l'explorateur du monde mari

Dans ses films plus récer Louis Malle a traité de thème personnels comme celui évoc dans *Au revoir, les Enfants*.

Louis Malle était marié av l'actrice américaine Candice Bergen et habitait à New Yor

1 *Julien dit au revoir à sa mère avant de prendre son train pour rentrer au collège.*

2 *Au collège, il y a un nouvel élève. Il s'appelle Jean Bonnet.*

3 *Les deux garçons deviennent amis.*

réalisateur *director* **marin** *= de la mer* **prêtre** *priest* **pensionnaire** *boarding student* **jusqu'alors** *until then*

🖥 IMPORTANT TEACHING NOTE

Although the film *Au Revoir, les Enfants* is rated PG, it contains some language which may be INAPPROPRIATE and OBJECTIONABLE for a class viewing.

Before deciding to show the film in class, you should definitely <u>preview</u> it carefully, paying attention to the dialogs between the boys at the school. If you decide to show the movie, you should be prepared to deal with the objectionable language, or use only selected scenes for class viewing.

4 Le jeune employé est renvoyé pour avoir fait du marché noir.

💻 **Teaching Strategy**

You may wish to obtain a copy of the film as well as accompanying Lesson Plans from:

Film Aerobics
9 Birmingham Place
Vernon Hills, IL 60061
1-800-832-2448

Un jour, Julien découvre la vérité: Jean Bonnet s'appelle en réalité Jean Keppelstein et il est juif. Les prêtres l'ont recueilli° avec deux autres enfants juifs pour le soustraire° à la police allemande. Au collège, il est en sécurité tant que° sa véritable identité reste cachée.° Depuis cette découverte, les relations entre les deux garçons changent et ils deviennent amis.

Un samedi, au cours d'une sortie, ils se perdent dans la forêt. Julien arrête une voiture de patrouille allemande. Jean veut s'échapper, mais il est rattrapé.° Les soldats allemands ramènent les deux garçons à l'école. Cette fois-ci, il y a plus de peur° que de mal!° Un autre jour, la famille de Julien invite Jean à déjeuner dans un grand restaurant. Jean assiste à une scène pénible° où un client juif, décoré de la Légion d'Honneur,* est insulté par un Milicien, auxiliaire français de la police allemande.

Les jours passent . . . Un employé de l'école est renvoyé° pour avoir fait du marché noir avec les élèves. Pour se venger, il dénonce la présence d'enfants juifs à l'école. La police allemande arrive et encercle l'école. Un soldat entre dans la salle de classe pour arrêter Jean. D'autres soldats fouillent° l'école. Les deux autres élèves juifs sont découverts et arrêtés ainsi que° le père Jean qui était membre de la Résistance. Au moment de quitter l'école, escorté par des soldats allemands, le père Jean dit un dernier au revoir à ses élèves: «Au revoir, les enfants! À bientôt!»

Personne ne reviendra. Jean et ses deux camarades juifs mourront à Auschwitz. Le père Jean mourra au camp de Mauthausen.

5 Un soldat allemand entre dans la salle de classe pour arrêter Jean.

6 Le père Jean dit un dernier au revoir aux élèves de l'école.

■ **Note linguistique**

Remind students that **le collège** = junior high school.

*La Légion d'Honneur: haute distinction donnée aux gens qui ont servi la France.

recueilli *taken in* soustraire à *to protect from* tant que *as long as* cachée *hidden* rattrapé *caught*
peur *fright* mal *harm* pénible *painful* renvoyé *fired* fouillent *to search* ainsi que *as well as*

LECTURE ET CULTURE 259

UNITÉ 7

MAIN THEME
Health and Medical Care

Communication Functions/Contexts

- Going to the doctor's office
- Going to the dentist
- Going to the emergency room

Linguistic Goals

- Expressing how you and others feel
- Expressing fear, doubt, disbelief
- Expressing feelings or attitudes about past actions and events

 Internet Connection Notes, Project 1, pp. 111–115

UNITÉ 7
La forme et la santé

Thème et Objectifs

Culture
In this unit, you will discover . . .
- how the French take care of their health
- why the French drink mineral water
- how the French help provide health care to less fortunate people around the world

Communication
You will learn how . . .
- to see a doctor or dentist and explain what is wrong
- to follow the doctor's instructions

Langue
You will learn how . . .
- to express your doubts and fears
- to affirm your beliefs
- to let people know how you feel about both present and past events

TEACHING RESOURCES

Technology/Audio Visual

 43, 44, 45, 46, L7

 Audio CD Program, Unit 7

 Audiocassette Program, Unit 7

 Pas de problème Video Program, Module 8

Print

 Audio Script
Overhead Visuals Copymasters/Activities
Answer Key
Video Activity Book, Module 8
Practice Activities, pp. 69–76, 145–150, 191–192

260 Unité 7

Les Français et leur santé

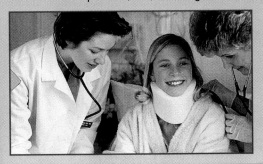

En France comme ailleurs,° la santé et la forme sont la préoccupation de tout le monde. Pour rester en forme, les jeunes Français participent à toutes sortes de sports: la natation en été, le ski en hiver, le foot, le basket, le vélo, le jogging, la marche à pied en toute saison. Il arrive° cependant que les personnes en excellente santé tombent malades. Il faut alors aller voir un médecin.

Pour les maladies ordinaires, on va voir un médecin généraliste. Pour les maladies spécifiques, on doit consulter un spécialiste: oculiste pour les yeux, cardiologue pour le coeur, dermatologue pour les maladies de peau,° stomatologue pour la bouche, gastro-entérologue pour l'estomac ... Si on a besoin d'une radio,° on va chez un radiologue.

En cas d'urgence° ou d'accident sérieux, on peut téléphoner au SAMU (Service d'Aide Médicale Urgente). Il suffit de composer le numéro 15 sur le cadran.° Le SAMU est un service public rattaché à un hôpital. Suivant la gravité du problème, le SAMU envoie un médecin d'urgence, une ambulance de réanimation ou une ambulance ordinaire.

Les femmes-médecins

Aujourd'hui, il y a beaucoup de femmes-médecins en France. Elles représentent 35% du corps médical. C'est seulement en 1870 que la première femme a reçu son diplôme de médecin de la Faculté de Médecine de Paris. Cette jeune femme n'était d'ailleurs pas française, mais anglaise!

Le système médical français a le grand avantage d'être presque gratuit.° La majorité des Français sont inscrits° à la Sécurité Sociale. Avec la Sécurité Sociale, le gouvernement français prend en charge les dépenses médicales et la santé de ses citoyens.° Les gens qui vont chez le médecin ou chez le dentiste remplissent° une feuille° de Sécurité Sociale qui leur permet° d'être remboursés à 75%. Et quand ils vont chez le pharmacien, les médicaments° sont aussi remboursés.

Les Français aiment se soigner.° Ce sont les plus grands consommateurs de médicaments du monde. En général, les médicaments qu'ils prennent, comme l'aspirine ou les vitamines, sont fabriqués par les grandes compagnies pharmaceutiques. Ils prennent aussi toute une variété de médicaments à base de produits naturels (fruits, fleurs, plantes, herbes sauvages,° feuilles° ou écorce° d'arbre, etc.). Ce sont des infusions pour la digestion, l'insomnie ou la migraine, des pilules° pour le foie,° des pastilles° et des sirops pour la toux,° des crèmes et des pommades° pour la peau, etc.... En pratiquant cette médecine «écologique,» ils redécouvrent° les secrets des remèdes traditionnels.

et vous?

DÉBATS

Choisissez un des sujets de débat et prenez une position pour ou contre. Débattez votre position avec votre partenaire. Si possible, utilisez des exemples pour établir votre position.
1. Les Américains consomment trop de médicaments.
2. Le sport est la meilleure prévention contre la maladie.
3. Quand on est malade, il est préférable d'utiliser des médicaments naturels.

ailleurs *elsewhere* **il arrive** *it happens* **peau** *skin* **radio** *x-ray* **cas d'urgence** *emergency* **cadran** *dial* **gratuit** *free of charge*
inscrire ✳ *to register* **citoyens** *citizens* **remplissent** *fill out* **feuille** *form* **permettre** ✳ *to allow* **médicaments** *medicine, drugs*
se soigner *to take care of one's health* **sauvages** *wild* **feuilles** *leaves* **écorce** *bark* **pilules** *pills* **le foie** *liver* **des pastilles** *tablets*
la toux *cough* **des pommades** *ointments* **redécouvrir** ✳ *to rediscover*

INFO MAGAZINE

Theme: Health care in France

Reading Strategy: Reading for information

☼ Teaching Strategy

These readings can be done:
• in class or as homework
• at the beginning of the unit or as a wrap-up activity
Have students look at the realia and photos and guess the theme of the article. Have them skim, looking for cognates, then giving the main idea. Short *Info Magazine* quizzes may be used to test for comprehension or as a basis for discussion.

🌐 Note culturelle

The **pharmacies de garde** are open at night and on Sundays for people requiring emergency medical attention. (These designated establishments are listed in newspapers as well as on the doors of all **pharmacies.**)

■ Note linguistique

La parapharmacie is a drugstore that sells non-prescriptions drugs, vitamins, herbs, and beauty products.

■ Débats

Additional topics for debate or discussion:
• Les compagnies pharmaceutiques s'intéressent plus à leurs profits qu'à la santé de la population.
• En quoi le système médical français est-il différent du système américain?

■ Irregular Verbs

(see Appendix C)
inscrire   *(see* **écrire**)
permettre   *(see* **mettre**)
redécouvrir *(see* **ouvrir**)

ASSESSMENT OPTIONS

Teacher's Resource Package

 Internet Connection Notes, pp. 111–121

 Lesson Plans, Unit 7

 Teacher-to-Teacher, pp. 80–93

Achievement Tests

Quizzes, Unit 7

Unit Test 7

 Reading and Culture Tests

Proficiency Tests

 Listening Comprehension

 Speaking Performance

Writing Performance

 Portfolio Assessment

Unité 7 261

Transparencies 1, 1(o)

Overhead Visuals Copymasters and Activities, pp. A5–A6

■ Additional Information

Perrier water comes from a spring in Vergèze (Gard). It owes its name to the original owner of the spring: Docteur Louis Perrier. The bottled water is naturally carbonated.

■ Notes linguistiques

Définitions

- **Un minéral:** un élément de la terre
- **Un rhumatisme:** quand on a un rhumatisme, on a mal aux genoux ou aux mains, par exemple
- **Une source thermale:** dans une source thermale, il y a des minéraux bons pour la santé
- **Une cure thermale:** on fait une cure thermale quand on utilise les sources thermales pour se soigner ou se mettre en forme
- **La thalassothérapie:** un traitement par l'eau de mer et l'air marin
- **Un sauna:** un bain de vapeur très chaud
- **Un bain de boue:** pour un bain de boue, on ne se baigne pas dans de l'eau, mais dans de la boue
- **Le stress:** c'est quand on est fatigué parce qu'on a trop travaillé, par exemple, ou parce qu'on a beaucoup de problèmes

L'eau, c'est la santé

■ Au café, les jeunes commandent de l'eau minérale.

Au café ou au restaurant, Stéphanie commande généralement de l'eau minérale. Sandrine en boit un grand verre le matin quand elle se lève, et le soir quand elle se couche. Quant à° Christophe, il ne va jamais au lycée sans emporter° une bouteille d'eau minérale dans son sac. L'eau minérale est la boisson favorite des Français. Ils en boivent en moyenne° 85 litres par personne (hommes, femmes, et enfants) et par an. Ce sont les champions du monde de la consommation d'eau minérale.

L'eau a de nombreux avantages. C'est le plus naturel des produits. Elle contient° zéro calorie. Elle facilite l'élimination des toxines et la régénération des cellules de notre corps. (N'oublions pas que le corps° humain est composé de deux tiers° d'eau!)

En outre,° les eaux minérales ont certaines propriétés thérapeutiques qui dépendent des minéraux qu'elles contiennent (magnésium, calcium, potassium, sodium, etc.) Certaines eaux sont bonnes pour la digestion, d'autres pour le foie° ou les reins.° Certaines sont recommandées pour les rhumatismes, d'autres pour les maladies de peau.° En France, il existe des centaines d'eaux minérales différentes. Ces eaux viennent de sources° thermales situées principalement dans les zones montagneuses: Massif Central (Vichy), Alpes (Évian), Vosges (Vittel, Contrexéville), Pyrénées (Amélie-les-Bains).

La façon la plus normale d'utiliser une eau minérale est d'en boire tous les jours. Une autre façon consiste à faire une «cure» dans la région qui produit une eau particulière. Là, non seulement on boit de grandes quantités d'eau minérale, mais on utilise celle-ci pour prendre des bains et pour se faire faire des massages. Cette tradition remonte° aux Romains qui connaissaient bien les vertus de l'eau et qui ont découvert° un grand nombre de sources thermales en Gaule il y a 2000 ans. Aujourd'hui des centaines de milliers de Français vont chaque été faire une cure dans les stations thermales spécialisées.

D'autres personnes préfèrent aller à la mer et pratiquer la «thalassothérapie.» Cette méthode consiste à profiter des avantages combinés de l'eau de mer, de l'air et du climat marins. On peut prendre des bains de mer très chauds, des saunas ou des bains de boue.° La thalassothérapie est recommandée pour les personnes qui souffrent° de fatigue ou de stress, pour celles qui veulent se remettre en forme, et aussi pour les athlètes professionnels.

La France des eaux

Il existe plus de 100 stations thermales en France. Chacune a sa spécialité.

- Si vous avez des problèmes de digestion, allez à Vichy, Vittel, Évian ou Contrexéville.
- Si vous avez de l'asthme, allez à Amélie-les-Bains.
- Si vous avez une peau délicate, allez à la Bourboule.
- Si vous avez des rhumatismes, allez à Aix-les-Bains, comme autrefois la reine Victoria, ou à Plombières, comme l'empereur Napoléon III.

(Map labels: Paris, Vittel, VOSGES, Plombières, Contrexéville, Vichy, la Bourboule, MASSIF CENTRAL, Évian, Aix-les-Bains, ALPES, PYRÉNÉES, Amélie-les-Bains, Luchon)

et vous?

PROJET

Allez dans un supermarché et faites une liste des eaux minérales qu'on y vend. Indiquez l'origine géographique de ces eaux minérales.

quant à *as for* **emporter** *to take along* **en moyenne** *on the average* **contenir** ✷ *to contain* **le corps** *body* **deux tiers** *two-thirds* **en outre** = en plus **le foie** *liver* **les reins** *kidneys* **la peau** *skin* **les sources** *springs* **produire** ✷ *to produce* **remonte** *dates back* **découvrir** ✷ *to discover* **boue** *mud* **souffrir** ✷ *to suffer* **se remettre** ✷ *to get back (into shape)*

262 Unité 7 ■ INFO Magazine

☀ Teaching Strategy: Warm-Up

As homework, have the students read pp. 261–262, and ask them to prepare five to ten questions per page. Have each student ask one of his/her questions and choose a student to answer. Repeat this until all the questions have been asked and answered.

Le savez-vous?

Que savez-vous de votre santé et de la santé en général? Faites le test suivant. Combien de phrases pouvez-vous compléter? [Pour connaître les réponses, allez au bas de la page.]

1. Le matin, notre température normale est de …
   a. 35 degrés
   b. 37 degrés
   c. 40,2 degrés

2. En moyenne, un adolescent de 16 ans a besoin de … par jour.
   a. 1.500 calories
   b. 2.800 calories
   c. 3.400 calories

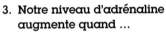

3. Notre niveau d'adrénaline augmente quand …
   a. on a faim
   b. on a la grippe
   c. on se met en colère

4. La grippe est une maladie causée par …
   a. un virus
   b. le froid
   c. la mauvaise hygiène

5. Un dermatologue est un médecin qu'on peut consulter quand on a …
   a. de l'acné
   b. des rhumatismes
   c. mal à la tête

6. Le calcium est l'élément principal du squelette et des dents. Une excellente source de calcium est …
   a. le lait
   b. la viande
   c. le poisson

7. Il ne faut pas fumer parce que le tabac est un poison qui peut provoquer beaucoup de maladies sérieuses, en particulier …
   a. l'anémie
   b. la tuberculose
   c. le cancer du poumon

8. La pénicilline est un antibiotique. Son rôle est de …
   a. faciliter la digestion
   b. éliminer les produits toxiques
   c. détruire les bactéries qui provoquent les infections

9. Quand on est à la plage, il est prudent de se protéger contre le soleil. À long terme, l'exposition trop longue au soleil peut provoquer …
   a. l'insomnie
   b. la polio
   c. le cancer de la peau

10. Les personnes qui ont un problème avec leur cholestérol doivent éviter (avoid) de manger …
    a. des fruits
    b. des légumes
    c. des oeufs

11. La mononucléose est une maladie qui affecte …
    a. le sang
    b. les muscles
    c. l'estomac

12. Le jogging, le cyclisme, et la gymnastique sont des activités aérobiques. Le résultat principal d'une activité aérobique est …
    a. de développer nos muscles
    b. d'augmenter notre rythme cardiaque
    c. d'éliminer les toxines

13. En cas de transfusion sanguine, il est important de connaître son groupe sanguin. Le groupe sanguin le plus rare est …
    a. le groupe A
    b. le groupe B
    c. le groupe O

14. Quand on est diabétique, il est déconseillé de manger …
    a. du pain
    b. du sucre
    c. du fromage

RÉPONSES: 1b, 2b, 3c, 4a, 5a, 6a, 7c, 8c, 9c, 10c, 11a, 12b, 13b, 14b

Unité 7 ■ INFO Magazine 263

🌐 **Proverbe**

Santé passe richesse. (Health before wealth.)

■ **Note linguistique**

Traditionnellement, au nouvel an en France, on dit «Bonne année, bonne santé» aux membres de sa famille et à ses amis.

■ **Language Note**

35°C = 95°F; 37°C = 98.6°F; 40,2°C = 104.3°F

🌐 **Note culturelle**

Spa is a city in Belgium, renowned for its **station thermale**. The waters from the seven main springs of Spa are said to help people with rheumatism.

■ **Notes linguistiques**

Définitions

• **Un médecin généraliste:** quelqu'un qui soigne les maladies ordinaires
• **Un médecin spécialiste:** quelqu'un qui soigne des maladies spécifiques
• **Un médecin d'urgence:** quelqu'un qui s'occupe des cas d'urgence, des accidents
• **Le SAMU:** c'est le Service d'Aide Médicale Urgente
• **La Sécurité Sociale:** c'est une assurance qui rembourse les dépenses médicales
• **Une compagnie pharmaceutique:** une compagnie qui fabrique des médicaments
• **La médecine «écologique»:** c'est basée sur des produits naturels (plantes, fruits, etc.) et des remèdes traditionnels

---

🌐 **NOTES CULTURELLES**

• By 1997, every French person over 16 was issued a **carnet de santé**, a medical record in which doctors write their diagnoses and prescriptions. For privacy, there is no name on the booklet, only a social security number. A patient must bring his **carnet** when going to see a doctor. By 1999, the **carnet** will have been replaced by a smart card, with all medical information recorded on its electronic chip.
• The first social security system appeared in France in 1913.

LE FRANÇAIS
PRATIQUE

Une visite médicale

TEACHING RESOURCES

 Transparency 43

 Overhead Visuals Copymasters and Activities, pp. A91–A93

 Practice Activities, pp. 145–146

Supplementary vocabulary

le médecin généraliste
le neurologue
le pédiatre
le cardiologue
le psychiatre

J'ai bonne mine. *I look good/healthy.*

J'ai mauvaise mine. *I look bad/sick.*

■ Additional Information

Penicillin was discovered in 1928 by Alexander Fleming, a British physician. Fleming received the Nobel Prize in Medicine in 1945.

LE FRANÇAIS
PRATIQUE
Une visite médicale

> Avez-vous un rendez-vous ?

> Oui, j'ai un rendez-vous avec le docteur Lavie à deux heures.

Dans la salle d'attente *(waiting room)*

— Avez-vous **un rendez-vous** *(appointment)*?
  Oui, j'ai un rendez-vous avec
  le docteur Lavie à deux heures.

le médecin	le/la chirurgien(ne) *surgeon*
le/la dentiste	l'infirmier(ère) *nurse*
le spécialiste	l'oculiste

FMP (FÉDÉRATION MUTUALISTE PARISIENNE

CENTRES OPTIQUE MÉDICALE

24 r St Victor 75005 P_____ 01 40 46 11 37
10-12 av Georges Clémenceau
93139 Noisy le Sec_____ 01 48 44 00 32

Dans le cabinet *(office)* **du médecin**

— Comment allez-vous?
  Comment vous sentez-vous?

Ça va,	**je me sens bien.**
	je me **porte** bien.
	je suis **en bonne santé** *(health)*.
	je suis **bien portant(e)** *(in good health)*.

se sentir *to feel*
se porter bien *to be in good health*

Ça ne va pas.	**Je ne me sens pas bien.**
Je suis	**malade** *(sick)*.
Je me sens	

fatigué	**faible** *weak*	
nerveux	**déprimé** *depressed*	

— Avez-vous **de la fièvre?**
  Oui, j'ai de la fièvre.
  J'ai 39 degrés de température.

Médecins qualifiés: chirurgie générale

• Bougival
NATHAN Georges
2 rte Celle St Cloud_____ 01 39 12 28 84

• Celle Saint Cloud(La)
ROMANO Mauro
22 av Jonchère_____ 01 30 82 23 48

• Chambourcy
MIRABEL André
1 all résidence_____ 01 39 65 32 48

Comment vous... SANTÉ

🌐 NOTES CULTURELLES

- The first inoculation was made in 1796 by British physician Edward Jenner (1749–1823).
- French scientist **Louis Pasteur** (1822–1895) discovered the vaccine against rabies (1885). He also discovered two other vaccines, the process now called **la pasteurisation**, and founded the **Institut Pasteur** in 1888 in Paris. There are many branches of the Institute around the world serving as major research and vaccine production centers.
- Often, a French person will subscribe to **une mutuelle**, private insurance which will supplement the reimbursement of medical care made by the **Sécurité Sociale**.

Qu'est-ce qui ne va pas?

Je tousse.

— Est-ce que **ça vous fait mal**?
    Aïe *(Ouch)!* Oui, ça fait mal.
    Non, ça ne fait pas mal.

faire mal *to hurt*

— Où **avez-vous mal**?
    J'ai mal | **à la tête.**
             | **à la gorge** *(throat)*.
             | **au ventre** *(stomach)*.
    J'ai mal au coeur *(I feel nauseous)*.

Les parties du corps

Révision ▶
p. R12

— **Qu'est-ce qui ne va pas?** *(What's wrong?)*

    Je tousse.

tousser *to cough*	**éternuer** *to sneeze*
vomir *to throw up*	**saigner** *(to bleed)* **du nez**

    J'ai **un rhume** *(a cold)*. Je suis **enrhumé(e)**.
    J'ai **une douleur** *(pain)* dans le dos.

des nausées	
de l'eczéma	
des vertiges	*dizzy spells*
des boutons	*a rash*

— Quelles **maladies** *(diseases)* **d'enfance** avez-vous eues?
    J'ai eu **la rougeole** *(measles)*.

les oreillons	*mumps*
la varicelle	*chicken pox*
la rubéole	*German measles*
la coqueluche	*whooping cough*

Supplementary vocabulary

Ouille! /uj/ *ouch!*
transpirer *to sweat*
C'est douloureux. *It's sore.*
Ça gratte. *It's itchy.*
Ça démange. *It's itchy.*
un bleu *bruise*
une égratignure *scratch*
une brûlure *burn*
une ampoule *blister*

🌐 **Realia Notes**

• **Le Rwanda** is a republic located in east Africa. The country fell under Belgian rule during World War I. It became independent in 1962.

• Point out the pun: «Comment vous santé vous?» (Comment vous sentez-vous?)

• **le soulagement** *relief*

Le français pratique   265

👥 **Teaching Strategy**

Divide the class into pairs and have each pair of students role play the interchanges from the practical vocabulary. Encourage students to use gestures to clarify meaning and to make the dialogs more fun. Ask each pair to choose their most successful and amusing dialog to present to the class. Use **Transparency 43** and the **Overhead Visuals Copymasters and Activities** to extend and expand the dialogs.

—Est-ce que vous pouvez **ouvrir la bouche?**

> **avaler** *to swallow*
> **respirer** *to breathe, breathe in*
> **tousser**

—Je vais vous | **examiner.**
prendre la température.
prendre la tension (blood pressure).
faire une analyse de sang (blood test).
faire une piqûre (shot, injection).
faire une radio (x-ray).

Obtenez
la réponse
**LE DIMANCHE
27 FÉVRIER**

Prises de tension arté
GRATUITES
ENTRÉE 11 H ET 18 H
dans toutes les PJC Jean
JEAN COUTU

—Vous avez **une pneumonie.**

> **un rhume**   **une angine** *strep throat*
> **de l'asthme**   **une bronchite**
>   **la mononucléose**

—Je vais vous **soigner** (to treat).
Voici **une ordonnance** (prescription).
Prenez **ce médicament** (medicine) . . .
| **le matin et le soir.**
deux fois (times) **par jour.**
toutes les 4 heures.

> **de l'aspirine**   **ces comprimés** *pills*
> **cet antibiotique**   **ces cachets** *tablets*
> **ces vitamines**   **ces gouttes** *drops*

—Vous devez | **vous reposer.**
vous soigner.
rester au lit.
prendre rendez-vous
revenir | dans une semaine.

> **se reposer** *to rest*
> **se soigner** *to take care of oneself*

Voici une ordonnance.
Vous devez prendre
rendez-vous dans
une semaine.

Merci, docteur.

PARTIE RÉSERVÉE AU PHARMA-CIEN

Les faits
sur la
vitamine E

webber
VITAMINE
E
100%
source naturelle

200 COMPRIMÉS   325 CHACUN

ASPIRINE
Comprimés d'Acide Acétylsalicylique

ON PEUT S'Y FIER

Clinique de traitement de l'asthme
555, avenue University
Toronto (Ontario) M5G 1X8
HSC

🎭 Teaching Strategy: Multiple Intelligences

Divide the students into pairs and give each of them an imaginary health problem: earache, nausea, fever, cough, cold, etc. Have each group invent a product that will treat their problem, give this product a catchy name and create a T.V. commercial advertising it. Encourage students to use as much vocabulary from pp. 264–266 as possible. (INTERPERSONAL)

Qu'est-ce qu'ils ont?

Choisissez l'option **a**, **b** ou **c** qui correspond logiquement à chaque situation.

1. Thomas va chez l'oculiste.
   a. Il va bien.
   b. Il a les oreillons.
   c. Il a mal aux yeux.

2. Roger a 39 degrés de température.
   a. Il est bien portant.
   b. Il a de la fièvre.
   c. Il a froid.

3. J'ai des difficultés à avaler.
   a. J'ai une angine.
   b. J'ai la rubéole.
   c. J'ai une crampe d'estomac.

4. Ma petite soeur tousse tout le temps.
   a. Elle a la varicelle.
   b. Elle a une bronchite.
   c. Elle est déprimée.

5. Thierry a envie de vomir.
   a. Il éternue.
   b. Il a de la tension.
   c. Il a mal au coeur.

6. Vous avez des boutons.
   a. Vous avez la grippe.
   b. Vous avez la rougeole.
   c. Vous ne respirez pas bien.

7. Je me mets des gouttes dans le nez.
   a. J'ai un rhume.
   b. Je prends des cachets.
   c. J'ai besoin de vitamines.

8. L'infirmière m'a fait une radio.
   a. Je prends des comprimés.
   b. J'ai beaucoup de tension.
   c. Je me suis cassé le bras.

9. J'ai besoin de médicaments.
   a. Je vais à la pharmacie.
   b. Je vois le chirurgien.
   c. Je suis en bonne santé.

10. Je voudrais voir le médecin.
    a. Je me soigne.
    b. Je me sens bien.
    c. Je dois prendre rendez-vous.

Créa-dialogue

Aujourd'hui vous ne vous sentez pas bien du tout. Regardez la liste et choisissez une maladie ou un malaise. Décrivez vos symptômes à votre partenaire.

Ça va?

Qu'est-ce que tu as?

Tu es sûr(e)?

Non, je ne me sens pas bien.

Je crois que j'ai le rhume des foins.

Oui, j'éternue tout le temps et j'ai mal aux yeux.

la grippe	**la mononucléose**	**un rhume**	**une bronchite**
une angine	**une indigestion**	**de l'asthme**	**une pneumonie**
le rhume des foins (hay fever)		**une allergie**	**??**

🌐 Note culturelle

Quand quelqu'un éternue en France, il est poli de dire «À vos (tes) souhaits!» ou bien: «Santé!»

■ Anecdote

The stethoscope was invented by the French physician **René Laennec** (1781–1826).

📁 Student Portfolios

Using Activity 2 as a base, have students record their dialogs for inclusion in their portfolios. If possible, have students extend or adapt the basic format to include more symptoms, a suggestion to visit the doctor or hospital, etc.

TEACHING RESOURCES

Audio CD 7, Tracks 1–4

Audiocassette 7, Side 1

Audio Script, pp. 39–40

Teacher-to-Teacher, Et maintenant …, pp. 88–89; Jumeaux/Jumelles, pp. 90–93

3 À la clinique

Un(e) malade va dans une clinique où il/elle a rendez-vous. Avant de voir le médecin, l'infirmier(ère) lui pose des questions. Complétez le dialogue et jouez-le en classe avec votre partenaire.

Infirmier(ère): Vous avez un rendez-vous?
 Malade: *Answer affirmatively and give the time.*
Infirmier(ère): Comment vous sentez-vous?
 Malade: *Say how you feel.*
Infirmier(ère): Avez-vous de la fièvre?
 Malade: *Give your temperature.*
Infirmier(ère): Où avez-vous mal?
 Malade: *Explain.*
Infirmier(ère): Avez-vous d'autres symptômes?
 Malade: *Give at least two symptoms.*
Infirmier(ère): Quelles maladies d'enfance avez-vous eues?
 Malade: *Mention two.*
Infirmier(ère): Est-ce que vous avez été malade cet hiver?
 Malade: *Answer affirmatively and explain.*
Infirmier(ère): Est-ce que vous prenez des médicaments?
 Malade: *Answer affirmatively and explain.*
Infirmier(ère): Merci. Le médecin va vous examiner.

4 C'est vous le médecin!

Vous êtes médecin. Vos malades vous parlent de leurs problèmes. Dites-leur de ne pas s'inquiéter et expliquez-leur ce que vous allez faire. Puis, donnez-leur une ordonnance.

> • Je tousse tout le temps.
> • J'ai de la fièvre.
> • J'ai des boutons.
> • J'ai des vertiges.
> • J'ai des difficultés à respirer.
> • J'ai des douleurs dans le dos.
> • J'ai été mordu *(bitten)* par un chien.
> • J'ai des palpitations *(rapid pulse).*

Je me sens très faible.

Ne vous inquiétez pas. Je vais vous prendre la tension. Si c'est nécessaire, je vais vous faire une analyse de sang. Voici une ordonnance. Prenez ces cachets deux fois par jour.

Teaching Strategy: Multiple Intelligences

Divide the class into groups; try to include students with varied learning styles in each group. Have students assign tasks within their groups according to individual intelligences. Each group will develop a guide to local emergency services (in French, of course!). The format of the guides will differ according to the composition of the group. Variations may include an on-line guide, a printed guide, a recorded guide, or a series of posters.

Conversations libres

Avec votre partenaire, choisissez l'une des situations suivantes. Composez le dialogue correspondant et jouez-le en classe.

1 Zut alors!

Vous voyagez en France. Un jour vous vous réveillez avec un malaise généralisé et des boutons sur la figure. Vous téléphonez au médecin qui vous demande des détails.

Rôles: le/la touriste, le médecin

2 Un(e) malade imaginaire

Ce matin, il y a un examen de maths très important que vous n'avez pas préparé. Vous allez voir l'infirmier(ère) de l'école. Vous lui expliquez que vous êtes très malade. (Inventez des symptômes pour cette maladie imaginaire.) L'infirmier(ère) a des doutes sur votre maladie.

Rôles: l'élève, l'infirmier(ère)

3 Histoire médicale

Vous êtes infirmier(ère) dans une école française. Vous interviewez un(e) candidat(e) pour l'équipe de foot. Posez-lui des questions sur son état général, par exemple . . .

• s'il (si elle) a des problèmes de santé
• s'il (si elle) a mal quelque part
• quelles maladies d'enfance il(elle) a eues
• s'il (si elle) a été malade cet hiver
• s'il (si elle) prend des médicaments, etc.

Rôles: l'infirmier(ère), l'athlète

4 Une cure miracle

Un charlatan prétend avoir inventé une cure miracle pour toutes sortes de maladies. Un journaliste très incrédule lui pose des questions.

Rôles: le charlatan, le journaliste

■ **Additional Topic**

À L'INFIRMERIE
Vous êtes infirmier(-ère) dans une colonie de vacances. Un matin, un(e) enfant vient vous voir avec des symptômes étranges. Faites-lui un examen complet.

🌐 **Realia Notes**

• **la moisissure** *mould*
• **avoir de l'entrain** *to be full of life*
• **Kirkland** is a city located south of Montréal.
• **Lac Saint-Louis** is a lake south of Montreal.

🌐 **Note culturelle**

Le **caducée** is the universal symbol of the medical profession. This ancient symbol represents a snake wrapping itself around a staff, topped by "the mirror of Prudence." In mythology, both Hermes and Mercury carried a **caducée**. Today, every French doctor has this symbol on the windshield of his car, as a sign of his profession.

■ **Notes linguistiques**

• **La clinique** is generally a privately owned hospital. **L'hôpital** is public.
• **Le diététiste** (*dietician*—Canada) is called **le diététicien** in France.
• **L'éducateur physique** *physical therapist*

➗ Teaching Strategy: Multiple Intelligences

Have students conduct a health survey in class. Each group of students should devise five questions for the survey. Compile all questions, disregarding duplicates and asking for replacement questions. After the survey form is complete, all students should fill it out (no names used). Ask student volunteers to compile the results and use them as a basis for class discussion.
(LOGICAL-MATHEMATICAL)

Unité 7 269

A. Le concept du subjonctif: temps et modes

When we use verbs, we use them in a certain TENSE and a certain MOOD.

- The TENSE of a verb indicates when the action takes place.
  The PRESENT, the PASSÉ COMPOSÉ, the IMPERFECT and the FUTURE are tenses.

- The MOOD reflects the attitude of the speaker or the subject toward the action.
  The INDICATIVE and the SUBJUNCTIVE are moods.

The INDICATIVE MOOD is *objective.*
   It is used to describe *facts.* It states what is considered to be *certain.*
   It is the mood of *what is.*

The SUBJUNCTIVE MOOD is *subjective.*
   It is used to express *feelings, judgments,* and *emotions* relating to an action.
   It states what is considered to be *desirable, possible, doubtful,* or *uncertain.*
   It is the mood of *what may or might be.*

⇒ Although the subjunctive is rarely used in English, it is a mood frequently used in French.
   Compare the moods in the following sentences:

(fact)	Je sais que tu **es** généreux.	*I know that you **are** generous.*
(wish)	Je souhaite que tu **sois** plus patient avec moi.	*I wish that you **were** more patient with me.*

Both the indicative and the subjunctive may occur in a dependent clause introduced by **que**.
The choice between the indicative and the subjunctive depends on what the subject or speaker expresses in the main clause.

MAIN CLAUSE (the subject expresses . . .)	DEPENDENT CLAUSE
• a **fact**, a **belief**	→ INDICATIVE
• a **wish**, a **necessity**, an **obligation**	
• an **emotion** or **feeling**	→ SUBJUNCTIVE
• a **doubt** or **possibility**	

Le subjonctif:
formation régulière
formation irrégulière

Révision ▶ 📖 pp. R19, R21; R23-31

💻 Module 8: En panne

Use the video module to help students become familiar with the use of the subjunctive in French. Play the entire module once without interruption. Next, present the video in short segments, asking students to identify situations where characters are expressing emotions, fear, doubt, etc. Ask students to watch the video again, this time signaling specific phrases containing the subjunctive. These phrases may be put on the board or on an overhead transparency and used as reference while a complete explanation of the subjunctive is given.

Chez le médecin

Vous êtes médecin. Choisissez un patient et dites ce qu'il doit faire et ne pas faire.

PATIENTS		ACTIVITÉS	
il faut que	tu	faire du sport	manger trop
il ne faut pas que	vous	aller à la piscine	manger des produits
	M. Marcoux	être déprimé(e)	naturels
	Mme Lenoir	être nerveux(se)	boire de l'eau minérale
	ces enfants	être optimiste	prendre ces médicaments
	ces malades	avoir trop de	se coucher tard
		tension	se reposer
		avoir peur de la	se soigner
		piqûre	

Les verbes croire et craindre

	croire *(to believe)*		craindre *(to fear, to be afraid of)*	
PRÉSENT	je **crois** / nous **croyons**		je **crains** / nous **craignons**	
	tu **crois** / vous **croyez**		tu **crains** / vous **craignez**	
	il/elle/on **croit** / ils/elles **croient**		il/elle/on **craint** / ils/elles **craignent**	
PASSÉ COMPOSÉ	j'**ai cru**		j'**ai craint**	

Verbes conjugués comme **craindre:**

plaindre *(to be sorry for)*   **peindre** *(to paint)*
se plaindre de *(to complain about)*   **éteindre** *(to turn off, to extinguish)*

Vive la différence!

Chacun fait des choses différentes. Exprimez cela en faisant les substitutions suggérées.

1. Jérôme se plaint de sa copine.
   (les élèves - le professeur / le professeur - l'administration / toi - tout)

2. Isabelle croit à son horoscope.
   (moi - l'avenir [*future*] / vous - l'amitié / Roméo et Juliette - l'amour éternel)

3. Marc peint un tableau *(picture)*.
   (vous - la cuisine / moi - mon bureau / ces artistes - des portraits)

4. J'ai peint ma chambre en bleu.
   (mes cousins - en jaune / vous - en gris / nous - en rouge)

☙ Teaching Notes

This is a review of **croire**. **Craindre** is a new verb. **Atteindre** (*to reach*) is conjugated like **craindre**.
  Les alpinistes **atteignent** le sommet de la montagne.
Also conjugated like **craindre**: **contraindre** *to force (someone to do something)*

⬛ Teaching Strategy

Give pairs of students the following scenarios:
  Vous allez partir camper dans la forêt. Avant de partir, vous demandez à vos compagnons de voyage ce qu'ils craignent. Avec un partenaire, formez les questions et les réponses d'après les suggestions données.

Exemple: tu/les araignées?
          (non)

Est-ce que tu crains les araignées?
Non, je ne crains pas les araignées.

1. vous/les animaux sauvages (non)
2. Paul/les incendies de forêt (oui)
3. Ashley et Laura/les moustiques (oui)
4. toi/l'isolement (non)
5. vous/les disputes (non)
6. nous/les serpents (oui)

Transparency 44

Overhead Visuals Copymasters and Activities, pp. A94–A95

Practice Activities, pp. 71–72, 191

■ **Note linguistique**

Some subjunctive forms have become word-phrases in French, e.g. **Soit!** *(So be it!)* or **Vive le roi!** *(Long live the King!)*. **Note:** vive comes from the verb **vivre**. Agreement can be made or not, e.g. **Vive les vacances!** or: **Vivent les vacances!** *(Three cheers/ hooray for the holidays!)*

Supplementary vocabulary

le bonheur *(happiness)*
être enchanté
se réjouir

la honte *(shame)*
avoir honte
être gêné *(bothered)*
être embarrassé

la tristesse
être navré *(very sorry)*

l'émotion
être ému *(moved)*

■ **Teaching Strategy**

Tell students:
Pour chaque illustration de la page 272, exprimez ce qui arrive au personnage en utilisant une des expressions correspondantes et votre imagination! Exemples:
Il est content d'avoir une lettre.
Il est surpris d'entendre la nouvelle.

C. L'usage du subjonctif: émotions et sentiments

Note the use of the subjunctive in the following sentences.

Je suis content **que tu sois** en bonne santé.   *I am happy **that you are** in good health.*
Nous sommes tristes **que vous partiez.**   *We are sad **that you are** leaving.*
Le médecin craint **que j'aie** les oreillons.   *The doctor fears **that I have** mumps.*

The SUBJUNCTIVE is used after a verb or expression of EMOTION (happiness, sadness, fear, surprise, anger, regret, . . .), when the emotion concerns someone or something *other than the subject*.

➡ When the emotion concerns the subject itself, an infinitive construction is used. Compare:

INFINITIVE	SUBJUNCTIVE
Je suis content d'**aller** en France.	Je suis content **que tu ailles** en France.
Alice a peur d'**être** malade.	Le médecin a peur **qu'Alice soit** malade.

Vocabulaire: Verbes et expressions d'émotion

la joie
  être content
  être heureux(se)
  être ravi *(delighted)*

la tristesse et le regret
  être triste
  être malheureux(se)
  être désolé *(very sad)*
  regretter
  déplorer

l'étonnement *(amazement)*
  être surpris
  être étonné *(astonished)*

la crainte *(fear)*
  avoir peur
  craindre

l'orgueil *(pride)*
  être fier (fière)

la colère *(anger)*
  être furieux(se)

Teaching Strategy: Multiple Intelligences

Ask students to choose one of the intelligences listed (see p. 205) and create an activity based on it to learn the verbs and expressions of emotion. After all activities are completed, compile them under the appropriate categories and create a "Subjunctive Self-Help Guide" for all students to use as a reference. The Guide may be shared with other French classes. (INTRAPERSONAL)

Consultations

Vous êtes médecin. Votre partenaire
va décrire un symptôme.
Vous allez exprimer votre diagnostic.

SYMPTÔMES	DIAGNOSTIC
• éternuer	• une allergie
• avoir mal au ventre	• une indigestion
• avoir très mal à la gorge	• une angine
• tousser tout le temps	• une bronchite
• avoir des boutons	• la grippe
• se sentir très faible	• la mononucléose
• avoir de la fièvre	• le rhume des foins *(hay fever)*
	• ??

▶ — Je tousse tout le temps.
— J'ai peur que vous ayez une bronchite.

Mes sentiments

Décrivez vos sentiments dans les circonstances suivantes.
Choisissez une des options entre parenthèses ou une option de votre choix.

▶ (heureux ou triste?) Mes copains vont en France cet été.
Je suis heureux/heureuse que mes copains aillent en France cet été.

1. content ou jaloux? (Mes cousins ont une voiture de sport.)
2. désolé ou surpris? (Mon frère ne dit pas la vérité.)
3. triste ou content? (Le professeur est malade aujourd'hui.)
4. furieux ou étonné? (Ma copine/mon copain ne vient pas au rendez-vous.)
5. content ou désolé? (L'examen de français est annulé.)
6. surpris ou fier? (L'équipe de baseball de l'école gagne le championnat.)

Leurs réactions

Décrivez les réactions des personnes suivantes aux situations entre parenthèses.
Utilisez une expression d'émotion du Vocabulaire.

▶ Alice (Son copain sort avec une autre fille.)
Alice est triste (furieuse) que son copain sorte avec une autre fille.

1. Thomas (Sa copine française écrit toutes les semaines.)
2. Le médecin (Monsieur Larose fait des exercices.)
3. Stéphanie (Marc vient à sa boum.)
4. Monsieur Dupont (Sa fille a le premier prix du conservatoire.)
5. Le professeur (Le mauvais élève réussit à l'examen.)
6. Nathalie (Jean-Pierre est en retard au rendez-vous.)
7. Catherine (Sa cousine oublie la date de son anniversaire.)
8. Les supporteurs *(fans)* (Leur équipe perd le match.)
9. Les écologistes (On fait des économies d'énergie.)

■ **Notes linguistiques**

• **Le conservatoire** est une
école spécialisée où on
apprend la musique, la
danse et le théâtre.

• **Le supporteur**, ou **le
supporter**, encourage
(supporte) son équipe
sportive favorite. **Le fan** est
un admirateur enthousiaste
de quelqu'un ou quelque
chose.

Teaching Strategy: Multiple Intelligences (Linguistic)

Presenting this mnemonic device is a good point of departure for quick reference on the subjunctive.

W	wishes	**J'aimerais que...Je voudrais que...**
E	emotions	**Je suis triste que...J'ai peur que...**
I	impersonal expressions	**Il faut que...Il est important que...**
R	relative clauses	**Nous cherchons un secrétaire qui sache taper.**
D	doubts	**Je doute que...Je ne pense pas que...**
O	orders	**J'exige que...J'ordonne que...**
S	superlatives	**C'est le meilleur restaurant que je connaisse.**

📖 **Practice Activities,**
pp. 73, 191

💿 **Audio CD 7,** Tracks
5–8

📼 **Audiocassette 7,**
Side 1

📖 **Audio Script,**
pp. 40–41

D. Le subjonctif après les expressions de doute

Compare the use of the INDICATIVE and the SUBJUNCTIVE in the sentences below.

CERTAINTY OR BELIEF (INDICATIVE)	DOUBT, DISBELIEF OR UNCERTAINTY (SUBJUNCTIVE)
Je crois que tu **es** fatigué. Le médecin pense que j'**ai** la grippe. Il est sûr qu'Alice **est** trop pâle. Tu crois que tu **es** très intelligent!	Je doute que tu **sois** malade. Il ne pense pas que j'**aie** la mononucléose. Il n'est pas sûr qu'elle **soit** déprimée. Crois-tu que tu **sois** sympathique?

The INDICATIVE is used after verbs and expressions of CERTAINTY or BELIEF.
  The SUBJUNCTIVE is used after verbs and expressions of DOUBT and UNCERTAINTY.

➡ Verbs like **croire, penser, être sûr, être certain**,
  and expressions like **il est sûr, il est certain**,
  are used to convey <u>belief</u>, <u>knowledge</u>, or <u>conviction</u> of certain facts.

  • When used in the AFFIRMATIVE, they are followed by the INDICATIVE.
  • When used in the INTERROGATIVE or the NEGATIVE, however, these verbs
    and expressions may convey an element of doubt or uncertainty.
    In this case they are followed by the SUBJUNCTIVE.

ALLONS PLUS LOIN

Depending on the level of certainty or doubt that the speaker wants to convey,
certain expressions may be followed by the indicative OR the subjunctive.
Compare:

Il semble que tu **as** raison.   *It seems that you are right.* (This is pretty sure.)
Il semble que tu **aies** raison.   *It would seem that you are right.* (It is much less sure.)

🎻 ➕ 🖼 💻 🎭 🎬 👤

Teaching Strategy: Multiple Intelligences

Tell the students about various problems that you or someone you know is having at home, at school, with their children, etc. Ask the students to make suggestions to solve the problems. Each sentence/suggestion should use an expression that necessitates the subjunctive.

Ask students to categorize the various solutions suggested in terms of the kind of intelligence(s) used. You may also give situations concerning cruel or kind things that someone did to you and ask them to use the subjunctive expressions to explain their feelings about this person.

Vocabulaire: Verbes et expressions de certitude et de doute

EXPRESSIONS DE CERTITUDE (+ INDICATIF)	EXPRESSIONS DE DOUTE (+ SUBJONCTIF)
je sais que . . .	**je doute que . . .**
je dis que . . .	
je crois que . . .	**je ne crois pas que . . .**
	crois-tu que . . . ?
je pense que . . .	**je ne pense pas que . . .**
	penses-tu que . . . ?
je suis sûr(e) que . . .	**je ne suis pas sûr(e) que . . .**
	es-tu sûr(e) que . . . ?
il est sûr / vrai / certain que . . .	**il n'est pas sûr / vrai / certain que . . .**
	est-il sûr / vrai / certain que . . . ?
il est clair que . . .	**il est douteux que . . .**
il est probable que . . .	**il est possible que . . .**
il est évident que . . .	**il est impossible que . . .**

■ **Teaching Note**
Autres expressions de certitude:
   Je suis convaincu(e)
   Je suis persuadé(e).

L'optimiste et le pessimiste

L'optimiste voit l'existence sous un aspect positif. Le pessimiste voit l'existence sous un aspect négatif. Avec votre partenaire, jouez le rôle de l'optimiste et du pessimiste.

> Je crois que la vie est belle.

> Je doute que la vie soit belle.

▶ la vie / être belle

1. les gens / être généreux
2. les jeunes / avoir un idéal
3. les parents / faire le maximum pour aider leurs enfants
4. la situation économique / être excellente
5. on / faire des progrès dans tous les domaines

6. les journalistes / dire la vérité
7. le président / être honnête avec le public
8. le monde / être moins dangereux qu'avant
9. on / découvrir prochainement *(soon)* une cure contre le SIDA *(AIDS)*

■ **Note linguistique**
Un optimiste voit la vie en rose. Un pessimiste voit tout en noir.

Êtes-vous d'accord?

Voici quelques propositions. Choisissez une proposition et exprimez votre opinion sur ce sujet. Pour cela, utilisez l'une des expressions du vocabulaire. Si possible, illustrez votre opinion en formulant une réflexion personnelle.

▶ la majorité des gens / être superstitieux?

Je ne pense pas que la majorité des gens soient superstitieux.
Moi, par exemple, je n'hésite pas à voyager le vendredi 13.

1. l'argent / faire le bonheur?
2. les gens / être fondamentalement honnêtes?
3. les gens idéalistes / être naïfs?
4. la liberté / être un mythe?
5. les femmes / avoir les mêmes responsabilités que les hommes?

6. les extra-terrestres / exister?
7. il / être facile de changer son destin?
8. il / être possible d'éliminer la violence dans la société?
9. tout le monde / avoir les mêmes choses?

🌐 **Note culturelle**
SIDA is an acronym for **Syndrome Immunodéficitaire Acquis.** If appropriate, you may mention that it was a French scientist, Professor Montagnier of the Institut Pasteur, who was the first to isolate HIV, the virus causing **SIDA** (also: **VIH, virus d'immuno-déficience humaine**).

💬 **Teaching Strategy**

Using Activity 7 as a base, divide the class into pairs and have each partner express a different opinion. Add the following as expansion scenarios:
• nous/être plus heureux qu'il y a cent ans?
• le président/être concerné par les problèmes des jeunes?
• nous/faire assez d'efforts pour assurer la paix dans le monde?
• le professeur de français/avoir des problèmes avec sa classe?
• toi/vouloir habiter à l'étranger?

INFO MAGAZINE

Theme: Humanitarian aid

Reading Strategy:
Reading for information

🌐 Notes culturelles

- **Le Biafra** is a region located in the southeast of Nigeria, in Africa.
- **Kurdistan** is an area under Iranian, Turkish, and Iraqi rule. Its inhabitants, the Kurds, have been vying for independence since 1945.
- **Bernard Kouchner** helped create **Médecins sans Frontières** in 1970.
- Some useful addresses for additional information:

Médecins sans Frontières
8 rue Saint-Sabin
Paris 75011

Médecins du monde
67 avenue de la République
Paris 75011

Les Médecins aux pieds nus
222 rue de Vaugirard
Paris 75015

■ Irregular Verbs

(see Appendix C)
obtenir   (see **tenir**)
souffrir   (see **ouvrir**)
vivre

Les médecins et l'action humanitaire

Nathalie, 27 ans, vient d'obtenir° son diplôme de médecin. Dans quelques semaines elle va partir pour l'Afghanistan. Hélène, une infirmière de 35 ans, rentre de Thaïlande où elle a passé dix mois dans les camps de réfugiés. Emmanuel, 25 ans, n'a pas de spécialité médicale, mais il a passé deux ans au Bangladesh avec «Médecins sans frontières.»° Nathalie, Hélène, Emmanuel: trois exemples parmi° des milliers de Français qui ont décidé de faire quelque chose pour les oubliés° de la terre.°

■ «Médecins sans frontières,» Rwanda

Nathalie explique: «Comme médecins, notre premier rôle est d'aider les gens qui sont dans la détresse. Aujourd'hui, la détresse humaine existe partout° dans le monde, et spécialement dans le pays du tiers-monde° où des centaines de milliers de gens souffrent° de la misère, de la faim et de la maladie. Dans ces pays, les catastrophes naturelles les épidémies, la guerre° civile font des millions de victimes chaque année. Nous autres° citoyens° de pays dits *civilisés*, nous ne pouvons pas rester insensibles° au sort° de ces êtres° humains qui son nos frères et nos soeurs. Nous devons agir° Malheureusement, les besoins sont immenses e nos ressources très limitées. Nous sommes là no seulement pour soigner les gens, mais pour leu redonner° l'envie° de vivre.»°

Plusieurs organisations ont été créées en Franc pour répondre aux besoins de santé des pays d tiers-monde. Ces organisations envoient de volontaires dans des régions où il y a une urgenc médicale, et plus spécialement dans des pay d'Afrique et d'Asie: en Éthiopie, en Somalie et a Libéria, au Pakistan, au Cambodge, par exempl

■ Les organisations comme «Médecins du monde,» «Les Médecins aux pieds nus,» et «Médecins sans frontières» envoient des volontaires dans les régions où il y a une urgence médicale.

obtenir ✻ *to get, obtain* **frontières** *borders* **parmi** *among* **les oubliés** *forgotten people* **la terre** *earth* **partout** *everywhere*
tiers-monde *third world* **souffrir** ✻ *to suffer* **la guerre** *war* **autres** *others* **citoyens** *citizens* **insensibles** *insensitive* **au sort** *fate*
êtres *beings* **agir** *to act* **pour leur redonner** *to give back* **l'envie** *desire* **vivre** ✻ *to live*

📖 Teaching Strategy

Ask students to scan the article and illustrations and guess the main theme. Then ask each student to list five ways they would *personally* choose to help those less fortunate than themselves. Assign two secretaries to list all suggestions on the board or on a transparency. Ask students if they would like to choose one activity to participate in/donate to as a class (be sure to clear with school administrators).

Pour être volontaire, il n'est pas nécessaire d'être médecin ou infirmier. Il suffit° d'être une personne de bonne volonté° et de croire à la solidarité des peuples de la terre. Les organisations les plus connues sont «Médecins sans frontières» qui intervient° dans 60 pays différents, «Médecins du monde» qui a 6000 volontaires dans 40 pays, et «Les Médecins aux pieds nus.»° L'originalité de cette dernière organisation est d'utiliser des médicaments d'origine végétale ou animale et les techniques traditionnelles des pays d'intervention, comme par exemple, l'acupuncture dans les pays d'Asie.

et vous?

DÉFINITIONS

Définissez les mots ou expressions suivants. (Quand c'est possible, donnez des exemples.)

- un(e) volontaire
- la bonne volonté
- une épidémie
- la solidarité
- un réfugié
- l'action humanitaire
- les pays du tiers-monde
- une catastrophe naturelle
- la guerre civile

EXPRESSION ÉCRITE

1. Imaginez que vous voulez être volontaire pour l'une des organisations mentionnées dans le texte. Écrivez une courte lettre où vous expliquez ...
   - pourquoi l'action humanitaire vous intéresse
   - dans quel pays vous voudriez aller et pourquoi
   - ce que vous voulez faire pour aider les gens de ce pays
2. Imaginez que le docteur Kouchner va visiter votre ville. Écrivez une lettre (en français!) au journal local. Dans cette lettre, expliquez qui est le docteur Kouchner et décrivez les choses importantes qu'il a faites.

Un champion de l'action humanitaire

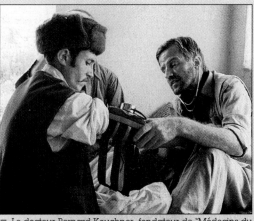

■ Le docteur Bernard Kouchner, fondateur de "Médecins du monde," en Afghanistan

Le docteur Bernard Kouchner, fondateur° de *Médecins du monde*, est un homme d'action. Jeune médecin, il s'engage° dans une équipe de la Croix° Rouge pour aider les victimes de la guerre° du Biafra en Afrique. Là, il découvre les ravages provoqués par la guerre civile: pillages de village, tortures, exécutions sommaires. De retour° en France, il dénonce le silence et l'inaction des pays occidentaux.°

En 1980, il fonde les *Médecins du monde*. Ses missions le mènent° un peu partout° dans le monde, au Tchad, au Salvador, en Afghanistan. Pour le docteur Kouchner, l'action médicale est importante, mais elle n'est pas suffisante. Son message est simple: Il n'y a pas de solution permanente possible aux problèmes de santé là où les droits° humains ne sont pas respectés.

De l'action médicale, le docteur Kouchner passe à l'action politique. Au début° des années 1990, il est nommé Ministre de la Santé et de l'Action Humanitaire dans le gouvernement français. Il représente la France partout où les droits humains sont menacés. Il atterrit à Sarajevo sous les bombardements. Il va au Kurdistan où il échappe de peu° à un attentat° qui fait cinq morts. Le docteur Kouchner n'a pas peur du danger. Pour les Français, c'est un héros national.

---

il suffit = il est suffisant   **volonté** *will*   **intervenir** ✳ *to intervene*   **pieds nus** *bare feet*   **fondateur** *founder*   **il s'engage** *joins*   **la Croix** *cross*
la guerre *war*   **de retour** *back*   **occidentaux** *western*   **mènent** *take*   **partout** *everywhere*   **les droits** *rights*   **début** *beginning*   **de peu** *narrowly*
attentat = attaque terroriste

🌐 **NOTES** CULTURELLES

- The doctors of **Médecins sans Frontières** and **Médecins du Monde** are sometimes referred to as "the French doctors" since the French created this type of humanitarian aid.
- It takes about eight years of study in France to become a doctor. Doctors who go on missions with **Médecins sans Frontières** are all volunteers. They may volunteer for three months, six months, or two years, depending on their commitment. After three months, they receive a small stipend.

PARTIE 2

LE FRANÇAIS PRATIQUE

Accidents et soins dentaires

LE FRANÇAIS PRATIQUE

Accidents et soins dentaires

À l'hôpital

Cette personne est **blessée** (injured, hurt).
Elle vient de **se blesser** (to get hurt).
Elle s'est cassé le bras.

Cette personne est blessée.

Aïeee!

On va lu
faire une ra

se blesser ✗ la tête	se casser (to break) la jambe
se couper (to cut) ✗ la main	se fracturer l'épaule
se brûler to get burned	se fouler (to twist) la cheville ankle

L'infirmier(ère) va lui **faire une radio** (x-ray).

faire un plâtre cast	faire un pansement bandage
donner des béquilles crutches	mettre des sutures stitches

secrétariat même adresse (1)40 45 63 37 laboratoire même adresse (1)44 96 32 04 voir annonce même page 19e ARRONDIS
urologie hospitalisation

① Créa-dialogue: Qu'est-ce qui est arrivé?

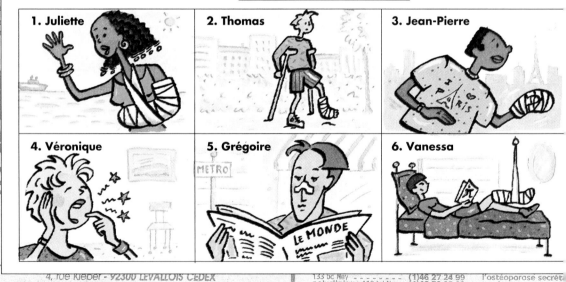

Vous rencontrez les personnes suivantes. Avec votre partenaire, choisissez l'une des illustrations. Composez le dialogue correspondant et jouez-le en classe. Utilisez votre imagination pour expliquer l'accident!

— Eh Antoine, ça va?
— Hm, comme ci comme ça.
— Pourquoi est-ce que tu <u>as un plâtre</u>?
— Je <u>me suis cassé le bras</u>.
— Comment est-ce que c'est arrivé?
— Eh bien, voilà. Je <u>faisais de l'alpinisme</u> <u>samedi dernier et je suis tombé.</u>

1. Juliette
2. Thomas
3. Jean-Pierre
4. Véronique
5. Grégoire
6. Vanessa

(1) 47 59 59 59

TEACHING RESOURCES

Transparencies 45, 46

Overhead Visuals Copymasters and Activities, pp. A96–A99

Practice Activities, pp. 148–150

Audio CD 7, Tracks 9–13

Audiocassette 7, Side 2

Audio Script, pp. 42–44

Internet Connection Notes, Project 2, p. 116

Teacher-to-Teacher Les accidents, pp. 83–85

Supplementary vocabulary

se tordre le poignet to sprain one's wrist
avoir une entorse to have a sprain
boîter to limp
le service des urgences emergency room
le brancard stretcher
le brancardier stretcher-bearer

■ Notes linguistiques

• **plâtrer**—Le médecin m'a plâtré le poignet.
• **marcher avec des béquilles**
• **suturer (une plaie)** to stitch (a cut)

☀ Teaching Strategy: Warm-Up

Have the class write a group story. Each student will contribute at least two sentences. Tell them that the story is to take place in the emergency room of the local hospital. You might want to give them the first sentence: «L'autre jour, Raoul est allé à l'hôpital.

Il est tombé dans l'escalier.» Have them include dialog in the story, as much vocabulary as possible and a minimum of four verbs in the subjunctive. Students can take turns being scribe and copying the story onto the board as it is being developed.

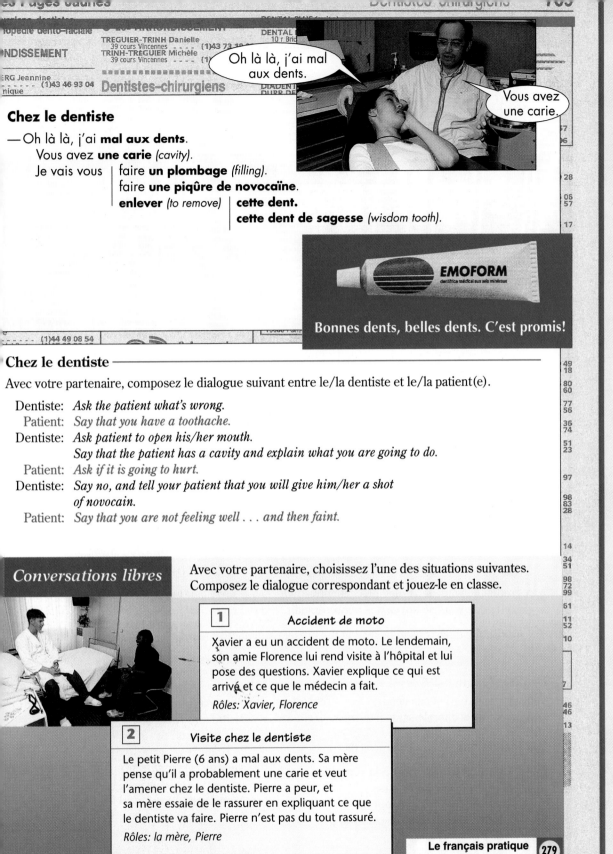

Chez le dentiste

—Oh là là, j'ai **mal aux dents**.
    Vous avez **une carie** *(cavity)*.
    Je vais vous | faire **un plombage** *(filling)*.
                       faire **une piqûre de novocaïne**.
                       enlever *(to remove)* | **cette dent**.
                                         cette dent de sagesse *(wisdom tooth)*.

Bonnes dents, belles dents. C'est promis!

Chez le dentiste

Avec votre partenaire, composez le dialogue suivant entre le/la dentiste et le/la patient(e).

Dentiste: *Ask the patient what's wrong.*
Patient: *Say that you have a toothache.*
Dentiste: *Ask patient to open his/her mouth.*
          Say that the patient has a cavity and explain what you are going to do.
Patient: *Ask if it is going to hurt.*
Dentiste: *Say no, and tell your patient that you will give him/her a shot of novocain.*
Patient: *Say that you are not feeling well . . . and then faint.*

Conversations libres

Avec votre partenaire, choisissez l'une des situations suivantes.
Composez le dialogue correspondant et jouez-le en classe.

1 **Accident de moto**

Xavier a eu un accident de moto. Le lendemain, son amie Florence lui rend visite à l'hôpital et lui pose des questions. Xavier explique ce qui est arrivé et ce que le médecin a fait.

Rôles: Xavier, Florence

2 **Visite chez le dentiste**

Le petit Pierre (6 ans) a mal aux dents. Sa mère pense qu'il a probablement une carie et veut l'amener chez le dentiste. Pierre a peur, et sa mère essaie de le rassurer en expliquant ce que le dentiste va faire. Pierre n'est pas du tout rassuré.

Rôles: la mère, Pierre

👓 Teaching Strategy

Divide the class into groups. Have each group assign tasks as appropriate to produce a set of illustrations for six scenarios of accidents, along with a verbal description of each. Have groups exchange illustrations and descriptions and produce short role plays for each one. The presentations should include a description of the accident/event, a description of the injury, an explanation of what the doctor/dentist said, and the treatment regimen.

LANGUE ET COMMUNICATION

TEACHING RESOURCES

 Practice Activities,
pp. 74–76, 150,
191–192

 Audio CD 7, Track 14

Audiocassette 7,
Side 2

 Audio Script, p. 44

↺ **Teaching Strategy**
You may want to review
the agreement of the past
participle:

• Verb conjugated with
avoir → Agreement with
preceding direct object (if
any):
Karine **a fait** du ski.
La pierre? Elle ne l'**a** pas
vue.
• Verb conjugated with **être**
→ Agreement with subject:
Elle **est tombée.**
• Reflexive verb →
Agreement with reflexive
pronoun (= subject) when it
is a direct object:
Elle **s'est blessée.**
Elle **s'est cassé** la jambe.
• Remind students that there
are three tenses for the
subjunctive in French:
présent, passé, and **passé
surcomposé.** Examples of
passé surcomposé:
J'aie eu aimé.
J'aie été tombé.

A. Le passé du subjonctif

FORMS

The past subjunctive is a compound tense formed according to the pattern:

> present subjunctive of **avoir** or **être** + past participle

parler	aller	s'amuser
que j'**aie parlé**	que je **sois allé(e)**	que je me **sois amusé(e)**
que tu **aies parlé**	que tu **sois allé(e)**	que tu te **sois amusé(e)**
qu'il **ait parlé**	qu'il **soit allé**	qu'il se **soit amusé**
qu'elle **ait parlé**	qu'elle **soit allée**	qu'elle se **soit amusée**
que nous **ayons parlé**	que nous **soyons allé(e)s**	que nous nous **soyons amusé(e)s**
que vous **ayez parlé**	que vous **soyez allé(e)(s)**	que vous vous **soyez amusé(e)(s)**
qu'ils **aient parlé**	qu'ils **soient allés**	qu'ils se **soient amusés**
qu'elles **aient parlé**	qu'elles **soient allées**	qu'elles se **soient amusées**

➡ The agreement of the past participle in compound tenses also applies to the past subjunctive.

Je suis content que tu **aies téléphoné** à ces filles.

Je suis heureux que tu les **aies invité es** à la boum.

USES

Compare the use of the present and the past subjunctive.

Je doute que Paul **téléphone** ce soir.   *I doubt that Paul **will call** tonight.*
Je doute qu'il **ait téléphoné** hier.   *I doubt that he **called** yesterday.*

Je regrette que vous **ne veniez pas** cet après-midi.   *I am sorry that you **are not coming** this afternoon.*
Je regrette que vous **ne soyez pas venu** samedi.   *I am sorry that you **did not come** on Saturday.*

❚ The past subjunctive is used instead of the present subjunctive to refer to past events or situations.

1 **Drôles d'excuses!**
Votre partenaire n'est pas venu(e) à une répétition
(rehearsal) de la chorale samedi dernier. Il/elle va
choisir une (mauvaise!) excuse. Vous êtes le
directeur/la directrice et vous avez des doutes.

▶ — Je ne suis pas venu(e) à la répétition
parce que j'ai raté le bus.
— Ah oui? Écoute, Christophe,
je doute que tu aies raté le bus.

> **EXCUSES**
> • J'ai eu la grippe.
> • Je me suis foulé la cheville.
> • Je suis tombé(e) dans les escaliers.
> • Je suis allé(e) chez le dentiste.
> • J'ai raté *(missed)* le bus.
> • Le bus a eu un accident.
> • Mon réveil *(alarm clock)* n'a pas sonné.
> • Ma cousine s'est mariée.
> • Mon arrière-grand-mère est morte.

TPR **Teaching Strategy: TPR Drill**

Tell the students which you will be drilling
first: past or present. Then show them the hand
signals you'll be using to represent **je.../tu...
/il.../elle.../nous.../vous.../ils.../elles...:**
Je (point 1 finger at yourself) **Tu** (point 1 finger
at them) **Il** (point 1 finger to the right) **Elle**
(point 1 finger to the left) **Nous** (point 2 fingers
at yourself) **Vous** (point 2 fingers at them)

Ils (point 2 fingers to the right) **Elles** (point 2
fingers to the left). Give them a verb, then
begin doing the hand signals so that they give
you the verb in the present/past subjunctive for
the subject indicated. Start out slowly, with few
verb changes, doing the pronouns in order. As
they (and you) get better at it, speed up, switch
verbs frequently and mix up the order.

Réactions!

Votre partenaire va décrire un événement (imaginaire) qui lui est arrivé.
Exprimez votre réaction. Pour cela, choisissez une expression de la page 272.

ÉVÉNEMENTS

- mon oncle / avoir un accident
- ma cousine / se marier
- mon copain / voir un OVNI (UFO)
- ma grande soeur / gagner une bourse (scholarship) pour l'université
- ma grand-mère / se casser le bras
- ma copine / oublier la date de mon anniversaire
- mes parents / rencontrer le président des États-Unis
- ma tante / m'acheter une voiture de sport

Ma tante m'a acheté une voiture de sport!

Ah oui? Écoute, je doute qu'elle t'ait acheté une voiture de sport.

(Eh bien, bravo! Je suis ravi(e) qu'elle t'ait acheté une voiture de sport.)

RÉACTIONS

joie?
tristesse?
surprise?
doute?

Ce qu'ils pensent

Décrivez ce que pensent les personnes suivantes.

▶ l'infirmière / craindre / tu / te fouler la cheville.
L'infirmière craint que tu te sois foulé la cheville.

1. le médecin / ne pas croire / je / me casser la jambe.
2. je / être content / tu / venir à la boum
3. Pauline / être heureuse / Jérôme / lui écrire une lettre
4. vous / être surpris / l'équipe / gagner le match
5. le guide / avoir peur / les alpinistes (mountain climbers) / se perdre dans la montagne
6. le professeur / douter / vous / faire vos devoirs
7. Madame Dumont / être fière / sa fille / réussir à l'examen d'ingénieur

4 Les mystères de l'univers

Beaucoup de mystères n'ont pas été élucidés (cleared up). Avec votre partenaire, choisissez un des sujets suivants et discutez-le. Exprimez votre opinion en utilisant une expression de doute ou de certitude, et le passé du subjonctif ou le passé composé de l'indicatif.

▶ les Vikings / découvrir l'Amérique?
Je doute (je ne crois pas / il est douteux) que les Vikings aient découvert l'Amérique.
ou: **Je suis sûr(e) (il est probable) que les Vikings ont découvert l'Amérique.**

1. les Égyptiens / utiliser l'électricité?
2. Dracula / exister?
3. un écrivain inconnu (unknown) / écrire les pièces de Shakespeare?
4. des navigateurs romains / explorer l'Amérique du Sud?
5. des extra-terrestres / venir sur la Terre?
6. des ingénieurs russes / inventer la bombe atomique?
7. un agent soviétique / assassiner le président Kennedy?

Langue et communication **281**

Invite a speaker from a local hospital to discuss the need for volunteers to speak and interpret foreign languages at the hospital.

☑ **Language Arts:** Brainstorm a list of common minor injuries and ailments.

▦ **Math:** Research how many of each type of illness or injury occur each year in your community.

🔬 **Science/Health:** Interview a health professional and find out first-aid treatments for these problems.

🌐 **Social Studies:** Research the education/training needed to be a foreign-language interpreter at a hospital.

🎨 **Art/Music:** Create simple drawings or icons to represent common information a health-care worker would need to ask about.

💻 **Technology:** Research how technology is used at a local hospital: Is this facility linked via computer to other hospitals? Are there new hi-tech diagnostic tools being used?

🏠 **Community:** Invite a speaker to address a community gathering and present a plan for volunteers for the program.

■ Language Note
OVNI is an acronym for **O**bjet **V**olant **N**on-**I**dentifié.

💡 Teaching Strategy

You may wish to add the following information when using Activity 4 in class:

- Dracula was the main character of a novel created by British author Bram Stoker (1847–1912).
- Some people believe that Francis Bacon (1561–1626), a philosopher and essayist, wrote the plays attributed to Shakespeare.

- The first atomic bomb was designed in the U.S. by a team of American and exiled European scientists led by J. Robert Oppenheimer in 1945. It was called the Manhattan Project.
- President J.F. Kennedy was assassinated on November 22, 1963 in Dallas by Lee Harvey Oswald.

LECTURE

Reading STRATEGY

Reading fiction

TEACHING RESOURCES

Transparency L7

Overhead Visuals Copymasters and Activities, pp. A131–A132

Internet Connection Notes, Long-Term Internet Project, p. 117

LECTURE

En voyage

d'après Guy de Maupassant

AVANT DE LIRE

L'histoire que vous allez lire est racontée par un médecin au cours d'un voyage en train. Les autres passagers du compartiment où il se trouve ont déjà fait le récit d'aventures plus ou moins rocambolesques° dont ils sont évidemment les héros. Ces histoires ont un point commun: elles se passent toutes dans un train.

C'est maintenant le tour du médecin. L'histoire qu'il choisit de raconter est une histoire d'amour, l'amour simple et purement spirituel unissant un homme et une femme qui se sont rencontrés dans un train.

rocambolesques = avec beaucoup d'incidents extraordinaires

NOTE CULTURELLE

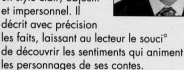

Guy de Maupassant (1850-1893) a écrit des romans et des pièces de théâtre, mais il est surtout célèbre pour les centaines de contes et nouvelles qu'il a publiés. Maupassant utilise un style clair, objectif et impersonnel. Il décrit avec précision les faits, laissant au lecteur le souci° de découvrir les sentiments qui animent les personnages de ses contes.

souci care

Le contexte historique

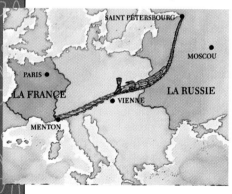

Pour comprendre une histoire, il faut la situer dans son contexte historique. L'action de l'histoire racontée par le médecin se passe à la fin du 19ᵉ siècle dans un train qui va de Russie jusqu'à la Côte d'Azur en France. Les voyages de ce genre étaient très longs. Ils étaient relativement sûrs,° mais de temps en temps les trains étaient attaqués par des bandits ou par des révolutionnaires, alors particulièrement actifs dans les pays de l'Europe de l'Est et surtout en Russie.

Parmi° les passagers du train, il y a une jeune femme mariée à un aristocrate russe. Très malade, elle va en France pour se soigner. Comme les gens riches de l'époque, elle est accompagnée de ses serviteurs et elle a réservé un wagon pour elle seule.

sûrs safe   **parmi** among

Anticipons un peu!

Imaginez que vous êtes la jeune femme russe. Au cours du voyage, un homme fait irruption dans le compartiment où vous êtes seule. Il est très pâle, paraît confus et vous remarquez qu'il est blessé. Cet homme vous demande de l'aider.

Qu'est-ce que vous allez faire?
• tirer la sonnette d'alarme
• appeler vos serviteurs
• aider l'homme

À supposer que vous avez décidé d'aider cet homme, qu'est-ce que vous allez demander à cette homme de faire?
• se livrer à la police
• aller à l'hôpital
• ne jamais plus vous parler

Teaching Strategy

This story is longer and linguistically more sophisticated than the prior selections. To read it fluently, students need to be able to understand the **passé simple**. You may want to review this tense in Appendix C (pp. R32–R33).

Use the **Transparency L7** and **Overhead Visuals Copymasters and Activities** to help students retain important elements of the story. Use the *Anticipons un peu* activities to set the stage for the reading.

EN VOYAGE

1

Le médecin commença ainsi son histoire:

«Moi, je n'ai pas d'aventure extraordinaire à vous raconter. Je vais seulement vous parler d'une jeune femme que j'ai connue, une de mes clientes, à qui il arriva la chose la plus singulière° du monde, et aussi la plus mystérieuse et la plus attendrissante.°

C'était une Russe, la comtesse Marie Baranow, une très grande dame, d'une exquise beauté. Vous savez comme les Russes peuvent être belles, avec leur nez fin, leur bouche délicate, leurs yeux d'une indéfinissable couleur, d'un bleu gris, et leur charme à la fois tendre et sévère, que les Français trouvent tellement séduisant.

La comtesse Marie souffrait depuis plusieurs années de tuberculose. Pour la soigner, son médecin, qui la savait très malade, voulait l'envoyer dans le sud de la France, mais elle refusait obstinément de quitter Saint Pétersbourg. Finalement, l'automne dernier, le docteur, réalisant la gravité de l'état° de sa patiente, parla à son mari qui ordonna à sa femme de partir pour Menton.

Résignée, elle prit le train. Elle était seule dans son wagon, ses gens de service° occupant un autre compartiment. Elle restait contre la portière, un peu triste, regardant passer les campagnes et les villages de la Russie. Elle se sentait bien isolée dans la vie, sans enfants, sans parents et avec un mari qui ne l'aimait plus et qui avait décidé de l'exiler à des milliers de kilomètres de son pays.

À chaque station, son serviteur Ivan venait voir si elle avait besoin de quelque chose. C'était un vieux domestique, totalement dévoué, à qui elle pouvait demander n'importe quoi.

singulière = étrange   attendrissante *touching*   l'état = la condition   gens de services = domestiques

Mots utiles	
la comtesse	*countess*
la portière	= la porte d'un train
souffrir *	*to suffer*
dévoué	*devoted*
exquis	*exquisite*
séduisant	*attractive*
à la fois	*at the same time*
n'importe quoi	*anything*

NOTES CULTURELLES

La tuberculose. La tuberculose est une maladie très grave qui attaque les poumons.° Au 19e siècle, c'était une maladie très commune et, comme il n'y avait pas de vaccin et pas d'antibiotiques, elle était généralement mortelle. Pour se soigner, les gens riches allaient dans les régions où l'air était pur et le climat sain°: dans les Alpes, par exemple, ou sur la Côte d'Azur.

Saint Pétersbourg. Saint Pétersbourg, ou Pétersbourg, était la capitale de la Russie impériale. C'était là que les tsars et les aristocrates russes avaient leurs palais.°

Menton et la Côte d'Azur. Menton est une petite ville très pittoresque située sur la Côte d'Azur ou Riviera française. Aujourd'hui, cette région attire° des millions de touristes chaque année. Au siècle dernier, les seuls visiteurs étaient des familles anglaises et des aristocrates russes qui venaient là à cause du climat. Dans le cimetière de Menton, on peut voir encore aujourd'hui de nombreuses tombes aux inscriptions russes.

poumons *lungs*   **sain** *healthy*   **palais** *palaces*   **attire** *attracts*

Avez-vous compris?

1. Qu'est-ce que le médecin pense des femmes russes?
2. Quelle était la maladie de la comtesse?
3. Qu'est-ce que son docteur en Russie voulait qu'elle fasse?
4. Avec qui a-t-elle fait le voyage?
5. Quels étaient les sentiments de la comtesse quand elle était dans le train?
6. Est-ce qu'elle avait une vie familiale intéressante? Expliquez.

Anticipons un peu!

Quelque chose de dramatique va arriver dans la scène suivante. Selon vous, qu'est-ce qui va se passer?

■ **Note linguistique**
The adjective **rocambolesque** comes from **Rocambole**. Rocambole was the hero of a popular series of more than thirty novels written by Ponson du Terrail (1829-1871).

■ **Additional Information**
Other works by Maupassant include:
  Boule-de-Suif
  Le Horla
  Bel-Ami
  Contes du jour et de la nuit

■ **Irregular Verb**
(see Appendix C)
souffrir *(see* **ouvrir***)*

Supplementary vocabulary
la locomotive à vapeur
  steam engine

■ *Avez-vous compris?*
(Sample answers)
1. Il pense qu'elles sont très belles.
2. La comtesse avait la tuberculose.
3. Il voulait l'envoyer se soigner dans le sud de la France.
4. Elle a fait le voyage avec des serviteurs.
5. Elle était triste, elle se sentait seule.
6. Elle n'avait pas une vie familiale intéressante: elle n'avait plus de parents, elle n'avait pas d'enfants, et elle pensait que son mari ne l'aimait plus.

🌐 NOTES CULTURELLES

- Saint Petersburg was renamed Petrograd in 1914 before becoming Leningrad in 1924. Saint Petersburg is 2143 km (1331 miles) away from Paris, France.
- France and Russia became allies in 1881. Russia needed French funds, and France was hoping that, with the help of Russia, it would win back Alsace and Lorraine from Germany.
- Chopin, Musset, Molière, and Kafka died of tuberculosis.

2

La nuit commençait à tomber. Le train allait maintenant très vite. Très énervée,° la comtesse ne pouvait pas dormir. Elle eut alors l'idée de compter l'argent que son mari lui avait donné avant son départ. Elle ouvrit son sac, en vida le contenu sur ses genoux et commença à compter les pièces d'or.

Tout d'un coup, la comtesse Marie sentit un vent froid sur son visage. Elle leva la tête et elle vit un homme qui venait d'entrer dans son wagon. Il était grand, bien habillé, et il était blessé à la main. Il referma la porte, s'assit en face de la comtesse et la regarda de ses grands yeux noirs. Puis, il prit un mouchoir dans sa poche et en enveloppa son poignet pour arrêter le sang qui coulait.

La jeune femme eut très peur. Cet homme certainement l'avait vue compter son or. Il était venu pour la voler, ou, pire encore, pour la tuer. Il la regardait fixement, essoufflé,° le visage convulsé, prêt, sans doute, à l'attaquer.

Il dit brusquement:

— Madame, n'ayez pas peur.

Elle ne répondit rien, incapable d'ouvrir la bouche. Son coeur battait et ses oreilles bourdonnaient.°

L'homme continua:

— Je ne suis pas un malfaiteur°, madame.

Elle ne disait toujours rien, mais ses genoux tremblaient tellement que tout l'or tomba sur le sol° du wagon.

Surpris, l'homme regarda ce flot° de métal, puis il se baissa pour ramasser les pièces.

Prise de panique, la comtesse se leva. Elle courut vers la portière pour sauter du train. L'homme comprit ce qu'elle voulait faire. Il l'attrapa, la saisit dans ses bras, et l'obligea à s'asseoir.

— Écoutez-moi, madame, dit-il. Je ne suis pas un malfaiteur.
La preuve° c'est que je vais ramasser cet argent et vous le rendre. Je suis moi-même en grand danger. Si vous ne m'aidez pas à passer la frontière, je suis un homme mort. Dans une heure, nous serons à la dernière station russe. Dans une heure dix, nous serons dans un autre pays. Si vous ne me secourez° pas, je suis condamné. Je ne peux pas vous expliquer pourquoi, mais croyez-moi, je n'ai pas tué. Je n'ai pas volé, et je n'ai rien fait de mal. Je vous jure que je suis un homme d'honneur, mais je ne peux pas vous en dire plus.

énervée = nerveuse   **essoufflé** *out of breath*   **bourdonnaient** *were buzzing*   **malfaiteur** = criminel
sol *floor*   **flot** *stream, cascade*   **preuve** *proof*   **secourez** = aidez

---

Mots utiles

un coin	*corner*
une frontière	*border*
le genou;	
les genoux	*knee; lap*
un mouchoir	*handkerchief*
une pièce d'or	*gold coin*
le poignet	*wrist*
se baisser	*to stoop, bend down*
battre *	*to beat*
compter	*to count*
couler	*to flow*
envelopper	*to wrap*
jurer	*to swear*
ralentir	*to slow down*
ramasser	*to pick up*
remplir	*to fill*
rouler	*to roll (along); to travel*
sauter	*to jump*
siffler	*to whistle*
tuer	*to kill*
vider	*to empty*
voler	*to steal*
muet (muette)	*silent*
pire	*worse*

↩ **Teaching Strategy**

Remind students:

• Seven nouns in **-ou** end their plural with **-x: bijou, chou, caillou, genou, hibou, joujou, pou.** All other nouns in **-ou** take an **-s** in the plural (le clou → les clous).

• **Pire** is the comparative and superlative of **mauvais.**

■ **Irregular Verb**

(see Appendix C)
battre

📖 **Teaching Strategy: Expansion**

Ask students the following questions:
• À votre avis, pourquoi l'homme a-t-il besoin d'aide?
• Que pensez-vous qu'il ait fait?
• Que se passera-t-il à la frontière si elle ne l'aide pas?

📝 Expand by asking students to write a short paragraph giving their opinions and the reasons behind their views.

Note culturelle

La monnaie russe s'appelle le rouble. Il y a cent kopecks dans un rouble.

L'homme se mit à genoux. Comme il l'avait dit, il ramassa toutes les pièces d'or, et en remplit le sac qu'il donna à la comtesse. Puis il alla s'asseoir à l'autre coin du wagon.

La comtesse Marie ne bougeait° pas. Immobile et muette, elle retrouva 65 peu à peu son calme. L'homme ne faisait pas un geste pas un mouvement. Il restait droit,° les yeux fixés devant lui. De temps en temps, elle le regardait rapidement. C'était un homme de trente ans environ.° Il était très beau, avec l'apparence d'un gentilhomme.

Le train continuait à rouler très vite dans la nuit. Puis, il siffla plusieurs 70 fois, ralentit et finalement s'arrêta.

bougeait = changeait de position   **droit** *sitting upright*   **environ** = approximativement

---

Avez-vous compris?	*Anticipons un peu!*
1. Qu'est-ce que la comtesse faisait quand l'homme est entré dans le wagon?	À votre avis, est-ce que la comtesse va protéger l'inconnu?
2. Quelle était l'apparence physique de cet homme? Décrivez-le.	• Si oui, comment?
3. Quelle a été la réaction de la comtesse quand elle a vu cet homme? Pourquoi?	• Si non, qu'est-ce qu'elle va faire?
4. Qu'est-ce que l'homme a fait quand l'argent a roulé sur le sol?	
5. Qu'est-ce que la comtesse a voulu faire ensuite?	
6. Quel service est-ce que l'homme a demandé à la comtesse?	

Avez-vous compris?

(Sample answers)

1. Elle comptait des pièces d'or.
2. Il était grand, beau, bien habillé. Il avait les yeux noirs. Il était blessé.
3. Elle a eu très peur, parce qu'elle pensait qu'il allait voler son argent ou la tuer.
4. Il l'a ramassé.
5. Elle a voulu sauter du train.
6. Il lui a demandé de l'aider à passer la frontière.

Lecture **285**

3

Ivan, le vieux serviteur, parut à la portière du wagon pour prendre les ordres de la comtesse. Celle-ci regarda son étrange compagnon, puis elle dit à son serviteur d'une voix brusque:

— Ivan, je n'ai plus besoin de toi. Tu vas retourner à Saint Pétersbourg.

Le serviteur, très surpris, ouvrit des yeux énormes. Tremblant d'émotion, il put à peine dire:

— Mais, madame . . . Je pensais que . . .

D'un ton très assuré, la comtesse répondit:

— J'ai changé d'avis. Tu ne viendras pas avec moi à Menton. Je veux que tu restes en Russie... Tiens, prends cet argent pour payer ton billet de retour. Et donne-moi ton manteau, ta casquette et ton passeport.

Ivan enleva sa casquette et son manteau qu'il lui donna, sans comprendre, à la comtesse. Il lui tendit son passeport et, puis, les larmes aux yeux, descendit du train.

Le train repartit vers la frontière. Alors, la comtesse dit à son voisin:

— Mettez ce manteau et cette casquette. Vous êtes maintenant Ivan, mon serviteur. Je mets une seule condition à ce que je fais pour vous: vous ne me parlerez jamais. Je ne veux pas que vous me disiez un seul mot, même pour me remercier.

L'inconnu s'inclina,° sans prononcer un mot. Bientôt le train s'arrêta de nouveau. Des policiers en uniforme entrèrent dans le wagon. Ils regardaient partout comme s'ils cherchaient quelqu'un. La comtesse leur dit d'un ton impérieux:

— Je suis la comtesse Baranow de Saint Pétersbourg, et voici mon domestique Ivan.

s'inclina *bowed*

Mots utiles

une casquette	cap
un inconnu	stranger
une larme	tear
changer d'avis	to change one's mind
enlever	to take off
paraître*	to appear
rompre	to break
tendre	to hand, give
à cause de	because of
à peine	hardly, scarcely
debout	standing

■ Irregular Verb

(see Appendix C)
paraître *(see* **connaître***)*

👁️👁️ Teaching Strategy

Divide the class into groups. Have each group discuss the following questions and prepare answers to present to the class:
• À votre avis, pourquoi Ivan pleure-t-il?

• Est-ce parce qu'il est triste de quitter la comtesse ou est-ce parce qu'il est heureux de rentrer en Russie?
• Y a-t-il une autre explication possible? Laquelle?

Puis elle tendit les passeports à un officier qui les lui rendit en saluant. Les hommes sortirent du wagon et continuèrent leur ronde d'inspection. Après une heure d'arrêt, le train se remit en route. 100

Pendant toute la nuit, l'homme et la femme restèrent en tête-à-tête,° muets tous les deux. Le matin, le train s'arrêta dans une gare allemande. L'inconnu descendit du wagon. Debout, sur le quai, il dit à la comtesse:

— Pardonnez-moi, madame, de rompre ma promesse, mais à cause 105
de moi, vous avez perdu votre domestique. Il est juste que je le remplace. Avez-vous besoin de quelque chose?

Elle répondit froidement:

— Allez chercher ma femme de chambre.

Il y alla, puis il monta dans un autre wagon. 110

Quand elle descendait à quelque buffet° de gare, elle le voyait de loin qui la regardait . . . Le train arriva finalement à Menton.

en tête-à-tête *face to face*   **buffet** *food wagon*

Avez-vous compris?

1. Qu'est-ce que la comtesse demande à Ivan, son vieux serviteur?
2. Comment est-ce que l'inconnu échappe *(escapes)* au contrôle des policiers?
3. Quelle promesse est-ce que la comtesse exige de l'inconnu?
4. Que fait l'inconnu quand le train s'arrête à la gare allemande?

Anticipons un peu!

- D'après vous, est-ce que l'inconnu va tenir *(keep)* sa promesse?
- Comment va se terminer cette histoire?

Lecture 287

■ **Note linguistique**
rompre sa promesse ≠ tenir
    sa promesse

■ *Avez-vous compris?*
(Sample answers)
1. Elle lui demande de retourner à Saint Pétersbourg.
2. Il échappe au contrôle des policiers parce qu'il a mis la casquette et le manteau d'Ivan.
3. Elle exige qu'il ne lui parle jamais.
4. Il descend du train et monte dans un autre wagon.

4

Le docteur toussa, puis il continua son histoire:

Un jour que je recevais mes clients dans mon cabinet, j'eus la visite d'un grand garçon que je n'avais jamais vu. Il me dit:

— Docteur, je viens vous demander des nouvelles de la comtesse Marie Baranow. Elle ne me connaît pas. Je suis un ami de son mari. C'est lui qui m'envoie.

Je répondis:

— La comtesse est très, très malade. Je doute qu'elle rentre un jour en Russie.

À ces mots, cet homme se mit à pleurer comme un enfant. Il se leva et sortit brusquement de mon cabinet.

Ce soir-là, comme d'habitude, je rendis visite à la comtesse dans son hôtel. Je lui dit qu'un étranger était venu m'interroger° sur sa santé. Elle parut émue et me raconta toute l'histoire que je viens de vous dire. Puis elle ajouta:

— Cet homme que je ne connais pas me suit maintenant comme mon ombre. Je le rencontre chaque fois que je sors. Il me regarde d'une étrange façon, mais il ne m'a jamais parlé.

Elle réfléchit, puis ajouta:

— Je parie qu'il est sous mes fenêtres.

interroger = poser des questions

Mots utiles	
un baiser	*kiss*
un être	*human being*
un fou	*crazy person*
une ombre	*shadow*
un sourire	*smile*
ajouter	*to add*
deviner	*to guess*
gâter	*to spoil*
parier	*to bet*
pleurer	*to cry*
se retourner	*to turn back*
réfléchir	*to think, reflect on*
suivre *	*to follow*
bouleversé	*overwhelmed*
douloureux	*painful*
ému	*moved, touched*
jusqu'au bout	*to the end*

Elle quitta sa chaise longue, alla à la fenêtre et me montra, en effet, l'homme qui était venu dans mon cabinet. Il était assis sur un banc et regardait dans la direction de l'hôtel. Quand il nous vit, il se leva et partit sans se retourner.

J'assistai ainsi à une chose surprenante et douloureuse, à l'amour muet de ces deux êtres qui ne se connaissaient pas.

Il l'aimait passionnément, avec la reconnaissance° et la dévotion d'un animal sauvé de la mort. Chaque jour, il venait me demander «Comment va-t-elle?», comprenant que j'avais deviné leur amour. Et il pleurait affreusement quand il apprenait qu'elle était chaque jour plus faible et plus pâle.

Elle me disait: «Je ne lui ai parlé qu'une seule fois, mais il me semble que je le connais depuis toujours.»

Et quand ils se croisaient° dans la rue, elle lui rendait son salut avec un sourire grave et charmant. Je sentais qu'elle était heureuse, elle qui savait qu'elle était perdue. Oui, je la sentais heureuse d'être aimée ainsi, avec ce respect et cette constance, avec cette poésie exagérée, avec cette dévotion totale et absolue. Et pourtant, elle refusait désespérément de le rencontrer, de connaître son nom, de lui parler . . .

Elle disait: «Non, non, cela me gâterait cette étrange amitié. Il faut que nous restions étrangers l'un à l'autre.»

Lui aussi continua à garder ses distances. Il voulait respecter jusqu'au bout l'absurde promesse de ne jamais lui parler, promesse qu'il avait faite dans le wagon.

Souvent, pendant ses longues heures de faiblesse, elle se levait de sa chaise longue et allait à sa fenêtre pour voir s'il était là. Et quand elle l'avait vu, toujours immobile sur son banc, elle revenait se coucher avec un sourire aux lèvres.

Elle est morte un matin vers dix heures. Comme je sortais de l'hôtel, il vint vers moi, le visage bouleversé. Il savait déjà la nouvelle.

— Je voudrais la voir une seconde seulement, en votre présence, dit-il.

Je lui pris le bras et rentrai dans la maison. Quand il fut devant le lit de la morte, il lui prit la main et l'embrassa d'un interminable baiser. Puis il se sauva° comme un fou. Je ne l'ai jamais revu.

la reconnaissance = la gratitude   se croisaient = se rencontraient   se sauva = partit

■ Note linguistique

The adverb **mi-** is used with nouns as a prefix, meaning *half*. **Example: à mi-chemin** *(halfway)*.

Le docteur toussa de nouveau, et il dit:

— Voilà certainement la plus singulière aventure de train que je connaisse. Il est vrai que les hommes sont un peu fous.

175 Une femme dit à mi-voix.°

— Ces deux êtres-là étaient moins fous que vous ne croyez . . . Ils étaient . . . ils étaient . . .

Et elle se mit à pleurer, sans terminer sa phrase. On changea de conversation pour la calmer. Personne n'a su ce qu'elle voulait dire.

à mi-voix *in a low voice*

■ *Avez-vous compris?*

(Sample answers)

1. Il dit qu'il est un ami du mari de la comtesse, et que c'est le mari qui l'envoie demander des nouvelles.
2. Elle explique que l'homme la suit toujours. Il est sur un banc sous la fenêtre de la comtesse.
3. Elle éprouve de l'amitié pour lui. Elle aime son amour platonique. Elle pense que parler changerait les choses.
4. Il a peut-être compris qu'elle était morte parce qu'elle n'est pas venue à la fenêtre ce matin-là. Il demande au médecin s'il peut la voir.
5. *Answers will vary.*

Avez-vous compris?

1. Sous quel prétexte l'inconnu va-t-il voir le médecin? Quelle est sa réaction quand il apprend la vérité?
2. Qu'est-ce que la comtesse explique au médecin ce soir-là? Où était l'inconnu à ce moment-là?
3. Quel sentiment est-ce que la comtesse éprouve *(feel)* pour l'inconnu? Comment explique-t-elle son refus de lui parler?
4. À votre avis, comment est-ce que l'inconnu a appris la mort de la comtesse? Qu'est-ce qu'il demande au médecin?
5. À votre avis, est-ce que l'inconnu était un fou ou un héros? Expliquez pourquoi?

📖 Teaching Strategy: Expansion

Ask students to complete the following activities:
• *Expression écrite:* L'inconnu décrit la scène du train dans son journal. Écrivez cette page.
• Complétez la phrase de la jeune femme à la fin de l'histoire avec votre opinion personnelle.

• Avez-vous aimé cette histoire? Expliquez pourquoi.

These questions may be answered as a group activity if students prefer to debate their answers and opinions.

EXPRESSION ORALE

■ Dramatisation

Avec un(e) partenaire, jouez la scène du train (partie 3 de l'histoire).

■ Sujets de discussion

A. L'inconnu du train

Avec votre partenaire, créez une identité et une personnalité à l'inconnu du train. Imaginez, par exemple:
- qui il est
- d'où il vient
- comment, pourquoi, et dans quelles circonstances il a été blessé?
- comment et pourquoi il est entré dans le wagon où était la comtesse?
- pourquoi il a demandé sa protection?

Rappelez-vous: L'inconnu a dit qu'il était un homme d'honneur, qu'il n'avait pas tué, qu'il n'avait pas volé, et qu'il n'avait rien fait de mal.

B. L'amour platonique

Un amour platonique est un amour purement spirituel, comme l'amour qui unit l'inconnu et la comtesse russe.
- Pensez-vous que cet amour soit réel?
- Pensez-vous qu'un tel amour puisse exister aujourd'hui?

Prenez une position pour ou contre et illustrez-la avec des exemples.

■ Situations

Avec votre partenaire, choisissez l'une des situations suivantes. Composez le dialogue correspondant et jouez-le en classe.

1. Une visite

La comtesse sait qu'elle va mourir. Quelques jours avant sa mort, elle accorde (grants) une visite à l'inconnu du train en lui demandant d'expliquer ses actions.

Rôles: la comtesse, l'inconnu

2. Explications

La comtesse vient de mourir. Rentré chez lui, le docteur raconte à sa femme les faits de la journée. La femme du docteur demande des explications.

Rôles: le docteur, sa femme

3. Il y a trentre ans . . .

Trente ans ont passé. Au lieu de retourner en Russie, l'inconnu est resté en France. Un jour, il raconte l'histoire à un(e) ami(e) qui demande des détails.

Rôles: l'inconnu, son ami(e)

EXPRESSION ÉCRITE

■ Notice nécrologique *(Obituary)*

Vous êtes journaliste. Écrivez une brève notice nécrologique sur la comtesse Marie Baranow. (Inventez-lui une biographie.)

■ Journal intime

Dans son journal intime, la comtesse décrit la scène du train. Écrivez cette page de journal.

■ Lettre d'adieu

Sachant que la comtesse va mourir, l'inconnu lui écrit une lettre où il avoue ses sentiments. (Évidemment il ne la lui enverra pas, parce qu'il respecte la promesse qu'il a faite.) Écrivez cette lettre d'adieu.

📝 Teaching Note

L'inconnu du train can also be assigned as a composition.

■ Irregular Verb

(See Appendix C)
mourir is an irregular verb:
> **je meurs**
> **il meurt**
> **nous mourons**

📁 Student Portfolios

Using either the *Situations* or the *Expression écrite* activities, have students prepare these materials for inclusion in their portfolios. If students prefer to work on an alternate activity suggested by the story (an original story or poem, a song or piece of music, a short scene on video, a series of illustrations with captions), they may do so.

INTERLUDE CULTUREL

TEACHING RESOURCES

 Transparencies 1, 1(o), 5, 5(o)

 Overhead Visuals Copymasters and Activities, pp. A5–A6, A12–A13

 Internet Connection Notes, Project 4, pp. 118–121

■ Pour en savoir plus

For more background on **Simone Veil**, see *Interlude 6*, page 253.

■ Anecdote

To prepare for the switch from francs to EURO in 2001, the French have created a converting machine. This credit-card size calculator is able to convert any amount instantly from francs into EURO and vice-versa.

■ Note historique

Ce traité a été signé à Maastricht, une ville de Hollande.

INTERLUDE CULTUREL

■ *Français et Européens* ■

Pour les Français d'aujourd'hui, l'Europe est une réalité bien concrète. Ils portent des chemises italiennes et des imperméables anglais. Ils mangent des oranges espagnoles et du fromage hollandais. Au café, ils commandent de la bière belge ou irlandaise. Ils conduisent des voitures allemandes. Ils vont passer les vacances en Grèce ou au Portugal, et ils voyagent, bien sûr, avec un passeport européen. Dans leur mode de vie et aussi dans leurs attitudes, les Français se sentent à la fois français et européens.

La construction de l'Europe a commencé après la Deuxième Guerre Mondiale, avec la création du **Marché Commun**. Aujourd'hui, **l'Union européenne** est un grand ensemble de quinze pays. Elle a son Parlement, sa cour° de Justice, son unité monétaire et son drapeau.

L'existence d'un grand marché européen a permis le développement économique de la France. La France actuelle° est un pays moderne, riche et prospère. C'est l'un des leaders mondiaux dans beaucoup de domaines industriels et scientifiques: automobile, électronique, transports, communications, construction aéronautique et aérospatiale, produits pharmaceutiques, recherche° médicale et scientifique . . . Grâce° au développement économique de leur pays, les Français ont un niveau de vie° élevé et bénéficient de beaucoup d'avantages sociaux. Cela ne signifie pas, cependant, que la France soit un pays parfait.° Comme dans la plupart° des pays, il y a beaucoup de problèmes importants à résoudre.°

L'unification de l'Europe

L'Union Européenne est un groupe de quinze pays qui forment une union économique. Ces pays sont la France, l'Allemagne, l'Italie, la Belgique, les Pays-Bas, le Luxembourg, la Grande-Bretagne, l'Irlande, le Danemark, la Grèce, le Portugal, l'Espagne, l'Autriche, la Finlande, la Suède. Voici quelques étapes de cette unification européenne.

1944	Trois pays, **la Belgique, les Pays-Bas** et **le Luxembourg** décident de former une zone de libre-échange:°le Bénélux.
1957	Le Traité° de Rome crée la CEE (Communauté Économique Européenne) ou «Marché Commun» entre six pays: **la France, l'Allemagne, l'Italie** et les trois pays du Bénélux.
1973	**Le Danemark, l'Irlande** et **la Grande-Bretagne** entrent dans la CEE.
1979	Élections d'un parlement européen au suffrage universel. Une Française, Simone Veil, est la première présidente de ce parlement.
1981-1986	**La Grèce,** puis **l'Espagne** et **le Portugal** deviennent membres de la CEE appelée désormais° Communauté Européenne.
1992	Le traité de Maastricht prévoit° une union économique, monétaire et politique en plusieurs étapes.°
1996	Parlement Européen
2000	L'intégration économique et politique de l'Europe est en principe réalisée.

cour *court* **actuelle** = *d'aujourd'hui* **recherche** *research* **grâce à** *thanks to* **niveau de vie** *standard of living* **parfait** *perfect* **la plupart** *the majority* **résoudre** *to solve, resolve* **libre-échange** *free trade* **traité** *treaty* **désormais** *henceforth* **prévoit** *plans ahead for* **étapes** *steps, stages*

⊕ NOTES CULTURELLES

• There are now 15 member countries in the European Community: Belgium, Germany, France, Italy, Luxembourg, the Netherlands, Denmark, Ireland, the United Kingdom, Greece, Portugal, Spain, Austria, Finland, Sweden.

• The European flag bears 12 stars, regardless of how many member states there may be in the union. This flag was originally designed for the Council of Europe in 1949.

✤ La monnaie européenne s'appelle l'ECU *(European Currency Unit)* ou EURO. Pour le moment, cette monnaie est utilisée par les gouvernements, les banques, les institutions financières. Elle n'est pas encore utilisée par les individus.

Oui à l'Europe!

Les Français sont généralement très favorables à l'Europe. Nous avons demandé à quatre Français d'âges différents d'expliquer pourquoi.

Un lycéen (14 ans)

Pendant les vacances de printemps, je suis allé passer dix jours en Hollande avec les élèves de ma classe. Je ne me suis pas senti dépaysé° du tout. Évidemment, les Hollandais parlent une autre langue, et leur nourriture est différente, mais en général nous avons beaucoup de points communs avec eux. Et je suis sûr que c'est la même chose avec les Allemands, les Anglais et les Italiens. Nous sommes tous européens!

Une étudiante (21 ans)

Je suis étudiante à l'IEP (Institut d'Études politiques) de Strasbourg. Dans ma classe, il y a 25 pour cent d'étudiants étrangers, surtout allemands, anglais et belges. Moi-même, je vais passer l'année prochaine à l'université de Fribourg en Allemagne. Tout ça, grâce au programme *Erasmus*, qui facilite les échanges entre les universités européennes. Avec *Erasmus*, l'Europe est une réalité bien concrète pour nous, étudiants.

Une jeune cadre° (28 ans)

Je suis diplômée d'une école de commerce française, mais maintenant je travaille en Allemagne pour une compagnie anglaise. J'ai un job intéressant et je gagne très bien ma vie. Si un jour je décide de changer d'entreprise, avec mon expérience internationale je n'aurais pas de problèmes à trouver quelque chose d'autre. Si l'Europe n'existait pas, je n'aurais pas ces possibilités!

Un retraité (80 ans)

Autrefois l'histoire européenne, c'était l'histoire des conflits permanents entre la France et l'Allemagne ou l'Angleterre. Je parle en connaissance de cause° parce que j'ai fait la guerre de 40* et que j'ai passé quatre ans en Allemagne dans un camp de prisonniers. Maintenant, avec la nouvelle Europe, la guerre est devenue impossible. Je suis pour l'intégration politique de l'Europe parce que cela signifie paix° et prospérité pour mes petits-enfants … et leurs enfants.

* La guerre de 40, c'est la Deuxième Guerre Mondiale (1940-1944). Voir à la page 252.

dépaysé *lost (in a strange place)*   **cadre** *executive*   **en connaissance de cause** *knowingly*   **paix** *peace*
fond *background*   **suffit** = est suffisant

Les symboles de l'Europe

Le drapeau européen

Le drapeau européen représente un cercle de 12 étoiles jaunes sur un fond° bleu. Les douze étoiles représentent les douze premiers pays de la Communauté européenne.

Le passeport européen

Les citoyens des pays de la Communauté européenne ont un passeport de format unique, le passeport européen. Cependant, ce passeport n'est pas nécessaire pour aller dans les autres pays de la CE: une simple pièce d'identité suffit.°

🌐 **Note culturelle**

Erasme (1466–1536) était un humaniste hollandais. Pendant la Renaissance (voir page 140), les humanistes étaient des esprits universels qui s'intéressaient à tous les aspects de la connaissance humaine, et plus particulièrement à l'histoire et à la littérature grecque et romaine. Aujourd'hui, Erasme reste le symbole de l'universalité de la connaissance humaine.

🌐 **Realia Note**

Le passeport européen
Although each country issues its own passport, all the information inside the passport is given in each of the languages of the "CE" members.

 Internet Connection—Interlude 7

Assign students to research **les pays africains francophones**. Let students choose the country they wish to explore and encourage them to work in pairs if they wish. For alternate links, students may use the following keywords with the search engine of their choice: **"le maghreb" + tourisme; "le nord d'Afrique"; "l'Afrique francophone"**.

African Resources   http://www.metissacana.com/
http://www.francomedia.qc.ca/~pberland/afrique.htm
http://www.africaonline.co.ci

■ Pour en savoir plus

Pour davantage de renseignements sur la Résistance, voir pages 254–259.

🌐 Note culturelle

Emmaüs est un village au nord de Jérusalem. Dans la tradition chrétienne, c'est là ou Jésus s'est manifesté à ses disciples incrédules la nuit de sa résurrection.

Supplementary vocabulary

le squatter *squatter*
squatter *to squat (in a building)*
le chômage *unemployment*
la délinquance *delinquency*
le SDF (Sans Domicile Fixe) *homeless person*
la solidarité *solidarity*

■ *Nous, c'est les autres!* ■

La France d'aujourd'hui est un pays riche et prospère. Ses habitants ont l'un des niveaux de vie les plus élevés du monde. Pourtant, comme toute société moderne, la société française a ses problèmes et ses victimes.° Il y a les chômeurs,° les sans-abri,° les gens qui ont faim. Que fait-on pour ces déshérités de la société? Certains Français ont répondu à cette question par leurs actions.

EMMAÜS FRANCE
FONDATEUR ABBE PIERRE

L'abbé Pierre et les «Chiffonniers d'Emmaüs»

L'abbé* Pierre a 85 ans ou un peu plus. C'est un homme simple qui, depuis 40 ans, porte le même béret et la même pèlerine° noire. C'est aussi l'un des hommes les plus admirés de France. Issu d'une famille riche, l'abbé Pierre a décidé de mettre sa religion en pratique et de devenir l'apôtre° des pauvres.

En réalité, l'abbé Pierre s'appelle Henri Groués. C'est pendant la Guerre de 1940, quand il travaillait dans la Résistance, qu'il a pris le nom d'Abbé Pierre. Cette guerre, qui a duré° quatre ans, a causé la destruction d'un très grand nombre de maisons et d'immeubles dans toute la France. À la fin de la guerre, il y avait des milliers de «sans-abri». L'abbé Pierre est devenu leur porte-parole° lorsqu'il a été élu° député° à l'Assemblée Nationale** en 1945.

Mais pour l'abbé Pierre, l'activité politique n'était pas suffisante. Devant l'inaction du gouvernement, il a décidé de passer à l'action tout court.° C'est ainsi qu'il a créé les «Chiffonniers° d'Emmaüs», une organisation qui donnait du travail, un logement, et surtout une raison de vivre° à ceux que personne ne voulait employer: les alcooliques, les anciens repris de justice,° et tous les déshérités de la terre. Pour rappeler° aux Français l'existence des sans-abri, l'abbé Pierre a décidé de «squatériser», d'une manière illégale mais non injuste, les immeubles vides° ou abandonnés. Plus récemment, en 1991, il a créé des «boutiques-solidarité» pour aider les gens qui n'ont pas les moyens° de vivre comme tout le monde.

L'abbé Pierre et deux de ses protégés

L'abbé Pierre aujourd'hui

La misère n'a évidemment pas de frontière° e l'action de l'abbé Pierre est devenue internationale. Il a aujourd'hui plus de 250 centres Emmaüs en Franc et 600 dans le monde.

* **L'abbé**: un titre religieux donné à certains prêtres catholiques.
** **L'Assemblée Nationale**: Avec le Sénat, chambre parlementaire qui vote les lois *(laws)*. C'est l'équivalent du «House of Representatives» du congrès américain.

---

victimes *casualties* **chômeurs** *unemployed* **sans-abri** *homeless* **pèlerine** *cape* **apôtre** *apostle, defender* **duré** *lasted* **porte-parole** *spokespers* **élu** *elected* **député** *congressman* **tout court** = *directement* **chiffonniers** *ragpickers* **raison de vivre** *aim in life* **anciens repris de justice** *former prison inmates* **rappeler** *remind* **vides** *empty* **moyens** *means* **frontière** *border*

🌐 **NOTES** CULTURELLES

- L'abbé Pierre est né en 1912. Il entre au monastère à l'âge de 19 ans, après avoir distribué sa part d'héritage et fait vœu de pauvreté. À 34 ans, il est élu député de Meurthe-et-Moselle et devient ainsi le porte-parole des pauvres.
- Le film français intitulé *Hiver 54* relate le combat de l'abbé Pierre pour soulager la

misère des pauvres gens et pour fonder les Chiffonniers d'Emmaüs.
- L'abbé Pierre s'est retiré dans un monastère italien à Paglia, près de Padoue, en 1996.
- Des sondages récents ont montré que l'abbé Pierre est la personne la plus admirée en France, avant Jacques Cousteau et le premier ministre.

Coluche et les «Restos du Coeur»

À son époque, **Coluche**, de son vrai nom Michel Colucci, était le comédien le plus célèbre de France. Son visage bonhomme,° ses manières rustres,° sa salopette° étaient universellement connus. Mais pour Coluche, faire des films, se produire° à la télévision et gagner de l'argent, ne suffisait pas. Coluche était un homme généreux, courageux et juste qui ne pouvait pas tolérer la misère ou les inégalités sociales. Alors, un jour il est passé à l'action et il a créé les «**Restaurants du coeur**». Cette organisation prépare des repas chauds pour les sans-abri, pour les personnes sans ressources, et généralement pour tous ceux qui ont faim et qui n'ont pas d'argent.

En 1986, Coluche s'est tué dans un accident de moto, mais son oeuvre° continue. Aujourd'hui, les 1500 «Restos° du coeur», animés par des milliers de bénévoles,° servent 30 millions de repas gratuits par an.

Coluche, le comédien au grand coeur

Jeunes français, bénévoles qui servent des repas gratuits au «Restos du Coeur»

🌐 **Note culturelle**
Le RMI (Revenu Minimum d'Insertion) was created by the French government in 1988 to help the unemployed to get back on track and lead fulfilling lives. **Le RMI** provides income for 3–12 months. A person who receives such a subsidy is called **le RMiste** (pronounced: le érémiste).

■ **Adresses**
• **Fondation Abbé Pierre pour le logement des défavorisés**
B.P. 100
94220 Charenton
• **Restaurants du Coeur**
75515 Paris Cédex 15

---

bonhomme *good-natured* **rustres** *boorish, lacking good manners* **salopette** *overalls* **se produire** = *se montrer* **oeuvre** *charitable works*
restos = restaurants °**bénévoles** = volontaires

Transparency 4

Overhead Visuals Copymasters and Activities, pp. A10–A11

🌐 Note culturelle

Officially, France closed its borders to permanent workers in 1974, except for people from member states of the EEC.

■ Notes historiques

LES INVASIONS

• The Roman occupation is described in *Interlude 1*, p. 98.

• Among the invading German tribes were the **Franks**, who gave their name to the country.

• The Scandinavians or Vikings came from Norway, Sweden, and Denmark. They were also known as Norsemen or Normans **(les hommes du Nord).** See p. 104.

Supplementary vocabulary

la carte de séjour *visa, green card*

la naturalisation *naturalization*

l'intégration *assimilation*

le travailleur clandestin *illegal worker*

le réfugié (politique) *(political) refugee*

le demandeur d'asile *asylum seeker*

l'autorisation de travail *work permit*

■ *La France, une mosaïque* ■

Les Français d'aujourd'hui ne s'appellent pas seulement Dupont, Moreau, Petit ou Normand. Ils s'appellent aussi Belkacem, Lopez, Nguyen et Meyer. Ils sont blancs, noirs, bruns et jaunes. Ils vont à l'église, à la mosquée, au temple et à la synagogue*. . . Loin d'être un pays homogène, la France est en réalité une mosaïque marquée par l'intégration, la fusion et la cohabitation de cultures différentes.

Historiquement, la France a d'abord été une terre d'invasion. Au cours° des dix premiers siècles,° elle a été occupée par les Romains, les Germains, les Scandinaves . . . Au 19ᵉ siècle, elle est devenue une terre d'asile° pour des milliers de réfugiés politiques venus d'Allemagne, de Pologne, de Hongrie et de Russie.

Au 20ᵉ siècle, La France est devenue une terre d'immigration pour des millions de travailleurs étrangers. Le développement économique et industriel a en effet créé un énorme besoin de main d'oeuvre.° Pour répondre à ce besoin, le gouvernement français a invité des étrangers à venir travailler en France. Dans les années 20, ces travailleurs venaient principalement d'Italie et de Pologne. Dans les années 50, ils venaient surtout du Portugal et d'Espagne.

Depuis les années 60, la majorité de travailleurs étrangers qui viennent en France n sont pas européens. Ce sont principalement de Maghrébins (Algériens, Marocains et Tunisiens venus des pays d'Afrique du Nord. D'autres moins nombreux, viennent d'Afriqu occidentale° (Mali, Sénégal, Cameroun . . .) e d'Asie (Viêt-nam, Laos, Cambodge).

Après les États-Unis, la France est le pays d monde qui a le plus grand nombre d'immigrants Les 4,5 millions d'étrangers qui habitent en Franc représentent 8% de la population du pays Ces étrangers, d'origine européenne, africaine o asiatique, donnent à la France d'aujourd'hu un visage véritablement multi-culturel e multi-ethnique.

* En France, les **Catholiques** vont à l'église, les **Musulmans** *(Moslems)* vont **à la mosquée,** les **Protestants** vont **au temple,** les **Juifs** vont **à la synagogue.**

au cours de = pendant   **un siècle** = 100 ans   **terre d'asile** *land of asylum*   **main d'oeuvre** *labor, manpower*   **occidentale** *Western*

👁️👁️ Teaching Strategy: Projects

Immigration policy is often a complicated, emotionally-charged topic for discussion. It is important that students learn to accept and respect divergent opinions during class debate. Be sure to review rules of appropriate behavior before group work or class discussion. Divide the class into groups and assign a short

research project, either using the Internet or traditional resources. The project should focus on recent newspaper and magazine articles on immigration in both France and the U.S. Ask students to comment on similarities and differences and write a short description of the articles they read.

Le Maghreb et les Maghrébins

Maghreb est un mot arabe qui signifie *le pays où le soleil se couche.*° Autrefois, le Maghreb représentait l'extrémité occidentale du monde musulman. Le Maghreb désigne les trois pays d'Afrique du Nord: l'**Algérie**, le **Maroc** et la **Tunisie**. Les Maghrébins sont les habitants de ces pays.

La majorité des Maghrébins sont arabes et musulmans. Leur religion est l'**Islam**. Un grand nombre de Maghrébins (environ deux millions) ont émigré en France où ils représentent le groupe le plus important d'étrangers.

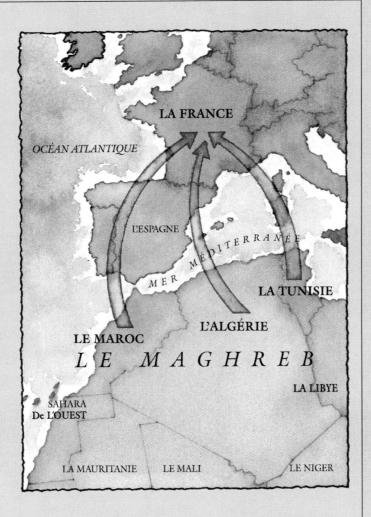

LA FRANCE

OCÉAN ATLANTIQUE

L'ESPAGNE

MER MÉDITERRANÉE

LA TUNISIE

L'ALGÉRIE

LE MAROC

LE MAGHREB

LA LIBYE

SAHARA De L'OUEST

LA MAURITANIE   LE MALI   LE NIGER

LES ÉTRANGERS EN FRANCE

Portugais	850 000	Espagnols	350 000
Algériens	725 000	Vietnamiens	250 000
Marocains	560 000	Tunisiens	225 000
Italiens	380 000	Turcs	160 000

couche *sets*

■ Djamila ou le dilemme de l'intégration

Djamila, 17 ans, est une jeune «beur». Cela signifie qu'elle est fille d'immigrés maghrébins. Ses parents sont venus d'Algérie il y a vingt ans, et elle, elle est née à Marseille. Elle a la nationalité française, parle français, va dans un lycée français où presque tous ses copains sont d'origine française. Après le bac, elle compte aller à l'université et un jour devenir vétérinaire. Est-ce qu'elle se sent vraiment française? Ou bien, est-elle restée algérienne?

Djamila explique son dilemme.

«Fondamentalement, je suis française, mais je suis différente parce que ma famille est différente. Mes parents sont arabes et musulmans pratiquants.° Cela ne signifie pas seulement qu'ils célèbrent l'aïd* et qu'ils ne mangent pas de porc et ne boivent pas d'alcool. Cela signifie aussi qu'ils ont une conception différente de la vie. Mon père, par exemple, ne veut pas que je sorte seule avec un garçon, alors que mes copines françaises n'ont pas besoin de demander la permission. C'est parfois une situation difficile, mais j'obéis parce que j'ai beaucoup de respect et d'admiration pour mon père. C'est un homme honnête qui a travaillé très dur pour donner un minimum de confort à sa famille.

* **L'aïd:** Cette fête musulmane, aussi appelée «fête du mouton», rappelle le sacrifice d'Abraham et d'Isaac.

■ L'influence maghrébine en France

La présence de deux millions de Maghrébins en France a modifié et enrichi la culture française dans beaucoup de domaines. Par exemple:

■ Religion

Aujourd'hui, l'**Islam** est la deuxième religion pratiquée en France, après la religion catholique et avant les religions protestantes et juives. Il y a 600 mosquées en France et 4 millions de Musulmans.

■ Cuisine

Le **couscous**, plat traditionnel d'Afrique du Nord, est devenu un plat très populaire en France. C'est un plat de semoule° cuit à la vapeur° et servi avec des légumes, de la viande et une sauce très pimentée.° Pour manger un bon couscous, on peut aller dans les restaurants marocains, algériens ou tunisiens. Si on veut manger un couscous chez soi, il suffit d'acheter une boîte de couscous au supermarché.

D'autres spécialités maghrébines sont les gâteaux au miel,° les gâteaux aux amandes° appelés «cornes° de gazelle» et le thé à la menthe.°

■ Vocabulaire

La langue française d'aujourd'hui contient un certain nombre de mots d'origine arabe, comme:

un toubib	*un médecin*
un bled	*un petit village, généralement isolé et sans intérêt*
un méchouï	*une grande fête où on mange généralement du mouton rôti*
avoir la baraka	*avoir de la chance*
c'est kif-kif	*c'est la même chose*

COUSCOUS
REGIA
MOYEN

500 g
Couscous
de blé dur

pratiquants = qui observent les préceptes de leur religion **semoule** *semolina* **cuit à la vapeur** *steamed* **pimentée** *hot, spicy* **miel** *honey* **amandes** *almonds* **cornes** *horns* **menthe** *mint*

«Mes parents ont la nostalgie de leur pays. [...]
fois, ils parlent de rentrer en Algérie et ils [...]
draient que je vienne avec eux. Je suis allée [...]
sieurs fois en Algérie où nous avons de la [...]
ille, mais là-bas, je ne me sens pas chez moi. [...]
ez moi, c'est en France. C'est là où j'habite et [...]
t là où je vais faire ma vie. Parce que je suis [...]
grée, je sais que je n'aurai pas de difficulté [...]
rouver un bon emploi. Pourtant, il y a des [...]
blèmes. Par exemple, quand je sors avec mes [...]
ines beurs et que nous parlons arabe entre [...]
s, j'ai parfois l'impression qu'on nous regarde [...]
travers.° À ce moment-là, je me sens alors [...]
érienne, et fière° d'être différente.»

Quelques prénoms arabes

FILLES

Aïcha	Ourida
Djamila	Sakinna
Farida	Soraya
Leïla	Yasmina
Malika	Zeïna
Nawel	Zohra

GARÇONS

Ahmed	Latif	Omar
Ali	Malek	Rachid
Farid	Malik	Saïd
Hacine	Mohamed	Toufik
Ismaïl	Mouloud	Youssef
Kateb	Mustapha	

La grande mosquée de Paris

Les cinq principes de la religion musulmane

La religion musulmane est l'une des religions les plus importantes du monde. Elle est pratiquée par plus de 800 millions de personnes, principalement au Moyen Orient, au Pakistan, en Indonésie, en Afrique du Nord et en Afrique occidentale.

La religion musulmane a cinq principes fondamentaux. Ces principes sont assez simples.

- Il y a un seul Dieu,° **Allah**.
- Chaque jour, le Musulman doit faire ses prières° cinq fois, tourné dans la direction de la **Mecque**,° ville natale du prophète Mahomet, et ville sainte° de l'islam.
- Le Musulman doit être charitable. Chaque année, il doit donner un pourcentage de sa fortune aux pauvres.

- Chaque année, le Musulman doit faire le jeûne° du **Ramadan**. Pendant les 30 jours du Ramadan, il doit s'abstenir totalement de manger et de boire du matin jusqu'au soir.
- Durant sa vie, le Musulman doit aller une fois en pèlerinage° à la Mecque. Ce pèlerinage s'appelle le **hadj**.

Horaire des prières

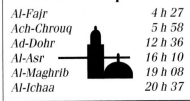

Al-Fajr	4 h 27
Ach-Chrouq	5 h 58
Ad-Dohr	12 h 36
Al-Asr	16 h 10
Al-Maghrib	19 h 08
Al-Ichaa	20 h 37

travers = d'une manière étrange   **fière** proud   **Dieu** God   **prières** prayers   **Mecque** Mecca (today in Saudi Arabia)
te holy   **jeûne** fast   **pèlerinage** pilgrimage

Realia Note
Whereas standard Muslim practice requires five daily prayers, there are often optional prayers. The fundamental prayers, as they appear in this newspaper announcement, are the following:
Al-Fajr: morning (sunrise)
Ad-Dohr: noon
Al-Asr: mid-afternoon
Al-Maghrib: evening
Al-Ichaa: night
On this particular day, **Ach-Chrouq** was listed an additional optional prayer.

NOTES CULTURELLES

- Islam is important in many areas of the French-speaking world: Algeria, Morocco, Tunisia, and several countries of West Africa (see p. 375). It is presented here for general information about the culture of these regions.
- Le prophète **Mahomet** (570–632) a fondé la religion musulmane en 622, l'an zéro du calendrier musulman.

- Le livre sacré des Musulmans s'appelle **le Coran** et est écrit en arabe. Il contient la parole d'Allah telle qu'elle a été transmise à Mahomet par l'archange Gabriel.
- Dans le calendrier musulman, le mois de **Ramadan** est le mois où le Coran a été révélé à Mahomet.

■ **Additional Information**

- **S.O.S Racisme** was founded in 1984 by Harlem Jean-Philippe Désir.
- **S.O.S Racisme** 64, rue de la Folie-Méricourt 75011 Paris
- *We are the World* was written in 1985 by Michael Jackson and Lionel Richie, and sung by a group of popular artists.

■ *SOS Racisme*

Les travailleurs immigrés qui viennent en France apportent avec eux une culture spécifique. Ils ont leurs coutumes, leurs traditions, leur religion, leur langue, leur musique, leur cuisine, leur façon de s'habiller . . . Ces immigrés sont généralement heureux d'habiter en France, même si les conditions de travail et de logement sont souvent difficiles.

De leur côté,° la majorité des Français, les jeunes en particulier, acceptent assez bien les immigrés même si leur culture est différente de la culture traditionnelle française. D'autres, au contraire, ont beaucoup de difficultés à accepter la réalité multi-culturelle de la France d'aujourd'hui. Ils ne comprennent pas que cette réalité est irréversible. Certains pensent que les immigrés sont responsables des problèmes comme le chômage,° la délinquance, ou la drogue.° Des extrémistes voudraient même renvoyer° les immigrés dans leur pays d'origine. En France, comme dans d'autres pays européens, le racisme et la discrimination contre les immigrés sont devenus des problèmes importants à résoudre.°

Comment combattre le racisme? Un jour, il y a dix ans, des copains d'origine diverse discutaient justement° de leurs différences. «Nous sommes blancs, noirs, marron, bronzés!° Nous sommes copains depuis des années et nous le resterons, parce que nous disons oui à la solidarité et non au racisme.» Ce jour-là, un grand mouvement, **SOS Racisme**, était né.

De père martiniquais et de mère alsacienne, **Harlem Désir**, le fondateur et premier président de **SOS Racisme**, est bien le symbole même de la France multi-ethnique. «Chez nous, dit-il, on respecte l'individu et on écoute les autres.»

Les activités de **SOS Racisme** sont tr[...] nombreuses: aider les immigrés, trouver d[...] avocats pour les victimes de la discriminatic[...] combattre le racisme sous toutes ses formes, [...] plus généralement, changer les attitudes et fa[...] accepter le droit° à la différence. Pour mobilis[...] l'opinion, **SOS Racisme** organise des campagn[...] des marches, et surtout de grands conce[...] publics où les jeunes viennent manifester le[...] solidarité au mouvement.

L'emblème° de **SOS Racisme** est une main ouverte, bleue, rouge ou orange, avec un slogan «Touche pas à mon pote!»° Ce slogan signifie «Nous sommes différents, mais nous sommes frères et soeurs. Si tu attaques l'[...] de nous, nous sommes là pour le défendre et [...] protéger.» Cette petite main symbolique a eu [...] succès extraordinaire, non seulement en Fran[...] mais aussi en Suisse et en Belgique. Des dizair[...] de milliers de jeunes, surtout des lycéens, porte[...] cet emblème sur leurs vêtements. C'est une faç[...] de dire à tout le monde: «Je suis pour la justi[...] pour l'intégration et contre le racisme et [...] discrimination.»

Une manifestation, SOS Racisme

---

de leur côté *as far as they are concerned*   **chômage** *unemployment*   **drogue** *drug addition*   **renvoyer** *to send back*   **résoudre** *to solve*
justement *as a matter of fact*   **bronzés** *light brown*   **droit** *right*   **emblème** = *logo*   **pote** = **copain** *(slang)*

300   INTERLUDE: Les Français d'aujourd'hui

🎧 Teaching Strategy

Divide the class into pairs. Each pair will role-play an interview between a journalist and **Harlem Désir** twice, allowing each person to play both roles. Students should use their imaginations, asking questions about **S.O.S. Racisme** and its creation, etc.

⫴⫴⫴ Éthiopie ⫴⫴⫴

La chanson *Éthiopie** est chantée sur la musique universellement connue de *We are the world*. Cette chanson exprime la solidarité du peuple français avec les peuples les moins favorisés de la terre° et en particulier avec le peuple éthiopien, victime de la famine et de la guerre civile. Les chanteurs français les plus célèbres l'ont chantée dans de grands concerts publics organisés pour aider les enfants d'Éthiopie.

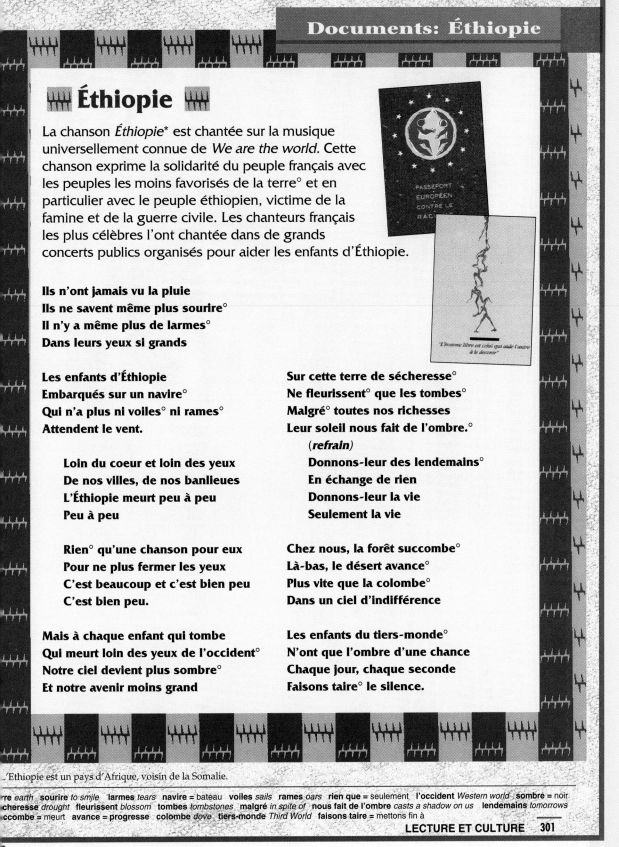

Ils n'ont jamais vu la pluie
Ils ne savent même plus sourire°
Il n'y a même plus de larmes°
Dans leurs yeux si grands

Les enfants d'Éthiopie
Embarqués sur un navire°
Qui n'a plus ni voiles° ni rames°
Attendent le vent.

    Loin du coeur et loin des yeux
    De nos villes, de nos banlieues
    L'Éthiopie meurt peu à peu
    Peu à peu

    Rien° qu'une chanson pour eux
    Pour ne plus fermer les yeux
    C'est beaucoup et c'est bien peu
    C'est bien peu.

Mais à chaque enfant qui tombe
Qui meurt loin des yeux de l'occident°
Notre ciel devient plus sombre°
Et notre avenir moins grand

Sur cette terre de sécheresse°
Ne fleurissent° que les tombes°
Malgré° toutes nos richesses
Leur soleil nous fait de l'ombre.°
    (*refrain*)
    Donnons-leur des lendemains°
    En échange de rien
    Donnons-leur la vie
    Seulement la vie

Chez nous, la forêt succombe°
Là-bas, le désert avance°
Plus vite que la colombe°
Dans un ciel d'indifférence

Les enfants du tiers-monde°
N'ont que l'ombre d'une chance
Chaque jour, chaque seconde
Faisons taire° le silence.

⫴ Éthiopie est un pays d'Afrique, voisin de la Somalie.

re *earth* **sourire** *to smile* **larmes** *tears* **navire** = bateau **voiles** *sails* **rames** *oars* **rien que** = seulement **l'occident** *Western world* **sombre** = noir
cheresse *drought* **fleurissent** *blossom* **tombes** *tombstones* **malgré** *in spite of* **nous fait de l'ombre** *casts a shadow on us* **lendemains** *tomorrows*
ccombe = meurt **avance** = progresse **colombe** *dove* **tiers-monde** *Third World* **faisons taire** = mettons fin à

LECTURE ET CULTURE   **301**

👁👁 **Teaching Strategy**

Divide the class into groups. Ask each group to brainstorm ideas for a logo and motto (in French) to promote peace and tolerance. Each group should choose one of the suggested ideas and complete its logo and motto for display.

UNITÉ 8

MAIN THEME
Cities and City Life

Communication Functions/Contexts
- Making a date
- Explaining where one lives
- Discussing city life

Linguistic Goals
- Narrating past actions in sequence
- Formulating polite requests
- Hypothesizing

 Transparencies 1, 1(o), 6

 Overhead Visuals Copymasters and Activities, pp. A5–A6, A13–A14

 Internet Connection Notes, Project 1, pp. 123–125

Interdisciplinary Connections

Faites une liste de dix grandes villes américaines et indiquez quand et par qui elles ont été fondées.

UNITÉ 8

En ville

Thème et Objectifs

Culture
In this unit, you will discover . . .
- how French cities developed historically and what they look like
- the advantages and disadvantages of urban life
- what types of street artists you might see in Paris or other large cities

Communication
You will learn how . . .
- to arrange to meet friends
- to explain where people live
- to describe your neighborhood

Langue
You will learn how . . .
- to make wishes or suggestions
- to formulate polite requests
- to narrate past actions in sequence
- to indicate what you would do in certain circumstances

TEACHING RESOURCES

Technology/Audio Visual

1, 1(o), 6, 47, 48, 48(o), 49, L8, H5

 Audio CD Program, Unit 8

 Audiocassette Program, Unit 8

 Pas de problème Video Program, Module 9

Print

 Audio Script
Overhead Visuals Copymasters/Activities
Answer Key
Video Activity Book, Module 9
Practice Activities, pp. 77–86, 151–158, 193–194

◆ LES VILLES FRANÇAISES ◆

Les Français sont des citadins°. Aujourd'hui, 90% de la population habite en zone urbaine et presque° la moitié° dans des villes de plus de 100.000 habitants. L'urbanisme est peut-être un phénomène relativement récent, mais les grandes villes françaises sont très anciennes. Marseille et Nice ont été fondées au sixième siècle avant Jésus-Christ par des marins° grecs. Paris, Lyon, Bordeaux, Toulouse, Strasbourg, Rouen, et Tours étaient déjà des centres urbains à l'époque romaine, il y a 2000 ans.

À l'origine, les villes ont été créées autour d'un point stratégique important: un port naturel, le croisement° de deux routes, le passage d'une rivière . . .

▶ Au Moyen Age, on a construit° un château et des remparts pour protéger ces villes. ——————

▶ Quand les villes ont grandi° à partir° du XVIIe siècle, les remparts ont été détruits°. Les villes se sont alors développées autour d'un nouveau centre, ou le long° de larges avenues, suivant° un plan d'urbanisme bien établi.

▶ Avec la révolution industrielle au XIXe siècle, de vastes banlieues industrielles se sont développées concentriquement autour des villes.

▶ Au XXe siècle et particulièrement après 1960, les possibilités de travail ont attiré° des millions d'habitants de la campagne vers les grandes villes. Cet exode rural a nécessité la construction d'énormes quartiers résidentiels dans la banlieue de ces villes. ——————

L'histoire des villes françaises explique leur géographie. (Suite à la page 310-311)

1300 200.000 HAB

1650 600.000 HAB

1850 1.000.000 HAB

1960 2.800.000 HAB

et vous?

Faites un bref historique de la ville où vous habitez ou d'une grande ville des États-Unis. Vous pouvez mentionner . . .

- quand cette ville a été fondée: par qui? et pourquoi?
- comment elle s'est développée
- combien d'habitants elle a aujourd'hui et quelles sont ses activités principales

NOM FRANÇAIS	NOM LATIN
Paris	LUTETIA
Lyon	LUGDUNUM
Marseille	MASSILIA
Bordeaux	BURDIGALA
Toulouse	TOLOSA
Nice	NICAEA
Strasbourg	ARGENTORATUM
Rouen	ROTOMAGUS
Tours	CAESARODUNUM

citadins *city people* **presque** *almost* **moitié** *half* **marins** *sailors*
croisement *crossing* ✱**construire** *to build* **grandi** *grew in size*
partir *beginning in* ✱**détruire** *to destroy* **le long de** *along*
suivant *according to* **attiré** *attracted*

Unité 8 ■ INFO Magazine **303**

INFO MAGAZINE

Theme: French cities

Reading Strategy: Reading for information, scanning

📖 Teaching Strategy
These readings can be done:
- in class or as homework
- at the beginning of the unit or as a wrap-up activity

Have students look at the realia and photos and guess the theme of the article. Have them skim, looking for cognates, then give the main idea. Short *Info Magazine* quizzes may be used to test for comprehension or as a basis for discussion.

■ Additional Information
- Louis XIV commissioned **Sébastien Vauban** (1633–1707), his favorite engineer, to fortify many French cities. Most of Vauban's fortifications still stand. Dunkerque, Lille, Besançon, Perpignan... all have great walls around their former boundaries. Because fortifications were built for military purposes, the walls have turrets and are surrounded by moats, allowing cities to defend themselves against invading armies.
- Paris started as a small fishing village where the tribe of the Parisii settled on an island on the Seine river. In 52 B.C., the village fell in the hands of the Romans who renamed it Lutaetia (**Lutèce**). The Parisii took their city back during the invasion led by Attila the Hun in 451. **Clovis** (466–511) was the first French king to make Paris his capital.

ASSESSMENT OPTIONS

Teacher's Resource Package
 Internet Connection Notes, pp. 123–128
 Lesson Plans, Unit 8
Teacher-to-Teacher, pp. 94–104

Achievement Tests
Quizzes, Unit 8
Unit Test 8
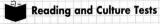 Reading and Culture Tests

Proficiency Tests
 Listening Comprehension
 Speaking Performance
 Writing Performance
 Portfolio Assessment

Unité 8 303

🌐 Notes culturelles

The following U.S. cities have French origins:

- **Detroit,** Michigan, was founded by French explorer **Sieur Antoine de la Mothe Cadillac** in 1701.
- **Chicago,** Illinois, was a fur-trading post founded by **Jean-Baptiste Point du Sable** after the site was visited by French explorer **Robert Cavelier, Sieur de la Salle,** in 1682.
- **Fort Wayne,** Indiana, was a French fort in 1680.
- **Memphis,** Tennessee, was a French fort by 1797.
- **Minneapolis,** Minnesota, started when the site was discovered by the French missionary **Louis Hennepin** in 1680. Hennepin also "discovered" Niagara Falls.
- **Mobile,** Alabama, was settled by the brothers **Pierre** and **Jean-Baptiste Lemoyne** in 1702. It was the capital of French Louisiana between 1710 and 1719.
- **New Orleans,** Louisiana, was founded by **Jean-Baptiste Lemoyne, Sieur de Bienville** in 1718.
- **Saint Louis,** Missouri, was a French fur-trading post in 1764. It became American when bought as part of the Louisiana Purchase in 1803.

VILLE OU CAMPAGNE?

Êtes-vous un citadin ou un villageois?
Êtes-vous plutôt fait(e) pour la vie en ville ou pour la vie à la campagne?
Pour déterminer cela, évaluez les avantages et les inconvénients des villes. Donnez une note positive de 0 (pas important) à +5 (très important) à chacun des avantages.
Donnez une note négative de 0 (pas important) à -5 (très important) à chacun des inconvénients.°

AVANTAGES   INCONVÉNIENTS

- **Il y a beaucoup d'endroits où on peut aller.**
  On peut aller au ciné, dans les magasins, aux restaurants . . .

- **Il y a beaucoup de choses intéressantes à faire.**
  On peut voir des expositions, assister à des événements culturels . . .

- **On peut faire la connaissance de beaucoup de gens d'origine° différente.**
  Dans les villes, il y a une grande diversité ethnique, culturelle et sociale.

- **Les villes sont généralement animées.**
  On ne s'ennuie° jamais parce qu'il y a toujours de la vie et du mouvement.

- **Il y a trop de voitures et, par conséquent, trop de bruit et trop de pollution.**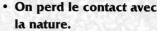
  On ne peut pas se promener tranquillement.°

- **On perd le contact avec la nature.**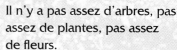
  Il n'y a pas assez d'arbres, pas assez de plantes, pas assez de fleurs.

- **Pour beaucoup de gens, la vie est difficile.**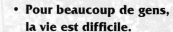
  Pour cela, les gens des villes sont souvent stressés et irritables.

- **Il y a beaucoup d'inégalités sociales.**
  Il y a trop de gens pauvres et sans-abri.°

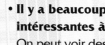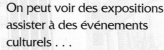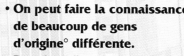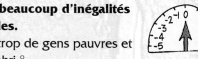

inconvénients *drawbacks*   **origine** *background*   **s'ennuie** *gets bored*   **tranquillement** *safely*   **sans-abri** *homeless people*

💬 Teaching Strategy

Divide the class into pairs. Have each pair construct an interview based on the information/survey from pp. 303–305. The interviewer should ask questions of the interviewee who will give answers based on the information presented, or on personal opinion.

INTERPRÉTATION

...ites le total des points positifs et négatifs.
...uel total obtenez-vous?

...e 15 à 20 points
...ous êtes certainement un(e) citadin(e), mais vous
...gnorez les charmes de la campagne. Un jour, vous
...evriez y faire un tour.

...e 5 à 14 points
...ous êtes une personne optimiste et vous aimez la
...roximité des gens. Vous appréciez les avantages de la vie
...n ville. Pour cela, vous en minimisez les inconvénients.

de 4 à -4 points
Vous êtes une personne réaliste. Vous êtes conscient(e)
des problèmes des grandes villes, mais vous les tolérez.

de -5 à -14 points
Vous n'aimez pas vivre là où il y a trop de gens. Vous
préférez le calme et la tranquillité.

de -15 à -20 points
La ville n'est évidemment pas faite pour vous. Mais
ne soyez pas trop idéaliste! La campagne aussi a
ses problèmes.

...TERVIEW DANS LA RUE

Nous sommes place de Jaude à
Clermont-Ferrand, un samedi après-midi.

Une journaliste de «La Montagne»,
le journal local, interviewe les
gens qui passent. Elle parle
maintenant à un homme d'une
cinquantaine d'années qui porte
un sac à provisions.°

— Bonjour, Monsieur. Vous êtes
d'ici?
— Non, je suis de la campagne.
— Qu'est-ce qui vous attire° à
Clermont? Le cinéma?
les restaurants? les cafés?
— Non, je n'y vais jamais.
— Pouvez-vous me dire alors pourquoi vous venez ici?
— Ben, vous voyez, je viens pour faire mes courses.
— Il n'y a pas de supermarché chez vous?
— Si, mais en ville il y a un plus grand choix.
— Vous venez souvent à Clermont-Ferrand?
— Oui, toutes les semaines.
— Vous aimez cette ville?
— Pas tellement.°
— Pourquoi donc?
— Ben, il y a trop de circulation,° trop de bruit. . .
Et puis, les gens sont pressés° et malpolis.°
— Alors, pourquoi est-ce que vous ne restez pas
chez vous?
— Parce que chez moi, c'est trop calme. Alors,
je viens en ville pour trouver un peu d'animation.

...c à provisions *shopping bag*   **attire** *attracts*   **pas tellement** *not that much*   **circulation** *traffic*   **pressés** *in a hurry*   **malpolis** = *impolis*

Unité 8 ■ INFO Magazine   **305**

■ **Photo Notes**
• La **FNAC** is a chain of stores
that sell media-related
goods: books, cameras,
CDs, computers, videos...
• **C&A** is a chain of
department stores.

🌐 **Note culturelle**
Clermont-Ferrand is located in
the region of Auvergne. Its
inhabitants are called **les
Clermontois.** The city was
founded by the Romans. In
1095 Pope Urban II preached
the first crusade in Clermont-
Ferrand.

■ **Irregular Verb**
(See Appendix C)
obtenir is conjugated like **tenir**

📖 Teaching Strategy

Assign these activities to pairs of students:
• **Ma ville**
Établissez une liste par ordre d'importance
des avantages et des inconvénients d'habiter
votre ville. Comparez votre liste avec celle de
votre partenaire.
• **Une brochure touristique**
Avec votre partenaire, préparez une brochure

où vous expliquez aux touristes français les
avantages de visiter votre ville. Soyez spécifiques. Par exemple, décrivez en détail les
endroits intéressants, les choses à faire …
• **Expansion questions**
Êtes-vous d'accord avec le résultat du test?
Pourquoi? Si vous n'êtes pas d'accord, quel
devrait être votre résultat d'après vous?

LE FRANÇAIS
PRATIQUE
Un rendez-vous en ville

> Qu'est-ce que tu fais samedi?

> Je suis libre.

> Est-ce que tu veux voir une exposition avec moi?

> Bonne idée! À quelle heure e qu'on va se retro

> À deux heures et demie.

COMMENT SE DONNER RENDEZ-VOUS

— Qu'est-ce que tu fais samedi?
  Je suis libre.

— Est-ce que tu veux | aller au ciné | avec moi?
                       voir une exposition
                       prendre un pot
                       faire un tour en ville

> **prendre un pot** *to have something to drink in a café*

— Où est-ce qu'on va **se donner rendez-vous?**
  Chez moi.   **Devant** *(in front of)* le ciné.
  Au café «Le Bistro».   **À côté de** *(next to)* la poste.
                               En face de *(across from)* la librairie.

— À quelle heure est-ce qu'on va | **se retrouver?**
                                    se rencontrer?
  À deux heures et demie.

— Alors, | d'accord! | **À samedi,** deux heures et demie devant le ciné.
           entendu *(agreed).* | *(See you on Saturday . . .)*

1 Créa-dialogue: Une invitation

Il y a un(e) nouvel(le) élève français(e) dans votre classe. Invitez le/la. Composez le dialogue avec votre partenaire qui va jouer le rôle de l'élève.

— Ask your friend what he/she is doing on a date of your choice..	⇄	(He/she is free.)
— Propose something interesting to do.	⇄	(He/she accepts.)
— Ask where you can meet.	⇄	(He/she selects a place close to activity you proposed.)
— Ask at what time you are going to meet.	⇄	(He/she chooses a time.)
— Say that you will see him/her at the time and place you have agreed on.	→	

 Teaching Strategy

Have students write a group story, each person contributing two sentences. The premise of the story should be that students met their friend/friends somewhere. Encourage students to be original and creative, and to use as much vocab-ulary from pp. 306–307 as possible. At least one of each student's sentences should include a vocabulary word. As the story is created, a secretary will copy it onto the board. Switch secretaries after several sentences.

LES RENCONTRES ET LES RENDEZ-VOUS

| On peut | **rencontrer**
(meet by chance, run into)
faire la connaissance de
(meet for the first time) | **quelqu'un.** |

| On peut | **sortir avec**
avoir un rendez-vous avec
donner rendez-vous à
(make a date) | **quelqu'un.** |

| On peut | **se donner rendez-vous**
(agree to meet)
se rencontrer
(meet each other)
se retrouver
(meet each other) | **quelque part** *(somewhere).* |

Supplementary vocabulary

aller boire un verre *to go have a drink*
faire les magasins *to go shopping*
faire du lèche-vitrine *to go window shopping*
(se) présenter à *to introduce (oneself) to*
croiser quelqu'un *to pass by someone*
tomber sur quelqu'un *to come across/meet someone*

🌐 Photo Note

The restaurant pictured is called **La Bergerie**, which means *sheepfold*. The two young girls are standing in front of **un kiosque à journaux** *(newsstand).*

■ Looking Ahead

The reciprocal use of reflexive verbs is reviewed and practiced in Unit 9.

Conversations libres

Avec votre partenaire, choisissez l'une des situations suivantes. Composez ensemble un dialogue correspondant à cette situation et jouez ce dialogue en classe.

1 Une jeune fille amoureuse

Jérôme veut téléphoner à sa camarade de classe Véronique. C'est Sylvie, la soeur de Véronique, qui répond. Sylvie, qui est secrètement amoureuse de *(in love with)* Jérôme, essaie d'obtenir un rendez-vous avec lui.

Rôles: Jérôme / Sylvie

2 Au Jardin du Luxembourg

Une étudiante américaine est au Jardin du Luxembourg (un parc public à Paris). Un étudiant français engage la conversation. Il veut inviter la jeune Américaine à un concert de rock à la Villette. D'abord la jeune fille refuse poliment. L'étudiant français insiste. Elle finit par accepter l'invitation.

Rôles: l'étudiant français / l'étudiante américaine

3 Rendez-vous

Philippe téléphone à Juliette pour voir une exposition. Juliette a déjà vu cette exposition et propose autre chose.

Rôles: Philippe / Juliette

4 Une amie de passage *(A visiting friend)*

Marc téléphone souvent à sa cousine. Aujourd'hui, elle n'est pas chez elle et c'est une amie de passage qui répond. Marc s'excuse, puis il continue la conversation. Dans cette conversation il essaie de savoir ce que cette jeune fille aime faire. Finalement, il propose un rendez-vous. La jeune fille accepte, puis refuse.

Rôles: Marc / la jeune fille

 Le français pratique 307

👥 Teaching Strategy

Divide the class into pairs and give them the following scenario:
Un rendez-vous
Votre camarade français(e) et vous, vous avez décidé de sortir ensemble ce weekend. Décidez …

- d'une activité à faire
- d'un endroit pour le rendez-vous
- d'une heure

Composez et jouez le dialogue correspondant avec votre partenaire qui va jouer le rôle de votre camarade français(e).

■ **Notes linguistiques**
- **Attention: si** becomes **s'**
before **il** or **ils** only.
S'il venait. S'ils savaient.
Si elle venait. Si elles
savaient.
- The noun **le bifteck** comes
from the English expression
beef steak. The expression
gagner son bifteck means
to earn a living.

A. La construction **si** + imparfait

Note the use of the IMPERFECT in the following sentences:

Ah, si j'**étais** riche . . .	*Oh, if only I **were** rich . . .*
Ah, si mon frère me **prêtait** sa voiture . . .	*Oh, if only my brother **would lend me** his car . . .*
Dis, Alain, **si on allait** en ville!	*Hey, Alain, **what about going** downtown?*
Dis, Sophie, **si tu m'aidais?**	*Hey, Sophie, **what about helping me?***

To express a WISH or to make a SUGGESTION, the French often use
the construction:

si + IMPERFECT

Formation de l'imparfa

Révision ▶ 📖 p. R

B. Le plus-que-parfait

As in English, the PLUPERFECT **(le plus-que-parfait)** is used to describe what
people HAD DONE or WHAT HAD HAPPENED before another past action or event.

Cet été, j'ai visité Québec.	*This summer I visited Quebec City.*
L'année d'avant, **j'avais visité** Montréal.	*The year before, **I had visited** Montreal.*
Quand nous sommes arrivés à la gare, le train **était parti.**	*When I arrived at the station, the train **had left.***

The PLUPERFECT is formed as follows:

IMPERFECT of **avoir** or **être** + PAST PARTICIPLE

INFINITIVE	voyager	aller	s'amuser
PLUPERFECT	j' **avais voyagé** tu **avais voyagé** il/elle **avait voyagé** nous **avions voyagé** vous **aviez voyagé** ils/elles **avaient voyagé**	j' **étais allé(e)** tu **étais allé(e)** il/elle **était allé(e)** nous **étions allé(e)s** vous **étiez allé(e)(s)** ils/elles **étaient allé(e)s**	je **m'étais amusé(e)** tu **t'étais amusé(e)** il/elle **s'était amusé(e)** nous **nous étions amusé(e)** vous **vous étiez amusé(e)** ils/elles **s'étaient amusé(e)s**
NEGATIVE	je n'**avais pas voyagé**	je n'**étais pas allé(e)**	je **ne m'étais pas amu**
INTERROGATIVE	est-ce que tu **avais voyagé?** **avais-tu voyagé?**	tu **étais allé(e)?** **étais-tu allé(e)?**	tu **t'étais amusé(e)?** **t'étais-tu amusé(e)?**

➡ In the pluperfect, the agreement rules for the past participle are the same as in the passé composé.

J'ai vu **Pauline** ce matin.   Je **l'**avais vu**e** hier aussi.

J'ai développé **les photos** **que** j'avais pris**es** cet été.

☀ **Teaching Strategy: Warm-Up**

Have students imagine that they are Cinderella,
Pinnochio, or Dumbo, and express a wish using
the imperfect. Next, have them make a suggestion to one of their friends, to their parents or to
the principal of the school using the imperfect.

This activity may be expanded by asking
students to draw cartoons with their wishes as
captions or speech bubbles.

1 En ville

Vous rencontrez votre partenaire en ville. Suggérez-lui de faire quelque chose avec vous (colonne A).
Votre partenaire va refuser et expliquer pourquoi. Il/elle va aussi proposer autre chose (colonne B).
Acceptez ou refusez. Continuez le dialogue jusqu'à ce que vous trouviez une chose d'intérêt commun.

Dis, Corinne, si on prenait un pot?

..., je n'ai pas soif. ...allait plutôt au ciné?

Bonne idée! Allons au ciné.

A : VOUS	B: VOTRE PARTENAIRE
• aller dans une pizzeria	• aller dans un restaurant chinois
• prendre un pot	• aller au ciné
• faire un tour dans le centre	• se promener dans le parc
• voir une exposition	• jouer aux jeux vidéo
• aller dans les magasins	• téléphoner à des copains
• ??	• ??

(Écoutez, j'ai vu tous les films de la semaine. Et si on . . .)

2 Et avant?

Lisez ce que ces personnes ont fait et dites ce qu'elles avaient fait avant.

▶ Le weekend dernier, Philippe est sorti avec Alice. (le weekend d'avant / avec Karine)
Le weekend d'avant, il était sorti avec Karine.

1. Dimanche, nous sommes allés au ciné. (samedi soir / à un concert)
2. Hier, j'ai pris un pot au Balto. (avant-hier / au Saint Victor)
3. Cet après-midi, tu t'es promené en ville. (ce matin / dans le parc)
4. Hier, tu as donné rendez-vous à Catherine dans un café. (jeudi / devant le musée)
5. Ce weekend, les touristes ont visité le château d'Amboise. (le weekend dernier / le château de Chenonceaux)
6. Cet été, nous sommes allés au Canada. (l'été d'avant / au Mexique)

3 Trop tard!

On fait parfois les choses trop tard. Décrivez
ce qui est arrivé aux personnes suivantes.

▶ Jean-Claude arrive à l'aéroport.
L'avion est parti.
**Quand Jean-Claude est arrivé
à l'aéroport, l'avion était parti.**

1. Nous arrivons au théâtre.
La pièce (play) a commencé.
2. Olivier téléphone à Catherine.
Elle est sortie avec Jean-Paul.
3. La serveuse apporte l'addition.
Les clients sont partis.
4. Monsieur Renaud entre dans la cuisine.
Le chien a mangé le bifteck.
5. Vous arrivez à la pâtisserie.
Le pâtissier a vendu le dernier gâteau.
6. Le lièvre (hare) arrive.
La tortue (tortoise) a gagné la course.

4 Pourquoi?

Expliquez pourquoi les choses suivantes sont
arrivées. Attention: le verbe peut être affirmatif
ou négatif.

▶ Les touristes n'ont pas trouvé
de chambre d'hôtel. (réserver?)
Ils n'avaient pas réservé.

1. Monsieur Dupont a raté son avion.
(se dépêcher?)
2. Tu n'as pas vu l'éclipse de la lune (moon).
(se coucher trop tôt?)
3. Vous n'êtes pas allés au concert.
(acheter les billets?)
4. Thomas n'a pas vu le film à la télé.
(rentrer trop tard chez lui?)
5. Nous avons eu une indigestion. (manger trop?)
6. Les élèves ont eu une mauvaise note
à l'examen. (étudier?)

Langue et communication **309**

■ **Teaching Note**

For photos of the castles of
Amboise and **Chenonceaux**,
see **Interlude 3**, p. 147.

■ **Réponses: Activité 4**
1. Il ne s'était pas dépêché.
2. Tu t'étais couché(e) trop
tôt.
3. Vous n'aviez pas acheté
les billets.
4. Il était rentré trop tard
chez lui.
5. Nous avions trop mangé.
6. Ils n'avaient pas étudié.

Variation:
Demandez pourquoi les
choses suivantes sont
arrivées. Attention: le verbe
peut être affirmatif ou négatif.
Exemple:
**Les touristes n'ont pas
trouvé de chambre
d'hôtel. (réserver?)
N'avaient-ils pas
réservé?/ Est-ce qu'ils
n'avaient pas réservé?**

🗣🗣 Teaching Strategy

Divide the class into three groups. Have the
first group come up with three or four
sentences that explain what students did
during summer vacation last year as compared
with the year before. Have the second group
come up with three or four sentences, imagining that they are Garfield the cat. What did

Garfield notice had happened when he got back
from his two-day trip?
Have the third group come up with sentences
that give excuses for why people are not getting
their holiday presents this year. Each group
should be using the pluperfect in all of their
sentences.

INFO MAGAZINE

Theme: French cities

Reading Strategy: Scanning, reading for information

TEACHING RESOURCES

Transparencies 1, 1(o), 6, 48, 48(o)

Overhead Visuals Copymasters and Activities, pp. A5–A6, A13–A14, A102–A103

■ **Anecdote**
La plus vieille maison de Paris est située au **51, rue de Montmorency.** Elle a été construite par **Nicolas Flamel,** en 1407.

■ **Irregular Verbs**
(see Appendix C)
se distraire:
je me distrais
tu te distrais
il/elle se distrait,
nous nous distrayons
vous vous distrayez
ils/elles se distraient
s'asseoir

La géographie des villes françaises

L'histoire des villes françaises, décrite brièvement à la page 303, explique leur aspect et leur structure si différents des villes américaines. Une ville française typique comprend° les quartiers suivants.

LA VILLE MÊME

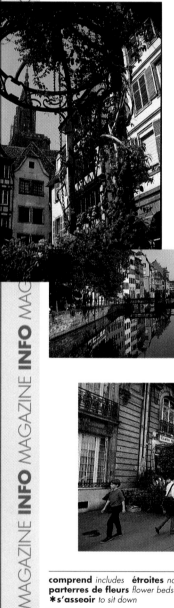

La «vieille ville»

C'est le quartier historique, aujourd'hui très touristique, où l'on trouve les vestiges du passé: la cathédrale, des rues étroites,° des maisons anciennes très pittoresques, parfois un château, des vestiges de remparts et même des ruines romaines. Les maisons anciennes ont souvent été restaurées. Ce sont des résidences très recherchées° par les habitants des villes qui y trouvent à la fois° le confort du présent et le charme du passé.

Le «centre-ville»

C'est l'endroit le plus dynamique, le plus animé et, pour beaucoup de gens, le plus intéressant de la ville. Situé généralemen autour d'une place monumentale, on y trouve le bâtiments administratifs (la mairie, le palais de justice, la poste. . .), les grands magasins, les boutiques de luxe, les cinémas, le théâtre municipal les cafés et les meilleurs restaurants de la ville. Il y a parfois un jardin public avec des fontaines, des parterres de fleurs° et des bancs.° Le weekend les gens viennent au centre-ville pour faire leu shopping et pour se distraire.° Quand il fait beau ils s'asseyent° à la terrasse des cafés pour voir le spectacle de la rue et aussi pour être vus.

Les quartiers résidentiels

Ils sont situés autour du centre-ville et le lon d'avenues transversales. C'est là que les gen habitent. Les immeubles ont un maximum de si étages. Leur rez-de-chaussée est généralemen occupé par des boutiques. Le reste est divisé e appartements.

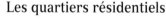

comprend *includes* **étroites** *narrow* **recherchées** *sought after* **à la fois** *at the same time*
parterres de fleurs *flower beds* **bancs** *benches* **se distraire** *to have fun*
＊s'asseoir *to sit down*

🖩🌐 Interdisciplinary/Community Connections

This article may be used as the basis for a class project comparing the geography of French and U.S. cities and towns. You may wish to work with the history and social studies teachers, or your local historical society or library, to help students to produce a report complete with maps, photos, and illustrations.

A BANLIEUE

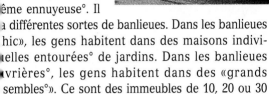

s banlieues qui étendent° autour s villes sont odernes, mais la vie est généralement onotone, banale, ême ennuyeuse°. Il a différentes sortes de banlieues. Dans les banlieues hic», les gens habitent dans des maisons indivi- lles entourées° de jardins. Dans les banlieues vrières°, les gens habitent dans des «grands sembles°». Ce sont des immeubles de 10, 20 ou 30 étages, à l'architecture simple mais souvent sans grand intérêt. Dans les banlieues les plus défavorisées, les gens habitent dans des logements précaires sans confort et sans hygiène. Pour aider les habitants des banlieues pauvres, le gouvernement français a financé la construction d'HLM (habitation à loyer modéré°) où les gens pourraient avoir l'occasion de louer ou acheter leur appartement à des conditions avantageuses.

Les «villes nouvelles»

Toutes les grandes villes du monde ont un problème commun: la qualité de la vie y est menacée par une expansion trop rapide et souvent anarchique. Pour limiter l'expansion de Paris et de sa banlieue, le gouvernement français a décidé de créer cinq villes entièrement nouvelles dans la région parisienne: Cergy-Pontoise, Saint-Quentin-en-Yvelines, Évry, Melun-Sénart, Marne-la-Vallée. Ces «villes nouvelles» sont de dimension moyenne°. Elles ont de 100 000 à 150 000 habitants. Tout a été planifié° pour assurer à ceux-ci un bon équilibre entre le travail et les loisirs. Ces villes offrent° à leur population non seulement des logements et des emplois, mais aussi des centres commerciaux, des équipements culturels et sportifs, des parcs de loisirs. Et, pour maintenir le contact avec la nature, des espaces verts et des plans d'eau° y ont été aménagés.°

Créteil

et vous?

Imaginez que vous allez passer une année dans une grande ville française. Où préféreriez-vous habiter? dans la vieille ville? au centre-ville? dans un quartier résidentiel? dans la banlieue? dans une «ville nouvelle»? Expliquez pourquoi.

étendent *extend* ennuyeuse *boring* entourées *surrounded* ouvrières *working class* grands ensembles *housing projects*
yer modéré *low rent* moyenne *average* planifié *planned* *offrir *to offer* plans d'eau= *lacs artificiels*
ménagés = *développés*

🌐 NOTES CULTURELLES

- **Euro Disney** opened in April 1992 in Marne-la-Vallée. The theme park is about 20 miles from Paris.
- Although they existed before World War II, more **H.L.M.** started being built in 1947 to deal with the housing crisis brought on by war damages.

- Four other "villes nouvelles" are being developed in France near the following cities:
 Lyon: L'Isle d'Abeau
 Marseille: Rives de l'Étang de Berre
 Lille: Villeneuve-d'Ascq
 Rouen: Le Vaudreuil

■ Notes linguistiques

- The expression **le bidonville** originated in North Africa. A compound of **le bidon** *(can)* and **la ville,** it designates rudimentary shelters made of scraps in the poorest areas.
- The abbreviation **H.L.M.** can be either masculine or feminine: **le H.L.M,** or **la H.L.M.**

■ Teaching Strategy

Assign the following:
- **Photos.** Choisissez une des photos du texte et décrivez ce que vous voyez.
- **Débat.** Votre partenaire et vous, vous allez passer l'été dans une ville française. Vous cherchez un appartement. Votre partenaire voudrait habiter dans un quartier résidentiel moderne. Vous, au contraire, vous préférez habiter dans la vieille ville. Débattez les avantages et les inconvénients de chaque situation.

■ Irregular Verb

(see Appendix C)
offrir *(see* ouvrir*)*

LE FRANÇAIS PRATIQUE

Comment expliquer où on habite

Teaching Strategy

Have the students, with a partner, prepare a survey and an interview for the school paper which discusses where the students live with respect to the school and in what type of houses and neighborhoods they live. Dialog should be at least 5–6 lines per person.

Teaching Note

HLM housing projects were subsidized by French government funds to provide moderately priced housing for low-income families.

LE FRANÇAIS PRATIQUE

Comment expliquer où on habite

Où habites-tu?

J'habite 18, place Voltaire.

Les nombres

Révision ▶ p. R10

— Où habites-tu?

J'habite	10, rue de la République	dans la 35e rue.
	25, avenue Victor Hugo	dans la 6e avenue.
	120, boulevard Raspail	
	18, place Voltaire	

— Où est-ce exactement?

C'est	dans **le centre-ville.**
	dans **la banlieue** *(suburbs).*
	dans **le quartier** *(district, area, neighborhood)* Saint-Pierre.

— Dans quel genre de résidence habites-tu?

J'habite dans	**une maison individuelle**	**un immeuble** *(apartment building)*
	un appartement	**un HLM*** *(low-income housing project)*
	une tour *(high rise)*	

— C'est près d'ici?

Oui, c'est	**tout près** *(nearby).*	Non, c'est	**loin.**
	à 100 mètres.		**à 3 kilomètres.**
	à dix minutes à pied.		**à 20 minutes en bus.**

— Comment est-ce qu'on peut aller là-bas?

On peut y aller	à pied.	On peut prendre	un bus.
	à vélo.		un taxi.
			le métro.

* **HLM =** Habitation à Loyer Modéré *(low-rent housing)*

1 Une invitation à dîner

Vous avez invité votre camarade français(e) à dîner chez vous. Votre camarade accepte, mais il/elle a besoin de renseignements pour aller chez vous. Il/elle veut savoir . . .
- votre adresse
- dans quelle partie de la ville vous habitez
- si c'est loin de l'école
- comment aller chez vous

Vous lui expliquez. Composez le dialogue correspondant avec votre partenaire et jouez-le en classe.

🌐 NOTES CULTURELLES

- **Victor Hugo (1802–1885)** was a very influential writer of his time. He was the author of masterpieces such as *Les Misérables* and *Notre-Dame de Paris.* (For more information, see p. 224.)
- **François Raspail (1794–1878)** was a chemist and a political activist who went to jail and was exiled for his democratic ideals.

He was elected **député** *(representative)* in 1876.
- **Voltaire (François-Marie Arouet, 1694–1778)** was a writer famous for his sharp wit and ruthless fights against injustice. He was jailed in the Bastille and was exiled for questioning the monarchy. His works include *Candide, Zadig,* and many poems.

Dans mon quartier, il y a . . .

des boutiques

des commerces
(small businesses)

un grand centre commercial *(mall)*

une station-service

un centre sportif

un centre de loisirs
(recreation center)

une Maison des Jeunes
(Youth center)

une bibliothèque

un musée

un parc

un jardin public

une mairie *(city hall)*

une poste *(post office)*

un poste de police | **une gendarmerie** | *(police station)*

une caserne de pompiers

FLASH d'information

La police nationale et la gendarmerie sont deux corps de police distincts. Certaines de leurs fonctions sont semblables, mais d'autres sont différentes. L'un des rôles de la gendarmerie est d'assurer la police° des routes. C'est à eux qu'on a affaire° quand on ne respecte pas le code de la route.°

la police *law enforcement*
avoir affaire à *to have to deal with*   **code de la route** *traffic regulations*

▶ Créa-dialogue: En ville

Votre partenaire, qui est français(e), visite votre ville. Il/elle veut faire l'une des choses suivantes. Dites-lui à quel endroit aller et si c'est loin d'ici.

Je voudrais envoyer des lettres.

Est-ce que c'est loin d'ici?

Comment est-ce que je peux aller là-bas?

Va à la poste.

Non, c'est à 500 mètres.

Vas-y à pied.

(Prends le bus.)

- faire réparer ma voiture
- faire une promenade à pied
- jouer au volley
- rencontrer de jeunes Américains

- emprunter un livre
- faire des achats
- déclarer la perte *(loss)* de mon passeport

- interviewer un membre du conseil municipal *(city council)*
- envoyer des lettres
- voir une exposition de photos

Le français pratique   **313**

Supplementary vocabulary

une maison jumelée *two-family house*
un grand ensemble *residential area consisting of large blocks of apartments*
un gratte-ciel *skyscraper*
un studio *studio*
un pavillon *single house*
un pied-à-terre *pied-à-terre (secondary or temporary lodging)*
un meublé *furnished apartment*

🌐 Note culturelle

The **gendarmes** are part of the military, whereas the **police** are not. The uniforms for each corps used to be different, but now they are quite similar. The only differences are the hat and the stripes on the **épaulettes**. The **police** wear hats similar to those worn by our police force, whereas the **gendarmes** wear the traditional **képi**.

■ Teaching Note

Some distance equivalences (approximately):

200 feet	60 mètres
500 feet	150 mètres
half a mile	800 mètres
a mile	1 kilomètre et demi

✕ Teaching Strategy: Game

Vocabulaire

Give each student an equal number of vocabulary words. Ask them to write definitions or explanations for each word. Each student then reads the definitions aloud and the class tries to guess which vocabulary word matches the definition.

LANGUE ET COMMUNICATION

TEACHING RESOURCES

📖 **Practice Activities,** pp. 80, 157, 193

■ **Note linguistique**

• Le conditionnel fut longtemps considéré comme un mode. De nos jours, on le considère de plus en plus comme un temps de l'indicatif, une sorte de futur hypothétique. Le temps présenté ici est **le conditionnel présent.**

💬 **Teaching Strategy: Variation**

• Activity 1 can be done in pairs with partners comparing their choices.

• It can also be done as a class survey: first the students each write out their answers, and then the results are tabulated.

A. Révision: le conditionnel

The CONDITIONAL is used to express what WOULD HAPPEN, what people WOULD DO in certain circumstances.

Formation du conditionnel

Révision ▶ p. R19

Review the formation of the conditional:

> FUTURE STEM + IMPERFECT ENDINGS

INFINITIVE		parler	ENDINGS
FUTURE	je	**parler**ai	
CONDITIONAL	je	**parler**ais	-ais
	tu	**parler**ais	-ais
	il/elle/on	**parler**ait	-ait
	nous	**parler**ions	-ions
	vous	**parler**iez	-iez
	ils/elles	**parler**aient	-aient

Verbs with irregular stems:

payer	je **paier**ais	devoir	je **devrai**s
acheter	j'**achèter**ais	pouvoir	je **pourra**
		vouloir	je **voudra**
appeler	j'**appeller**ais		
être	je **ser**ais		
avoir	j'**aur**ais	envoyer	j'**enverra**
aller	j'**ir**ais	recevoir	je **recevra**
faire	je **fer**ais	savoir	je **saura**is
venir	je **viendr**ais	voir	je **verr**ais

1 **Au choix**

Supposez que vous ayez le choix entre les possibilités suivantes. Que choisiriez-vous? (Si vous voulez, expliquez votre choix.)

▶ habiter en ville ou à la campagne?
J'habiterais à la campagne (parce que j'aime la nature).

1. habiter dans le centre-ville ou en banlieue?
2. travailler dans un restaurant ou dans un supermarché?
3. assister à un concert ou à un match de foot?
4. passer les vacances à la mer ou à la campagne?
5. aller au ciné ou au restaurant?
6. voir une comédie ou un film d'aventures?
7. avoir une moto ou une voiture de sport?
8. faire du ski nautique ou du parapente?
9. être acteur (actrice) de cinéma ou athlète professionnel(le)?

🖥 Module 9: Au Centre Pompidou

Use the video module and accompanying activities to help students review the use of the conditional. In addition, students will learn more about Paris and the Centre Pompidou.

Show the video module once all the way through. Next, ask students to look for examples of the use of the conditional in conversation.

2 Les élections municipales

Vous êtes journaliste pour le journal de votre ville.
Vous interviewez votre partenaire qui est
candidat(e) à la mairie.

▶ construire des HLM?
  — Est-ce que vous construiriez des HLM?
  — Oui, je construirais des HLM.
        (Non, je ne construirais pas de HLM.)

- développer les transports publics
- fermer le jardin public la nuit
- contrôler la pollution
- taxer les commerces
- créer un centre de loisirs pour
  les personnes âgées
- construire une nouvelle caserne de pompiers
- fermer la bibliothèque le dimanche
- interdire la circulation dans le centre-ville

■ **Expansion: Activity 2**
Have students continue the
conversation by explaining
their positions.
— **Pourquoi?**
— **Parce que je veux aider
les gens qui n'ont pas
beaucoup d'argent.**

3 La meilleure solution

Imaginez que vous êtes dans les situations suivantes. Qu'est-ce que vous feriez?
Comparez votre solution avec celle de votre partenaire.

SITUATION A

Vous habitez la banlieue. Vous êtes allé(e) au
cinéma dans le centre-ville. Vous voulez rentrer
chez vous, mais vous n'avez pas assez d'argent
pour prendre le bus et vos parents ne sont pas
à la maison.
Que feriez-vous?

- rentrer à pied?
- demander de l'argent à un passant *(passerby)*?
- faire de l'auto-stop *(hitchhiking)*?
- [??]

SITUATION B

Pour son anniversaire, vous avez invité votre meilleur(e)
ami(e) à dîner chez vous. Au moment de préparer le repas,
vous vous apercevez *(realize)* que la cuisinière *(stove)* ne
marche pas. Que feriez-vous?

- téléphoner à votre ami(e) et annuler le repas?
- acheter une pizza?
- inviter votre ami(e) au restaurant?
- [??]

SITUATION C

Votre frère a une copine. Un jour vous découvrez que
cette copine sort avec un autre garçon. Que feriez-vous?

- dire la vérité à votre frère?
- parler à la copine de votre frère?
- envoyer une lettre d'insultes à l'autre garçon?
- [??]

SITUATION D

Vous êtes dans un ascenseur quand une
panne d'électricité *(power failure)* paralyse
tout l'immeuble. Que feriez-vous?

- attendre calmement l'arrivée
  des pompiers?
- forcer la porte?
- monter sur le toit de l'ascenseur?
- [??]

---

4 Les vacances idéales

Avec votre partenaire, discutez des vacances idéales. Posez-vous
les questions suivantes (en français, bien sûr!)

- *where would you go?*
- *how would you travel?*
- *how long would you stay?*
- *in what type of hotel would you stay?*
- *at what time would you get up?*

- *what would you do in the morning?*
- *what would you do in the afternoon?*
- *what would you do to meet people?*
- *what would you do to stay in shape* **(en forme)**?
- *what would you do in the evenings?*

Puis, mettez-vous d'accord et écrivez un petit paragraphe
où vous décrivez ce que vous feriez.

Pour nos vacances idéales, nous irions...

315

☀ **Teaching Strategy:
Activity 4**

You may wish to practice the
questions before students do
the activity in pairs.
  Où irais-tu?
  Comment voyagerais-tu?
  etc.

Teaching Strategy: Multiple Intelligences

Remind students of the list of intelligences,
mentioning that a person's choice of an ideal
vacation may help to indicate his/her preferred
learning style. Have students in pairs exchange

the answers they prepared for Act. 4, and
see if the partners can identify each other's
learning style.

📖 **Practice Activities,**
pp. 80, 157, 193

🌐 **Proverbe**

Avec un *si*, on mettrait Paris en bouteille. *(In theory, anything is possible.)*

🌐 **Note culturelle**

Le Parc de la Villette, in Paris, is a popular attraction. In **la Cité des sciences et de l'industrie** you will find an IMAX theater and a science museum, while in **la Cité de la musique,** you will find a concert hall and a music school.

B. Le conditionnel dans les phrases avec **si**

Note the use of the conditional in the following sentences.

Si j'avais une voiture, | *If I had a car (but I don't),*
j'**irais** à la campagne. | *I would go to the country.*

Si nous habitions à Paris, | *If we were living in Paris (but we aren't),*
nous **voyagerions** en métro. | *we would travel by subway.*

The CONDITIONAL is used to express what WOULD HAPPEN, if certain conditions contrary to reality were met.
In such sentences, the construction is usually:

si-clause: IMPERFECT	result clause: CONDITIONAL
Si je **gagnais** à la loterie,	j'**achèterais** une moto.

➡ In French, the CONDITIONAL is never used in the **si**-clause.

5 **Si j'habitais . . .**

Pour chaque endroit, décrivez 2 ou 3 choses que vous feriez si vous habitiez là.

▶ à Paris
Si j'habitais à Paris, je parlerais français tout le temps.
Je voyagerais en métro.
Je visiterais de temps en temps le musée d'Orsay.
J'irais parfois écouter des concerts à la Villette . . . .

1. à San Francisco
2. en Floride
3. à la Martinique
4. dans le centre-ville
5. dans un petit village à la campagne
6. dans la banlieue d'une grande ville

6 **Rêves** *(Dreams)*

Rêver ne coûte rien. Expliquez les rêves des personnes suivantes en utilisant les éléments des colonnes A et B. Soyez logique!

	A	**B**
nous	• invisible	• savoir tout
vous	• multi-millionnaire	• protéger les innocents
Sandrine	• extra-lucide	• voyager dans l'espace
Philippe	• Superman/Wonder Woman	• habiter dans un château
mes copains	• Robin des Bois *(Robin Hood)*	• avoir une Rolls-Royce
		• aider les pauvres
		• voler comme des oiseaux
		• passer à travers les murs
		• connaître le passé, le présent et l'avenir

▶ **Si Philippe était Robin des Bois, il aiderait les pauvres.**

📖 **Teaching Strategy**

Have each student tell you one thing that he or she would like to have, to happen to him or her, to do, etc. — one wish. Jot these on the board. Then ask students to give two sentences about what they would do if their wish came true. Have them write one of their sentences on the board next to their wish. Go over all sentences orally to insure grammatical correctness.

Problèmes et solutions

Votre partenaire va choisir l'un des problèmes suivants. Dites-lui ce que vous feriez à sa place. Donnez-lui 2 ou 3 suggestions (affirmatives ou négatives).

Je grossis.

Si je grossissais, je mangerais moins. J'irais au centre sportif et je ferais de la gymnastique tous les jours. Je ne prendrais pas le bus pour aller à l'école. J'irais à pied.

- Je n'ai pas d'appétit.
- Je dors trop.
- Je ne me sens pas très bien.
- Je perds mon temps.
- Je ne réussis pas à mes examens.
- J'ai besoin d'argent.
- Je suis déprimé(e) *(depressed)*.
- J'ai un problème avec mon copain (ma copine).
- J'ai des difficultés avec mes parents.
- Mon frère (ma sœur) m'embête tout le temps.

Que feriez-vous?

Choisissez l'une des situations suivantes et composez un petit paragraphe où vous décrivez ce que vous feriez (ou ce que vous ne feriez pas) si vous étiez dans cette situation. Utilisez le conditionnel . . . et votre imagination!

1. Pour impressionner Stéphanie, sa nouvelle copine, Raphaël l'a invitée dans un grand restaurant. Au moment de payer, Raphaël s'aperçoit *(realizes)* qu'il a perdu son portefeuille.
   Si j'étais Raphaël, . . .

2. Depuis plusieurs semaines, Caroline reçoit des lettres d'un admirateur inconnu. Elle veut savoir qui est ce mystérieux correspondant.
   Si j'étais Caroline, . . .

3. Jérôme a emprunté la voiture de Cécile. Au moment de rendre la voiture à son amie, il remarque une éraflure *(dent, scratch)* fraîche. Il n'est pas sûr que cette éraflure était là quand il a emprunté la voiture.
   Si j'étais Jérôme, . . .

4. Jean-Claude a passé la soirée dans une petite salle de la bibliothèque municipale. Il est maintenant onze heures. Au moment de sortir, Jean-Claude s'aperçoit qu'il est seul et que toutes les portes sont fermées à clé.
   Si j'étais Jean-Claude, . . .

5. Madame Lescot a invité ses amis à dîner. Au moment de préparer le repas, elle s'aperçoit que sa cuisinière *(stove)* ne marche pas.
   Si j'étais Madame Lescot, . . .

6. Monsieur Rimbaud voyage souvent en avion. Un jour, il prend par erreur une valise qui n'est pas à lui. Chez lui, il ouvre la valise et découvre un million de dollars . . . et l'adresse d'une bande de terroristes.
   Si j'étais Monsieur Rimbaud, . . .

Teaching Strategy: Expansion

Comparez votre paragraphe avec celui de votre partenaire.

Qu'est-ce que vous feriez à leur place?

Avec votre partenaire, choisissez une des situations suivantes et dites ce que vous feriez dans ces situations.

A

B

C

Supplementary vocabulary

la barque *small boat*
couler *to sink, drown*
la soucoupe volante *flying saucer*
le martien *martian*
atterrir *to land*
la panne (de voiture) *(car) breakdown*
tomber en panne *to break down*

Practice Activities,
pp. 82–83, 193–194

 Audio CD 9, Tracks
6–7

 Audiocassette 8,
Side 2

 Audio Script, p. 50

■ **Expansion**

Also: il faut → **il faudrait**
il vaut mieux →
il vaudrait mieux

■ **Teaching Strategy**

You may wish to tell your
students that polite requests
with **pouvoir** are particularly
useful when traveling in
French-speaking areas. For
example:
Pourriez-vous me dire où
se trouve la banque la plus
proche?, etc.
The conditional in English is
similarly used to express
politeness.

■ **Note linguistique**

In indirect speech, a
statement is made using a
DECLARATIVE VERB, such as:
**dire, déclarer, annoncer,
écrire, prédire, promettre,**
etc.

C. Le conditionnel: autres usages

POLITE REQUESTS

The conditional of verbs such as **vouloir, pouvoir, devoir** is used instead of the present
to express a WISH or REQUEST in a MORE POLITE manner. Compare:

Je veux regarder tes photos.	*I want to look at your pictures.*
Je voudrais regarder tes photos.	*I would like to look at your pictures.*
Peux-tu me prêter ton vélo?	*Can you loan me your bike?*
Pourrais-tu me prêter ton vélo?	*Could you loan me your bike?*
Vous devez être à l'heure.	*You must be on time.*
Vous devriez être à l'heure.	*You should be on time.*

INDIRECT SPEECH

The conditional is used to report what people mentioned IN THE PAST about a FUTURE EVENT.
It describes what they said they WOULD DO or what WOULD HAPPEN later.
Compare the use of tenses in the following sentences:

Maintenant, Éric **dit** qu'il **ira** au ciné.	*Now Eric **says** that he **will go** to the movies.*
Hier, il **a dit** qu'il **irait** au concert.	*Yesterday he **said** that he **would go** to the concert.*

After a declarative verb (such as **dire** or **écrire**), future events are expressed
according to the following tense sequence:

DECLARATIVE VERB	FUTURE EVENT
present	future
past (imperfect, passé composé, pluperfect)	conditional

Teaching Strategy

Divide the class into pairs and give them the
following situation:
Isabelle et Florent sont sortis ensemble
pendant quatre ans. Ils se sont fait beaucoup
de promesses. Maintenant, Isabelle veut son
indépendance alors elle quitte Florent. Florent
rappelle à Isabelle toutes ses/leurs promesses.
Qu'est-ce que Florent lui dit? (Tu m'as dit
que...)
Each pair of students should come up with
an original dialog to present to the class.

Soyons polis!

Montrez que vous êtes poli(e). Pour cela, reformulez les phrases suivantes en utilisant le conditionnel.

▶ Est-ce que tu veux un dessert?
Est-ce que tu voudrais un dessert?

1. Je veux te parler.
2. Nous voulons sortir avec vous.
3. Peux-tu m'inviter à ta boum?
4. Pouvons-nous amener nos amis?

5. Pouvez-vous être à l'heure?
6. Tu dois m'aider.
7. Vous devez être plus généreux.
8. Vous ne devez pas mentir *(tell lies)*.

Messages téléphoniques

Votre partenaire a écouté votre répondeur *(answering machine)* et il/elle a noté les messages suivants. Demandez-lui qui a téléphoné et ce que chaque personne a dit.

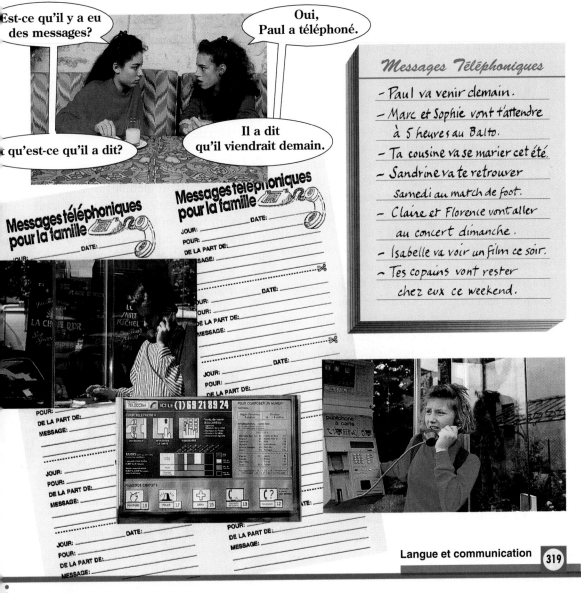

Est-ce qu'il y a eu des messages?

Oui, Paul a téléphoné.

qu'est-ce qu'il a dit?

Il a dit qu'il viendrait demain.

Messages Téléphoniques

- Paul va venir demain.
- Marc et Sophie vont t'attendre à 5 heures au Balto.
- Ta cousine va se marier cet été.
- Sandrine va te retrouver samedi au match de foot.
- Claire et Florence vont aller au concert dimanche.
- Isabelle va voir un film ce soir.
- Tes copains vont rester chez eux ce weekend.

Supplementary vocabulary

(Realia)

le publiphone *phone booth (where you can pay with a card)*

la cabine téléphonique *phone booth*

la télécarte *prepaid phone card*

composer (un numéro) *to dial (a number)*

décrocher (le combiné) *to pick up (the receiver)*

le numéro vert *toll-free number*

🌐 Note culturelle

Almost all phone booths in France require the use of a phone card instead of change. The **télécarte** is a smart card with a prepaid amount recorded on its electronic chip. These cards are avidly sought after by collectors who seek rare designs and limited editions.

📝 Teaching Strategy

Have the students write a story (including dialog) in which they employ all the different uses of the conditional (pp. 314-319). Ideas:
- winning the lottery / promised to share with someone
- turning 16 / parents promised a car at 16
- eating grapefruit for 3 weeks / friend said he/she lost 20 lbs. doing same

Encourage students to be creative and to use as much vocabulary and as many verbs in the conditional as possible.

INFO MAGAZINE

Theme: Street entertainers in France

Reading Strategy: Reading for pleasure

🌐 Note culturelle

The most popular French mime is **Marcel Marceau.** Born in Strasbourg in 1923, Marcel Marceau reinvented the art of mime with his character, a gentle clown called Bip. Marceau opened an international mime school in Paris, and has travelled around the world as Bip, his silent alter-ego.

■ Additional Information

In Paris, you will always see various artists performing in front of the **Pompidou Center.** In Montreal (Quebec) the **Place Jacques Cartier** in the old town is a favorite stage for performance artists.

■ Irregular Verbs

(see Appendix C)
vivre
se distraire (see p. 310)
plaire
suivre
s'apercevoir (see recevoir)
rire

Le spectacle
EST DANS
LA RUE

Pour les Français, la rue n'est pas seulement un endroit où l'on passe pour aller au travail, à l'école, ou dans des magasins. C'est aussi un endroit où l'on vit.° On y rencontre ses amis. On s'y repose (à la terrasse des cafés). On y dîne (à la terrasse des restaurants). Et surtout, on s'y distrait.°

La rue est en effet un théâtre permanent qui offre toutes sortes de spectacles aux «badauds».° Certains spectacles sont spontanés et gratuits: un accident, une querelle entre deux automobilistes, une manifestation,° le passage d'une personne célèbre,° le tournage° d'un film, etc. Les autres spectacles sont organisés par des «artistes» et laissés° à l'appréciation personnelle des passants. Si vous jugez° que le spectacle est bon, vous laisserez° quelques pièces de monnaie° dans le chapeau que vous tendra° l'artiste. Sinon, vous quitterez les lieux avant la fin° du spectacle.

Autrefois, les «artistes des rues» étaient des jongleurs,° des chanteurs, des montreurs° d'animaux (ours,° singes,° chiens savants,° etc. . .). Les artistes d'aujourd'hui ne sont pas tellement° différents des artistes d'autrefois et leur principe est le même: l'artiste s'installe dans un endroit fréquenté; les «badauds» arrivent; l'artiste commence son spectacle; à la fin du spectacle, il fait la quête.° Il y a plusieurs catégories d'artistes de rue:

◆ LES MUSICIENS

Ce sont les plus nombreux.° Suivant° clientèle ou le quartier, ils jouent du jazz, c rock, de la musique folklorique, de la musiqu indienne, des rythmes africains, ou même de musique classique. L'important° est qu la musique soit bonne et que le musicien so sympathique ou ait l'air exotique. Parce que le musique plaît,° les jeunes musiciens américai qui jouent en France ont généraleme beaucoup de succès!

◆ LES MIMES

Ils opèrent° généralement devant la terrass d'un café. Leur costume est classiqu pantalon noir, gilet° rayé,° chapeau noir. L technique du mime consiste à suivre° u passant et à imiter tous ses gestes avec la plu grande exactitude possible. Le passant n s'aperçoit° de rien, mais les spectateurs q sont à la terrasse du café rient° . . . contribuent!

★**vivre** to live ★**se distraire** to have fun **badauds** onlookers **manifestation** demonstration **célèbre** famous **tournage** making **laissés** left **jugez** = pensez **laisserez** = mettrez **monnaie** coins **tendra** = présentera **fin** end **jongleurs** jugglers **nombreux** numerous **suivant** according to **montreurs** exhibitor **ours** bears **singes** monkeys **savants** trained **tellement** that (much) **fait la quête** passes the hat **L'important** = la chose importante ★**plaire** to please **opèrent** = travaillent **gilet** vest **rayé** striped ★**suivre** to follow ★**s'apercevoir** to notice ★**rire** to laugh

🌐 Teaching Strategy

This *Info Magazine* article provides additional cultural information on life in French cities. It is designed to provide easy reading practice. Since these readings are optional, you may allow students to choose whether or not to concentrate heavily on this material. If you wish to use the quizzes as a self-check for comprehension, students may find it useful.

LES AUTOMATES

Ils sont déguisés en personnages d'autrefois. Leur visage couvert de poudre° ne manifeste° aucune expression. Leurs gestes sont complètement mécaniques. Ils tournent la tête à droite, à gauche, ils lèvent° le bras comme des marionnettes. On ne sait vraiment pas s'ils sont réels . . . jusqu'au° moment où ils descendent de leur piédestal et passent le chapeau.

et vous?

DÉFINITIONS

Définissez les mots suivants.

- un badaud
- une manifestation
- un animal savant
- un jongleur
- un mime
- un automate
- une marionnette
- faire la quête

EXPRESSION ÉCRITE

Vous êtes en vacances à Paris. Écrivez une lettre à un(e) ami(e) où vous décrivez un spectacle de rue auquel vous avez assisté. Mentionnez, par exemple:

- le genre de spectacle
- ce que «l'artiste» a fait (donnez des détails)
- comment vous avez trouvé le spectacle
- si vous avez donné de l'argent (pourquoi ou pourquoi pas)

L'automate

C'est une «automate». Nous l'avons rencontrée un jour d'été à Strasbourg devant la cathédrale. Il était sept heures du soir. Elle avait le visage encore° tout blanc, et elle portait un grand chapeau de paille,° à la mode de 1900. Le spectacle était terminé et elle allait partir sur sa grosse moto. Nous lui avons parlé.

— Vous êtes d'ici?

— Non, je suis de la banlieue. Je viens ici parce que ça marche bien.

— Ça a marché aujourd'hui?

— Pas trop mal. J'ai fait 900 francs!

— Quel est votre endroit préféré?

— Ici devant la cathédrale. . . Il y a toujours des cars° pleins° de touristes étrangers.

— Quels sont vos meilleurs clients?

— En général, tout le monde donne quelque chose, mais j'aime beaucoup les Allemands. Ils comprennent l'effort et la qualité du travail.

— Est-ce que votre métier° est dur?°

— Très dur! Il faut se concentrer. . . C'est difficile quand il y a tant° de gens qui passent, le bruit, le vent. . . Et puis il y a la préparation, le maquillage.° Ça prend du temps! Enfin, l'essentiel, c'est que les gens s'amusent. Quand ils s'amusent, comme aujourd'hui, je sais que j'ai bien fait mon travail.

— Merci, et bonne chance.

poudre *powder* **manifeste** = montre **lèvent** *raise* **jusqu'au** *until* **encore** *still* **paille** *straw* **cars** *buses* **pleins** *full*
métier = profession **dur** = difficile **tant** *so many* **maquillage** *make-up*

🔆 Teaching Strategy: Expansion

Give students the following scenarios:

- **Un spectacle**
  Imaginez que vous allez participer à un «cabaret» organisé par le club français. Choisissez un spectacle (musique, mime, automate, jongleur …) et décrivez ce que vous allez faire.

- **Spectacle à Paris**
  Vous voyagez en France avec votre partenaire. Pour gagner un peu d'argent, vous décidez d'organiser un «spectacle de la rue». Choisissez ce spectacle et décrivez ce que vous allez faire.

PARTIE 3

LANGUE ET COMMUNICATION

A. Le conditionnel passé

The PAST CONDITIONAL is used to express what WOULD HAVE HAPPENED under certain circumstances. Note the forms of the verbs in heavy print:

À ta place,
 je **n'aurais pas pris** ma voiture.
Je **serais allé(e)** en ville en bus.

In your place (If I had been you),
 I would not have taken my car.
I would have gone downtown by bus.

FORMS

The PAST CONDITIONAL is formed as follows:

> CONDITIONAL of **avoir** or **être** + PAST PARTICIPLE

In the past conditional, the agreement rules for the past participle are the same as in the passé composé.

 Tu n'as pas invité **ta copine.** À ta place,
  je l'aurais invité**e.**

INFINITIVE	voyager	aller	s'amuser
PAST CONDITIONAL	j' **aurais voyagé** tu **aurais voyagé** il/elle/on **aurait voyagé** nous **aurions voyagé** vous **auriez voyagé** ils/elles **auraient voyagé**	je **serais allé(e)** tu **serais allé(e)** il/elle/on **serait allé(e)** nous **serions allé(e)s** vous **seriez allé(e)(s)** ils/elles **seraient allé(e)s**	je **me serais amusé(e)** tu **te serais amusé(e)** il/elle/on **se serait amusé(e)** nous **nous serions amusé(e)s** vous **vous seriez amusé(e)(s)** ils/elles **se seraient amusé(e)s**
NEGATIVE	je **n'aurais pas voyagé**	je **ne serais pas allé(e)**	je **ne me serais pas amus**...
INTERROGATIVE	est-ce que tu **aurais voyagé?** **aurais-tu voyagé?**	tu **serais allé(e)?** **serais-tu allé(e)?**	tu **te serais amusé(e)?** **te serais-tu amusé(e)?**

USES

The following sentences express what WOULD HAVE HAPPENED **if** certain past conditions HAD BEEN MET.
Note the use of tenses in the sentences below.

Si j'**avais étudié,**
 j'**aurais réussi** à l'examen.

*If I **had studied,***
 *I **would have passed** the exam.*

Si vous **étiez allés** à la boum,
 vous **vous seriez amusés.**

*If you **had gone** to the party,*
 *you **would have had fun.***

Hypothetical sentences that refer to the past are usually formed according to the pattern:

si-clause	MAIN or RESULT clause
pluperfect	past conditional

TEACHING RESOURCES

 Practice Activities,
pp. 84, 158, 194

Teacher-to-Teacher,
Trouver celui qui ...,
pp. 97–98;
Et maintenant ...,
pp. 39–42;
Jumeaux/Jumelles,
pp. 43–46

■ **Note linguistique**

• The past conditional is sometimes called the CONDITIONAL PERFECT.

• Stress that the past conditional <u>only</u> occurs in the RESULT clause. It is <u>never</u> used in the si-clause, as it is in English.
 Si j'**avais su,** ...
  *If I **would have known** (If I **had known**),* ...
 je ne t'**aurais** pas **écouté.**
  *I **would** not **have listened** to you.*

• The underlying condition may be expressed by a phrase other than a **si**-clause. For example:
 À ta place, je serais parti.
  ***In your place,** I would have left.*
 Avec plus d'argent, j'aurais ...
  ***With more money,** I would have ...*
 acheté une voiture plus grande.
  bought a bigger car.

🔊 Teaching Strategy

Divide the class into pairs. Have them imagine that they have a very obnoxious friend who enjoys letting them know she/he's always right by saying "I told you so...!" Ask the students to write five sentences, from the point of view of the obnoxious friend, pointing out what you did wrong using the past conditional.

Note the English equivalents of the past conditional of **vouloir**, **pouvoir** and **devoir**.

J'**aurais voulu voir** ce film.	*I **wish** I **had seen** that movie.*
	*(I **would have liked to see** that movie.)*
Tu **aurais pu** me téléphoner.	*You **could have called** me.*
Vous **auriez dû** attendre.	*You **should have waited**.*

1 L'incendie

Sébastien habite au deuxième étage d'un immeuble. Hier, il y a eu un commencement *(beginning)* d'incendie *(fire)* dans cet immeuble. Voici ce qu'il a fait. Dites si oui ou non vous auriez fait les mêmes choses.

▶ Sébastien est resté calme.
   Moi aussi, je serais resté(e) calme.
   (Moi, je ne serais pas resté(e) calme.)

1. Il a téléphoné aux pompiers.
2. Il a téléphoné à sa copine.
3. Il a fermé la porte de l'appartement à clé.
4. Il a pris sa mini-chaîne.
5. Il a laissé son argent dans un tiroir *(drawer)*.
6. Il est allé dans la salle de bains.
7. Il a mis une serviette mouillée *(wet)* sous la porte.
8. Il a ouvert la fenêtre.
9. Il a attendu dix minutes.
10. Il s'est impatienté.
11. Il a sauté *(jumped)* par la fenêtre.
12. Il s'est cassé la jambe.

2 Vive la différence!

Votre partenaire est allé(e) en ville. Il/elle explique ce qu'il/elle a fait. Dites lui que vous auriez fait quelque chose de différent. (Utilisez le même verbe, mais avec une expression de votre choix.)

▶ aller au musée
   — **Je suis allé(e) au musée.**
   — **Eh bien moi, à ta place, je ne serais pas allé(e) au musée.**
     Je serais allé(e) au ciné (au café, dans les magasins, . . .).

1. voir une exposition
2. déjeuner au McDonald's
3. manger un hamburger
4. se promener dans le parc
5. passer à la Maison des Jeunes
6. aller au centre commercial
7. acheter des CDs
8. rentrer à pied

3 Tant pis pour toi!

Votre partenaire vous décrit certains problèmes qu'il/elle a eus. Dites-lui que c'est de sa faute et expliquez pourquoi.

▶ rater l'examen / étudier

1. se perdre en ville / prendre ton plan *(map)*?
2. attendre une heure au restaurant / réserver une table?
3. arriver en retard au rendez-vous / regarder ta montre?
4. attraper un coup de soleil / mettre de la crème anti-solaire?

J'ai raté l'examen.

Est-ce que tu avais étudié?

Non, je n'avais pas étudié.

Tant pis pour toi! Si tu avais étudié, tu n'aurais pas raté l'examen.

Langue et communication 323

■ **Note linguistique**

In French, as in English, the sequence of tenses may be modified to reflect the sequence of facts or situations described.

si-clause → result clause

IMPERFECT → PAST CONDITIONAL

Si tu **étais** généreux, tu m'**aurais prêté** ta voiture.

PLUPERFECT → PRESENT
              CONDITIONAL

Si tu **avais dormi** la nuit dernière, tu **ne serais pas** fatigué maintenant.

---

4 ▶ **Dommage!**

Les personnes suivantes n'ont pas fait certaines choses. Décrivez ce qui serait arrivé si elles avaient fait ces choses. Attention: le verbe entre parenthèses peut être affirmatif ou négatif.

▶ Jérôme n'a pas fait attention. (tomber dans les escaliers?)
  **Si Jérôme avait fait attention, il ne serait pas
    tombé dans les escaliers.**

1. Nous ne nous sommes pas dépêchés. (rater le train?)
2. Patrick n'a pas lu les annonces. (trouver un job cet été?)
3. Mes copains n'ont pas acheté de billets. (aller au concert?)
4. Je n'ai pas utilisé ma calculatrice. (se tromper dans le problème?)
5. Les joueurs ne se sont pas entraînés. (gagner le match?)
6. Vous n'avez pas attendu. (voir l'éclipse?)
7. Tu n'as pas mis ton manteau. (attraper une pneumonie?)
8. Les élèves ne se sont pas reposés. (dormir pendant la classe?)
9. Le Petit Chaperon Rouge *(Little Red Riding Hood)* n'a pas écouté sa mère. (rencontrer le loup *[wolf]*?)

B. Résumé: l'usage des temps avec **si**

Review the sequence of tenses with **si**.

To describe. . .	si–clause	main or result clause	
• a possibility (concerning a future event)	PRESENT	FUTURE IMPERATIVE	**Si** je **vais** en ville, j'**achèterai** le journal. **Si** tu **vas** au supermarché, **achète** du pain.
• a hypothetical situation (usually contrary to reality)	IMPERFECT	CONDITIONAL	**Si** j'**avais** un billet, j'**irais** au concert.
• a hypothetical situation in the past	PLUPERFECT	PAST CONDITIONAL	**Si** j'**avais étudié**, je **n'aurais pas raté** l'examen.

5 ▶ **Vive la différence!**

Vous et votre partenaire, vous n'êtes pas d'accord. Votre partenaire vous dit ce qu'il/elle fera. Dites-lui ce que vous feriez si vous étiez dans les mêmes circonstances. (Choisissez une option différente.)

▶ avoir faim / manger quoi?
  — **Si j'ai faim, je mangerai un sandwich.**
  — **Eh bien, moi, si j'avais faim,
      je mangerais une pizza.**

> 1. avoir soif / boire quoi?
> 2. avoir de l'argent / acheter quoi?
> 3. sortir samedi / aller où ?
> 4. aller au cinéma / voir quoi?
> 5. aller à Paris / visiter quoi?
> 6. aller en Europe / voyager comment?

 Unité 8 PARTIE 3

↻ **Teaching Strategy: Review**

On a piece of posterboard, draw a 5 x 5 grid with a different verb in each box. Make a spinner with five different tenses (imperfect, pluperfect, conditional, past conditional, future). Put the posterboard in the front of the class, divide the class into pairs, and begin spinning the spinner. The first tense (deter-mined by the spinner) goes with the verb in the top left-hand corner. Give the pairs ten seconds to write the proper conjugation in a 5 x 5 grid that they have drawn on a piece of paper. Continue spinning until the grid has been completed. Do not repeat or slow down. Go over conjugations.

Et si cela arrivait . . . ?

Avec votre partenaire, choisissez une des situations suivantes et discutez de ce que vous feriez et de ce que vous ne feriez pas si vous étiez dans cette situation. Puis, écrivez un paragraphe d'au moins 5 lignes où vous décrirez les résultats de votre discussion.

1. Vous êtes témoins d'un cambriolage.
2. Vous êtes prisonniers/prisonnières de dangereux bandits.
3. Vous êtes perdu(e)s dans la jungle tropicale.
4. Vous êtes invité(e)s à la Maison Blanche.
5. Vous assistez au mariage d'un copain français.
6. Un réalisateur *(movie producer)* vous offre un rôle dans son prochain film.
7. Vous découvrez un trésor *(treasure)* dans une maison abandonnée.

Achats

Complétez les phrases suivantes avec la forme du verbe **acheter** qui convient.

1. Si je vais à la poste, j'___ des timbres.
2. Si nous ___ des billets, nous aurions pu aller au concert samedi soir.
3. S'il avait de l'argent, mon oncle ___ un appartement dans le centre-ville.
4. Qu'est-ce que tu ___ si tu gagnes de l'argent l'été prochain?
5. Si j'étais passé à la boulangerie, j'___ des croissants.
6. Si tu ___ des CDs dans ce magasin, tu paieras moins cher.
7. Est-ce que tu ___ cette veste si elle était en solde?
8. Si Paul ___ une moto, il vendrait son vélo.

Un discours électoral

À chaque élection, Monsieur Duroc est candidat à la mairie de Clocheville. Cette année, il se présente à nouveau. Vous êtes son/sa secrétaire. Complétez son discours *(speech)* avec la forme correcte du verbe entre parenthèses.

Messieurs et Mesdames,

J'ai le plaisir d'annoncer pour la sixième fois ma candidature à la mairie de Clocheville. Si vous (voter) pour moi aux dernières élections, vous (voir) les nombreuses améliorations que j'(apporter) à notre bonne ville. Je/j' (construire) une nouvelle gendarmerie, une nouvelle poste et, bien sûr, une nouvelle mairie. J'(éliminer) la pollution et la criminalité. Aujourd'hui, votre ville (être) belle, propre et sans danger.

Malheureusement, aux dernières élections, vous avez voté pour mon adversaire qui est un incapable. Si je/j' (être) à sa place, je/j' (avoir) honte de me présenter à nouveau. Heureusement, vous êtes intelligents. Quand vous (voter) pour moi dimanche prochain, vous (voter) pour quelqu'un de responsable et d'honnête. Si je/j' (être) élu, vous (pouvoir) être fiers à nouveau de votre ville!

Merci!

Langue et communication **325**

UNITÉ 8
Interdisciplinary/ Community Connections

Make posters (in French!) of enjoyable activities for your chamber of commerce or tourism office.

✓ **Language Arts:** Brainstorm activities available in your area, using the telephone book, the library, local sports clubs, and other sources. Be sure to include seasonal activities as well as permanent ones.

Math: Graph the results of the social studies surveys: How many people enjoy town bicycle trails? How many visit a ski hill nearby?

Science/Health: Investigate science or technology museums and exhibits to include.

Social Studies: Interview friends and neighbors about what they do for fun in the area. If possible, ask about activities involving French, such as museum exhibits of French artwork, concerts of music by French composers, or French restaurants.

Art/Music: Find out about museums, art galleries, professional and amateur concerts. Use photos, drawings, or other media in the design of your posters.

Technology: Use the computer to compile information into a report. OR Find out how technology is involved in any of the activities.

Community: Complete and donate your posters for others to enjoy.

NOTES CULTURELLES

- In France, a mayor is elected by the city council, called **le conseil municipal.** The council itself is elected by the citizens of the city. The mayor and the council are elected for six years. To run for mayor, you must be at least 21, while you need only be 18 to become a member of the council.

- **La mairesse** is the feminine form of **le maire.**
- In France, elections are always held on Sundays. If none of the candidates for a particular position receives an absolute majority (more than 50% of the vote), a run-off election is held.

■ **Pronunciation**
jungle /ʒɑ̃gl/ or /ʒɔ̃gl/

Unité 8 **325**

TEACHING RESOURCES

📑 **Transparency L8**

📑 **Overhead Visuals Copymasters and Activities,** pp. A131–A132

🌐 **Internet Connection Notes,** Long-Term Internet Project, p. 126

■ **Additional Information**

At the same time he was an author, **André Theuriet** also had a career as a civil servant in the Department of Finance. Some of his other works include:

Le Bleu et le noir,
Amour d'automne,
La Fortune d'Angèle,
Reine des bois.

■ **Note linguistique**

le standing = la position sociale

LECTURE

Les pêches

d'après André Theuriet

> ### AVANT DE LIRE
>
> **Le contexte historique**
>
> Pour bien comprendre une histoire, il faut la placer dans son contexte historique. L'histoire suivante se passe à la «Belle Époque», il y a environ° cent ans. La vie était alors assez différente d'aujourd'hui et deux aspects sont particulièrement importants pour l'histoire que vous allez lire.
>
> • À cette époque, les gens riches organisaient de temps en temps de grandes réceptions° chez eux. Ces fêtes, généralement très formelles, étaient des événements importants de la vie mondaine.° Il était donc essentiel pour son standing social d'y être invité.
>
> • Un autre aspect important pour l'histoire concerne l'alimentation d'alors. Comme les transports étaient très limités (l'automobile et l'avion n'existaient pas encore!), la distribution des produits frais,° et particulièrement des fruits, était très localisée et très saisonnière. Si on voulait manger des fruits frais, il fallait attendre l'été, ou bien, si on avait beaucoup d'argent, il fallait faire venir° spécialement ces produits de Provence, d'Italie ou d'Espagne.
>
> **environ** = approximativement   **réception** = soirée de gala   **mondaine** = sociale   **frais** *fresh*
> **faire venir** *to have shipped*

> **André Theuriet** (1833-1907) Comme beaucoup d'écrivains français, André Theuriet s'est exprimé dans des genres littéraires différents: le roman, le conte, la poésie, le théâtre. Dans ses contes, Theuriet décrit la société de son époque. Pour son oeuvre, il a été élu membre de l'Académie Française.

📖 **Teaching Notes**

• This story fits the cultural and linguistic themes of both Units 8 and 10. Depending on your scheduling, you can either present this story now or postpone it until Unit 10.

• For a definition of **la Belle Époque,** refer your students to *Interlude 6,* p. 252.

• You may wish to use **Transparency L8** to help students get a visual overview of the story before beginning to read. Use the *Anticipons un peu* questions to help students read with a critical focus.

Imaginez que vous êtes invité(e) à un très grand mariage. Votre meilleur(e) ami(e), qui est malade, ne peut pas vous accompagner. Vous lui avez promis de lui rapporter un morceau° du gâteau nuptial.

Le gâteau a été servi, mais comme vous êtes un peu timide, vous n'avez pas osé° en demander un second morceau à l'hôtesse. Vous n'avez cependant pas oublié votre promesse.

Vous allez au buffet et, quand personne ne regarde, vous prenez un morceau de gâteau pour votre ami(e). Comment feriez-vous pour le ramener° sans être vu(e)?

- Je le mettrais dans ma poche de pantalon ou de jupe.
- Je le cacherais sous ma veste.
- Je le mettrais dans mon sac.
- Je l'envelopperais dans une serviette.°

morceau *piece* **osé** *dared* **ramener** *to bring back* **serviette** *napkin*

LES PÊCHES

1

C'est au cours d'un dîner organisé par les anciens élèves du lycée de province où j'avais fait mes études que j'ai revu mon copain d'enfance Vital Herbelot. C'est lui qui est venu me saluer° après le café. À vrai dire, je ne l'avais pas reconnu. Vêtu d'un costume de velours côtelé° et d'une chemise à carreaux,° les cheveux en brosse et le visage bronzé, il respirait° la santé et la bonne humeur. Certes, ce n'était pas le grand garçon élégant, distingué, mais un peu timide, que j'avais connu vingt-cinq ans avant. Élève très doué, il était promis à l'avenir le plus brillant. Après le bac, il avait tout de suite trouvé un poste dans la plus grande banque de la ville.

Un peu surpris de le revoir, je lui ai demandé:

— Alors, tu es° toujours dans la banque?

— Oh non, il y a bien longtemps que je l'ai quittée. . . J'habite à la campagne maintenant… Je suis cultivateur!

— Cultivateur, toi?! Mais je croyais que tu t'intéressais à la finance.

— C'est vrai… Et si j'avais continué, j'aurais certainement fait une «brillante carrière», comme on dit . . .Aujourd'hui je serais peut-être le président d'une grande banque nationale ou internationale… Qui sait? Mais tu vois, il m'est arrivé quelque chose°, il y a vingt ans de cela.

— Quoi? Qu'est-ce qui t'est arrivé?

— Oh, une histoire de pêches . . . mais une histoire qui a changé mon existence. Pour le meilleur!

— Tu as dit «une histoire de pêches»?

— Oui, une absurde histoire de pêches.

Voulant satisfaire ma curiosité évidente, Vital Herbelot a commencé à me raconter son histoire.

saluer = dire bonjour **velours côtelé** *corduroy* **à carreaux** *plaid* **respirait** = était l'expression de
tu es = tu travailles **il m'est arrivé quelque chose** *something happened to me*

■ **Pour en savoir plus**
For more information on the history of the **bac,** and the **bac** of today, refer your students to *Info Magazine 1* of Unit 10, pp. 383–385.

Mots utiles

un ancien élève	*alumnus*
un cultivateur	*farmer*
une pêche	*peach*
doué	*gifted*
vêtu de	*dressed in*
au cours de	*during, in the course of*
à vrai dire	*to tell the truth*

💡 **Teaching Strategy**

You may wish to point out the following homonyms in French:

la pêche *peach*
la pêche *fishing*

le pêcher *peach tree*
le péché *sin*

pêcher *to fish*
pécher *to sin*

le pêcheur *fisherman*
le pécheur *sinner*

(la pêcheuse–*fisherwoman*)
(la pécheresse–*sinner*)

ECTURE

Tu sais que j'étais fils et petit-fils d'employés relativement modestes.° C'est ma mère qui a insisté pour que je fasse des études et que j'obtienne mon bac. Tu te souviens, sans doute, que j'aimais les études et que j'ai obtenu mon bac avec mention.° Aussi, je n'ai pas eu de difficulté à trouver du travail.

Après le bac, j'ai été immédiatement engagé dans une grande banque d'affaires.° Tous mes camarades de classe convoitaient° le poste que je venais d'obtenir. Rappelle-toi comme vous étiez tous un peu jaloux de moi! Comme j'étais très travailleur et très discipliné et que je réussissais bien dans les affaires que je traitais, j'ai vite obtenu plusieurs promotions, et avec celles-ci des augmentations de salaire importantes.

Au bout de trois ans, j'étais devenu l'un des adjoints° principaux du patron de la banque. Je t'assure que je gagnais bien ma vie, mais en contrepartie,° je devais sacrifier tout mon temps aux affaires de la banque. C'est à ce moment-là que je me suis marié avec une jeune fille qui avait toutes les qualités et qui, de plus, était très jolie.

■ Irregular Verbs
(See Appendix C)
- **devoir**
- **nuire** is conjugated like **cuire: je nuis, il nuit, nous nuisons, ils nuisent.**
- **obtenir** (see **tenir**)

■ *Avez-vous compris?*
(Sample answers)
1. Il le rencontre au cours d'un dîner d'anciens élèves de son lycée.
2. Il ne le reconnaît pas parce qu'avant il était élégant et timide, et maintenant il est moins élégant, bronzé, de bonne humeur.
3. Il est cultivateur.
4. Autrefois, il travaillait dans une banque. Il était adjoint du patron.

Mots utiles
engager	*to hire*
obtenir *	*to get, obtain*
au bout de	*after, at the end of*

Anticipons un peu!
Victor Herbelot avait une situation brillante. Maintenant, il est cultivateur.
À votre avis, qu'est-ce qui s'est passé?
- Il a eu un grave accident.
- Il a commis une faute *(mistake)* professionnelle.
- Sa femme est tombée malade.
- Quelque chose d'autre s'est passé. Imaginez quoi!

Avez-vous compris?
1. À quelle occasion est-ce que le narrateur rencontre Vital Herbelot?
2. Pourquoi est-ce qu'il ne le reconnaît pas?
3. Quelle est la profession de Vital Herbelot maintenant?
4. Quelle était sa profession autrefois?

2

Mon patron était un homme très riche et très mondain.° De temps en temps il organisait de grandes réceptions où il invitait tous les notables° de la ville et quelques-uns de ses employés supérieurs.° Il y avait généralement un repas suivi d'un bal.

Peu de temps après mon mariage, j'ai reçu ma première invitation à l'une de ces réceptions. Malheureusement, quelques jours avant l'événement, ma femme est tombée malade. Je pensais envoyer mes excuses, mais ma femme a insisté pour que j'aille à cette réception.
— Ton patron est un homme généreux, mais très autoritaire. S'il ne te voyait pas à la première réception à laquelle il t'invite, il serait certainement très vexé, et cela nuirait° à ta carrière.

modestes = assez pauvres **avec mention** with honors
une banque d'affaires investment bank **convoitaient** = désiraient secrètement
adjoints = assistants **en contrepartie** in exchange **mondain** of fashionable society
notables = personnes importantes **employés supérieurs** top executives **nuirait à** = ruinerait

🔆 Teaching Strategy
- Ask students if they have noticed any differences in the presentation of the story on this page versus page 327. (If they do not notice the change in typeface, indicating a change in narrator, point it out to them.) Why is this device used? Is it successful?
- Ask students the following questions: À votre avis, pourquoi est-il important pour Vital Herbelot d'aller à cette réception? Quelles pourraient être les conséquences de son absence à cette soirée?

Bien sûr, j'aurais préféré rester avec ma femme, mais, convaincu par ses arguments, j'ai finalement accepté l'invitation.

Ce soir-là, je me suis donc habillé pour l'occasion. Alors qu'elle m'aidait à ajuster ma cravate, ma femme m'a dit:
—Je regrette vraiment de ne pas pouvoir t'accompagner. Il y aura un très beau buffet . . . et j'ai entendu dire que la femme de ton patron a fait venir° spécialement des primeurs* du Midi. Il paraît même qu'il y aura des pêches... Tu sais comme je les aime. Et pourtant, c'est absolument impossible d'en trouver dans les magasins en cette saison... Oh, ces pêches! Est-ce que tu pourrais m'en rapporter une . . . Une seule . . . S'il te plaît!

Surpris de cette requête inattendue, j'ai essayé d'expliquer à ma femme que c'était difficile. Comment un monsieur en habit noir° pourrait-il prendre une pêche et la mettre dans sa poche sans être vu?

Mais ma femme a insisté: «Rien de plus facile, au contraire . . . Tu profiteras d'un moment où tout le monde sera en train de danser. Tu t'approcheras du buffet et tu prendras une pêche comme si c'était pour toi et tu la dissimuleras° adroitement.° Personne ne te verra... Oh, je sais bien, c'est un caprice,° mais ça me ferait tellement plaisir! Allez, promets-moi . . .»

Comment refuser quelque chose à la femme qu'on aime? J'ai fini par promettre, puis j'ai pris mon manteau et mon chapeau. Au moment où j'allais partir, ma femme m'a regardé de ses grands yeux bleus et m'a dit: «N'oublie pas!»

Mots utiles	
un bal	dance
un caprice	whim
une pêche	peach
une requête	request
s'approcher de	to approach
convaincre *	to convince
entendre dire	to hear (it said)
faire plaisir à	to please
profiter de	to take advantage of
inattendu	unexpected
alors que	while

Avez-vous compris?

1. Pourquoi Madame Herbelot ne va-t-elle pas à la réception?
2. Pourquoi conseille-t-elle à son mari d'y aller?
3. Qu'est-ce qu'elle lui demande de faire?
4. Pourquoi est-ce que son mari hésite?

~~~ 3 ~~~

Ce soir-là, toute la société° de la ville était réunie° chez mon patron. Il y avait le maire, le président du tribunal, le général commandant la garnison et ses officiers supérieurs, et toutes les grandes familles de la ville.

Mon patron avait bien fait les choses. Le dîner était exquis. Après le dîner, les invités passèrent au grand salon et le bal commença. Vers

Anticipons un peu!

À votre avis, comment est-ce que Vital Herbelot va satisfaire la requête de sa femme?

- Il va demander à l'hôtesse de la réception la permission de prendre une pêche.
- Il va prendre une pêche sans demander la permission.
- Il va acheter des pêches chez un marchand.
- Il va rentrer chez lui sans pêche.
- Il va faire autre chose. Imaginez quoi!

* **Les primeurs du Midi.** À cause de son climat, le Midi (dans le sud de la France) produit des **primeurs**, c'est-à-dire, des fruits et légumes consommables avant la saison normale.

a fait venir = a commandé   **habit noir** formal evening dress   **dissimuleras** = cacheras
adroitement skillfully   **caprice** whim   **la société** = la haute société   **était réunie** = se trouvait

■ Irregular Verb

(see Appendix C)
convaincre (see **vaincre**)

■ Avez-vous compris?

(Sample answers)
1. Elle ne va pas à la réception parce qu'elle est tombée malade.
2. Elle lui conseille d'y aller parce que c'est utile pour sa carrière.
3. Elle lui demande de lui rapporter une pêche.
4. Il hésite parce que ce n'est pas facile de le faire discrètement.

↪ Teaching Note

In episodes 3 and 4, the narrator shifts to the **passé simple**. If necessary, you may want to review this tense in Appendix C, pp. R32–R33.

Mots utiles

un larcin	small theft
la moitié	half
la poitrine	chest
s'assurer	to make sure
découper	to cut (into pieces)
se demander	to wonder
se diriger vers	to move toward
se précipiter	to dash
se produire	to happen
digne	dignified
inoffensif	harmless
comme si	as if
reste . . .	there is/are . . . left

■ **Irregular Verb**
(see Appendix C)
se produire (see **conduire**)

■ *Avez-vous compris?*
(Sample answers)
1. Les pêches sont servies après minuit par le maître d'hôtel, aux personnes indiquées par le patron. Elles sont coupées en deux.
2. Il prend les pêches quand les domestiques sont partis.
3. Il met les pêches dans son chapeau.

minuit, il y eut un temps de repos pendant lequel un buffet fut servi dans une petite pièce à côté du salon. Au milieu de la table trônaient° les fameuses pêches venues° spécialement du Midi. Disposées° en pyramide sur un plateau de faïence,° elles provoquaient l'admiration générale. Oui vraiment, elles étaient superbes! Je pensais alors à la promesse que j'avais faite à ma femme et me demandais comment j'allais la réaliser. Ce n'était pas facile!

Les domestiques préposés° au service montaient une garde vigilante° autour de ces magnifiques et coûteux fruits. De temps en temps, sur un signe de mon patron, le maître d'hôtel prenait délicatement une pêche, la découpait avec un couteau d'argent, et en présentait les deux moitiés à un invité de marque.° Il en restait encore une demi-douzaine quand l'orchestre se remit° à jouer. Les invités se précipitèrent au salon et on recommença à danser.

C'est alors que j'exécutai mon projet. Je pris mon chapeau et mon manteau, comme si j'allais partir. Puis, sous un prétexte quelconque,° je passai dans la petite salle où était dressé° le buffet. Heureusement les domestiques étaient partis. Je me trouvais donc seul. M'assurant que personne ne me regardait, je ne pris non pas une mais deux de ces magnifiques pêches et je les mis discrètement dans mon chapeau. Pressant celui-ci très fort° contre ma poitrine, j'allai saluer° mon hôte et mon hôtesse. Je les remerciai de leur aimable invitation, puis je me dirigeai, digne et fier de moi, vers la sortie.

Mon projet avait parfaitement réussi. Que ma femme serait heureuse quand elle verrait le produit de mon larcin inoffensif! C'est alors que se produisit l'incident . . .

trônaient = occupaient la place d'honneur **venues** *brought* **disposées** = arrangées **faïence** *glazed pottery* **préposés** *assigned* **montaient une garde vigilante** *kept watchful guard* **de marque** = important **se remit à** = recommença à **un prétexte quelconque** *some pretext or other* **dressé** = *placé* **fort** *tightly* **saluer** = dire au revoir à

Avez-vous compris?

1. À quel moment de la réception sont servies les pêches? Par qui? À qui? Comment?
2. Comment Vital Herbelot réussit-il à prendre deux pêches?
3. Qu'est-ce qu'il fait pour passer inaperçu *(unnoticed)*?

Anticipons un peu!

À votre avis, qu'est-ce qui va se passer ensuite?
• Vital Herbelot va apporter les pêches à sa femme qui sera très contente.
• Il sera dénoncé par un domestique qui l'a vu et il sera arrêté par la police.
• Après être sorti, il fera tomber *(will drop)* les pêches dans la rue et il ne pourra pas les rapporter à sa femme.
• Quelque chose d'autre arrivera. Imaginez quoi!

Avant de sortir, il fallait que je traverse le salon où les jeunes gens et les jeunes filles continuaient à valser.° On organisait justement une nouvelle figure: une danseuse est placée au centre des danseurs qui exécutent une ronde° autour d'elle. Elle doit tenir un chapeau à la main et en coiffer° le jeune homme avec qui elle veut danser. C'était justement la fille de mon patron qui devait se placer au centre du groupe. Me voyant avec mon chapeau pressé contre la poitrine, elle s'écria:

— Monsieur Herbelot! Monsieur Herbelot! Nous avons besoin de votre chapeau! S'il vous plaît, prêtez-le-nous pour quelques minutes seulement.

Et sans attendre ma réponse, elle me prit le chapeau des mains d'un mouvement brusque. Les pêches tombèrent et roulèrent sur le sol devant les invités ébahis.°

La musique s'arrêta. Tout le monde riait maintenant, sauf mon patron qui avait l'air absolument furieux. Même les domestiques semblaient se moquer de moi… Alors la fille du patron me donna mon chapeau en me disant d'une voix ironique:

— Eh bien, monsieur Herbelot, ramassez donc vos pêches!

J'aurais voulu être cent pieds sous terre.° Rouge de confusion, je pris mon chapeau, balbutiai° quelques mots d'excuses, et partis comme un fou. Je rentrai chez moi et, la mort dans le coeur, je racontai le désastre à ma femme.

Le lendemain, l'histoire courait° la ville. Quand je suis entré à mon bureau ce matin-là, mes collègues savaient ce qui s'était passé. Les plus malicieux° murmuraient° à mon passage: «Hé, Monsieur Herbelot, ramassez donc vos pêches.» Dans la rue, j'entendais les enfants des écoles dire en me montrant du doigt: «Regardez! C'est le monsieur aux pêches!»

Huit jours après, j'ai quitté la banque et la ville. Ma femme et moi, nous nous sommes installés à la campagne, chez un vieil oncle qui avait une grande ferme. Je ne connaissais rien aux travaux des champs,° mais avec l'aide de mon oncle, j'ai vite appris. Quand celui-ci est mort, j'ai hérité de la ferme. C'est comme ça que je suis devenu cultivateur!

Tiens, si tu es libre dimanche prochain, viens donc me rendre visite. Nous déjeunerons ensemble.

Mots utiles	
hériter de	to inherit
s'installer	to settle
montrer du doigt	to point at
se moquer de	to laugh at, to make fun of
ramasser	to pick up
traverser	to go across, to cross
justement	precisely at that moment

valser = danser la valse *(waltz)* **exécutent une ronde** = dansent dans un cercle **coiffer** = mettre sur la tête **ébahis** *open-mouthed* **sous terre** *underground* **balbutiai** *mumbled* **courait** = circulait dans **malicieux** *inclined to tease* **murmuraient** *would say in a low voice* **travaux des champs** *farm work*

Avez-vous compris?

1. De quelle façon le larcin de Vital Herbelot a-t-il été découvert?
2. Quelle a été la réaction des autres invités?
3. Quelle a été la réaction de ses collègues le lendemain?
4. Qu'est-ce qu'il a décidé de faire à la suite de l'incident?

Et vous?

Qu'est-ce que vous auriez fait si vous aviez été à la place de Vital Herbelot? Expliquez pourquoi.

- J'aurais présenté mes excuses à mon patron et j'aurais gardé mon poste.
- J'aurais fait un procès *(filed a suit)* à mes collègues de bureau pour harcèlement professionnel.
- J'aurais quitté la ville et j'aurais cherché un travail similaire dans une autre ville.
- J'aurais fait comme Vital Herbelot.
- J'aurais fait quelque chose d'autre. Expliquez quoi.

💡 Teaching Note

Ask students if they noted that the conclusion is presented by the initial narrator.

■ Irregular Verbs

(see Appendix C)
cueillir
sourire   *(see rire)*

■ Note linguistique

The expression **un bureaucrate** is pejorative. It generally refers to a petty civil servant who thinks he is very powerful.

■ Avez-vous compris?

(Sample answers)
1. À la ferme, l'atmosphère est sympathique.
2. Il est très heureux de son sort.

Mots utiles	
un verger	*orchard*
un pêcher	*peach tree*
cueillir *	*to pick*
sourire *	*to smile*
d'ailleurs	*besides*
en souvenir de	*in memory of*

5

Intrigué par l'histoire de mon ancien camarade de lycée, j'ai accepté son invitation. Le dimanche suivant, je suis donc allé chez lui. Là, j'ai fait la connaissance de sa femme, toujours jolie à quarante-cinq ans, et de leurs magnifiques enfants. Nous avons fait un excellent déjeuner, accompagné d'un agréable vin blanc que mon ami faisait lui-même.

Après le déjeuner, il m'a proposé de faire un tour de la ferme. Il était particulièrement fier de son verger. Alors que j'admirais particulièrement un pêcher chargé de fruits splendides, il m'a dit:

— Celui-là, je l'ai planté en souvenir de l'histoire que je t'ai racontée! J'ai eu de la chance. Sans cette histoire absurde, je serais resté un bureaucrate toute ma vie. D'accord, j'aurais peut-être plus d'argent, mais je ne serais pas plus heureux. D'ailleurs, comment être plus heureux? J'ai tout pour moi.

Puis, il a cueilli deux énormes pêches et il me les donna en souriant:

— Tu verras! Ce sera les meilleures pêches que tu aies jamais mangées!

chargé de *laden with*   **travaux des champs** *farm work*

Avez-vous compris?

1. Quelle est l'atmosphère générale à la ferme de Vital Herbelot?
2. Qu'est-ce que Vital Herbelot pense de son sort *(fate)?*

À votre avis

Est-ce que Vital Herbelot a pris la meilleure décision possible? Expliquez pourquoi.

APRÈS LA LECTURE

EXPRESSION ORALE

■ La morale de l'histoire

L'histoire des pêches peut avoir plusieurs morales. Choisissez l'une des morales suivantes (ou bien, créez votre propre morale) et expliquez pourquoi elle correspond le mieux à l'histoire.

• L'argent ne fait pas le bonheur.

• Les petits incidents peuvent avoir des conséquences importantes.
• Il vaut mieux être pauvre que ridicule.
• Le crime ne paie pas.
• Il ne faut jamais écouter les mauvais conseils.
• Le ridicule tue.
• Les gens trop ambitieux sont toujours punis.

Notes linguistiques

• When **ce + être** is followed by a plural noun, **être** generally agrees with the noun. The singular form is, however, commonly used in the spoken language. Here:
Ce sera les meilleures pêches... (spoken)
Ce seront les meilleures pêches... (written)
• When **ce + être** is followed by the pronoun **moi, toi, nous,** or **vous,** then **être** is in the 3rd person singular: **C'est moi. / C'est nous qui avons mangé la tarte.**
• When **ce + être** is followed by the pronoun **eux** or **elles,** then **être** is in the 3rd person plural: **Ce sont eux. Ce sont elles.** The singular is commonly used, especially in the negative form: **Ce n'est pas eux. C'est elles.**

■ Débat

Avec votre partenaire, débattez les avantages et les inconvénients de la vie en ville et à la campagne, en fonction de l'histoire que vous avez lue. Chacun va choisir une opinion différente.

■ Situations

Avec votre partenaire, choisissez l'une des situations suivantes. Composez le dialogue correspondant et jouez-le en classe.

1 Détails

Quand elle voit rentrer son mari le soir de la réception, Madame Herbelot comprend que quelque chose d'extraordinaire s'est passé. Elle veut avoir des détails.

Rôles: Monsieur et Madame Herbelot

2 À la fête

Une personne qui a assisté à la fête raconte l'histoire des pêches à un(e) voisin(e). Ce(tte) voisin(e) pose beaucoup de questions. La personne qui a été à la fête a tendance à exagérer un peu pour faire plus d'effet.

Rôles: la personne qui a été à la réception et son(sa) voisin(e)

3 Une décision

Le jour après l'incident, Vital Herbelot explique à sa femme ce qui s'est passé au bureau et dans la rue. Ils discutent de ce qu'ils doivent faire pour éviter *(to avoid)* ces problèmes. Ils prennent une décision.

Rôles: Monsieur et Madame Herbelot

4 Vingt ans après

Vingt ans après l'incident, l'un des enfants de Vital Herbelot apprend que son père a été cadre *(executive)* dans une banque. Il veut connaître le passé de son père.

Rôles: Monsieur Herbelot et son fils (sa fille)

5 Ville ou campagne ?

Après la promenade dans la ferme, le camarade de lycée de Vital Herbelot explique à son ami que la vie en ville a beaucoup d'avantages aussi. Vital Herbelot n'est pas d'accord.

Rôles: Vital Herbelot et son camarade de lycée

EXPRESSION ÉCRITE

■ «La Belle époque»

Relisez le texte et faites une liste des détails qui indiquent que cette histoire se passe il y a cent ans.

■ Lettre à un(e) ami(e)

Imaginez que vous êtes dans la situation de Vital Herbelot. Après avoir terminé vos études, vous avez trouvé un bon poste dans une banque (ou une autre sorte de travail). Vous avez reçu plusieurs promotions et vous gagnez très bien votre vie. Un jour, cependant, vous réalisez que cette existence ne correspond pas à ce que vous voulez vraiment faire.

Écrivez une lettre à un(e) ami(e). Dans cette lettre, informez-le(la) de votre décision de quitter votre travail, expliquez pourquoi et dites ce que vous allez faire.

■ Sujets de composition

1. Une situation embarrassante.
Décrivez une situation embarrassante, réelle ou imaginaire, dans laquelle une personne que vous connaissez s'est trouvée.

2. Un incident
Décrivez une situation, réelle ou imaginaire, dans laquelle un petit incident a eu des conséquences très importantes pour vous ou pour une personne que vous connaissez.

■ Note linguistique

Note the following familiar expressions:
- **avoir la pêche** *to be in great form/spirits*
- **se fendre la pêche** *to laugh*

■ Teaching Note

You may wish to use the short *Lecture* quiz as a comprehension check before students begin the activities in the *Après la lecture* section.

📁 Student Portfolios

Using the activities in the *Après la lecture* section, have students choose one or two activities for their portfolios. If a group of students decide to work together to produce a debate, see if other students will volunteer to videotape the event and make copies for the participants' portfolios.

8

INTERLUDE CULTUREL

TEACHING RESOURCES

Transparencies H5,2
Overhead Visuals Copymasters and Activities, pp. A145–A146

Internet Connection Notes, Project 3, pp. 127–128

■ Notes linguistiques

• **Martinique** vient du nom Martin, car l'île fut découverte un onze novembre, date qui correspond à la Saint Martin dans le calendrier catholique.

• **Guadeloupe** vient de Notre-Dame de Guadalupe d'Estremadure. Christophe Colomb choisit ce nom pour remercier Notre-Dame qu'il avait priée lors d'une tempête. Avant cela, les habitants appelaient leur île **Calouacaera**.

■ Anecdote

The survivor of the eruption of **Mt. Pelée,** called **Sipares,** later joined the Barnum and Bailey circus.

■ Pour en savoir plus

For more information on the events leading up to 1763, see *Interlude 10,* p. 412.

334 Unité 8

INTERLUDE CULTUREL

LES ANTILLES FRANCOPHONES
▪ *Un peu d'histoire* ▪

■ Les dates   ### ■ Les événements

-1492-1502 — Christophe Colomb fait plusieurs voyages en Amérique. Au cours de° ces voyages, il «découvre» plusieurs îles qui seront plus tard occupées par les Français: Hispaniola (1492), la Guadeloupe (1493), la Martinique (1502). À l'époque de Christophe Colomb, ces îles étaient habitées depuis des siècles par différents groupes d'«Indiens» — nom donné par Christophe Colomb aux populations caraïbes. Ces Indiens sont rapidement décimés° par les maladies et les mauvais traitements des Européens.

-1635 — Les premiers colons° français arrivent à la Martinique et à la Guadeloupe. Peu après, ils font venir° de force des Africains pour travailler comme esclaves° dans leurs plantations.

-vers 1640 — L'île de la Tortue,° au nord-ouest d'Hispaniola, sert de base à des pirates de toutes nationalités. Des colons français s'installent à Saint-Domingue, la partie ouest d'Hispaniola.

-1697 — Saint-Domingue (Haïti) devient officiellement une colonie française.

-1763 — La France perd ses colonies continentales d'Amérique (le Canada, la Louisiane), mais elle garde ses îles des Antilles.

-1791 — Les Africains de Saint-Domingue se révoltent contre les Français. Toussaint Louverture devient l'un des chefs de cette révolte.

-1794 — La Révolution française déclare l'abolition de l'esclavage dans toutes ses colonies.

-1802 — L'esclavage est rétabli par Napoléon, ce qui provoque une nouvelle insurrection en Haïti. Napoléon envoie ses troupes pour mater° cette insurrection.

-1804 — Après la victoire des Africains révoltés sur les troupes françaises, Saint-Domingue devient un pays indépendant et prend le nom d'Haïti. Les Français quittent Haïti, mais le français reste la langue officielle du pays.

-1848 — L'esclavage est définitivement aboli dans les colonies françaises. Les habitants de la Martinique et de la Guadeloupe deviennent des citoyens° français à part entière.°

-1902 — L'éruption de la montagne Pelée à la Martinique fait plus de 30 000 morts dans la ville de Saint-Pierre.

-1946 — La Martinique et la Guadeloupe deviennent des départements d'outre-mer.°

-1990 — Jean-Bertrand Aristide est élu démocratiquement Président de la République haïtienne. Quelques mois après, un coup d'État militaire l'oblige à s'exiler aux États-Unis.

-1994 — La démocratie est rétablie avec le retour d'Aristide.°

au cours de = pendant   décimés *killed*   colons *settlers*   ils font venir = ils amènent   esclaves *slaves*   tortue *turtle*   mater *to put down*   citoyens *citizens*   à part entière = 100%   outre-mer *overseas*

334   INTERLUDE: Les Antilles francophones

🌐 NOTES CULTURELLES

• **Les Antilles** est le nom généralement donné aux îles de la mer Caraïbe. (Les Caraïbes étaient les Indiens qui habitaient ces îles avant l'arrivée de Christophe Colomb.) Les Antilles francophones comprennent les départements français de la Martinique et de la Guadeloupe, et la république d'Haïti.

• La fameuse **Île de la Tortue**, repaire de pirates, était française de 1665 à 1804. Depuis 1804, cette île, connue sous le nom espagnol de Tortuga, fait partie d'Haïti. (Note: President **Aristide** returned to Haiti in 1994, after the threat of a multinational intervention.)

La malédiction caraïbe

Nous sommes à la Martinique en 1900. À cette époque, Saint-Pierre est la capitale de l'île. Avec ses distilleries, ses docks, ses magasins, ses banques, c'est un centre économique et commercial très actif. Dans le port, on peut voir des bateaux français, mais aussi des bateaux anglais, des bateaux américains, des bateaux italiens, des bateaux japonais, des bateaux chiliens . . . Sur ces bateaux, les marins chargent° le sucre, le rhum et les produits tropicaux de l'île.

Saint-Pierre est aussi une ville artistique et culturelle. Le dimanche, les gens vont au concert ou au théâtre. Il y a, en effet, un théâtre, le seul théâtre de toutes les Antilles. Saint-Pierre mérite bien son nom de «Paris des Antilles».

En réalité, Saint-Pierre est une ville en danger. La ville est située au pied d'un volcan, la montagne Pelée. Le 8 mai 1902, à sept heures cinquante du matin, la montagne Pelée explose! À huit heures, la ville est totalement dévastée. La cathédrale, le théâtre, le jardin botanique, les monuments, les maisons sont maintenant un immense désert de ruines. En moins de cinq minutes, toute la population de Saint-Pierre a péri.° Il y a 30 000 victimes . . . et un survivant. Ce survivant est un prisonnier. Ironiquement, les murs de la prison l'ont protégé contre la violence de l'explosion.

L'explosion de la montagne Pelée est une des grandes catastrophes dans l'histoire de l'humanité. Cette catastrophe a été annoncée dans une vieille légende caraïbe. Les Indiens caraïbes sont les premiers habitants de la Martinique. Quand les Français arrivent en 1635, ils veulent faire des Caraïbes leurs esclaves. Les Caraïbes résistent, mais ils sont finalement battus.° Courageusement, ils préfèrent la mort à l'esclavage.

Avant de mourir, le dernier chef caraïbe donne sa malédiction° aux Français:

«Aujourd'hui, vous êtes les plus forts,
mais demain
la montagne de feu va nous venger.»°

La «montagne de feu», c'est bien sûr la montagne Pelée. Le 8 mai 1902, la malédiction caraïbe s'est réalisée!

chargent *load* **péri** *perished, died* **battus** *beaten* **malédiction** *curse* **venger** *to avenge*

■ **Note historique**
Fort-de-France est devenue la capitale (ou **chef-lieu**) de la Martinique après la destruction de Saint-Pierre.

■ **Additional Information**
Guadeloupe is another volcanic island. The volcano **la Soufrière** is the highest point of the island at 1467 meters (4812 feet). It erupted in 1956 and 1976 and is still active today.

 # Internet Connection—Interlude 8

Have students spend some time doing reseach on the WWW and write a short paper on Haiti in French. The Haitian culture is rich with artistic, culinary, religious, historic, and oral tradition. For alternate links, students can use the following keywords with the search engine of their choice:
Haïti + francophonie; Antilles; caraïbe

Haitian Art: http://www.egallery.com
Haitian History: http://lanic.utexas.edu/la/ca/haiti/

■ Pour en savoir plus
For historical background on the French Revolution, see *Interlude 5*, pp. 216–225.

🌐 Note culturelle
More than 50,000 African slaves were sent to Martinique in 1636 to work in the plantations. They came mostly from Angola, Guinea, and Senegal.

■ Additional Information

• Unable to give an heir to Napoleon, **Joséphine** was repudiated in 1809. The civil marriage was annulled on the grounds that one of the witnesses was under age (he was nineteen at the time). Joséphine had two children from her previous marriage with **de Beauharnais**. She kept her imperial title and retired in her castle of **Malmaison** where she died in 1814.

• **La Guyane française,** in South America, is adjacent to Brazil and Suriname. It was used as a penal colony; criminals were sent to the infamous Devil's Island until 1953.

■ L'impératrice Joséphine (1763-1814)

Joséphine Tascher de la Pagerie est née à la Martinique dans la plantation de ses parents. Un jour, quand elle était petite, sa gouvernante° noire lui dit: «Un jour, tu gouverneras la France.» Joséphine évidemment ne croit pas cette prédiction extraordinaire. Elle grandit° et devient une jeune fille très belle et très élégante. À seize ans, elle épouse un jeune officier noble, Alexandre de Beauharnais, mais celui-ci est guillotiné pendant la Révolution. Joséphine elle-même est emprisonnée et échappe de peu° à la mort.

Peu de temps après, Joséphine rencontre Napoléon qui tombe éperdument° amoureux d'elle. Ils se marient en 1796. Quand Napoléon devient empereur en 1804, Joséphine devient impératrice,° réalisant ainsi la prédiction de sa gouvernante. Joséphine et Napoléon n'ont pas d'enfant. Napoléon veut avoir un fils pour assurer la succession de son trône. Il divorce et se remarie avec une princesse autrichienne.° Cependant, Napoléon reste très ami avec Joséphine qui, pour les Français, continue d'être la véritable° impératrice.

L'impératrice Joséphine

Aimé Césaire, poète et homme politique

■ Aimé Césaire (1913-): Poète et homme politique

Originaire de la Martinique, **Aimé Césaire** va à Paris pour faire ses étud[es] universitaires. Là, il rencontre d'autres étudiants noirs avec qui il fonde u[n] journal intitulé *L'Étudiant noir*. C'est dans ce journal qu'il définit la notion d[e] **négritude**. Pour exprimer la valeur de la personnalité noire, Césaire chois[it] la poésie. En 1939, il écrit un livre de poèmes intitulé *Cahier d'un retour a[u] pays natal*. Césaire est aussi un homme d'action et, pour lui, l'action, c'e[st] politique. Il rentre à la Martinique où il fonde un parti, *le Parti Progressis[te] Martiniquais*. Il devient maire° de Fort-de-France. Élu° député° de [la] Martinique, il défend les intérêts des habitants de son île.

■ Qu'est-ce que la négritude?

La négritude est un mouvement littéraire, philosophique et politique, né à Paris dans les années 1930. Les fondateurs de ce mouvement étaient des étudiants noirs, venus de différentes colonies françaises: Aimé Césaire (Martinique), Léon Damas (Guyane française), Léopold Senghor (Sénégal).

En quête de° leur identité, ces écrivains redécouvrent leurs racines° africaines qu'ils veulent valoriser.° La négritude est la reconnaissance d'une identité noire spécifique. Les Noirs ont leur personnalité, leur culture, leur système de valeurs, leur façon de percevoir et de comprendre l'univers. Ils doivent préserver et être fiers de cette identité spécifique liée° à l'Afrique, terre° de leurs ancêtres communs.

> «La négritude est la conscience d'être noir, simple reconnaissance d'un fait, qui implique acceptation, prise en charge de son destin de noir, de son histoire et de sa culture.»
>
> — *Aimé Césaire*

---

gouvernante *governess* **grandit** = devient grande **échappe de peu** *narrowly escapes* **éperdument** = passionnément **impératrice** = la femme de l'empereur **autrichienne** *Austrian* **véritable** = réelle **maire** *mayor* **élu** *elected* **député** *congressman* **en quête de** *in search of* **racines** *roots* **valoriser** *to emphasize the value of* **liée** *linked* **terre** *land*

Pour saluer le Tiers-Monde

Dans ce poème, écrit en 1960, Aimé Césaire, de son île de la Martinique, salue les pays d'Afrique qui viennent de gagner leur indépendance. Ce poème est dédié à son ami, Léopold Senghor, président du Sénégal.

La Guinée

Madagascar

Le Cameroun

Ah!
mon demi-sommeil d'île si trouble
sur la mer!

Et voici de tous les points du péril
l'histoire qui me fait le signe° que
j'attendais.

Je vois pousser° des nations.
Vertes et rouges*, je vous salue,
bannières, gorges° du vent ancien,
Mali, Guinée, Ghana
et je vous vois, hommes,
point maladroits° sous ce soleil nouveau!

Écoutez:
    de mon île lointaine°
    de mon île veilleuse°
je vous dis Hoo!
    Et vos voix me répondent
    et ce qu'elles disent signifie:
«Il y fait clair.» Et c'est vrai:
même à travers orage et nuit
pour nous, il y fait clair.

Vois:
    l'Afrique n'est plus
    au diamant du malheur
      un noir coeur qui se strie;°

notre Afrique est une main hors du ceste,°
c'est une main droite, la paume° devant
et les doigts bien serrés;°

c'est une main tuméfiée°,
une blessée-main-ouverte,
tendue°,
    brunes, jaunes, blanches,
à toutes mains, à toutes les mains blessées
du monde.

es drapeaux des pays africains de Mali, de Guinée et de Ghana ont les couleurs vertes, rouges et jaunes

signe = le signe de la liberté **pousser** *grow* **gorges** *pride* **points maladroits** *not at all clumsy* **lointaine** = qui est loin (de l'Afrique)
illeuse = lente **se strie** *is lacerated [by the diamond of misfortune]* **ceste** *boxing glove* **paume** *palm* **bien serrés** *close together*
méfiée *swollen* **tendu** *stretched out*

LECTURE ET CULTURE 337

🌐 **Realia Note**

F.A.O. = *Food and Agriculture Organization* (**Organisation pour l'Alimentation et l'Agriculture**)
This U.N. agency offers technical assistance to developing countries in order to increase and promote their agricultural revenues and productions.

📖 **Teaching Note**

Brief interpretation of *Pour saluer le Tiers-Monde:*

lines 1–5 From his island that is still half asleep, Césaire recognizes the sign of freedom rising from areas where it was in peril.

lines 6–11 He sees the banners of the new African nations, and he sees the citizens of these countries under a new sun.

lines 12–20 From his far-away island (which is slow in gaining its independence), he calls out to the people of Africa who respond that light is dawning in their land.

lines 21–24 Africa is no longer a bleeding heart.

lines 25–29 It is a strong hand, recovering from its wounds, reaching out to all the hands of the world.

Unité 8 337

▪Haïti▪

■ Un champion de la liberté: Toussaint Louverture (1743-1803)

Haïti est une nation indépendante depuis près de 200 ans.
Le héros de l'indépendance haïtienne s'appelle Toussaint Louverture.
Voici l'histoire de ce grand champion de la liberté.

Cette histoire commence à la fin du 18e siècle. La partie occidentale° d'Haïti s'appelait alors Saint-Domingue. C'était une colonie française où il y avait 20 000 Français et 500 000 Africains qui travaillaient très dur comme esclaves dans les plantations des Français.

En 1789, ces esclaves ont eu un grand espoir.°Une révolution libérale venait d'éclater en France. Est-ce que cette révolution allait émanciper les Noirs? En principe, oui. Les révolutionnaires français ont décidé d'abolir l'esclavage dans les colonies. Malheureusement, Saint-Domingue était loin de Paris et les Français de l'île ont refusé de libérer leurs esclaves. Pour les Africains, il y avait une seule° solution: la révolte. En 1791, les Africains de Saint-Domingue sont entrés en rébellion contre leurs maîtres.

Trois ans plus tard, en 1794, les Anglais, qui étaient en guerre contre la France, ont voulu occuper Saint-Domingue. Pour les Français, la situation était extrêmement grave. Le gouverneur de Saint-Domingue a décidé alors de rencontrer le chef des esclaves révoltés. Ce chef était Toussaint Louverture. Il avait 4 000 hommes sous ses ordres. Il a proposé au gouverneur un marché:° «Garantissez la liberté des Noirs et mes troupes vont combattre avec vous contre les Anglais.» Le gouverneur n'avait pas le choix. Il a accepté.

Quelques semaines après, Toussaint Louverture, l'ancien esclave, a été nommé commandant. C'était un brillant stratège. Ses troupes ont chassé les Anglais de Saint-Domingue. En juillet 1795, Toussaint Louverture a été nommé général de brigade et vice-gouverneur de Saint-Domingue. En réalité, c'était maintenant lui le chef de l'île.

Avec l'émancipation des esclaves, Toussaint Louverture avait réalisé sa première ambition. Cependant, il avait une autre ambition: obtenir l'indépendance de Saint-Domingue. Oui, mais comment? Il fallait d'abord organiser le pays. Toussaint Louverture a créé une administration moderne. Il a ouvert des écoles. Il a développé le commerce. S'il a réussi dans ses projets, c'est parce que c'était un homme juste. Il ne faisait pas de distinction entre les anciens maîtres blancs et les anciens esclaves noirs. Ainsi, il a pu mobiliser tous le[s] talents. Les résultats de cette politique ont é[té] immédiats. En 1800, Saint-Domingue était u[n] pays riche et prospère. Économiquement, c'éta[it] un pays indépendant.

Toussaint Louverture, un champion de la liberté.

Administrativement, cependant, Sain[t-]Domingue était toujours une colonie française. L[a] France, à ce moment-là, était gouvernée pa[r] Napoléon Bonaparte. Napoléon était un généra[l] brillant mais très autoritaire. Il n'aimait pa[s] l'indépendance de Toussaint Louverture. Pire,° [il] a décidé de rétablir l'esclavage à Saint-Domingu[e.] Pour cela, il a préparé une formidable expéditio[n.] Le premier février 1802, 22 000 soldats frança[is] sont arrivés dans l'île. C'était la guerre! La guer[re] d'indépendance a mal commencé pour les Noir[s.] Leur chef, Toussaint Louverture a été capturé p[ar] traîtrise.° Déporté en France, il est mort après d[ix] mois de captivité.

La mort de Toussaint Louverture a encoura[gé] la résistance des Noirs. Ceux-ci ont finaleme[nt] battu l'armée française. Le premier janvier 180[4,] Saint-Domingue est devenue une natio[n] indépendante et a pris le nom d'Haïti.

occidentale western espoir hope une seule only one un marché a deal pire worse traîtrise treachery

🌐 NOTE CULTURELLE

Jean-Jacques Dessalines was born in Guinea, Africa, circa 1758. This former slave and lieutenant of Toussaint Louverture took over the fight, leading the country to declare its independence on January 1st, 1804. He then proceeded to make himself emperor, under the name of **Jacques 1er**. A tyrannical ruler, he was assassinated in 1806. Haiti became a republic in 1844 after years of internal fighting and political division.

Pour Haïti

René Depestre est né en Haïti en 1926. À l'âge de vingt ans, il a été exilé de son pays à cause de ses activités politiques. Il habite actuellement° à Paris. Depestre est un poète engagé° qui dénonce l'oppression et l'injustice. Dans ce poème, il évoque sa terre° natale qu'il a quittée il y a longtemps, mais à laquelle il pense sans cesse.°

Pluie de la patrie,° tombe, tombe
    avec force
      Sur mon coeur qui brûle°
      Jette° ta bonne eau fraîche°
      Sur mon souvenir° en feu!

HAÏTI

Il y a des centaines d'années
Que j'écris ce nom sur du sable°
Et la mer toujours l'efface°
Et la douleur° toujours l'efface
Et chaque matin de nouveau
Je l'écris sur le sable millénaire°
    de ma patience.

HAÏTI

Les années passent
Avec leur grand silence de mer
Dans mes veines il y a encore du courage
Et de la beauté pour des milliers d'années
Mais le corps dépend de n'importe quel°
    petit accident
Et l'esprit° n'a pas l'éternité!

HAÏTI

Toi et moi nous nous regardons
À travers la vitre° infinie
Et dans mes yeux pleure°
Un seul désir:
Sentir encore ta pluie
Sur ma soif de toujours
Sur ma peine de toujours!

René Depestre, *Journal d'un animal marin* (Paris, Seghers, 1964)

tuellement = à présent engagé *politically active* terre *land* sans cesse *unceasingly* patrie *native land (= Haïti)* brûle *is burning* jette *throw*
îche *cool* souvenir *memory* sable *sand* efface *erases* douleur *pain, suffering* millénaire = *qui a mille ans* n'importe quel *any* esprit *soul, spirit*
re *glass* pleure *is crying*

Teaching Note
Have students compare the second verse of this poem with *Liberté* by Paul Éluard, page 257.

Student Portfolios

Students may enjoy writing and illustrating their own short poems. Begin by asking students to think of adjectives to describe their own city or town, then work toward using the most visual and vivid images in the final product.

■ *En Haïti, l'art, c'est la vie*

Tous les Haïtiens, ou presque, ont une âme° d'artiste. En Haïti, l'art est partout:° sur les murs, sur les devantures des magasins,° sur les volets° des maisons, dans les églises, sur les autobus, sur les camions° ou sur les voitures. Et maintenant, il se trouve aussi dans les collections privées et dans les musées.

L'art haïtien est avant tout un art populaire: il est issu du peuple et il est fait pour le peuple. À la différence des artistes européens ou américains, les artistes haïtiens n'ont généralement pas reçu de formation technique dans des écoles d'art spécialisées. Ils ont appris eux-mêmes à peindre.° Leur style, souvent appelé «style naïf», est caractérisé par un dessin° relativement simple, l'absence de perspective et l'usage d'une palette aux couleurs chaudes et vibrantes.

Les sources de l'art haïtien sont intérieures et personnelles: c'est l'environnement immédiat de l'artiste, la nature, la culture, la religion et les croyances° d'un peuple aux profondes racines° africaines. Les sujets représentés expriment la vie et l'âme de ce peuple. Ce sont souvent des scènes de la vie quotidienne, la ville avec ses gens aux vêtem[e]n[ts] multicolores ou la campagne haïtienne avec [sa] végétation luxuriante, parfois des cérémonies ou [des] sujets religieux, ou des scènes historiques.

C'est un Américain, De Witt Peters, qui a fa[it] découvrir au monde les merveilles de l'art haïti[en]. Peters était venu en Haïti au début° des années 19[..] pour enseigner° l'anglais. Lui-même peintre, il a to[ut] de suite° été séduit° par l'art simple et coloré d[es] peintres haïtiens. Avec l'aide des gouvernemen[ts] haïtien et américain, il a ouvert un Centre d'Art [où] étaient exposées les oeuvres° des meilleurs peint[res] haïtiens. L'existence de ce centre a encouragé [de] nombreuses vocations d'artistes. Autrefois méconn[u,] l'art haïtien est aujourd'hui apprécié par un nomb[re] croissant° d'amateurs° un peu partout dans le mond[e.]

J.M. Obin «*La Bataille de Vertières*»

J.M. Obin est spécialiste de scènes historiques. Ce tableau représente la dernière bataille de la guerre d'indépendance haïtienne qui a eu lieu le 13 novembre 1803 à Vertières. Au cours de cette bataille décisive, l'armée des anciens esclaves, commandée par le général Dessalines (au centre), met en fuite l'armée française (à droite). Quelques jours plus tard, l'armistice est déclaré. Le premier janvier 1804, Haïti devient une nation indépendante.

Salnave Philippe-Auguste «*Les crocodiles*»

Avocat de profession, **Salnave Philippe-Auguste** s'[est] consacré à plein temps à la peinture à l'âge de 51 an[s.] Dans un style délicat et symbolique, il peint des scèn[es] exotiques remplies d'animaux sauvages. Ici il a cho[isi] comme sujet des crocodiles qu'on trouve encore da[ns] les régions marécageuses° et reculées° d'Haïti. C[es] crocodiles semblent protéger des fleurs aquatique[s,] symboles de la liberté chèrement acquise par l[es] Haïtiens en 1804.

âme *soul* **partout** *everywhere* **devantures des magasins** *storefronts* **volets** *shutters* **camions** *trucks* **peindre** *to paint* **dessin** *design* **croyanc[es]** *beliefs* **racines** *roots* **début** *beginning* **enseigner** *to teach* **tout de suite** = immédiatement **séduit** *attracted, seduced* **oeuvres** *works* **méconnu** = peu connu **croissant** *increasing* **amateurs** *art-lovers* **marécageuses** *swampy* **reculées** *remote*

⊕ **NOTES** CULTURELLES

• À remarquer le drapeau français représenté avec des bandes horizontales plutôt que verticales.
• À la bataille de Vertières, l'armée française était commandée par le général Rochambeau, fils de Rochambeau, héros de l'indépendance américaine. (Voir page 413.)
• Jean-Jacques Dessalines, le général victorieux de la bataille de Vertières, se proclame empereur d'Haïti et prend le nom de Jacques Ier.

éfète Duffaut «Village magique»

éfète Duffaut est l'un des peintres haïtiens les
us célèbres. Il n'avait jamais vu d'oeuvres
tistiques quand il a commencé à peindre vers
ge de 20 ans. Dans un style tout à fait personnel,
ime peindre des villages imaginaires, mais très
taillés, avec des rues en zigzag qui s'accrochent
x flancs des montagnes. La présence de
ontagnes caractérise les tableaux de Duffaut et
ppelle l'origine du nom d'Haïti qui, en langue
awak, signifie «pays de montagnes».

Hector Hyppolite, «Agoué et son consort»

ector Hyppolite, l'un des premiers peintres
posés au Centre d'Art, était aussi un *houngan*,
est-à-dire un prêtre vaudou. Dans ce tableau,
yppolite a peint Agoué, loa de la mer, symbolisée
par une ancre marine, et son consort.

our une définition de l'animisme, voir page 375.

énéfiques = qui font du bien   maléfiques = qui font du mal   propre *own*

Dans ce tableau, **Dieuseul
Paul** représente des *loas*,
esprits bénéfiques° ou
maléfiques° de la religion
vaudou. Cette religion
populaire d'Haïti a inspiré
beaucoup d'autres artistes
haïtiens. Originaire du
Bénin en Afrique, le
vaudou intègre les
croyances et rituels des
religions animistes*
africaines avec certains
éléments de la religion
catholique. Les pratiquants
du vaudou vénèrent un
grand nombre de dieux et
de loas représentant les forces visibles et invisibles du monde
qui nous entoure. Chaque pratiquant a son propre° loa.

Dieuseul Paul «Loas»

Pauleus Vital «Paysage de Sables-Cabaret»

Comme son demi-frère Préfète Duffaut, **Pauleus Vital**
aime peindre les paysages de montagnes, mais d'une
façon réaliste et précise. Dans ce tableau, l'artiste
représente le travail quotidien des gens de la campagne.
On peut remarquer la régularité des champs et la
luxuriance de la végétation haïtienne, rendue encore plus
intense par les couleurs brillantes utilisées par l'artiste.

■ Note historique
Les Arawaks étaient le
peuple qui habitait Haïti
avant l'arrivée de Christophe
Colomb.

⊕ NOTES CULTURELLES

• **Hector Hyppolite**
The painter Hector Hyppolite (who died in
1948) was one of the first Haitian painters to
be discovered not only by Dewitt Peters but
also by the French surrealists. On a visit to
Haiti, the French writer André Breton was
absolutely fascinated by Hyppolite and

bought several of his paintings. Now Hyppolite's
works are in collections all over the world.
✦**Le houngan**
À la fois prêtre, prophète, pharmacien, médecin
et conseiller de sa communauté, le houngan joue
encore un rôle important dans la société haïtienne d'aujourd'hui.

Rue Cases-nègres est un film entièrement martiniquais. Réalisé par **Euzhan Palcy**, une cinéaste martiniquaise, d'après l'oeuvre° de l'écrivain martiniquais **Joseph Zobe**l, il est joué par des acteurs martiniquais, sur une musique de biguine martiniquaise.

L'action du film se passe en 1930 dans une Martinique bien différente de la Martinique d'aujourd'hui. Les différentes scènes sont reliées° entre elles par la présence d'un jeune garçon d'une douzaine d'années, **José Hassam**, un orphelin° élevé° par sa grand-mère, **M'man-Tine** (Grand-maman Amantine). Tous deux habitent rue Cases-Nègres, une rue pauvre d'un petit village de Martinique.

Les conditions de vie sont difficiles. Tout le monde doit travailler très dur° dans les champs de canne à sucre pour ne gagner presque rien. Pour échapper° à cette misère, il n'y a qu'une solution: l'instruction.°

Le jeune José a plusieurs mentors. D'abord, M'man-Tine, la vieille grand-mère pieuse,° qui va tout faire pour que son petit-fils aille à l'école. Il y a aussi le vieux **Médouze**, en quelque sorte le père spirituel de José. Médouze a passé toute sa vie au travail et maintenant son corps est usé° et brisé°. Il rêve° de l'Afrique lointaine, pays des ancêtres où il voudrait un jour retourner. Il raconte à José l'histoire du peuple: le départ forcé d'Afrique, l'esclavage dans les plantations des «Békés»*, l'émancipation qui en réalité n'a pas changé grand-chose, et le travail, le travail, toujours le travail . . . Émerveillé° et attentif, le jeune José écoute le vieillard° évoquer les éléments de la sagesse° africaine: respect de la nature, respect de la vie . . .

Il y a aussi les professeurs de José. Ils ont remarqué l'intelligence du jeune garçon et en sont d'abord surpris. L'un d'eux accuse même José d'avoir triché° à une composition. José est reçu au certificat d'études** et reçoit une bourse° partielle pour aller étudier à Fort-de-France. Malheureusement, la bourse n'est pas suffisante. M'man-Tine est une femme fière et déterminée. Elle a décidé que son petit-fils continuerait ses études, quoi qu'il lui en coûte° à elle. Malgré° son âge, la vieille femme va s'établir° à Fort-de-France où elle travaille comme lingère° pour gagner l'argent des études. L'administration comprend finalement la situation et accorde° une bourse complète à José.

*Pour son film **Rue Cases-Nègres**, la réalisatrice Euzhan Palcy° a reçu le César (Oscar français) du meilleur premier film.*

M'man-Tine peut retourner à son village où elle meurt heureuse d'avoir accompli son rêve.

Cette histoire simple sert de trame° générale au film où se succèdent° une série de petites scènes souvent réalistes, parfois comiques (les rapports entre José et sa tante Madame Léonce), parfois pénibles° (les rapports entre son copain Léopold et le père de celui-ci). Par son décor, le monde qu'Euzhan Palcy nous présente dans son film peut paraître archaïque et lointain.° Les gens qui vivent dans ce monde sont pauvres et simples, mais ils sont honnêtes, droits,° généreux, fiers et avant tout ils sont humains!

---

* «Békés» est un mot créole qui désigne les descendants des anciens colons blancs venus de France pour établir des plantations dans les Antilles.

** Le certificat d'études = un diplôme de fin des études primaires.

l'oeuvre = le livre **reliées** *linked* **orphelin** = enfant qui a perdu son père et sa mère **élevé** *raised* **dur** *hard* **échapper à** *to escape from* **l'instruction** *education* **pieuse** *pious* **usé** *worn out* **brisé** *broken* **rêve** *dreams* **émerveillé** *amazed* **vieillard** = vieil homme **sagesse** *wisdom* **triché** *cheated* **bourse** *scholarship* **quoi qu'il lui en coûte** *whatever it may cost her* **malgré** *in spite of* **s'établir** *to settle* **accorde** = donne **lingère** *laundry woman* **trame** *plot* **se succèdent** *follow one another* **pénibles** *painful* **lointain** *distant* **droits** *straightforward* **réalistisatrice** *director*

- **Euzhan Palcy** made her first feature film, *Rue Cases-nègres*, at the age of 27. The film, which was produced on a budget of less than one million dollars, was acclaimed as a masterpiece on its release in 1982. In addition to the César award for the Best First Film, it also was honored with a Silver Lion at the Venice Film Festival. All the actors in the film, except two, were non-professional.

  In her most recent film, *Siméon*, Palcy depicts a group of Zouk musicians from Martinique who go to Paris to get a record contract.

- **Joseph Zobel,** author of the autobiographical novel *La rue Cases-nègres*, makes a brief cameo appearance in the film (as the priest). Born and raised in Martinique in circumstances similar to those of José, Zobel continued his schooling and went to Sénégal to become a teacher.

Teaching Notes

The film **Rue Cases-nègres** *(Sugarcane Alley)* has been rated PG. You will definitely want to preview the movie, however, before deciding whether or not it is appropriate for your classes.

- In the scene at Léopold's house, Léopold's mother plays a record that she has just received from France: we hear Joséphine Baker singing her signature piece: «J'ai deux amours, mon pays et Paris» (cf. *Interlude 4*, p. 178).

Quelques scènes du film

Sur cette photo, on peut voir les personnages principaux du film. Au premier plan, le jeune José Hassam en costume et chapeau blancs. Derrière lui, sa grand-mère M'Man Tine. Derrière M'man Tine, on peut remarquer Euzhan Palcy, la réalisatrice du film.

Dans les champs de canne à sucre, les habitants du village travaillent très dur sous l'œil vigilant d'un contremaître (foreman) à cheval.

José habite avec M'man Tine dans une case très simple. Pendant que sa grand-mère reprise (darns) les vêtements, José s'adonne (devotes himself) à son passe-temps favori: la lecture.

Tous les jours, José va à l'école avec les enfants du village.

José est l'élève le plus brillant de sa classe. Il répond avec intelligence et imagination aux questions de l'instituteur (teacher), Monsieur Roc.

José vient d'être reçu au certificat d'études. Monsieur Roc est très fier de son élève.

José a reçu une bourse partielle pour continuer ses études au lycée. M'man Tine part avec lui pour Fort-de-France.

💻 **Teaching Note**

If you would like to purchase a copy of the film, as well as Lesson Plans and activities, contact:

FilmAerobics
9 Birmingham Place
Vernon Hills, IL 60061
1-800-832-2448

🌐 NOTE CULTURELLE

Le certificat d'études used to be awarded to students who finished elementary school and were not going to pursue any higher education. It became obsolete when school became mandatory until the age of 16, since from then on, all children would go on at least to junior high school. The certificate was abrogated in 1989.

In 1882, **Jules Ferry** promulgated a new law, which made schooling mandatory and free for all children between the ages of 7 and 13.

UNITÉ
9

MAIN THEME
Personal Relationships, Friendships, Family Life

Communication Functions/Contexts

- Describing friendship
- Expressing feelings towards other people
- Discussing relationships
- Congratulating, comforting, expressing sympathy
- Describing life phases

Linguistic Goals

- Describing how people interact
- Describing people and things in complex sentences

 Internet Connection Notes, Project 1, p. 129

Teaching Strategy
After reading the article, ask students to compare and contrast family life in France and the U.S. For further discussion, ask students: À votre avis, qu'est-ce que «l'esprit de famille»? Donnez une définition et des exemples pour illustrer votre point de vue.

UNITÉ 9

Les relations personnelles

Thème et Objectifs

Culture
In this unit, you will discover . . .
- what friendship and family life mean to the French
- what young people in France do to help the disadvantaged
- what is involved in planning a wedding in France

Communication
You will learn how . . .
- to talk about friends and acquaintances
- to explain how people get along with one another
- how to congratulate people on their success or comfort them when they are feeling down
- to describe the various phases of the life cycle

Langue
You will learn how . . .
- to talk about how people interact with each other
- to describe people and things in a clear and complete manner

TEACHING RESOURCES

Technology/Audio Visual

 50, 51, L9, H6

 Audio CD Program, Unit 9

 Audiocassette Program, Unit 9

 Pas de problème Video Program, Modules 10–11

Print

 Audio Script
Overhead Visuals Copymasters/Activities
Answer Key
Video Activity Book, Modules 10–11
Practice Activities, pp. 87–94, 159–164, 195–196

Les amis et la famille

Pour les Français, les rapports humains ont énormément d'importance. L'amitié, par exemple, est considérée comme la valeur la plus importante de l'existence. Elle passe avant le travail, l'argent et même l'amour. Un ami, évidemment, n'est pas n'importe qui.° Ce n'est pas une personne qu'on rencontre un jour et qu'on oublie le lendemain. C'est généralement quelqu'un qu'on connaît depuis très longtemps, souvent depuis l'enfance et avec qui on a beaucoup d'expériences communes.° C'est la personne spéciale à qui on dit tout, avec qui on partage° ses joies et ses peines° et sur qui on peut compter dans les moments les plus difficiles de l'existence. Les vrais amis sont peu nombreux, mais ces amis-là, c'est pour la vie.

Un autre aspect de la vie en France est la solidité des relations familiales. Autrefois, le milieu familial était très vaste et la vie familiale très active. La famille comprenait° non seulement enfants, parents, grands-parents, cousins, tantes et oncles, mais aussi toutes les autres personnes qui avaient une ascendance° commune ou qui étaient alliées par le mariage. On se réunissait assez régulièrement le dimanche, autour d'un grand repas familial, ou plus occasionnellement pour les fêtes de famille: anniversaires, mariages, cérémonies religieuses, etc.

Aujourd'hui, la famille proche se limite au couple, à leurs enfants et aux parents qu'on voit régulièrement. Cette famille est généralement très unie. Parents et enfants s'entendent° bien, même au moment difficile de l'adolescence. D'après une enquête, 77% des adolescents

français considèrent que leurs relations avec leurs parents sont excellentes ou très bonnes. De même, 88% des jeunes de 18 à 24 ans déclarent s'entendre bien avec leurs parents.

Si la vie de famille est moins active qu'autrefois, «l'esprit de famille» est resté intact. La solidarité familiale joue beaucoup dans les différentes phases de l'existence. Les parents font énormément d'efforts et de sacrifices pour assurer une bonne éducation à leurs enfants. Après leurs études, ils continuent à les aider moralement et matériellement. À leur tour, les enfants s'occupent de leurs parents au moment de leur vieillesse.

Pour les Français, la famille, c'est sacré!

---

n'importe qui *just anyone* **communes** *shared, in common* **partage** *shares* **peines** *sorrows* **comprenait** *included* **ascendance** *ancestry*
s'entendent *get along*

Unité 9 ■ INFO Magazine **345**

INFO MAGAZINE

Theme: Friends and family

Reading Strategy: Skimming, scanning

■ Teaching Strategy

These readings can be done:
• in class or as homework
• at the beginning of the unit or as a wrap-up activity

Have students look at the realia and photos and guess the theme of the article. Have them skim, looking for cognates, then give the main idea. Short *Info Magazine* quizzes may be used to test for comprehension or as a basis for discussion.

Supplementary vocabulary

la famille éclatée *extended family*
le beau-père *stepfather/father-in-law*
la belle-mère *stepmother/mother-in-law*
les beaux grands-parents *step-grandparents*
le demi-frère *stepbrother*
la demi-soeur *stepsister*
le demi-oncle *step-uncle*
la demi-tante *step-aunt*
le fils adoptif *adopted son*
la fille adoptive *adopted daughter*
les parents adoptifs *adoptive parents*

■ Note culturelle

Les cérémonies religieuses qui réunissent les familles peuvent être, pour les catholiques, **le baptême** *(christening)* et **la communion** *(confirmation)*; pour les juifs **la bar-mitsva** ou **bat-mitsva.** Les familles se réunissent également lors de **l'enterrement** *(funeral)* d'un proche.

ASSESSMENT OPTIONS

Teacher's Resource Package

 Internet Connection Notes, pp. 129–134

 Lesson Plans, Unit 9

 Teacher-to-Teacher, pp. 105–115

Achievement Tests

Quizzes, Unit 9

Unit Test 9

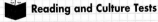 Reading and Culture Tests

Proficiency Tests

 Listening Comprehension

 Speaking Performance

 Writing Performance

Portfolio Assessment

Unité 9 **345**

MAGAZINE INFO MAGAZINE INFO MAGAZINE INFO MAGAZINE INFO MAGAZINE O MAGAZINE

Les qualités d'un(e) ami(e)

Nous choisissons nos amis parce qu'ils ont beaucoup de qualités.
Évidemment, certaines qualités sont plus importantes que d'autres.
Parmi les qualités suivantes, choisissez les cinq qui comptent le plus pour vous
et classez-les par ordre d'importance.

- l'intelligence
- l'humour
- le courage

- la patience
- la loyauté
- l'apparence physique
- la bonne humeur

- la franchise
- la sincérité
- l'honnêteté
- ??

- la générosité
- la sensibilité
- la discrétion

et vous?

Comparez votre liste de qualités avec celles de vos camarades de classe.
Vous pouvez aussi établir une liste des préférences de toute la classe.

NOUS ET LES AUTRES

ACCUEIL TRAVAIL

La vie moderne a beaucoup d'avantages. La majorité des gens habitent dans des maisons confortables et modernes, gagnent bien leur vie, et ont des loisirs intéressants. Mais en France, comme ailleurs, il y a aussi beaucoup de gens qui ne profitent pas de ces avantages. Il y a des jeunes qui n'ont pas de travail, des familles qui n'ont pas d'argent et parfois pas d'abri, des personnes âgées qui sont malades et qui n'ont pas de famille pour s'occuper d'elles. Ces personnes aussi font partie de la société, mais la société a tendance à les oublier.

abri *shelter*

Teaching Strategy
Ask students to bring in pictures of family members or friends. Ask them to talk about three of these people in front of the class, including information about where they live, when the student sees them and what they generally do/talk about together. You may also suggest making a collage with multiple photos, realia, notes, and information and using this as a gift for an important family occasion.

**Heureusement, tout le monde n'est pas égoïste.
Voici le cas de trois jeunes Français qui ont décidé
de «faire quelque chose» pour les autres.**

Patrick Esquivel

(15 ans, lycéen)

Dans l'immeuble où j'habite, il y a une vieille dame qui a perdu
son mari l'année dernière et qui maintenant vit° toute seule dans
son appartement au cinquième étage sans ascenseur. Je fais les
courses pour elle une ou deux fois par semaine. Ça l'aide un peu,
mais le plus important, c'est quand je passe une heure ou deux à
bavarder° avec elle. Je lui parle de ce que je fais au lycée et elle
me raconte sa vie. J'apprends des choses fascinantes, et elle ne
se sent plus seule.°

Claire Delamotte

(19 ans, étudiante)

Je travaille deux jours par mois aux «Restos° du coeur». C'est
une organisation bénévole° qui prépare des repas chauds pour les
sans-abri°, les personnes sans ressources et, plus généralement,
pour tous ceux qui ont faim. Mon travail varie. Parfois je
travaille à la collecte de la nourriture. D'autres fois, je travaille à
la cuisine ou bien je sers les repas.

Dans une société qui glorifie l'argent et la réussite, il est
important de préserver les vraies valeurs qui n'ont rien à voir°
avec celles que nous proposent les médias. Quand je travaille
aux «Restos», je suis en contact avec la réalité de la misère
humaine et je peux faire quelque chose d'utile. Le problème,
c'est que nous avons de plus en plus de clients!

Steevy Gustave

(23 ans, musicien professionnel)

Je suis d'origine martiniquaise, mais maintenant j'habite dans la
région parisienne. Dans ma banlieue, il y a beaucoup de
problèmes de délinquance juvénile et de drogue. Heureusement,
il y a une «Maison des Jeunes» qui attire° pas mal° de monde. J'y
travaille souvent comme animateur. Mon but°, c'est de récupérer
les jeunes drogués en les intéressant à la musique. Ce n'est pas
toujours facile, mais avec de la persévérance et beaucoup
d'encouragement, on y arrive.°

- Selon vous, lequel de ces jeunes Français fait la chose la plus utile? Expliquez pourquoi.
- Avez-vous déjà travaillé comme «volontaire»? Décrivez votre expérience.

t / vivre to live **bavarder** to chat **seule** lonely, alone **Restos** = restaurants **bénévole** charitable **sans-abri** homeless
en à voir = rien à faire **attire** attracts **pas mal** = beaucoup **but** = objectif
en y arrive one can do it

Supplementary vocabulary

le bénévolat *volunteer work*
le bénévole *volunteer*
l'entraide *(f.) mutual
   assistance*
la charité *charity*
la solidarité *solidarity*
le soutien *support*
l'isolement *(m.) isolation*
l'humanisme *(m.) humanism*

💡 **Pour en savoir plus**

LES RESTOS DU COEUR
For more information on this
organization, see *Interlude 7,*
p.295.

🌐 **Note culturelle**

**Les Maisons des Jeunes et de
la Culture (M.J.C.)** were
created in 1944. They are
financed by the cities with the
help of the **Ministère de la
Jeunesse et des Sports** and
offer a wide variety of
activities to young people. At
the M.J.C. French young
people may learn a craft,
watch movies, play sports, or
even display their own
artwork.

■ **Irregular Verb**

(see Appendix C)
vivre

📖 **Teaching Strategy**

After the students have read the profiles of the
young French people on p. 347, have them
write a similar profile of themselves or a friend,
imagining that it is going to be included in an
English textbook to demonstrate American
culture and patterns of community service.
Encourage the students to write longer
sentences as opposed to simple subject-verb
sentences.

Supplementary vocabulary

un(e) camarade de chambre *roommate*
un pote *(fam.) pal*
un petit ami *boyfriend*
une petite amie *girlfriend*
un inconnu *stranger*
un voisin *neighbor*
On a confiance en quelqu'un/ quelque chose *to have confidence/faith in*
On fait confiance à quelqu'un/ quelque chose *to trust*

🌐 **Proverbe**

Les petits cadeaux entretiennent l'amitié.

LE FRANÇAIS PRATIQUE
Les amis, les copains et les relations personnelles

— Tiens, voilà Catherine.
— Qui est-ce?
— C'est une copine.
— Tu la connais depuis longtemps?
— Oui, depuis deux ans.
— Est-ce que tu peux me la présenter?
— Oui, volontiers!

Tiens, voilà Catherine.

Qui est-ce?

C'est une copine.

LES PERSONNES QU'ON CONNAÎT

un ami / **une amie**	est quelqu'un	qu'on connaît depuis longtemps / pour qui on a beaucoup d'affection / en qui on a **une confiance** *(trust)* absolue
un copain / **une copine**	est quelqu'un	qu'on connaît bien / qu'on voit souvent / avec qui on fait beaucoup de choses
un camarade / **une camarade**	est quelqu'un	avec qui on va en classe
une connaissance	est quelqu'un	qu'on connaît assez bien / qu'on voit de temps en temps

1 Un(e) ami(e) n'est pas n'importe qui *(A friend is not just anybody)*

Quelle est votre définition d'un ami?
- Considérez la liste suivante et faites une liste des cinq caractéristiques les plus importantes. Vous pouvez aussi mentionner d'autres caractéristiques.
- Comparez votre liste avec celle de votre partenaire.

Faites la même chose pour la définition d'une amie.

Un ami Une amie	est quelqu'un . . .

- qui est toujours d'accord avec moi
- qui me comprend
- à qui je peux parler de tout
- qui me dit toujours la vérité
- qui m'aide quand j'ai un problème
- en qui j'ai complète confiance
- pour qui j'ai beaucoup d'admiration
- qui ne me critique jamais

- qui me donne des conseils
- qui me prête de l'argent quand j'en ai besoin
- qui est toujours loyal(e)
- que je respecte
- qui me respecte
- qui me pardonne *(forgives)* toujours
- ??

☀ **Teaching Strategy: Warm-Up**

Have students brainstorm for two minutes, listing all the words meaning "friend" in English, recording all suggestions on the board or on a transparency. Next, list the new vocabulary above and ask students to see if the categories of friendship listed are similar in French and English. Then move into Act. 1, dividing the class into groups for discussion.

LES SENTIMENTS

On éprouve . . .   ou au contraire . . .

| éprouver *to feel* |

de l'amitié *(friendship)*
de l'affection
de la sympathie *(instinctive liking)*
de l'admiration
du respect

de l'envie
de la jalousie *(jealousy)*
de l'antipathie
de l'animosité
de l'aversion

L'amitié et l'amour

On | **aime bien** quelqu'un.
| **a de l'amitié pour** quelqu'un.

On | **tombe amoureux/amoureuse de**
| quelqu'un.
| **aime** quelqu'un.
| **a le coup de foudre pour** quelqu'un.

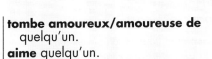

aimer bien *to like*
aimer *to love*
tomber amoureux de *to fall in love with*
avoir le coup de foudre pour *to fall in love with at first sight*

Supplementary vocabulary

du mépris *scorn*
de la pitié
de la rancune *resentment*
de la haine *hatred*
détester *to dislike*
haïr *to hate*
faire connaissance avec quelqu'un *to become acquainted with someone*
faire la connaissance de quelqu'un *to meet someone*
perdre/reprendre connaissance *to lose/regain consciousness*
prendre connaissance de quelque chose *to study, examine something*

■ **If students ask...**
un coup de foudre *lightning bolt (love at first sight)*

2 Mes sentiments

Choisissez deux des personnes suivantes et décrivez quel(s) sentiment(s) vous éprouvez pour chaque personne. Comparez vos sentiments avec ceux de votre partenaire.

Frankenstein   Monsieur Richard   Juliette   Jérôme

Patricia   Claire   Le comte Dracula   Pierre

🔊 Teaching Strategy

Divide the class into groups and have them create numbered cartoons illustrating the emotions listed in the vocabulary box. (Be sure that the cartoons do <u>not</u> have the emotion written on the illustration.) Have the groups exchange cartoons and write a sentence for each one that identifies the emotion shown. Have the groups peer-correct their lists.

Audio CD 10, Tracks 1–5

Audiocassette 9, Side 1

Audio Script, pp. 52–54

■ **Irregular Verb**

(see Appendix C)
rompre is conjugated like **rendre** except for the 3rd person singular: **il rompt**

■ **Notes linguistiques**

To review the forms of **plaindre**, have students refer to page 271.
- **plaindre** *to pity*
  se plaindre *to complain*
- Note the following expressions:
  s'entendre comme les deux doigts de la main *to get along very well*
  s'entendre comme chien et chat *to not get along*

■ **Vocabulary Expansion**

Also: **Tout s'arrange.**

LES RELATIONS PERSONNELLES

— Qu'est-ce que tu fais samedi?
— Je sors avec une copine.
— Tu t'entends bien avec elle?
— Oui, en général je m'entends bien avec elle.
  Parfois on se dispute, mais après on se réconcilie.

Qu'est-ce que tu fais samedi?

Je sors avec une copine.

Les rapports / Les relations

On peut . . .

avoir | de **bons rapports** avec | quelqu'un.
      | de **bonnes relations** avec |

avoir | de **mauvais rapports** avec | quelqu'un.
      | de **mauvaises relations** avec |

s'entendre bien avec *(to get along with)*
être d'accord avec *(to agree with)*

s'entendre mal avec
ne pas s'entendre avec

se réconcilier avec *(to make up with)*

se disputer *(to have an argument)*
avoir une dispute avec
se quereller *(to have a fight)*
se fâcher avec *(to be upset at)*
rompre avec *(to break up with)*

avoir confiance en *(to trust)*

COMMENT FÉLICITER QUELQU'UN

Bravo!
Quelle bonne nouvelle!

Je suis content(e) | pour toi.
Je me réjouis

féliciter *to congratulate*
se réjouir *to be happy*

Félicitations! *(Congratulations!)*
Je te félicite.

plaindre* *to feel sorry for*

COMMENT PLAINDRE ET CONSOLER QUELQU'UN

Mon pauvre! Ma pauvre!
Quel dommage!
Quelle malchance *(bad luck)!*
Tu n'as pas de chance.

Je te plains.
Je suis désolé(e) pour toi.
Ne t'en fais pas! *(Don't worry! Don't feel bad!)*
Ça s'arrangera! *(Things will be okay! Everything will work out all right!)*

(350) **Unité 9 PARTIE 1**

☀ **Teaching Strategy: Warm-Up**

Using twenty of the vocabulary words from pp. 348–350, have students write twenty sentences about various books, T.V. shows, movies and/or plays they have read or seen.

Have them discuss the relationships between the different characters using the vocabulary given; ask them to try to avoid obscure characters.

Mon copain et moi

Décrivez vos relations avec votre copain (copine).
Comparez vos réponses avec celles de votre partenaire.

1. J'ai une confiance --- en lui/elle.
   - complète
   - presque totale
   - assez limitée
   - ??

2. En général, je m'entends ---
   avec lui/elle.
   - parfaitement
   - très bien
   - relativement bien
   - ??

3. Quand nous nous querellons, c'est
   d'habitude (usually) moi qui . . .
   - ai raison
   - gagne
   - cède (gives in) le premier/la
     première
   - ??

4. Quand nous avons une dispute
   sérieuse, nous nous réconcilions . . .
   - immédiatement
   - au bout (after) d'une heure
   - au bout d'une semaine
   - ??

5. Quand nous nous disputons,
   c'est à cause de . . .
   - ses copains
   - sa famille
   - mes copains
   - ??

6. En ce moment, nos rapports sont . . .
   - excellents
   - relativement bons
   - tendus (tense)
   - ??

Mes rapports personnels

Choisissez l'une des personnes suivantes et décrivez vos rapports avec cette personne.

mon meilleur ami	mon petit/grand frère	mes voisins
ma meilleure amie	ma petite/grande soeur	mon prof de maths
un(e) autre ami(e)	mes cousins	mon prof d'anglais
	un(e) autre membre de ma famille	un autre adulte

▶ **En général je m'entends bien avec ma cousine, mais je ne suis pas tout le temps
d'accord avec elle. De temps en temps je me dispute avec elle. . . .**

Ça va?

Choisissez d'être l'une des personnes
suivantes. Votre partenaire va vous demander
si ça va et pourquoi. Décrivez un événement
heureux ou malheureux. Il/elle va vous
féliciter ou exprimer sa sympathie.

▶ — Ça va?
— Non, ça ne va pas.
— Qu'est-ce qui t'est arrivé?
— Je viens de me fâcher avec ma copine.
— Ne t'en fais pas. Ça s'arrangera.

Supplementary vocabulary

complimenter *to compliment*
s'accorder bien *to get along
well*
se fréquenter *to go out with,
to see*

🔲 Teaching Strategy: Expansion

Give students the following
assignment:
Choisissez deux personnes:
- l'une avec qui vous vous
  entendez bien
- l'autre avec qui vous vous
  entendez mal
Décrivez vos rapports avec
ces deux personnes.

🔲 Teaching Strategy

Have the students fold a piece of paper into
three columns. In Column 1, have them write
fifteen difficult vocabulary words (with their
books open). Then, have them exchange these
papers with the person next to them who must
write the English translation or draw a picture
representing the French word in Column 2.

Once the second column is completed, the
paper should go back to its original owner with
the first column folded under so it can't be
seen. The original student must then use the
English/pictures from Column 2 to write the
correct French word in Column 3.

■ Notes linguistiques

• In the **passé composé**, the past participle agrees with the reflexive object <u>only if</u> the reflexive pronoun is a <u>direct</u> object. Compare:

Marc a vu **Valérie.**
Valérie a vu **Marc.**
Ils se sont **vus.**
(direct object: AGREEMENT)

Anne a téléphoné **à Pierre.**
Pierre a téléphoné **à Anne.**
Ils se sont **téléphoné.**
(indirect object: NO AGREEMENT)

Examples of verbs where the reflexive pronoun is an <u>indirect</u> object:

se parler, se téléphoner, s'écrire

• In French, reciprocal verbs may be followed by an expression to reinforce the idea of reciprocity, such as: **l'un(e) l'autre; les un(e)s les autres; entre eux; mutuellement.**

Elles se querellent les unes les autres.

Ils se battent entre eux.

A. Les verbes réfléchis: sens réciproque

Reflexive verbs may be used to express a RECIPROCAL ACTION. In this case, the reflexive pronouns often correspond to the English expression *each other.* In the examples below, note the form of the verbs in heavy print.

Alain connaît Sophie. Sophie connaît Alain.	} Ils **se connaissent.**	*They **know each other.***
J'écris à ma copine. Ma copine m'écrit.	} Nous **nous écrivons.**	*We **write each other.***
Tu téléphones à Claire. Claire te téléphone.	} Vous **vous téléphonez.**	*You **phone each other.***

Since a reciprocal action involves two or more people, the subject of a reciprocal verb is always plural: **nous, vous, ils, elles.**

➡ The subject may also be **on** used in the plural sense of **nous.**
   On se verra demain.   *We **will see each other** tomorrow.*

1 Entre amis

Les personnes suivantes sont des amis. Décrivez leurs relations.

▶ Jérôme et moi / se voir souvent
   Nous nous voyons souvent.

1. Marc et Pauline / se téléphoner tous les jours
2. toi et tes amis / s'écrire pendant les vacances
3. Philippe et Cécile / se donner souvent rendez-vous
4. moi et mes copains / se retrouver après les classes
5. toi et François / se rendre visite tous les weekends
6. toi et tes voisins / s'entendre bien
7. moi et mes cousins / se disputer rarement
8. Caroline et Charlotte / se réconcilier après chaque dispute

---

Relations personnelles

Informez-vous sur les personnes suivantes et décrivez leurs relations en utilisant les verbes entre parenthèses dans des phrases affirmatives ou négatives.

▶ Jérôme et Alice sont fiancés. (s'aimer?)
   Ils s'aiment.

1. Marc et François sont de bons copains.
   (s'aider? se disputer? se fâcher souvent?)
2. Mes voisins et moi, nous avons de bons rapports.
   (s'entendre? s'inviter? se téléphoner?)
3. Jean-Paul et toi, vous êtes amis mais vous n'habitez pas dans la même ville.
   (se voir souvent? se téléphoner? s'écrire?)
4. Claire et sa cousine ne sont jamais d'accord.
   (se disputer? s'entendre bien? se réconcilier facilement?)
5. Delphine et moi, nous sommes fâchés.
   (se parler? s'entendre mal? se quereller?)

Courrier du coeur

Complétez les lettres à Zoé avec les formes appropriées des verbes suggérés.

(1) s'entendre *(présent)*
(2) se fâcher *(passé composé)*
(3) ne plus se parler *(présent)*
(4) se disputer *(imparfait)*
(5) ne pas se revoir *(passé composé)*

Chère Zoé,

Chère Zoé,
   Je sors avec une fille depuis trois mois. En général, nous —— (1) très bien, mais la semaine dernière, il y a eu un drame.
   Nous —— (2) parce que je suis arrivé à un rendez-vous avec vingt minutes de retard. Depuis, nous —— (3). Je ne veux pas rompre, mais j'ai peur de faire le premier pas!
   Désolé

——————
Cher désolé,
   C'est toi qui étais en retard. Alors, si tu veux te réconcilier avec ta copine, c'est à toi de faire le premier pas.
   Zoé

Chère Zoé,
   L'été dernier, j'ai fait la connaissance d'un garçon avec qui je suis sortie pendant quelques temps. Un jour, j'ai rompu avec lui parce que nous —— (4) tout le temps. Depuis, nous —— (5).
   Samedi dernier, j'ai appris, par hasard, qu'il sortait avec ma cousine. Maintenant, je ne peux plus dormir. Je pense sans cesse à lui et je crois que je l'aime toujours!
   Nostalgique

——————
Chère Nostalgique,
   Tu n'es pas amoureuse, seulement jalouse! Oublie ton copain et cherche quelqu'un de plus compatible avec toi.
   Zoé

À votre tour

Maintenant écrivez une lettre à Zoé. Dans cette lettre, vous décrivez un problème que vous avez avec un(e) ami(e) imaginaire. Votre partenaire jouera le rôle de Zoé et vous donnera un conseil.

Langue et communication 353

■ **Notes linguistiques**
- **se suivre** *(to follow one another)* and **se succéder** *(to follow one another)* are not considered reciprocal because their subjects constitute a series (one comes after another).
  Proverb: Les jours se suivent et ne se ressemblent pas.
- The past participles of these verbs are always invariable (they remain in masculine singular form):
  se parler — *Elles se sont parlé.*
  se plaire — *Ils se sont plu.*
  se déplaire — *Nous nous sommes déplu.*
  se sourire — *Vous vous êtes souri.*
  se succéder — *Les rois se sont succédé.*

B. Révision: Les pronoms relatifs **qui** et **que**

When we want to describe people or things, we often use adjectives. We can also use CLAUSES which refer back or relate to the people and things being described (the ANTECEDENTS). Such clauses are called RELATIVE CLAUSES and are introduced by RELATIVE PRONOUNS. Note how the French relative pronouns **qui** and **que** are used to convert two clauses into a single sentence.

J'ai un ami. **Il** habite à Paris.

→ J'ai un ami **qui** habite à Paris.   *I have a friend **who** lives in Paris.*

J'ai un ami. Je **l'**invite souvent.

→ J'ai un ami **que** j'invite souvent.   *I have a friend **whom (that)** I often invite.*

J'ai lu le livre. **Il** était sur la table.

→ J'ai lu le livre **qui** était sur la table.   *I read the book **that** was on the table.*

J'ai lu le livre. Tu **l'**as apporté.

→ J'ai lu le livre **que** tu as apporté.   *I read the book **that** you brought.*

> Both **qui** and **que** may refer to people, things, or ideas.
> The choice between **qui** and **que** is determined by their function in the sentence.
> • **Qui** (*who, that, which*) is the SUBJECT of the verb of the relative clause.
> • **Que** (*whom, that, which*) is the DIRECT OBJECT of the verb of the relative clause.

⇒ The verb that follows **qui** always agrees with the ANTECEDENT of **qui.**

Est-ce que c'est **vous** **qui** **avez pris** ces photos?

⇒ Although the object pronoun *whom, that, which* may be omitted in English, **que** is always expressed in French.

⇒ When the verb that follows **que** is in the passé composé, its past participle agrees with the ANTECEDENT of **que.**

J'ai aimé **le film** que j'ai **vu** hier.   J'ai téléphoné **aux filles** que j'ai **vues** au cinéma.

5 **Mes amis**

Ces personnes sont vos amis. Présentez-les à vos copains, d'après le modèle.

▶ Juliette (Elle habite à Québec.)
   Je vous présente Pauline. C'est une fille qui habite à Québec.
▶ Marc (Je l'invite souvent.)
   Je vous présente Marc. C'est un garçon que j'invite souvent.

1. Thomas (Je le connais depuis cinq ans.)
2. Nathalie (Elle habite près de chez moi.)
3. Sandrine (Elle va à mon école.)
4. Philippe (Je le vois tous les weekends.)
5. Claire (Elle est dans ma classe de maths.)
6. Antoine (Il est venu chez moi le weekend dernier.)
7. Bruno (Je l'ai rencontré pendant les vacances.)
8. Delphine (Je l'ai invitée à la boum.)

🌀 **Teaching Strategy: Multiple Intelligences**

Ask students to bring in photos or pictures from magazines. Have them describe each person in their pictures by using a relative pronoun (either *qui* or *que*). Similarly, cut out pictures of famous people and places before class. Show these to the students and ask them to describe these people/places using both relative pronouns in one sentence.
   Picture of Disney World: **C'est un parc <u>qui</u> est très amusant et <u>que</u> j'adore.**
Have each student write one sentence on the board. (SPATIAL/LINGUISTIC)

Pauvre Corinne!

Corinne n'a pas de chance. Expliquez pourquoi en complétant les phrases suivantes avec **qui** ou **que (qu').**

1. Elle a voulu aller dans un magasin _____ était fermé aujourd'hui.
2. Elle a pris un bus _____ est tombé en panne *(broke down)*.
3. Elle a acheté une montre _____ ne marche pas.
4. Elle n'a pas compris les exercices _____ le professeur a donnés.
5. Elle a vu un film _____ elle a trouvé stupide.
6. Elle a invité à dîner une copine _____ n'est pas venue.
7. Elle a perdu le numéro de téléphone d'un garçon _____ elle a rencontré à une boum.
8. Elle a perdu le bracelet _____ son père lui a donné pour son anniversaire.

Compliments . . . et insultes

Votre ami(e) français(e) — votre partenaire — veut avoir votre opinion sur certaines choses qu'il/elle a faites. Faites-lui un compliment . . . ou une insulte.

▶ la veste / acheter
   très belle . . . ou moche?

— **Qu'est-ce que tu penses de la veste que j'ai achetée?**

— **Elle est très belle!**
   (Elle est moche!)

1. les copines / inviter
   sympathiques . . . ou snobs?
2. l'ami / rencontrer
   intelligent . . . ou stupide?
3. le repas / préparer
   délicieux . . . ou infect *(disgusting)*?
4. les photos / prendre
   jolies . . . ou ratées?
5. le poème / écrire
   sublime . . . ou ridicule?
6. l'histoire / raconter
   amusante . . . ou idiote?

C. La construction préposition + pronom relatif

In the examples below, the relative clause is introduced by a preposition **(avec).** Note the forms of the relative pronouns as they refer to people or things.

Philippe a une copine. Il va souvent au cinéma **avec cette copine.**

➡ Philippe a une copine **avec qui** il va souvent au cinéma.
   *Philippe has a friend **with whom** he often goes to the movies.*

Tu as des idées. Je ne suis pas d'accord **avec ces idées.**

➡ Tu as des idées **avec lesquelles** je ne suis pas d'accord.
   *You have ideas **with which** I do not agree.*

When relative pronouns are used with prepositions **(avec, pour, sur,** etc.), the constructions are:

PREPOSITION	+ **qui**	to refer to people
PREPOSITION	+ **lequel**	to refer to things

➡ **Lequel** agrees with the noun it represents. It has the same forms as the corresponding interrogative pronoun:

   lequel   laquelle   lesquels   lesquelles

➡ In French, the preposition **(avec, pour,** etc.) always comes <u>before</u> the relative pronoun. (In English, the preposition may come at the end of the sentence.) Compare:

   Tu as des idées **avec lesquelles** je ne suis pas d'accord.
   *You have ideas **with which** I do not agree.*
   *You have ideas **that** I do not agree **with.***

■ Activité

Qui ou que sont-ils? Complétez les phrases avec **qui** ou **que** selon le cas.

1. **La statue de la liberté.** C'est la statue ___ est dans le port de New York. C'est le cadeau ___ la France a fait aux États-Unis. [qui, que]
2. **Le basket de rue.** C'est un sport ___ est à la mode et ___ les jeunes aiment beaucoup. [qui, que]
3. **L'internet.** C'est un réseau *(network)* ___ permet d'explorer le monde à partir de chez soi et ___ relie toute la planète. [qui, qui]
4. **MTV.** C'est la chaîne ___ je préfère et ___ passe les meilleurs clips. [que, qui]
5. **La pollution de l'air.** C'est un problème ___ les écologistes considèrent comme très important et ___ il faut résoudre *(to solve)* rapidement. [que, qu']

■ Notes linguistiques

• Although **qui** is preferred with people, **lequel** may also be used:
   Qui est la copine **avec qui/avec laquelle** tu es sortie?

• **Lequel** must always be used after the prepositions **entre** *(between)* and **parmi** *(among)*, even when the antecedent is a person.

Teaching Strategy: Multiple Intelligences

Using the same pictures from the activity listed on p. 354, ask the students to define the people/places by giving complete sentences which include a preposition before the relative pronoun **qui** or **lequel/laquelle....**

Picture of New York: **C'est une ville <u>dans laquelle</u> je me perds toujours.**
(SPATIAL/LINGUISTIC)

■ **Note linguistique**

Lequel is used with **de** only when **de** is part of a prepositional phrase (**près de, loin de, à cause de, …**). In all other cases, **dont** is used.

C'est l'hôtel près **duquel** j'habite.

C'est l'hôtel **dont** je t'ai parlé.

Teaching Strategy

You may wish to extend Act. 8 by using the following additional cues:

un aspirateur: nettoyer le salon

un couteau: couper du pain

une brosse à cheveux: se brosser les cheveux

le shampooing: se laver les cheveux

une machine à laver: laver les vêtements

un porte-manteau: ranger sa veste

une éponge: nettoyer la salle de bains

> **ALLONS PLUS LOIN**
>
> The relative pronoun **lequel,** like the interrogative **lequel?,** contracts with **à** and **de.**
>
> Tu as assisté **à ce concert**?   Oui, c'est le concert **auquel** j'ai assisté.
>
> Tu habites **près de ce parc**?   Oui, c'est le parc **près duquel** j'habite.

8 **Qu'est-ce qu'on fait avec?**

Définissez les choses suivantes en expliquant ce qu'on fait avec.

une caméra	• un objet
un sécateur	• une chose
une raquette	• un appareil
une tondeuse	• une machine
un fer	• un produit
le dentifrice	• un instrument

tondre la pelouse
se brosser les dents
repasser les chemises
prendre des films
couper des fleurs
jouer au tennis

▸ **Une tondeuse est une machine avec laquelle on tond la pelouse.**

9 **Relations personnelles**

Décrivez vos relations avec trois personnes de votre choix en utilisant les suggestions suivantes.

quelqu'un
un(e) ami(e)
une personne
un(e) adulte
une personne de ma famille
un professeur
des gens
??   ??

aller souvent chez …
téléphoner souvent à …
avoir beaucoup d'admiration pour …
pouvoir compter sur …
éprouver du respect pour …
éprouver de l'amitié pour …
avoir confiance en …
s'entendre bien avec …
s'entendre mal avec …
??

▸ **Mon oncle George est une personne de ma famille sur qui je peux compter.**

10 **Le job d'Alice**

Alice a trouvé un job dans une entreprise d'électronique. Un jour elle montre à un ami l'endroit où elle travaille. Complétez ses phrases.

▸ Voici la compagnie pour **laquelle je travaille**.

1. Voici le laboratoire dans _____.
2. Voici les collègues avec _____.
3. Voici le projet sur _____.
4. Voici l'ordinateur avec _____.
5. Voici les nouvelles machines avec _____.
6. Voici l'ingénieur pour _____.

💻 **Module 10: Au marché, rue Mouffetard**
Module 11: Le Papillon

Use the video modules to help students review relative pronouns, reciprocal verbs, etc. First show the video modules once without stopping. Next, ask students to note the uses of the forms you wish to focus on, perhaps using the script to point out a few examples. After the second viewing, go back and pause the video at examples chosen by the students. You may also wish to use the materials in the Video Activity Book for additional practice and expansion.

D. Le pronom relatif **dont**

Note how in the examples below, the relative pronoun **dont** replaces a noun introduced by **de**.

Je ne connais pas la fille. Tu parles **de cette fille**.
→ Je ne connais pas la fille **dont** tu parles.
  I don't know the girl (whom, that) you are talking about.

Je connais le restaurant. Tu parles **de ce restaurant**.
→ Je connais le restaurant **dont** tu parles.
  I know the restaurant (that) you are talking about.

Marc a trouvé le livre. Il avait besoin **de ce livre**.
→ Marc a trouvé le livre **dont** il avait besoin.
  Marc found the book (that) he needed.

The relative pronoun **dont** replaces

de + NOUN or NOUN PHRASE

Dont is, therefore, often used with verbs and verbal expressions that are followed by **de**:

avoir besoin de	parler de
se souvenir de	faire la connaissance de
avoir envie de	discuter de
s'occuper de	être amoureux de

→ **Dont** may refer to PEOPLE or THINGS.

→ Note the word order with **dont**:

(antecedent) + **dont** + subject + verb . . .

ALLONS PLUS LOIN

Dont is also used to replace **de** + NOUN in sentences where **de** indicates possession or relationship. In this type of construction, **dont** is the equivalent of *whose*.

Voici l'ami.
  La soeur **de cet ami** habite à Paris.

Voici l'ami **dont** la soeur habite à Paris.
  This is the friend whose sister lives in Paris.

Voici l'ami.
  Je t'ai donné l'adresse **de cet ami**.

Voici l'ami **dont** je t'ai donné l'adresse.
  This is the friend whose address I gave you.

1 Tant mieux!

Décrivez ce que les personnes suivantes ont fait.

▶ Christophe / trouver les livres (Il avait besoin de ces livres.)
  Christophe a trouvé les livres dont il avait besoin.

1. Pauline / acheter les chaussures (Elle avait envie de ces chaussures.)
2. Marc / trouver le magazine (Il avait besoin de ce magazine.)
3. Madame Lavoie / acheter la voiture (Elle avait envie de cette voiture.)
4. Thomas / voir le film (Sa copine lui a parlé de ce film.)
5. Véronique / visiter l'exposition (On a parlé de cette exposition dans le journal.)
6. Bruno / sortir avec la fille (Il a fait la connaissance de cette fille chez Sophie.)
7. Christine / avoir des nouvelles des enfants (Elle s'était occupée de ces enfants pendant les vacances.)
8. Caroline / se marier avec le garçon (Elle était amoureuse de ce garçon.)

2 Et vous?

Mentionnez un exemple d'une chose ou d'une personne correspondant aux définitions suivantes. Comparez vos réponses avec celles de votre partenaire.

▶ un objet dont vous avez besoin tous les jours **Mon stylo (mon peigne, ma brosse à dents, . . .) est un objet dont j'ai besoin tous les jours.**

1. un objet dont vous n'avez pas besoin en ce moment
2. une chose dont vous avez envie
3. un sujet dont vous parlez avec vos amis
4. un sujet dont vous discutez avec vos parents.

5. un événement important dont vous vous souvenez bien
6. une personne dont vous avez fait la connaissance récemment
7. une personne dont vous avez fait la connaissance pendant les vacances

---

✲ Teaching Strategy: Warm-Up

As a preliminary activity, you may want to practice the use of **dont** with the expression **avoir besoin**. Ask students if they need the following things:

▶ **l'argent**
  — As-tu besoin d'argent?

— Oui, c'est une chose **dont** j'ai toujours besoin. (Non, c'est une chose **dont** je n'ai pas souvent besoin.)
• ton livre de français
• la voiture de tes parents
• l'amitié de tes copains
• la compréhension de tes professeurs

Unité 9 357

◢ Teaching Strategy: Multiple Intelligences

Before class, write out various relative pronouns and prepositions with relative pronouns on index cards. Hand one to each student and ask them to write a complete sentence describing themselves using the word(s) from their card. They should write these on the board so that the class can go over them together. Next, give each student a famous person or place (from the pictures used in activities on pp. 353–354) and have them write a complete sentence about this person/place using the word(s) from their card. (INTRAPERSONAL)

INFO MAGAZINE

Theme: Marriage

Supplementary vocabulary

la liste de mariage *bridal registry*

la demoiselle d'honneur *bridesmaid*

le bouquet de la mariée *bridal bouquet*

le contrat de mariage *prenuptial agreement*

la lune de miel *honeymoon*

🌐 **Note culturelle**

Le mariage civil est le seul mariage reconnu légalement. En général, mais pas toujours, le mariage civil et le mariage religieux ont lieu le même jour.

■ **Irregular Verbs**

(see Appendix C)

promettre (*see* mettre)

offrir (*see* ouvrir)

inscrire (*see* écrire)

Le mariage
EN FRANCE

𝒰n jour, un jeune homme et une jeune fille qui s'aiment, décident de se marier. Ils annoncent la bonne nouvelle° à leurs familles respectives et à leurs amis proches.° Pour célébrer cet événement, il y a parfois une cérémonie assez simple, les fiançailles,° où le jeune homme et la jeune fille promettent° de se marier. Comme symbole de cette promesse, le fiancé offre° une bague — la bague de fiançailles — à sa fiancée.

Le mariage a lieu six mois ou un an plus tard. C'est un événement qui demande beaucoup de préparation. Il faut fixer la date du mariage, organiser la cérémonie, établir la liste des invités, envoyer les invitations, etc.

En principe, pour se marier, un jeune homme doit être âgé de 18 ans minimum et une jeune fille doit avoir 15 ans. En réalité, les Français attendent beaucoup plus longtemps avant de se marier. En moyenne,° les hommes se marient à 28 ans et les femmes à 26 ans. Avant le mariage, les fiancés doivent accomplir un certain nombre de formalités administratives: examen médical, publication des bans° de mariage, etc… S'ils le désirent, ils peuvent aussi établir officiellement un «contrat de mariage» qui détermine la disposition de leurs biens.° Quand ces formalités sont faites, ils peuvent se marier. En général, les gens choisissent de se marier le weekend et en été. (80% des mariages français sont célébrés le samedi. 60% ont lieu de juin à septembre.)

La majorité des Français ont deux mariages: un mariage civil et un mariage religieux. Le mariage civil est obligatoire. Il a lieu à la mairie de la ville où l'on habite. C'est d'habitude une cérémonie assez simple à laquelle assistent seulement le jeune couple, leurs familles proches, leurs témoins° et quelques amis intimes. Pour cette occasion, le maire° porte une écharpe°tricolore,° signe de sa fonction officielle. Il marie les époux,° les félicite° et leur délivre° un document officiel, le «livret° de famille» où seront inscrits° les événements importants de leur vie commune (naissance des enfants, décès°…). Le jeune homme et la jeune fille sont maintenant légalement mariés.

Cinquante-deux pour cent des Français décident d'avoir aussi un mariage religieux. Le mariage religieux a toujours lieu *après* le mariage civil. Il est célébré à l'église (pour les catholiques), au temple (pour les protestants) ou à la synagogue (pour les juifs).

---

nouvelle *news* **proches** *close* **fiançailles** *engagement* **promettent / promettre** *to promise* **offre / offrir** *to give* **moyenne** *on the average* **bans** = annonce officielle **biens** *assets* **témoins** *witnesses* **maire** *mayor* **écharpe** *sash* **tricolore** = bleu-blanc-rouge **époux** *spouses* **félicite** *congratulate* **délivre** = donne **livret** *booklet* **inscrits / inscrire** *to inscribe* **décès** *death*

📖 **Teaching Strategy**

You may wish to limit class discussion or group work if you decide that this article poses sensitivity issues in the class. If so, you may choose to have students read the article on their own and write a short reaction to it. You might also adapt the **sondage** on p. 359 to a U.S. context and ask students how they think the percentages would differ if the questions were asked in their own community.

C'est généralement une grande cérémonie à laquelle assistent toute la famille et un grand nombre d'invités: amis, voisins, relations, etc. Traditionnellement la mariée porte une longue robe blanche. À la main elle tient° un bouquet de fleurs d'oranger. Sur la tête, elle porte une couronne.° Un voile de dentelle° lui couvre° le visage. Accompagnée de son père, elle avance vers l'autel° où l'attend son fiancé. Pendant la cérémonie, le jeune homme et la jeune fille échangent leurs alliances° en présence de leurs témoins. Après la cérémonie, les jeunes mariés sortent de l'église accompagnés des garçons d'honneur° et des demoiselles d'honneur.° On prend beaucoup de photos. Puis tout le monde va au repas de noces.°

Comme les Français aiment se marier à la campagne, le repas de noces a souvent lieu dans une petite auberge ou dans la maison de campagne des parents de la mariée. C'est un repas très joyeux. On fait des discours.° On porte des toasts au bonheur des jeunes mariés. On raconte des histoires. On chante des chansons. Et surtout, on mange bien. Au dessert, il y a une «pièce montée», c'est-à-dire un gâteau à l'architecture compliquée, que découpent° les mariés. Après le repas, on danse. Les jeunes mariés restent quelque temps avec les invités, puis ils partent en voyage de noces dans leur voiture décorée de rubans° blancs.

Comment se sont-ils rencontrés?

Autrefois les gens qui se mariaient avaient beaucoup de choses en commun. Ils étaient issus du même milieu social et avaient la même religion. Généralement, ils habitaient dans la même ville ou le même village et souvent ils se connaissaient depuis leur enfance.

Aujourd'hui, le mariage unit de plus en plus de gens qui se sont rencontrés par hasard.° Voici comment les futurs couples se forment:

Sur 100 jeunes mariés, se sont rencontrés …

• au bal	18%
• dans un lieu public	14%
• au travail	13%
• chez des particuliers°	10%
• pendant leurs études	9%
• dans un club ou une association	8%
• au cours° d'une fête chez des amis	7%
• à l'occasion d'une sortie ou au spectacle (cinéma, concert, théâtre,. . .)	5%
• pendant les vacances	5%
• dans une discothèque	4%
• par relations de voisinage	3%
• dans une fête publique	3%
• par annonces°, agence matrimoniale, au Minitel	1%

Additional Information

• By law, a French worker may take a four-day paid vacation when he/she gets married.

• Legally, each spouse keeps his/her own name. The wife may take her husband's last name, or husband and wife may adapt both their names by joining them with a hyphen.

et vous?

DÉFINITIONS
Définissez les mots et les expressions suivants.

• les fiançailles
• le livret de famille
• les garçons d'honneur
• les bans
• le mariage religieux
• les demoiselles d'honneur
• un contrat de mariage
• la famille proche
• le repas de noces
• une alliance
• les témoins
• une «pièce montée»
• un mariage civil
• une écharpe tricolore
• un voyage de noces

DISCUSSION
Avec votre partenaire, faites une liste des similarités et des différences entre un mariage français et un mariage américain.

EXPRESSION ORALE
Imaginez que vous allez vous marier. Préférez-vous avoir un mariage simple ou un mariage formel? Expliquez pourquoi.

EXPRESSION ÉCRITE
Décrivez un mariage (réel ou imaginaire) auquel vous avez assisté.
(Qui étaient les mariés? Où a eu lieu la cérémonie? Combien y avait-il d'invités? Comment était habillés le marié et la mariée? les demoiselles et les garçons d'honneur? Comment s'est déroulé la cérémonie? . . .)

tient / tenir *to hold*   couronne *crown, tiara*   voile de dentelle *lace veil*   couvre / couvrir *to cover*   autel *altar*
alliances *wedding rings*   garçons d'honneur *ushers*   demoiselles d'honneur *bridesmaids*   noces = *mariage*   discours *speeches*
découpent = *coupent*   rubans *ribbons*   par hasard *by chance*   chez des particuliers *at the home of friends or acquaintances*
au cours de = *pendant*   annonces *personal ads*

■ **Irregular Verbs**
(see Appendix C)
tenir
couvrir   *(see* ouvrir*)*

🌐 NOTES CULTURELLES

• In French, the best man and the maid of honor are called **les témoins,** since they sign the official documents at the city hall.
• Generally, engaged couples leave a list of desired gifts in a store of their choice for guests to consult before choosing a present.

• Before the wedding reception, the families may host **un vin d'honneur** to toast the bride and groom with friends and relatives. Wine and snacks are served.

Unité 9   359

LE FRANÇAIS PRATIQUE
Les phases de la vie

TEACHING RESOURCES

Transparency 51

Overhead Visuals Copymasters and Activities, pp. A110–A111

Practice Activities, pp. 163–164

Audio CD 10, Tracks 9–12

Audiocassette 9, Side 2

Audio Script, pp. 55–57

Teacher-to-Teacher, Les relations, pp. 105–107; Et maintenant ..., pp. 39–42; Jumeaux/Jumelles, pp. 43–46

Supplementary vocabulary

demander en mariage *to propose (marriage)*
fonder un foyer *to set up a household/to get married*
venir au monde *to be born [to come into the world]*
prendre de l'âge *to age*
décéder *to die*
perdre son travail *to lose one's job*
démissionner *to quit (one's job)*
être renvoyé(e) *to be fired*
être mis(e) à la porte *to be fired*
être mis(e) au chômage *to be laid off*

■ Irregular Verbs

To review the conjugations of **naître, vivre,** and **mourir,** see Appendix C.

LE FRANÇAIS PRATIQUE
Les phases de la vie

L'ENFANCE	on **naît**	
	on **grandit**	

> **naître*** *to be born*
> **grandir** *to grow up*
> **développer** *to develop*

LA JEUNESSE L'ADOLESCENCE (la vie scolaire)	on **développe** sa personnalité	
	on **fait des étude**s	élémentaires secondaires universitaires

(la vie sociale)	on **fait connaissance**	d'autres personnes
	on **rencontre**	
	on **se fait** des amis	

> **se faire des amis** *to make friends*

L'ÂGE ADULTE (la vie familiale)	on **rencontre** quelqu'un de spécial
	on **tombe amoureux** de cette personne
	on décide de | **vivre** ensemble **se fiancer** **se marier**
	ou de rester **célibataire** *(single)*

> **tomber amoureux de** *to fall in love with*
> **vivre** *to live*
> **se fiancer** *to get engaged*
> **se marier** *to get married*

on **élève** une famille

> **élever** *to raise*

parfois on \| **se sépare** **divorce**
et on **se remarie**

> **se séparer** *to separate*
> **divorcer** *to get divorced*
> **se remarier** *to remarry*

(la vie active)	on **choisit** un métier ou une profession
	on **trouve** un job
	on **travaille** dur
	on **gagne** sa vie
	on **obtient** une promotion

> **gagner sa vie** *to earn a living*
> **obtenir*** *to get*

LA VIEILLESSE	on **prend** sa retraite
	on **s'occupe** de façons diverses
	on **vieillit**
	parfois on **tombe malade**
	on **meurt**

> **prendre sa retraite** *to retire*
> **s'occuper** *to keep busy*
> **vieillir** *to grow old*
> **tomber malade** *to get sick*
> **mourir*** *to die*

RAPPEL!

naître: il/elle est né(e)
mourir: il/elle est mort(e)

📝 Teaching Strategy

Have the students predict their futures and write a one-page description of their lives. Obviously, they should only mention main events but give as much humorous or specific information as possible. Their predictions should include as much vocabulary from p. 360 as possible. In addition, they should include at least one example of each of the relative pronouns from the chart on p. 362.

Mon avenir

Faites une liste de 5 choses que vous voulez accomplir dans votre vie. Classez-les par ordre d'importance. Comparez votre liste avec celle de votre partenaire.

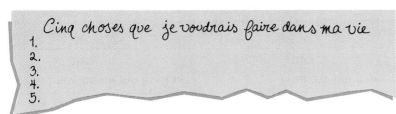

Cinq choses que je voudrais faire dans ma vie
1.
2.
3.
4.
5.

Débat

Vous avez décidé de vous marier. Votre partenaire a décidé de rester célibataire (ou vice versa). Chacun va expliquer les raisons et les avantages (et désavantages) de sa décision.

Une vie

Catherine parle de son grand-père. Complétez cette description avec le passé composé des verbes de la liste. Soyez logique!

élever	naître
faire la connaissance	prendre sa retraite
faire ses études	tomber amoureux
ne pas gagner	tomber malade
grandir	travailler dur
se marier	trouver un job
mourir	ne pas vieillir

Mon grand-père _____ dans un petit village de la province de Québec où il _____ et où il _____ secondaires. À l'âge de 17 ans, il a immigré aux États-Unis et il _____ dans une usine de textile.

Un jour, il _____ d'une jeune fille, ma grand-mère dont il _____. Ils _____ peu de temps après et ensemble ils _____ une famille de six enfants. Durant sa vie, mon grand-père _____, mais il _____ beaucoup d'argent. Il _____ après 50 ans de travail dans la même usine. Malheureusement, mon grand-père et ma grand-mère _____ ensemble. Ma grand-mère, en effet, _____ et elle _____ en 1975. Mon grand-père _____ dix ans après, à l'âge de 85 ans.

À votre tour

Composez la biographie d'une personne de votre famille (votre grand-père ou votre grand-mère) ou d'une personne âgée imaginaire.

■ **Note linguistique**

Le troisième âge est une expression qui désigne les personnes qui sont à la retraite et qui ont quitté la vie active. Les clubs du troisième âge organisent des voyages et diverses activités pour les retraités.

🌐 **Proverbe**

Si jeunesse savait, si vieillesse pouvait. *Youth is wasted on the young.*

■ **Réponses: Activité 3**

est né/a grandi/a fait ses études/a trouvé un job/a fait la connaissance/est tombé amoureux/se sont mariés/ont élevé/a travaillé dur/n'a pas gagné/a pris sa retraite/n'ont pas vieilli/est tombée malade/est morte/est mort

Note: The verb **mourir** is used twice.

🎬 **Teaching Strategy**

Extend Act. 1 by giving students the following assignment:
Votre passé. Faites une liste de cinq choses que vous avez accomplies dans votre vie. Utilisez des mots et expressions du vocabulaire de la page 360.

Sample answers:
Je suis née dans le Missouri.
J'ai fait des études élémentaires à l'école <u>x</u>.
J'ai fait connaissance de mon amie Gail à Boston.
J'ai travaillé dans un supermarché l'été dernier.
Je suis tombée amoureuse de <u>x</u> au mois d'avril.

Unité 9 361

LANGUE ET
COMMUNICATION

TEACHING RESOURCES

📖 **Practice Activities,**
pp. 91, 164, 195–196

■ **Note linguistique**
As in English, **où** *(where)* is generally used instead of **dans lequel.**
... le bureau **où** je travaille ...

■ **Teaching Note**
In Activity 1, item 5, it is also possible to use **où** rather than **dans laquelle.**

A. Résumé: les pronoms relatifs

Review the use of the relative pronouns in the chart below.

The relative pronoun functions as . . .	The relative pronoun refers to: PEOPLE	THINGS
SUBJECT	**QUI** l'ami **qui** est arrivé	**QUI** la lettre **qui** est arrivée
DIRECT OBJECT	**QUE** la fille **que** tu connais	**QUE** le café **que** tu connais
OBJECT OF A PREPOSITION (other than **de**)	**QUI** la personne **avec qui** je travaille	**LEQUEL** la machine **avec laquelle** je travaille
OBJECT OF THE PREPOSITION de	**DONT** le garçon **dont** je te parle	**DONT** le livre **dont** je te parle

1 **Photos de vacances**

Catherine montre ses photos de vacances à son frère Marc. Jouez les deux rôles en faisant les substitutions suggérées. (Utilisez les pronoms qui conviennent.)

▶ Mélanie / Nous avons rencontré cette fille à la plage.

> **Tu te souviens de Mélanie?**

> **Non, pas vraiment.**

> **Mais si! C'est la fille que nous avons rencontrée à la plage!**

> **Ah, oui. Je me souviens maintenant.**

1. Jean-Paul / Tu jouais au tennis avec ce garçon.
2. Pierre et Jérôme / Ces garçons nous ont invités à une boum.
3. Alice / J'ai dîné chez cette fille un jour.
4. Véronique / Tu as fait la connaissance de cette fille dans un café.
5. La Tulipe noire / Nous passions nos soirées dans cette discothèque.

2 **Quel pronom?**

Complétez les phrases avec le pronom qui convient.

1. Je n'ai pas trouvé le livre . . .
   ___ j'avais besoin.
   ___ était sur la table.
   dans ___ il y a des photos de Paris.
   ___ j'ai acheté ce matin.

2. Ma cousine va se marier avec un jeune homme . . .
   avec ___ elle est fiancée depuis un an.
   ___ elle connaît depuis deux ans.
   ___ elle a fait la connaissance à la Martinique.
   ___ travaille pour une agence de voyages.

3. Nous allons dîner dans le restaurant . . .
   ___ mon frère m'a recommandé.
   ___ sert des spécialités régionales.
   ___ tout le monde parle.
   devant ___ nous sommes passés ce matin.

4. Je suis sorti avec les amis . . .
   ___ je t'ai parlé.
   ___ m'ont téléphoné ce matin.
   avec ___ je suis allé en vacances.
   ___ j'ai vus le weekend dernier.

📼 🖥 Teaching Strategy

Divide the class into pairs and have each pair write a dialog between two friends about the relationship of one of the friends with another person/people. Encourage the students to use their imaginations, a wide vocabulary, **ce que**, **ce qui**, and at least four other relative pronouns. These dialogs are a synopsis of the chapter's information and should be done carefully: begun in class, worked on at home, turned in, practiced and performed in class. They may be included in student portfolios.

La légende de Tristan et Yseult

Complétez le texte suivant avec les formes appropriées des pronoms qui conviennent.

Tristan et Yseult est une très vieille légende (1) date du Moyen Âge et (2) on retrouve dans les littératures anglaise, française et allemande de l'époque.

Cette légende relate la tragique histoire de deux jeunes gens, unis par un amour (3) ils ne peuvent pas contrôler. Dans cette légende, le roi Marc va épouser une jeune fille (4) il ne connaît pas mais (5) ses conseillers lui ont parlé. Il envoie Tristan, son neveu en (6) il a toute confiance, chercher cette jeune fille (7) s'appelle Yseult et (8) habite en Irlande. Tristan trouve Yseult et la ramène en Cornouailles°, le pays du roi Marc. Sur le bateau (9) les transporte, Tristan et Yseult boivent par mégarde° une potion (10) un magicien avait préparée pour assurer l'amour éternel entre Marc et Yseult. Sous l'influence de la potion (11) ils ont bue, Tristan et Yseult tombent éperdument° amoureux l'un de l'autre.

À leur retour, le roi Marc, (12) a découvert la vérité, chasse le pauvre Tristan. Des années passent. Tristan a épousé une autre jeune fille (13) il a fait la connaissance dans son exil. En réalité, il ne cesse de penser à la belle Yseult (14) il est resté amoureux. Un jour, il participe à une bataille au cours de (15) il est très grièvement° blessé! Yseult à (16) on a annoncé la nouvelle veut revoir l'homme (17) elle aime toujours. Malheureusement, quand elle arrive chez Tristan, celui-ci est déjà mort. À son tour, Yseult meurt de désespoir. Les deux amants (18) la vie a séparés sont finalement unis par la mort.

Cornouailles *Cornwall (in southwestern England)* **par mégarde** = par accident **éperdument** *madly*
grièvement = très sérieusement

Descriptions

Choisissez l'une des situations suivantes et décrivez la chose ou la personne dont il est question. Pour cela, utilisez la construction relative dans au moins trois phrases différentes.

▶ Vous avez perdu votre cahier d'exercices. Décrivez ce cahier.
   C'est un cahier qui est assez grand.
   C'est le cahier que j'avais avec moi ce matin.
   C'est le cahier dans lequel j'ai pris beaucoup de notes.
   C'est un cahier dont j'ai absolument besoin.

1. Vous avez perdu la montre que votre oncle vous a donnée pour votre anniversaire. Décrivez cette montre.
2. Vous avez dîné dans un restaurant qu'un ami vous a recommandé. Décrivez ce restaurant.
3. Vous avez trouvé un job pour l'été. Décrivez ce job.
4. Vous avez inventé une machine. Décrivez cette machine.
5. Vos parents ont acheté une nouvelle voiture. Décrivez cette voiture.
6. Vous avez fait la connaissance d'un(e) étudiant(e) francophone très sympathique à la dernière réunion du club français. Décrivez cet(te) étudiant(e).
7. L'été dernier, vous avez rencontré une personne très intéressante. Décrivez cette personne.

🌐 NOTES CULTURELLES

- The legend of **Tristan et Yseult** probably originated in Cornwall. Several versions were written by the end of the 12th century. The poets **Thomas d'Angleterre** and **Béroul** are two of its most notable authors. The story of Tristan and Yseult was later incorporated in the Arthurian legends.

- In 1900, French author **Joseph Bédier (1864–1938)** compiled several versions of the story into a new and more complete one.
- *Tristan und Isolde* is an opera by **Richard Wagner**, based on the medieval legend.

■ Notes linguistiques

- **Ce** is considered in this case a neutral pronoun that refers to things.
- **Ce que** and **ce qui** are used to form indirect interrogative sentences, e.g.:
  Demande-lui ce qu'il aimerait manger.
  (qu'est-ce qu'il aimerait manger)
  Demande-lui ce qui est intéressant à voir.
  (qu'est-ce qui est intéressant à voir)
- **Ce qui** is followed by a singular verb. It is modified by a masculine singular adjective.

B. Ce qui, ce que et ce dont

Note the use of **ce qui, ce que** and **ce dont** in the following sentences.

Je voudrais savoir **ce qui** t'intéresse.	*I would like to know **what** interests you.*
Dis-moi **ce qui** est arrivé.	*Tell me **what** happened.*
Je ne sais pas **ce que** tu fais.	*I don't know **what** you are doing.*
Montre-moi **ce que** tu as acheté.	*Show me **what** you bought.*
Dis-moi **ce dont** tu as envie.	*Tell me **what** you want.*
Je ne comprends pas **ce dont** tu parles.	*I don't understand **what** you are talking about.*

Ce qui, ce que, and **ce dont** correspond to *what*.

- **Ce qui** is equivalent to **la chose/les choses qui** ....
  It functions as the SUBJECT of the verb that follows.

- **Ce que** is equivalent to **la chose/les choses que** ....
  It functions as the DIRECT OBJECT of the verb that follows.

- **Ce dont** is equivalent to **la chose/les choses dont** ....
  It replaces a phrase with **de**.

Précisions

Votre partenaire vous explique certaines choses sans préciser. Demandez-lui de préciser en utilisant les expressions entre parenthèses avec **ce qui, ce que** ou **ce dont**.

▶ Quelque chose m'amuse. (Dis-moi . . .)
  Dis-moi ce qui t'amuse.
▶ J'ai besoin de quelque chose. (Je voudrais savoir . . .)
  Je voudrais savoir ce dont tu as besoin.

1. Quelque chose m'intéresse. (Explique-moi . . .)
2. Je fais quelque chose. (Je voudrais savoir . . .)
3. J'ai envie de quelque chose. (Dis-moi . . .)
4. Quelque chose m'est arrivé. (Raconte-moi . . .)
5. J'ai acheté quelque chose. (Montre-moi . . .)
6. Mon copain m'a parlé de quelque chose. (Dis-moi . . .)

Qu'est-ce qu'ils font?

Complétez les phrases avec **ce qui, ce que (ce qu')** ou **ce dont**.

1. Je suis au supermarché. J'achète . . .

   ___ est sur ma liste
   ___ j'ai besoin
   ___ j'ai oublié hier

2. Marc veut faire un cadeau d'anniversaire à Sylvie. Il lui demande . . .

   ___ l'intéresse
   ___ elle a envie
   ___ elle aimerait avoir

3. Christine et Françoise font du shopping. Elles regardent . . .

   ___ est en solde
   ___ elles ont envie
   ___ elles voudraient acheter si
       elles avaient de l'argent

4. Le professeur aide les élèves. Il explique . . .

   ___ il a parlé la semaine dernière
   ___ est difficile
   ___ ils ne comprennent pas

5. Monsieur Dumont nettoie son appartement. Il range . . .

   ___ est en désordre
   ___ il veut garder
   ___ il n'a pas besoin

6. Madame Moreau a été témoin d'un accident. Elle explique à la police . . .

   ___ elle a vu
   ___ elle se souvient
   ___ est arrivé

Compile a pen pal bank to share with other French classes in your area or state.

Language Arts: Brainstorm and decide on a list of questions about background and interests.

Math: For an overview of your class, calculate percentages of people interested in various activities and display in chart form.

Science/Health: Is there a science to predicting what types of people get along or will be attracted to each other? Investigate various myths and methods.

Social Studies: Explore something interesting about your heritage, town, or activities you are interested in; this may provide a good conversation-starter!

Art/Music: Write a paragraph or two—in French— about the kinds of art and music you like, and where you go to enjoy them.

Technology: If possible, use the computer to communicate with another school and send pen pal letters electronically. Or Investigate the use of technology in dating services. How do they match people up?

Community: Send letters or e-mail to pen pals from another French class. Include information about your school and community in initial communications.

LECTURE

Reading STRATEGY

Reading fiction

LECTURE

Le bracelet
Michelle Maurois

AVANT DE LIRE

Lisez le titre de cette histoire et puis regardez l'illustration. Décrivez avec le maximum de détails:
• la jeune fille
• la marchande d'antiquités
• le magasin
• le bracelet qui est à la vitrine

Anticipons un peu!

Répondez aux questions suivantes, en expliquant votre opinion.
• Quel genre d'histoire est-ce? une histoire drôle? une histoire policière? une histoire sentimentale?
  Maintenant lisez l'histoire pour voir si vous avez raison.
• Quel est le sujet de cette histoire?
• Est-ce que la marchande vendra le bracelet à la jeune fille? Pourquoi ou pourquoi pas?
Maintenant lisez l'histoire pour voir si vous avez raison.

Michelle Maurois (née en 1914) vient d'une famille d'écrivains et d'intellectuels. Son père, André Maurois, était membre de l'Académie française. Connue pour ses contes, Michelle Maurois a aussi écrit des essais et des romans.

Le bracelet

Teaching Strategy

Using **Transparency L9** and the *Avant de lire* activities, help students to use critical thinking skills to predict the genre of the story and possible plot points. Before reading, ask students to look at all the illustrations to see if they contain "hints" about the characters and plot. Ask students to imagine why the girl is looking at the bracelet in the shop window. List possible reasons on the board, then have students read the first segment of the story and answer the comprehension questions.

I

—Bonjour Madame, dit Denise, entrant dans le magasin de bric-à-brac.°

—Mademoiselle ... Je ne suis pas encore Madame.

—Excusez-moi, dit la jeune fille déconcertée. Bonjour Mademoiselle.

—Entrez ma belle, dit la marchande sans lâcher° son tricot.

Denise se dirige vers la très vieille femme, vêtue d'une longue robe rouge, assise sur une chaise basse. Son visage est usé,° ses cheveux d'un blanc de neige, mais son regard° reste jeune et souriant.°

—S'il vous plaît, Mademoiselle, quel est le prix du bracelet qui se trouve au milieu de la vitrine?

—Il n'est pas à vendre, dit la vieille, souriant toujours.

—Comment cela?

—Tout est à vendre, sauf le bracelet.

—Mais ... vous l'exposez.

—Oui, mais pas pour qu'on l'achète.

—Ah! dit Denise étonnée.° C'est dommage. Il me plaît. J'aime beaucoup les bijoux anciens.

La marchande se lève. Elle est toute voûtée° et avance à petits pas.° La jeune fille regarde autour d'elle avec curiosité; ces vieux objets excitent son imagination, rappellent des époques disparues, des familles éteintes°. Ici sont mêlés° tasses chinoises, assiettes romantiques,° boîtes marquées du «N» napoléonien,* vases de Venise° plus ou moins cassés, verres de Bohême.°

La marchande prend dans la vitrine le bracelet et revient vers la jeune fille. Ce bracelet est en or, recouvert° de pierres de toutes les couleurs. Chaque pierre a la forme d'un cœur.

—Il est fermé par un saphir de la couleur de mes yeux, dit la vieille femme. Il est joli, n'est-ce pas, mon bracelet?

—Très joli, dit Denise en le prenant dans ses mains.

Quand elle le voit de près, la jeune fille est encore plus tentée. Le travail° est fin, délicat. C'est un charmant bijou qui vient d'être nettoyé et qui brille de mille feux. On le remarque d'autant plus que tout ce que contient le magasin° est recouvert de poussière.

---

* **Boîtes marquées du «N» napoléonien.** As presents to his courtiers, Napoleon used to give small boxes decorated with the imperial «N».

bric-à-brac = antiquités bon marché **lâcher** = laisser **usé** = vieux **son regard** = les yeux **souriant** *smiling* **étonnée** *astonished*
voûtée *bent over* **pas** *steps* **éteintes** = qui n'existent plus **mêlés** *mixed together* **romantiques** = décorées de sujets romantiques
vases de Venise *Venitian glass vases* **verres de Bohême** *[red] Bohemian glasses* **recouvert de** *covered with* **travail** *workmanship*
ce que contient le magasin = ce qu'il y a dans le magasin

Mots utiles

un bracelet	*bracelet*
des bijoux	*(pieces of) jewelry*
la marchande	
d'antiquités	*antique dealer*
une pierre	*stone, gem*
la poussière	*dust*
le tricot	*knitting*
une vitrine	*store window*
briller	*to shine*
se diriger vers	*to go toward*
exposer	*to exhibit*
plaire *	*to please*
tenter	*to tempt*
d'autant plus que	*all the more that*
autour de	*around*
sauf	*except*

Avez-vous compris?

1. Pourquoi est-ce que Denise entre dans le magasin?
2. À votre avis, quel âge a la marchande (approximativement)? Expliquez pourquoi vous pensez cela.
3. À votre avis, est-ce qu'elle est mariée? Expliquez comment vous savez cela.
4. En quoi le bracelet est-il différent des autres objets? Décrivez ce bracelet.

Anticipons un peu

À votre avis, pourquoi est-ce que la marchande ne veut pas vendre le bracelet? Expliquez pourquoi vous pensez cela.

- Le bracelet n'est pas à elle.
- C'est un souvenir personnel.
- Elle l'a promis à une personne de sa famille.
- Il coûte trop cher.
- Une autre raison. Imaginez laquelle.

Lecture **367**

Note culturelle

En France, il est d'usage d'appeler "Mademoiselle" toute femme non mariée, quel que soit son âge.

■ Note linguistique

L'expression **le bric-à-brac** est invariable (**les bric-à-brac**).

Supplementary vocabulary

Les pierres précieuses
Le saphir est bleu.
L'émeraude est verte.
Le rubis est rouge.
Le diamant est blanc.
Les pierres fines
L'améthyste est violette.
Le grenat est rouge foncé.
La topaze est jaune.
L'aigue-marine est bleu clair.
La turquoise est bleu vert.

■ Irregular Verb

(see Appendix C)
plaire

■ *Avez-vous compris?*

(Sample answers)
1. Elle entre dans le magasin parce qu'elle veut acheter le bracelet qui est dans la vitrine.
2. Elle a peut-être quatre-vingt-dix ans. Je pense cela parce qu'elle est très voûtée et marche très lentement.
3. Non, elle n'est pas mariée. On sait cela parce qu'elle dit qu'elle est «Mademoiselle», pas «Madame».
4. Il est différent des autres objets parce qu'il est très beau, et il brille. Les autres objets sont recouverts de poussière et ont moins de valeur. Le bracelet est en or, avec des pierres de toutes les couleurs, qui ont la forme d'un cœur.

Unité 9 **367**

II

Denise adore les bijoux, elle en possède plusieurs, mais elle n'a pas de bracelet. Elle vient de recevoir son salaire du mois et elle a envie de faire une folie.°

—Mais pourquoi, demande-t-elle, pourquoi ne voulez-vous pas me le céder?°

—Parce qu'il est à moi et parce que j'y tiens plus qu'à tout au monde.

—Mais tout, ici, n'est-il pas à vous?

—Non. Les autres objets, je les ai achetés, tandis que ce bracelet m'a été donné.

—Alors, pourquoi l'exposer?

—C'est un cadeau de mon fiancé.

Denise regarde la marchande et se tait. Le mot «fiancé» dans la bouche de la vieille femme est surprenant.

—Frédéric avait vingt ans ... Frédéric Cottet, c'est le nom de mon fiancé. Un jour il m'a apporté ce bracelet pour me tenir compagnie pendant son absence. Il partait pour un très long voyage ... Il n'est pas revenu.

—Excusez-moi, j'ai été indiscrète. Comme c'est triste!

—Oh non! Je l'attends.

—Vous ... vous l'attendez ...? dit la jeune fille.

—Tous les jours, à toutes les heures. Et comme il ne sait sans doute pas où me trouver, je laisse le bracelet au milieu de la vitrine pour qu'il le reconnaisse: voilà pourquoi il n'est pas à vendre.

—Je comprends, dit Denise lentement.

—Je vais d'ailleurs vite le remettre. Si Frédéric passait juste maintenant ...

«La vieille femme est sûrement folle, se dit Denise en la suivant des yeux, mais touchante, mystérieuse. Peut-être ne finit-on jamais de rêver?»

La marchande prend un verre sur lequel on peut lire en lettres dorées,° un peu effacées,° «souvenir» et le tend° à la jeune fille.

—Je vous le donne parce que vous êtes si jolie.

—Oh! C'est trop gentil,° mais je ne peux pas l'accepter...

—Cela me fait plaisir. Et revenez me voir.

Denise part, le verre serré° dans sa main, le cœur un peu lourd. Cette nuit-là, dans son lit, elle ne réussit pas à s'endormir. Son esprit° ne peut pas se détacher° de la vieille marchande, attendant toute sa vie sans se décourager.

une folie = quelque chose d'extravagant me le céder = to let me have it doré = d'or effacer to erase
tend = donne gentil = généreux serré held tightly esprit mind se détacher = oublier

Mots utiles

faire plaisir à	to please
posséder	to own, possess
remettre *	to put back
rêver	to dream
suivre *	to follow
surprendre *	to surprise
tenir * à	to hold dear, to cherish
tenir * compagnie	to keep company
fou (folle)	crazy

Avez-vous compris?

1. Qui est Frédéric Cottet?
2. Pourquoi est-ce que la marchande ne veut pas vendre le bracelet?
3. Pourquoi est-ce qu'elle continue à l'exposer dans la vitrine?
4. Qu'est-ce que Denise pense de la marchande?

À votre avis

Exprimez votre opinion sur les sujets suivants et expliquez pourquoi vous avez cette opinion.

- Est-ce que la vieille femme est bizarre, complètement folle ou simplement sentimentale?
- Est-ce que Frédéric Cottet est une personne réelle ou bien est-ce qu'il existe seulement dans l'imagination de la vieille femme?
- Est-ce que Frédéric Cottet va revenir un jour? Si oui, dans quelles circonstances?

Supplementary vocabulary

Les bijoux
la bague *ring*
la gourmette *chain bracelet*
les clips (m.) d'oreilles *clip earrings*
les boucles (f.) d'oreilles *earrings*
le collier *necklace*
le pendentif *pendant*
le tour de cou *choker*
le sautoir *chain (long necklace)*

■ Irregular Verbs

(see Appendix C)
remettre (see mettre)
suivre
surprendre (see prendre)
tenir

■ Avez-vous compris?

(Sample answers)

1. Frédéric Cottet était le fiancé de la marchande quand elle était jeune.
2. Elle ne veut pas vendre le bracelet parce que c'est un cadeau de Frédéric.
3. Elle continue à l'exposer dans la vitrine parce qu'elle pense que Frédéric reviendra et reconnaîtra le bracelet dans la vitrine.
4. Elle pense que la marchande est folle mais intéressante.

👥👥 Teaching Strategy

After students have read the first two segments of the story, divide the class into groups to discuss the *À votre avis* questions. If there are differences of opinion, have students tally the responses. Have each group present their answer to <u>one</u> of the questions to the whole class. Compare with other groups' answers.

You may also wish to add an additional question for all groups:

À votre avis, pourquoi la vieille dame n'est-elle pas partie avec son fiancé? (Utilisez votre imagination pour trouver une explication!)

Discuss the answers in class.

III

Quelques mois plus tard, l'été est venu. Denise en sortant du bureau, rentre un soir par la rue où se trouve le magasin de bric-à-brac. Brillant de tous ses feux, le bracelet est toujours là. La vieille femme est assise sur le trottoir devant la porte, travaillant au même tricot. Elle reconnaît la jeune fille et lui fait un grand sourire.

—Venez vous asseoir avec moi, ma belle, prenez une chaise à l'intérieur.°

La jeune fille s'installe contre le mur de la maison à côté de la marchande.

—Vous avez eu beaucoup de clients aujourd'hui? demande Denise.

—Oh non! Je n'ai eu personne. J'ai été plus tranquille pour penser. Moi, je ne suis jamais seule ... Frédéric est près de moi ... Et vous? Avez-vous un fiancé?

—Non, dit la jeune fille en rougissant.

—Pourquoi?

—Je connais peu de jeunes gens ...

—Quand Frédéric viendra, je lui demanderai de vous présenter un de ses amis.

Denise frissonne; elle est saisie par une sorte d'anxiété.°

—Je dois rentrer, dit-elle. Ma mère m'attend. Il va être l'heure du dîner.

—Je laisse ouvert° le plus longtemps possible. Frédéric termine peut-être tard son travail. Mais je vais fermer dans quelques minutes.

La marchande se dirige vers la vitrine, sort le bracelet que Denise regarde une fois de plus avec admiration et l'attache à son bras.

—Je le mets tous les soirs pour dormir, dit-elle.

—Je reviendrai vous voir, dit la jeune fille.

—Adieu, ma belle. À bientôt.

Mais quelques jours plus tard, Denise tombe malade et reste couchée° près d'un mois. Elle est obligée d'aller se reposer à la montagne. Les soucis causés par sa maladie lui ont fait un peu oublier la vieille dame et son éternellement jeune fiancé.

à l'intérieur = à l'intérieur du magasin   anxiété = peur   je laisse ouvert = je garde le magasin ouvert
couchée = au lit

Mots utiles	
un souci	concern, worry
un sourire	smile
un trottoir	sidewalk
frissonner	to shiver, shudder
saisir	to seize, take

Avez-vous compris?

1. Selon vous, est-ce que les choses ont changé quand Denise revient plus tard?
2. Qu'est-ce que la marchande propose à Denise quand elle apprend que celle-ci n'est pas mariée?
3. Quelle est la réaction de Denise?
4. Pourquoi est-ce que Denise ne revient pas voir la marchande?

Anticipons un peu

Selon vous, comment va se terminer l'histoire? Expliquez votre réponse.
- Frédéric Cottet reviendra et il se mariera avec la marchande.
- La marchande apprendra la mort de Frédéric Cottet et finalement vendra le bracelet à Denise.
- Un jour Denise fera la connaissance du petit-fils de Frédéric Cottet et se mariera avec lui.
- Quelque chose d'autre arrivera. Imaginez quoi.

■ Avez-vous compris?
(Sample answers)
1. Non, les choses n'ont pas changé. C'est l'été, et la vieille femme est assise devant la porte, mais elle attend toujours Frédéric.
2. Elle lui propose que Frédéric lui présente un de ses amis.
3. Elle trouve que c'est trop bizarre. Elle a peur. Elle part.
4. Elle ne revient pas parce qu'elle tombe malade et va se reposer à la montagne. Elle oublie un peu la vieille femme.

IV

À son retour, Denise passe par hasard, un jour, devant le magasin qui lui plaisait tant. De très loin, elle voit
105 que le bracelet n'est plus dans la vitrine. Elle s'aperçoit aussi que quelque chose a changé. Il y a plus d'ordre, tout paraît plus propre qu'autrefois. Surprise, elle ouvre
110 la porte du magasin et voit une femme brune de cinquante ans environ, installée derrière un bureau.

—La vieille dame n'est plus là? demande la jeune fille.
115 —Non ... elle est morte depuis un mois ...

—Oh! Cela me fait de la peine,° dit Denise. Elle était si charmante.

—Elle est morte brusquement. On
120 l'a trouvée un matin ici, par terre. Vous savez, elle était un peu bizarre ...

—Oui, dit Denise, un peu bizarre ...

—Je ne sais pas ce que je vais faire du magasin ...

—Oh! J'espère que vous le garderez, il a tant de charme.
125 —Est-ce que vous désirez quelque chose?

—Il y avait dans la vitrine, dit la jeune fille, un bracelet avec des pierres de couleur en forme de cœurs: il me plaisait beaucoup.

—En effet, il était très joli. Ma tante l'avait déjà quand j'étais toute petite° ... Je l'ai vendu quelques jours après sa mort. Un
130 matin, un vieux monsieur, tout voûté, est resté longtemps dans la rue à regarder la vitrine. Puis il est entré. Il était complètement sourd° et nous avons eu beaucoup de mal° à nous comprendre. Je crois qu'il trouvait le bracelet trop cher mais il en avait très envie et, à la fin il l'a acheté.
135 —Vous ne savez pas comment il s'appelait?

—Je ne me souviens pas, mais il m'a payée par chèque. Cela vous intéresse de savoir son nom?

—Oui. J'attendais d'avoir assez d'argent pour acheter ce bracelet.
140 Je vais essayer de joindre le vieux monsieur et lui demander de me le céder.

La femme brune ouvre un secrétaire,° cherche dans des papiers.

—Ah voilà le nom: Frédéric Cottet.

me fait de la peine = me rend triste   toute petite = très jeune
sourd *deaf*   beaucoup de mal = beaucoup de difficultés
me le céder = me le vendre
un secrétaire = un petit bureau

Mots utiles

s'apercevoir *	notice
joindre *	to contact (someon
paraître *	to look, ap seem
environ	about, approxir
par hasard	by chance
par terre	on the gro
tant de	so much

Irregular Verbs

(see Appendix C)
s'apercevoir *(see* **recevoir***)*
joindre *(see* **peindre***)*
paraître *(see* **connaître***)*

Avez-vous compris?

(Sample answers)
1. La vieille marchande est morte. Il y a une nouvelle marchande.
2. La nouvelle marchande est la nièce de l'ancienne.
3. Frédéric Cottet a acheté le bracelet.

Avez-vous compris?

1. Qu'est-ce qui a changé quand Denise reto au magasin?
2. Qui est la nouvelle marchande par rappo à l'ancienne?
3. Qui a finalement acheté le bracelet?

💡 Teaching Strategy

Using the illustrations and characters from the story, have students list two adjectives to describe as many elements as possible:
• la vieille dame *(patiente, fidèle...)*
• Denise *(curieuse, sympathique...)*
• l'histoire *(romantique, triste...)*

📝 Then have students write a paragraph about the story using the adjectives they compiled.

EXPRESSION ORALE

■ Débat: L'amour éternel
Selon vous, est-ce que l'amour éternel, tel qu'il est décrit dans l'histoire, est possible? Prenez une position pour ou contre et débattez le sujet avec votre partenaire. Si possible, donnez des exemples.

■ Situations
Avec votre partenaire, choisissez l'une des situations suivantes. Composez le dialogue correspondant et jouez-le en classe.

1 Coups de téléphone
Après chaque visite au magasin, Denise téléphone à un(e) ami(e) pour raconter ce qui s'est passé. L'ami(e) demande des détails.

Rôles: Denise, l'ami(e)

2 Conversation
Denise a réussi à retrouver Frédéric Cottet. Celui-ci lui pose des questions sur sa fiancée d'autrefois.

Rôles: Denise, Frédéric Cottet

EXPRESSION ÉCRITE

■ Frédéric Cottet
Écrivez l'histoire de Frédéric Cottet en inventant des détails. Par exemple:
- Où, quand et comment Frédéric a-t-il rencontré la dame de la boutique?
- À quelle occasion est-ce qu'il lui a offert le bracelet?
- Pourquoi est-il parti à l'âge de vingt ans?
- Où est-il allé et qu'est-ce qu'il a fait là-bas?
- Pourquoi a-t-il mis si longtemps à revenir?
- Pourquoi est-ce qu'il est finalement revenu?
- Quelles étaient ses pensées en revoyant le bracelet dans la vitrine? etc.

■ Une lettre
La vieille dame, avant de mourir, décide d'écrire une lettre à Frédéric Cottet. Dans cette lettre, elle explique ce qu'elle a fait pendant son absence, pourquoi elle l'a attendu si fidèlement *(faithfully)* et comment elle espérait le revoir.

■ Une autre conclusion
Imaginez une autre conclusion moins triste et plus romantique à l'histoire que vous avez lue. Pour cela, réécrivez complètement le quatrième épisode.

 Student Portfolios

After students have completed the post-reading activities from the *Après la lecture* section, give them the following written activity and dialog scenario to be included in their portfolios:
- **Une lettre**
  Denise est malade. Elle est à la montagne et elle s'ennuie. Elle décide d'écrire à la vieille dame une lettre dans laquelle elle explique où elle est et ce qu'elle fait. Elle exprime aussi sa sympathie envers la vieille dame et écrit qu'elle espère la revoir bientôt.
- **Dialogue**
  Denise explique à la nouvelle vendeuse qui est Frédéric Cottet. La vendeuse est curieuse et pose des questions.
  Rôles: Denise, la vendeuse

L'AFRIQUE DANS LA COMMUNAUTÉ

▪ *Un peu d'histoire* ▪

INTERLUDE CULTUREL

TEACHING RESOURCES

Transparencies 4, H6

Overhead Visuals Copymasters and Activities, pp. A10–A11, A147–A148

Internet Connection Notes, Project 3, pp. 131–134

🌐 Note historique

On a découvert les peintures préhistoriques de Tassili dans le sud de l'Algérie en 1956. Ces peintures témoignent de l'évolution de ce peuple africain: c'était d'abord des chasseurs (de 6000 à 4000 av. J.-Chr.), puis des bergers (de 4000 à 1000 av. J.-Chr.).

▪ Additional Information

• **Mali** means "place where the king lives."
• Until 1957, **Ghana** was known as the Gold Coast (**La Côte de l'Or**).

▪ Les dates   ▪ Les événements

Les dates	
- 6000	av. J.-C.
- Tassili	
- 0	
- 670	arrivée des Arabes
- 700	Empire du Ghāna (700-1200)
- 1200	Empire du Mali (1200-1500)
- 1300	Empire de Songhaï (1350-1600) Royaume du Bénin (1350-1900)
- 1500	
- 1600	
- 1900	
- 1960	Indépendance

Empires africains

colonisation

La préhistoire en Afrique occidentale

Pendant six mille ans avant Jésus-Christ, le Sahara était une savane habitée par un peuple qui a laissé de remarquables peintures rupestres° dans la région de Tassili.

7e - 8e siècles: Conquête de l'Afrique du Nord par les Arabes

En 670, les Arabes arrivent en Afrique du Nord où ils imposent la religion musulmane. Ils établissent progressivement des relations commerciales avec les populations d'Afrique occidentale. Au contact des Arabes, beaucoup d'Africains adoptent la religion musulmane.

10e - 16e siècles: Période de prospérité et de grande civilisation

De puissants et vastes empires se succèdent en Afrique occidentale: empire du **Ghāna**, empire du **Mali**, empire de **Songhaï**. La prospérité de ces empires est basée sur le commerce avec l'Afrique du Nord. Les caravanes chargées de° sel traversent le Sahara. Elles arrivent à Tombouctou, capitale de l'empire du Mali, et repartent avec de l'or et des pierres précieuses. Une civilisation brillante se développe dans toute la région.

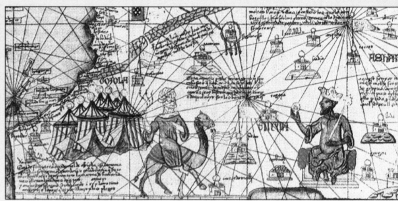

Cette illustration, tirée d'un atlas du 14ᵉ siècle, montre un marchand arabe rendant visite au Roi du Mali. Celui-ci tient dans sa main une pépite° d'or.

rupestres *on rock walls* **chargées de** *loaded with* **pépite** *nugget*

🌐 NOTES CULTURELLES

• The **Sahara** is the largest desert in the world. It reaches across Africa from the Atlantic Ocean to the Red Sea and beyond as the Arabian desert.
• The discovery of cave paintings representing plants and animals proved that there used to be water in the Sahara in prehistoric times.
• The **Songhaï** empire conquered the empire of Mali in the 15th century. Its dominance lasted until 1591, when it fell to Moroccan soldiers.

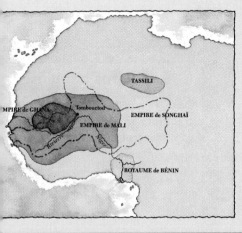

TASSILI

TASSILI

EMPIRE de GHANA (700-1200)

EMPIRE de MALI (1200-1500)

EMPIRE de SONGHAÏ (1350-1600)

ROYAUME de BÉNIN (1350-1900)

4e - 19e siècles: Le royaume de Bénin

Indépendamment des empires d'Afrique occidentale, le royaume du Bénin se développe dans la région tropicale près du Golfe de Guinée. Le génie de cette civilisation est préservé dans de splendides sculptures de bronze.

17e et 19e siècles: Arrivée des Européens — esclavage et colonisation

À partir du 17e siècle, l'arrivée des Européens provoque le déclin progressif de cette grande civilisation africaine. Les Européens viennent en Afrique chercher des esclaves pour travailler dans leurs plantations des Antilles, de Louisiane, du Brésil . . . Des centaines de milliers d'Africains sont arrachés° de leur terre° ancestrale et déportés en Amérique dans des conditions épouvantables°. Cet odieux trafic d'êtres° humains dure jusqu'au début du 19e siècle.

Dans la seconde moitié du 19e siècle, les Européens, qui ont déjà établi des comptoirs° sur le littoral°, décident de coloniser l'intérieur du continent. C'est ainsi que l'Afrique occidentale et équatoriale est découpée° en colonies anglaises, françaises et belges. Les Européens imposent des structures administratives et économiques qui ne correspondent pas à la culture africaine traditionnelle.

20e siècle: De l'exploitation à l'indépendance

Les pays européens exploitent leurs colonies africaines. Un grand nombre de soldats africains sont recrutés par l'armée française et combattent courageusement en Europe pendant les deux guerres mondiales (1914-1918 et 1939-1945).

Après la deuxième guerre mondiale, les leaders politiques africains réclament l'indépendance des colonies avec de plus en plus d'insistance. À partir de 1960, ces colonies deviennent des pays indépendants, membres des Nations Unies.

Cette plaque de bronze représente l'oba ou roi du Bénin avec sa famille. Ses serviteurs le protègent du soleil.

⊕ Notes historiques

- C'est à la suite de la Conférence de Berlin (1884) que les puissances européennes décidèrent de se partager l'Afrique.

France	Afrique de l'ouest
Belgique	région du Congo
Angleterre	Nigeria, Afrique de l'est et du sud
Allemagne	Afrique du sud-ouest et du sud-est
Portugal	Angola, Mozambique

- Depuis l'indépendance, certains pays ont décidé de changer leur nom.

COLONIE	RÉPUBLIQUE
Dahomey	→ Bénin
Haute Volta	→ Burkina Faso
Soudan français	→ Mali
Congo belge	→ Zaïre

■ Anecdote

A French team driving Citroëns was the first to cross the Sahara by car.

arrachés *torn away* terre *land* épouvantables *ghastly* êtres *beings* comptoirs *trading posts* littoral *coast* découpée *cut up*

 ## Internet Connection—Interlude 9

Have students do some research on the subject of African art by investigating the links below. For alternate links, students can use the following keywords with the search engine of their choice: **l'art + Afrique**

Afrique en créations: http://www.ina.fr/CP/AeC/
National Museum of African Art : http://www.si.edu/organiza/museums/africart/

■ Qu'est-ce que c'est que l'Afrique francophone?

C'est un groupe d'une douzaine de pays d'Afrique occidentale et équatoriale où le français est la langue officielle. Parmi ces pays, les plus importants sont **le Sénégal, la Côte-d'Ivoire, le Mali, le Zaïre, le Bénin, le Cameroun** . . . Autrefois ces pays étaient des colonies françaises ou belges. Indépendants depuis 1960, ils ont décidé de garder le français comme langue administrative et commerciale. En général, les jeunes apprennent le français à l'école secondaire et parfois dès° l'école primaire.

■ Quelles langues parle-t-on en Afrique?

Il y a un très grand nombre de langues africaines. Au Sénégal, par exemple, on parle **wolof**. En Côte-d'Ivoire, on parle **baoulé** et **dioula**. Au Mali, il y a dix langues régionales. Ces langues reflètent la grande diversité ethnique des peuples d'Afrique. En Côte-d'Ivoire, par exemple, on compte au moins soixante groupes ethniques différents.

Les noms baoulés

Dans les familles baoulés, les noms traditionnels donnés aux enfants correspondent aux jours de la semaine où ils sont nés.

	GARÇONS	FILLES
lundi	**Kouassi**	Akissi
mardi	**Kouadio**	Adjoua
mercredi	**Konan**	Amelan
jeudi	**Koffi**	Affoué
vendredi	**Yao**	Aya
samedi	**Kouakou**	Ahou
dimanche	**Kouamé**	Amoin

■ Est-ce que les pays de l'Afrique francophone sont semblables ou différents?

Ils sont différents par beaucoup d'aspects et d'abord par leur climat, leur végétation et leur milieu naturel. Au nord, par exemple, il y a une zone désertique et demi-désertique qui est le prolongement° du Sahara. Puis vient la savane, c'est-à-dire une région de hautes herbes,° caractéristique des régions chaudes à longue saison sèche.° Finalement, plus au sud et le long du littoral,° là où le climat est chaud et humide, on trouve la forêt équatoriale avec ses dizaines d'espèces d'arbres différents.

dès *as of* **prolongement** = extension **herbes** *grass* **sèche** *dry* **littoral** *coast*

■ Quelles sont les religions de l'Afrique francophone?

Cela dépend des pays. La religion musulmane est très importante dans les régions de l'ouest et du nord où il y a eu beaucoup de contacts avec les Arabes. C'est le cas, par exemple, au Mali, au Sénégal, et au Niger, où la grande majorité des gens sont musulmans. Au sud et au centre, au contraire, ce sont les religions animistes qui prédominent, par exemple, en Côte d'Ivoire, au Bénin, et au Burkina-Faso. Dans tous ces pays, il y a aussi des minorités catholiques. N'oublions pas, par exemple, que la plus grande

Mosquée de Djemé, Mali

basilique catholique du monde, la Basilique de Notre Dame de la Paix, se trouve à Yamoussoukro, en Côte d'Ivoire, et qu'elle a été inaugurée en 1989 par le pape Jean-Paul II.

La Basilique de Notre Dame de la Paix à Yamoussoukro

Une mosquée au Niger

■ Qu'est-ce que l'animisme?

C'est la religion traditionnelle de l'Afrique noire. L'animisme attribue une âme° aux plantes, aux animaux, aux phénomènes naturels, et plus généralement à toutes les forces de la nature. Les animistes pratiquent ainsi le culte des ancêtres avec qui on peut communiquer et qui peuvent avoir une influence positive ou négative sur les événements de la vie quotidienne.° L'animisme explique l'importance de la nature, des animaux et des génies dans la littérature africaine.

âme *soul* quotidienne *daily*

⊕ Note historique

Le christianisme a été introduit en Afrique occidentale dans la deuxième moitié du 19e siècle. Les populations chrétiennes se trouvent principalement le long du littoral, là où arrivaient les missionnaires européens.

■ Additional Information

- The basilica of **Notre Dame de la Paix** has 36 stained-glass windows. Designed by an architect from the Ivory Coast, they were hand-blown in France.
- It took only three years to build the basilica, which cost about $300 million.

■ Note linguistique

Le mot **animisme** vient du latin, **anima** *(soul)*.

■ *Quel est le rôle de la famille dans la société africaine?*

Pour les Africains, la famille représente une structure très importante. Tous les membres de la famille s'aident et doivent s'entraider.° La famille africaine est très vaste. Elle comprend° non seulement les grands-parents, les parents et les enfants, mais aussi tous les oncles, tantes, cousins et cousines unis par les liens de sang° et de mariage.

Dans les villages où la polygamie existe, [la] famille est encore plus grande puisqu'el[le] comprend aussi les demi-frères et les demi-soeur[s]. Le père est le chef de famille. Il est respecté et so[n] autorité n'est pas contestée. S'il a plusieur[s] femmes, chacune a sa propre case ou maison o[ù] elle élève° ses enfants.

À côté de la famille visible, il y a aussi [la] famille invisible, celle des ancêtres qui restent trè[s] présents dans la mémoire des Africains. On peu[t] communiquer avec l'esprit de ses ancêtres e[t] inversement, ils peuvent communiquer avec nou[s] et influencer les événements de notre vi[e] quotidienne.

Additional Information
- **Mauritania** is a desert country, about twice the size of France.

Photo Note
The type of house shown is typical of the city of Oualâta, Mauritania. Women use dyes to decorate both the inside and outside of their homes with intricate geometric designs.

Note culturelle
In most African cities, Western fashion coexists with more traditional wear. Women traditionally wear **un boubou**, a long embroidered dress, or a loose top over a wrapped skirt **(le pagne)**. Men wear **un grand boubou**, a loose embroidered robe worn over pants.

En Mauritanie, la décoration des maisons est traditionnellement réservée aux femmes. À cause des conditions climatiques, ces maisons doivent souvent être repeintes. Ici, les femmes utilisent des éléments géométriques pour décorer leurs maisons.

s'entraider *help each other* **comprend** *includes* **liens de sang** *blood ties* **élève** *raises*

🌐 NOTES CULTURELLES

- La polygamie tend à disparaître, surtout dans les villes. Elle subsiste cependant dans certains villages où la population est musulmane.
- Dans certaines sociétés africaines, chez les Baoulés de la Côte d'Ivoire, par exemple, c'était la mère qui traditionnellement était le chef de la famille. Aujourd'hui, ce matriarcat a disparu, mais la mère est toujours très écoutée et très respectée.

■ *Quelles sont les caractéristiques de la littérature africaine traditionnelle?*

La littérature africaine traditionnelle est très différente de la littérature européenne. C'est avant tout une littérature orale. Son but° principal est d'expliquer et de transmettre de génération en génération les coutumes, les traditions et les valeurs du groupe. Ses thèmes sont variés: la création du monde, l'origine de l'humanité, l'histoire des ancêtres et de la tribu, les relations entre les gens. Ses formes d'expression sont la poésie, la fable, la légende, et surtout le conte.° Il y a toutes sortes de contes: contes moraux, contes humoristiques, contes d'aventures, contes d'amour, contes du merveilleux . . . Dans les contes, les personnages sont souvent des animaux qui représentent en réalité les humains avec leurs qualités et leurs défauts.

Les conteurs° africains s'appellent des «griots». Dans les villages de l'Afrique traditionnelle, le griot joue un rôle très important. C'est lui qui transmet l'histoire et les traditions de chaque famille du village.

Aujourd'hui, il y a aussi une littérature écrite très abondante. Cette littérature reprend les thèmes de la littérature orale (contes, fables) ou traite les thèmes plus personnels (poésie, romans, récits autobiographiques). L'un des représentants les plus connus de la littérature africaine moderne est l'écrivain sénégalais Léopold Sédar Senghor. Ce poète s'exprime en français sur des thèmes africains ou des thèmes universels, comme la liberté. Considéré comme l'un des plus grands écrivains d'expression française, il a été élu en 1980 membre de l'Académie française.

Léopold Sédar Senghor: Poète et homme d'action

Homme de lettres et brillant intellectuel, Léopold Senghor (1906 -) a aussi joué un rôle politique très important dans l'histoire de l'Afrique francophone. Après la deuxième guerre mondiale, il a milité pour l'indépendance de son pays, le Sénégal. Quand le Sénégal est devenu une république indépendante en 1958, il en est devenu le premier président (1958-1980).

🌐 **Note culturelle**
Quand Senghor était étudiant à Paris dans les années 1920, lui et son ami Aimé Césaire ont fondé le journal *L'Étudiant noir* dans lequel ils ont défini le concept de «négritude» (voir à la page 336).

■ **Additional Information**
• Born in **Joal**, a town near **Dakar** (Senegal), **Léopold Sédar Senghor** became the mayor of **Thiès** (France) before being elected to the French parliament in 1946.

■ **Pour en savoir plus**
For more information on the **Académie française,** see p. 56.

Documents: Une fable africaine

La gélinotte et la tortue

Un jour, une gélinotte° rencontra une tortue qui avançait lentement à travers la plaine. «Pourquoi est-ce que tu ne vas pas plus vite?» demanda-t-elle à la tortue. «Parce que je suis une tortue» répondit la tortue. «Eh bien, moi, je te suis supérieure non seulement parce que je vais plus vite que toi, mais aussi parce que je peux voler.»°

À ce moment des chasseurs passèrent par là. Ils mirent le feu aux herbes de la plaine pour déloger des gazelles qui s'y étaient cachées°. Le cercle de feu se rapprocha des deux animaux exposés à un péril certain. La tortue se cacha dans le trou° laissé par le pied d'un éléphant, et elle survécut. La gélinotte voulait s'envoler, mais elle fut étouffée° par la fumée° et mourut.

N'est pas supérieur celui qui se vante

but = objectif **conte** *short story* **conteurs** *storytellers* **gélinotte** *grouse* **voler** *to fly*
cachées *hidden* **trou** *hole* **étouffée** *suffocated* **fumée** *smoke* **se vante** *boasts*

LECTURE ET CULTURE 377

Afrique

Afrique mon Afrique
Afrique des fiers guerriers° dans les savanes ancestrales
Afrique que chante ma grand-Mère
Au bord° de son fleuve° lointain°
Je ne t'ai jamais connue

Mais mon regard est plein de ton sang
Ton beau sang noir à travers les champs répandu°
Le sang de ta sueur°
La sueur de ton travail
Le travail de l'esclavage
L'esclavage de tes enfants

Afrique dis-moi Afrique
Est-ce donc toi ce dos qui se courbe°
Et se couche° sous le poids° de l'humilité
Ce dos tremblant à zébrures° rouges
Qui dit oui au fouet° sur les routes de midi

Alors gravement une voix me répondit
Fils impétueux cet arbre robuste et jeune
Cet arbre là-bas
Splendidement seul au milieu de fleurs blanches et fanées°
C'est l'Afrique ton Afrique qui repousse°
Qui repousse patiemment obstinément
Et dont les fruits ont peu à peu
L'amère° saveur° de la liberté.

David Diop (1927-1960)

Né en France d'un père sénégalais
d'une mère camerounaise*, Dav
Diop est l'un des écrivains les p
militants de la littérature africair
Dans ce poème, publié en 1956,
dénonce le colonialisme et entrevo
l'indépendance de l'Afrique. Diop e
mort dans un accident d'avion alor
qu'il venait s'établir° définitiveme
au Sénégal, devenu° depuis peu°
état indépendant.

* **Le Cameroun** = un pays de l'Afrique
  francophone

Baobab dans la savane africaine

guerriers *warriors* **au bord** *on the shore* **fleuve** = rivière **lointain** = distant **répandu** *spilled* **sueur** *sweat* **se courbe** *is bent over*
se couche *is doubled over* **poids** *weight* **zébrures** *stripes (caused by lashing)* **fouet** *whip* **fanées** *withered* **repoussse** *grows back*
amère *bitter* **saveur** *taste* **entrevoit** = anticipe **alors que** *if* **s'établir** *to settle* **devenu** = qui était devenu **depuis peu** = récemment

Note culturelle

Le nom **baobab** signifie
«arbre de mille ans». Ses
fruits, de la taille d'une
orange, ont le goût un peu
amer. Pour Diop, cet arbre
majestueux, dont le tronc peut
atteindre 23 mètres de
circonférence, symbolise le
dynamisme et l'avenir de
l'Afrique.

Teaching Strategy

You may wish to help students with a brief
analysis of *Afrique* if they are having difficulty:

Verse 1 The poet evokes the Africa of noble
warriors which he has never known.

Verse 2 What he sees is the blood and sweat of
slavery.

Verse 3 He wonders if the Africa that he sees
bent over and humiliated is the real
Africa.

Verse 4 A voice answers him that the tree he
sees growing tall and strong is the
symbol of the rebirth of a free Africa.

■ *L'art africain* ■
et
son influence sur l'art européen

Parmi les arts africains traditionnels, la forme la plus développée est la sculpture. Les principaux objets sculptés sont des statues et des masques. Pour les Africains, ces objets ne sont pas considérés comme des objets artistiques, mais comme des objets religieux. Dans les cérémonies rituelles, par exemple, les masques sont portés par des danseurs pour honorer l'esprit des ancêtres et demander leur protection.

La majorité des masques africains sont en bois. Ils représentent généralement des figures humaines sous des formes stylisées. On peut noter l'importance des formes géométriques: lignes droites° ou courbes, cercles, ovales, triangles, etc. Cette stylisation transforme le corps et le visage humains et permet l'expression d'émotions très intenses.

Au début du 20e siècle, les Européens ont pris connaissance° de l'art africain grâce à plusieurs expositions coloniales où figuraient masques et statues de l'Afrique noire. L'originalité de cet art a d'abord choqué le public peu habitué° à la représentation non-conventionnelle de l'être humain. Les grands artistes de l'époque, au contraire, ont été très impressionnés par la simplification stylistique de l'art africain. Matisse, Modigliani et surtout Picasso ont incorporé cette simplification dans leurs propres oeuvres.° En particulier, l'usage des formes géométriques, directement inspiré par la sculpture africaine, est à la base du cubisme qui allait révolutionner l'art européen du 20e siècle.

■ **Additional Information**
- French painter **Maurice de Vlaminck (1876-1958)** was a leader of the fauvism school.
- In Côte-d'Ivoire, **le festival des masques** is celebrated every February. It is famous for its mask-wearing performers who dance on stilts.
- In Mali, masks are an essential symbol for the **Dogon** people who use them for funerals and many festivals, including the **Signi**, a ceremony held only once every sixty years.

À remarquer l'influence des masques africains sur le célèbre tableau de Picasso, *Les Demoiselles d'Avignon.*

Ce masque africain a appartenu au peintre Vlaminck qui l'a montré à ses amis artistes. On peut noter les ressemblances entre ce masque et la sculpture de Modigliani.

Modigliani, *Tête de femme*

Picasso, *Étude pour les Demoiselles d'Avignon*

droites *straight* **ont pris connaissance** *became aware* **habitué** *accustomed* **oeuvres** *works*

⊕ NOTE CULTURELLE

Le cubisme est un mouvement artistique qui est né à Paris vers 1906. Les fondateurs de ce mouvement sont Georges Braque (1881–1963) et Pablo Picasso (1882–1973). Les artistes cubistes représentent leurs sujets sous des perspectives différentes et les décomposent en formes géométriques fondamentales: cubes, sphères, ovales, un peu à la manière des sculpteurs africains.

Dans son tableau révolutionnaire, *Les Demoiselles d'Avignon* (1907), Picasso a peint certains de ses personnages en leur donnant des visages ressemblant d'assez près à des masques africains.

Bernard Dadié

Bernard Dadié, né en 1916, est originaire de la Côte d'Ivoire. C'est l'un des écrivains les plus féconds° de la littérature africaine d'expression française. Il a écrit des contes, des poèmes, des romans et des pièces de théâtre. Militant nationaliste, Dadié a été arrêté en 1949 et a passé seize mois en prison pour ses activités politiques. Après l'indépendance de la Côte d'Ivoire, il a été nommé Ministre de la Culture de son pays.

La légende baoulé est extraite du livre **Légendes africaines**. Dans ce récit, Dadié explique comment son peuple, les Baoulés, ont reçu leur nom grâce au sacrifice de leur reine, la reine Pokou.

Il y a longtemps, très longtemps, vivait au bord d'une lagune calme, une tribu paisible° de nos frères. Ses jeunes hommes étaient nombreux, nobles et courageux, ses femmes étaient belles et joyeuses. Et leur reine, la reine Pokou, était la plus belle parmi les plus belles.

Depuis longtemps, très longtemps, la paix était sur eux et les esclaves mêmes, fils des captifs des temps révolus,° étaient heureux auprès de leurs heureux maîtres.

Un jour, les ennemis vinrent nombreux comme des magnans.° Il fallut quitter les paillotes,° les plantations, la lagune poissonneuse,° laisser les filets,° tout abandonner pour fuir.°

Ils partirent dans la forêt. Ils laissèrent aux épines° leurs pagnes,* puis leur chair.° Il fallait fuir toujours, sans repos, sans trêve,° talonné° par l'ennemi féroce.

Et leur reine, la reine Pokou, marchait la dernière, portant au dos son enfant.

* **Pagne**: a rectangular strip of cloth made of vegetal fibers which is worn as a loincloth or wrapped around the hips to form a short s[...]

paisible *peaceful* **révolus** *long past* **magnans** *red ants* **paillotes** *straw huts* **poissonneuse** = *avec beaucoup de poissons* **filets** *nets* **fuir** *to fle[...]
épines *thorns* **chair** *flesh* **sans trêve** *unceasingly* **talonné** *followed close on their heels*

NOTE CULTURELLE

Les Baoulés Aujourd'hui les Baoulés représentent l'un des groupes ethniques les plus importants de la Côte d'Ivoire. Autrefois, ce peuple habitait dans la région du Ghana actuel. À une époque lointaine et pour des raisons mystérieuses, les Baoulés ont été chassés de leur territoire et ont dû s'enfuir en Côte d'Ivoire. La légende baoulé décrit l'exil de ce peuple et explique l'origine de son nom.

La reine Pokou Le rôle joué par la reine Pokou dans la légende souligne l'importance de la femme, et particulièrement de la mère dans la société baoulé traditionnelle.

À leur passage l'hyène ricanait,° l'éléphant et le sanglier° fuyaient, le chimpanzé grognait° et le lion étonné° s'écartait du chemin.°

Enfin, les broussailles° apparurent, puis la savane et les rôniers° et, encore une fois, la horde entonna° son chant d'exil:

Mi houn Ano, Mi houn Ano, blâ ô
Ebolo nigué, mo ba gnan min —

   Mon mari Ano, mon mari Ano, viens,
   Les génies de la brousse° m'emportent.

Harassés, exténués,° amaigris,° ils arrivèrent sur le soir au bord d'un grand fleuve dont la course° se brisait° sur d'énormes rochers.

Et le fleuve mugissait,° les flots° montaient jusqu'aux cimes° des arbres et retombaient et les fugitifs étaient glacés d'effroi.°

Consternés,° ils se regardaient. Était-ce là l'Eau qui les faisait vivre naguère,° l'Eau, leur grande amie? Il avait fallu qu'un mauvais génie l'excitât contre eux.

Et les conquérants devenaient plus proches.°

Et, pour la première fois, le sorcier° parla: «L'eau est devenue mauvaise, dit-il, et elle ne s'apaisera° que quand nous lui aurons donné ce que nous avons de plus cher.»° Et le chant d'espoir° retentit:°

Ebe nin flê nin bâ
Ebe nin flâ nin nan
Ebe nin flê nin dja
Yapen'sè ni djà wali

   Quelqu'un appelle son fils
   Quelqu'un appelle sa mère
   Quelqu'un appelle son père
   Les belles filles se marieront.

Et chacun donna ses bracelets d'or et d'ivoire, et tout ce qu'il avait pu sauver.

Mais le sorcier les repoussa du pied° et montra le jeune prince, le bébé de six mois: «Voilà, dit-il, ce que nous avons de plus précieux.»

Et la mère, effrayée,° serra° son enfant sur son coeur. Mais la mère était aussi la reine et, droite° au bord de l'abîme, elle leva l'enfant souriant° au-dessus de sa tête et le lança dans l'eau mugissante.

Alors des hippopotames, d'énormes hippopotames émergèrent et, se plaçant les uns à la suite° des autres, formèrent un pont° et sur ce pont miraculeux le peuple en fuite° passa en chantant:

Ebe nin flê nin bâ
Ebe nin flâ nin nan
Ebe nin flê nin dja
Yapen'sè ni djà wali

   Quelqu'un appelle son fils
   Quelqu'un appelle sa mère
   Quelqu'un appelle son père
   Les belles filles se marieront.

Et la reine Pokou passa la dernière et trouva sur la rive° son peuple prosterné.°

Mais la reine était aussi la mère et elle put dire seulement «baouli», ce qui veut dire: l'enfant est mort.

Et c'était la reine Pokou et le peuple garda le nom de Baoulé.

ricanait *was laughing* **sanglier** *wild boar* **grognait** *grunted* **étonné** *astonished* **s'écartait** *moved aside* **broussailles** *brush* **rôniers** *palm trees* entonna = commença à chanter **la brousse** *the bush* **exténués** = très fatigués **amaigris** *very thin* **la course** = l'eau **se brisait** *was breaking* mugissait *was roaring* **flots** *waves* **cimes** = sommets glacés d'effroi *frozen with fright* **consternés** *in alarm* **naguère** = dans le passé plus proches *closer* féconds *productive* **sorcier** *witch doctor* **s'apaisera** = deviendra calme **cher** = précieux **espoir** *hope* **retentit** *resounded* repoussa du pied *kicked away* **effrayée** *scared* **serra** *clutched* **droite** *standing tall* **souriant** *smiling* **à la suite de** *right behind* **pont** *bridge* en fuite *fleeing* **rive** *shore* **prosterné** *prostrate, face to the ground*

■ **Teaching Strategy**

Ask students:

• Relevez tout ce qui, d'après vous, révèle que l'histoire se passe en Afrique. En quoi ces détails sont-ils significatifs?

• À votre avis, y avait-il une autre solution possible pour traverser le fleuve? Laquelle?

• Connaissez-vous une autre légende? Laquelle? Pouvez-vous la résumer brièvement?

■ **Irregular Verb**

(See Appendix C)
fuir

■ **Note linguistique**

Bâ = l'enfant; ou li = est mort.

Teaching Strategy: Multiple Intelligences

Have students create and illustrate a legend, assigning each member of the group a task that utilizes his/her *weakest* learning style. This not only gives students practice in expanding their own abilities, but also helps them to appreciate the difficulties others may have in dealing with certain tasks or subject matters. The legends may be displayed in the classroom.

Vers la vie active

UNITÉ 10

MAIN THEME
University studies and careers

Communication Functions/Contexts

- Deciding on a college major
- Planning for a career
- Looking for a job

Linguistic Goals

- Describing simultaneous actions
- Explaining the purpose of an action
- Explaining the timing, conditions, and constraints of an action

 Internet Connection Notes, Project 1, pp. 135–138

Note culturelle

The **Bac** series **L**, **ES**, and **F** were implemented in 1995 to allow more flexibility, replacing the old bac A (now **L**), bac B (now **ES**), and bacs C, D, E, and S (now **F**). In each **série** and **spécialité**, students are offered optional courses (**les options**) such as ancient Greek, Latin, science, and art history.

UNITÉ 10

Thème et Objectifs

Culture
In this unit, you will discover . . .
- what the **bac** is all about and why it is so important for French young people
- which are the most popular professions in France
- how to prepare for an interview with a French company

Communication
You will learn how . . .
- to talk about what you plan to study in the future
- to indicate what type of job or profession you would like to have
- to describe your personal qualifications
- to prepare a résumé in French

Langue
You will learn how . . .
- to describe simultaneous actions
- to indicate why you do certain things
- to explain under which conditions or constraints you do certain things
- to express how your actions may depend on what others do
- to describe how your actions have an effect on other people

TEACHING RESOURCES

Technology/Audio Visual

  8, 8(o), 9, 52, 53, L10

 Audio CD Program, Unit 10

 Audiocassette Program, Unit 10

 Pas de problème Video Program, Module 12

Print

Audio Script
Overhead Visuals Copymasters/Activities
Answer Key
Video Activity Book, Module 12
Practice Activities, pp. 95–104, 165–172, 197–198

CE FAMEUX BAC!

Corinne, 17 ans, et Guillaume, 18 ans, sont en «terminale», c'est-à-dire, en dernière année de leurs études secondaires. Dans quelques semaines, ils vont passer le bac. Corinne est une excellente élève et pourtant elle a le trac.° «J'ai beaucoup étudié, mais on ne sait jamais. Qu'est-ce que je vais faire si je ne suis pas reçue?° Je n'ai vraiment pas envie de redoubler.»° Guillaume, lui, redouble. Il est plus philosophe et plus décontracté° que Corinne. «Si je n'ai pas mon bac cette fois, je vais faire mon service militaire. Après, on verra!»

Chaque année, en juin, 645.000 jeunes Français passent le bac. C'est un examen très important qui marque la fin des études secondaires et qui détermine, en grande partie, l'avenir des lycéens. S'ils sont reçus, ils peuvent aller à l'université et continuer leurs études. S'ils ratent le bac, ils peuvent redoubler et se représenter° l'année suivante, ou bien ils peuvent faire des études techniques, ou entrer dans la vie professionnelle, ou, pour les garçons, faire leur service militaire. Heureusement, 80% des candidats sont reçus et pour la majorité, ils continuent leurs études.

Il y a plusieurs types (ou "séries") de bac. Ils sont désignés par des lettres. Dans chaque série, l'élève doit choisir une spécialité. Voici les trois séries principales et leurs spécialités:

Ces spécialités sont importantes parce qu'elles déterminent le genre d'études universitaires qu'on peut faire et, par conséquent, sa profession future. Par exemple, si on veut être médecin ou pharmacien, il est conseillé° de faire un bac F, spécialité sciences de la vie et de la terre. Si on pense faire des études de droit ° et devenir avocat, il est préférable de faire un bac ES, spécialité sciences économiques et sociales.

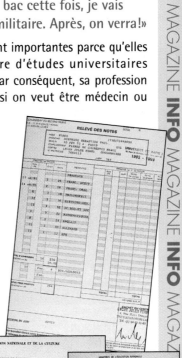

Série littéraire, Bac L:

| langues vivantes | • art |
| lettres classiques | • mathématiques |

Série économique et sociale, Bac ES:

| sciences économiques et sociales | • mathématiques |
| | • langues vivantes |

Série scientifique, bac F:

| mathématiques | • sciences de la vie et de la terre |
| physique chimie | • technologie industrielle |

a le trac *is scared, nervous*   **si je ne suis pas reçue** = si je ne réussis pas   **redoubler** *to repeat a grade*
décontracté *relaxed*   **conseillé** = recommandé   **droit** *law*

INFO MAGAZINE

Theme: Education in France

Reading Strategy: Reading for information, skimming, scanning

📖 Teaching Strategy

These readings can be done:
• in class or as homework
• at the beginning of the unit or as a wrap-up activity
Have students look at the realia and photos and guess the theme of the article. Have them skim, looking for cognates, then give the main idea. Short *Info Magazine* quizzes may be used to test for comprehension or as a basis for discussion.

🌐 Note culturelle

After passing the **baccalauréat** (high school diploma), most French teens enter college. In 1995, the average cost for a Bachelor's degree was between 40,000 and 80,000 francs (about $8,000–$16,000) depending on the type of school and degree. The schooling of a child from age 3 to 18 in France costs an average of 427,000 francs (about $85,400).

■ Notes linguistiques

• Remind your students that **passer un examen** = *to take a test.*
 (**être reçu/réussir à un examen** = *to pass a test*
• **les langues étrangères** = les langues vivantes (≠ les langues mortes)
• **les lettres classiques** = le français, la philosophie, le latin et le grec

Teacher's Resource Package

 Internet Connection Notes, pp. 135–144

 Lesson Plans, Unit 10

 Teacher-to-Teacher, pp. 116–129

Achievement Tests

Quizzes, Unit 10

Unit Test 10

 Reading and Culture Tests

Proficiency Tests

 Listening Comprehension

 Speaking Performance

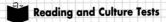 **Writing Performance**

Portfolio Assessment

MAGAZINE **INFO** MAGAZINE **INFO** MAGAZINE **INFO** MAGAZINE **INFO** MAGAZINE **INFO** MAGAZINE **INFO** MAGAZINE **INF**

Les études universitaires durent au moins deux ans. Aussi, certains jeunes qui ont le bac préfèrent étudier en I.U.T. (Institut Supérieur de Technologie) où ils peuvent obtenir un diplôme universitaire de technologie après deux années d'études. Les "grandes écoles" sont une autre option. Ce sont des écoles spécialisées dans certains domaines: commerce, administration publique, professions d'ingénieur, etc. Pour entrer° dans ces écoles prestigieuses, il faut passer un concours° extrêmement difficile, auquel la plupart des candidats échouent.° Cependant, si on est reçu, et si on obtient° le diplôme d'une de ces écoles, on a toutes les chances de faire une brillante carrière dans le commerce, la finance, l'industrie et même la politique.

Comme on peut le voir, les diplômes ont beaucoup d'importance en France. Un diplôme représente une carte d'entrée dans la vie professionnelle. Voilà pourquoi les parents insistent pour que leurs enfants étudient. Les enfants sont générale- ment d'accord pour faire l'effort nécessaire. En France, les études, c'est sérieux!

Petite histoire du bac

◆ Au Moyen-Âge, un bachelier* était un jeune gentilhomme qui voulait être chevalier.° Vers 1500, c'était un étudiant qui avait écrit une thèse° de philosophie.

◆ Le bac moderne date de Napoléon qui l'a institué° en 1808. La première année, il y avait 32 candidats. En 1900, il y en avait 4 000. Aujourd'hui, il y en a 645 000.

◆ Le bac a d'abord été un examen exclusivement masculin. La première «candidate» se présenta en 1861. (C'était une institutrice° de 37 ans!) Aujourd'hui, 57% des candidats sont en réalité . . . des candidates.

◆ À l'origine, l'examinateur interrogeait° le candidat sur une liste de questions préparées à l'avance et tirées au sort.° En un an, le candidat devait apprendre la réponse à 500 questions différentes. Ce système donna lieu° à la pratique de «bachotage», selon laquelle l'élève apprend par coeur un grand nombre d'informations sans en connaître nécessairement le sens.°

◆ Le bac se démocratise.° En 1900, seulement un jeune Français sur cent passait le bac. Aujourd'hui, cette proportion est de 45%. On espère qu'elle sera de 90% en l'an 2000.

* De nos jours, un «bachelier» est une personne qui a son baccalauréat.

---

et vous?

DÉFINITIONS
Définissez les mots ou expressions suivants:
- le «bac»
- le «terminale»
- redoubler
- être reçu à un examen
- l'université
- être prioritaire
- une «grande école»
- un concours

ET VOUS?
Quel genre d'étudiant(e) êtes-vous? Êtes-vous plutôt comme Corinne ou comme Guillaume? Expliquez.

EXPRESSION ORALE
- Avec votre partenaire, discutez les avantages et les inconvénients d'aller à l'université.
- Expliquez à un(e) ami(e) français(e) (votre partenaire) le système d'enseignement aux États-Unis (par exemple, quels sujets on peut choisir à l'école secondaire, comment on obtient son diplôme, ce qu'on doit faire pour aller à l'université, etc.)

EXPRESSION ÉCRITE
Écrivez une lettre à un copain français où vous dites ce que vous allez faire si vous avez votre diplôme d'études secondaires et si vous ne l'avez pas.

---

entrer = être accepté **concours** *competitive exam* **échouent** = ne réussissent pas **obtient / obtenir** *to obtain, get* **chevalier** *knight* **thèse** = essai **institué** = créé **institutrice** = professeur d'école primaire **interrogeait** = posait des questions **tirées au sort** *chosen at rando[m]* **donna lieu** *gave rise* **sens** *meaning* **démocratise** = devient démocratique

---

⊕ NOTES CULTURELLES

Les études universitaires en France sont divisées en trois cycles. Chaque cycle est sanctionné par un diplôme:
- 1er cycle: **le DEUG** (Diplôme d'Études Universitaires Générales; en 2 ans)
- 2e cycle: **la licence** (BA) et ensuite **la maîtrise**

- 3e cycle: **le DESS** (Diplôme d'Études Supérieures Spécialisées), **le DEA** (Diplôme d'Études Approfondies) et **le doctorat**.
- Les **IUT** furent créés en 1966. Ils font partie de l'université et offrent une formation de technicien supérieur en deux ans (avec 35 heures de cours par semaine).

Il a raté le bac

Mathieu gagne très bien sa vie. Il a une voiture de sport, voyage en première classe et, surtout, il fait ce qu'il aime. Pourtant, il a raté le fameux bac. Il raconte:

Je ne suis pas fait° pour les études. Au lycée, ça n'allait vraiment pas. J'étais nul° en maths et en sciences, médiocre° dans les autres disciplines. La seule activité que j'aimais, c'était le sport. Là, j'étais vraiment «top», mais évidemment, ça ne suffisait° pas. J'ai raté mon bac une première fois, j'ai redoublé et je l'ai raté à nouveau. Alors, j'ai abandonné mes études. J'ai cherché un job. Tous les jours, je lisais les petites annonces dans les journaux et je téléphonais, mais sans bac je n'avais aucune chance. Alors, j'ai

décidé de faire mon service militaire. J'ai opté pour un service long qui a duré° deux ans. Pendant mon service, j'ai continué à faire du sport et, surtout, j'ai fait un stage° de parachutisme.

Malheureusement, après mon service, ma situation n'avait pas changé! J'avais pensé être professeur d'éducation physique, mais sans diplôme, ce n'était pas possible. Alors, j'ai fait des petits boulots.° J'ai été chauffeur de taxi. J'ai travaillé dans un fast-food. J'ai été garde du corps° d'un banquier. Tout cela n'était pas ma vocation, et je cherchais désespérément à faire autre chose.

Un jour, finalement, la chance° m'a souri.° On tournait° un film dans le quartier où j'habitais. Je suis allé là pour regarder. Il y avait une scène où l'acteur principal devait sauter° du troisième étage d'une maison en flamme. Ce jour-là, le cascadeur° qui devait le remplacer n'est pas venu. Le metteur en scène° avait l'air désespéré. Alors, j'ai offert mes services. Ça a si bien marché° qu'on m'a embauché° pour le reste du film.

Depuis, je suis cascadeur professionnel. J'ai déjà une vingtaine de films à mon actif.° Évidemment, je ne suis pas la grande vedette,° mais je suis bien payé. Je voyage dans tous les pays du monde. Je connais des tas° d'acteurs et d'actrices et de temps en temps on me demande mon autographe...Et surtout, j'ai trouvé ma voie!° 〟

Le service militaire

Service NATIONAL
Vous et nous, un service à se rendre.

En France, le service militaire tel qu'°il° existe maintenant est en voie de disparition.° Selon les réformes envisagées, mais pas encore mises en place, le service national actuel (qui dure° 10 mois et est obligatoire° pour les garçons de 18 ans et volontaire pour les filles) sera aboli d'ici° l'an 2001 et remplacé par une semaine de «rendez-vous citoyen».

Les jeunes qui le désirent pourront aussi s'engager° dans l'armée, la police ou les pompiers° pour des durées relativement courtes, ainsi que dans des organisations humanitaires comparables au Corps de la Paix.°

et vous?

- Selon vous, quelle est la «morale» de l'histoire de Mathieu?
- Aimeriez-vous être cascadeur / cascadeuse? Expliquez pourquoi ou pourquoi pas.

EXPRESSION ORALE

- Vous êtes journaliste. Interviewez Mathieu (joué par votre partenaire).
- Connaissez-vous des personnes qui n'étaient pas faites pour les études mais qui ont trouvé un job intéressant? Donnez un ou plusieurs exemples.

Je suis pas fait cut out **nul** = zéro **médiocre** below average **suffisait** = c'était suffisant **duré** lasted **stage** training session **petits boulots** = jobs **garde de corps** bodyguard **chance** luck **souri / sourire** to smile **tournait** = filmait **sauter** to jump **cascadeur** stuntman **metteur en scène** director **si bien marché** went so well **embauché** hired **à mon actif** behind me **vedette** = star **tas** = beaucoup **voie** way **tel que** = comme **en voie de disparition** on its way out **obligatoire** compulsory **d'ici** by **s'engager** enlist **pompiers** firefighters **Corps de la Paix** Peace Corps **dure** lasts

■ Additional Information

- In May 1996, President Chirac called for reform of the military service in France, changing it from a mandatory recruitment to a voluntary system.
- Until 1998, conscientious objectors will have to serve 20 months (instead of 10) within the administration, or with a humanitarian organization.
- Some French draftees used to do their military service in the United States as technical advisers in French consulates, or as teachers in Canada.

■ Irregular Verb

(see Appendix C)
sourire *(see* **rire***)*

- Quelques grandes écoles françaises: **HEC** (Haute École de Commerce); **Polytechnique** (Hautes Etudes Scientifiques), **l'ENA** (École Nationale d'Administration qui forme les hauts fonctionnaires de l'état).

- Les classes d'un lycée français sont:
  la seconde (= 11th grade)
  la première (= 12th grade)
  la terminale

PARTIE 1

LE FRANÇAIS
PRATIQUE

Études ou travail?

TEACHING RESOURCES

 Transparencies 8, 8(o), 9, 52

 Overhead Visuals Copymasters and Activities, pp. A18–A21, A112–A115

 Practice Activities, pp. 165–166

 Audio CD 11, Tracks 1–4

 Audiocassette 10, Side 1

 Audio Script, pp. 58–59

 Internet Connection Notes, Project 1, pp. 135–137

 Teacher-to-Teacher, Études ou travail?, pp. 116–118; Trouver celui qui ..., pp. 122–123

■ Notes linguistiques

Remind students of the omission of the definite article with professions:

Ma mère est professeur.

Also:

faire + PARTITIVE + NOUN
Je vais faire du droit/du journalisme/
de la comptabilité.

NOTE: With certain subject matters or professional schools:

faire + NOUN

Je vais faire médecine/pharmacie/ Sciences-Po/Polytechnique.

386 Unité 10

LE FRANÇAIS
PRATIQUE
Études ou travail?

— Qu'est-ce que tu vas faire après le lycée?
Je vais | continuer mes études   chercher | **du travail**
        | aller à l'université | **un emploi** *job*
                                         gagner ma vie

gagner sa vie *to earn a livin*

— Qu'est-ce que tu vas étudier?
Je vais | **étudier** les sciences
        | **faire des études de** biologie
        | **me spécialiser en** chimie

se spécialiser en *to major i*

— Qu'est-ce que tu veux faire plus tard?
Je voudrais être médecin.

> Qu'est-ce que tu va
> après le lycée
>
> Je vais continuer
> mes études.

LES ÉTUDES

Les études scientifiques et techniques
la **chimie**
la **physique**
les **maths**
l'**informatique**
les **études d'ingénieur**

Les études médicales
la **biologie**
la **médecine**
la **pharmacie**
les **études vétérinaires**

Les sciences humaines
l'**histoire**
la **psychologie**
les **sciences économiques**
les **sciences politiques**

Les études commerciales
le **commerce** *business*
la **gestion** *management*
le **marketing**
la **publicité** *advertising*
la **comptabilité** *accounting*

Les études juridiques
le **droit** *law*

Les études littéraires et artistiques
la **philosophie**
la **littérature**
les **langues étrangères**
le **journalisme**
la **musique**
le **dessin** *art, design*

---

1 À l'université

Imaginez que vous avez décidé d'aller à l'université. Choisissez . . .
• une spécialité principale *(major)*
• deux spécialités secondaires *(minors)*
Comparez votre choix de spécialité principale avec le reste de la classe.
Quelle est la spécialité favorite?

▶◀ Teaching Strategy

Have students make up vocabulary flashcards. Next, have them form two circles—one inside the other—with an equal number of students in each circle so that every student has a partner in the other circle. Students from the inside circle test their partners by showing them their flashcards. After testing each card, students should confirm or correct by giving a complete sentence: **Je fais des études de...** or **J'étudie...** or **Je me spécialise en....** After two minutes, call «**Changez de partenaires!**» and the outside circle will rotate.

QUELQUES PROFESSIONS

La médecine
un **médecin**
un(e) **chirurgien(ne)** *surgeon*
un(e) **dentiste**
un(e) **pharmacien(ne)**
un(e) **vétérinaire**
un(e) **infirmier (-ère)**

Le commerce, les affaires *business*
un(e) **vendeur (-euse)** *salesperson*
un(e) **représentant(e)** de commerce
un(e) **spécialiste de marketing**
un(e) **homme (femme) d'affaires**

La finance
un(e) **banquier (-ière)**
un(e) **agent de change** *stockbroker*

Le droit *law*
un(e) **avocat(e)** *lawyer*
un(e) **juge**

La fonction publique *civil service*
un(e) **fonctionnaire** *civil servant*
un(e) **diplomate**
un(e) **assistant(e) social(e)** *social worker*

La technique et les sciences
un(e) **scientifique**
un **ingénieur**
un(e) **chercheur (-euse)** *researcher*
un(e) **technicien(ne)**
un(e) **informaticien(ne)**
un(e) **spécialiste de logiciel** *software*
un(e) **spécialiste de données** *data*

L'administration
un(e) **cadre** *executive*
un(e) **patron(ne)** *boss*
un(e) **chef** *(head)* **de personnel**
un(e) **directeur (-trice)** *manager*

Les emplois de bureau *office*
un(e) **employé(e)** *clerk*
un(e) **secrétaire**
un(e) **comptable** *accountant*

Les services
un **agent immobilier** *real estate agent*
un **agent d'assurances** *insurance agent*

FLASH d'information

Les professions préférées des Français

Ce qui compte le plus dans le choix d'une profession, ce n'est pas nécessairement la possibilité de gagner beaucoup d'argent, c'est avant tout de faire quelque chose d'intéressant. Voici la liste des dix professions préférées des Francais, par ordre d'intérêt.

1. Chercheur scientifique	16%		6. Acteur	10%
2. Pilote	14%		7. Chef de publicité	7%
3. Médecin	14%		8. Professeur d'université	5%
4. Journaliste	14%		9. Avocat	5%
5. Chef d'entreprise	11%		10. Banquier	4%

Choix professionnels

Faites une liste des cinq professions qui sont les plus intéressantes pour vous et des cinq professions qui sont les moins intéressantes. Comparez votre liste avec celle de votre partenaire et expliquez votre choix.

Ma Liste ☺ ☹
1.
2.
3.
4.
5.

Après le lycée

Vous avez décidé de continuer vos études, mais votre partenaire a décidé de chercher du travail (ou vice versa). Expliquez votre décision respective en donnant des arguments. Considérez, par exemple, les aspects suivants . . .

• gagner sa vie
• être indépendant(e)
• se perfectionner en . . . *(to increase one's skills in)*
• avoir plus d'options plus tard

LANGUE ET COMMUNICATION

TEACHING RESOURCES

📖 **Practice Activities,**
pp. 95–98, 167, 197

■ **Expansion**

The infinitive is also used after:
au lieu de *instead of*
Étudier **au lieu de** t'amuser.
à condition de *on condition that*
Je gagnerai ma vie **à condition de** trouver un job.
afin de *in order to*
Pauline travaille **afin de** s'acheter une voiture.

🌐 **Note culturelle**

Molière popularized this saying of Socrates in *L'Avare*:
«Suivant le dire d'un ancien,
il faut manger pour vivre,
et non pas vivre pour manger.»

A. La construction préposition + infinitif

Note the use of the infinitive in the following sentences.

Je voudrais aller à l'université
pour me spécialiser en informatique.

*I would like to go to college
(in order) to major in computer science.*

Tu ne réussiras pas à ton examen
sans étudier.

*You will not pass your exam
without studying.*

Donne-moi ton adresse
avant de partir en vacances.

*Give me your address
before leaving on vacation.*

| In French, the INFINITIVE is used after prepositions such as
pour *(in order to)*
avant de *(before)*
sans *(without)*

Il faut manger pour vivre, et non pas vivre pour manger.

1 À l'université

Chacun a ses raisons pour aller à l'université. Expliquez les raisons des étudiants suivants.

▶ Christine étudie la physique.
Christine va à l'université pour étudier la physique.

1. Nous étudions la biologie.
2. Vous apprenez la comptabilité.
3. Je fais des études de droit.
4. Jean-Paul se spécialise en chimie.
5. Tu continues tes études de musique.
6. Hélène et Alice retrouvent leurs copains de lycée.
7. Marc est avec sa copine.
8. Philippe et Antoine jouent dans l'équipe de football.

2 Ne t'en fais pas! *(Don't worry!)*

Dites à votre partenaire ce qu'il/elle doit faire. Il/elle va suivre vos conseils.

▶ sortir / prendre la clé

1. aller chez tes copains / téléphoner
2. organiser une boum / demander la permission à tes parents
3. répondre à cette question / réfléchir *(think)*
4. quitter le restaurant / payer l'addition
5. prendre la voiture / faire le plein d'essence
6. partir en vacances / réserver une chambre d'hôtel
7. aller à l'entrevue / préparer ton résumé

▶ Ne sors pas sa
prendre la cl

Ne t'en fais pas! Je
prendrai la clé avant
de sortir.

3 Conseils

Votre partenaire va choisir un objectif de la liste ou un objectif de son choix.
Expliquez-lui ce qu'il faut faire pour atteindre *(to reach)* cet objectif.

OBJECTIFS		
• être interprète	• gagner de l'argent	• devenir professeur
• être avocat	• aller à l'université	• devenir vétérinaire
• être ingénieur	• être millionnaire	• ??

▶ Pour être ingénieur,
il faut faire des
études d'ingénieur
(être bon en maths,
aller dans une univer
spécialisée, . . .)

➗ 🔤 Teaching Strategy: Multiple Intelligences

Have every student write a sentence using each of the prepositions from p. 388. These sentences should be about themselves or about friends or family. Have students choose one of their sentences to put on the board. Have three columns on the board: one for **sans**, one for **avant de**, and one for **pour**. Students should write their sentences in the proper column. (LOGICAL-MATHEMATICAL/LINGUISTIC)

B. L'infinitif passé

The verbs in heavy print are in the PAST INFINITIVE. Note the forms of the past infinitive in the following sentences.

Je suis content d'**avoir trouvé** un emploi.	*I am happy to **have found** a job.*
Nous ne regrettons pas d'**être allés** à l'université.	*We do not regret **to have gone** (having gone) to college.*
Alice a étudié après **s'être reposée**.	*Alice studied after **having rested**.*

FORMS

The PAST INFINITIVE is formed as follows:

> **avoir** or **être** + PAST PARTICIPLE

➡ When the past infinitive is a reflexive verb, the reflexive pronoun represents the same person as the subject of the sentence.

> **Je** ne me souviens pas de **m'**être promené dans ce parc.

USES

The PAST INFINITIVE is used instead of the present infinitive to describe an action that takes place <u>before</u> the action of the main verb. It is <u>always</u> used after **après**.

Qu'est-ce que tu vas faire **après avoir fini** tes études?	*What are you going to do **after having finished** (after finishing) your studies?*

Leurs sentiments

Expliquez les sentiments des personnes suivantes en fonction de ce qu'elles ont fait.

▶ Patrick / être content / trouver un bon job
> **Patrick est content d'avoir trouvé un bon job.**

1. Alice / être heureuse / aller au Canada l'été dernier
2. Thomas / être enchanté / faire la connaissance de ta cousine
3. nous / avoir peur / rater l'examen
4. Bruno / être furieux / se tromper dans le problème de maths
5. vous / s'excuser / arriver en retard au rendez-vous
6. Madame Simon / être fière / créer sa propre *(own)* entreprise.

Hier

Demandez à votre partenaire à quelle heure il/elle a fait les choses suivantes hier et ce qu'il/elle a fait après.

▶ te coucher

1. te lever
2. prendre le petit déjeuner
3. arriver à l'école
4. déjeuner
5. rentrer chez toi
6. dîner
7. finir tes devoirs

À quelle heure est-ce que tu t'es couché?

Et qu'est-ce que tu as fait après t'être couché?

À dix heures et demie.

J'ai lu un livre.

(Je me suis endormi. J'ai regardé la télé . . .)

■ Notes linguistiques

■ FORMS

The rules of agreement of the past participle apply to the past infinitive. Note the following examples of agreement of the past infinitive:

(with subject)
> **Alice** s'excuse d'être **arrivée** en retard.

(with preceding direct object)
> Je ne me souviens pas de **les** avoir **rencontrés**.

(with reflexive pronoun when it is a direct object)
> **Nous** regrettons de **nous** être **disputés**.

■ USES

In the negative, **pas** may come before the auxiliary or between the auxiliary and the past participle.

> Je regrette de ne **pas** avoir appris l'espagnol.
> Je regrette de n'avoir **pas** appris l'espagnol.

ALSO:

The past infinitive in French may correspond in English to a past infinitive *(to have done)* or a verb form ending in *-ing* *(having done)*.

■ **Notes linguistiques**

• La forme **en + participe présent** forme ce que l'on appelle **le gérondif.** En général, le gérondif se rapporte au sujet de la phrase et décrit les circonstances de l'action.
• Expansion:
 forger *to forge*
 le forgeron *blacksmith*
 la forge *forge*
 le fer forgé *wrought iron*

■ **Teaching Notes:**
Activity 6

• Quelques titres d'Hemingway en français: *Le Soleil se lève aussi; Pour qui sonne le glas; L'Adieu aux armes; Le Vieil homme et la mer.*
• For more information on **Astérix,** see pp. 100–101.

C. Le participe présent

FORMS

Note the forms of the PRESENT PARTICIPLE in the following sentences.

Parlant français et anglais,
je voudrais travailler pour une firme internationale.

Speaking French and English,
I would like to work for an international c

J'ai rencontré mes copains
en **allant** au cinéma.

*I met my friends
while going to the movies.*

The PRESENT PARTICIPLE always ends in **-ant.** It is formed as follows:

STEM	+	ENDING
nous-form of the present	+	**-ant**

parler:	nous **parl**ons	→ **parlant**	aller:	nous **all**ons	→ **allant**
finir:	nous **finiss**ons	→ **finissant**	faire:	nous **fais**ons	→ **faisant**
attendre:	nous **attend**ons	→ **attendant**	sortir:	nous **sort**ons	→ **sortant**
acheter:	nous **achet**ons	→ **achetant**	voir:	nous **voy**ons	→ **voyant**
commencer:	nous **commenç**ons	→ **commençant**	lire:	nous **lis**ons	→ **lisant**
manger:	nous **mange**ons	→ **mangeant**	prendre:	nous **pren**ons	→ **prenant**

⇒ There are three irregular present participles:
 être → **étant** avoir → **ayant** savoir → **sachant**

⇒ With reflexive verbs, the reflexive pronoun represents the same person as the subject.
 En **me** promenant, **j'**ai rencontré mon professeur d'histoire.

USES

The construction **en** + PRESENT PARTICIPLE is used to express:

• SIMULTANEOUS ACTION *(while, on, upon* doing something)
 Éric écoute la radio
 en **lavant** sa voiture.

 *Éric is listening to the radio
 while washing his car.*

• CAUSE AND EFFECT *(by* doing something)
 Il gagne de l'argent
 en **lavant** des voitures.

 *He earns money
 by washing cars.*

C'est en forgeant qu'on devient forgeron.

6 Études de langues

Pour chaque personne, choisissez une langue et dites comment elle apprend cette langue.

moi	l'espagnol
vous	le français
mon copain	l'anglais
Alice et Catherine	

▶ **Mon copain apprend l'espagnol en écoutant des cassettes de chansons mexicaines (en passant les vacances en Argentine).**

• écouter Radio-France
• étudier à l'Alliance Française
• regarder des westerns à la télé
• écouter des cassettes de chansons mexicaines
• passer les vacances en Argentine
• regarder les bandes d'Astérix
• sortir avec des amis québécois
• lire des romans d'Hemingway

🅱 **Teaching Strategy: Multiple Intelligences**

Give students sentences using **pendant que...** to transform by eliminating **pendant que...** and using the present participle. **Je regarde la télévision pendant que je parle avec ma soeur. = Je regarde la télé en parlant avec ma soeur.**
(LINGUISTIC)

Next, give students two sentences which explain how one arrives at a goal. Have them rewrite the sentences to explain the process in one logical sentence using the present participle: **Je suis devenu(e) prof de français. J'ai étudié beaucoup. C'est en étudiant beaucoup que je suis devenu(e) prof de français.**

C'est simple!

Cet été Céline a travaillé pour gagner de l'argent. Marc lui pose des questions sur son job. Céline lui répond. Avec votre partenaire, jouez les deux rôles.

▶ gagner de l'argent cet été
   travailler dans un restaurant

Comment as-tu gagné de l'argent cet été?

C'est simple! J'ai gagné de l'argent en travaillant dans un restaurant.

1. trouver ce job
   lire les annonces
2. contacter le restaurant
   téléphoner à la propriétaire *(owner)*
3. réussir à l'entrevue
   avoir une bonne attitude
4. apprendre ton travail
   regarder les autres employés
5. recevoir tes pourboires *(tips)*
   être attentive et polie avec les clients

Teaching Strategy: Variation

The students playing the role of Céline may use object pronouns in their answers:
   J'en ai gagné en travaillant dans un restaurant.

1. Je l'ai trouvé ...
2. Je l'ai contacté ...
3. J'y ai réussi ...
4. Je l'ai appris ...
5. Je les ai reçus ...

Zut alors!

Les personnes suivantes ont eu des problèmes. Expliquez quand ou comment c'est arrivé.

▶ Monsieur Lasalle s'est coupé. (Il se rasait.)
   Monsieur Lasalle s'est coupé en se rasant.

1. Stéphanie s'est blessée. (Elle faisait de l'alpinisme.)
2. Je suis tombé. (Je descendais les escaliers.)
3. Tu t'es cassé une dent. (Tu mangeais du homard [*lobster*].)
4. Vincent a perdu son portefeuille. (Il allait au cinéma.)
5. Nous nous sommes perdus. (Nous nous promenions à la montagne.)
6. Vous avez eu un accident. (Vous faisiez du parapente.)

Comment?

Dites comment les personnes suivantes font certaines choses.

▶ Philippe célèbre son anniversaire. Il organise une boum.
   Philippe célèbre son anniversaire en organisant une boum.

1. Catherine reste en forme. Elle nage tous les jours.
2. Isabelle se repose. Elle écoute de la musique classique.
3. Jérôme amuse ses amis. Il imite Jim Carrey.
4. Alice gagne de l'argent. Elle fait du babysitting.
5. Thomas aide ses parents. Il passe l'aspirateur.
6. Stéphanie s'informe. Elle lit des magazines.
7. Carole reste en contact avec ses amis. Elle leur écrit pour leur anniversaire.
8. Marc soigne sa grippe. Il boit du thé chaud.
9. Édouard contribue à la protection de l'environnement. Il ramasse *(picks up)* les vieux papiers.
10. Hélène fait des bonnes actions *(deeds)*. Elle aide une famille d'immigrés.

Et vous?

Avec votre partenaire, dites comment vous faites les mêmes choses que celles de l'activité 9.

▶ **Moi, je célèbre mon anniversaire en faisant du bowling avec mes copains.**

Langue et communication 391

COMMENT SE PRÉSENTER À UNE ENTREVUE

Vous avez lu les journaux et vous avez trouvé une petite annonce qui vous a intéressé(e). Vous avez téléphoné. On vous a demandé d'envoyer votre curriculum vitae. Quelques jours plus tard, on vous a convoqué(e)° pour une entrevue. Finalement le grand jour est arrivé. Ne le ratez pas! Voici quelques conseils.

Pour l'entrevue

Habillez-vous correctement.

La présentation a beaucoup d'importance. Soignez-la!° Pour les garçons, mettez un costume et une cravate. Pour les filles, mettez une robe classique. Si vous avez le temps, passez chez le coiffeur quelques jours avant l'entrevue. Laissez vos lunettes de soleil chez vous, même s'il fait beau. Évitez les couleurs criardes° et les parfums excessifs. Et pas de coiffure extravagante.

Arrivez à l'heure ou même un peu avant.

Soyez poli avec la réceptionniste. Attendez patiemment votre tour, même si la personne avec qui vous avez rendez-vous est en retard.

Ne soyez pas intimidé.

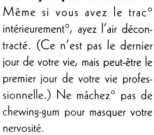

Même si vous avez le trac° intérieurement°, ayez l'air décontracté. (Ce n'est pas le dernier jour de votre vie, mais peut-être le premier jour de votre vie professionnelle.) Ne mâchez° pas de chewing-gum pour masquer votre nervosité.

Pendant l'entrevue

Répondez clairement et distinctement aux questions de l'interviewer.

Mettez en valeur° vos talents et vos qualifications, mais sans les exagérer. Surtout, ne vous inventez pas un curriculum vitae extraordinaire. (À votre âge, il est normal que votre expérience professionnelle soit limitée.)

Soyez attentif et respectueux.

Ayez l'air intéressé par ce qu'on vous dit. N'interrompez pas l'interviewer quand il vous parle. Posez des questions, mais seulement au bon° moment. À l'occasion, prenez des notes. (Pour cela, n'oubliez pas d'apporter un carnet et un stylo à l'entrevue. Cela fera bonne impression.) Ne regardez jamais votre montre pendant l'entrevue.

Ne soyez pas trop personnel.

Parlez de votre vie personnelle seulement si cela a un rapport° avec vos qualifications pour le job. Ne soyez pas familier avec votre interviewer. (Par exemple, n'essayez pas de savoir qui sont les personnes sur les photos qui peuvent être sur son bureau!)

convoqué(e) *called* **Soignez-la!** *pay careful attention to it* **criardes** *loud* **trac** *are scared, nervous* **intérieurement** *inside* **mâchez** *chew* **mettez en valeur** *emphasize* **interrompez / interrompre** *to interrupt* **bon** *right* **rapport** *connection*

392 Unité 10 ■ INFO Magazine

◆ **Ne parlez jamais de salaire.**
Si vous êtes accepté pour le job, il sera temps d'en discuter à ce moment-là.

Après l'entrevue

Soyez persévérant sans être trop insistant.

Si possible, écrivez une lettre assez courte dans laquelle vous remerciez l'interviewer de l'entretien qu'il vous a donné. Cela l'aidera à se souvenir de vous. Ne téléphonez pas tous les jours à la compagnie pour connaître les résultats de l'entrevue. En fait, attendez au moins 15 jours avant de vous informer sur votre sort.°

Restez optimiste.

Même en cas de réponse négative, vous avez acquis° l'expérience de l'entrevue. Cela vous sera utile pour la prochaine fois.

et vous?

Avec votre partenaire, déterminez quels sont les trois (3) conseils les plus utiles et dites pourquoi.

EXPRESSION ÉCRITE

Décrivez une entrevue personnelle que vous avez eue. Mentionnez, par exemple:
- comment vous étiez habillé(e)
- quand vous êtes arrivé(e) à l'entrevue
- comment vous vous sentiez
- qui était l'interviewer
- quelles questions il/elle vous a posées
- comment vous avez répondu
- quels problèmes vous avez eus pendant l'entrevue
- qu'est-ce que vous avez fait après l'entrevue
- quel a été le résultat de cette entrevue

CURRICULUM VITAE

et vous?

Vous voulez travailler pour une compagnie française. Préparez votre propre curriculum vitae sur le modèle indiqué.

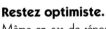
rt *fate*
cquis / acquérir* *to acquire*
urant *fluent*
r demande *on request*

CURRICULUM VITAE

Karine PERRAUDIN
125, rue de l'Ermitage
37100 Tours
tél. 02-47-31-22-51
19 ans

ÉTUDES — 1 année de préparation, École Supérieure de Commerce, Bac F, mention assez bien

LANGUES — Anglais (courant°)
Allemand
Notions d'espagnol

EXPÉRIENCE — été 1995 Stage d'un mois à CANAL-PLUS (service marketing)

été 1994 Réceptionniste dans un hôtel 3 étoiles

été 1993 Animatrice dans une colonie de vacances pour enfants handicapés

POSTE SOUHAITÉ — Stage de 4 à 6 semaines, si possible rémunéré, dans un service de publicité ou de marketing. Préférence pour compagnie internationale.

SPORTS ET HOBBIES — Tennis, Natation, Escalade, Musique (violon), Photo

RÉFÉRENCES — Sur demande.°

🌐 **Notes culturelles**
- Le C.V. est l'abréviation usuelle de **curriculum vitae. Curriculum vitae** est une expression invariable d'origine latine signifiant littéralement "la course de la vie."
- Il est d'usage en France d'inclure son âge et son état civil (**marié[e], célibataire, divorcé[e] ou veuf/veuve**) sur son C.V. De plus, beaucoup de compagnies exigent une lettre d'accompagnement écrite à la main de manière à pouvoir en faire **l'analyse graphologique** avant de décider d'interviewer le candidat ou non.

■ **Irregular Verb**
(see Appendix C)
acquérir

👥 **Teaching Strategy**

Divide the two pages of reading into three parts: **Pour l'entrevue/Pendant l'entrevue/Après l'entrevue.** Divide the class into groups and give each group one of the sections. Have them read each section carefully, prepare an explanation/presentation about it and write three questions about the information to give to the class as a mini-quiz.

PARTIE 2

LE FRANÇAIS

PRATIQUE

La vie professionnelle

TEACHING RESOURCES

 Transparency 53

 Overhead Visuals Copymasters and Activities, pp. A116–A118

 Practice Activities, pp. 168–171

 Internet Connection Notes, Project 1, p. 138

🌐 Note culturelle

The minimum wage was created in France in 1950. In 1995, it was about 35 francs per hour (about $7). The minimum wage is regularly increased.

■ Note linguistique

Les nouvelles technologies, telles que les ordinateurs personnels et les télécopieurs, permettent à un certain nombre de personnes de travailler chez elles. C'est ce que l'on appelle en France "le télétravail" (travail à distance).

LE FRANÇAIS

PRATIQUE

La vie professionnelle

— Où voudrais-tu travailler?
  Je voudrais travailler **dans/pour une banque.**

un bureau	**une compagnie internationale**
une usine *factory*	**un cabinet** *(office)* **d'avocat**
une agence de voyages	**un laboratoire de recherches**

Où voudrais-tu travailler?

Je voudrais travailler ... une banque.

— **Dans quelle branche d'activité** voudrais-tu | travailler? / **faire carrière?**
  J'aimerais travailler dans **la finance.**

le commerce *trade*	**l'informatique**
l'industrie	**la recherche** *(research)* **scientifique**
la communication	**la fonction publique** *civil service*
la publicité *advertising*	**les relations publiques**
les assurances *insurance*	**l'immobilier** *real estate*
les affaires *business*	

— **Pour quel genre d'entreprise** voudrais-tu travailler?
  Je voudrais travailler **pour une** | **petite** / **grande** | **entreprise.**

une compagnie	**moyenne** *average size*
une firme	**multinationale**
une société	

Je voudrais | travailler **à mon propre compte** *(for myself).* / **créer ma propre** *(own)* **entreprise.**

— **Qu'est-ce que tu recherches** / **Qu'est-ce qui t'intéresse** / **Qu'est-ce qui compte le plus** | dans ce travail?
  Je recherche **un bon salaire.**

rechercher *to look for, search*

une bonne ambiance *atmosphere*
de bonnes conditions de travail
la possibilité de promotion
des responsabilités importantes
des avantages sociaux *fringe benefits*

🏃 Teaching Strategy: Multiple Intelligences

As a week-long project, have each of the students begin by preparing their **curriculum vitae.** Be sure they are very careful to be clear, concise and grammatically correct. Each group should prepare two interviews giving each student a chance to be interviewer/interviewee. The next day have students dress appropriately for the presentation of the interviews to the class. (BODILY-KINESTHETIC/INTERPERSONAL)

Un sondage

Conduisez un sondage dans la classe pour déterminer . . .

- le lieu de travail préféré
- le type d'entreprise préféré
- la branche d'activité préférée
- l'aspect le plus important d'un travail

Choix professionnel

Votre partenaire et vous, vous allez choisir une profession qui vous intéresse.
(Chacun va choisir une profession différente.) Comparez les avantages
de chaque profession sur la base des éléments suivants.

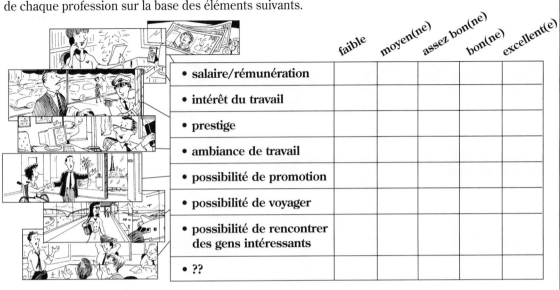

	faible	moyen(ne)	assez bon(ne)	bon(ne)	excellent(e)
• salaire/rémunération					
• intérêt du travail					
• prestige					
• ambiance de travail					
• possibilité de promotion					
• possibilité de voyager					
• possibilité de rencontrer des gens intéressants					
• ??					

La meilleure solution

Préféreriez-vous travailler pour une compagnie ou créer votre propre entreprise?
Chaque solution a ses avantages, mais aussi ses désavantages. Avec votre partenaire, évaluez
ces avantages et ces désavantages.

- Quelle est la meilleure solution pour vous?
- Quelle est la meilleure solution pour votre partenaire?

AVANTAGES

peu important	important	très important

DÉSAVANTAGES

Créer sa propre entreprise

- Satisfaction personnelle
- Indépendance
- Heures flexibles
- Possibilité de devenir riche
- ??

- Possibilité d'échec (failure)
- Risques financiers
- Travail très dur
- Trop de responsabilités
- ??

Travailler pour une compagnie

- Horaire régulier
- Salaire régulier
- Avantages sociaux
- Responsabilités limitées
- ??

- Salaire limité
- Hiérarchie pesante (heavy)
- Travail monotone
- Pas assez de responsabilités
- ??

Teaching Strategy: Activity 1

- This activity can also be done as pair interviews.
- The survey can be done with a group leader reading options from the vocabulary list. Students in the group indicate their responses and compile a list.

Supplementary vocabulary

la flexibilité *flexibility*
les heures supplémentaires *overtime*
le pointage *clocking in/out*
le stress
la vocation *vocation*
le rendement *output, efficiency*
le déplacement *business travel*
un organisme
une organisation
une affaire *business*
la sécurité de l'emploi *job security*

■ **Expansion: Activity 2**
Other categories students may want to consider:
  la sécurité de l'emploi
  les vacances
  les congés *paid vacation*

■ **Note linguistique**
Note that the verb "to commute" has no direct translation in French.
to commute = **faire la navette (pour se rendre au travail tous les jours)**
commuter = **personne qui fait la navette (pour se rendre au travail tous les jours)**
Attention: the French verb **commuter** means *to switch over; to commute (as in a penalty)*

TEACHING RESOURCES

 Audio CD 12, Tracks 1–5

 Audiocassette 10, Side 2

 Audio Script, pp. 60–63

 Teacher-to-Teacher, Un emploi, pp. 119–121; Jumeaux/Jumelles, pp. 126–129

■ **Note linguistique**

Entrevue/interview/entretien: These three expressions are synonymous.

Supplementary vocabulary

mettre une annonce
lire les offres d'emploi

j'ai travaillé dans ...
  un restaurant
  un fast-food

LE FRANÇAIS
PRATIQUE

À la recherche d'un emploi

Qu'est-ce que tu vas faire pour trouver du travail?

Je vais lire les annonc...

POUR TROUVER DU TRAVAIL

— Qu'est-ce que tu vas faire pour trouver du travail?

Je vais | **lire les annonces** classified ads.
répondre à l'annonce.
téléphoner au chef du personnel.
prendre rendez-vous to make an appointment.
envoyer mon curriculum vitae resume.
solliciter to ask for | **une entrevue** interview.
une interview.
un entretien.
aller à l'entrevue.

PENDANT L'INTERVIEW

— Quel emploi cherchez-vous?

Je cherche **un emploi temporaire.**

un job d'été	**un emploi à mi-temps** half time
un stage internship	**un emploi à temps partiel** part time
	un emploi à temps complet full time

— Avez-vous déjà travaillé?

Oui, j'ai travaillé dans | un hôpital.
une boutique.
un supermarché.

Non, je n'ai **pas d'expérience professionnelle.**

— Qu'est-ce que vous savez faire?

Je sais **parler anglais.**

parler français, espagnol, chinois . . .
conduire une voiture
utiliser | **un ordinateur**
me servir d'
classer des documents

conduire to drive
se servir de to use
classer to file

— Quelles sont vos qualifications personnelles?

J'ai **l'esprit d'initiative.**

de l'ambition
le sens des contacts humains
le goût (liking) **des responsabilités**
une bonne formation (education) **générale**
des connaissances (knowledge) **techniques**

🌐 NOTES CULTURELLES

• One way to find work in France is to use the services of the **ANPE (Agence Nationale Pour l'Emploi)**. This agency, created in 1967, helps French citizens find jobs, and provides training workshops as well as career counseling.

• In France, you must be at least 16 to be legally allowed to work full time. (See *Info Magazine* article, «Le travail, ça paie!», pp. 82–83, plus accompanying teacher notes, for further information.)

— Quels documents avez-vous apportés?
  J'ai **mon curriculum vitae**.

> **des lettres de recommandation**
> **mes références**
> **mes diplômes**

> Quels documents avez-vous apportés?

> J'ai mon curriculum vitae.

> **offrir** *to offer*
> **engager** *to hire*

— Merci! **Vous faites l'affaire!** *(You are qualified.)*
  Nous allons vous │ **offrir** un emploi.
                    │ **engager**.

Je suis désolé(e), mais **vous ne faites pas l'affaire**.

Supplementary vocabulary

embaucher *to hire*
renvoyer *to fire, let go*
mettre à la porte *to fire*
licencier *to dismiss/lay off*
le demandeur d'emploi *job seeker*
l'intérimaire *(f. & m.) temp (worker)*
les compétences *(f.) qualifications*
le dynamisme *dynamism*
le traitement de texte *word processing*
taper *to type*

Note culturelle

- Une façon moderne de trouver un job d'été est de consulter les offres d'emploi sur **l'Internet**, à la page "jobs on line." Si on n'a pas accès à l'Internet chez soi, on peut aller dans **un cyber-café**.
- Pour répondre à une offre d'emploi, il faut accompagner son CV d'une **lettre de motivation**.

Conversations libres

Avec votre partenaire, choisissez l'un des sujets suivants. Composez et jouez le dialogue correspondant à ce sujet. Votre partenaire va jouer l'autre personne.

1   Jobs d'été

Votre camarade et vous, vous habitez en France. Discutez de ce que vous allez faire pour trouver un job cet été.
Rôles: deux étudiants français.

2   Télémarketing

Dans le journal, vous avez lu une annonce dans laquelle une firme française de produits cosmétiques cherche des étudiants américains pour vendre ses produits par téléphone. Téléphonez à cette firme pour expliquer vos qualifications.
Rôles: un(e) étudiant(e) américain(e) / le représentant de la firme

3   Agence de voyages

Une agence de voyages française cherche un(e) assistant(e). Vous avez obtenu une entrevue avec le chef du personnel. C'est le jour de l'entrevue.
Rôles: un(e) candidat(e) / le chef du personnel

4   Compagnie internationale

Vous venez d'obtenir votre diplôme universitaire avec une spécialité en littérature française. Vous répondez à l'annonce d'une compagnie internationale qui recrute des étudiants pour son département de marketing. Vous n'avez pas fait d'études de marketing. Expliquez à l'interviewer pourquoi vous voulez le job et pourquoi vous êtes tout de même *(nevertheless)* qualifié(e).
Rôles: un(e) candidat(e) / l'interviewer

5   Office de Tourisme

Vous habitez en France. L'Office de Tourisme de votre ville recrute des étudiants parlant anglais pour développer le tourisme dans la région. Vous avez une entrevue avec la directrice de l'Office du Tourisme.
Rôles: un(e) candidat(e) / la directrice

Le français pratique **397**

- French teens like to find summer jobs. They may find work in such areas as:
  - **la restauration rapide** (pays about 37F/hour)
  - **les parcs à thème** (Parc Astérix pays about 37F/hour)
  - **les hypermarchés** (37F to 50F/hour)
  - **les instituts de sondage** (44F to 54F/hour)

■ Notes linguistiques

• The subjunctive is also
used after:
afin que *in order that*
bien que *although*
quoi que *although*
pourvu que *provided
that*

• The pleonastic (or
redundant) **ne** is optional
after **avant que** and **sans
que.** It is more frequently
used with **à moins que.**
Je finirai mon travail
avant que vous **ne**
veniez.
Nous sortirons **à moins
qu'il ne** fasse mauvais.

• The infinitive is used under
the same conditions after:
à moins de
à condition de
afin de

A. La construction conjonction + subjonctif

Note the use of the subjunctive in the following sentences.

Je te prête le journal
pour que tu lises les petites annonces.

I am lending you the paper
***so that you read** the ads.*

Téléphone au chef du personnel
avant qu'il parte en vacances.

Call the head of personnel
***before he leaves** on vacation.*

Nous vous engagerons
à condition que vous ayez
de bonnes recommandations.

We will hire you
***provided that you have**
good recommendations.*

The SUBJUNCTIVE is used after certain conjunctions which express:

• PURPOSE or INTENT

pour que	*so that*	Le professeur explique **pour que** vous **compreniez**.

• CONDITION or RESTRICTION

à condition que	*provided, on condition that*	Nous ferons une promenade à vélo **à condition qu'**il **fasse** beau.
à moins que	*unless*	J'irai à la plage **à moins qu'**il **fasse** mauvais.
sans que	*without*	Philippe est parti **sans que** tu lui **dises** au revoir.

• TIME LIMITATION

avant que	*before*	Je vous téléphonerai **avant que** vous **partiez**.
jusqu'à ce que	*until*	Nous attendrons **jusqu'à ce que** vous **veniez**.

➡ The INFINITIVE is used after **avant de, pour,** and **sans** when the subject of the main
clause and the dependent clause are the same.

Victor est venu . . .
pour parler de ses projets.
avant d'aller en France.
sans avoir rendez-vous.

Victor est venu . . .
pour que vous parliez de vos projets.
avant que vous alliez en vacances.
sans que vous ayez rendez-vous.

➡ Remember that the INDICATIVE is used after conjunctions, such as
parce que, pendant que, depuis que, lorsque.

Je cherche du travail **parce que** j'**ai** besoin d'argent.

▧ Teaching Strategy

Before class write the following conjunctions on
separate pieces of paper: **pour que...pour...
à condition que...à condition de... à moins
que...sans que...sans...avant que...avant...
jusqu'à ce que** so that each pair of students
has two conjunctions. Put the papers into a hat
and have each pair pick two conjunctions and

write creative sentences using these words.
Then write each of the conjunctions on the
board and have the students write their
sentences under the appropriate conjunction.
The whole class could then vote on the most
creative/amusing sentence.

Prêts

Vous êtes une personne généreuse qui prête ce qu'elle a. Choisissez une chose et dites à qui vous allez la prêter et pourquoi.

▶ **Je vais prêter dix dollars à mon cousin Christophe (à ma soeur Michelle) pour qu'il/elle aille au cinéma.**

QUOI?	POURQUOI?
mon vélo	s'acheter un livre
mon gant de baseball	faire un tour à la campagne
ma radiocassette	aller au ciné
ma mini-chaîne	prendre des photos
dix dollars	organiser une boum
vingt dollars	écouter ce nouveau CD
??	??

Il y a toujours une raison

Expliquez pourquoi les personnes suivantes font certaines choses pour d'autres personnes.

▶ Madame Bertrand / donner de l'argent à sa nièce / s'acheter une mini-chaîne
  Madame Bertrand donne de l'argent à sa nièce pour qu'elle s'achète une mini-chaîne.

1. Thomas / prêter son vélo à son copain / faire une promenade à la campagne
2. Monsieur Thibault / payer les études à sa fille / être avocate
3. Madame Rémi / envoyer un chèque à son fils / payer sa scolarité *(tuition)*
4. le professeur / écrire des lettres de recommandation aux élèves / trouver du travail
5. Marc / inviter sa copine à dîner / faire la connaissance de ses parents
6. Madame Lombard / envoyer ses enfants en Angleterre / apprendre l'anglais

Dépêchez-vous!

Dites à votre partenaire de se dépêcher de faire certaines choses.

> **Va à la bibliothèque avant qu'elle ferme.**

▶ aller à la bibliothèque (elle va fermer)

1. téléphoner à ta copine (elle va sortir)
2. ranger ta chambre (tes copains vont venir)
3. finir tes devoirs (on va aller au ciné)
4. promener le chien (il va faire noir)
5. acheter cette mini-chaîne (les prix vont augmenter)
6. chercher un job (les vacances vont commencer)
7. demander des lettres de recommandation (tes profs vont partir en vacances)
8. répondre à cette annonce (la compagnie va engager quelqu'un d'autre)

Teaching Strategies

💻 Module 12: La Fête de la musique

Use the video to help students identify the grammatical structures presented. This module is also an excellent source of cultural expansion material.

🎵 Multiple Intelligences

Students who are particularly musical will enjoy this module on the **Fête de la musique** in France. Perhaps they may even plan to visit and participate professionally!
(MUSICAL)

■ **Teaching Note**

For more information on the castle of **Amboise** see p. 147.

4 Conditions

François demande à sa mère s'il peut faire certaines choses. Sa mère accepte mais à certaines conditions. Avec votre partenaire, jouez les deux rôles.

▶ aller à la boum / rentrer avant minuit

FRANÇOIS: **Dis, est-ce que je peux aller à la soirée?**

SA MÈRE: **Je veux bien, mais à condition que tu rentres avant minuit.**

FRANÇOIS: **Bon, d'accord! Je rentrerai avant minuit.**

1. regarder mes vidéocassettes / finir tes devoirs
2. écouter mes disques / ne pas faire de bruit
3. inviter un copain à dîner / mettre la table
4. organiser un pique-nique / faire les courses
5. prendre la voiture / être prudent
6. voyager cet été / réussir à tes examens

5 Négociation

Votre partenaire va vous demander de faire une des choses suivantes pour lui/elle. Négociez un échange.

- prêter ton VTT
- prêter ta radiocassette
- prêter dix dollars
- inviter au café
- inviter à ta boum
- présenter à tes copains
- aider avec le devoir
- aider à ranger ma chambre

▶ — **Dis, est-ce que tu peux me prêter ton VTT?**
— **D'accord, mais à condition que tu me prêtes ton appareil-photo (que tu m'aides avec le problème de maths, . . .)**

6 Une promenade à vélo

Vous êtes en Touraine avec votre partenaire. Vous organisez une promenade à vélo. Expliquez vos projets à votre partenaire.

▶ Nous ferons une promenade samedi. (à condition que / il fait beau)
Nous ferons une promenade samedi à condition qu'il fasse beau.

1. Le matin, nous visiterons le château d'Amboise. (à moins que / il est fermé)
2. Je te prêterai mon appareil-photo. (pour que / tu prends des photos)
3. Après, nous ferons un pique-nique. (à moins que / nous trouvons une petite auberge sympathique)
4. Nous irons dans cette auberge. (à condition que / elle a des spécialités régionales)
5. Ensuite nous continuerons notre promenade. (jusqu'à ce que / nous sommes fatigués)
6. Nous rentrerons. (avant que / il fait nuit)

le château d'Amboise

Double effet

En général, nos actions nous concernent nous-mêmes. Elles peuvent aussi concerner d'autres personnes. Exprimez cela d'après le modèle.

▶ J'achète le journal pour lire les petites annonces. (tu)
J'achète le journal pour que tu lises les petites annonces.

1. Madame Gustave passe un an au Brésil pour apprendre le portugais. (ses enfants)
2. Monsieur Guyon commande un taxi pour être à l'heure au rendez-vous. (son patron)
3. Nous allons dans ce magasin pour regarder les ordinateurs. (vous)
4. Je rendrai visite à mes cousins avant de partir en vacances. (ils)
5. Nous te téléphonerons avant d'aller en France. (tu)
6. Monsieur Durand ne partira pas sans avoir son passeport. (sa femme)
7. Nous ne quitterons pas Paris sans voir Notre Dame. (nos enfants)
8. Monsieur Thomas achète un nouveau logiciel *(software)* pour faire sa comptabilité *(accounting)*. (sa secrétaire)
9. Je téléphone à la directrice pour avoir une entrevue. (tu)
10. Madame Rimbaud relit la lettre avant de signer. (son patron)
11. Le chef du personnel n'engagera pas ces candidats sans parler au président de la compagnie. (ils)

C'est vous le président!

C'est vous le président de votre propre entreprise. Tous les mois, vous réunissez votre personnel. Faites votre présentation en complétant les phrases suivantes.

1. Je vous ai demandé de venir pour que . . .
   (vous / discuter des progrès de l'entreprise)
2. Nos ventes *(sale)* ont progressé depuis que . . .
   (je / vous avoir parlé le mois dernier)
3. En particulier, nos exportations vers le Japon ont augmenté depuis que . . .
   (le franc / avoir été dévalué)
4. J'ai contacté notre agence de Tokyo pour que . . .
   (elle / faire de la publicité à la télévision)
5. Nous devons développer de nouveaux produits sans que . . .
   (nos concurrents / le savoir)
6. Pour financer ces produits, je vais emprunter de l'argent à la Banque Nationale de Paris pendant que . . . (les taux [*rates*] d'intérêt / être favorables)
7. Nous allons réussir à moins que . . .
   (la situation économique / devenir mauvaise)
8. J'augmenterai vos salaires à condition que . . .
   (vous / continuer dans vos efforts)
9. Pour ma part, je vais continuer à travailler jusqu'à ce que . . .
   (cette compagnie / être la première compagnie dans sa spécialité)
10. C'est possible parce que . . .
    (nos produits / être les meilleurs produits du monde)

Hold a career day featuring professions involving foreign languages. This could be done in conjunction with other foreign-language classes.

Language Arts: Write for information about jobs in local companies that require both French and English.

Math: Find out how many companies in your state use French in some way. Display your information in a chart.

Science: Contact a major university or international company and inquire about language barriers. How do scientists from different countries communicate?

Social Studies: Research a list of local companies with French branches, and French companies with American branches.

Art/Music: Write a biographical profile of a francophone star who is also successful in the U.S.

Technology: Find out how technology is used to communicate or send information overseas. Or find out about technology that translates words from one language into another.

Community: Invite professionals from different fields involving foreign languages to speak at a school assembly or community gathering.

☀ Expansion linguistique

• In France, the CEO of a company is referred to as **le PDG (Président-Directeur-Général)**. An executive is **un cadre**.

✤ Quelques logiciels populaires en France:
le traitement de texte *word processing*
le tableur *spreadsheet*
la gestion/la comptabilité *accounting*

LECTURE

Le portrait

Yves Thériault

🌐 **Note culturelle**

Yves Thériault wrote about the natural beauty of Quebec in *Le Dompteur d'ours.* He became interested in the **inuit** (Eskimos) in his book *Agaguk,* and Native Americans in *Askini.*

AVANT DE LIRE

Le but d'un conte est de distraire.° Pour cela, un conte doit contenir un élément qui attirera et maintiendra l'attention du lecteur: humour, intrigue, développement psychologique, etc.

Dans le conte que vous allez lire, Hélène, une jeune fille canadienne, découvre un portrait dans le grenier de la ferme où elle habite avec sa famille. Elle apprend que c'est le portrait d'un oncle mort il y a longtemps et dont personne ne veut parler.

D'après cette courte introduction, quel est, selon vous, l'élément que l'auteur utilisera pour retenir l'attention des lecteurs?

- l'humour?
- le mystère?
- l'intrigue?
- le récit d'aventures?
- le développement psychologique?
- autre élément?

Yves Thériault (1915-1983) est un auteur québécois. Avant de se consacrer à la littérature, il a fait un peu tous les métiers: conducteur de camion, marchand de fromages, présentateur à la radio, traducteur. . . Écrivain très prolifique, il a écrit des essais, des contes sur des thèmes canadiens, aussi bien qu'une série de romans policiers.

LE PORTRAIT

📖 **Teaching Strategy**

Have students read the material in the *Avant de lire* section and work in groups to discuss the questions. Ask students to summarize the responses from their group and tally the results for the whole class. Using **Overhead Transparency 10,** ask students to look at the visuals to determine whether there are any clues to the author's technique.

1

J'ai trouvé le portrait dans le grenier, un matin de juin. J'y étais allée chercher des pots° pour les confitures de fraises, puisque nous étions au temps de l'année pour ces choses.

Le portrait était derrière un bahut.° J'ai vu la dorure° du cadre. J'ai tiré à moi,
5   et voilà que c'était le portrait.

Celui d'un homme jeune, aux cheveux bruns, à la bouche agréable, et des yeux qui me regardaient. De grands yeux noirs, vivants . . .

J'ai descendu le portrait dans la cuisine.

— Voilà, mère, c'était au grenier.
10   Elle regarda le portrait d'un air surpris.

— Nous avions donc ça ici, ma fille? Tiens, tiens . . .

J'ai demandé:

— Qui est l'homme? Parce que c'est un bel homme. Il est vêtu° à la mode ancienne, mais c'est un magnifique gaillard . . .°
15   — Ton oncle, dit-elle, le frère de ton père. Le portrait a été peint alors qu'il était jeune.

— Quel oncle?

Je ne connaissais qu'une vague tante, pâle, anémique, qui vivait à la ville et venait chez nous une fois l'an. C'était, à ma connaissance, la seule parente de mon
20   père.

Je l'ai dit à ma mère.

— Je ne me connais pas d'oncle . . .

— C'était le plus jeune frère de ton père. Ils étaient quatre. Trois garçons,
25   une fille. Il ne reste que ton père et ta tante Valérienne.

— Les autres sont morts?

Elle fit° oui de la tête.

— Même celui-là? dis-je, même ce bel oncle-là?

— Oui.

Mots utiles	
le cadre	frame
la colère	anger
le grenier	attic
chercher à	= essayer de
descendre	to bring down
pendre	to hang
secouer	to shake
tirer	to pull, draw
ça n'a pas d'importance	that doesn't matter
il ne reste que...	there is/are only . . . left
mieux vaut	= il vaut mieux

pot *jar* **bahut** *cupboard* **dorure** *gilt* **vêtu** *dressed* **gaillard** *guy* **fit** = dit

■ **Note linguistique**
In the Middle Ages, **un bahut** was a wooden chest used when traveling. Nowadays, it means a cupboard and is familiar teenage slang for **le lycée (aller au bahut = aller au lycée).**

■ **Additional Information**
Strawberries are in season in June and July.

■ **Irregular Verb**
(See Appendix C)
mourir

🔷 Teaching Strategy: Multiple Intelligences

Ask students to look at the illustrations in the first section of the story <u>without</u> reading the text. Then ask them to write a short caption for each picture that describes what seems to be happening. They may also provide speech bubbles for dialog if they prefer, or even create their own versions of the pictures and write captions. Then have students read the story and determine whether their predictions based on visual cues were accurate. (SPATIAL)

— Ce n'est pas juste de mourir quand on est si jeune et si beau . . . Non, ce   30
n'est pas juste . . . Eh bien, oui, j'avais un bel oncle. Dommage qu'il soit mort . . .

Ma mère me regardait curieusement.

—Hélène, tu dis de drôles de choses . . .

Mais je n'écoutais pas ma mère. Je regardais le portrait. Maintenant, à
la lumière plus crue° de la cuisine, le portrait me paraissait encore plus beau,   35
encore mieux fait . . . Et j'aimais bien les couleurs.

— Je le pends dans ma chambre, dis-je . . .

— Comme tu voudras, dit ma mère, aujourd'hui, ça n'a plus d'importance.
La remarque n'était pas bien claire, et j'ai voulu savoir.

— Vous ne trouvez pas que c'est d'en dire beaucoup, et bien peu, mère?   40

— Peut-être. De celui-là, mieux vaut en dire le moins possible . . .

— Comment se nommait-il?°

— Tout simplement Jean . . .

— Et qu'est-ce qu'il faisait, demandai-je, qu'est-ce qu'il faisait dans la vie?
Mais ma mère secoua la tête.   45

— Pends, dit-elle, ce portrait où tu voudras . . . Ça n'a plus d'importance,
mais si tu veux un bon conseil, ne dis rien, ne cherche à rien savoir. Et surtout,
ne parle de rien à ton père.

Au fond, ça n'avait pas d'importance. J'aimais le coup de pinceau° de
l'artiste. J'aimais sa façon de tracer, de poser° la couleur, j'aimais les teintes°   50
chaudes . . .

crue *direct* **se nommait-il** = s'appelait-il **au fond** *deep down* **coup de pinceau** *brush stroke*
poser = mettre **teintes** = couleurs

Je trouvais l'oncle bien beau, et bien jeune. Mais ça n'était pas si important que je doive encourir° d'inutiles colères. Et quelque chose me disait, quelque chose dans le ton de la voix de ma mère, dans la détermination de son visage,
55   que mon père n'aimerait pas du tout que j'aborde° le sujet de son frère Jean.

encourir *to incur*   **aborde** = approche

■ **Irregular Verb**
(See Appendix C)
encourir is conjugated like **courir**

■ **Teaching Strategy**
Tell students:
Regardez l'illustration qui représente le tableau de l'oncle. Quelle impression vous donne la personne représentée? Pouvez-vous donner deux adjectifs pour décrire cette personne?

Avez-vous compris?

1. Comment Hélène a-t-elle découvert le portrait?
2. Qu'est-ce que sa mère lui explique? Qu'est-ce qu'elle ne lui explique pas?
3. Qu'est-ce qu'Hélène pense de son oncle?
4. Qu'est-ce qu'elle veut faire du portrait?

Anticipons un peu!

Hélène a décidé de mettre le portrait. D'après vous, qu'est-ce qui va se passer dans l'épisode suivant?

• Le portrait va disparaître.
• Le portrait va vouloir communiquer quelque chose à Hélène.
• Hélène va tomber malade et mourir mystérieusement.
• L'oncle Jean va réapparaître dans la maison familiale bien vivant *(alive)*.
• Autre possibilité?
Expliquez votre choix.

■ *Avez-vous compris?*
(Sample answers)
1. Elle a découvert le portrait au grenier, où elle cherchait des pots pour les confitures de fraises.
2. Sa mère lui explique que l'homme du portrait était le frère de son père, et qu'il est mort. Elle ne lui explique pas pourquoi on ne parle jamais de lui.
3. Elle pense qu'il est très beau.
4. Elle veut pendre le portrait dans sa chambre.

J'ai pendu le portrait au mur de ma chambre.

Je l'ai regardé chaque matin en m'éveillant, et chaque soir avant de souffler la lampe.

Et puis, au bout de deux semaines, une nuit, j'ai senti que quelqu'un me touchait l'épaule. 60

Je me suis éveillée en sursaut,° j'ai allumé ma lampe de chevet.° J'avais des sueurs froides le long du corps . . . Mais il n'y avait personne dans ma chambre.

Machinalement,° j'ai regardé le portrait, et en le voyant j'ai crié, je crois, pas fort,° mais assez tout de même, et je me suis enfoui° la tête sous l'oreiller.° 65

Dans le portrait, l'oncle Jean, très habilement° rendu,° regardait droit devant lui… Mais lorsque je me suis éveillée, j'ai vu qu'à cette heure-là de la nuit, il regardait ailleurs. En fait il regardait vers la fenêtre. Il regardait dehors . . .

Le matin, je n'ai rien dit. Je n'ai rien dit non plus les jours suivants, même si, chaque nuit, quelqu'un . . . ou quelque chose m'éveillait en me touchant 70 l'épaule. Et même si chaque nuit, l'oncle Jean regardait par la fenêtre . . .

Naturellement, je me demandais bien ce que ça voulait dire. Plusieurs fois je me suis pincée, très fort,° pour être bien sûre que je ne dormais pas.

Chose certaine, j'étais bien éveillée.

Et quelque chose se passait . . . Mais quoi? 75

Au sixième matin . . . vous voyez comme je suis patiente . . . j'ai voulu tout savoir de maman.

— L'oncle Jean, qui est-il? Qu'est-ce qu'il faisait? Pourquoi ne faut-il pas en parler devant papa, de cet oncle?

— Tu as toujours le portrait dans ta chambre? dit ma mère. 80

— Oui.

Elle continua ses occupations pendant quelques minutes, puis elle vint s'asseoir devant moi, à la table.

— Ma fille, me dit-elle, il y a des choses qui sont difficiles à dire. Moi, ton oncle Jean, je l'aimais bien, je le trouvais charmant. Et ça mettait ton père dans 85 tous les états° quand j'osais dire de telles choses.

Je lui ai demandé:

— Mais pourquoi, mère?

— Parce que ton oncle Jean, c'était une sorte de mouton noir dans la famille . . . il a eu des aventures, je t'épargne° les détails. 90 Surtout, il avait la bougeotte.° Il s'est enfui jeune de la maison, on ne l'a revu que plus tard . . . . Puis il est reparti. Un jour, ton père a reçu une lettre. Ton oncle Jean s'était fait tuer,° stupidement, dans un accident aux États-Unis. On a fait transporter son corps ici, pour être enterré dans le lot° familial au cimetière. Il n'aurait pas dû . . . mais . . . 95

---

en sursaut *with a start* **de chevet** *bedside* **machinalement** *unconsciously* **pas fort** *not very loud*
enfoui *buried* **oreiller** *pillow* **habilement** *skillfully* **rendu** = *peint* **pincée très fort** *pinched hard*
dans tous les états = *en colère* **épargne** *spare* **bougeotte** *travelling urge*
s'était fait tuer *was killed* **lot** *plot*

Notes linguistiques

- **Souffler la lampe:** on souffle sur la flamme d'une lampe à pétrole pour l'éteindre.
- The expression **la bougeotte** comes from the verb **bouger** *(to move)*. **Avoir la bougeotte** is a familiar expression meaning *to have itchy feet.*

Irregular Verb

(see Appendix C)
s'enfuir *(see **fuir**)*

Mots utiles

l'épaule	shoulde
la sueur	sweat
un testament	will
allumer	to light
crier	to scre
se demander	to won
s'enfuir *	to run
éveiller	to wak
oser	to dare
souffler	to blow
vouloir dire	to mea
ailleurs	elsewh
au bout de	= aprè
tel (telle)	such

— Pourquoi? ai-je demandé, pourquoi n'aurait-il pas dû?

— Parce que, dans un testament découvert par la suite dans les effets de Jean, celui-ci exigeait d'être enterré n'importe où, mais pas dans le lot° familial . . .

100   Il disait dans cet écrit qu'il n'avait aucunement° le désir de reposer aux côtés de la paisible° et sédentaire famille. Il avait un autre mot pour eux . . . pas très gentil.

    Moi je croyais comprendre, maintenant.

— Est-ce que papa l'a fait transporter ailleurs?

— Euh . . . non . . . question° des dépenses que ça signifiait° . . . Jean n'a rien laissé, il est mort pauvre.

lot *plot*   **aucunement** = pas du tout   **paisible** *quiet*   **question des** = à cause des   **signifiait** = représentait

■ **Note linguistique**

les effets *(m.)* = *personal belongings*

Avez-vous compris?

1. Pourquoi est-ce qu'Hélène s'est éveillée en sursaut?
2. En quoi le portrait de son oncle était-il différent à ce moment-là?
3. Que pensait la mère d'Hélène de l'oncle Jean?
4. Quelles étaient les rapports entre le père d'Hélène et son frère Jean?
5. Comment est mort l'oncle Jean?
6. Qu'est-ce que son testament stipulait? Est-ce qu'il a été respecté?

Anticipons un peu!

D'après vous, qu'est-ce que l'oncle Jean voulait communiquer à Hélène?
- Qu'elle ouvre la fenêtre.
- Qu'elle sorte *(take out)* le portrait de la maison.
- Qu'elle prie *(pray)* pour lui.
- Qu'elle quitte elle-même la maison familiale et parte à l'aventure.

Expliquez votre choix.

■ *Avez-vous compris?*

(Sample answers)

1. Elle s'est éveillée en sursaut parce qu'elle a senti que quelqu'un lui touchait l'épaule.
2. L'oncle regardait par la fenêtre.
3. Elle pensait qu'il était charmant.
4. Leurs rapports étaient mauvais.
5. Il est mort dans un accident aux États-Unis.
6. Il voulait être enterré n'importe où, mais pas dans le lot familial. On n'a pas respecté son testament.

👁👁 **Teaching Strategy**

Divide the class into groups after reading the second section of the story and answering the *Avez-vous compris?* comprehension questions. Ask the group to answer the following questions; if there are differences of opinion, both/all answers should be recorded. Have each group present its answers to the class.

- À votre avis, qui ou quoi touche l'épaule d'Hélène la nuit? Est-ce un fantôme? De qui? Est-ce un insecte? Sa mère? Ou est-ce un rêve *(dream)*? Expliquez votre opinion.
- À votre avis, qu'est-ce que Jean est parti faire aux États-Unis?

3

Ce soir-là, j'ai mieux dormi. J'ai été éveillée vers quatre heures, et toute la scène d'habitude s'est répétée. 105

— Soit,° ai-je déclaré au portrait de l'oncle Jean . . . Demain, je vais faire quelque chose.

Et le lendemain matin, j'ai pris le portrait, et je l'ai porté dehors, derrière la remise.° Je l'ai appuyé là, face au soleil levant.° 110

Plusieurs fois dans la journée, je suis allée voir. L'oncle Jean regardait en face, mais j'ai cru voir comme une lueur° amusée dans ses yeux. Je me suis dit que je n'avais pas remarqué ce sourire auparavant.°

Au crépuscule,° le portrait était encore là . . .

Durant la nuit, je fus éveillée de nouveau. Seulement, au lieu d'une main discrète sur mon épaule, ce fut un très gentil baiser sur la joue qui m'éveilla. 115

Et je vous jure que pendant les quatre ou cinq secondes entre le sommeil profond et l'éveil complet, j'ai bien senti des lèvres tièdes° sur ma joue.

Je me suis rendormie paisiblement. J'avais comme une sensation de bien-être.

Au matin, le portrait n'était plus à sa place. 120

J'ai demandé à papa s'il l'avait pris, et il m'a dit que non. Maman n'y avait pas touché. Mes petits frères non plus.

Le portrait avait disparu. Et moi j'étais convaincue que sa disparition° coïncidait avec le baiser de reconnaissance si bien donné au cours de la nuit. 125

Vous voulez une explication? Je n'en ai pas. La chose est arrivée. Elle s'est passée comme ça peut être une suite° de rêves. Freud aurait une explication, je suppose . . . N'empêche° que les faits sont là. 130 Un portrait est disparu, et l'oncle Jean regardait. Pour un homme qui avait toujours eu la bougeotte, c'était tout de même assez significatif . . .

soit *all right, so be it* remise *shed* levant *rising* lueur *gleam* auparavant = *avant*
crépuscule *dusk* tièdes *warm* disparition *disappearance*
suite *series, sequence* n'empêche que *nevertheless*

Mots utiles	
un baiser	*kiss*
le bien-être	*well-being*
l'éveil	*wakefulness*
la reconnaissance	= la *gratitude*
un rêve	*dream*
le sommeil	*sleep*
appuyer	*to lean*
jurer	*to swear*
se rendormir *	*to go back to sleep*

Avez-vous compris?

1. Qu'est-ce qu'Hélène fait avec le portrait? Pourquoi?
2. Quelle semble être la réaction du portrait? Pourquoi?
3. Qu'est-ce qui se passe cette nuit-là? Pourquoi?
4. Que devient le portrait?
5. Quelle est l'explication d'Hélène?

Et vous?

D'après vous, qu'est-ce qui est arrivé au portrait?

EXPRESSION ORALE

■ Situations

Avec votre partenaire, choisissez l'une des situations suivantes. Composez le dialogue correspondant et jouez-le en classe.

1 L'histoire du portrait

Hélène raconte l'histoire du portrait à un(e) copain (copine). Incrédule, celui-ci (celle-ci) veut connaître les détails.

Rôles: Hélène, le copain (la copine)

2 La rupture

Quelques années après, Hélène demande à son père les raisons de la rupture avec son jeune frère Jean. Le père hésite et finalement répond à Hélène qui veut des détails. (Imaginez les raisons de cette rupture.)

Rôles: Hélène, le père

EXPRESSION ÉCRITE

■ Le journal d'Hélène

Vous êtes Hélène. Dans votre journal, décrivez les événements suivants.
- la découverte du portrait
- ce qui s'est passé la première nuit
- ce qui s'est passé la dernière nuit

■ La biographie de l'oncle Jean

Un jour Hélène a trouvé dans le grenier le journal de l'oncle Jean dans lequel il décrit sa vie. Avec votre partenaire, imaginez la biographie de l'oncle Jean. Décrivez, par exemple . . .
- où il a passé sa jeunesse
- quelles étaient ses relations avec sa famille (Pourquoi s'est-il disputé avec sa famille?)
- quels problèmes il a eus
- pourquoi il s'est enfui une première fois
- où il est allé et qu'est-ce qu'il a fait
- pourquoi il est revenu
- pourquoi il est reparti une seconde fois
- où il est allé cette fois-là et qu'est-ce qu'il a fait
- comment il est mort

Supplementary vocabulary

le mystère *mystery*
l'énigme (f.) *enigma*
le fantôme *ghost*
l'apparition (f.) *apparition*
l'esprit (m.) *spirit*
hanter *to haunt*
l'au-delà (m.) *afterlife*

■ Teaching Note

You may wish to use the short *Lecture* quizzes to check comprehension, or use them as a basis for discussion.

📁 Student Portfolios

A variety of portfolio items may be developed from either the *Situations* or the *Expression écrite* activities. More advanced students may write their own stories and illustrate them if desired. Since this is the final *Lecture* in DISCOVERING FRENCH–ROUGE you may wish to assign a more challenging project (such as writing an original story) to show students and parents how much progress has been made during the year.

INTERLUDE CULTUREL

🌐 Notes culturelles

- **Mont-Royal,** an extinct volcano, was a site where Iroquois Indians lived as early as 1000 B.C.
- **Jacques Cartier** was the first European to explore in the valley of the Saint Lawrence River.
- In 1775, the American revolutionaries took over the city of Montreal but failed to take Quebec in 1776. Benjamin Franklin had hoped to make Montreal the fourteenth colony. Montrealers refused because they could not have retained their French roots and language.

▪ L'histoire franco-américaine ▪ en dix questions

D epuis cinq siècles, l'histoire de la France et celle de l'Amérique du Nord sont étroitement liées.° Voici quelques pages d'histoire franco-américaine.

1. *Combien est-ce qu'il y a d'Américains d'origine française?*

Aux États-Unis, il y a plus de trois millions et demi de personnes qui se considèrent d'origine française. En outre,° il y a aussi dix millions de personnes qui ont au moins un ancêtre d'origine française. Ces personnes habitent principalement dans les états de la Nouvelle Angleterre et en Louisiane.

Festival en Louisiane

La Nouvelle-Orléans

Une fête française à Boston

2. *Quand est-ce que les premiers Français sont venus sur le continent américain?*

L'arrivée de Jacques Cartier à Gaspé (1534).

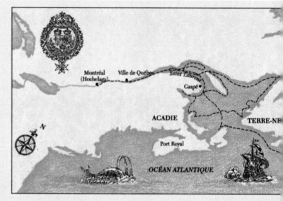

Jacques Cartier, un explorateur français, est arrivé au Canada en 1534. Sa mission était de trouver des mines d'or et de diamants pour le roi de France. Au lieu de découvrir des richesses fabuleuses, il a découvert un immense pays inconnu des Européens: le Canada. Il a débarqué° à Gaspé le 24 juillet 1534. Là, il a planté une croix° dans le sol,° et il a pris possession de la région au nom du roi de France. Au cours d'une seconde expédition l'année suivante, il a découvert l'estuaire d'un

grand fleuve° qu'il a appelé le Saint-Lauren (parce que c'était le 10 août, fête de Sair Laurent). Puis il a remonté° ce fleuve jusqu'à u petit village indien appelé Hochelaga, site de l future ville de Montréal.

Les premiers colons français sont arrivés a Canada seulement 70 ans plus tard. Ils se son d'abord installés° en Acadie (aujourd'hui l Nouvelle Écosse°) où ils ont fondé Port Roya (aujourd'hui Annapolis Royal) en 1605. En 1608 **Samuel de Champlain** a fondé la ville de **Québec**

---

liées *interwoven* **en outre** *in addition* **a débarqué** *landed* **croix** *cross* **sol** *ground* **fleuve** = rivière **a remonté** *sailed up*
se sont installés *settled* **Nouvelle Écosse** *Nova Scotia*

Quand a été fondé Montréal?

[E]n 1642, une petite expédition de 50 Français [s]ous le commandement de Paul Chomedey de [M]aisonneuve est arrivée sur le site du village [in]dien d'**Hochelaga**. Le but° de cette expédition [é]tait de créer une communauté religieuse pour [so]igner les malades et convertir les Iroquois. C'est [a]insi qu'est née la ville de **Montréal**, appelée [a]lors Ville Marie de Montréal. Parmi les membres [d]e l'expédition, il y avait une jeune femme, [J]eanne Mance, co-fondatrice de Montréal avec [M]aisonneuve. En 1644, elle a fondé l'Hôtel-Dieu*, [u]n hôpital qui existe toujours aujourd'hui.

Peu à peu, Montréal a grandi.° C'est devenu [u]n important centre du commerce de la fourrure° [e]t le point de départ d'importantes expéditions [v]ers la région des Grands Lacs et le Mississippi. [A]vec une population de 3 000 000 d'habitants, en [m]ajorité francophones, Montréal est aujourd'hui [l]a seconde ville d'expression française du monde.

Jeanne Mance et Paul Chomedey de Maisonneuve, fondateurs de Montréal

Les «Filles du Roy»

Après la fondation de Québec (1608) et de Montréal (1642), des familles françaises se sont installées au Canada, mais ces familles n'étaient pas nombreuses: quelques dizaines seulement. Le roi Louis XIV, qui voulait établir une grande colonie, a encouragé le départ de centaines de colons. C'étaient des «habitants» qui travaillaient la terre,° des «coureurs des bois»° qui faisaient le commerce de la fourrure° avec les Indiens, et des soldats qui défendaient la colonie contre les attaques des Anglais et de leur alliés Iroquois.

Évidemment, pour assurer la survie° et le développement de cette petite colonie, il fallait que ces hommes se marient et aient des enfants. Oui, mais où trouver des épouses? L'administration royale a eu l'idée de recruter des jeunes filles françaises, volontaires pour partir dans un pays totalement inconnu et y fonder une famille. Pour les encourager, le roi leur donnait une dot° et leur assurait une éducation.

Les «filles du Roy» arrivent au Canada (1665-1675)

C'est ainsi qu'entre 1665 et 1675, plus de mille jeunes Françaises, les «Filles du Roy», ont quitté leur pays pour la grande aventure. Arrivées au Canada, elles étaient accueillies° dans des centres d'apprentissage° fondés par une autre Française, **Marguerite Bourgeoys**. Là, elles apprenaient ce qui était nécessaire pour survivre dans un pays rude° et parfois hostile. Puis, elles se mariaient . . .

Un très grand nombre de familles québécoises d'aujourd'hui descendent directement de ces courageuses pionnières, arrivées au Canada il y a plus de 300 ans.

Hôtel-Dieu: nom donné autrefois à l'hôpital public de la ville.
[b]ut = objectif **a grandi** = s'est développé **fourrure** *fur* **terre** *earth* **coureurs des bois** *fur trappers* **survie** *survival* **dot** *dowry*
[a]ccueillies *welcomed* **centres d'apprentissage** = *écoles* **rude** *rough*

LECTURE ET CULTURE 411

Photo Notes

- **Jean-Baptiste Lemoyne de Bienville** was born in Montreal in 1680 and died in Paris in 1768. His father, a French colonist in Montreal, worked as an interpreter with the Huron Indians. Jean-Baptiste moved to Louisiana in 1702, where he acted as governor until 1726 when Louis XIV dismissed him for being a bad manager.
- **Bourbon** is the family name of many French kings, including Louis XIII, Louis XIV, Louis XV, and Louis XVI.

■ **Note linguistique**
Coureurs des bois: *literally, men who travel through the forests on foot.*

🌐 **Notes culturelles**

- **Marguerite Bourgeoys (1620-1700)** was the daughter of a French factory worker. She was a nun and Maisonneuve hired her to teach the children in Ville-Marie. She established the very first school in Montreal (1653) and founded the Congregation of Notre-Dame where young women were offered a proper education.
- **"Les filles du Roy"** were poor factory workers, widowed, or orphaned young women.

 Internet Connection—Interlude 10

The following list of Internet addresses expands the material presented in Interlude Unité 10. For alternate links, students can use the following keywords with the search engine of their choice: **l'acadie; Saint-Pierre et Miquelon; "terre neuve" + Amérique**

Acadie-Net: http://www.rbmulti.nb.ca/acadie/acadie.htm
Encyclopédie de Saint-Pierre et Miquelon: http://205.250.151.22/encyspmweb/

4. *Qu'est-ce qu'on appelle les «guerres françaises et indiennes» (1689-1763)?*

Les Français ont créé une vaste colonie qu'ils ont appelée **la Nouvelle France**. Ce n'était pas les seuls occupants de cette partie de l'Amérique du Nord. Il y avait aussi les Anglais qui s'étaient établis en Nouvelle Angleterre. La rivalité entre ces deux groupes était intense. Chacun avait des alliés indiens. Les alliés des Français étaient les Hurons et les Algonquins. Les alliés des Anglais étaient les Iroquois. De temps en temps, chaque groupe faisait des raids sur le territoire de l'autre.

Finalement en 1756, une guerre générale a éclaté° entre la France et l'Angleterre. Au début, les Français ont été victorieux. Mais l'armée anglaise était bien supérieure en nombre et les forts français sont tombés les uns après les autres. Les Anglais ont pris Québec en 1759 et Montréal

Les «guerres françaises et indiennes»

en 1760. Au traité de Paris de 1763, la France a dû abandonner toutes ses colonies d'Amérique du Nord. Le Canada et toute la rive est du Mississippi sont passés sous contrôle anglais.

5. *Quand la Louisiane était-elle française?*

LaSalle prend possession de la Louisiane au nom de la France

Vers le milieu du 17e siècle, des expéditions françaises, parties de Montréal, avaient exploré la région des Grands Lacs. En 1673, le père **Marquette** avait découvert le Mississippi, mais personne ne savait jusqu'où allait ce long fleuve. **Cavelier de La Salle** décida d'entreprendre° cette exploration. En 1681, il organisa une petite expédition et il partit à l'aventure. Après un voyage très difficile, il arriva à l'estuaire du Mississippi le 9 avril 1682.

Au passage, La Salle prit possession des territoires qu'il traversait° au nom de la France. Il nomma cette région **Louisiane** en l'honneur du roi Louis XIV. Plus tard, d'autres Français

arrivèrent dans la région. Ils fondèrent **la Nouvelle Orléans** en 1718 et construisirent des forts le long du Mississippi. À cette époque, la Louisiane était un immense territoire puisqu'elle représentait toute la vallée du Mississippi et ses affluents.°

À la suite° de traités, la France dut abandonner la Louisiane. La rive° ouest du Mississippi devint espagnole en 1762 et la rive est devint anglaise en 1763.

En 1800, la France acquit° par traité la partie espagnole. En 1803, Napoléon, qui avait besoin d'argent pour financer ses guerres, la revendit aux États-Unis pour la somme de 15 millions de dollars.

---

a éclaté *broke out* **entreprendre** *undertake* **traversait** *crossed* **affluents** *tributaries* **à la suite** *as a result* **rive** *shore, bank* **acquit** *acquired*

🌐 NOTES CULTURELLES

- In 1774, **l'Acte de Québec** allowed French Canadians to retain their religion, institutions and language. French-speaking Catholics were then called **les canayens**.
- **Peter Minuit (1580–1638)** was sent to America by the Dutch West India Company. He bought the island of Manhattan with trinkets worth about $24

- **Paul Revere (1735–1818)** was a silversmith from Massachusetts who became a messenger for the colonists in 1774. On the night of April 18, 1775, he rode to warn Adams and Hancock that a British army was marching on to Concord and Lexington. This heroic ride was immortalized in a poem by Longfellow.

Qui sont les Huguenots français?

«Huguenot» était le nom que les Français donnaient aux Protestants au 16ᵉ siècle. À cette époque, il y avait des guerres de religion entre Protestants et Catholiques. Les Protestants, très inférieurs en nombre, ont été persécutés et chassés° de France. Beaucoup sont allés en Hollande et en Allemagne. Certains ont immigré en Amérique. Des Huguenots français venus de La Rochelle, France, ont fondé la ville de New Rochelle, New York, en 1688.

Parmi les Américains d'origine huguenote: Peter Minuit qui a acheté Manhattan pour 24 dollars, Paul Revere, patriote et héros de la Révolution américaine, John Jay, premier juge de la Cour Suprême, Louis Tiffany, joaillier de réputation internationale.

Peter Minuit, arrivant à la Nouvelle Amsterdam, aujourd'hui New York.

Paul Revere, patriote américain d'origine française

Comment les Français ont-ils aidé les Américains pendant la guerre d'Indépendance?

Quand ils ont déclaré leur indépendance en 1776, les Américains avaient besoin d'aide. Pour obtenir cette aide, ils ont envoyé Benjamin Franklin comme ambassadeur en France. Franklin, qui était très admiré et très respecté des Français, a pleinement réussi dans cette mission. Conseillé par sa femme Marie-Antoinette, le roi de France, Louis XVI, a reconnu° la jeune république des États-Unis en 1778. Mieux, il a décidé d'envoyer sa flotte° et ses meilleures troupes au secours° des «insurgés» américains.

La bataille de Yorktown

La bataille décisive de la guerre d'Indépendance a eu lieu à Yorktown en octobre 1781. D'un côté° il y avait une armée anglaise commandée par Cornwallis. De l'autre côté, il y avait une armée américaine commandée par Washington et une armée française commandée par **Rochambeau**. Pendant que la bataille faisait rage,° la flotte française empêchait° les renforts° anglais d'arriver. Encerclées, les troupes anglaises ont capitulé. Cette victoire franco-américaine a mis fin aux hostilités. Deux ans plus tard, l'Angleterre reconnaissait l'indépendance des États-Unis.

chassés *expelled* **reconnu** *recognized* **flotte** *fleet* **au secours** = pour aider **côté** *side* **faisait rage** *was raging*
empêchait *prevented* **renforts** *reinforcements*

- **John Jay (1745–1829)** helped draft the constitution of New York State. He was governor of New York for two terms (1795–1801).
- **Charles Louis Tiffany (1812–1902)** started to manufacture his own jewelry in 1848. He opened a branch of his store in Paris in 1850.
- **Charles Cornwallis (1735–1805)** led the British army in the Yorktown battle. He later became governor of India and Viceroy of Ireland.
- **Jean Baptiste Donatien de Vimeur, Comte de Rochambeau (1725–1807)** landed in Newport R.I. in 1780 with 6,000 French soldiers. Imprisoned in France after the French Revolution, his rank was later restored to him by Napoleon.

Notes historiques

- La Fayette landed at North Island, near Charleston, South Carolina. From there he went overland to Philadelphia where he received his commission from the Continental Congress on July 31, 1777.
- It was La Fayette who gave the order to destroy the fortress of **La Bastille** in July 1789 after it was attacked by the people of Paris.
- In 1802, La Fayette helped in finalizing the **Louisiana Purchase**. (He had acquired land in Louisiana.) La Fayette refused the post of governor of Louisiana offered to him by the U.S. Congress.
- In 1824, La Fayette returned to the United States where he was greeted as a hero and given land and a pension by the U.S. government.
- **Adrienne de Noailles de La Fayette** was the daughter of the **Duc d'Ayen.** She married La Fayette in 1774.

Une université, de nombreuses écoles, plusieurs villes portent le nom de ce héros de la guerre d'Indépendance américaine. Qui était exactement **La Fayette**?

La Fayette (1757-1834) était un aristocrate français qui appartenait° à l'une des familles les plus illustres du pays. En 1777, il avait seulement vingt ans et il était immensément riche. Un jour, il a entendu parler° de la Révolution américaine. Il a pris contact avec Benjamin Franklin qui était alors l'ambassadeur des États-Unis en France. Après cette entrevue, il a décidé de rejoindre les «insurgés» américains comme volontaire. Malheureusement, le roi de France était tout à fait opposé à cette idée et lui a interdit de partir. Que faire? La Fayette était un jeune homme déterminé avec beaucoup d'imagination ... et beaucoup d'argent. Il a quitté la France en secret. Il est allé en Espagne où il a acheté un bateau qu'il a appelé *La Victoire* et il est parti pour les États-Unis.

Après avoir débarqué° en Caroline du Sud, La Fayette est allé à Philadelphie pour offrir ses services au Congrès américain. Le Congrès, impressionné par ses qualités et son enthousiasme, l'a nommé général auprès° de George Washington. Les deux hommes sont immédiatement devenus de grands amis.* En Octobre 1777, La Fayette a pris part à sa première bataille et il a été blessé à la jambe. Peu de temps après, le Congrès, reconnaissant son courage et ses talents militaires, lui a donné le commandement de la division de Virginie.

En 1779, La Fayette est retourné brièvement en France. Sa mission était de plaider la cause américaine et d'obtenir l'aide de la France. Il est allé voir le roi qui cette fois-ci l'a écouté. Quelques temps après, l'armée française est arrivée aux États-Unis. De retour aux États-Unis, La Fayette a rejoint son poste de commandement. À la bataille décisive de Yorktown, en 1781, il était à la tête d'une division américaine dans l'armée de Washington.

Après la guerre d'Indépendance, La Fayette est rentré en France où il a continué à combattre pour la justice et pour les idées nouvelles de liberté et d'égalité. Quand la Révolution française a éclaté en 1789, c'était l'homme le plus populaire de France. C'est lui qui a proposé la déclaration européenne des *Droits de l'homme et du citoyen* qui a fait accepter le drapeau tricolore comme drapeau national. La Fayette était aussi un membre très actif du Club des Amis des Noirs, un club politique qui voulait l'abolition de l'esclavage° dans les colonies françaises. À cause du rôle important qu'il a joué aux États-Unis d'abord et en France ensuite, on appelle souvent La Fayette «le héros des deux mondes».

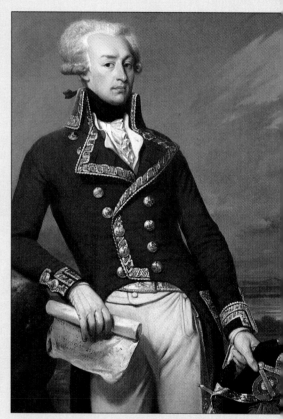

La Fayette, héros de la guerre d'Indépendance américaine.

* Plus tard, La Fayette a nommé son fils George Washington La Fayette.

appartenait *belonged to* **a entendu parler de** *heard about* **débarqué** *landed* **auprès de** *on the staff of* **esclavage** *slavery*

Une lettre du Marquis de La Fayette à Madame de La Fayette

La Fayette est arrivé aux États-Unis le 13 juin 1777. Quelques jours plus tard, il était à Charleston où il a écrit la lettre suivante à sa jeune femme. Dans cette lettre, il décrit ses premières impressions sur le pays et ses habitants.

Adrienne de Noailles de La Fayette

■ **Note linguistique**

Note that La Fayette spelled Charleston as "Charlestown."

1777, à Charlestown

... Je vais à présent vous parler du pays, mon cher coeur, et de ses habitants. Ils sont aussi aimables que mon enthousiasme avait pu se le figurer.° La simplicité des manières, le désir d'obliger,° l'amour de la patrie° et de la liberté, une douce° égalité, règnent ici parmi tout le monde. L'homme le plus riche et le plus pauvre sont de niveau,° et quoiqu'il y ait° des fortunes immenses dans ce pays, je défie° de trouver la moindre° différence entre leurs manières respectives les uns pour les autres.

J'ai commencé par la vie de campagne, chez le major Huger; à présent, me voici à la ville. Tout y ressemble assez à la façon anglaise, excepté qu'il y a plus de simplicité chez eux qu'en Angleterre. La ville de Charlestown est une des plus jolies, des mieux bâties° et des plus agréablement peuplées que j'aie jamais vues. Les femmes américaines sont fort jolies, fort simples et d'une propreté° charmante...

Ce qui m'enchante ici, c'est que tous les citoyens sont frères. Il n'y a en Amérique ni pauvres, ni même ce qu'on appelle paysans.° Tous les citoyens ont un bien honnête,° et tous, les mêmes droits° que le plus puissant° propriétaire du pays.

Les auberges sont bien plus différentes d'Europe; le maître et la maîtresse se mettent à table avec vous, font les honneurs d'un bon repas, et en partant vous payez sans marchander.° Quand on ne veut pas aller dans une auberge, on trouve des maisons de campagne où il suffit d'être bon Américain pour être reçu avec les attentions qu'on aurait en Europe pour un ami.

... Il est fort avant° dans la nuit, il fait une chaleur affreuse, et suis dévoré de moucherons° qui vous couvrent de grosses ampoules,° mais les meilleurs pays ont, comme vous voyez, leurs inconvénients.

Adieu mon coeur, adieu.

Lafayette

...gurer = imaginer **obliger** = rendre service **patrie** *fatherland* **douce** *gentle* **de niveau** *at the same level* **défie** *challenge*		
...**moindre** = la plus petite **bâties** *built* **propreté** *cleanliness, hygiene* **paysans** *peasants* **un bien honnête** *a property of their own* **droits** *rights*		
...**uissant** *powerful* **marchander** *to bicker over the price* **fort avant** = très tard **moucherons** *gnats* **ampoules** *swellings*		

9. Qui a dit «La Fayette, nous voilà!» et à quelle occasion?

On attribue cette phrase au général américain John Pershing à son arrivée en France en 1917. En rendant hommage à La Fayette, héros français de la guerre d'Indépendance, il voulait réaffirmer l'amitié et la solidarité qui unissaient le peuple français et le peuple américain. Le général Pershing était le commandant du corps expéditionnaire américain en France pendant la Première Guerre Mondiale (1914-1918).

En réalité, les premiers Américains qui sont venus aider la France pendant cette guerre étaient des volontaires incorporés dans l'armée française. Parmi ceux-ci, il y avait les pilotes de la fameuse «Escadrille Lafayette». Il y avait aussi les ambulanciers de l'«American Field Service Ambulance Corps». C'était des lycéens de 17 ans, des étudiants de Yale et de Harvard, ou de simples citoyens venus par idéalisme.

Les États-Unis sont officiellement entrés en guerre aux côtés° de la France et de l'Angleterre en avril 1917. Cette année-là, des centaines de milliers de soldats américains sont venus combattre sur le sol° français. Parmi ces soldats, il y avait un jeune capitaine d'artillerie venu du Missouri, Harry Truman, futur président des États-Unis. C'est grâce à l'intervention des troupes américaines que les Alliés ont finalement pu gagner la guerre en 1918.

Pilotes de l'Escadrille Lafayette. (Remarquez que ces pilotes américains portent des uniformes français.)

10. Où se trouve Omaha Beach?

Omaha Beach se trouve en Normandie. C'est sur cette plage et d'autres plages normandes que le plus grand débarquement° de l'histoire a eu lieu le 6 juin 1944. Ce jour-là, 100 000 soldats américains, anglais, canadiens, français, polonais° ont débarqué sur le sol de France occupé par l'Allemagne nazie. Peu après, les armées alliées commandées par le général Eisenhower ont libéré le reste de la France. Près de Omaha Beach il y a un grand cimetière où se trouvent les tombes de 9 385 soldats américains, héros de la libération de la France.

Le 6 juin 1944 les troupes alliées débarquent sur la plage d'Omaha Beach en Normandie

Un GI réconforte un enfant français

aux côtés de *on the side of* **sol** *soil* **débarquement** *landing* **polonais** *Polish*

416   interlude: La France et le Nouveau Monde

▪ Villes américaines — noms français ▪

U n certain nombre de villes américaines portent des noms français. Ces noms rappellent quelques épisodes de la longue histoire franco-américaine.

■ **Additional Information**
For more on U.S. cities with a French origin, see p. 180.

■ **Duluth** (Minnesota)
Cette ville porte le nom d'un Français, Daniel **du Luth** (1636-1710), explorateur du Lac Supérieur et ami des Indiens de la région.

■ **Fond du Lac** (Wisconsin)
Cette ville est appelée ainsi à cause de sa position à l'extrémité sud du lac Winnebago. Au 18e siècle, c'était un centre où les Français faisaient le commerce de la fourrure avec les Indiens.

■ **Détroit** (Michigan)
Cette ville a été fondée en 1701 par un explorateur français, Antoine **de la Mothe Cadillac**, futur gouverneur de la Louisiane. À l'origine, la ville s'appelait Fort Pontchartrain du Détroit, en l'honneur du ministre français de la Marine.

■ **Marietta** (Ohio)
En 1788, d'anciens° soldats de la guerre d'Indépendance ont fondé une petite colonie qu'ils ont appelée Mariette, en l'honneur de la reine de France, **Marie-Antoinette**. Dix ans plus tôt, Marie-Antoinette avait convaincu° son mari d'envoyer ses troupes à l'aide des patriotes américains.

Laramie (Wyoming)
Cette ville porte le nom de Jacques **La Ramie**, un trappeur canadien qui est arrivé dans la région vers 1820. Il a construit une cabane pour stocker ses fourrures. Plus tard, Fort Laramie, bâti sur ce site, a joué un rôle important dans la conquête de l'ouest.

Fremont (Californie)
Cette ville porte le nom de John Charles **Fremont** (1813-1890), un explorateur américain d'origine française. Fremont a été le premier sénateur de Californie. Il a aussi été gouverneur de l'Arizona et candidat à la présidence des États-Unis.

■ **Bâton Rouge** (Louisiane)
En 1699, une expédition française découvre le site de la ville actuelle.° Les Indiens de la région appellent ce site «Istrouma» expression qui signifie «bâton° rouge». Les Français donnent ce nom au fort qu'ils construisent là quelques années plus tard.

■ **Saint Louis** (Missouri)
René Chouteau, un jeune homme de la Nouvelle Orléans, avait seulement 15 ans quand il a fondé Saint Louis en 1764. Il a nommé la ville en l'honneur de deux rois de France: **Louis XV** et son patron, **Saint Louis**.

■ **Mobile** (Alabama)
Vers 1700, des explorateurs français sont arrivés dans la région. Ils ont construit un fort qu'ils ont appelé Fort Louis de la Mobile: Fort Louis, en l'honneur du roi de France, Louis XIV; de la Mobile, du nom de Mauvile, une tribu indienne de la région.

■ **Louisville** (Kentucky)
Cette ville a été nommée ainsi en 1780 pour remercier le roi de France, Louis XVI, de l'aide française pendant la Révolution américaine.

■ **Vincennes** (Indiana)
Cette ville porte le nom de son fondateur, l'explorateur canadien Jean-Baptiste **Vincennes** (1668-1719). Elle est restée pendant longtemps une ville française. Pendant la guerre d'Indépendance, ses habitants ont aidé les Américains contre les Anglais.

Map labels: WASHINGTON, MONTANA, NORTH DAKOTA, MINNESOTA, DULUTH, MAINE, VT, NH, OREGON, IDAHO, SOUTH DAKOTA, WISCONSIN, FOND DU LAC, MICHIGAN, NEW YORK, MA, CT, RI, WYOMING, LARAMIE, NEBRASKA, IOWA, DÉTROIT, PENNSYLVANIA, NEW JERSEY, NEVADA, UTAH, COLORADO, ILLINOIS, MARIETTA, OHIO, IN, WV, MD, DELAWARE, VINCENNES, FREMONT, CALIFORNIA, KANSAS, MISSOURI, SAINT LOUIS, LOUISVILLE, KENTUCKY, VIRGINIA, ARIZONA, NEW MEXICO, OKLAHOMA, ARKANSAS, TENNESSEE, NORTH CAROLINA, SOUTH CAROLINA, TEXAS, MS, ALABAMA, GEORGIA, MOBILE, LOUISIANA, BÂTON ROUGE, FLORIDA

actuelle *present* bâton *stick, pole* anciens *former* convaincu *convinced*

■ **Notes historiques**
• **Saint Louis, le roi Louis IX** (1226–1270), was known for his integrity and strong faith. He participated in the Crusades and was responsible for the construction of the Sainte-Chapelle, in Paris.
• In 1763, the Treaty of Paris gave all the French territories *east* of the Mississippi to England. This is why Chouteau chose the *west* bank as a site for St. Louis.

🌎 Teaching Strategy: Interdisciplinary/Community Connections

Combine classes with an American history teacher to work on a group project. Prepare an illustrated time line on long sheets of paper, showing events in American history provided by the history students and additional French-related events provided by the French students. Display the final timeline in a hallway for all students to see.

■ *Les héritiers de la Louisiane française* ■

Des gens d'origine française, venus surtout du Canada, ont été les premiers blancs à occuper la partie centrale de ce qui allait devenir les États-Unis. C'était pour la plupart des soldats, des missionnaires, des trappeurs. Ils construisirent des comptoirs° et des forts dans la vallée du Mississippi. Après la fondation de la Nouvelle Orléans en 1718, une colonie française s'établit en Louisiane. Au cours des années qui suivirent, cette colonie s'enrichit d'éléments nouveaux: d'abord Acadiens venus du Canada, puis Créoles venus des Antilles françaises. Les descendants de ces deux groupes représentent aujourd'hui la quasi-totalité de la population de la Louisiane d'origine française.

La Mothe-Cadillac, explorateur français

Des musiciens cajuns

■ Les Acadiens ou «Cajuns»

Les Acadiens doivent leur nom à leur région d'origine, l'Acadie, ce territoire du Nord-Est canadien représenté aujourd'hui par les provinces du Nouveau Brunswick et de la Nouvelle Écosse.° C'est dans cette région que s'établirent des colons français dès° 1640. Devenus sujets britanniques à la suite° d'un traité° (1713) qui donnait l'Acadie à l'Angleterre, les Acadiens refusèrent de prêter serment° à leur nouveau gouvernement. Pour cet acte de rébellion, toute la population française fut expulsée d'Acadie par l'armée anglaise. Un grand nombre d'Acadiens retournèrent en France. D'autres s'éparpillèrent° dans les territoires français d'Amérique. Un premier contingent de 231 réfugiés arriva en Louisiane en 1765, suivi d'autres groupes de plusieurs milliers de personnes. Leurs descendants et leurs alliés par mariage (Espagnols, Allemands, Indiens) constituent la population «cajun» actuelle. Aujourd'hui cette population habite principalement dans la région des bayous. Les centres cajuns se reconnaissent facilement à leurs noms français: Lafayette, Abbeville, Saint Martinville, Ville Platte, Thibodaux.

■ Les Créoles

Il existe plusieurs définitions du terme *créole*. La définition généralement acceptée s'applique aux descendants des habitants de Saint Domingue (aujourd'hui Haïti), blancs et noirs, venus en Louisiane pendant la Révolution française (1789-1799) et, plus tard, après l'indépendance d'Haïti (1804). Ces créoles s'établirent à la Nouvelle Orléans et dans les plantations à proximité du Mississippi et des bayous. Beaucoup de créoles de la Nouvelle Orléans habitaient le quartier du Vieux Carré° qu'ils quittèrent vers 1910.

comptoirs *trading posts* **Nouvelle Écosse** *Nova Scotia* **dès** *beginning in* **à la suite de** *as the result of* **traité** *treaty* **prêter serment** *to pledge allegiance* **s'éparpillèrent** *were scattered* **Carré** *Square*

418 interlude: La France et le Nouveau Monde

■ Note culturelle

On appelle **le Grand Dérangement** l'exode des Acadiens qui refusèrent de prêter serment à la couronne d'Angleterre. À cette époque, des Acadiens choisirent de retourner en France. Après avoir été libres et propriétaires de leurs terres, beaucoup ne purent se réadapter à la société française. En conséquence, Louis XV mis un bateau à leur disposition pour leur permettre de retourner en Amérique, dans la colonie établie sur les bords du Mississippi.

Pour en savoir plus

The Cajun culture is known in the rest of the United States for its food and its music. See *Interlude 4,* p. 182, where **la musique cajun** and **zydéco** are presented.

⊕ NOTES CULTURELLES

Quelques créoles célèbres

D'ORIGINE EUROPÉENNE

• **John James Audubon** (1780–1851), né à Haïti, peintre de la célèbre série *Les Oiseaux d'Amérique.*

• **P.G.T. Beauregard** (1818–18993), important général sudiste pendant la Guerre de Sécession.

D'ORIGINE AFRICAINE

• **Homer Plessy** (1862–1935) était issu d'une des nombreuses familles francophones d'origine africaine de la Nouvelle Orléans. En 1890, il fut arrêté pour être monté dans un wagon réservé aux Blancs. Son cas fut plaidé devant la Cour Suprême des

RÉVEILLE

Réveille,° réveille! . . .
C'est les [...]* qui viennent
brûler° la récolte.°
Réveille, réveille, hommes acadiens
pour sauver le village.

Mon grand-grand-grand-grand-père
est venu de la Bretagne;
le sang de ma famille est mouillé° l'Acadie
et là les maudits* viennent
nous chasser comme des bêtes,
détruire les saintes familles**
nous jeter° tous au vent.
    Réveille, réveille! . . .

J'ai entendu parler
de monter avec Beausoleil***
pour prendre le fusil,°
battre les sacrés° maudits.
J'ai entendu parler°
d'aller en la Louisiane
pour trouver de la bonne paix
là-bas dans la Louisiane.
    Réveille, réveille! . . .

J'ai vu mon pauvre père
qui était fait prisonnier
pendant que ma mère,
ma belle mère braillait.°
J'ai vu ma belle maison
qui était mise aux flammes.
Et moi j'suis resté orphelin.°
Orphelin de l'Acadie.
    Réveille, réveille! . . .

Réveille, réveille! . . .
C'est les [...]* qui viennent
voler° les enfants.
Réveille, réveille, hommes acadiens
pour sauver l'héritage.

Zachary Richard

Zachary Richard est un poète et chanteur cajun. Dans cette chanson célèbre, il évoque un événement historique important: l'attaque des Acadiens par les Anglais et leur expulsion. La sonnerie de clairon° «Réveille, réveille» alerte la population que les soldats anglais arrivent.

■ **Notes linguistiques**
Standard French equivalents:
• «mon grand-grand-grand-grand-père» = mon arrière-arrière-arrière-grand-père
• «j'ai vu mon pauvre père était fait prisonnier» = j'ai vu que mon pauvre père était fait prisonnier

Teaching Strategy: Multiple Intelligences
There are many recordings of Cajun music available. You or your students may wish to play these for the class. Zachary Richard's own recordings of Réveille are powerful and moving; they may help students to appreciate the written form of the poem more easily. (MUSICAL)

   * **les maudits** (cursed ones): Terme qui désigne les soldats anglais.
  ** **Les saintes familles:** Les familles acadiennes françaises étaient catholiques. Massacrées par les soldats protestants anglais, elles sont devenues martyres.
*** **Beausoleil**: Capitaine, héros de la Résistance acadienne contre les Anglais.

onnerie de clairon bugle call **réveille** wake up **brûler** to burn **récolte** crops **mouillé** soaked (in) **jeter** to throw **fusil** rifle **sacrés** «cursed»
ntendu parler heard about **braillait** was crying and screaming **orphelin** orphan **voler** to steal

États-Unis. La décision célèbre «Plessy contre Ferguson» (1896) est à l'origine de la doctrine raciste de «séparés mais égaux».
• **Sidney Béchet** (1897–1959), était l'un des plus grands musiciens de jazz, style Nouvelle Orléans.

• **Note linguistique**
Le mot **créole** désigne également la langue parlée aux **Antilles,** en **Louisiane** et dans **les îles Maurice** et de **la Réunion.**

▪ *Le drapeau acadien* ▪

Les différents éléments du drapeau des Acadiens de Louisiane rappellent l'histoire du peuple cajun.

 Les fleurs de lys sur fond bleu étaient l'emblème des rois de France. Elles représentent l'héritage français des cajuns et leur langue.

 La tour jaune sur fond rouge était l'emblème des rois d'Espagne. Quand les premiers Acadiens sont arrivés en Louisiane, celle-ci était devenue espagnole. Cette partie du drapeau rappelle l'hospitalité du gouverneur espagnol.

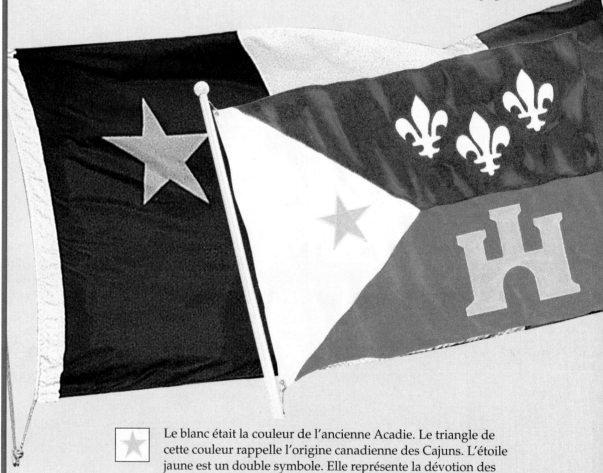

Le blanc était la couleur de l'ancienne Acadie. Le triangle de cette couleur rappelle l'origine canadienne des Cajuns. L'étoile jaune est un double symbole. Elle représente la dévotion des Acadiens à la Vierge Marie, leur sainte patronne. Elle symbolise aussi le patriotisme des premiers Acadiens et leur participation comme volontaires à la Guerre d'indépendance (1775-1783). À peine arrivés en Louisiane, ils se sont ralliés à la cause américaine. Organisés en milices, ils ont combattu victorieusement contre les Anglais.

⊕ Note culturelle

The **fleur de lys** was acknowledged as the symbol of the French monarchy in 1147.

■ Address

For more information on Louisiana, write to:

> State Department of Culture, Recreation, and Tourism
> P.O. Box 94291
> Baton Rouge, LA 10804

■ Additional Information

The motto of Louisiana is: **Union, Justice and Confidence.**

⊕ NOTES CULTURELLES

- Après être restée longtemps française, la Louisiane (côté ouest du Mississippi) est devenue espagnole par le Traité de Fontainebleau de 1762.

- Les milices acadiennes furent créées par le gouverneur espagnol de la Louisiane, Bernardo de Galvez, après qui la ville de Galveston, Texas, est nommée.

REFERENCE SECTION

APPENDIX A: *Reprise*

1 VERBES

A. Le présent

Révision
present tense of stem-changing verbs
Appendix C pp. R20-21

Verbes réguliers

	parler	-er	finir	-ir	vendre	-re
STEM	**parl-**		**fini-**		**vend-**	
je	parle	-e	finis	-is	vends	-s
tu	parles	-es	finis	-is	vends	-s
il/elle/on	parle	-e	finit	-it	vend	—
nous	parlons	-ons	finissons	-issons	vendons	-ons
vous	parlez	-ez	finissez	-issez	vendez	-ez
ils/elles	parlent	-ent	finissent	-issent	vendent	-ent

NEGATIVE	INTERROGATIVE	
je **ne parle pas**	est-ce qu'il/elle **parle?**	**parle-t-**il/elle?
je **ne finis pas**	est-ce qu'il/elle **finit?**	**finit-**il/elle?
je **ne vends pas**	est-ce qu'il/elle **vend?**	**vend-**il/elle?

Le verbe **sortir** (to go out)

STEM	**sor-**		**sort-**	
je	**sors**	nous	**sortons**	
tu	**sors**	vous	**sortez**	
il/elle/on	**sort**	ils/elles	**sortent**	

Verbes comme **sortir**

partir	to leave	**je pars**	**nous partons**
dormir	to sleep	**je dors**	**nous dormons**
servir	to serve	**je sers**	**nous servons**

Les verbes **vouloir** (want, wish), **pouvoir** (can, be able) et **devoir** (must, have to)

	vouloir	pouvoir	devoir
je	**veux**	**peux**	**dois**
tu	**veux**	**peux**	**dois**
il/elle/on	**veut**	**peut**	**doit**
nous	**voulons**	**pouvons**	**devons**
vous	**voulez**	**pouvez**	**devez**
ils/elles	**veulent**	**peuvent**	**doivent**

Ils doivent travailler.

Les verbes **prendre** (to take), et **mettre** (to put, place)

	prendre	mettre
je	**prends**	**mets**
tu	**prends**	**mets**
il/elle/on	**prend**	**met**
nous	**prenons**	**mettons**
vous	**prenez**	**mettez**
ils/elles	**prennent**	**mettent**

Verbes comme **prendre**

apprendre	to learn
comprendre	to understand

Verbes comme **mettre**

promettre	to promise
permettre	to permit, allow

Les verbes **être, avoir, aller, faire, venir**

PRESENT	**être** (to be)	**avoir** (to have)	**aller** (to go)	**faire** (to do, make)	**venir** (to come)
je (j')	suis	ai	vais	fais	viens
tu	es	as	vas	fais	viens
il/elle/on	est	a	va	fait	vient
nous	sommes	avons	allons	faisons	venons
vous	êtes	avez	allez	faites	venez
ils/elles	sont	ont	vont	font	viennent

Quelques expressions avec **avoir**

avoir chaud/froid	to be warm, hot/cold
avoir faim/soif	to be hungry/thirsty
avoir raison/tort	to be right/wrong
avoir sommeil	to be sleepy
avoir peur (de)	to be afraid (of)
avoir de la chance	to be lucky
avoir . . . ans	to be . . . years old
avoir mal	to hurt
avoir besoin de	to need
avoir envie de	to feel like, to wish

Quelques expressions avec **faire**

faire { **du (de l')** / **de la (de l')** / **des** } + sport / subject (of study) / activity

faire du ski	**faire de la natation**
faire de l'algèbre	**faire des maths**
faire du camping	**faire du théâtre**

faire attention (à)	to pay attention (to), to be careful (with), to watch out (for)
faire les courses	to go shopping (for food)
faire des achats	to go shopping (for items other than food)
faire la cuisine	to cook
faire la vaisselle	to do the dishes
faire ses devoirs	to do one's homework
faire ses valises	to pack (one's suitcases)
faire une promenade (à pied)	to go for a walk
faire une promenade (en auto, à vélo)	to go for a ride (by car, by bicycle)
faire un tour	to take a walk, ride
faire une randonnée	to take a hike, a long drive
faire un voyage	to go on a trip, to take a trip
faire un séjour	to spend time (in a place away from home)

B. Le passé composé

Le passé composé avec **avoir**

PAST PARTICIPLE	parler → parlé	finir → fini	vendre → vendu
PASSÉ COMPOSÉ	j'**ai parlé** tu **as parlé** il/elle/on **a parlé** nous **avons parlé** vous **avez parlé** ils/elles **ont parlé**	j'**ai fini** tu **as fini** il/elle/on **a fini** nous **avons fini** vous **avez fini** ils/elles **ont fini**	j'**ai vendu** tu **as vendu** il/elle/on **a vendu** nous **avons vendu** vous **avez vendu** ils/elles **ont vendu**
NEGATIVE	je **n'ai pas parlé**		
INTERROGATIVE	est-ce que tu **as parlé?** **as**-tu **parlé?** **a-t**-il/elle **parlé?**		

PARTICIPES PASSÉS DES VERBES IRRÉGULIERS

-é	être	j'ai **été**
-ait	faire	j'ai **fait**
-ert	ouvrir	j'ai **ouvert**
	découvrir	j'ai **découvert**
-i	suivre	j'ai **suivi**
	dormir	j'ai **dormi**
	sentir	j'ai **senti**
-is	mettre	j'ai **mis**
	prendre	j'ai **pris**
	apprendre	j'ai **appris**
-it	dire	j'ai **dit**
	écrire	j'ai **écrit**
-uit	conduire	j'ai **conduit**
	détruire	j'ai **détruit**
-u	avoir	j'ai **eu**
	boire	j'ai **bu**
	savoir	j'ai **su**
	voir	j'ai **vu**
	pouvoir	j'ai **pu**
	devoir	j'ai **dû**
	vouloir	j'ai **voulu**
	recevoir	j'ai **reçu**
	lire	j'ai **lu**
	courir	j'ai **couru**
	connaître	j'ai **connu**
	vivre	j'ai **vécu**
	il y a	il y a **eu**
	il faut	il a **fallu**

Le passé composé avec **être**

PASSÉ COMPOSÉ	je **suis allé** tu **es allé** il/on **est allé** nous **sommes allés** vous **êtes allé(s)** ils **sont allés**	je **suis allée** tu **es allée** elle **est allée** nous **sommes allées** vous **êtes allée(s)** elles **sont allées**
NEGATIVE	je **ne suis pas allé(e)**	
INTERROGATIVE	est-ce que tu **es allé(e)?** **es**-tu **allé(e)?** **est**-il/elle **allé(e)?**	

VERBES CONJUGUÉS AVEC **ÊTRE**

aller (to go)	je suis allé(e)	**passer** (to pass)	je suis passé(e)
venir (to come)	je suis venu(e)	**rester** (to stay)	je suis resté(e)
		rentrer (to go back)	je suis rentré(e)
arriver (to arrive, come)	je suis arrivé(e)	**retourner** (to return)	je suis retourné(e)
partir (to leave)	je suis parti(e)	**revenir** (to come back)	je suis revenu(e)
entrer (to enter, come in)	je suis entré(e)	**devenir** (to become)	je suis devenu(e)
sortir (to go out)	je suis sorti(e)		
		naître (to be born)	je suis né(e)
monter (to go up)	je suis monté(e)	**mourir** (to die)	je suis mort(e)
descendre (to go down)	je suis descendu(e)		
tomber (to fall)	je suis tombé(e)		

C. L'imparfait

The imperfect tense is formed as follows:

> **nous**-form of the present minus **-ons** + endings

	parler	finir	vendre	faire	endings
(PRESENT) nous	**parl**ons	**finiss**ons	**vend**ons	**fais**ons	
IMPERFECT STEM	parl-	finiss-	vend-	fais-	
je	parlais	finissais	vendais	faisais	-ais
tu	parlais	finissais	vendais	faisais	-ais
il/elle/on	parlait	finissait	vendait	faisait	-ait
nous	parlions	finissions	vendions	faisions	-ions
vous	parliez	finissiez	vendiez	faisiez	-iez
ils/elles	parlaient	finissaient	vendaient	faisaient	-aient
NEGATIVE	je ne parlais pas				
INTERROGATIVE	est-ce que tu parlais? parlais-tu?				

IMPERFECT STEMS	
manger	je mangeais
commencer	je commençais
être	j'étais
avoir	j'avais
aller	j'allais
venir	je venais
sortir	je sortais
dormir	je dormais
mettre	je mettais
suivre	je suivais
devoir	je devais
pouvoir	je pouvais
vouloir	je voulais
savoir	je savais
connaître	je connaissais
prendre	je prenais
dire	je disais
lire	je lisais
écrire	j'écrivais
conduire	je conduisais
boire	je buvais
croire	je croyais
voir	je voyais

D. Passé composé ou imparfait?

Use:	to describe:	
the PASSÉ COMPOSÉ	• what you did • what happened	Hier après-midi, nous **sommes allés** en ville. Nous **avons vu** un accident.
the IMPERFECT	• what you used to do • what used to be	Pendant les vacances, j'**allais** souvent à la plage. Il y **avait** toujours beaucoup de monde.
	• what you were doing • what was going on	Hier à neuf heures, je **regardais** la télé. Il y **avait** une comédie.
	• the circumstances of an event (time, weather)	Quelle heure **était**-il? Quel temps **faisait**-il?

A. Les articles

In French, nouns are frequently introduced by ARTICLES. The choice of article depends on the <u>context</u> in which the noun is used.

These articles . . .	introduce . . .	
DEFINITE: **le (l')** **la (l')**	a noun used in a GENERAL or COLLECTIVE sense	J'aime **le** fromage. **La** patience est une qualité.
les	a SPECIFIC thing (or things)	Voici **le** fromage. *(the one I bought)* **La** patience du professeur est remarquable.
INDEFINITE: **un** **une**	one (or several) WHOLE items	J'ai acheté **un** fromage. *(a whole cheese)*
des	one of a kind	Ce boulanger *(baker)* fait **un** pain excellent. Vous avez **une** patience extraordinaire.
PARTITIVE: **du (de l')** **de la (de l')** **des**	SOME, ANY, a PORTION an UNSPECIFIED AMOUNT of something	Nous mangeons **du** fromage. *(just a piece)* Vous avez **de la** patience. Veux-tu **des** spaghetti?

REMARKS:
➡ In <u>negative</u> sentences, **un, une, du, de la, des → de (d').**

> Marc mange **du** fromage.   Alice ne mange pas **de** fromage.
> Philippe a **un** couteau.   Mélanie n'a pas **de** couteau.

➡ The DEFINITE article is generally used after the following verbs:

> **aimer**   J'aime **le** gâteau.
> **préférer**   Marc préfère **la** glace.

Philippe préfère le gâteau.

➡ The PARTITIVE article is often, but <u>not always</u>, used after the following:

> **voici**   **boire**   **acheter**
> **voilà**   **manger**   **avoir**
> **il y a**   **prendre**   **vouloir**

It is the context that determines which article is used. Compare:
> Je mange **la** pizza.   *(= the pizza that I bought)*
> Je mange **une** pizza.   *(= a whole pizza)*
> Je mange **de la** pizza.   *(= a piece of pizza)*

Les boissons sont sur la table.

➡ The PARTITIVE article is <u>not</u> used to introduce a subject. Compare:
> **Le lait** est dans le réfrigérateur.   Il y a **du lait** dans le réfrigérateur.

➡ The PARTITIVE article can be used with <u>abstract</u> as well as <u>concrete</u> nouns.
> Vous avez **de l'argent.**   Moi, j'ai **du talent.**

B. Les adjectifs irréguliers

Irregular feminine forms

MASCULINE	FEMININE		
-eux	-euse	curieux	curieuse
-f	-ve	actif	active
-en	-enne	canadien	canadienne
-on	-onne	mignon	mignonne
-el	-elle	ponctuel	ponctuelle
-er	-ère	régulier	régulière
-et	-ète	discret	discrète

Ils sont actifs!

Irregular masculine plural forms

SINGULAR	PLURAL		
-eux	-eux	curieux	curieux
-al	-aux	loyal	loyaux

Les adjectifs: **beau, nouveau, vieux**

SINGULAR				PLURAL	
MASCULINE		FEMININE		MASCULINE	FEMININE
beau	(bel)	belle		beaux	belles
nouveau	(nouvel)	nouvelle		nouveaux	nouvelles
vieux	(vieil)	vieille		vieux	vieilles

Est-ce que ces belles maisons à Annecy sont nouvelles?

REMARKS:

➡ In French, adjectives usually come <u>after</u> the noun.

J'aime la musique **classique**.   Anne porte une jupe **rouge** et **noire**.

➡ The following adjectives usually come <u>before</u> the noun:

grand ≠ petit	jeune ≠ vieux		joli = beau
bon ≠ mauvais	nouveau ≠ ancien		

Nous avons une grande maison dans un **vieux** quartier de Tours.

NOTE: Often **des** → **de** before a plural adjective.

Il porte **des** sandales. Il porte **de vieilles** sandales.

Ce monsieur est-il jeune ou vieux?

C. Les noms irréguliers

SINGULAR	PLURAL		
-al	-aux	un animal	des animaux
-eau	-eaux	un chapeau	des chapeaux
-eu	-eux	un cheveu	des cheveux

➡ A few nouns in **-al** form their plural by adding **–s**:

un festival   **des festivals**

Malice est un animal domestique.

D. Les pronoms compléments d'objet direct et indirect

FORMS AND USES

SUBJECT	DIRECT and INDIRECT
je (j')	me (m')
tu	te (t')
nous	nous
vous	vous

SUBJECT	DIRECT	INDIRECT
il	le (l')	lui
elle	la (l')	
ils	les	
elles		leur

> A DIRECT OBJECT answers the questions:
> **qui?** *(whom?)* or **quoi?** *(what?)*
>
> **qui?**   Je vois **Pauline**.   Je **la** vois.
> **quoi?**   Je vois **la voiture**.   Je **la** vois.

> **VERB + DIRECT OBJECT**
> (quelqu'un)
>
> | | |
> |---|---|
> | aider | inviter |
> | aimer | regarder |
> | chercher | rencontrer |
> | connaître | retrouver |
> | écouter | voir |

> **VERB + INDIRECT OBJECT**
> (à quelqu'un)
>
> dire à
> écrire à
> parler à
> téléphoner à
> rendre visite à
> rendre service à
>
> donner à *(to give)*
> emprunter à *(to borrow)*
> montrer à *(to show)*
> prêter à *(to lend)*
> rendre à *(to return, to give back)*

> An INDIRECT OBJECT answers the question:
> **à qui?** *(to whom?)*
>
> **à qui?**   Je parle **à Pauline**.   Je **lui** parle.

E. Connaître ou savoir?

Connaître and **savoir** both mean *to know*, but they are used differently.

     Connaître . . .   is used with NOUNS (or pronouns) designating:

je	**connais**
tu	**connais**
il/elle/on	**connaît**
nous	**connaissons**
vous	**connaissez**
ils/elles	**connaissent**

- PEOPLE   **Je connais** Jean-Philippe.
- PLACES   **Je connais** bien Paris.
                  Je connais un bon restaurant italien.
- INFORMATION   Je **ne connais pas** ton adresse.

POSITION
Object pronouns come **before** the verb EXCEPT in affirmative commands.

	AFFIRMATIVE	NEGATIVE
Present	Je **t'**invite. Je **le** connais. Je **lui** téléphone.	Je ne **t'**invite pas. Je ne **le** connais pas. Je ne **lui** téléphone pas.
Passé composé	Je **t'**ai vu. Je **l'**ai invité. Je **leur** ai parlé.	Je ne **t'**ai pas vu. Je ne **l'**ai pas invité. Je ne **leur** ai pas parlé.
Imperative (commands)	Écris-**moi**. Invite-**les**. Rends-**leur** visite.	Ne **m'**écris pas. Ne **les** invite pas. Ne **leur** rends pas visite.
Infinitive construction	Je vais **t'**inviter. Je vais **les** voir. Je vais **leur** écrire.	Je ne vais pas **t'**inviter. Je ne vais pas **les** voir. Je ne vais pas **leur** écrire.

Savoir . . .	is used (with):	

je **sais**
tu **sais**
il/elle/on **sait**
nous **savons**
vous **savez**
ils/elles **savent**
	• ALONE
	• a CLAUSE introduced by . . .
	    que *(that)*
	    si *(if, whether)*
	    an INTERROGATIVE
	    expression
	
	• an INFINITIVE
	• a NOUN designating
	  something LEARNED
		Tu sais? Non, je ne **sais** pas.
		
		Je sais que tu as une nouvelle moto.
		Est-ce que tu **sais** si Éric va venir?
		Je ne **sais** pas où tu habites.
		Sais-tu qui a téléphoné?
		Je ne **sais** pas quand je vais aller à Nice.
		Savez-vous utiliser un ordinateur?
		Les élèves ne **savent** pas la leçon.

3 VOCABULAIRE ....

A. Les nombres

LES NOMBRES CARDINAUX

To count, we use CARDINAL numbers: 1, 2, 3 . . .

0 à 99

0	zéro	10	dix	20	vingt	60	soixante
1	un	11	onze	21	vingt et un	61	soixante et un
2	deux	12	douze	22	vingt-deux	70	soixante-dix
3	trois	13	treize	23	vingt-trois	71	soixante et onze
4	quatre	14	quatorze	30	trente	72	soixante-douze
5	cinq	15	quinze	31	trente et un	80	quatre-vingts
6	six	16	seize	40	quarante	81	quatre-vingt-un
7	sept	17	dix-sept	48	quarante-huit	90	quatre-vingt-dix
8	huit	18	dix-huit	49	quarante-neuf	91	quatre-vingt-onze
9	neuf	19	dix-neuf	50	cinquante	99	quatre-vingt-dix-neuf

100 à 1 000 000

100	cent	400	quatre cents	1 000	mille
101	cent un	520	cinq cent vingt	1 210	mille deux cent dix
110	cent dix	675	six cent soixante-quinze	2 000	deux mille
200	deux cents	880	huit cent quatre-vingts	15 000	quinze mille
215	deux cent quinze	900	neuf cents	100 000	cent mille
371	trois cent soixante et onze			1 000 000	un million

LES NOMBRES ORDINAUX

To rank or put in sequence, we use ORDINAL numbers: 1st, 2nd, 3rd . . .

> ordinal number = cardinal number + **ième**
> (minus **-e**, if any)

deux	→ **deuxième**	EXCEPTIONS:	
douze	→ **douzième**	un	→ **premier (première)**
vingt et un	→ **vingt et unième**	cinq	→ **cinquième**
cent huit	→ **cent huitième**	neuf	→ **neuvième**

B. La nourriture et les boissons

Boulangerie Pâtisserie

le **pain** *bread*
un **croissant**
un **gâteau** *cake*
une **tarte** *pie*

Boucherie

la **viande** *meat*
le **rosbif**
le **jambon** *ham*
le **porc**
le **veau** *veal*

Alimentation générale

le **ketchup**
la **mayonnaise**
le **sel** *salt*
le **poivre** *pepper*
le **sucre** *sugar*
la **confiture** *jam*
le **riz** *rice*
les **spaghetti**
les **céréales**

Produits laitiers (Dairy products)

le **lait** *milk*
le **beurre** *butter*
la **margarine**
le **fromage** *cheese*
la **glace** *ice cream*
le **yaourt** *yogurt*
un **oeuf** *egg*

Poissonnerie

le **poisson** *fish*
la **sole**
le **thon** *tuna*
le **saumon** *salmon*

Fruits

une **orange**
une **banane**
un **melon**
une **pomme** *apple*
une **poire** *pear*
une **pamplemousse** *grapefruit*
une **fraise** *strawberry*
une **cerise** *cherry*
du **raisin** *grapes*

Légumes

le **céleri**
une **salade** *lettuce*
une **carotte**
une **tomate**
une **pomme de terre** *potato*
des **petits pois** *peas*

Boissons

le **thé**
le **café**
l'**eau** *water*
l'**eau minérale**
le **jus de fruits**
le **jus de pomme**
le **jus de raisin**

le corps (body)

la tête

le nez

la bouche

l'épaule (f.)

un doigt

le bras

le ventre
l'estomac (m.)

le genou

la jambe

la figure

les cheveux

l'oeil (les yeux)

l'oreille

le cou

le dos

le coeur

la main

le pied

Note the expression **avoir mal à:**

J'ai mal à la tête.	*I have a headache. (My head hurts.)*
J'ai mal au dos.	*I have a backache. (My back hurts.)*
J'ai mal aux dents.	*I have a toothache.*
J'ai mal au coeur.	*I have an upset stomach.*

D. Les vêtements et les accessoires

un sweat
des sandales
un tee-shirt
un short
un maillot de bain
des chaussettes
un blazer
des tennis
une casquette
un polo
une veste
un survêtement
un pull
un chapeau
un blouson
une cravate
un pantalon
un jean
un bracelet
des boucles d'oreilles
une bague
des baskets
des lunettes de soleil
un chemisier
un collier
un tailleur (woman's suit)
un imperméable
une ceinture
un costume (man's suit)
une jupe
une robe
un parapluie
des collants
un manteau
un foulard
des bottes
des chaussures
un sac

E. Les pays

LES CONTINENTS ET LES PAYS DU MONDE

L' Amérique du Nord et l'Amérique du Sud
1. le Canada
2. les États-Unis
3. le Mexique
4. le Guatemala
5. le Venezuela
6. le Pérou
7. le Brésil
8. l'Argentine
9. le Chili

L' Afrique
10. le Maroc
11. l'Algérie
12. la Tunisie
13. l'Égypte
14. le Sénégal
15. la Côte d'Ivoire
16. le Zaïre
17. Madagascar

L' Europe
18. la France
19. l'Espagne
20. le Portugal
21. l'Angleterre
22. l'Irlande
23. l'Écosse
24. la Belgique
25. le Luxembourg
26. la Suisse
27. les Pays-Bas
28. l'Allemagne
29. l'Italie
30. la Grèce
31. le Danemark
32. la Norvège
33. la Suède
34. la Pologne
35. la Russie

Le Moyen-Orient
36. Israël
37. le Liban
38. l'Arabie Saoudite

L' Asie et l'Océanie
39. la Chine
40. le Japon
41. la Corée
42. le Viêt-nam
43. le Cambodge
44. l'Inde
45. les Philippines
46. l'Australie
47. la Nouvelle Zélande

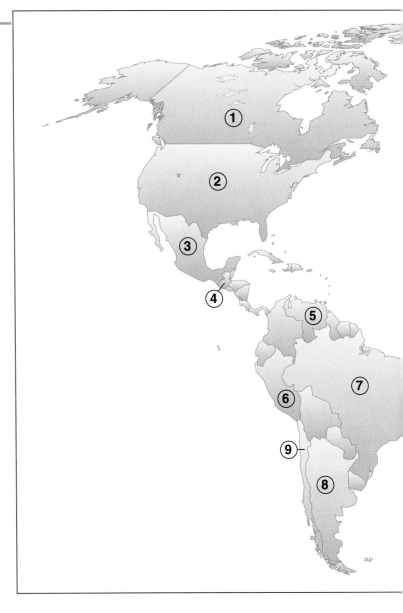

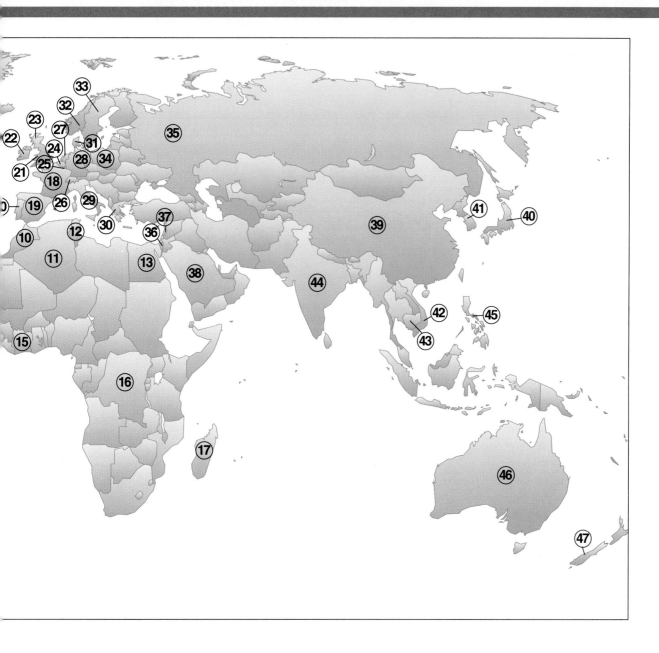

Les articles et les prépositions avec les noms de pays

	masculine country beginning with a consonant	feminine country or masculine country beginning with a vowel	plural country
Je visite . . .	**le** Canada	**la** France **l'**Israël	**les** États-Unis
Je vais . . . J'habite . . .	**au** Canada	**en** France **en** Israël	**aux** États-Unis
Je viens . . .	**du** Canada	**de** France **d'**Israël	**des** États-Unis

APPENDIX B: *Sound-Spelling Correspondence*

Vowels

SOUND	SPELLING	EXAMPLES
/a/	a, à, â	Madame, là-bas, théâtre
/i/	i, î	visite, Nice, dîne
	y (initial, final, or between consonants)	Yves, Guy, style
/u/	ou, où, oû	Toulouse, où, août
/y/	u, û	tu, Luc, sûr
/o/	o (final or before silent consonant)	piano, idiot, Margot
	au, eau	jaune, Claude, beau
	ô	hôtel, drôle, Côte-d'Ivoire
/ɔ/	o	Monique, Noël, jolie
	au	Paul, restaurant, Laure
/e/	é	Dédé, Québec, télé
	e (before silent final **z, t, r**)	chez, et, Roger
	ai (final or before final silent consonant)	j'ai, mai, japonais
/ɛ/	è	Michèle, Ève, père
	ei	seize, neige, Tour Eiffel
	ê	tête, être, Viêt-nam
	e (before two consonants)	elle, Pierre, Annette
	e (before pronounced final consonant)	Michel, avec, cher
	ai (before pronounced final consonant)	française, aime, Maine
/ə/	e (final or before single consonant)	je, Denise, venir
/ø/	eu, oeu	deux, Mathieu, oeufs
	eu (before final **se**)	nerveuse, généreuse, sérieuse
/œ/	eu, oeu (before final pronounced consonant except /z/)	heure, neuf, Lesieur, soeur, coeur, oeuf

Nasal vowels

SOUND	SPELLING	EXAMPLES
/ɑ̃/	an, am	France, quand, lampe
	en, em	Henri, pendant, décembre
/ɔ̃/	on, om	non, Simon, bombe
/ɛ̃/	in, im	Martin, invite, impossible
	yn, ym	syndicat, sympathique, Olympique
	ain, aim	Alain, américain, faim
	(o) + in	loin, moins, point
	(i) + en	bien, Julien, viens
/œ̃/	un, um	un, Lebrun, parfum

Semi-vowels

SOUND	SPELLING	EXAMPLES
/j/	**i, y** (before vowel sound)	bien, piano, Lyon
	-il, -ill (after vowel sound)	oeil, travaille, Marseille
/ɥ/	**u** (before vowel sound)	lui, Suisse, juillet
/w/	**ou** (before vowel sound)	oui, Louis, jouer
/wa/	**oi, oî, oy** (before vowel)	voici, Benoît, voyage

Consonants

SOUND	SPELLING	EXAMPLES
/b/	**b**	Barbara, banane, Belgique
/k/	**c** (before **a, o, u,** or consonant)	Coca-Cola, cuisine, classe
	ch(r)	Christine, Christian, Christophe
	qu, q (final)	Québec, qu'est-ce que, cinq
	k	kilo, Kiki, ketchup
/ʃ/	**ch**	Charles, blanche, chez
/d/	**d**	Didier, dans, médecin
/f/	**f**	Félix, franc, neuf
	ph	Philippe, téléphone, photo
/g/	**g** (before **a, o, u,** or consonant)	Gabriel, gorge, légumes, gris
	gu (before **e, i, y**)	vague, Guillaume, Guy
/η/	**gn**	mignon, champagne, Allemagne
/ʒ/	**j**	je, Jérôme, jaune
	g (before **e, i, y**)	rouge, Gigi, gymnastique
	ge (before **a, o, u**)	orangeade, Georges, nageur
/l/	**l**	Lise, elle, cheval
/m/	**m**	Maman, moi, tomate
/n/	**n**	banane, Nancy, nous
/p/	**p**	peu, Papa, Pierre
/r/	**r**	arrive, rentre, Paris
/s/	**c** (before **e, i, y**)	ce, Cécile, Nancy
	ç (before **a, o, u**)	ça, garçon, déçu
	s (initial or before consonant)	sac, Sophie, reste
	ss (between vowels)	boisson, dessert, Suisse
	t (before **i** + vowel)	attention, Nations Unies, natation
	x	dix, six, soixante
/t/	**t**	trop, télé, Tours
	th	Thérèse, thé, Marthe
/v/	**v**	Viviane, vous, nouveau
/gz/	**x**	examen, exemple, exact
/ks/	**x**	Max, Mexique, excellent
/z/	**s** (between vowels)	désert, télévision, Louise
	z	Suzanne, zut, zéro

APPENDIX C: *Verbes*

1 REGULAR VERBS

INFINITIF	parler (to talk, speak)	finir (to finish)	vendre (to sell)	se laver (to wash oneself)
PRÉSENT	je **parle** tu **parles** il **parle** nous **parlons** vous **parlez** ils **parlent**	je **finis** tu **finis** il **finit** nous **finissons** vous **finissez** ils **finissent**	je **vends** tu **vends** il **vend** nous **vendons** vous **vendez** ils **vendent**	je **me lave** tu **te laves** il **se lave** nous **nous lavons** vous **vous lavez** ils **se lavent**
IMPÉRATIF	**parle!** **parlons!** **parlez!**	**finis!** **finissons!** **finissez!**	**vends!** **vendons!** **vendez!**	**lave-toi!** **lavons-nous!** **lavez-vous!**
PASSÉ COMPOSÉ	j'**ai parlé** tu **as parlé** il **a parlé** nous **avons parlé** vous **avez parlé** ils **ont parlé**	j'**ai fini** tu **as fini** il **a fini** nous **avons fini** vous **avez fini** ils **ont fini**	j'**ai vendu** tu **as vendu** il **a vendu** nous **avons vendu** vous **avez vendu** ils **ont vendu**	je **me suis lavé(e)** tu **t'es lavé(e)** il/elle **s'est lavé(e)** nous **nous sommes lavé(e)s** vous **vous êtes lavé(e)(s)** ils/elles **se sont lavé(e)s**
IMPARFAIT	je **parlais** tu **parlais** il **parlait** nous **parlions** vous **parliez** ils **parlaient**	je **finissais** tu **finissais** il **finissait** nous **finissions** vous **finissiez** ils **finissaient**	je **vendais** tu **vendais** il **vendait** nous **vendions** vous **vendiez** ils **vendaient**	je **me lavais** tu **te lavais** il **se lavait** nous **nous lavions** vous **vous laviez** ils **se lavaient**
PLUS-QUE-PARFAIT	j'**avais parlé** tu **avais parlé** il **avait parlé** nous **avions parlé** vous **aviez parlé** ils **avaient parlé**	j'**avais fini** tu **avais fini** il **avait fini** nous **avions fini** vous **aviez fini** ils **avaient fini**	j'**avais vendu** tu **avais vendu** il **avait vendu** nous **avions vendu** vous **aviez vendu** ils **avaient vendu**	je **m'étais lavé(e)** tu **t'étais lavé(e)** il/elle **s'était lavé(e)** nous **nous étions lavé(e)s** vous **vous étiez lavé(e)(s)** ils/elles **s'étaient lavé(e)s**
PASSÉ SIMPLE	je **parlai** tu **parlas** il **parla** nous **parlâmes** vous **parlâtes** ils **parlèrent**	je **finis** tu **finis** il **finit** nous **finîmes** vous **finîtes** ils **finirent**	je **vendis** tu **vendis** il **vendit** nous **vendîmes** vous **vendîtes** ils **vendirent**	je **me lavai** tu **te lavas** il **se lava** nous **nous lavâmes** vous **vous lavâtes** ils **se lavèrent**

INFINITIF	parler (to talk, speak)	finir (to finish)	vendre (to sell)	se laver (to wash oneself)
FUTUR	je **parlerai** tu **parleras** il **parlera** nous **parlerons** vous **parlerez** ils **parleront**	je **finirai** tu **finiras** il **finira** nous **finirons** vous **finirez** ils **finiront**	je **vendrai** tu **vendras** il **vendra** nous **vendrons** vous **vendrez** ils **vendront**	je **me laverai** tu **te laveras** il **se lavera** nous **nous laverons** vous **vous laverez** ils **se laveront**
CONDITIONNEL	je **parlerais** tu **parlerais** il **parlerait** nous **parlerions** vous **parleriez** ils **parleraient**	je **finirais** tu **finirais** il **finirait** nous **finirions** vous **finiriez** ils **finiraient**	je **vendrais** tu **vendrais** il **vendrait** nous **vendrions** vous **vendriez** ils **vendraient**	je **me laverais** tu **te laverais** il **se laverait** nous **nous laverions** vous **vous laveriez** ils **se laveraient**
CONDITIONNEL PASSÉ	j'**aurais parlé** tu **aurais parlé** il **aurait parlé** nous **aurions parlé** vous **auriez parlé** ils **auraient parlé**	j'**aurais fini** tu **aurais fini** il **aurait fini** nous **aurions fini** vous **auriez fini** ils **auraient fini**	j'**aurais vendu** tu **aurais vendu** il **aurait vendu** nous **aurions vendu** vous **auriez vendu** ils **auraient vendu**	je **me serais lavé(e)** tu **te serais lavé(e)** il/elle **se serait lavé(e)** nous **nous serions lavé(e)s** vous **vous seriez lavé(e)(s)** ils/elles **se seraient lavé(e)s**
SUBJONCTIF	que je **parle** que tu **parles** qu'il **parle** que nous **parlions** que vous **parliez** qu'**ils parlent**	que je **finisse** que tu **finisses** qu'il **finisse** que nous **finissions** que vous **finissiez** qu'ils **finissent**	que je **vende** que tu **vendes** qu'il **vende** que nous **vendions** que vous **vendiez** qu'ils **vendent**	que je **me lave** que tu **te laves** qu'il **se lave** que nous **nous lavions** que vous **vous laviez** qu'ils **se lavent**
PASSÉ DU SUBJONCTIF	que j'**aie parlé** que tu **aies parlé** qu'il **ait parlé** que nous **ayons parlé** que vous **ayez parlé** qu'ils **aient parlé**	que j'**aie fini** que tu **aies fini** qu'il **ait fini** que nous **ayons fini** que vous **ayez fini** qu'ils **aient fini**	que j'**aie vendu** que tu **aies vendu** qu'il **ait vendu** que nous **ayons vendu** que vous **ayez vendu** qu'ils **aient vendu**	que je **me sois lavé(e)** que tu **te sois lavé(e)** qu'il/elle **se soit lavé(e)** que nous **nous soyons lavé(e)s** que vous **vous soyez lavé(e)(s)** qu'ils/elles **se soient lavé(e)s**
PARTICIPE PRÉSENT	**parlant**	**finissant**	**vendant**	**se lavant**
INFINITIF PASSÉ	**avoir parlé**	**avoir fini**	**avoir vendu**	**s'être lavé(e)**

2 VERBS WITH SPELLING CHANGES ....

Some -**er** verbs have spelling changes in certain tenses. These changes are highlighted in the chart below. All other forms of these verbs are similar to those of regular -**er** verbs.

The verbs listed below follow the pattern of the indicated model verbs. Note that reflexive verbs are conjugated with **être** in the compound tenses. (All other are conjugated with **avoir**.)

verbs like **acheter** *(to buy)*	verbs like **appeler** *(to call)*	verbs like **préférer** *(to prefer)*
amener *(to take, bring along)*	**s'appeler** *(to be named, to be called)*	**accélérer** *(to accelerate)*
élever *(to educate, to raise)*	**empaqueter** *(to bag)*	**célébrer** *(to celebrate)*
enlever *(to take off)*	**épousseter** *(to dust)*	**espérer** *(to hope)*
lever *(to lift, raise)*	**étinceler** *(to twinkle)*	**s'inquiéter** *(to worry)*
se lever *(to get up)*	**jeter** *(to throw)*	**posséder** *(to possess, to own)*
mener *(to take, to lead)*	**rappeler** *(to call back)*	**protéger** *(to protect)*
promener *(to walk [a dog])*	**se rappeler** *(to remember)*	**répéter** *(to repeat)*
se promener *(to take a walk,*	**rejeter** *(to reject)*	**sécher** *(to dry)*
		se sécher *(to dry oneself)*
		suggérer *(to suggest)*

INFINITIF	PRÉSENT		IMPÉRATIF	PASSÉ COMPOSÉ	IMPARFAIT
acheter e → è	j'**achète** tu **achètes** il **achète**	nous **achetons** vous **achetez** ils **achètent**	**achète!** **achetons!** **achetez!**	j'ai acheté	j'**achetais** nous **achetions**
appeler l → ll *(double consonant)*	j'**appelle** tu **appelles** il **appelle**	nous **appelons** vous **appelez** ils **appellent**	**appelle!** **appelons!** **appelez!**	j'ai appelé	j'**appelais** nous **appelions**
préférer é → è	je **préfère** tu **préfères** il **préfère**	nous **préférons** vous **préférez** ils **préfèrent**	**préfère!** **préférons!** **préférez!**	j'ai préféré	je **préférais** nous **préférions**
payer y → i	je **paie** tu **paies** il **paie**	nous **payons** vous **payez** ils **paient**	**paie!** **payons!** **payez!**	j'ai payé	je **payais** nous **payions**
commencer c → ç *(before a, o)*	je **commence** tu **commences** il **commence**	nous **commençons** vous **commencez** ils **commencent**	**commence!** **commençons!** **commencez!**	j'ai commencé	je **commençais** nous **commencions**
manger g → ge *(before a, o)*	je **mange** tu **manges** il **mange**	nous **mangeons** vous **mangez** ils **mangent**	**mange!** **mangeons!** **mangez!**	j'ai mangé	je **mangeais** nous **mangions**

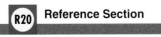

verbs like **payer** (to pay, pay for)

balayer (to sweep)
employer (to use, to employ)
s'ennuyer (to be bored)
essayer (to try)
essuyer (to wipe, to dry)
nettoyer (to clean)

verbs like **commencer** (to begin, start)

annoncer (to announce, proclaim)
divorcer (to divorce)
se fiancer (to get engaged)
menacer (to threaten)

verbs like **manger** (to eat)

arranger (to arrange, to fix)
changer (to change)
charger (to charge)
s'en charger (to take charge)
corriger (to correct)
dégager (to shorten)
déranger (to disturb)
diriger (to direct, to run)
exiger (to demand)
égorger (to slit the throat)
engager (to hire)
interroger (to interrogate)
juger (to judge)

mélanger (to mix)
nager (to swim)
négliger (to neglect)
neiger (to snow)
obliger (to oblige)
partager (to share)
plonger (to dive)
protéger (to protect)
ranger (to pick up, to put away)
venger (to avenge)
voyager (to travel)

PASSÉ SIMPLE	FUTUR	CONDITIONNEL	SUBJONCTIF	PARTICIPE PRÉSENT
j'achetai il acheta ils achetèrent	j'achèterai	j'achèterais	que j'achète que nous achetions	achetant
j'appelai il appela ils appelèrent	j'appellerai	j'appellerais	que j'appelle que nous appelions	appelant
je préférai il préféra ils préférèrent	je préférerai	je préférerais	que je préfère que nous préférions	préférant
je payai il paya ils payèrent	je paierai	je paierais	que je paie que nous payions	payant
je commençai il commença ils commencèrent	je commencerai	je commencerais	que je commence que nous commencions	commençant
je mangeai il mangea ils mangèrent	je mangerai	je mangerais	que je mange que nous mangions	mangeant

3 AUXILIARY FORMS ···

INFINITIF	PRÉSENT		IMPARFAIT		FUTUR	
avoir	j'**ai**	nous **avons**	j'**avais**	nous **avions**	j'**aurai**	nous **aurons**
	tu **as**	vous **avez**	tu **avais**	vous **aviez**	tu **auras**	vous **aurez**
	il **a**	ils **ont**	il **avait**	ils **avaient**	il **aura**	ils **auront**
être	je **suis**	nous **sommes**	j'**étais**	nous **étions**	je **serai**	nous **serons**
	tu **es**	vous **êtes**	tu **étais**	vous **étiez**	tu **seras**	vous **serez**
	il **est**	ils **sont**	il **était**	ils **étaient**	il **sera**	ils **seront**

4 IRREGULAR VERBS ···

For the conjugation of the irregular verbs listed below, follow the pattern of the indicated verbs. Verbs conjugated with **être** as an auxiliary verb in the compound tenses are noted with an asterisk (*). All others are conjugated with **avoir**.

accueillir	(see **cueillir**)	**craindre**	(see **peindre**)	**s'endormir**	(see **dormir**)
admettre	(see **mettre**)	**cuire**	(see **conduire**)	**s'enfuir**	(see **fuir**)
apercevoir	(see **recevoir**)	**débattre**	(see **battre**)	**entreprendre**	(see **prendre**)
apparaître	(see **connaître**)	**décevoir**	(see **recevoir**)	**entretenir**	(see **tenir**)
appartenir	(see **tenir**)	**découvrir**	(see **ouvrir**)	**éteindre**	(see **peindre**)
apprendre	(see **prendre**)	**décrire**	(see **écrire**)	**s'étendre**	(see **rendre**)
atteindre	(see **peindre**)	**se déplacer**	(see **placer**)	**inscrire**	(see **écrire**)
attendre	(see **rendre**)	**déplaire**	(see **plaire**)	**interdire**	(see **dire**)
combattre	(see **battre**)	**détruire**	(see **conduire**)	**interrompre**	(see **rompre**)
comprendre	(see **prendre**)	**descendre**	(see **rendre**)	**intervenir**	(see **venir**)
confier	(see **planifier**)	*** devenir**	(see **venir**)	**introduire**	(see **conduire**)
conquérir	(see **acquérir**)	**disparaître**	(see **connaître**)	**joindre**	(see **peindre**)
construire	(see **conduire**)	**effacer**	(see **placer**)	**lancer**	(see **placer**)
contenir	(see **tenir**)	**élire**	(see **lire**)	**maintenir**	(see **tenir**)
convaincre	(see **vaincre**)	**entendre**	(see **rendre**)	**se marier**	(see **planifier**)
couvrir	(see **ouvrir**)	**s'entendre**	(see **rendre**)	**se méfier**	(see **planifier**)

INFINITIF	PRÉSENT		IMPÉRATIF	PASSÉ COMPOSÉ	IMPARFAIT
acquérir (to acquire, get)	j'**acquiers** tu **acquiers** il **acquiert**	nous **acquérons** vous **acquérez** ils **acquièrent**	**acquiers** **acquérons** **acquérez**	j'**ai acquis**	j'**acquérais**
aller (to go)	je **vais** tu **vas** il **va**	nous **allons** vous **allez** ils **vont**	**va** **allons** **allez**	je **suis allé(e)**	j'**allais**

CONDITIONNEL		SUBJONCTIF	
j'aurais	nous aurions	que j'aie	que nous ayons
tu aurais	vous auriez	que tu aies	que vous ayez
il aurait	ils auraient	qu'il ait	qu'ils aient
je serais	nous serions	que je sois	que nous soyons
tu serais	vous seriez	que tu sois	que vous soyez
il serait	ils seraient	qu'il soit	qu'ils soient

mentir	(see **sortir**)	promettre	(see **mettre**)	*revenir	(see **venir**)
obtenir	(see **tenir**)	reconnaître	(see **connaître**)	sentir	(see **sortir**)
offrir	(see **ouvrir**)	réconcilier	(see **planifier**)	servir	(see **sortir**)
opérer	(see **céder**)	reconstruire	(see **conduire**)	souffrir	(see **ouvrir**)
paraître	(see **connaître**)	récupérer	(see **céder**)	sourire	(see **rire**)
parcourir	(see **courir**)	redécouvrir	(see **ouvrir**)	soutenir	(see **tenir**)
*partir	(see **sortir**)	réduire	(see **conduire**)	se souvenir	(see **venir**)
parvenir	(see **venir**)	remarier	(see **planifier**)	subvenir	(see **venir**)
pendre	(see **rendre**)	remercier	(see **planifier**)	succéder	(see **céder**)
se perdre	(see **rendre**)	remettre	(see **mettre**)	surprendre	(see **prendre**)
permettre	(see **mettre**)	se rendre à	(see **rendre**)	survenir	(see **venir**)
peser	(see **acheter**)	renoncer	(see **placer**)	survivre	(see **vivre**)
plaindre	(see **peindre**)	renvoyer	(see **envoyer**)	tondre	(see **rendre**)
poursuivre	(see **suivre**)	répandre	(see **rendre**)	se tordre	(see **rendre**)
prédire	(see **dire**)	répondre	(see **rendre**)	traduire	(see **conduire**)
prévoir	(see **voir**)	ressentir	(see **sortir**)		
produire	(see **conduire**)	retenir	(see **tenir**)		

PASSÉ SIMPLE	FUTUR	CONDITIONNEL	SUBJONCTIF	PARTICIPE PRÉSENT
j'acquis	j'acquerrai	j'acquerrais	que j'acquière que nous acquérions	acquérant
j'allai	j'irai	j'irais	que j'aille que nous allions	allant

INFINITIF	PRÉSENT		IMPÉRATIF	PASSÉ COMPOSÉ	IMPARFAIT
appuyer (to push)	j'**appuie** tu **appuies** il **appuie**	nous **appuyons** vous **appuyez** ils **appuient**	**appuie!** **appuyons!** **appuyez!**	j'ai **appuyé**	j'**appuyais**
s'asseoir (to sit down)	je m'**assieds** tu t'**assieds** il s'**assied**	nous **nous asseyons** vous **vous asseyez** ils s'**asseyent**	**assieds-toi!** **asseyons-nous!** **asseyez-vous!**	je me suis **assis(e)**	je m'**asseyais**
avoir (to have)	j'**ai** tu **as** il **a**	nous **avons** vous **avez** ils **ont**	**aie!** **ayons!** **ayez!**	j'ai **eu**	j'**avais**
il y a (there is, are)	**il y a**		– –	**il y a eu**	**il y avait**
battre (to beat)	je **bats** tu **bats** il **bat**	nous **battons** vous **battez** ils **battent**	**bats!** **battons!** **battez!**	j'ai **battu**	je **battais**
boire (to drink)	je **bois** tu **bois** il **boit**	nous **buvons** vous **buvez** ils **boivent**	**bois!** **buvons!** **buvez!**	j'ai **bu**	je **buvais**
céder (to cede)	je **cède** tu **cèdes** il **cède**	nous **cédons** vous **cédez** ils **cèdent**	**cède!** **cédons!** **cédez!**	j'ai **cédé**	je **cédais**
conduire (to drive)	je **conduis** tu **conduis** il **conduit**	nous **conduisons** vous **conduisez** ils **conduisent**	**conduis!** **conduisons!** **conduisez!**	j'ai **conduit**	je **conduisais**
connaître (to know)	je **connais** tu **connais** il **connaît**	nous **connaissons** vous **connaissez** ils **connaissent**	**connais!** **connaissons!** **connaissez!**	j'ai **connu**	je **connaissais**
courir (to run)	je **cours** tu **cours** il **court**	nous **courons** vous **courez** ils **courent**	**cours!** **courons!** **courez!**	j'ai **couru**	je **courais**
croire (to believe, think)	je **crois** tu **crois** il **croit**	nous **croyons** vous **croyez** ils **croient**	**crois!** **croyons!** **croyez!**	j'ai **cru**	je **croyais**
cueillir (to gather, pick)	je **cueille** tu **cueilles** il **cueille**	nous **cueillons** vous **cueillez** ils **cueillent**	**cueille!** **cueillons!** **cueillez!**	j'ai **cueilli**	je **cueillais**
devoir (must, to have to, owe)	je **dois** tu **dois** il **doit**	nous **devons** vous **devez** ils **doivent**	**dois!** **devons!** **devez!**	j'ai **dû**	je **devais**

PASSÉ SIMPLE	FUTUR	CONDITIONNEL	SUBJONCTIF		PARTICIPE PRÉSENT
j'appuyai	j'appuierai	j'appuierais	que j'**appuie** que nous **appuyions**		appuyant
je m'assis	je m'assiérai	je m'assiérais	que je m'**asseye** que nous **nous asseyions**		s'asseyant
j'eus	j'aurai	j'aurais	que j'**aie** que tu **aies** qu'il **ait**	que nous **ayons** que vous **ayez** qu'ils **aient**	ayant
il y eut	**il y aura**	**il y aurait**	qu'**il y ait**		– –
je **battis**	je **battrai**	je **battrais**	que je **batte** que nous **battions**		battant
je **bus**	je **boirai**	je **boirais**	que je **boive** que nous **buvions**		buvant
je **cédai**	je **céderai**	je **céderais**	que je **cède** que nous **cédions**		cédant
je **conduisis**	je **conduirai**	je **conduirais**	que je **conduise** que nous **conduisions**		conduisant
je **connus**	je **connaîtrai**	je **connaîtrais**	que je **connaisse** que nous **connaissions**		connaissant
je **courus**	je **courrai**	je **courrais**	que je **coure** que nous **courions**		courant
je **crus**	je **croirai**	je **croirais**	que je **croie** que nous **croyions**		croyant
je **cueillis**	je **cueillerai**	je **cueillerais**	que je **cueille** que nous **cueillions**		cueillant
je **dus**	je **devrai**	je **devrais**	que je **doive** que nous **devions**		devant

INFINITIF	PRÉSENT		IMPÉRATIF	PASSÉ COMPOSÉ	IMPARFAIT
dire *(to say, tell)*	je **dis** tu **dis** il **dit**	nous **disons** vous **dites** ils **disent**	**dis!** **disons!** **dites!**	j'**ai dit**	je **disais**
dormir *(to sleep)*	je **dors** tu **dors** il **dort**	nous **dormons** vous **dormez** ils **dorment**	**dors!** **dormons!** **dormez!**	j'**ai dormi**	je **dormais**
écrire *(to write)*	j'**écris** tu **écris** il **écrit**	nous **écrivons** vous **écrivez** ils **écrivent**	**écris!** **écrivons!** **écrivez!**	j'**ai écrit**	j'**écrivais**
envoyer *(to send)*	j'**envoie** tu **envoies** il **envoie**	nous **envoyons** vous **envoyez** ils **envoient**	**envoie!** **envoyons!** **envoyez!**	j'**ai envoyé**	j'**envoyais**
être *(to be)*	je **suis** tu **es** il **est**	nous **sommes** vous **êtes** ils **sont**	**sois!** **soyons!** **soyez!**	j'**ai été**	j'**étais**
faire *(to make, do)*	je **fais** tu **fais** il **fait**	nous **faisons** vous **faites** ils **font**	**fais!** **faisons!** **faites!**	j'**ai fait**	je **faisais**
falloir *(to be necessary)*	il **faut**	– –	– –	il **a fallu**	il **fallait**
fuir *(to flee)*	je **fuis** tu **fuis** il **fuit**	nous **fuyons** vous **fuyez** ils **fuient**	**fuis!** **fuyons!** **fuyez!**	j'**ai fui**	je **fuyais**
lire *(to read)*	je **lis** tu **lis** il **lit**	nous **lisons** vous **lisez** ils **lisent**	**lis!** **lisons!** **lisez!**	j'**ai lu**	je **lisais**
mettre *(to put, place)*	je **mets** tu **mets** il **met**	nous **mettons** vous **mettez** ils **mettent**	**mets!** **mettons!** **mettez!**	j'**ai mis**	je **mettais**
mourir *(to die)*	je **meurs** tu **meurs** il **meurt**	nous **mourons** vous **mourez** ils **meurent**	**meurs!** **mourons!** **mourez!**	je **suis mort(e)**	je **mourais**

PASSÉ SIMPLE	FUTUR	CONDITIONNEL	SUBJONCTIF	PARTICIPE PRÉSENT
je **dis**	je **dirai**	je **dirais**	que je **dise** que nous **disions**	disant
je **dormis**	je **dormirai**	je **dormirais**	que je **dorme** que nous **dormions**	dormant
j'**écrivis**	j'**écrirai**	j'**écrirais**	que j'**écrive** que nous **écrivions**	écrivant
j'**envoyai**	j'**enverrai**	j'**enverrais**	que j'**envoie** que nous **envoyions**	envoyant
je **fus**	je **serai**	je **serais**	que je **sois** que nous **soyons** que tu **sois** que vous **soyez** qu'il **soit** qu'ils **soient**	étant
je **fis**	je **ferai**	je **ferais**	que je **fasse** que nous **fassions**	faisant
il **fallut**	il **faudra**	il **faudrait**	qu'il **faille**	– –
je **fuis**	je **fuirai**	je **fuirais**	que je **fuie** que nous **fuyions**	fuyant
je **lus**	je **lirai**	je **lirais**	que je **lise** que nous **lisions**	lisant
je **mis**	je **mettrai**	je **mettrais**	que je **mette** que nous **mettions**	mettant
je **mourus**	je **mourrai**	je **mourrais**	que je **meure** que nous **mourions**	mourant

INFINITIF	PRÉSENT		IMPÉRATIF	PASSÉ COMPOSÉ	IMPARFAIT
naître *(to be born)*	je **nais** tu **nais** il **naît**	nous **naissons** vous **naissez** ils **naissent**	**nais!** **naissons!** **naissez!**	je **suis né(e)**	je **naissais**
ouvrir *(to open)*	j'**ouvre** tu **ouvres** il **ouvre**	nous **ouvrons** vous **ouvrez** ils **ouvrent**	**ouvre!** **ouvrons!** **ouvrez!**	j'**ai ouvert**	j'**ouvrais**
peindre *(to paint)*	je **peins** tu **peins** il **peint**	nous **peignons** vous **peignez** ils **peignent**	**peins!** **peignons!** **peignez!**	j'**ai peint**	je **peignais**
placer *(to place)*	je **place** tu **places** il **place**	nous **plaçons** vous **placez** ils **placent**	**place!** **plaçons!** **placez!**	j'**ai placé**	je **plaçais**
plaire *(to please)*	je **plais** tu **plais** il **plaît**	nous **plaisons** vous **plaisez** ils **plaisent**	**plais!** **plaisons!** **plaisez!**	j'**ai plu**	je **plaisais**
planifier *(to plan)*	je **planifie** tu **planifies** il **planifie**	nous **planifions** vous **planifiez** ils **planifient**	**planifie!** **planifions!** **planifiez!**	j'**ai planifié**	je **planifiais**
pleuvoir *(to rain)*	il **pleut**	– –	– –	il **a plu**	il **pleuvait**
pouvoir *(to be able, can)*	je **peux** tu **peux** il **peut**	nous **pouvons** vous **pouvez** ils **peuvent**	– –	j'**ai pu**	je **pouvais**
prendre *(to take, have)*	je **prends** tu **prends** il **prend**	nous **prenons** vous **prenez** ils **prennent**	**prends!** **prenons!** **prenez!**	j'**ai pris**	je **prenais**
recevoir *(to receive, get, obtain)*	je **reçois** tu **reçois** il **reçoit**	nous **recevons** vous **recevez** ils **reçoivent**	**reçois!** **recevons!** **recevez!**	j'**ai reçu**	je **recevais**
rendre *(to render)*	je **rends** tu **rends** il **rend**	nous **rendons** vous **rendez** ils **rendent**	**rends!** **rendons!** **rendez!**	j'**ai rendu**	je **rendais**
résoudre *(to resolve)*	je **résous** tu **résous** il **résout**	nous **résolvons** vous **résolvez** ils **résolvent**	**résous!** **résolvons!** **résolvez!**	j'**ai résolu**	je **résolvais**
rire *(to laugh)*	je **ris** tu **ris** il **rit**	nous **rions** vous **riez** ils **rient**	**ris!** **rions!** **riez!**	j'**ai ri**	je **riais**

PASSÉ SIMPLE	FUTUR	CONDITIONNEL	SUBJONCTIF	PARTICIPE PRÉSENT
je **naquis**	je **naîtrai**	je **naîtrais**	que je **naisse** que nous **naissions**	**naissant**
j'**ouvris**	j'**ouvrirai**	j'**ouvrirais**	que j'**ouvre** que nous **ouvrions**	**ouvrant**
je **peignis**	je **peindrai**	je **peindrais**	que je **peigne** que nous **peignions**	**peignant**
je **plaçai**	je **placerai**	je **placerais**	que je **place** que nous **placions**	**plaçant**
je **plus**	je **plairai**	je **plairais**	que je **plaise** que nous **plaisions**	**plaisant**
je **planifiai**	je **planifierai**	je **planifierais**	que je **planifie** que nous **planifiions**	**planifiant**
il **plut**	il **pleuvra**	il **pleuvrait**	qu'il **pleuve**	**pleuvant**
je **pus**	je **pourrai**	je **pourrais**	que je **puisse** que nous **puissions**	**pouvant**
je **pris**	je **prendrai**	je **prendrais**	que je **prenne** que nous **prenions**	**prenant**
je **reçus**	je **recevrai**	je **recevrais**	que je **reçoive** que nous **recevions**	**recevant**
je **rendis**	je **rendrai**	je **rendrais**	que je **rende** que nous **rendions**	**rendant**
je **résolus**	je **résoudrai**	je **résoudrais**	que je **résolve** que nous **résolvions**	**résolvant**
je **ris**	je **rirai**	je **rirais**	que je **rie** que nous **riions**	**riant**

INFINITIF	PRÉSENT		IMPÉRATIF	PASSÉ COMPOSÉ	IMPARFAIT
rompre *(to break)*	je **romps** tu **romps** il **rompt**	nous **rompons** vous **rompez** ils **rompent**	**romps!** **rompons!** **rompez!**	j'ai **rompu**	je **rompais**
savoir *(to know)*	je **sais** tu **sais** il **sait**	nous **savons** vous **savez** ils **savent**	**sache!** **sachons!** **sachez!**	j'ai **su**	je **savais**
sortir *(to go out)*	je **sors** tu **sors** il **sort**	nous **sortons** vous **sortez** ils **sortent**	**sors!** **sortons!** **sortez!**	je suis **sorti(e)**	je **sortais**
suivre *(to follow)*	je **suis** tu **suis** il **suit**	nous **suivons** vous **suivez** ils **suivent**	**suis!** **suivons!** **suivez!**	j'ai **suivi**	je **suivais**
se taire *(to be quiet)*	je me **tais** tu te **tais** il se **tait**	nous nous **taisons** vous vous **taisez** ils se **taisent**	**tais-toi!** **taisons-nous!** **taisez-vous!**	je me suis **tu(e)**	je me **taisais**
tenir *(to hold)*	je **tiens** tu **tiens** il **tient**	nous **tenons** vous **tenez** ils **tiennent**	**tiens!** **tenons!** **tenez!**	j'ai **tenu**	je **tenais**
vaincre *(to win, conquer)*	je **vaincs** tu **vaincs** il **vainc**	nous **vainquons** vous **vainquez** ils **vainquent**	**vaincs!** **vainquons!** **vainquez!**	j'ai **vaincu**	je **vainquais**
valoir *(to be worth, deserve, merit)*	je **vaux** tu **vaux** il **vaut**	nous **valons** vous **valez** ils **valent**	**vaux!** **valons!** **valez!**	j'ai **valu**	je **valais**
venir *(to come)*	je **viens** tu **viens** il **vient**	nous **venons** vous **venez** ils **viennent**	**viens!** **venons!** **venez!**	je suis **venu(e)**	je **venais**
vivre *(to live)*	je **vis** tu **vis** il **vit**	nous **vivons** vous **vivez** ils **vivent**	**vis!** **vivons!** **vivez!**	j'ai **vécu**	je **vivais**
voir *(to see)*	je **vois** tu **vois** il **voit**	nous **voyons** vous **voyez** ils **voient**	**vois!** **voyons!** **voyez!**	j'ai **vu**	je **voyais**
vouloir *(to want, wish)*	je **veux** tu **veux** il **veut**	nous **voulons** vous **voulez** ils **veulent**	**veuille!** **veuillons!** **veuillez!**	j'ai **voulu**	je **voulais**

PASSÉ SIMPLE	FUTUR	CONDITIONNEL	SUBJONCTIF	PARTICIPE PRÉSENT
je **rompis**	je **romprai**	je **romprais**	que je **rompe** que nous **rompions**	**rompant**
je **sus**	je **saurai**	je **saurais**	que je **sache** que nous **sachions**	**sachant**
je **sortis**	je **sortirai**	je **sortirais**	que je **sorte** que nous **sortions**	**sortant**
je **suivis**	je **suivrai**	je **suivrais**	que je **suive** que nous **suivions**	**suivant**
je **me tus**	je **me tairai**	je **me tairais**	que je **me taise** que nous **nous taisions**	**se taisant**
je **tins**	je **tiendrai**	je **tiendrais**	que je **tienne** que nous **tenions**	**tenant**
je **vainquis**	je **vaincrai**	je **vaincrais**	que je **vainque** que nous **vainquions**	**vainquant**
je **valus**	je **vaudrai**	je **vaudrais**	que je **vaille** que nous **valions**	**valant**
je **vins**	je **viendrai**	je **viendrais**	que je **vienne** que nous **venions**	**venant**
je **vécus**	je **vivrai**	je **vivrais**	que je **vive** que nous **vivions**	**vivant**
je **vis**	je **verrai**	je **verrais**	que je **voie** que nous **voyions**	**voyant**
je **voulus**	je **voudrai**	je **voudrais**	que je **veuille** que nous **voulions**	**voulant**

5 PASSÉ SIMPLE

The PASSÉ SIMPLE is a past tense which is used mainly in literary French. You may encounter the passé simple in newspaper and magazine articles, in short stories and novels. The passé simple is generally not used in conversational French, nor is it used in informal notes and letters.

FORMS

The PASSÉ SIMPLE is a simple tense.
For REGULAR VERBS, this tense is formed as follows:

PASSÉ SIMPLE = INFINITIVE STEM + PASSÉ SIMPLE ENDINGS

INFINITIVE	parler	
STEM	parl-	ENDINGS
je	parlai	-ai
tu	parlas	-as
il/elle/on	parla	-a
nous	parlâmes	-âmes
vous	parlâtes	-âtes
ils/elles	parlèrent	-èrent

INFINITIVE	finir	
STEM	fin-	ENDINGS
je	finis	-is
tu	finis	-is
il/elle/on	finit	-it
nous	finîmes	-îmes
vous	finîtes	-îtes
ils/elles	finirent	-irent

INFINITIVE	vendre	
STEM	vend-	ENDINGS
je	vendis	-is
tu	vendis	-is
il/elle/on	vendit	-it
nous	vendîmes	-îmes
vous	vendîtes	-îtes
ils/elles	vendirent	-irent

PASSÉ SIMPLE OF SELECTED IRREGULAR VERBS
(FOR RECOGNITION)

il alla	aller
il but	boire
il conduisit	conduire
il connut	connaître
il craignit	craindre
il crut	croire
il dit	dire
il dormit	dormir
il dut	devoir
il eut	avoir
il écrivit	écrire
il fallut	il faut
il fit	faire
il fut	être
il lut	lire
il mit	mettre
il mourut	mourir
il naquit	naître
il ouvrit	ouvrir
il plut	plaire
il plut	il pleut
il prit	prendre
il put	pouvoir
il reçut	recevoir
il rit	rire
il sortit	sortir
il suivit	suivre
il tint	tenir
il vécut	vivre
il vit	voir
il voulut	vouloir
il sut	savoir

Many IRREGULAR VERBS have irregular stems in the passé simple.
These are always given in the **je**-form in dictionaries and verb charts.

Irregular verbs fall into three groups, according to their endings:

	je-form in **-us** connaître		**je**-form in **-is** prendre		**je**-form in **-ins** venir	
je	**connus**	**-us**	**pris**	**-is**	**vins**	**-ins**
tu	**connus**	**-us**	**pris**	**-is**	**vins**	**-ins**
il/elle/on	**connut**	**-ut**	**prit**	**-it**	**vint**	**-int**
nous	**connûmes**	**-ûmes**	**prîmes**	**-îmes**	**vînmes**	**-înmes**
vous	**connûtes**	**-ûtes**	**prîtes**	**-îtes**	**vîntes**	**-întes**
ils/elles	**connurent**	**-urent**	**prirent**	**-irent**	**vinrent**	**-inrent**

➡ Note that **aller** follows the pattern of **-er** verbs: **j'allai, il alla, ils allèrent.**

USES

The passé simple corresponds to the simple past in English.

Champlain **fonda** Québec en 1608.   *Champlain **founded** Quebec in 1608.*

Contrast the use of the past tenses in French:

To express:	in LITERARY French:	in CONVERSATIONAL French:
• an on-going event or action (*what was happening*)	IMPERFECT **Il neigeait.** *(It was snowing.)*	IMPERFECT **Il neigeait.** *(It was snowing.)*
• a habitual past action (*what used to happen*)	IMPERFECT **En hiver, nous faisions du ski.** *(In winter, we used to go skiing.)*	IMPERFECT **En hiver, nous faisions du ski.** *(In winter, we used to go skiing.)*
• a specific event completed at a given moment in the past (*what happened*)	PASSÉ SIMPLE **Paul tomba et se cassa le bras.** *(Paul fell and broke his arm.)*	PASSÉ COMPOSÉ **Paul est tombé et il s'est cassé le bras.** *(Paul fell and broke his arm.)*
• an action that took place in the past at an indefinite time and has consequences in the present (*what has happened*)	PASSÉ COMPOSÉ **Personne ne l'a vu depuis l'accident.** *(Nobody has seen him since the accident.)*	PASSÉ COMPOSÉ **Personne ne l'a vu depuis l'accident.** *(Nobody has seen him since the accident.)*

APPENDIX D

1   MAPS ....

La France

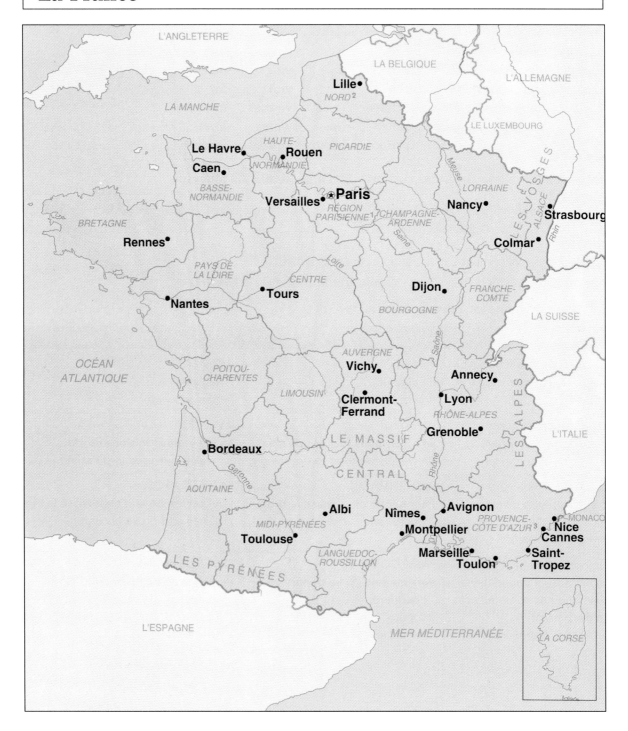

Paris

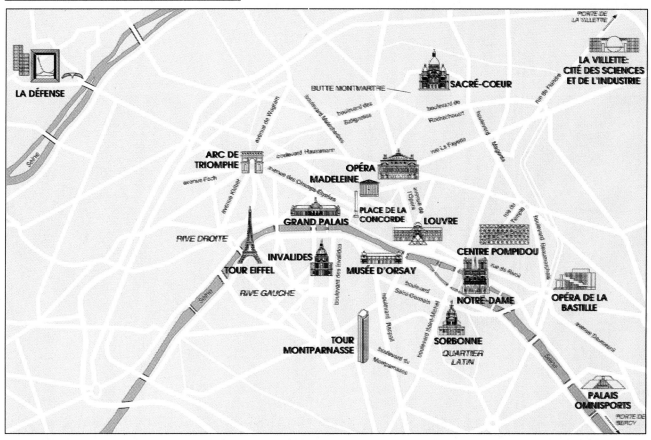

LA DÉFENSE

BUTTE MONTMARTRE   SACRÉ-COEUR

LA VILLETTE:
CITÉ DES SCIENCES
ET DE L'INDUSTRIE

ARC DE
TRIOMPHE

OPÉRA
MADELEINE

PLACE DE LA
CONCORDE   LOUVRE

GRAND PALAIS

RIVE DROITE

INVALIDES

CENTRE POMPIDOU

TOUR EIFFEL   MUSÉE D'ORSAY

RIVE GAUCHE

NOTRE-DAME

OPÉRA DE LA
BASTILLE

TOUR
MONTPARNASSE

SORBONNE

QUARTIER
LATIN

PALAIS
OMNISPORTS

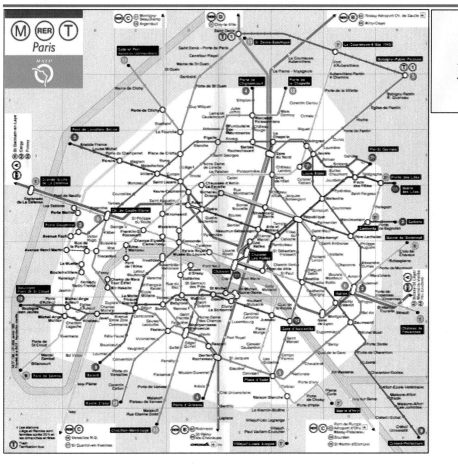

Paris
Métro Map

Le Monde francophone

En mai 1997, le président Laurent Kabila a changé le nom du Zaïre en République démocratique du Congo (le Congo démocratique).

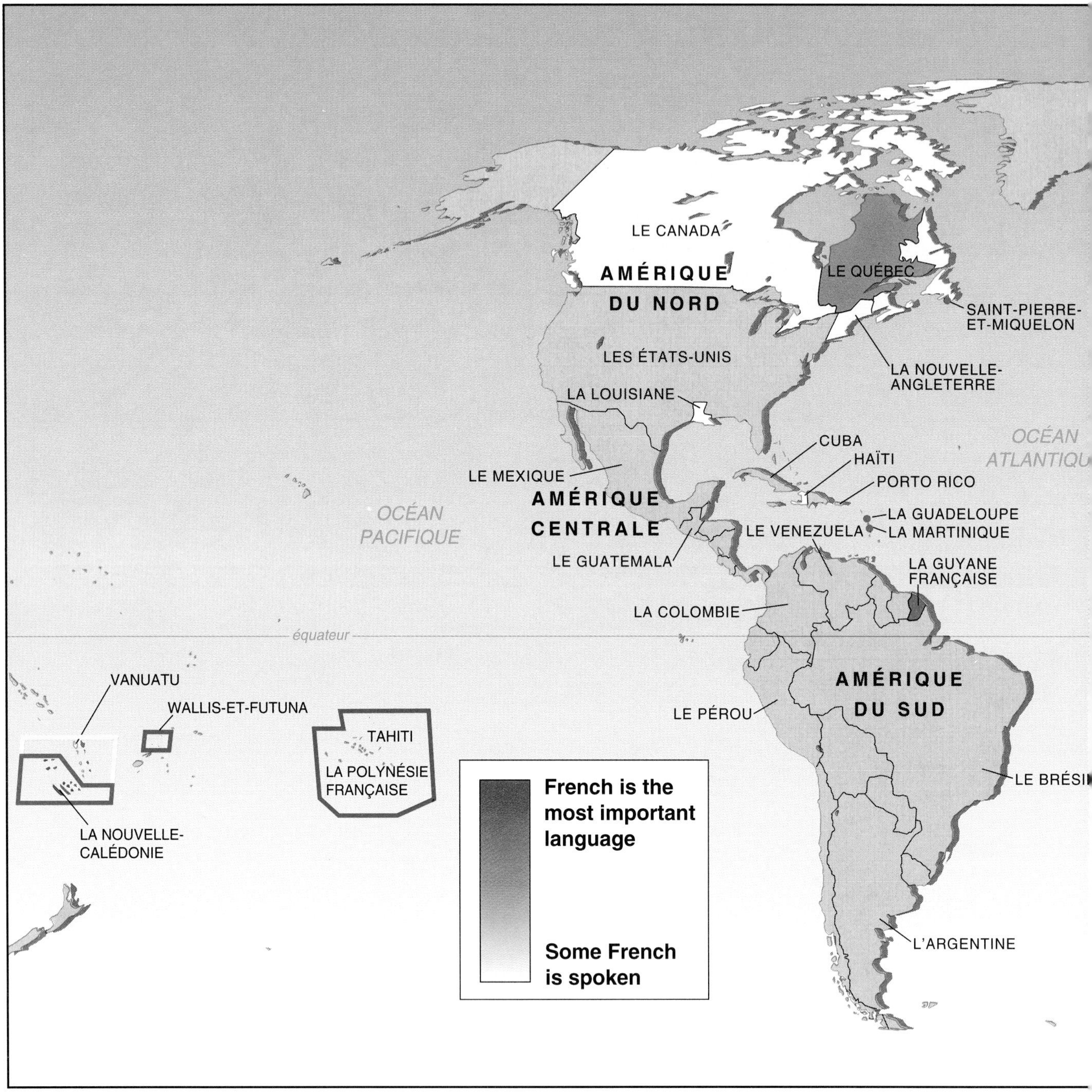

LE CANADA

AMÉRIQUE DU NORD

LE QUÉBEC

SAINT-PIERRE-ET-MIQUELON

LES ÉTATS-UNIS

LA NOUVELLE-ANGLETERRE

LA LOUISIANE

OCÉAN ATLANTIQUE

CUBA

HAÏTI

LE MEXIQUE

PORTO RICO

AMÉRIQUE CENTRALE

LA GUADELOUPE

LE VENEZUELA — LA MARTINIQUE

OCÉAN PACIFIQUE

LE GUATEMALA

LA GUYANE FRANÇAISE

LA COLOMBIE

équateur

AMÉRIQUE DU SUD

VANUATU

LE PÉROU

WALLIS-ET-FUTUNA

TAHITI

LA POLYNÉSIE FRANÇAISE

LE BRÉSIL

▓	**French is the most important language**
░	**Some French is spoken**

LA NOUVELLE-CALÉDONIE

L'ARGENTINE

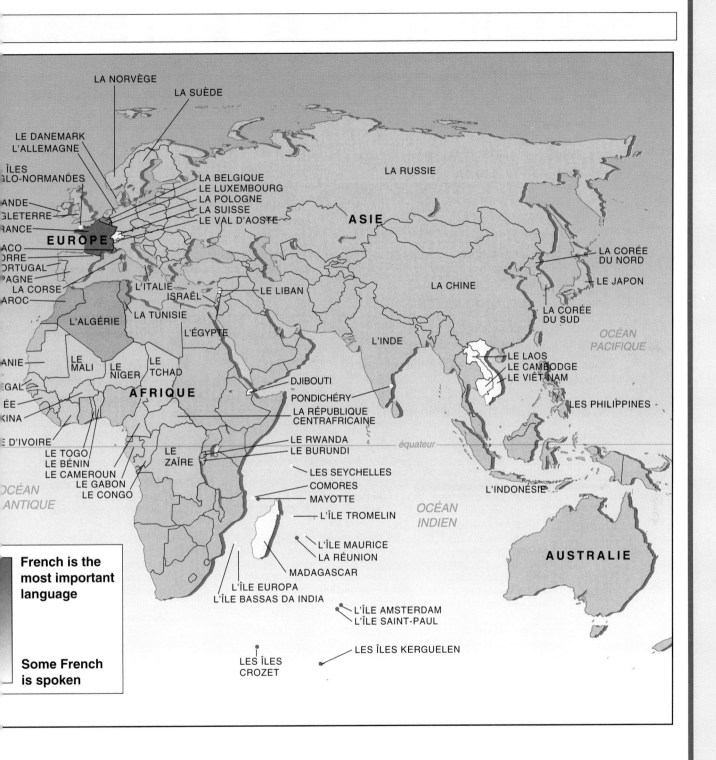

LA NORVÈGE

LA SUÈDE

LE DANEMARK
L'ALLEMAGNE

ÎLES
GLO-NORMANDES

LA BELGIQUE
LE LUXEMBOURG
LA POLOGNE
LA SUISSE
LE VAL D'AOSTE

LA RUSSIE

ANDE
GLETERRE
RANCE

EUROPE

ACO
ORRE
ORTUGAL
PAGNE
LA CORSE
AROC

L'ITALIE
ISRAËL

LA TUNISIE

L'ALGÉRIE

L'ÉGYPTE

ASIE

LE LIBAN

LA CHINE

LA CORÉE
DU NORD

LE JAPON

LA CORÉE
DU SUD

OCÉAN
PACIFIQUE

L'INDE

ANIE
LE
MALI
LE
NIGER
LE
TCHAD

GAL

ÉE

KINA

AFRIQUE

DJIBOUTI

PONDICHÉRY

LA RÉPUBLIQUE
CENTRAFRICAINE

LE LAOS
LE CAMBODGE
LE VIÊT-NAM

LES PHILIPPINES

E D'IVOIRE

LE TOGO
LE BÉNIN
LE CAMEROUN
LE GABON
LE CONGO

LE
ZAÏRE

LE RWANDA
LE BURUNDI

équateur

L'INDONÉSIE

OCÉAN
ANTIQUE

LES SEYCHELLES

COMORES

MAYOTTE

L'ÎLE TROMELIN

OCÉAN
INDIEN

AUSTRALIE

L'ÎLE MAURICE
LA RÉUNION

MADAGASCAR

French is the
most important
language

L'ÎLE EUROPA
L'ÎLE BASSAS DA INDIA

L'ÎLE AMSTERDAM
L'ÎLE SAINT-PAUL

Some French
is spoken

LES ÎLES
CROZET

LES ÎLES KERGUELEN

The French—English vocabulary contains active and passive words from the text, as well as the important words of the illustrations used within the units.

The numbers and letters following an entry indicate the first unit section in which the words or phrase is activated. The following abbreviations have been used:

R   Reprise
L   Lecture
IM   Info Magazine
IC   Interlude Culturel
FP   Français Pratique
TA   Teachers' Annotation
LC   Langue et Communication
A   Appendix

The number after the section abbreviation indicates the unit *Partie* in which the vocabulary word is introduced.

An asterisk (*) after the unit reference indicates

that the word or phrase is presented in the *Mots Utiles* section of the reading.

Nouns: If the article of a noun does not indicate gender, the noun is followed by *m. (masculine)* or *f. (feminine)*. If the plural is irregular, it is given in parentheses.

Adjectives: Adjectives are listed in the masculine form. If the feminine form is irregular, it is given in parentheses. Irregular plural forms are also given in parentheses.

Verbs: Verbs are listed in the infinitive form. An asterisk (*) in front of an active verb means that it is irregular. (For forms, see the verb charts in the Appendix.) Irregular past participle *(p. p.)*, present participle *(pres. part.)*, future *(fut.)*, and subjunctive *(subj.)* forms are listed separately.

Words beginning with an **h** are preceded by a bullet (•) if the **h** is aspirate; that is, if the word is treated as if it begins with a consonant sound.

A

à   to, at
   à + *length of time*   (length of time) from . . .
   à + *distance*   (distance) from . . .
   à + *mode of transport*   by (mode of transport) . . .
   à + *date, time*   see you (date, time)
   à condition de   on the condition that **10.LC1TA**
   à côté de   beside, to the side of **8.FP1**
   à deux lits   (a room) with two beds **6.FP1**
   à l'étranger   to be abroad, overseas **5.FP1**
   à moi   mine **6.LC2TA**
   à son propre compte   on his own account **10.FP2**
une abeille   bee **3.FP1TA**
   abord: d'abord   first, at first

3.FP2
l' abri *m.*   shelter **9.IM**
l' accès *m.*   access, approach **6.FP1**
un accident   accident **3.FP2**
l' accord *m.*: **d'accord**   OK **2.FP2**
   ***accueillir**   to welcome **6.IM**
   accueillant   welcoming **6.LC1**
   ***acheter**   to buy **5.FP2**
   s'acheter   to buy for oneself **1.FP3**
l' acier *m.*   steel **2.FP3**
   ***acquérir**   to acquire **10.IM**
   actif (active)   active **R.A**
   à mon actif   behind me **10.IM**
une action: les bonnes actions   good deeds **10.LC1**
s' adresser à   to speak to, to address **2.IM**
l' administration *f.*   administration **10.FP1**

l' admiration *f.*   admiration **9.FP1**
l' adolescence *f.*   adolescence **9.FP3**
un aérogramme   pre-stamped envelope **4.FP1**
l' aéroport *m.*   airport **5.FP2**
une affaire   affair
   avoir affaire à   to have to deal with **8.FP2**
   les affaires   business (affairs) **L.2***
l' affection *f.*   affection **9.FP1**
   affectueux (affectueuse)   affectionate **R.A**
   afin de   in order to **10.LC1TA**
l' âge *m.*   age
   l'âge adulte   adulthood
une agence   agency **10.FP2**
   une agence de voyages   travel agency **10.FP2**
   un agent d'assurances   insurance agent **10.FP2**

Français–Anglais

un(e) **agent(e)** agent **10.FP1**
    un agent de change
        change teller **10.FP1**
    un agent immobilier
        real estate agent **10.FP1**
    agir to act **3.IA**
s' **agir: de quoi il s'agit** what it's
    all about **8.IM**
    agité agitated **1.FP4TA**
    aider to help **2.FP2**
    aïe! ouch! **7.FP1**
une **aiguille** needle **4.FP1**
    ailleurs elsewhere **7.IM**
    d'ailleurs besides **8.L***
    aimer to like **2.S2**
    aimable likeable **R.A**
    aimer bien to like someone
    aimer qq'un to love
        someone
l' **aîné** eldest **R.L***
l' **air** *m.* air
    l'air conditionné *m.* air
        conditioning **6.FP1**
    en plein air outdoors **1.IC**
    ajouter to add **7.L***
un **aller et retour** round-trip ticket
    un aller simple one-way
        ticket
    *aller to go **5.FP2**
    aller à + *place* to
        go (somewhere)
    aller à la pêche to go
        fishing **3.L***
    aller dans to go into
    aller voir to go look **1.L***
    s'en aller to go away **1.LC4**
une **allergie** allergy
les **alliances** *f.* wedding rings
    9.IM
l' **alimentation** *f.* food
    distribution **8.L**
    allumer to turn on, to light
        5.LC1
    allumer un feu to light a
        fire **2.L**
    allumé turned on **5.LC1**
une **allumette** match **4.FP1**
l' **allure** *f.* allure, impression
    2.IM
    alors: alors que whereas **2.IC**
les **Alpes** the Alps **1.LC1**
l' **alpinisme** *m.* mountain
    climbing **3.IM**
    les alpinistes mountain-
        climbers **7.LC2**
    altier (altière) proud **1.IM**
l' **aluminium** *m.* aluminum
    2.FP3
l' **ambition** *f.* ambition **10.FP3**
une **amende** fine **5.FP2**
    aménagé equipped **6.IM**

un **ami (une amie)** friend **9.FP1**
l' **amitié** *f.* friendship **9.FP1**
l' **amour** *m.* love **2.IM**
l' **ampleur** *f.* amplitude, extent
    4.L
l' **ampli** amplifier **4.FP2**
    amuser: amusant amusing
        R.A
s' **amuser** to have fun **1.FP3**
    ancien (ancienne) old,
        former **2.FP3**
    un ancien élève alumnus **8.L**
une **angine** strep throat **7.FP1**
l' **animation** *f.* organized
        activities **8.FP3**
    animé animated, busy
    une animatrice (un
        animateur) counselor **R.V**
un **animal (animaux)** animals
    2.FP1
    les animaux domestiques
        pets, domestic animals
        2.FP1
l' **animosité** *f.* animosity **9.FP1**
les **annonces** *f.* personal ads **2.IM**
    annuler to cancel **5.FP2**
l' **antenne** *f.* antenna **4.FP2**
un **antibiotique** antibiotic **7.FP1**
l' **antipathie** *f.* antipathy **9.FP1**
*s' **apercevoir** to notice **1.LC4TA**
l' **apparence** *f.* appearance
    2.FP3
    l'apparence générale
        general appearance **1.FP1**
un **appartement** apartment **8.FP2**
    *appartenir to belong to **2.L***
    *appeler to call **6.FP2**
    s'appeler to be called, be
        named **1.LC4**
    apporter to bring **6.L***
s' **approcher** to come closer
    1.LC4
    s'approcher de to approach
        8.L*
    *appuyer to push **4.IM**
    après after **3.FP3**
    l'après-rasage *m.*
        aftershave **1.FP2**
    l'après-shampooing *m.*
        hair conditioner **1.FP2TA**
les **arbustes** *m.* shrubbery **2.FP1**
une **arche: l'Arche de Saint Louis**
    the Arch of St. Louis **2.FP3**
un(e) **architecte** architect
    10.FP1TA
l' **argent** silver **L.R***
une **armoire** wardrobe, cabinet **1.L***
    arracher to pull out **1.IC**
    arranger to fix **4.L**
    arrêter to arrest **5.L**
s' **arrêter** to stop (oneself) **1.FP3**

l' **arrière-garde** *f.* rear guard
    2.IC
l' **arrivée** *f.* destination **5.FP2**
    arriver to arrive **3.FP3**, to
        happen **6.IC**
    arriver à to manage to **4.L***
    on y arrive one can do it
        9.IM
    arroser to water (plants,
        flowers) **2.FP1**
    l'arrosoir *m.* watering can
        2.IM
un **article** item **4.FP1**
une **ascendance** ancestry **9.IM**
un **ascenseur** elevator **6.FP1**
un **aspirateur** vacuum **2.FP1**
l' **aspirine** *f.* aspirin **4.FP1**
*s' **asseoir** to sit down **1.LC4**
un(e) **assistant(e) social(e)** social
    worker **10.FP1**
    assister to assist
    assister à to be present at
        3.FP3
les **assurances** *f.* insurance
    10.FP2
s' **assurer** to make sure **8.L***
l' **asthme** *m.* asthma **7.FP1**
    astiquer: astiquer les meubles
        to polish the furniture
        2.FP1TA
    astucieux smart **2.IC**
un **atelier** workshop **1.IC**
    athlétique athletic **1.FP1**
    attacher to attach **5.FP2**
    attacher sa ceinture de
        sécurité to fasten one's
        seatbelt
    attaquer to attack **7.L**
    *atteindre to reach, attain **1.4**
    *attendre to wait for
    en attendant in the
        meantime **2.IM**
    s'attendre à to expect **4.IM**
un **attentat** terrorist attack **7.IM**
    attentif (attentive) attentive
        R.A
    atterrir to land **5.FP2**
    attirer to attract **2.IM**
    attirant attracting **1.IC**
    attraper: attraper un coup de
        soleil to get a sunburn
        3.FP1
    au: à + **le**
    au bout d'une heure at the
        end of an hour **9.FP2**
    au lieu de instead of
        10.LC1TA
    au pair: jeune homme au
        pair male exchange
        student **2.FP2**
    auquel to which **6.LC2**

une **auberge** inn **6.FP1**
    une **auberge de campagne**
      country inn **6.LC1**
    une **auberge de jeunesse**
      youth hostel **6.FP1**
  aucun no **1.IC**
    aucun rapport no
      relationship **1.IC**
  augmenter to increase, to turn
    up **3.IM**
  ausculter to listen to someone's
    chest **7.FP1TA**
  aussi also **6.LC1**
    aussi . . . que as . . . as
      6.LC1
    aussitôt que as soon as
      5.S2
  autant almost **5.IMLC**
    autant de as much as
      6.LC1
    d'autant plus que all the
      more that **9.L***
l' **autel** *m.* altar **9.IM**
l' **auto-stop** *m.* hitchhiking
    8.FP2
une **autoroute** turnpike **5.IM**
  autour around **5.FP1**
    autour du monde around
      the world **5.FP1**
  autre other
    autre chose à faire
      something else to do
      2.FP2
    autre chose? is there
      something else? **4.FP**
    d'autres others, some
      others **4.LC1**
    les autres others **6.LC2TA**
    un(e) autre another (one)
une **avalanche** avalanche **3.FP2**
  avaler to swallow **7.FP1**
une **avance** advance **5.FP2**
  avant before
    avant de before **10.LC1**
    l'avant-bras *m.* forearm
      1.IC
les **avantages sociaux** social
    benefits **10.FP2**
  avec with
    avec douche (a room) with
      a shower **6.FP1**
    avec plaisir with pleasure
      2.FP2
l' **avenir** *m.* future **3.IB**
l' **aversion** *f.* aversion **9.FP1**
  aveugle blind **1.IC**
un(e) **avocat(e)** lawyer **10.FP1**
***avoir** to have
    avoir beau (+ inf.) to do
      something in vain **4.L**
    avoir besoin de to need

    4.FP1
  avoir bonne (mauvaise)
    mine to look healthy
    (unhealthy) **7.FP1TA**
  avoir confiance en to trust
    9.FP2
  avoir de bons rapports avec
    have a good relationship
    with **9.FP2**
  avoir de la peine to be sad,
    to be in pain **3.L***
  avoir honte to be ashamed
    7.LC2TA
  avoir l'air to seem (person)
    1.FP4
  avoir le coup de foudre to
    fall in love with at first sight
    9.FP1
  avoir le mal de mer to be
    seasick **3.FP1**
  avoir lieu to take place **2.L***
  avoir mal to be hurt **7.FP1**
  avoir mal à l'estomac to
    have an upset stomach **1.L***
  avoir mal à la tête to have
    a headache **1.L***
  avoir rendez-vous avec to
    have a date with **8.FP1**
  avoir tiré to take
    (something) out **L.5**
  avoir un rhume to have a
    cold **7.FP1**
  avoir une douleur to have
    (a) pain **7.FP1**
  avoir une entorse to have a
    sprain **7.FP2TA**
  avouer to admit **1.IM**

B

les **badauds** onlookers **8.IM**
les **bagages** *m.* baggage, luggage
    5.FP1
    un bagage à la main carry-
      on luggage, duffle **5.FP1**
une **bague** ring **R.L***
se **baigner** to bathe **2.FP3**
  bâiller to yawn **1.IM**
un **bain** bath **1.FP3**
un **baiser** kiss **L.7***
  baisser to decrease, to lower
    6.FP2
se **baisser** to stoop, bend down
    7.L*
un **bal** dance **8.L***
le **balai** broom **2.FP1**
  ***balayer** to sweep **2.FP1**
    balayer le sol to sweep the
      floor **2.FP1**
le **ballon** balloon, ball **2.FP3**
un **banc** bench **8.IM**

une **bande** gang **5.L***
    une **bande timbrée**
      stamped sticker **4.IM**
la **banlieue** suburbs **1.LC1**
un **banquier (une banquière)**
    bank teller **10.FP1**
les **bans** *m.* official announcements
    9.IM
une **barbe** beard **1.FP1**
  bas (basse) low **2.FP3**
une **bascule** scale **4.IM**
un **bateau (les bateaux)** boat
    un bateau à voile sailboat
      8.LC2
le **bâtiment des Nations Unies**
    United Nations building
    2.FP3
un **bâton: un bâton de craie**
    piece of chalk **2.LP3TA**
battre** to beat **7.L
*se **battre** to fight **2.IC**
  bavarder to chat **9.M**
  beau (belle) good-looking,
    beautiful
  beaucoup (de) alot (of), many,
    much
    beaucoup d'endroits
      intéressants lots of
      interesting places **8.FP3**
    beaucoup de choses à
      faire lots of things to do
      8.FP3
    beaucoup de gens d'origine
      diverse lots of people of
      diverse origins **8.FP3**
  bénévole charitable **9.IM**
  bête silly **R.A**
une **bibliothèque** library, bookcase
    8.FP2
  bien well, indeed, very much
    1.FP4
    bien situé well located
      6.FP1
    bien sûr of course **2.FP2**
    le bien-aimé beloved **2.IC**
    le bien être well-being
      10.L
    les bienfaits *m.* benefits,
      blessings **3.IM**
    les biens *m.* assets, wealth
      2.L
  bientôt soon **4.LC2**
les **bijoux** pieces of jewelry **9.L***
un **billet** ticket
la **biologie** biology **10.FP1**
une **blanchisserie** laundromat
    2.FP1
le **blé** wheat **R.V**
se **blesser** to get hurt **7.FP2**
    se blesser à la tête to hurt
      one's head **3.FP1**

blessé injured, hurt **7.FP2**

le bleu blue **1.FP1**

    le bleu clair light blue **1.FP1**

    le bleu foncé dark blue **1.FP1**

un bloc: un bloc de papier pad of stationery **4.FP1**

blond blond **1.FP1**

un bocal glass jar **3.L***

le bois wood(s) **1.IC**

une boîte box **10.IM**

    une boîte (de). . . a box (of) . . . **4.FP1**

    une boîte de couleurs paintbox **1.IC**

un bombardement bombing, shelling **10.FP2**

bon (bonne) good

    au bon moment at the right time **10.IM**

    il est bon que . . . it is good that . . . **2.LC2**

    les bons rapports good relations

    un bon salaire a good salary

    une bonne ambiance a nice atmosphere **10.FP2**

    une bonne formation générale good general education **10.FP3**

le bonheur happiness **2.L***

la bonté goodness **1.IM**

le bord brim **3.IM**

la bouche mouth **1.FP1**

les boucles f. curls **1.FP1**

bouclé curly **1.FP1**

la boue mud **7.IM**

la bouffe (slang) food **5.IM**

un boulanger (une boulangère) baker **10.FP1**

une boule (bowling) ball **4.L**

    la boule à zéro bald head **4.L**

bouleversé overwhelmed **7.L***

un boulot job **10.IM**

les Bourguignons people native of Burgundy **2.IC**

une bourse scholarship **7.LC2**

une boussole compass **3.FP1**

un bout end, goal **9.FP2**

une bouteille bottle **2.FP3**

les boutiques f. boutiques **4.FP1**

un bouton button, pimple **4.FP1**

un bracelet bracelet **9.L***

une branche: une branche d'activité branch office **10.FP2**

brancher to plug in **1.LC1**

Bravo! Bravo! **9.FP2**

bref (brève) brief **2.IM**

les bretelles f. suspenders **1.IM**

le bricolage fixing and building things **2.IM**

les brigands m. bandits **2.IC**

brillant brilliant **2.FP3**

briller to shine **2.FP3**

la brique brick **2.FP2**

briser to break **2.IC**

une bronchite bronchitis **7.FP1**

se bronzer to tan one's self **3.FP1**

une brosse a brush **1.FP2**

    une brosse à cheveux hairbrush **1.FP2**

    une brosse à dents toothbrush **1.FP2**

se brosser to brush (one's hair, one's teeth) **1.FP2**

le brouillard fog **3.FP2**

le bruit noise **1.LC1**

se brûler to burn oneself **7.FP2**

brûlé burned **2.IC**

la brume mist **3.FP2**

brun brown **1.FP1**

un buffet sideboard **1.L***

un bureau (les bureaux) office, bureau **10.FP2**

    un bureau de tabac tobacco shop **4.IM**

un bus bus **8.FP2**

un but objective, goal **5.IMA**

un butin booty **2.IC**

C

ça this, that

    ça a eu lieu this happened, took place **3.FP3**

    ça fait combien? how much does that come to? **4.FP1**

    ça n'a pas d'importance that doesn't matter **10.L***

    ça s'arrangera things will take care of themselves **9.FP2**

    ça s'est passé . . . this happened . . . **3.FP3**

    ça va? How's it going? how are you? **1.FP3**

une cabine booth **4.IM**

un cabinet office **10.FP2**

    un cabinet d'avocat lawyer's office

    un cabinet de médecin doctor's office

cacher to hide **5.L***

se cacher to hide oneself **1.IC**

les cachets m. tablets (medicine) **7.FP1**

un cadeau gift **6.L***

le cadran (telephone) dial **7.IM**

un(e) cadre executive, frame (picture) **10.FP1**

la caisse check-out counter **4.IM**

calme calm **1.FP4**

se calmer to get calm **1.LC4TA**

un(e) camarade acquaintance, classmate **9.FP1**

un cambriolage burglary **3.FP2**

le Canada Canada **1.LC1**

un canapé small sofa **1.L**

les Canaries f. Canary Islands **5.FP1**

le cancer: le cancer cutané skin cancer **3.IM**

le caoutchouc rubber **2.FP3**

la capacité capacity, volume **2.FP3**

un caprice whim **8.L***

un car bus **8.IM**

le/la cardiologue cardiologist **7.FP1TA**

une carie cavity **7.FP2**

un carnet notebook **4.FP1**

carré square **1.FP1**

une carte card, map

    une carte d'embarquement boarding pass **5.FP2**

    une carte d'identité identification card **5.FP1**

    une carte de crédit credit card **6.FP1**

    une carte postale postcard **4.FP1**

le carton cardboard **2.FP3**

un cas: un cas d'urgence inv. emergency **7.IM**

le cascadeur (la cascadeuse) stuntman **10.IM**

une caserne de pompiers fire station **8.FP2**

une casquette cap (hat) **1.IM**

casser to break **3.FP1**

se casser to break (body part) **7.FP2**

une casserole pot, pan **1.L**

le caissier (la caissière) cashier **6.FP2**

cause: à cause de because of **7.L***

ce it, that

    ce (cet, cette, ces) this, that, these, those

    ce dont of which **9.LC2**

    ce n'est pas croyable! That's not for real! **3.FP3**

    ce que what **9.LC2**

    ce qui that which **9.LC2**

    ce qui m'a frappé . . . what struck me . . . **5.IM**

    ce sera prêt this will be ready

    c'est arrivé it happened

3.FP3

c'est incroyable! that's unbelievable! **3.FP3**

c'est tout? that's all? **4.FP1**

c'est votre tour it's your turn **4.FP3**

***céder** to yield, to give in **9.FP2**

célèbre famous **8.IM**

célibataire single **9.FP3**

celui, celle, ceux, celles this one, the one **6.LC2**

   celui de that of, the one belonging to **6.LC2**

   celui où the one where **6.LC2TA**

   celui qui, que the one who(m), the one that **6.LC2**

   celui-ci this one **2.L***

   celui-là that one **6.LC2**

une **centaine** about 100 **7.L**

un **centre** center

   un centre de loisirs recreation center **8.FP2**

   un centre sportif gym, sports center **8.FP2**

cependant however **5.IM**

une **cerise** cherry **R.A**

certain(e)s some, certain ones **4.LC1**

la **chaleur** warmth **1.IC**

une **chambre** a room **6.FP1**

   une chambre à air innertube **6.IM**

   une chambre à un lit a single room **6.FP1**

   une chambre d'hôte guest room **6.IM**

champêtre rural **1.1IC**

les champs *m.* fields **6.L***

la **chance** luck **9.FP2**

une **chandelle** candle **6.L**

changer to change

   changer d'avis to change one's mind **7.L***

   changer les talons to replace the heels of one's shoes **4.FP2**

un **chantier** worksite **R.V**

une **charge** burden **2.L***

   ***charger** to load **5.IM**

   chargé loaded **2.IC**

un **chariot** shopping cart **4.IM**

le **chat** cat **2.FP1**

châtain chestnut brown (hair) **1.FP1**

chaud hot/warm **2.FP3**

le **chauffage** heating **6.FP2**

chauve bald **1.FP1**

un **chef** chef, head, chief, leader **10.FP1TA**

un **chef de personnel** head of personnel **10.FP1**

les chefs-d'oeuvre *m.* masterpieces **1.IC**

le **chemin** path, way

   en chemin on the way **10.IM**

   un chemin de fer railroad track **6.IM**

la **cheminée** fireplace **L.6***

un **chenil** kennel **2.IM**

un **chèque: les chèques de voyage** traveler's checks **6.FP1**

chercher to look for

   chercher à to try **10.L***

   chercher leurs bagages to claim their baggage **5.FP2**

un **chercheur (une chercheuse)** researcher **10.FP1**

chéri darling **6.IM**

les chevaliers *m.* knights **2.IC**

les cheveux *m.* **(un cheveu)** hair **1.FP1**

un **chevreuil** deer **3.FP1TA**

chez home, at home, at the house of, to the house of

   chez le dentiste at the dentist's office **7.FP2**

   chez le photographe at the photographer's **4.FP1**

   chez un copain at a friend's place **3.FP3**

   chez des particuliers at the home of friends **9.IM**

le **chien** dog **2.FP1**

   un chien savant trained dog **8.IM**

le **chiffon** cloth rag **2.FP1**

la **chimie** chemistry **10.FP1**

les chips *f.* potato chips

un **chirurgien (une chirurgienne)** surgeon **7.FP1**

choisir to choose **9.FP3**

   choisir un métier to choose a career **9.FP3**

la **Chrétienté** Christendom **2.IC**

une **chute** a fall

une **cicatrice** scar **1.FP1**

le **ciel (les cieux)** sky **1.IC**

le **cil** eyelash **1.FP2TA**

un **cimetière** cemetery **7.L**

le **ciné** (*pop.*le **cinéma**) cinema

circulaire circular **2.FP3**

la **circulation** traffic **6.L***

les ciseaux *m.* **(un ciseau)** scissors **1.FP2**

les citadins city people **8.IM**

les citoyens (citoyennes) citizens **7.LC2**

clair clear, light

classe *f* class

   la classe touriste tourist class **5.FP2**

classer to arrange (by class) **10.FP3**

une **clé** key **R.L***

la **climatisation** air conditioning **6.FP1**

   le climatiseur air conditioner **6.IM**

le **clou** nail (metal) **2.FP3**

un **cochon d'Inde** guinea pig **2.FP1TA**

le **code: le code de la route** traffic regulations **8.FP2**

un **coffre** safe **R.L***

une **coiffure** hairstyle **1.IM**

un **coin** corner **1.IC**

   coincé(e) stuck, cornered **8.LC2**

la **colère** anger **1.FP3**

un **colis** package **4.FP1**

la **colle** glue **4.FP1**

   coller to stick, to glue **4.IM**

un **colorant** dye **5.IM**

se **colorer les cheveux** to color one's hair **4.FP3TA**

combien how many

   combien de temps how long **6.FP1**

   combien de temps comptez-vous rester? how long do you count on staying? **6.FP1**

   combien en voulez-vous? how many would you like? **4.FP1**

   combien est-ce que je vous dois? how much do I owe you? **4.FP1**

une **commande** order **4.IM**

comme like, as

   comme d'habitude as usual **R.V**

   comme si as if **8.L***

le **commencement** beginning **8.LC3**

comment how

   comment vous sentez-vous? how do you feel? **7.FP1**

les commerces *m.* (small) businesses **8.FP2**

un **commerçant (une commerçante)** shopkeeper, merchant **10.FP1TE**

commun in common, shared **9.IM**

la **communication** communication **10.FP2**

une **compagnie** company **10.FP2**

complet (complète) complete, full (sold out) **5.FP2**

un(e) **complice** accomplice **5.L***

le **composteur** time punch

***comprendre: compris** included **4.IM**

compréhensif (compréhensive) understanding **R.A**

les **comprimés** *m.* tablets (medicine) **7.FP1**

la **comptabilité** accounting **10.FP1**

un(e) **comptable** accountant **10.FP1**

compter to count

compter faire to count on doing **10.IM**

une **comtesse** countess **7.L***

le **comptoir** counter **5.FP2**

un/une **concierge** concierge **2.FP1**

un/une **concierge d'immeuble** building superintendent **2.FP1**

un **concours** *inv.* competitive exam **10.IM**

la **condition** condition **2.FP3**

les **conditions de travail** working conditions

conduire** to drive **3.L

une **confidence** secret (to confide) **9.FP1**

***confier** entrust **2.IM**

confiant trusting **R.A**

confirmer ma réservation to confirm my reservation **5.FP2**

la **confiture** jam **R.A**

une **connaissance** acquaintance **9.FP1**

***connaître** to know

en faisant connaître by making known **1.IC**

connu known **R.V**

consciencieux (consciencieuse) conscientious **R.A**

conscient: être conscient to be conscious, to know **10.IM**

conseiller to advise **10.IM**

conseillé recommended **10.IM**

les **conseils** *m.* advice **1.IC**

la **consigne** baggage-check **5.FP2**

les **consignes** *f.* rules **3.IM**

la **consistance** consistency **2.FP3**

consoler to console **9.FP2**

consommer to take (medicine), to consume, to drink

***construire** to build **8.IM**

un **conte** short story **7.L**

***contenir** to contain **3.IM**

content happy, content **1.FP4**

un **contremaître** foreman **10.FP1TA**

un **contrôle** control, test

un contrôle de sécurité security check **5.FP1**

un contrôle des passeports passport check **5.FP1**

un contrôleur train conductor **5.FP2**

***convaincre** to convince **5.FP2**

convaincu convinced **2.FP2**

convainquant convincing **3.IM**

convoqué to be called together **10.IM**

un **copain (une copine)** boy/girl friend **9.FP1**

la **coqueluche** whooping cough **7.FP1**

un **corbeau (les corbeaux)** crow **3.FP1TA**

le **cordonnier** cobbler **4.FP2**

une **corne** horn **2.IC**

Cornouailles Cornwall **9.LC2**

le **corps** *inv.* body **1.IM**

une **correspondance** correspondence **5.FP2**

costaud strong, strapping **1.FP1**

la **Côte d'Azur** French Riviera (blue coast) **R.V**

le **côté** side **4.FP3**

les côtelettes *f.* **de veau** veal chops **R.A**

un **coton-tige** cotton swab **4.FP1**

le **cou** neck **1.FP1**

se **coucher** to go to sleep **1.FP3**

***coudre** to sew **4.FP2**

coudre ce bouton to sew this button

couler to flow **3.IM**

un **coup** stroke, blow

un coup de foudre love at first sight **9.FP1**

un **coup de téléphone** phone call **2.IM**

une **coupe** cut **1.IM**

une coupe de cheveux haircut **4.FP3**

une coupe-brushing a cut and a blow-dry **4.FP3**

couper to cut

couper le pain to cut the bread **2.FP1**

se **couper** to cut (oneself) **1.FP2**

se couper les cheveux to cut one's hair

se couper les ongles to cut one's nails **1.FP2**

coupez-les-moi courts cut my hair short **4.FP3**

courageux (courageuse) brave, courageous **R.A**

courbé rounded, arched **2.FP3**

courir** to run **1.L

une **couronne** crown **2.FP3**

le **courrier** mail **1.LC3**

le **cours** *inv.* course

au cours (de) during, in the course of **3.LC1**

en cours de route during the voyage **10.IM**

court short **1.FP1**

le **couteau** knife **2.R***

un **couvert** lid (pot)

le couvert table setting

une couverture covering, blanket **6.FP2**

***couvrir** to cover **9.IM**

couvert covered **3.FP2**

la **crainte** fear **7.LC2**

***craindre** to fear, to be afraid of **7.LC1**

un **crayon** pencil **4.FP1**

créer to create

en créant by creating **1.IC**

créer sa propre entreprise start one's own business

la **crème** cream, lotion

la crème hydratante moisturizing lotion

creuser to dig **5.IM**

criard loud (color) **10.IM**

crier to yell, shout **1.L***

***croire** to believe **7.LC1**

le **croisement** crossing **8.IM**

un **croissant** crescent roll **R.A**

une **croix** cross **7.IM**

***cueillir** to pick (flowers, etc) **3.IM**

le **cuir** leather **2.FP3TA**

une **cuisine** kitchen

la cuisine thaïlandaise Thai cuisine **R.A**

un cuisinier cook, chef **10.FP1TA**

une cuisinière stove **8.LC2**

le **cuivre** copper **2.FP3**

un **cultivateur** farmer **8.L***

D

dans in, into, inside
  dans deux jours in two days' time
  dans la forêt in the forest
  dans un magasin in a store 3.FP3
une dame de compagnie lady-in-waiting 3.IC
davantage even more 9.IC
de of, from, away, with
  d'abord first 3.FP3
  d'à côté next door 6.IM
  d'accord okay, all right 2.FP2
  d'emblée immediately 9.IC
  d'ici une semaine one week from now 4.FP2
  d'occasion second-hand, used 2.FP3
  du beau temps good weather
  de bonne humeur in a good mood 1.FP4
  de grande valeur of important value 5.LC1
  de l'autre côté from the other side 5.L
  de peu narrowly 7.IM
  de quelle forme est cet objet? what is the shape of this object? 2.FP2
  de rien it was nothing, you're welcome 2.FP2
  de taille moyenne of medium height 1.FP1
  de travers in a strange manner 7.IC
de + le, la, les
  du beau temps nice weather 3.FP2
  duquel, de laquelle, desquels, desquelles of which 6.LC2 9.LC1
débarquer to land 5.FP2
débarrasser to clear 2.FP1
  débarrasser la table to clear the table 2.FP1
se débarrasser to get rid of 3.L*
*débattre to debate
débordant overflowing 1.IC
  débordé overworked 2.IM
debout standing up 5.L
le début beginning 7.IM
  un débutant (une débutante) beginner R.V
un décès inv. death 9.IM
les déchets m. refuse, trash 3.IM
  décimé killed 8.IC

décoller to take off 5.FP2
décontracté relaxed 5.IM
un décorateur (une décoratrice) decorator 10.FP1TA
un découpage division 5
  découper to cut 9.IM
    découpé cut out 1.IC
  *découvrir to discover 2.IM
  déçu disappointed, deceived 1.FP4
les défauts m. faults, failings 2.IC
  défendu forbidden 3.L*
un défi challenge 10.IC
  *dégager to shorten (hair) 4.FP3
    dégagez-les to cut back, clip short 4.FP3
les dégâts m. damages 3.LC2
  dehors outside 3.FP3
  déjà ever, yet, already 3.LC1
  délivrer to give, to deliver 9.IM
  demander to ask, to necessitate 2.IM
    demander un service to ask for a favor
  se demander to wonder 8.L*
une démarche: les démarches amoureuses steps in courtship 3.IC
  la demi-pension room with breakfast, dinner 7.FP1
  démissionner to resign 6.IC
une demoiselle: les demoiselles d'honneur bridesmaids 9.IM
  se démocratiser to become democratic 10.IM
  démonter to take apart 2.IM
    démontable removable 6.IM
  dénicher to find 1.IM
une dent tooth 7.FP2
  le dentifrice toothpaste 1.FP2
  le/la dentiste dentist 7.FP1
  une dent de sagesse wisdom tooth
  la dentelle lace 9.IM
le déodorant deodorant 1.FP2
le départ departure (time) 5.FP2
  dépaysé lost (in a strange place) 7.IC
  se dépêcher to hurry (oneself) 1.FP3
les dépens: aux dépens at the expense (of) 3.IC
  *se déplacer to move 1.LC4TA
  déplorer to lament 7.LC2
un dépôt deposit (bank) 4.IM
  déprimé depressed 7.FP1
depuis since
  depuis peu recently 9.IC
  depuis que since 10.LC2

un député congressman 7.IC
  *déranger to bother 3.IM
  déraper to slip, slide down 3.FP1TA
la dérision mockery 1.IC
se dérouler to take place 5
  derrière behind 4.FP3
  dès as of 9.IC
    dès que as soon as 5.LC2
    dès lors from then on 3.IC
un désastre disaster, catastrophe 4.L
un désavantage disadvantage 8.FP3TA
  *descendre to go down, to descend 5.FP2
    descendre du train to get off the train 5.FP2
    descendre mes bagages to bring my luggage down 6.FP2
  descendre: avoir+descendu to carry something down 3.LC1
  descendre: être + descendu to go down 3.LC1
  désert deserted 8.FP3
se déshabiller to get undressed 1.FP3
  désirer to desire 2.LC2
  désolé sorry, sad 2.FP2
le désordre disorder 2.FP1
  désormais henceforth 7.IC
le dessin design 8.IC, drawing 10.FP1
un détective detective 5.L*
  un détective privé private eye 5.L*
  détendu loose, relaxed 1.FP4TA
le détergent detergent 4.FP1
  détester to detest 9.FP1TA
  *détruire to destroy 3.IM
    détruire la végétation to destroy the vegetation 3.FP1
  deux two
  deux fois par jour twice a day 7.FP1
    deux tiers two-thirds 7.IM
    deuxième second
    la deuxième classe second class 5.FP2
  devant in front (of) 4.FP3
les devantures f. store fronts 1.IC
  développer to develop (photos, personnality) 4.FP2
  *devenir to become 9.IC
  deviner to guess 1.IM
une devise motto 5.IC
  *devoir to owe 4.FP1

dévoué devoted **7.L***

une diapositive picture slides **4.FP1TA**

les **diapos** *f.* picture slide **4.FP1**

une dictature dictatorship **5.IC**

Dieu God **2.IC**

le **dieu** (les **dieux**, une **déesse**) god, deity **3.IM**

digne dignified **8.L***

les **dimensions** *f.* dimensions, size **2.FP3**

la **diminution** decrease **5.IM**

un(e) **diplomate** diplomat **10.FP1**

les **diplômes** *m.* diplomas **10.FP3**

direct direct (flight)

un(e) **directeur** (directrice) director **10.FP1**

se **diriger**: se **diriger vers** to move toward **8.L***

un **discours** *inv.* speech **8.LC3**

discret discreet **R.A**

***disparaître** to disappear **5.L**

disparu disappeared **5.LC1**

dispos rested **5.IM**

disposer to have (at one's disposal) **2.IM**

se **disputer** to have an argument **9.FP2**

distant distant **R.A**

***distraire** to amuse **1.IC**

se **distraire** to have fun **8.IM**

divorcer to divorce **9.FP2**

les **documents** *m.* papers, documents **10.FP3**

dommage: il est dommage que it is too bad that . . . **2.LC2**

donc therefore **3.IM**

donner to give

donner à manger à to feed (pet) **2.FP1**

donner des béquilles to give crutches **7.FP2**

donner rendez-vous à to make an appointment with **8.FP1**

donner lieu to give rise **10.IM**

donner un coup de main to lend hand, to help **2.IM**

donnez-m'en dix give me ten (of them) **4.FP1**

donnez-moi aussi. . . give me as well. . .**4.FP1**

se **donner** to render one's self **8.FP1**

se **donner rendez-vous** to agree to meet

dont whose **1.IC**

doré gilded, golden **6.IC**

une dot dowry **10.IC**

la **douane** customs **5.FP2**

un **douanier** (une **douanière**) customs officer **1.3**

douce (doux) gentle **2.IM**

doucement gently **1.5A**

la **douceur** kindness **1.IM**

une douche shower **1.FP3**

doué gifted **8.L***

une douleur pain, suffering **8.IC**

douloureux (douloureuse) painful **7.L**

un **drap** sheet (bedding) **7.FP2**

une drogue drug **7.IC**

le **droit** law **1.IC**

droit straight, 90 degree angle **2.FP3**

les **droits** *m.* rights **5.IC**

drôle funny **R.A**

drôlement truly **4.L***

dur difficult, hard **2.L***

durer to last **2.L***

la **durée** duration **3.IM**

dynamique dynamic **R.A**

E

l' **eau** *f.* water

l'eau de toilette perfume **1.FP2**

l'eau minérale mineral water **R.A**

les plans d'eau man-made lakes **8.IM**

un **ébahissement** amazement **9.IC**

un **ébéniste** cabinetmaker **10.FP1TA**

s' **écarter** to separate oneself, move away **9.IC**

échapper: échapper de peu to escape narrowly **8.IC**

une écharpe sash **9.IM**

les **échecs** *m.* failures **1.IC**

une échelle ladder **2.IM**

échouer to fail **10.IM**

les **éclairs** *m.* (flashes of) lightning **3.FP2**

éclater to break out **2.IC**

éclatant very loud **3.IC**

une école: une école de commerce business school **10.IM**

l' **écorce** *f.* bark (tree) **7.IM**

l' **écran** *m.* screen **3.IC**

un **écrivain** writer **R.A**

un **écureuil** squirrel **3.FP1TA**

l' **eczéma** *m.* rash (skin) **7.FP1**

l' **éducation** *f.*: une bonne éducation générale good general upbringing **10.FP3**

***effacer** to erase **1.IC**

effectuer to achieve, to do **5.IM**

effrayé scared **9.IC**

égoïste egotistical **R.A**

***égorger** to slit the throats of **5.IC**

les **égouts** sewer **5.IC**

un **élastique** rubber band, elastic **4.FP1**

élever** to raise **2.L

élevé raised, high, elevated **1.IM**

élever une famille to raise a family **9.FP3**

mal élevé impolite, poorly raised **4.IM**

***élire** to elect **3.IM**

s' **éloigner** to go away **1.LC4TA**

élucidé illuminated, cleared up **7.LC2**

les **emballages** *m.* packaging **3.IM**

embarquer to embark **5.FP2**

l' **embarras** *m.* difficulty **5.L**

embarrassé embarrassed **7.LC2TA**

embaucher to hire (someone) **10.FP3**

s' **embêter** to get bored **1.LC4**

un **emblème** emblem, logo **7.IC**

un **embouteillage** traffic jam **5.IMB**

embrasser to kiss **1.L***

une embuscade ambush **2.IC**

émerveillé amazed **8.IC**

émettre to emit **2.L**

une émission TV program **6.LC1**

emmener to bring **3.L***

l' **émotion** *f.* emotion **7.LC2TA**

émouvant moving, emotional **6.IC**

***empaqueter** to bag (groceries) **4.IM**

empêcher to prevent **1.L***

empêcher la réalisation de qqch to prevent something from happening **5.IM**

s' **empêcher (de)** to prevent one's self from **3.L***

un **emploi** employment, job **10.FP1**

un emploi à mi-temps half-time employment **10.FP3**

un emploi à temps complet full-time employment **10.FP3**

un emploi à temps partiel part-time employment **10.FP3**

l'emploi du temps

schedule **2.FP2**

un emploi temporaire temporary employment **10.FP3**

un employé (une employé) employee **10.FP1**

emporter to take along **3.IM**

(qqch) l'emporte (something) wins out **9.IC**

ému moved **3.IC**

en in, by, to

s' en aller: s'en va-t-en guerre goes off to war **4.IC**

en avance early, in advance

en bande in a group **R.A**

en colère to be angry at **1.FP4**

en désordre in disorder

en espèces in cash **6.FP1**

en face de opposite **6.L***, across from **8.FP1**

en fer (made) from iron **2.FP2**

en forme in shape **1.FP4**

en fuite in flight, fleeing **9.IC**

en moyenne on the average **7.IM**

en outre in addition **7.IM**

en pierre made of stone

en plein air outdoors **R.V**

en plus in addition **6.IM**

en quoi est. . . what is. . . . made of? **2.FP2**

en retard late

en tant que as **9.IC**

en verre made of glass **2.FP2**

en ville downtown

en vitesse (to do something) fast **5.L**

j'en veux I would like (some) **4.LC1**

*s' en charger to take care of **2.IM**

enchanté enchanted **7.LC2TA**

s'échapper to escape **5.IC**

encore again **5.L**

encore lui! him again! **5.L**

*s' endormir to fall asleep **1.LC1**

s' énerver to get upset **1.LC4**

énervé(e) bothered, frustrated

l' enfance f. childhood **1.IM**

enfiler to put on (clothes) **1.LC1**

enfin at last **3.FP3**

*s' enfuir to flee **5.IC**

engager to engage, to take on (a person) **8.L***, to hire **2.IM**

engagé politically active **8.IC**

les engagés volunteers **5.IC**

*s' engager to commit oneself **3.IM,** to join **7.LC2**

*enlever to take off, remove **R.A**

enlever cette dent to remove this tooth **7.FP2**

enlever cette tache to take out this stain **4.FP2**

enlever la poussière to dust **2.FP1TA**

s' ennuyer to be bored **1.IM**

ennuyeux(se) boring **8.IM**

énorme enormous

énormément very much, enormously **1.IM**

une enquête survey **3.IM**

enregistrer leurs bagages to check their bags, luggage

un enseignant (une enseignante) teacher **10.IM**

enseigner to teach **3.FP1**

un ensemble: un grand ensemble housing project **8.IM**

ensuite then, after, next **3.FP3**

*entendre to hear **5.IM**

entendre dire to hear it said **8.L***

entendre parler de to hear of **3.IM**

entendu understood, agreed **8.FP1**

*s' entendre to get along with **9.IA**

un enterrement funeral **4.IC**

enterrer to bury **2.IC**

entouré surrounded **8.IM**

s' entraider to help each other out **9.IC**

entre among **2.IM,** between **9.LC1**

entre-temps meanwhile **3.IC**

*entreprendre to undertake **3.IM**

une entreprise de nettoyage cleaning business **2.FP1**

entrer to be accepted (school) **10.IM**

*entretenir to take care of **1.IM**

un entretien interview **10.FP3**

une entrevue interview **10.FP3**

envahir to invade **5.IC**

les envahisseurs invaders **3**

envelopper to wrap **7.L***

les enveloppes f. envelopes **4.FP1**

l' envie f. envy, desire

environ about, approximately **9.L***

*envoyer to send

envoyer cette lettre to send this letter **4.FP1**

envoyer mon curriculum vitae to send my resume **10.FP3**

l' envoyé(e) messenger **2.E**

épais (épaisse) thick **2.FP3**

s' éparpiller to scatter **10.IC**

une épée sword **2.IC**

l' épaule f. shoulder **10.L***

éperdument madly **3.IC**

une épine thorn **9.IC**

une épingle a pin **4.FP1**

une épingle de sûreté safety pin

une éponge sponge **2.FP1**

épouser to marry **2.L***

*épousseter to dust **2.FP1TA**

épouvantable ghastly **9.IC**

les époux spouses **9.IM**

épris enamored **3.IC**

éprouvait experienced, felt **1.IC**

épuisé exhausted **1.IM**

éplucher to peel **2.FP1**

éplucher les carottes to peel the carrots

une éraflure f. dent, scratch **8.LC2**

l' escalade: faire de l'escalade rock climbing **3.IM**

une escale stopover, connection **5.FP2**

l' esclavage m. slavery **5.IC**

les esclaves slaves **8.IC**

les espaces m.: **les espaces verts** greens, grassy places **8.FP3TA**

un espion (une espionne) spy **5.L***

l' espoir m. hope **3.IC**

l' esprit m. spirit **8.IC**

un esprit d'initiative **10.FP3**

*essayer to try **3.IM**

essayer: essayer (+ piece of clothing) to try on **1.IM**

l' essence f. gasoline **1.LC1**

essentiel: il est essentiel que it is essential that . . . **2.LC2**

*essuyer to wipe **2.FP1**

essuyer la table to wipe the table **2.FP1**

essuyer les verres to wipe the glasses **2.FP1**

s' essuyer to wipe (oneself) dry **1.FP2**

est-ce que ça vous fait mal? does this hurt you?

et and **5.LC1**

établir to settle, to establish

8.IC

une **étagère** shelf **2.IM**
un **étang** pond **3.L***
étant being **2.IC**
une **étape** step, stage **5.FP2**
l' **état** *m.* state, appearance **2.FP3**
les **États-Unis** *m.* United States **1.LC1**
*éteindre to turn off, to extinguish **2.IC**
les **étendards** *m.* military banners **5.IC**
*s' étendre to extend **8.IM**
éternuer to sneeze **4.FP1**
*étinceler to twinkle, to shine **9.IC**
l' **étoffe** *f.* fabric **2.FP3**
les **étoiles** *f.* stars **1.IC**
étonner to surprise
étonné astonished **7.LC1**
étonnant amazing **6.LC1**
l' **étonnement** *m.* amazement **7.LC2**
l' **étranger (étrangère)** stranger **5.FP1**
les **êtres** *m.* beings **2.IM**
*être to be
être barbu to have a beard
être bien portant of good health **6.FP1**
être cassé to be broken **4.FP2**
être content pour qq'un to be happy for someone **9.FP2**
être d'accord avec to agree with **9.FP2**
être désolé to be sorry **9.FP2**
être en bonne santé to be in good health **7.FP1**
être en colère to be angry
être en forme to be in (good) shape
être enrhumé to have a cold **7.FP1**
être fait to be cut out **10.IM**
être libre to be free **8.FP1**
être malade to be sick **7.FP1**
être mordu to be bitten
être piqué par les moustiques to be bitten by mosquitos **3.FP1**
être pressé to be in a hurry **4.IM**
être prêt to be ready **4.FP2**
être primé to win prizes **3.IM**
être sensible to have

feelings **2.IM**
être témoin to be witness **3.FP3**
n' **étant plus** no longer being **4.IC**
étroit(e) narrow, tight **2.FP3**
étudier to study **10.FP1**
une **étude** course of study
les **études commerciales** trade studies **10.FP1**
les **études d'ingénieur** engineering studies **10.FP1**
les **études juridiques** law studies **10.FP1**
les **études littéraires et artistiques** literary studies **10.FP1**
les **études médicales** medical studies **10.FP1**
les **études scientifiques et techniques** scientific and technical studies **10.FP1**
les **études vétérinaires** veterinary studies **10.FP1**
eux: **à eux** of/to them **4.LC2**
s' **évader** to escape **5.IC**
s' **évanouir** to faint **6.FP2TA**
l' **éveil** *m.* wakefulness **10.L***
éveiller to wake up **10.L***
un **événement** event **3.FP3**
un **évêque** bishop **5.IC**
l' **évier** *m.* kitchen sink **1.IC**
éviter to escape, to avoid **3.IM**
examiner to examine **7.FP1**
s' **excuser** to excuse oneself, to apologize **1.FP3**
les **exemplaires** *m.* copies (books, magazines) **6.IM**
*exiger to demand **2.LC2**
l' **exode** *m.* exodus, departure **6.L**
l' **expérience** *f.* experience
l' **expérience professionnelle** professional experience **10.FP3**
expliquer to explain **2.L***
exposer to exhibit **9.L***
une **exposition** exposition
exquis exquisite **7.L***
exténué exhausted **9.IC**
l' **eye-liner** eyeliner **1.FP2**

F ━━━━━━━━━━

se **fâcher avec** to be angry with **8.FP1**
fâché upset **3.L***
la **façon** manner, way **1.IM**
faible weak **1.FP1**
la **faim** hunger **4.IC**
*faire to make, to do

faire + infinitive to have (something) done **4.LC3**
faire aah say aah **7.FP1**
faire appel to call **2.IM**
faire attention to pay attention **2.FP3**
faire bouillir to boil **4.LC3**
faire carrière to have a career **10.FP2**
faire cuire to cook **4.LC3**
faire de l'alpinisme to go mountain climbing **3.FP1**
faire de l'escalade to go rock-climbing **3.FP1**
faire de la planche à voile to go windsurfing **3.FP1**
faire de la plongée sous-marine to go scuba diving **3.FP1**
faire des études to study **10.FP1**
faire des études élémentaires to go to elementary school **9.FP3**
faire des études secondaires to go to high school **9.FP3**
faire des études universitaires to go to university **9.FP3**
faire des mèches to streak the hair **4.FP3TA**
faire des tours to do tricks **3.L***
faire du camping to go camping **3.FP1**
faire du patinage to go skating **3.FP2**
faire frire to fry **4.LC3**
faire irruption dans to burst in **7.L**
faire l'affaire to be qualified
faire la connaissance de to make the acquaintance of, to meet **8.FP1**
faire la preuve to prove **6.IM**
faire la récolte to harvest **R.V**
faire la vaisselle to wash the dishes **2.FP1**
faire le lit to make the bed **2.FP1**
faire le ménage to do house work **2.FP1**
faire (du) mal (à) to hurt, to inflict **3.L***
faire marcher to operate **4.LC3**
faire noir to be dark, night

Vocabulaire: Français—Anglais

3.FP2

faire partie to be a part of **1.IM** to belong, be a member **3.IM**

faire peur to scare **3.FP1**

faire peur aux animaux to scare the animals

faire plaisir à to please **8.L***

faire rage to rage **10.IC**

faire un pansement to make a bandage **7.FP2**

faire un pique-nique sur l'herbe to have a picnic on the grass **3.FP1**

faire un séjour to go on holiday **5.FP1**

faire un stage to take lessons (in order to learn a skill) **R.V**

faire un tour to take a tour of **3.FP1**

faire un voyage to go on a trip **5.FP1**

faire une analyse de sang to take a blood sample **7.FP1**

faire une décoloration to color one's hair **4.FP3TA**

faire une piqûre to give a shot, injection **7.FP1**

faire un plâtre to make a cast (broken bone) **7.FP2**

faire une promenade en bateau to take a boat trip **3.FP1**

faire une radio to x-ray **7.FP1**

faire vite to hurry **4.IM**

faire voir to show **4.LC3**

se faire to make (for oneself)

se faire des amis to make friends **9.FP3**

se faire couper les cheveux to get a haircut **4.IM**

se faire mal to get hurt **3.FP1**

se faire nommer to name himself **2.IC**

un fait a fact **3.FP3**

un fait divers a minor news event **3.FP3**

***falloir** to be necessary **4.FP1**

il faut que it is necessary **2.LC1**

il me faut I need

un fantôme ghost **8.LC2**

le fard à paupières eyeshadow **1.FP2**

fatigué to be tired **1.FP4**

la faune wildlife **R.V**

les fauves *m.* wild beasts **1.3**

faux (fausse) false **8.FP1**

un faux numéro wrong number **8.FP1**

fécond productive, fertile **9.IC**

féliciter to congratulate **9.IM**

Félicitations! Congratulations!

la femme de chambre maid **2.IM**

une fenêtre window **2.FP1TA**

le fer iron **2.FP1**

un fer à repasser iron (for clothes) **2.FP1**

une ferme farm **6.L***

ferroviaire railroad **5.IM**

le feu fire **3.IM**

un feu-rouge red light **1.LC3**

les feux d'artifice fireworks **3.LC1**

une feuille form (paper), leaf (tree) **7.IM**

le feuillage leaves **1.IC**

les fiançailles *f.* engagement **9.IM**

***se fiancer** to get engaged **9.FP3**

la ficelle thread **4.FP1**

fidèle loyal, faithful **3.IC**

fier (fière) proud **3.L***

la fièvre fever **7.FP1**

la figure face **1.FP1**

figurer to imagine **10.IC**

le fil thread **4.FP1**

les filets *m.* nets **9.IC**

le filtre filter **4.FP2**

la fin end **R.V**

à la fin towards the end **2.IC**

finalement finally **3.FP3**

la finance finance **10.FP1**

une firme firm (company) **10.FP2**

se fixer to settle **4.IC**

le flash camera flash **4.FP2**

le flash est cassé the flash is broken **4.FP2**

fleurir to bloom **7.IC**

les fleurs *f.* flowers **2.FP1**

un fleuve river **9.IC**

flexible flexible **2.FP3**

la flore plantlife **3.IM**

une fois once, one time **7.FP1**

la fois: à la fois at the same time **1.IC**

foncé dark

fonctionner to function **4.FP2**

la fonction publique public service **10.FP1**

un(e) fonctionnaire civil servant **10.FP1**

le fond background **1.IC**

le fond de teint foundation (makeup) **1.FP2TA**

au fond in the back **2.IC**

le fondateur founder **7.LC2**

une fontaine fountain **3.L**

la force strength **2.IC**

un forgeron blacksmith **9.IC**

la forme form **1.FP3**

être en forme to be in good shape **1.IM**

la formation training **2.IM**

formidable great, terrific **R.V**

fort strong **1.FP1**, loud **6.L***

la fortune fortune, wealth **7.IC**

fou (folle) crazy **3.L***

un fou madman **7.L***

fougueux (fougueuse) brave **3.IC**

la foule crowd **3.IC**

se fouler to sprain **7.FP2**

se fouler la cheville to sprain one's ankle **7.FP2**

un four oven **1.L***

une fourmi an ant **3.FP1TA**

la fourrure fur **10.IC**

se fracturer l'épaule to fracture one's shoulder **7.FP2**

fragile weak **2.FP3**

la fraîcheur coolness **1.IC**

frais et dispos fresh and rested **5.IM**

franchir to cross, to bridge **5.IM**

une frange bangs (hair) **4.FP3TA**

frapper to strike **1.L***

les freins *m.* brakes **4.FP1**

fréquenter to visit **1.IC**

les fringues *f.* *(slang)* clothing **1.IM**

frisé curly, frizzy **1.FP1**

frissonner to shiver, shudder **9.L***

froid cold **2.FP3**

le fromage cheese **R.A**

le front forehead **1.FP1**

les frontières *f.* borders **5.IC**

***fuir** to flee **9.IC**

la fumée smoke **2.LC2**

furieux (furieuse) furious **1.FP4**

un fusil gun, rifle **10.IC**

G

gagner to win, to earn

gagner sa vie to make a living **R.L***

un gamin kid, child **5.IC**

le gant de toilette wash cloth **1.FP2**

 R48 Français–Anglais

un **garçon** bellboy **7.FP2**
    les garçons d'honneur
      ushers (wedding) **9.IM**
un **garde du corps** bodyguard
    10.IM
  garder to keep **2.LC2**
  gâter to spoil **7.L***
le **gel coiffant** hair gel
    1.FP2TA
  ***geler** to freeze, to be cold
    3.FP2
une **gélinotte** grouse **10.IC**
  gênant bothersome **3.L***
une **gendarmerie** highway police
    station **8.FP2**
  gêné bothered **7.LC2TA**
  généreux (généreuse)
    generous **R.A**
un **genou (les genoux)** knee, lap
    7.L*
  se mettre à genoux to
    kneel **7.L**
un **genre** kind **7.FP1**
  gentil (gentille) nice, kind
    2.FP2
le/la **gérant(e)** manager **7.FP2**
un **geste** gesture, movement
    7.L
la **gestion** management **10.FP1**
un **gilet** vest **8.IM**
un **gîte** simple lodging **3.IM**
la **glace** ice cream, ice, mirror
    1.FP2
  glacé: glacé d'effroi frozen
    with fear **9.IC**
  glisser to slip **3.FP1**
les **gouttes** *f.* drops **7.FP1**
le **goût** taste, liking **2.IM**
  le goût des responsabilités
    the inclination for
    responsibility **10.FP3**
une **gouvernante** governess **8.IC**
  grâce à thanks to **2.L***
le **grain de beauté** beauty mark
    1.FP1
  grand big, grand **1.FP1**
  un grand centre
    commercial mall **8.FP2**
  grande ouverte wide open
    5.LC1
  une grande surface
    shopping center **1.IM**
  grandir to grow larger **3.L***
  gratter to scratch
un **gratte-ciel** skyscraper
  gratuit free **6.IM**
  gratuitement free of charge
    6.IM
la **Grèce** Greece **5.FP1**
  grêle frail **4.IC**
un **grenier** attic **1.IM**

une **grenouille** frog **3.L***
  grièvement very seriously,
    grievously **9.LC2**
la **grippe** the flu **6.FP1**
  gris grey **1.FP1**
  grogner to grunt **9.IC**
  gros (grosse) fat, big
    1.FP1
une **guêpe** wasp **3.FP1TA**
une **guerre** war **2.IC**
  un guerrier soldier **5.IC**
le **guichet** ticket window
    5.FP2

H

s' **habiller** to dress **1.IM**
  habitué accustomed **9.IC**
une **haie** hedge **6.L**
  ***haïr** to despise, to hate
    9.FP1TA
la•**haine** hatred **9.FP1TA**
les•**haltères** *m.* weights **2.LC2**
un•**hamster** hamster **2.FP1TA**
  hardiment boldly **2.IC**
le•**hasard: par hasard** by chance
    9.IM
le•**haut-parleur** loudspeaker
    4.FP2
l' **herbe** *f.* grass **2.FP1**
  hériter (de) to inherit **8.L***
un **héritier** *m.* **(une héritière** *f.)*
    heir **R.L***
un **héros** hero **6.L**
l' **heure** *f.* time, hour **4.FP2**
  tout à l'heure in a while
    4.L*
  heureux (heureuse) happy
    1.FP4
  hier yesterday
  hier soir last night
l' **histoire** *f.* history **10.FP1**
un **HLM (Habitation à Loyer**
    Modéré) low-income housing
    8.IM
le•**homard** lobster **10.LC1**
un(e) **homme (femme) d'affaires**
    business man, woman
    10.FP1
  honteux (honteuse) ashamed
    3.IC
l' **hôpital** *m.* hospital **7.FP2**
les **horaires** *m.* schedule (of
    hours) **5.FP2**
l' **horlogerie** *f.* clock mechanism
    9.IC
un **hôtel** hotel **6.FP1**
un **hôtel bon marché**
    inexpensive hotel **6.FP1**
  un hôtel de luxe luxury
    hotel **6.FP1**

l' **hôtesse de l'air** *f.* stewardess
    5.FP2
l' **humeur** *f.* mood **1.FP4**
  humide humid, wet **2.FP3**

I

  il y a there is, there are
  il y a quinze jours two
    weeks ago **3.FP3**
  il y en a dix there are ten
    (of them)
s' **illuminer** to brighten **3.IC**
  imaginatif (imaginative)
    imaginative **R.A**
un **immeuble** apartment building
    1.LC1
l' **immobilier** *m.* **(immobilière** *f.)*
    real estate **10.FP2**
s' **impatienter** to get impatient
    1.LC4
une **impératrice** emperor's wife **8**
  impoli impolite **R.A**
l' **important** *m.* the important
    thing **8.IM**
  il est important que . . . it
    is important that . . . **2.LC2**
  importe
    n'importe qui just
      anyone **9.IM**
    n'importe quoi anything
      7.L*
  imprescriptible that which can-
    not be legally taken away
    6.IC
  imprimer to print **4.IM**
  improviste: à l'improviste
    unannounced **6.IM**
  imprudent careless, imprudent
    3.IM
  inactif (inactive) idle **R.A**
  inattendu unexpected **8.L***
un **incendie** fire **3.IM**
  incompréhensif
    (incompréhensive)
    insensitive **R.A**
  inconnu unknown **7.LC2**
un **inconvénient** inconvenience
    8.IM
  indifférent indifferent **R.A**
une **indigestion** indigestion **7.FP1**
  indiscipliné undisciplined **R.A**
  indiscret (indiscrète)
    indiscreet **R.A**
  indispensable: il est
    indispensable que . . . it is
    indispensable that . . . **2.LC2**
l' **industrie** *f.* industry **10.FP2**
  inexpérimenté inexperienced
  infect disgusting **9.LC1**
  infirme crippled **1.IC**

un **infirmier (une infirmière)**
nurse **6.FP1**

l' **informatique** *f.* data processing
10.FP1

un **informaticien (une informaticienne)** computer specialist
10.FP1

un **ingénieur** engineer **10.FP1**
injuste unfair **R.L***
innocemment innocently **3.L**
inoffensif harmless **8.L***
***s' inquiéter** to worry **1.LC4**
***inquiet (inquiète)** worried,
concerned **1.FP4**
***inscrire** to register **7.IM,** to
inscribe **9.IM**

un **insecte** insect **3.FP1TA**
insensible insensitive **7.LC2**
insister: insister pour que . . .
to insist that **2.LC2**

l' **insolation** *f.* sunstroke **3.IM**
insouciant carefree **5.IC**

un **inspecteur** inspector **5.L**
un **inspecteur de police**
police detective **5.L***

s' **installer** to settle **8.L**

un **instant: pour l'instant** for the
time being **2.IM**
instituer to create **10.IM**

une **institutrice** elementary school
teacher **10.IM**

l' **instruction** *f.* education **8.IC**

l' **insu** *m.*: **à l'insu de** without
the knowledge of **3.IC**
insupportable unbearable
1.LC4
interdit prohibited **5.IC**

s' **intéresser (à)** to be interested
in **1.IM**
intéressant interesting **R.A**
intérieurement internally,
inside **10.IM**
***interroger** to interrogate **3.IM**
***interrompre** to interrupt **10.I**
***intervenir** to intervene **7.LC2**

une **interview** interview **10.FP3**
***introduire** to place **4.IM**

un **invité** guest **3.IM**
irrité irritated **1.FP4TA**

J

la **jalousie** jealousy **9.FP1**
un **jardin** garden **8.FP2**
un **jardin public** public garden
8.FP2
le **jardinage** gardening
2.IM
un **jardinier** gardner
2.FP1
je I

je t'en prie you're welcome
2.FP2
***jeter** to throw **10.IC**
jeter des vieux papiers to
litter **3.FP1**
jeûner to fast **7.IC**
la **jeunesse** youth **9.FP3**
les **jeux** *m.* games **3.LC1**
un **job d'été** summer job **10.FP3**
la **joie** joy **7.LC2**
les **jongleurs** jugglers **8.IM**
les **joues** *f.* cheeks **1.M**
un **jouet** toy **1.FP1**
***joindre** to contact someone
9.L*
jouir to enjoy **6.IM**
le **jour** day **4.FP2**
un **jour de congé** day off **4.L***
un **journal** diary **2.LC2**
le **journalisme** journalism
10.FP1
joyeux (joyeuse) joyous, happy
R.A
un(e) **juge** judge **10.FP1**
***juger** to judge, think **8.IM**
les **Juifs** Jewish people **6.IC**
les **jumelles** *f.pl.* binoculars **6.LC2**
jurer to swear **3.IC**
jusqu'à until **7.FP1**
jusqu'à quand until when
7.FP1
jusqu'alors since then
jusqu'au bout to the end
7.L*
jusqu'ici until now **4.L***
juste fair **2.IM**
il est juste que . . . it is fair
that . . . **2.LC2**
justement as a matter of fact
7.IC

L

la/le/les (plus) moins (de) . . .
the (most) least . . . (of)
6.LC1
le, la, les (direct object)
his, her, it **4.LC2**
un **laboratoire de recherche** research laboratory **10.FP2**
laid ugly **3.IC**
laisser to leave **R.L***
laissé left **8.IM**
laisser des déchets to
leave trash **3.FP1**
laisser tomber to drop
3.IC
laissez-les-moi longs leave
my hair long (haircut)
4.FP3
le **lait** milk **R.A**

la **lame de rasoir** razor blade
1.FP2TA
lancer to launch **3.L***
lancer un défi to challenge
3.IC
une **langue** language
les langues étrangères
foreign languages **10. FP1**
un **lapin** rabbit **2.FP1**
la **laque à cheveux** hair spray
1.FP2TA
laquelle which **R.A**
un **larcin** theft **5.IC**
large wide **2.FP3**
une **larme** teardrop **7.IC**
laver to wash **4.FP2**
laver la voiture to wash the
car **2.FP1**
laver le linge to wash the
clothes **2.FP1**
laver les chemises to wash
the shirts **4.FP2**
laver les légumes to wash the
vegetables **2.FP1**
se **laver** to wash one's self **1.FP2**
se laver les cheveux to
wash one's hair **4.FP2**
la **laverie** laundry **4.LC3**
léger light **1.LC3**
(légère)/ 2.FP3
le **lendemain** the day after **6.L**
la **lenteur** slowness **1.5A**
la **lentille** lens (camera) **4.FP2**
les lentilles de contact
contact lenses **1.FP1**
**lequel, laquelle, lesquels,
lesquelles** which one
6.LC2
une **lettre** letter **4.FP1**
**une lettre de recommanda-
tion** letter of recommendation **10.FP3**
les **Lettres** literary studies (university) **10.IM**
***se lever** to wake up, to get up
1.FP3
lever to raise **5.IC**
les **lèvres** *f.* lips **1.IM**
libre free **2.FP2**
authorised, permitted **3.IM**
le **libre-échange** free trade
7.IC
librement freely **1.IC**
un **lien: les liens de sang** blood
ties **9.IC**
lier to tie, to link **5.IM**
lié interwoven, linked **8.IC**
lier conversation to initiate
conversation **5.IM**
un **lieu: au lieu de** instead of **1.IC**
un **lièvre** hare **8.LC1**

 Français–Anglais

la **limonade** lemonade **R.A**
le **linge** laundry **3.IM**
une **lingère** laundry woman **8.IC**
 *****lire** to read
  lire les annonces to read the classifieds
  lire les offres d'emploi to read the job postings **10.FP3TA**
 lisse straight (hair), smooth **1.FP1**
le **litre** liter **1.LC1**
la **littérature** literature **10.FP1**
le **littoral** coast **9.IC**
 livrer to deliver **4.IM**
se **livrer à** to give one's self over to **7.L**
la **livraison des bagages** baggage claim **5.FP2**
un **livret** booklet **9.IM**
les **locataires** tenants **1.LC1**
 *****loger** to lodge, to stay (have a room) **2.L***
une **loge** dressing room **1.FP2TA**
le **logiciel** software **10.IM**
la **loi** law **6.IC**
 loin far, far away
  au loin in the distance **6.L***
 lointain distant **8.IC**
 long (longue) long **1.FP1**
le **long** along, length of **3.IM**
 lors de at the time of **6.L**
 lorsque when, during **3.LC2**
  lorsque j'aurai mon passeport . . . when I have my passport
 louer: louer une voiture to rent a car
un **loup** wolf **3.FP1TA**
une **loupe** magnifying glass **5.L***
 lourd heavy **2.IM**
une **loutre** otter **3.FP1TA**
 lui, leur (indirect object) him/her, them **4.LC2**
la **lumière** light **1.IC**
 lundi Monday **3.FP3**
  lundi dernier last Monday **3.FP3**
la **lune** moon **1.IC**
les **lunettes** *f.* glasses **1.FP1**
une **lutte** fight **3.IA**
  en lutte struggling **2.B**

M

 mâcher to chew **10.IM**
un **maçon** mason **10.FP1TA**
les **magnans** red ants **9.IC**
 maigre thin **1.FP1**
une **main d'oeuvre** worker **6.IM**
 maint many, several **3.IC**

le **maire** mayor **5.IC**
une **mairie** mayor's office **8.FP2**
le **maïs** corn **R.V**
une **maison** house
  une Maison des Jeunes youth center **8.FP2**
  une maison individuelle single-family house **8.FP2**
 mal bad, harm **1.FP4**
  pas mal alot **10.IM**
 malade sick **1.FP4**
une **maladie** sickness **7.FP1**
 maladroit(e) clumsy **2.IM**
une **malédiction** curse **8.IC**
 maléfique detrimental **8.IC**
 malgré inspite of **2.E**
 malheureux(se) unhappy **7.LC2**
une **mallette** briefcase **5.L***
 malpoli(e) impolite **8.IM**
 manifester to show, manifest **8.IM**
  une manifestation demonstration **8.IM**
un **mannequin** model **4.IC**
 manquer to lack **6.IC**
le **maquillage** makeup **1.IM**
se **maquiller** to put on makeup **1.FP2**
les **maquis** *m.* guerilla troops **6.IC**
un **marchand** merchant **2.L***
le/la **marchand(e) d'antiquités** antique dealer **9.L***
la **marche à pied** walking **3.IM**
les **marches** *f.* steps, stairs **6.IC**
 marcher to work, function, to walk **4.FP2**
  marcher bien to go well **10.IM**
  marcher sur to step on **1.LC3**
 marécageux (marécageuse) swampy **8.IC**
 *****se marier** to get married **9.FP3**
 marin marine **6.IC**
les **marins** *m.* sailors **8.IM**
le **marketing** marketing **10.FP1**
une **marmotte** woodchuck, groundhog **3.FP1TA**
une **marque** brandname, designer **1.IM**
 marrant (slang) funny **1.IM**
 marron brown, chestnut **1.FP1**
le **mascara** mascara **1.FP2**
 masquer to mask, hide **4.L**
 massif (massive) massive **2.FP3**
le **matériel** material, equipment **2.IM**
les **maths** *f.* mathematics **10.FP1**

la **matière synthétique** synthetic material **2.FP3**
le **matin et le soir** morning and evening **7.FP1**
 me, te, nous, vous me, you, us, you **4.LC2**
un **mécanicien** mechanic **10.FP1**
 méchant(e) mean **R.A**
une **mèche** streak, highlight (hair)
 méconnu unknown, unrecognized **1.IC**
la **Mecque** Mecca **7.IC**
la **médecine** medicine (ie, the practice of) **10.FP1**
un **médecin** doctor **7.FP1**
un **médecin généraliste** general practitioner **7.FP1TA**
les **médicaments** *m.* medicine, drugs **7.IM**
 médiocre average, mediocre **10.IM**
 *****se méfier** to be distrustful **5.IC**
 mégarde: par mégarde by mistake **8.LC**
le/la **meilleur(e)** the best **6.LC1**
 *****mélanger** to mix **1.ILC**
  mélanger les colorants to mix dyes **5.IM**
 même even **1.IC**
  moi-même, lui-même myself, himself **1.LC1**
 *****menacer** to threaten
le **ménage** housework **2.FP1**
 ménagé provided **9.IC**
 *****mener** to take, to lead **5.IC**
les **mensonges** *m.* lies **2.LC2**
 *****mentir** to lie **8.LC2**
  sans mentir to tell the truth **3.IC**
le **menton** chin **1.FP1**
un **menuisier** carpenter **10.FP1**
le **mépris** scorn **9.FP1TA**
 merci thank you
  merci beaucoup thank you very much **2.FP2**
  merci mille fois thanks a million **2.FP2**
 mérité deserved
les **mésaventures** *f.* mishaps **3.LC2**
 Messire Sir **2.IC**
 mesurer to measure
le **métal (les métaux)** metals **2.FP3**
la **météo** weather report **3.FP2**
un **métier** trade **1.IC,** profession **8.IM,** career **9.FP3**
le **métro** subway **8.FP2**
le **metteur en scène** director

10.IM

*mettre to put, to place
  mettre à la porte to show
    (someone) the door **10.FP3**
  mettre au point to develop,
    put into action **3.IM**
  mettre en question to call
    into question **5.IC**
  mettre en valeur to
    emphasize **10.IM**
  mettre fin à to put an end to
    5.IC
*se mettre to place one's self **5.L**
  se mettre à to begin, to
    start **3.L***
  se mettre en colère to get
    angry **1.LC4**
un **meuble: des meubles**
    rustiques rustic furniture
    6.L*
une **mise en pli** a set (hair) **4.FP3**
le **Mexique** Mexico **5.FP1**
  mi-homme half man **1.5B**
le **micro** microphone **4.FP2**
le **miel** honey **7.IC**
le/la **mien(ne)** mine **6.LC2**
  mieux better **7.FP1**
  mieux situé(e) better
    situated **7.FP1**
  mieux vaut better not to
    10.L*
  millénaire 1000 years **8.IC**
  mince thin, slender
  minuscule minuscule **2.FP3**
un **miroir** mirror
le **Mississippi** Mississippi **1.LC1**
un **mitron** baker's helper **5**
une **mode** way, mode **5.IM**
  modique low, modest **5.IM**
la **moindre** the least, the smallest
    10.IC
un **moine** monk **2.C**
  moins less
  moins (de) less (of) **6.LC1**
  moins . . . que less . . .
    than **6.LC1**
  moins bruyant less noisy
    7.FP1
  moins cher (chère) less
    expensive **7.FP1**
un **mois** month **3.FP3**
la **moitié** half **2.L***
  moment: au moment où just
    as **3.LC2**
  mon (ma, mes) my
  Mon (Ma) pauvre . . .
    My poor. . . **9.FP2**
  Mon Dieu! My Goodness!
    3.FP3
la **monnaie** change **4.IM**
les **monnaies** *f.* coins **3.LC2**

la **mononucléose** mononucleosis
    7.FP1
le **montant** amount, total **4.IM**
  monter to go up **5.FP2**
  monter (dans) to get on
    (train, bus)
  monter les bagages to
    bring up the bags **6.FP2**
  monter: avoir + monté to
    take or carry something up
    3.LC1
  monter: être + monté(e) to
    go up **3.LC1**
une **montre** watch **2.LP3TA**
  montrer: montrer du doigt to
    point **8.L***
les **montreurs** *m.* exhibitors **8.IM**
se **moquer de** to make fun of
    2.IC
  mordu bitten **7.FP1**
une **mort** death, casualty, victim
    3.IM
un **mot** word **6.L***
  mou (molle) soft, squishy
    2.FP3
les **moucherons** *m.* gnats **10.IC**
un **mouchoir** *m.* a handkerchief
    1.L*
  un mouchoir en papier
    paper tissue **4.FP**
  mouillé soaked, wet **2.FP3**
un **moulin électrique** electric cof-
    fee grinder **1.LC1**
  *mourir to die **9.FP3**
  mourir de faim to die of
    hunger **3.IC**
la **moustache** moustache **1.FP1**
le **mouvement** movement **8.FP3**
les **moyens** *m.* resources **6.IM**
  moyen(ne) average **1.FP1**
    way, means **5.IM**
le **Moyen Âge** Middle Ages **5.IC**
  muet (muette) silent **7.L***
  mugir to roar **5.IC**
  multinational multinational,
    pertaining to all nations
un **mur** wall **R.V**
un **musée** museum **8.FP2**
la **musique** music **10.FP1**
  musulman Moslem,
    6.IC

N

  *nager to swim **3.FP1**
  naguère in the past **9.IC**
  *naître to be born **9.FP3**
les **nattes** *f.* braids **4.FP3TA**
  naturel: il est naturel que . .
    it is natural that . . . **2.LC2**
  naufragé(e) shipwrecked

8.LC2
les **nausées** *f.* nausea **7.FP1**
une **navette** shuttle train **5.IM**
un **navire** boat, ship **7.IC**
  navré(e) (to be) very sorry
    7.LC2TA
  ne
  n'importe quel (le) any, no
    matter which **8.IC**
  ne . . . aucun(e) no, not any
    5.LC1
  ne . . .jamais never **3.LC1**
  ne . . . ni . . . ni neither, nor
    5.LC1
  ne . . . nulle part nowhere
    5.LC1
  ne . . .pas encore not yet
    3.LC1
  ne . . . personne no one, no-
    body **5.LC1**
  ne. . . plus no longer **1.L***
  ne . . . que only **5.IM**
  ne . . . rien nothing **5.LC1**
  ne t'en fais pas don't worry
    yourself (over it) **9.FP2**
  néanmoins nevertheless **9.IC**
*se négliger neglect one's self **1.IM**
la **neige** snow **3.FP2**
  nerveux (nerveuse) nervous
    7.FP1
le **nettoyage** cleaning **2.FP1**
*nettoyer to clean **2.FP1**
  nettoyer cette veste to
    clean, wash this vest
  nettoyer la cage to clean
    the cage
  nettoyer le lavabo to clean
    the bathroom sink
  nettoyer les vitres to wash
    the windows
  se nettoyer les dents to
    brush one's teeth **7.FP2TA**
  neuf (neuve) brand new
    2.FP3
le/la **neurologue** neurologist
    7.FP1TE
un **neveu** nephew **R.L***
le **nez** nose **1.FP1**
  ni . . . ni neither . . .nor **1.IM**
le **nickel** nickel **2.FP3TA**
un **nid** nest **6.IC**
un **niveau (les niveaux)** level **10**
  le niveau de vie standard of
    living **6.IC**
la **noblesse** nobility **1.IM**
les **noces** *f.* marriage **9.IM**
  nocif (nocive) harmful **3.IM**
  noir(e) black **1.FP1**
  nombreux (nombreuse)
    numerous **6.L**
la **Norvège** Norway **2.IC**

la **note** bill 6.FP2

les **notes** f. grades 4.LC2

nouveau: de nouveau again 1.L*

une **nouvelle** (bit of) news 9.IM

la **Nouvelle Écosse** Nova Scotia 10.IC

la **novocaïne** novocaine 7.FP2

*se **noyer** to drown 3.FP1

nu naked 6.IC

les **nuages** m. clouds 3.FP2

O

l' **objectif** m. camera lens 4.FP2

obligatoire compulsory 10.IM

*obliger** to oblige, to do a favor 10.IC

l' **obscurité** f. darkness 4.L

obsédé obsessed 5.IM

observer to watch 3.FP1

observer les animaux to watch the animals 3.FP1

*obtenir** to obtain, to get 4.IM

obtenir leur carte d'embarquement to obtain their boarding pass 5.FP2

obtenir une promotion to receive a promotion 9.FP3

une **occasion** occasion, opportunity

d'occasion second-hand, used 6.L*

occidental western 2.IC

s' **occuper de** to be busy with, to take care of 1.LC4

occupé busy 2.FP2

l' **oculiste** ophthamologist 7.FP1

un **oeil (les yeux)** eye 1.FP1

les **oeufs** m. eggs R.A

les **oeuvres** f. works 1.IC

*offrir** to offer 8.IM

l' **oiseau** m. bird 2.FP1

une **ombre** shadow 1.IC

ondulé(e) wavy 2.FP3

*opérer** to work, operate 8.IM

opprimé oppressed 5.IC

optimiste optimistic R.A

l' **or** m. gold R.L*

un **orage** storm 3.FP2

un **ordinateur** computer

une **ordonnance** prescription 7.FP1

une **oreille** ear 1.FP1

un **oreiller** pillow 6.FP2

les **oreillons** m.pl. mumps 7.FP1

un **orfèvre** goldsmith 9.IC

organisé organized R.A

l' **orgueil** m. pride 7.LC2

l' **origine** f. background 8.IM

orner to decorate, embellish 2.IM

un/une **orphelin(e)** orphan 8

oser to dare 5.IC

ou or 5.LC1

où where

où avez-vous mal? where does it hurt?

l' **ouate** f. cotton balls 4.FP1

les **oubliés** forgotten people 7.LC2

un **ouragan** hurricane 3.FP2

un **ours** bear 3.LC2

les **outils** m. tools 2.IM

outre-mer overseas 8.IC

ouvert open, honest 1.IC

un **ouvrier (une ouvrière)** worker R.L*

les **ouvriers** working class 8.IM

un **ouvrier agricole** agricultural worker 10.FP1TA

un **ouvrier spécialisé** specialized worker 10.FP1TA

*ouvrir** to open 7.FP1

ouvrir la bouche to open one's mouth 6.FP1

*s' **ouvrir** to open 7.L

oval oval 2.FP2

un **OVNI** UFO 3.FP3

P

un **paillasson** door mat 1.L*

la **paille** straw 8.IM

les **paillotes** f. straw huts 9.IC

le **pain** bread R.A

paisible peaceful 9.IC

la **paix** peace 2.IC

les **palpitations** f. rapid pulse 7.FP1

une **panne: en panne** to be broken down 9.LC1

une **panne d'électricité** power failure 8.LC3

un **panneau** street sign 2.LC2

un **pansement adhésif** adhesive bandage 4.FP1

la **papeterie** stationery store 4.FP1

le **rayon papeterie** stationery aisle 4.FP1

le **papier** paper 2.FP3

le **papier à lettres** letter stationery 4.FP1

le **papier hygiénique** toilet paper 4.FP1

un **paquet** package, pack 4.IM

un **paquet d'enveloppes** a package of envelopes 4.FP1

par by, through, per

par chèque (paid) by check 6.FP1

par hasard by chance 9.L*

par terre on the ground 5.L

un **parachute** parachute 2.FP3

*paraître** to appear 7.L*

le **parapente** parasailing 3.IM

un **parapluie** umbrella 3.FP2TA

un **paratonnerre** lightning rod 3.FP2TA

un **parc** park 8.FP2

parce que because 10.LC2

*parcourir** to travel through 5.IC

pardonner to forgive 9.FP1

paresseux (paresseuse) lazy R.A

parfait perfect 3.L*

le **parfum** perfume 1.FP2

se **parfumer** to perfume one's self 1.LC1

parier to bet 7.L*

parler français to speak French 10.FP3

parmi among 1.IC

une **paroi** wall 9.IC

un **parterre: les parterres de fleurs** flower beds 8.IM

*partir** to leave 5.LC2

partir à (en, pour) to leave for (a destination) 5.LC2

partir de to leave (a place) 5.LC2

à partir de from 1.IC

les **partis** m.: **partis politiques** political parties 3.IM

partout everywhere 1.L*

*parvenir** to accomplish 9

pas

pas mal de . . . alot of . . . 1.IM

pas plus tôt no sooner 9.IC

pas possible! impossible! 3.FP3

les **pas** m. steps 2.IC

passage: être de passage to be traveling through

un **passant** passerby 8.LC2

un **passeport** passport 5.FP1

se **passer** to happen 3.FP3

passer to pass

passer l'aspirateur to vacuum 2.FP1

passer la nuit to spend the night 5.FP2

passer par la douane to pass through customs 5.FP2

avoir + passé to pass by 3.LC1

être passé(e) to spend

(time) **3.LC1**

passer une commande to give an order **4.IM**

se **passionner** to passion, interest deeply **10.IM**

les **passionnés** *m.* real devotees **2.IM**

les **pastilles** *f.* tablets (medicine) **7.IM**

*partager** to share **9.IM**

patient patient **R.A**

un **pâtissier** pastry cook **10.FP1**

la **patrie** native land **8.IC**

un **patron (une patronne)** boss **2.LC2**

la **paume** palm **8.IC**

la **paupière** eyelid **1.FP2TA**

un **pays** country **5.FP1**

les **paysages** *m.* landscapes **1.IC**

les **paysans (une paysanne)** peasants **2.IC**

un **péage** toll (highway) **5.IM**

la **peau (les peaux)** skin **1.FP2TA**

une **pêche** peach **8.L***

pêcher to go fishing **L.3***

un **pêcher** peach tree **8.L***

un **pêcheur** fisherman **R.V**

un(e) **pédiatre** pediatrician **6.FP1**

se **peigner** to comb one's hair **1.FP2**

le **peigne** comb **1.FP2**

*peindre** to paint **1.IC**

la **peine** effort, trouble, work **2.IC**

à peine hardly **2.IC**

les **peines** *f.* sorrows **9.IM**

peiné in pain **IC**

une **peinture** painting **1.IC**

un **pèlerinage** pilgrimage **7.IC**

une **pèlerine** cape **7.IC**

une **pellicule** film

une pellicule en noir et blanc black and white film **4.FP1**

une pellicule-couleurs color film **4.FP1**

une **pelote de ficelle** ball of string **4.FP1**

la **pelouse** lawn **2.FP1**

pendant

pendant + noun during **3.LC2**

pendant que while **3.LC2**

*pendre** to hang (up) **6.IM**

pénible annoying **R.A**

la **pension complète** full room & board **6.FP1**

un(e) **pensionnaire** boarding student **6.IC**

*se **perdre** to lose one's self **3.FP1**

perfectionner to improve **5.IM**

une **permanente** hair perm **4.FP3**

*permettre** to permit **3.IM**

un **permis: un permis de conduire** driver's license **4.IM**

perplexe perplexed **1.FP4**

un **perroquet** parrot **2.FP1TA**

la **perruche** parakeet **2.FP1**

*peser** to weigh **1.FP1**

pessimiste pessimistic **R.A**

petit little, small, short **1.FP1**

le Petit Chaperon Rouge Little Red Riding Hood **8.LC3**

le petit déjeuner breakfast **6.FP1**

peuplé populated **1.IC**

avoir peur to be afraid **7.LC2**

la **peur** fright **6.IC**

un **phare** lighthouse **6.IC**

la **pharmacie** pharmacy **4.FP1**

le **pharmacien (la pharmacienne)** pharmacist **4.FP1**

le **phénix** phoenix **3.IC**

la **philosophie** philosophy **10.FP1**

le/la **photographe** photographer **4.FP1**

la **physique** physics **10.FP1**

une **pièce** play **8.LC1**

une pièce d'argent coin **4.IC**

une pièce d'identité identity card **5.FP1**

une **pièce de théâtre** play **7.L**

un **pied: les pieds nus** bare feet **7.LC2**

une **pierre** stone, gem **2.FP2**

une **pile** battery **4.FP1**

les **pillards (une pillarde)** looters **2.IC**

le **pilote** pilot **5.FP2**

les **pilules** *f.* pills **7.FP1**

pimenté hot, spicy **7.IC**

un **pinceau (les pinceaux)** brush **1.3IC**

un **pique-nique** picnic **3.FP1**

une **piqûre** shot, injection **4.LC3**

une piqûre de novocaïne shot of novocaine **7.FP2**

pire worse **7.L***

une **piscine** swimming pool **6.FP1**

la **pitié** pity **9.FP1TA**

pitoyable pitiful **3.L***

une **place** place, seat, plaza **4.IM**

la place d'Armes parade ground **5.IC**

une place près du couloir a seat next to the aisle **5.FP2**

*plaindre** to feel sorry for **9.FP2**

*se **plaindre (de)** to complain about **7.LC1**

*plaire** to please **8.IM**

plaisanter to joke **3.FP3**

un **plan** map **8.LC3**

*planifier** to plan **8.IM**

les **plantes** *f.* plants **2.FP1**

une **plaque d'immatriculation** license plate **5.L***

le **plastique** plastic **2.FP3**

plat flat **2.FP3**

plein full **1.IM**

pleurer to cry **1.L***

plier to fold (up) **3.L***

le **plomb** lead **2.FP3**

un **plombage** tooth filling **7.FP2**

un **plombier** plumber **10.FP1**

plonger to plunge **3.L***

la **pluie** rain **3.FP2**

la pluie tombe rain is coming down **3.FP2**

une **plume** quill pen **5.IC**

la **plupart: la plupart de** most: the most (majority) of **4.LC1**

plus (de) more (of) **6.LC1**

plus ... que more ... than **6.LC1**

plus calme calmer, more calm **6.FP1**

plus claire clearer, lighter, more clear **6.FP1**

plus confortable more comfortable **6.FP1**

plus grande bigger **6.FP1**

plus spacieuse more spacious **6.FP1**

de plus en plus more and more **1.IM**

en plus in addition **3.IM**

plusieurs several **4.LC1**

un **pneu (les pneus)** tires **6.IM**

une **pneumonie** pneumonia **7.FP1**

une **poche** pocket **1.L***

le **poids** weight **1.FP1**

un **poignet** wrist **7.L***

point not at all

point maladroit not at all clumsy **8.IC**

le **point** the point

sur le point de on the verge, ready to **9.IC**

pointu(e) pointed **2.FP3**

une **poire** pear **R.A**

le **poisson** fish **R.A**

un poisson rouge goldfish **2.FP1TA**

la **poitrine** chest **8.L***

poli polite **R.A**

polir: polir l'argenterie to polish the silverware **2.FP1TA**

polluer to pollute **3.FP1**

la pollution pollution **8.FP3**

polonais Polish **10.IC**

une pommade ointment **7.IM**

une pomme de terre potato **R.A**

un pont bridge **5.IM**

la porte door, boarding gate **2.LP3TA**

un portemanteau hanger **6.FP2**

un porte-parole spokesperson **3.IC**

le portier doorman **1.LC1**

porter to wear **1.FP1**
> **porter des lunettes** to wear eyeglasses **1.FP1**

se porter to concern, to bear on **3.IM**

la portière train door **7.L***

le Portugal Portugal **5.FP1**

poser to put, to place **5.L**

posséder to own, possess **9.L***

une possibilité possibility, opportunity
> **la possibilité de promotion** opportunity for promotion **10.FP2**

la poste post office, mail **4.FP1**
> **la poste restante** general delivery

un poste post, station **4.FP1**
> **un poste de police** police station

un pote buddy **7.IC**

une poubelle garbage can **1.L***

un pouce inch **5.IC**

la poudre powder **1.FP2TA**

le poulet chicken **R.A**

pour for, in order to **10.LC1**
> **une chambre pour deux personnes** a room for two **6.FP1**

un pourboire restaurant tip **2.IM**

pousser to grow **2.IM**
> **pousser des cris** to scream **3.L***

la poussière dust **1.5A**

pouvoir to be able to
> **pouvez-vous me donner . . .** can you give me . . .

le pouvoir power **5.IC**

les pratiquants *m.* practitioners (religion) **7.IC**

se précipiter to dash **2.IM**

préconiser to advocate **6.IC**

***prédire** to predict **3.FP2**

***préférer** to prefer **2.LC2**

premier (première) first
> **la première classe** first

class **5.FP2**

***prendre** to take
> **on ne l'y prendrait plus** he wouldn't be taken in again **3.IC**
>
> **prendre garde** to take care not to **9.IC**
>
> **prendre la température** to take one's temperature **7.FP1**
>
> **prendre la tension** to take one's blood pressure **7.FP1**
>
> **prendre le deuil** to be in mourning **3.IC**
>
> **prendre rendez-vous** to make an appointment, date **7.FP1**
>
> **prendre sa retraite** to retire **9.FP3**
>
> **prendre un bain de soleil** to sunbathe **3.FP1**
>
> **prendre un bus** to take a bus
>
> **prendre un pot** to go have something to drink in a café **8.FP1**
>
> **pris par** seized by

préoccupé preoccupied **1.FP4**

se préparer to prepare one's self **1.FP3**

près: de près closely, from close up **4.L***

présenter to present, to show
> **présenter leur billet** to show one's ticket

se présenter à la porte de départ to show up at the boarding gate

presque almost **5.IM**

se presser to hurry **3.IC**

prétentieux (prétentieuse) pretentious **R.A**

prêter: prêter serment to pledge allegiance **10.IC**

un prêtre priest **6.IC**

prévenir** to warn **3.L

***prévoir** to plan ahead for **7.IC**

une prière prayer **7.IC**

prioritaire: être prioritaire to have priority **10.IM**

la prise electrical plug **4.FP2**

un prix prize

prochain next
> **le prochain train** the next train **5.FP2**
>
> **prochainement** next **7.LC2**

proche close **9.IM**

***produire** to produce **3.IM**

***se produire** to happen **7.IC**

un produit product
> **les produits d'entretien** *m.*

household products **4.FP1**
> **les produits d'hygiène** personal hygiene products **4.FP1**
>
> **les produits de maison** *m.* housecleaning products **4.FP1**

une profession profession **9.FP3**

profiter: profiter de to take advantage of **1.L***

une proie prey **3.IC**

le prolongement extension **9.IC**

une promesse promise **7.L***

***promettre** to promise **9.IM**

***se promener** to take a walk **1.FP3**
> **promener le chien** to walk the dog **2.FP1**

propre clean **2.IM;** own **1.IC**

la propreté cleanliness, hygiene **10.IC**

un(e) propriétaire owner **R.L***

prosterné prostrate, face to the ground **9.IC**

***protéger l'environnement** to protect the environment **3.FP1**

provoquer to provoke, to bring about
> **provoqué** caused, provoked **3.LC2**

la Prusse Prussia (northern Germany) **5.IC**

la psychologie psychology **10.FP1**

le psychiatre psychiatrist **6.FP1**

la publicité advertising **10.FP1**

publier to publish **7.L***

puis then, next **3.FP3**

puisque since **3.L***

puissant powerful **3.IC**

un pupitre school desk **6.IC**

pur fresh, pure **3.1IM**

Q ━━━━━

Qu'est-ce que. . . what. . .
> **qu'est-ce qu'il y a eu?** What happened? **3.FP3**
>
> **qu'est-ce qu'il y a?** What's wrong? **4.FP2**
>
> **qu'est-ce que tu as?** what's wrong? **1.FP4**

Qu'est-ce qui. . . who, what. . .
> **qu'est-ce qui a eu lieu?** what happened? **3.FP3**
>
> **qu'est-ce qui est arrivé?** what happened? **3.FP3**
>
> **qu'est-ce qui ne marche pas?** what doesn't work? **4.FP2**

qu'est-ce qui ne va pas?
what's wrong? **6.FP1**
qu'est-ce qui s'est passé?
what happened? **3.FP3**
le **quai** dock, quai **5.FP2**
quand when **5.LC2**
quand même anyhow **3.L***
quant à as for **1.IM**
une **quantité** quantity, amount
4.FP1
le **quartier** neighborhood, district
8.FP2
que that **9.LC1**
quel (quelle) what, which
quel dommage too bad
9.FP2
quel est le problème?
what is the problem? **4.FP2**
quel genre what kind
7.FP1
quelle bonne nouvelle
what good news **9.FP2**
quelle malchance what bad
luck **9.FP2**
quelque some
quelqu'un someone, somebody **5.LC1**
quelque chose something
5.LC1
quelque chose d'autre
something else **4.FP1**
quelque part somewhere
8.FP1
quelques some, a few
4.LC1
quelques-un(s) some, a few
4.LC1
se **quereller** to quarrel **9.FP2**
une **quête** quest
en quête in search of **8.IC**
faire la quête to pass the
hat **8.IM**
une **queue** tail, line (of people)
1.FP1
une queue de cheval
ponytail **1.FP1**
qui who **9.LC1**
un **quiproquo** misunderstanding
3.IC
quitter to leave **5.LC2**
quitter + quelqu'un to
leave a person (somewhere)
5.LC2
quitter + quelque part to
leave a place **5.LC2**
quoi what **3.FP3**
il n'y a pas de quoi it was
nothing **2.FP2**
quoi de neuf? what's new?
quoi qu'il lui en coûte
whatever it may cost him

8.IC
quotidien (quotidienne) daily,
common **1.IM**
la vie quotidienne daily life
4.IM

R

les **racines** *f.* roots **3.IM**
raconter to tell what happened
3.FP3
une **radio** x-ray **7.IM**
une **raie** part (hair) **4.FP3TA**
une **raison: raison de vivre** aim in
life **7.IC**
ralentir to slow down **7.L***
les **ramages** *m.* songs **3.IC**
ramasser to pick up **7.L***
une **rame** oar **7.IC**
ramener to bring back **3.L***
la **rancune** grudge, hard feelings
9.FP1
une **randonnée** long hike **R.V**
faire de la randonnée
pédestre to go hiking
3.IM
***ranger** to put away **2.FP1**
ranger les magazines to
put away the magazines
rangé clean, put-away
2.FP1
***rappeler** to remind **1.IC**
***se rappeler** to remember, to
recall **1.LC4**
un **rapport** connection, relation
9.FP2
rapporter to bring back **3.IM**
se **raser** to shave **1.FP2**
le **rasoir** shaver **1.FP2**
rassurer to reassure **4.L**
rater to miss (a bus, a date)
5.FP2
rater un examen to flunk
an exam **2.IM**
un **raton-laveur** racoon **3.FP1TA**
rattacher to attach, to link
se **rattraper** to make up for lost
time **R.A**
ravi delighted **7.LC2**
rayé striped **8.IM**
un **rayon** ray (sun), sections, aisles
(as in a store) **4.FP1**
un **réalisateur** movie director **6.IC**
la **réception** reception desk
7.FP1; gala party **8.L**
le/la réceptionniste
receptionist, secretary
7.FP2
***recevoir** to get, receive **2.IM**
recevoir une amende to
receive a fine **5.FP2**

réchauffer to reheat **5.IM**
rechercher to look for, to
search for **10.FP2**
recherché sought after
8.IM
la **recherche** research **7.IC**
la recherche scientifique
scientific research
un **récit** story **5.L***
une **récolte** crop **10.IC**
récompenser to reward **3.L***
***se réconcilier avec** to make up
with **9.FP2**
la **reconnaissance** gratitude
10.L*
***reconnaître** to recognize
10.IC
***reconstruire** to rebuild **R.V**
***recoudre** to mend (sewing)
4.FP2
récréatif (récréative)
recreational **2.IM**
rectangulaire rectangular
1.FP1
***recueillir** to pick up **6.L**
recueilli adopted **5.IC**
reculé remote **8.IC**
***récupérer** to get back, to
recuperate **5.L***
***redécouvrir** to rediscover
7.IM
redonner to give back **6.LC2**
redoubler to repeat a grade
10.IM
les **références** *f.* references
10.FP3
réfléchir to reflect **2.IM**
le **réfrigérateur** refrigerator
2.FP3
un **régime** diet **4.LC2**
les **règlements** *m.* rules **3.IM**
réglé par structured according
to **3.IC**
regretter to regret **2.FP2**
le **regret** regret **7.LC2**
la **reine** queen **2.IC**
les **reins** *m.* kidneys **7.IM**
réjouir to rejoice, to celebrate
9.FP2
se **réjouir** to be happy **1.LC4TA**
relâché released **5.IC**
les **relations** *(f.)* **publiques** public
relations **10.FP2**
relié linked **8.IC**
***se remarier** to remarry **9.FP3**
remarquer to notice **2.L***
rembourser to reimburse
***remercier** to thank **2.FP2**
remettre to put back **9.L***
se **remettre** to get back (into
shape) **7.IM**

remonter to go back to (in time), to visit **5.IC**

remplir to fill out **7.IM**

rempli filled **2.IC**

remplir l'aquarium to fill the aquarium **2.FP1**

rencontrer to meet by chance, run into (person)

se rencontrer to meet each other **8.FP1**

un rendez-vous appointment, date **7.FP1**

*****se rendormir** to go back to sleep **10.L***

*****se rendre (à)** to go, to render one's self **1.LC**

se rendre compte to realize **2.L***

rendre service to do a favor **2.FP2**

renfermé aloof, closed off **R.A**

les renforts *m.* reinforcements **10.IC**

renommé reputed **9.IC**

*****renoncer** to give up **2.IM**

les renseignements *m.* information **4.IM**

*****renvoyer** to send away, to fire (an employee) **3.IC**

*****répandre** to spill **9.IC**

*****se répandre** to spread **3.IC**

réparer to repair

réparer la fermeture éclair to repair the zipper **4.FP2**

réparer les chaussures to repair shoes **4.FP2**

réparer mon appareil-photo to repair my camera **4.FP2**

un réparateur repairman **10.FP1**

la répartition distribution **2.FP2**

repasser to iron **2.FP1**

repasser les chemises to iron the shirts

un répondeur answering machine **8.LC2**

*****répondre** to respond

répondre à l'annonce to respond to an ad

un report d'incorporation deferment **10.IM**

se reposer to relax, to rest **1.FP3**

repousser to reject, repel **9.IC**

repousser du pied to kick away **9.IC**

un(e) représentant(e) de commerce sales representative **10.FP1**

une représentation performance **1.FP2**

se représenter au bac to take the bac again **10.IM**

une requête request **8.L***

réserver to reserve **7.FP1**

réserver une chambre to book, reserve a hotel room **7.FP1**

réserver une place to reserve a place **5.FP2**

une résidence apartment building **1.LC1**

*****résoudre** to solve **6.IM**

le respect respect **9.FP1**

respecter la nature to respect nature **3.FP1**

respirer to breathe **2.IM**

les responsabilités importantes important responsibilities **10.FP2**

*****ressentir** to feel **1.FP4TA**

le ressort spring **4.FP2**

rester to stay, to remain

il reste. . . there is. . . left **8.L***

rester au lit to stay in bed **7.FP1**

rester célibataire to stay single **9.FP3**

retard: en retard to be late **5.FP2**

retentissant big, huge (sound) **5.IC**

retirer to withdraw (money) **4.IM**

un retour return **6.LC2**

se retourner to turn around **7.L***

retrouver to rediscover **1.IM**

se retrouver to meet each other **8.FP1**

se réunir to unite, get together **4.IC**

réussir to succeed **10.IM**

un réveil alarm clock **1.LC1**

réveiller to wake (something, someone) **6.FP2**

se réveiller to wake (one's self) up **1.FP3**

se réveiller en musique to wake up to music **1.LC1**

*****revenir** to come back **1.L***

rêver to dream **6.IC**

un rêve dream **1.4**

révolu long past **9.IC**

un rhume a cold **7.FP1**

un rhume des foins hayfever **6.FP1**

ricaner to laugh **9.IC**

riche rich, wealthy **R.A**

rien: rien à voir (avec) nothing to do (with) **9.IM**

le rimmel mascara **1.FP2**

*****rire** to laugh **3.L***

une rive bank, shore **9.IC**

le riz rice **R.A**

une robe de chambre bathrobe **1.LC1**

Robin des Bois Robin Hood **8.LC2**

le robinet faucet **3.IB**

le roi king **4.IC**

Roi du Ciel King of Heaven **2.E**

*****rompre** to break **7.L***

*****rompre avec** to break up with **9.FP2**

rond round **1.FP1**

les rôniers *m.* palm trees **9.IC**

le rosbif roastbeef **R.A**

la roue wheel **4.FP2**

le rouge à lèvres lipstick **1.FP2**

la rougeole measles **7.FP1**

rougir to blush **4.L***

un rouleau (les rouleaux) a roll (of paper towels, of scotch tape) **4.FP1**

rouler to go, to roll (car, bus, train) **4.IC**

roux (rousse) red-headed **1.FP1**

un royaume kingdom **2.IC**

un ruban ribbon **9.IM**

la rubéole German measles **7.FP1**

rude rough **10.IC**

rugueux (rugueuse) rough, coarse **2.FP3**

la Russie Russia **5.FP1**

rustre boorish, lacking good manners **7.IC**

S ▬▬▬▬▬

le sable sand **3.IM**

un sac bag **2.LP3TE**

sac à dos backpack **3.IM**

un sac à provisions shopping bag **8.IM**

sacré "cursed" **10.IC**

la sagesse wisdom **8.IC**

saigner to bleed **7.FP1**

saigner du nez to bleed from the nose

saisir to seize **9.L***

s' en saisir to seize, to take **3.IC**

saisi seized, taken **5.L**

saisonnière seasonal **7.L**

la salade salad, lettuce **R.A**

sale dirty **2.FP1**

une salle hall, room **2.IC**

la salle d'armes fencing hall **3**

la salle d'attente waiting room **7.FP1**

la salle d'exercices exercise gym **6.FP1**

la salle de bains privée private bath **6.FP1**

un salon a show, exhibition **2.IA**

le salon de coiffure beauty salon **4.FP3**

une salopette overalls **7.IC**

le sang blood **5.IC**

un sanglier wild boar **9.IC**

sans without **10.LC1**

les sans-abri *m.* homeless people **7.IC**

sans bouger without moving **1.5A**

la santé health **2.LC2**

sauf except **3.IM**

sauter to jump **1.L***

sauvage wild **7.IM**

sauver to save **5.L***

les savants *m.* scientists **2.IC**

la saveur taste **9.IC**

le savon soap **1.FP2**

les scénarios *m.* scripts **1.IC**

la scène: sur scène on the stage **4.IC**

la scie saw **2.FP3TA**

les sciences *f.* the sciences

les sciences économiques economics **10.FP1**

les sciences humaines humanities **10.FP1**

les sciences politiques political science **10.FP1**

un(e) scientifique scientist **10.FP1**

la scolarité tuition **10.LC2**

le scotch scotch tape **4.FP1**

les séances *f.* sessions **1.LC3**

un seau (les seaux) bucket **3.LC2**

sec (sèche) dry **2.FP3**

le sécateur shrub clippers **2.FP1**

*sécher to dry **1.FP2**

une sécheresse drought **7.IC**

se sécher to dry one's self **1.FP2**

le séchoir dryer **1.FP2**

secouer to shake **10.L***

secoue-toi! shake yourself up! **1.IM**

un(e) secrétaire secretary **10.FP1**

une section section

la section non-fumeur non-smoking section **5.FP2**

*séduire to attract, seduce **7.L***

un seigneur nobleman, lord **2.E**

séjourner to stay, lodge **6.FP1**

un séjour stay, vacation **4.IC**

une semaine week **4.FP2**

la semaine dernière last week **3.FP3**

semblable similar, alike **4.IM**

sembler to seem, to appear **1.FP4**

la semoule semolina **7.IC**

le sens sense, direction **5.IM,** meaning **10.IM**

le sens des contacts humains ability to network **10.FP3**

les sensations *f.* feelings **1.IC**

sensible sensitive **R.A**

un sentier trail (hiking) **3.IM**

*sentir to perceive (smell, touch) **1.FP4TA**

*se sentir to feel **1.LC4**

se séparer to separate (husband & wife) **9.FP3**

sérieux (sérieuse) serious **R.A**

un serin canary **2.FP1TA**

un serpent snake **9.IC**

serrer: bien serré close together

la serrurerie locksmith **4.LC3**

un service service, favor **10.FP1**

le service dans les chambres room service **6.FP1**

un serviteur servant **7.L***

une serviette towel **1.FP2**

*servir to serve **6.FP2**

*se servir (de) to serve one's self **10.FP3**

le seul (la seule) the only **1.IC**

un seul only one **1.IC**

seul alone, lonely **9.IM**

seulement only **5.FP1**

sévère severe **R.A**

le shampooing shampoo **1.FP2**

un shampooing a shampoo (hair salon) **4.FP3**

un shampooing colorant shampoo-in hair color **1.FP2**

si if **5.LC2**

s'il en est ainsi if it is so **9.IC**

s'il vous plaît, donnez-moi. . . please give me. . . **4.FP1**

s'il vous plaît . . . please . . .

le SIDA AIDS **7.LC2**

un siècle century **R.V**

un siège a seat **4.IM**

un siège près de la fenêtre a seat next to the window **5.FP2**

siffler to whistle **3.L***

un sifflet whistle **5.IC**

un sifflet à roulette whistle **3.L***

un signe sign **1.FP1**

les signes (m.) particuliers

personal attributes **1.FP1**

la signification meaning **1.IC**

sillonner to voyage across **5.IM**

un singe monkey **8.IM**

situer to situate **7.L***

une société society **10.FP2**

un socle pedestal

se soigner to heal one's self, to take care of one's self **7.FP1**

soigner to treat (medical) **7.FP1**

soignez-le (la)! pay careful attention to it! **10.IM**

le sol ground, floor **2.IM**

au ras du sol at ground level **9.IC**

un soldat soldier **6.L**

un solde sale **1.IM**

en solde on sale **4.IM**

le soleil sun **2.IM**

le soleil levant rising sun **1.IC**

le soleil brille the sun is shining **3.FP2**

solliciter to solicit, to ask for **10.FP2**

solliciter une interview to ask for an interview

solide solid **2.FP3**

sombre black, somber **7.IC**

le sommeil sleep **6.IM**

sonner to ring **1.LC1,** to blow **2.IC**

la sonnerie de clairon bugle call **10.IC**

la sonnette d'alarme alarm bell **7.L**

le Sopalin paper towels (brand name) **4.FP1**

la sorcellerie witchcraft **2.IC**

un sorcier (une sorcière) witch doctor **9.IC**

le sort fate **7.LC**

la sortie exit **5.FP2**

*sortir to go out **2.FP1**

sortir avec to go out with **8.FP1**

sortir: avoir + sorti to take something out **3.LC1**

un sot stupid person **3.IC**

un souci concern, worry **9.L***

soucieux (soucieuse) worried **1.FP3**

souffler to blow **3.FP2**

*souffrir to suffer **7.LC2**

souhaiter to wish **2.LC2**

les souhaits *m.* wishes **2.LC2**

un soupir: soupir de soulagement sigh of relief **2.IM**

le sourcil eyebrow **1.FP2TA**

*sourire to smile **7.IC**
un sourire smile **1.IM**
une souris mouse **2.FP1TA**
un sous-titre subtitle **4.L**
soustraire à to protect from **6.IC**
*soutenir to support **4.IC**
un souvenir: en souvenir de in memory of **8.L***
*se souvenir (de) to remember **1.LC4**
se spécialiser en to specialize, major in **10.FP1**
un(e) spécialiste specialist **7.FP1**
 un(e) spécialiste de données data processor **10.FP1**
 un(e) spécialiste de logiciel software specialist **10.FP1**
 un(e) spécialiste de marketing marketing specialist **10.FP1**
spirituel (spirituelle) witty **R.A**
spontané spontaneous **R.A**
un stage internship **10.IM,** study abroad **10.FP3**
le standard switchboard **6.FP2**
une station station
une station thermale hot springs resort **R.V**
une station-service gas station **8.FP2**
la Statue de la Liberté Statue of Liberty **2.FP3**
une stèle stele, stone marker with an inscription **6.L***
le steward steward **5.FP2**
les strophes f. verses **5.IC**
stupide stupid **R.A**
un stylo à bille ball point pen **4.FP1**
subitement suddenly **9.IC**
*subvenir to meet **2.IM**
subvenir aux besoins to meet the needs **4.IC**
les subventions f. subsidies **3.IM**
*se succéder to follow one another **8.IC**
succomber to die, succumb **7.IC**
la sueur sweat **9.IC**
*suffire to be sufficient **4.IM**
il suffit de... it is sufficient to... **1.IM**
suffisant sufficient, enough
la suite: à la suite de right behind **9.IC**
*suivre to follow **4.IM**

suivant according to **5.IM**
suivre un cours to take a class **R.A**
une supérette convenience store **4.FP1**
supporter to bear, stand **2.L***
les supporteurs m. fans **7.LC2**
supposer: à supposer que let us suppose that **7.L**
surpris surprised **7.LC2**
sur on, above
 sur le champ immediately **3.IC**
 sur le dessus on the top
 sur le devant in front
 sur les côtés on the sides
*surprendre to surprise **9.L***
surprenant surprising **2.IM**
la surprise surprise **3.FP3**
sursauter: en sursaut with a start **1.LC1**
*survenir to happen **9.IC**
*survivre to survive **10.IC**
susceptible touchy **3.IC**
la sympathie instinctive liking **9.FP1**
sympathique nice **R.A**
sympa (pop. sympathique) nice, kind **2.FP2**
le Syndicat d'Initiative Chamber of Commerce **6.LC1**

T

un tableau (les tableaux) painting **1.IC**
le tableau d'affichage billboard **5.FP2**
une tache spot **1.IC**
les taches de rousseur freckles **1.FP1**
une tâche task
une tâche domestique chores **2.IM**
la taille size (person) **1.FP1**
tailler to trim **2.FP1**
*se taire to be quiet, to shut up **1.LC4**
talonner to follow on one's heels **9.IC**
les tanières f. lairs **1.IC**
tant so many **8.IM**
 tant pis! too bad! **2.LC2**
 tant que as long as **6.IC**
un tapis rug **1.L***
la tapisserie tapestry **2.IC**
une tarte aux pommes apple pie **R.A**
des tas m. tons, alot **10.IM**
un taxi taxi **8.FP2**
la technique technology **10.FP1**

un technicien (une technicienne) technician **10.FP1**
le teint complexion **1.IM**
une teinturerie drycleaner's **2.LC2**
le teinturier cleaners **4.FP2**
tel (telle): tel qu'on le connaît as we know it **1.IC**
le téléobjectif telephoto lens **4.FP2**
le téléphone telephone **6.FP1**
téléphoner au chef du personnel to call the head of personnel
la télévision television **6.FP1**
tellement **4.L***
 pas tellement not that much **8.IM**
témoigner to witness **3.FP3**
un témoin witness **9.IM**
la température temperature **2.FP**
la tempête storm **3.FP2**
 une tempête de neige snowstorm **3.FP2**
le temps weather, time **2.FP2**
 de temps en temps from time to time **4.L***
tendre to present **7.L***
tendu tense, uptight **1.FP4,** stretched out **8.IC**
*tenir to hold **3.L***
 tenir à to hold dear, to cherish **9.L***
 tenir compagnie to keep company **9.L***
 tenir une promesse keep a promise **7.L**
 que cela ne tienne that won't matter **3.IC**
tenter to tempt **9.L***
la tenue clothing **1.IM**
un terme: à long terme in the long run **3.IM**
téméraire bold **3.IC**
terne dull **2.FP3**
la terre land **3.IM**
 la Terre Sainte Holy Land **2.D**
 la terre ferme solid ground **5.IM**
 la Terre-Neuve Newfoundland **3.LC2**
un testament will **R.L***
un têtard tadpole **3.L***
une tête: en tête à tête face to face **7.L**
une thèse thesis, essay **10.IM**
le thon tunafish **R.A**
tiède warm **2.FP3**
le tiers-monde third world **7.LC2**
une tignasse unruly mop (of hair) **4.L**
un timbre stamp **4.FP1**

timide timid **R.A**
tirer to pull **5.L,** derive **6.IC**
  tiré de based on **5.IC**
  tirer la langue to stick out
    one's tongue **7.FP1**
  tirer au sort to choose at
    random **10.IM**
un **tiroir** drawer **8.LC3**
la **toile** canvas **1.IC**
tolérant tolerant **R.A**
une **tombe** tombstone **7**
  tomber to fall **3.FP1**
  tomber amoureux de to
    fall in love with **4.IC**
  tomber dans l'eau to fall in
    the water **3.FP1**
  tomber malade to fall sick
    9.FP3
tondre to mow **2.FP,** clip very
    short **3.L*,** to shear **5.IM**
la **tondeuse** lawnmower **2.FP1**
le **tonnerre** thunder **3.FP2**
la **tonte des moutons** sheep-
    shearing **5.IM**
se tordre to sprain (part of the
    body) **7.FP2TA**
  se tordre le poignet to
    sprain one's wrist
une **tortue** tortoise **3.FP1TA**
une **touche** button **4.IM**
  toujours still **3.IC**
un **tour** turn **2.IB,** trick **2.IC**
une **tour** tower, high-rise **8.FP2**
  la Tour Eiffel Eiffel Tower
    2.FP3
le **tournage** making (of a film)
    8.IM
une **tournée** tour **4.IC**
  tourner: tourner un film to
    film **10.IM**
  se tourner to turn around **4.L***
  tousser to cough **7.FP1**
  tout (toute, tous, toutes)
    any, all **L.5**
    tout à fait quite, very much
      5.IM
    tout court directly **7.IC**
    tout de même nevertheless
      5.IM
    tout de suite immediately
      L.5
    tout près nearby **8.FP2**
    tous les . . . every **1.IM**
    tous sauf everyone except
      1.LC1
    tout d'un coup all of a
      sudden **1.LC1**
    toutes les 4 heures every
      four hours **7.FP1**
une **toux** cough **7.IM**
le **trac: avoir le trac** to be

nervous, scared, have
  stagefright **10.IM**
trahir to betray **2.IC**
une **trahison** betrayal **2.D**
un **train** train **5.FP2**
un **trait** feature **1.IM**
un **traité** treaty **7.IC**
un **traiteur** caterer **2.IM**
une **trame** plot **8.IC**
  tranquille calm, quiet
    1.FP4TA
    être tranquille to be alone,
      undisturbed **1.L***
  tranquillement safely **8.IM**
  transpirer to sweat **7.FP1**
les **transports** *m.* transportation
    8.L
  traqué tracked, hunted **6.IC**
  travailler to work
le **travail** work **2.FP1**
  les travaux domestiques
    housework **2.FP1**
  traverser to cross **3.IC**
  travers: à travers across,
    through **1.L***
une **traversée** crossing **5.IM**
  trempé soaking wet **3.L***
  tresser to braid **4.FP3TA**
les **tresses** *f.* braids **4.FP3TA**
  tressez-moi les cheveux
    braid my hair **4.FP3TA**
un **trésor** treasure **8.LC3**
  triangulaire triangular **2.FP2**
  tricher to cheat **8.IC**
  tricolore blue, white, red **9.IM**
le **tricot** knitting **9.L***
  triste: être triste to be sad,
    melancholy **R.A**
la **tristesse** sadness **7.LC2**
un **trombone** paper clip **4.FP1**
les **trombones** *m.* paper clips
  se tromper to make a mistake
    1.LC4
le **trottoir** sidewalk **5.L**
un **trou** hole **9.IC**
la **trousse de toilette** toiletry bag
    1.FP2TA
  se trouver to be found, to be
    located **1.LC4**
  trouver to find **9.FP3**
    trouver un job to find a job
      9.FP3
  tu you
    tu plaisantes! you're
      kidding! **3.FP3**
    tu n'as pas de chance you
      are out of luck **9.FP2**
un **tube** a tube **3.FP1**
  tuer to kill **2.IC**
  se tuer to kill one's self
  tuméfié swollen **8.IC**

turbulent turbulent, hyper-
    active **3.L***
le **tuyau d'arrosage** garden hose
    2.FP1
un **type** (*fam.*) guy, person **5.L**

U

unir to unite **7.L**
l' **université** *f.* university, college
    10.FP1
  usagé worn **2.FP3**
  usé worn out **4.FP2**
une **usine** factory **10.FP2**
  utiliser to use **10.FP3**
  utile: il est utile que . . . it is
    useful that. . . **2.LC2**

V

la **vaisselle** dishes
  ranger la vaisselle to put
    the dishes away **2.FP1**
la **valeur** value **5.LC1**
  valoir to be worth **3.IC**
    il vaut mieux que . . . it is
      better that . . . **2.IC**
    valent are worth **1.IC**
  valoriser to emphasize the
    value of **8.IC**
  vaniteux (vaniteuse) vain **R.A**
se **vanter** to boast **9.IC**
la **varicelle** chicken pox **7.FP1**
les **vassaux (le vassal)** *m.* subjects
    2.IC
une **vedette** star **4.IC**
  veilleuse (en veilleuse)
    low (as a light)
    8.IC
un **vélodrome** bicycle racetrack
    1.IC
un **vendeur (une vendeuse)**
    salesperson **10.FP1**
  venger to avenge **2.IC**
le **vent** wind **3.FP2**
un **verger** orchard **8.L***
le **verglas** sheet ice **3.FP2**
  véritable true **1.IC,** real **8.IC**
le **vernis à ongles** nail polish
    1.FP2
le **verre** glass **2.FP2**
les **verres de contact** *m.* contact
    lenses **1.FP1**
  vers at, about **1.FP3,** towards
    3.L*
  verser to pour **3.L***
  vert green
    vert foncé dark green
      1.FP1
les **vertiges** *m.* dizzy spells, vertigo
    7.FP1

un(e) **vétérinaire**   veterinary doctor
      10.FP1

   ***vêtir**   to dress **5.L**
      vêtu de bleu   dressed in
         blue **5.L**

une **victime**   victim, casualty **7.IC**
   vide   empty **2.FP3**
   vider   to empty **2.FP1**
      vider l'aquarium   to empty
         the aquarium
      vider la corbeille   to empty
         the trash
      vider les ordures   to empty
         the garbage

   la **vie**   life **R.V**
      la vie active   active life
      la vie en ville   city life
      la vie scolaire   school life
      la vie sociale   social life
      la vie courante   daily life
         1.IC

   un **vieillard**   elderly man **8.IC**
   la **vieillesse**   elderly years **9.FP3**
      vieillir   to grow old **9.FP3**
   le **vieillissement**   aging **3.IM**
      vieux (vieille)   old **2.FP3**
   la **Virginie**   Virginia **1.LC1**
   le **visage**   face **1.FP1**
   une **visite**   visit **7.FP1**
   les **vitamines** *f.*   vitamins **4.FP1**
   la **vitesse**   speed **1.IC**
   une **vitre**   window pane **2.FP1TA**

une **vitrine**   store window **9.L***
   ***vivre**   to live **7.LC2**
      vécu   lived **1.IC**
      vivant   living **2.IM**
      vivre ensemble   to live
         together **9.FP3**
      vivre à la française   to live
         (as the French do) **4.IM**

   les **voeux** *m.* **(un voeu)**   wishes,
         season's greetings **4.LC2**
   une **voie**   way, path **1.IC**
   les **voiles** *f.*   sails **7.IC**
      ***voir**   to see **5.L**
         ça n'a rien à voir (avec)   it
            has nothing to do (with)
            1.IM
         voyant . . .   while seeing . . .
            5.L

   un **vol**   flight (airplane) **5.IM** theft
      5.IC
      voler   to steal **5.L*** to fly **9.IC**
   les **volets**   shutters **8.IC**
   un **voleur (une voleuse)**   thief **5.L**
   la **volonté**   will **7.LC2**
      volontiers!   sure! with pleasure!
         I'd love to! **2.FP2**
      volumineux (volumineuse)
         voluminous, large in volume
         2.FP3
      vomir   to throw up **7.FP1**
      ***vouloir**   to want, to wish
         2.LC2

   vouloir bien   to want (used
      to accept an offer), to accept,
      agree **4.FP1**
   vouloir dire   to mean **10.L***
   ***voyager**   to travel **5.FP1**
   un **voyage**   voyage, trip
      vrai   true
      à vrai dire   to tell the truth
         8.L*
      Vraiment?   Really? Truly?
         3.FP3
   une **vue: une belle vue**   a nice view
         6.FP2

W

   un **wagon**   car (train) **5.FP2**
      un wagon-lit   sleeping car
         (train) **5.IM**
      un wagon-restaurant
         dining car (train) **5.IM**

Y

   y: j'y vais   there: I'm going
      (there) **4.LC1**
   les **yeux** *m.* **(un oeil)**   eyes **1.FP1**

Z

   les **zébrures** *f.*   stripes, welts **9.IC**

VOCABULAIRE: Anglais—Français

The French—English vocabulary contains active and passive words from the text, as well as words introduced in the *Mots utiles* sections of the Lectures.

The numbers and letters following an entry indicate the first unit section in which the words or phrase is activated. The following abbreviations have been used:

R	Reprise
L	Lecture
IM	Info magazine
IC	Interlude Culturel
FP	Français pratique
TA	Teachers' Annotation
LC	Langue et communication
A	Appendix

The number after the section abbreviation indicates the unit Partie in which the vocabulary word is introduced.

An Asterisk (*) after the unit reference indicates that the word or phrase is presented in the *Mots Utiles* section of the reading.

Nouns: If the article of a noun does not indicate gender, the noun is followed by *m. (masculine)* or *f. (feminine)*. If the plural is irregular, it is given in parentheses.

Verbs: Verbs are listed in the infinitive form. An asterisk (*) in front of an active verb means that it is irregular. (For forms, see the verb charts in the Appendix.)

Words beginning with an h are preceded by a bullet (•) if the h is aspirate; that is, if the word is treated as if it begins with a consonant sound.

A

ability: ability to network le sens des contacts humains **10.FP2**
about, approximately environ **9.L***
  about 100 une centaine **7.L**
access l'accès *m.* **6.FP1**
accident un accident **3.FP2**
accomplice un(e) complice **5.L***
to **accomplish** parvenir **9.IC**
according to suivant **5.IM**
accountant un(e) comptable **10.FP1**
  accounting la comptabilité **10.FP1**
accustomed habitué
to **achieve, to do** effectuer **5.IMB**
acquaintance un(e) camarade, une connaissance **9.FP1**
to **acquire** acquérir **10.IM**
  across, through à travers **1.L***
    across from en face de **8.FP1**
to **act** agir **3.IM**
  active actif (active) **R.A**
    active life la vie active
to **add** ajouter **7.L***
  adhesive: adhesive bandage un pansement adhésif **4.FP1**

administration l'administration *f.* **10.FP1**
admiration l'admiration *f.* **9.FP1**
to **admit** avouer **1.IM**
adolescence l'adolescence *f.* **9.FP2**
adopted recueilli **5.IC**
adulthood l'âge adulte
advance une avance **5.FP2**
advertising la publicité **10.FP1**
advice les conseils *m.* **1.IC**
  advisor conseiller **10.IM**
to **advocate** préconiser **6.IM**
affair une affaire
affection l'affection *f.* **9.FP1**
  affectionate affectueux (affectueuse) **R.A**
after après **3.FP2**
  after au bout de **10.L***
  aftershave l'après-rasage *m.* **1.FP2**
again de nouveau **1.L***; encore **5.L**
age l'âge *m.*
agency une agence **10.FP2**
  agent un agent **10.FP1**
aging le vieillissement **3.IM**

agitated agité **1.FP4TE**
agricultural worker un ouvrier agricole **10.FP1TE**
to **agree: to agree with** être d'accord avec **9.FP2**
  to agree to meet se donner rendez-vous
AIDS le SIDA **7.LC2**
aim: aim in life une raison: raison de vivre **7.IM**
air l'air *m.*
  air conditioning l'air conditionné *m.* **6.FP1**; la climatisation **6.FP1**
  air conditionner le climatiseur **6.IM**
airport l'aéroport *m.* **5.FP2**
alarm: alarm bell la sonnette d'alarme **7.L**
  alarm clock un réveil **1.LC1**
  all of a sudden tout d'un coup **1.LC1**
all tout (toute, tous, toutes) **5.L**
  all the more that d'autant plus que **9.L***
allergy une allergie
allure l'allure *f.* **2.IM**
almost autant **5.IM;** presque

5.IM
alone seul 9.IM
along le long de 6.L
along: along length of le long
    3.IM
aloof renfermé R.A
a lot beaucoup, pas mal 10.IM
    a lot of... pas mal de...1.IM
Alps les Alpes 1.LC1
also aussi 6.LC1
altar l'autel *m.* 9.IM
aluminum l'aluminium *m.* 2.FP3
alumnus un ancien élève 8.L*
amazed émerveillé 8.IM
    amazement l'étonnement *m.*
        7.LC2, l'ébahissement *m.* 9.IM
    amazing étonnant 6.LC1
ambition l'ambition *f.* 10.FP3
ambush une embuscade 2.IC
among entre 2.IM
amount le montant 4.IM
amplifier l'ampli *m.* 4.FP2
amplitude, extent l'ampleur *f.*
    4.L
to **amuse** distraire 1.IC
    amusing amusant R.A
ancestry une ascendance 9.IM
and et 5.LC1
anger la colère 1.FP3
animal un animal (animaux)
    2.FP1
to **animate, to give life to** animer
    7.L
    animated animé
animosity l'animosité *f.* 9.FP1
annoying pénible R.A
another: another one un(e) autre
answering machine un répon-
    deur 8.LC2
ant une fourmi 3.FP1TE
antenna l'antenne *f.* 4.FP2
antibiotic un antibiotique 7.FP1
antipathy l'antipathie *f.* 9.FP1
antique: antique dealer le/la
    marchande d'antiquités 9.L*
any tout (toute, tous, toutes) 5.L
    any, no matter which
        n'importe quel(le) 8.IM
    anyhow quand même 3.L*
    anything n'importe quoi 7.L*
apartment un appartement 8.FP2
    apartment building un
        immeuble, une résidence
        1.LC1
to **appear** *paraître 7.L*
    appearance l'apparence *f*
        2.FP3
apple: apple pie une tarte aux
    pommes R.A
appointment, date un rendez-
    vous 7.FP1

to **approach** s'approcher de 8.L*
    an approach l'accès *m.* 6.FP1
Arc of St. Louis l'Arche *f.* de
    Saint Louis 2.FP3
architect un(e) architecte
    10.FP1TE
around autour 5.FP1
    around the world autour du
        monde 5.FP1
to **arrange (by class)** classer
    10.FP3
to **arrest** arrêter 5.L*
to **arrive** arriver 3.FP2
as en tant que 9.IM
    as a matter of fact justement
        7.IM
    as for quant à 1.IM
    as if comme si 8.L*
    as long as tant que 6.IM
    as much as autant de 6.LC1
    as of dès 9.IM
    as soon as aussitôt que
        5.LC2, dès que 5.LC2
    as usual comme d'habitude
        R.V
    as we know it tel qu'on le
        connaît 1.IM
    as...as aussi...que 6.LC1
ashamed honteux (honteuse)
    3.IM
to **ask: to ask for a favor** demander
    un service
    to ask for an interview
        solliciter une interview
    to ask, to necessitate deman-
        der 2.IM
aspirin l'aspirine *f.* 4.FP1
assets les biens *m.* 9.IM
to **assist** assister
asthma l'asthme *m.* 7.FP1
astonished étonné 7.LC2
at à
    at a friend's place chez un
        copain 3.FP2
    at ground level au ras du sol
        9.IM
    at last enfin 3.FP2
    at the dentist's office chez le
        dentiste 7.FP2
    at the end of an hour au bout
        d'une heure 9.FP2
    at the expense (of) les
        dépens: aux dépens 3.IM
    at the home of friends chez
        des amis 9.IM
    at the photographer's chez le
        photographe 4.FP1
    at the same time à la fois 1.4
    at the time of lors de 6.L
    at, about vers 1.FP3
athletic athlétique 1.FP1

to **attach** attacher 5.FP2
    to attach, to link rattacher
to **attack** attaquer 7.L
    attentive attentif (attentive) R.A
    attic le grenier 10.L*, 1.IM
to **attract** attirer 2.IM
    attracting attirant 1.3
    attractive séduisant 7.L*
avalanche une avalanche 3.FP2
to **avenge** venger 2.IC
    average moyen(ne) 1.FP1;
        médiocre 10.IA
aversion l'aversion *f.* 9.FP1
away loin

B

background l'origine f. 8.IM, le
    fond 1.IM
backpack le sac à dos 3.IM
bad mal 1.FP4
to **bag (groceries)** empaqueter 4.IM
bag un sac 2.LP3TA
    baggage claim la livraison des
        bagages 5.FP2
    baggage les bagages *m.* 5.FP1
    baggage-check la consigne
        5.FP2
    baker un boulanger (une
        boulangère) 10.FP1
    bald chauve 1.FP1
    bald head la boule à zéro 4.L
ball le ballon 2.FP3
    ball of string une pelote de
        ficelle 4.FP1
    ball point pen un stylo à bille
        4.FP1
balloon le ballon 2.FP3
bandits les brigands *m.* 2.IC
bangs (hair) une frange
    4.FP3TA
banker un banquier (une ban-
    quière) 10.FP1
bank (river) une rive 9.IC
bare feet un pied: les pieds nus
    7.LC2
bark (tree) l'écorce *f.* 7.IM
based on tiré de 5.IM
bath un bain 1.FP3
    bathrobe une robe de chambre
        1.LC1
to **bathe** se baigner 2.FP3
battery une pile 4.FP1
to **be** être
    being *(n.)* un être 2.IM; *(pp.)*
        étant 2.IC
    to be a part of faire partie de
        1.IM
    to be able to pouvoir
    to be abroad, overseas être à
        l'étranger 5.FP1

to be accepted (school)   entrer **10.IM**
to be afraid   avoir peur **7.LC2**
to be alone,
   undisturbed   être tranquille
   1.L*
to be angry   être en colère
   1.FP4
to be angry with   se fâcher
   avec **8.FP1**
to be ashamed   avoir honte
   7.LC2TA
to be bitten by
   mosquitos   être piqué par
   les moustiques **3.FP1**
to be bitten   être mordu
to be bored   s'ennuyer **1.IM**
to be born   naître **9.FP2**
to be broken down   une
   panne: être en panne **9.LC1**
to be broken   être cassé
   4.FP2
to be busy with, to take care
   of   s'occuper de **1.LC4**
to be called, be
   named   s'appeler **1.LC4**
to be called together   être
   convoqué **10.IM**
to be conscient, to know   conscient: être conscient **10.IM**
to be cut out   être fait **10.IM**
to be dark, night   faire noir
   3.FP2
to be distrustful   se méfier de
   5.IC
to be   être
to be found, to be located   se
   trouver **1.LC4**
to be free   être libre **8.FP1**
to be happy for someone
   être content pour qq'un
   9.FP2
to be happy   se réjouir
   1.LC4TA
to be hired   être engagé **2.IM**
to be hurt   avoir mal **6.FP1**
to be in a hurry   être pressé
   4.IM
to be in good shape   être en
   forme **1.IM**
to be in mourning   prendre le
   deuil **3.IC**
to be in pain, to be sad   avoir
   de la peine **3.L***
to be interested in   s'intéresser (à) **1.IM**
to be late   retard: être en retard
   5.FP2
to be located   se trouver **6.L**
to be necessary   falloir **4.FP1**
to be nervous, scared, have

stagefright   avoir le trac
   10.IM
to be of good health   être en
   bonne santé **7.FP1**
to be present at   assister à
   3.FP2
to be qualified   faire l'affaire
to be quiet, to shut up   se
   taire **1.LC4**
to be ready   être prêt **4.FP2**
to be seasick   avoir le mal de
   mer **3.FP1**
to be sick   être malade **7.FP1**
to be sorry   être désolé **9.FP2**
to be sufficient   suffire **4.IM**
to be tired   être fatigué **1.FP4**
to be traveling through   être
   de passage
to be very sorry   être navré
   7.LC2TA
to be witness   être témoin
   3.FP2
to be worth   valoir **1.IC**
bear   un ours **3.LC2**
to bear, stand   supporter **2.L***
beard   une barbe **1.FP1**
to beat   *battre **7.L***
   beauty salon   le salon de
   coiffure **4.FP3**
   beauty: beauty mark   le grain de
   beauté **1.FP1**
because of   à cause de **7.L***; parce
   que **10.LC2**
to become   devenir **9.IC**
   to become democratic   se
   démocratiser **10.IM**
bee   une abeille **3.FP1TA**
before   avant de **10.LC1**
to begin   commencer
   to begin to   *se mettre à
   1.FP3
   beginner   un débutant **R.V**
   beginning   le début **7.LC2**, le
   commencement **8.LC3**
behind   derrière **4.FP3**
behind me   à mon actif **10.IM**
to believe   croire **7.LC1**
bellboy   un garçon **6.FP2**
to belong to   *appartenir à **2.L***; faire
   partie de **3.IM**
beloved   le bien-aimé **2.IC**
bench   un banc **8.IM**
benefits, blessings   les bienfaits
   m. **3.IM**
beside, to the side of   à côté de
besides   d'ailleurs **8.L***
best   le/la meilleur(e) **6.LC1**
to bet   parier **7.L***
betrayal   une trahison **2.IC**
better   mieux **7.FP1**
   better situated   mieux situé

6.FP1
to betray   trahir **2.IC**
between   entre **9.LC1**
bicycle: bicycle racetrack   un
   vélodrome **1.IC**
big   grand **1.FP1**; retentissant
   (sound) **5.IM**
   bigger   plus grand **6.FP1**
bill   la note **6.FP2**
billboard   le tableau d'affichage
   5.FP2
binoculars   les jumelles *f.pl.*
   6.LC2
biology   la biologie **10.FP1**
bird   l'oiseau *m.* **2.FP1**
bishop   un évêque **5.IM**
bit: bit of news   une nouvelle
   9.IM
bitten   mordu **7.FP1**
   black and white film   une
   pellicule en noir et blanc
   4.FP1
black   noir **1.FP1**
blacksmith   un forgeron **9.IM**
blanket   une couverture **2.L***
to bleed   saigner **7.FP1**
   to bleed from the nose   saigner du nez
blind   aveugle **1.IC**
blond   blonde **1.FP1**
blood   le sang **5.IC**
   blood ties   un lien: les liens de
   sang **9.IM**
to blossom   fleurir **7.IC**
to blow out   souffler **3.FP2**
blue   le bleu **1.FP1**
   blue, white, red   tricolore
   9.IM
to blush   rougir **4.L***
   boarding student   un(e)
   pensionnaire **6.IM**
   boarding: boarding pass   une
   carte d'embarquement **5.FP2**
to boast   se vanter **9.IC**
boat   un bateau (les bateaux)
body   le corps *inv.* **1.IM**
   bodyguard   un garde du corps
   10.IM
to boil   faire bouillir **4.LC3**
bold   téméraire **3.IM**
   boldly   hardiment **2.IC**
bombing, shelling   un bombardement
to book, reserve a hotel
   room   réserver une chambre **6.FP1**
booklet   un livret **9.IM**
boorish, lacking good
   manners   rustre **7.IM**
booth   une cabine **4.IM**
booty   un butin **2.IC**

borders les frontières *f.* 5.IC
boring ennuyeux(se) 8.IM
boss un patron (une patronne) 2.LC2
to **bother** déranger 3.IM
bothered gêné 7.LC2TA, énervé
bothersome gênant 3.L*
bottle une bouteille 2.FP3
boutiques les boutiques *f.* 4.FP1
bowling ball une boule 4.L
box (of)... une boîte (de)... 4.FP1
boy (girl) friend un copain (une copine) 9.FP1
bracelet un bracelet 9.L*
to **braid** tresser 4.FP3TA
braids les nattes *f.* 4.FP3TA, les tresses *f.* 4.FP3TA
  braid my hair tressez-moi les cheveux 4.FP3TA
brakes les freins *m.* 4.FP1
  the brakes don't work les freins ne marchent pas
branch: branch office une branche: une branche d'activité 10.FP2
  brand new neuf (neuve) 2.FP3
brand: brand name, designer une marque 1.IM
brave fougueux (fougueuse) 3.IM; courageux (courageuse) R.A
Bravo! Bravo! 9.FP2
bread le pain R.A
to **break (object)** briser 2.IC, casser 3.FP1; **(body part)** se casser 6.FP2
to **break out** éclater 2.IC
to **break up with** *rompre avec 7.L*
breakfast le petit déjeuner 6.FP1
to **breathe** respirer 2.IM
brick la brique 2.FP2
bridesmaids les demoiselles d'honneur 9.IM
bridge un pont 5.IM
brief bref (brève) 2.IM
  briefcase une mallette 5.L*
to **brighten** s'illuminer 3.IC
brilliant brillant 2.FP3
brim le bord 3.IM
to **bring (object)** apporter 6.L*; **(person)** emmener 3.L*
  bring back rapporter 3.IM; ramener 3.L*
  to bring down descendre 10.L*
  to bring my luggage down descendre mes bagages 5.FP2
bronchitis une bronchite 7.FP1
broom le balai 2.FP1

brown brun 1.FP1, marron 1.FP1
to **brush: to brush (one's hair, one's teeth)** se brosser 1.FP2
  to brush one's teeth se brosser les dents 7.FP2TA
brush un pinceau (les pinceaux) 1.IC; une brosse 1.FP2
bucket un seau (les seaux) 3.LC2
buddy un pote 7.IC
bugle call la sonnerie de clairon 10.IC
to **build** construire 8.IM
building superintendant un(e) concierge d'immeuble 2.FP1
burden une charge 2.L*
burglary un cambriolage 3.FP2
burned brûlé 2.IC
  to burn one's self se brûler 6.FP2
to **burst in** faire irruption dans 7.L
to **bury** enterrer 2.IC
bus un bus, un car 8.FP2
bush un arbuste 6.L
business les affaires *f.* 2.L*
  business man, woman un(e) homme (femme) d'affaires 10.FP1
  business school une école: une école de commerce 10.IM
busy occupé 2.FP2; animé
button une touche 4.IM, un bouton 4.FP1
to **buy** acheter 5.FP2
  to buy for one's self s'acheter 1.FP3
by par
  by (mode of transport) à + *mode of transport*
  by chance le hasard: par hasard 9.IM, 9.L*
  by creating en créant 1.IC
  by making known en faisant connaître 1.IC
  by mistake mégarde: par mégarde 8.LC2

C

cabinetmaker un ébéniste 10.FP1TA
to **call** faire appel 2.IM; appeler 6.FP2
  to call into question mettre en question 5.IC
  to call the head of personnel téléphoner au chef du personnel

calm calme 1.FP4; tranquille 1.FP4TA
  calmer, more calm plus calme 7.FP1
camera: camera flash le flash 4.FP2
  camera lens l'objectif *m.* 4.FP2
Canada le Canada 1.LC1
Canary Islands les Canaries *f.* 5.FP1
canary un serin 2.FP1TA
to **cancel** annuler 5.FP2
candle une chandelle 6.L*
canvas la toile 1.IC
cap (hat) une casquette 1.IM
capacity la capacité 2.FP3
cape une pèlerine 7.IC
car (train) un wagon 5.FP2
card une carte
cardboard le carton
cardiologist le/la cardiologue 7.FP1
care; carefree insouciant 5.IC
career un métier 9.FP2
careless, imprudent imprudent 3.IM
carpenter un menuisier 10.FP1
to **carry something down** descendre: avoir + descendu 3.LC1
  carry-on luggage, duffle un bagage à main 5.FP1
cashier le caissier (la caissière) 7.FP2
cat le chat 2.FP1
catastrophe un désastre 4.L*
caterer un traiteur 2.IM
caused, provoked provoqué 3.LC2
cavity une carie 7.FP2
cemetery le cimetière 7.L
center un centre
century un siècle R.V
to **challenge** lancer: lancer un défi 3.IC
Chamber of Commerce le Syndicat d'Initiative 6.LC1
change la monnaie 4.IM
to **change** changer
to **change one's mind** changer d'avis 7.L*
change: change teller un agent de change 10.FP1
charitable bénévole 9.IM
to **chat** bavarder 9.IM
to **cheat** tricher 8.IC
to **check their bags, luggage** enregistrer leurs bagages
check: check-out counter la caisse 4.IM
cheeks les joues *f.* 1.IM

cheese le fromage **R.A**
chef un chef **10.FP1TA**
chemistry la chimie **10.FP1**
cherry une cerise **R.A**
chest la poitrine **8.L***
chestnut brown (hair) châtain **1.FP1**
to chew mâcher **10.IM**
chicken le poulet **R.A**
    chicken pox la varicelle **7.FP1**
childhood l'enfance *f.* **1.IM**
chin le menton **1.FP1**
to choose choisir **9.FP2**
    to choose a career choisir un métier **9.FP2**
    to choose at random tirer au sort **10.IM**
chore une tâche domestique **2.IM**
Christendom la Chrétienté **2.IC**
cinema le ciné (*pop.*le cinéma)
circular circulaire **2.FP3**
citizens les citoyens **7.LC2**
    city people les citadins **8.IM**
city: city life la vie en ville
civil servant un(e) fonctionnaire **10.FP1**
to claim their baggage chercher leurs bagages **5.FP2**
class la classe
    classmate un(e) camarade **9.FP1**
to clean nettoyer **2.FP1**
    to clean the bathroom sink nettoyer le lavabo
    to clean the cage nettoyer la cage
    to clean, wash this vest nettoyer ce gilet
clean propre **2.IM**
    cleaners le teinturier **4.FP2**
    cleanliness, hygiene la propreté **10.IC**
    cleansing products aisle le rayon produits d'entretien
cleaning le nettoyage **2.FP1**
    cleaning business une entreprise de nettoyage **2.FP1**
to clear débarrasser **2.FP1**
    to clear the table débarrasser la table **2.FP1**
clear clair
    clearer plus clair **7.FP1**
to clip: to clip very short tondre **4.L***
clock mechanism l'horlogerie *f.*
to close: close proche **9.IM**
    close together serrer: bien serré
    closed off renfermé **R.A**
    to close again refermer **7.L**

closely, from close up de près **4.L***
cloth: cloth rag le chiffon **2.FP1**
    clothing la tenue **1.IM**; les fringues *f.* *(pop.)* **1.IM**
clouds les nuages *m.* **3.FP2**
clumsy maladroit(e) **2.IM**
coast le littoral **9.IC**
cobbler le cordonnier **4.FP2**
coin une pièce **4.IC**
    coins les monnaies *f.* **3.LC2**
cold le froid **2.FP3**; un rhume **7.FP1**
to color: color one's hair faire une décoloration **4.FP3TA**
color: color film une pellicule-couleurs **4.FP1**
to comb: comb one's hair se peigner **1.FP2**
comb le peigne **1.FP2**
to come: come back *revenir **1.L***
    to come closer s'approcher **1.LC4**
to commit one's self s'engager **3.IM**
communication la communication **10.FP2**
company une compagnie **10.FP2**
compass une boussole **3.FP1**
competitive exam un concours *inv.* **10.IM**
to complain about se plaindre (de) **7.LC1**
to complete one's studies finir ses études **10.FP1**
    to complete one's high school finir ses études secondaires **9.FP2**
    to complete one's university finir ses études universitaires **9.FP2**
complete (sold out) complet (complète) **5.FP2**
complexion le teint **1.IM**
compulsory obligatoire **10.IM**
computer specialist un informaticien (une informaticienne) **10.FP1**
computer un ordinateur
to concern, to bear on se porter **3.IM**
concern, worry un souci **9.L***
concierge une concierge **2.FP1**
condition la condition **2.FP3**
confirm my reservation confirmer ma réservation **5.FP2**
to congratulate féliciter **9.IM**
Congratulations! Félicitations!
congressman un député **7.IC**

connection, relation un rapport **9.FP2**
conquest une conquête
conscientious consciencieux (consciencieuse) **R.A**
consistency la consistance **2.FP3**
to console consoler **9.FP2**
to contact (someone) *joindre **9.L***
contact lenses les lentilles *f.* (verres *m.*) de contact **1.FP1**
to contain contenir **3.IM**
control, test un contrôle
convenience store une supérette **4.FP1**
to convince *convaincre **5.FP2**
    convinced convaincu **2.FP2**
    convincing convainquant **3.IM**
to cook faire cuire **4.LC3**
cook, chef un cuisinier **10.FP1TA**
coolness la fraîcheur **1.IC**
copies (books, magazines) les exemplaires *m.* **6.IM**
copper le cuivre **2.FP3**
corn le maïs **R.V**
corner un coin **1.IC**
    cornered, stuck coincé(e) **8.LC2**
Cornwall Cornouailles **9.LC2**
correspondence une correspondance **5.FP2**
cotton swab un coton-tige **4.FP1**
cotton: cotton balls l'ouate *f.* **4.FP1**
to cough tousser **7.FP1**
cough une toux **7.IM**
counselor une animatrice **R.V**
to count on doing compter faire **10.IM**
to count compter **7.L***
counter le comptoir **5.FP2**
countess la comtesse **7.L***
country un pays **5.FP1**
    country inn une auberge de campagne **6.LC1**
course of study une étude
to cover couvrir **9.IM**
    covered couvert **3.FP2**
    covering, blanket une couverture **7.FP2**
crazy fou (folle) **9.L***
    crazy person un fou **7.L***
cream, lotion la crème **1.FP1**
to create créer; instituer **10.IM**
credit: credit card une carte de crédit **6.FP1**
crescent roll un croissant **R.A**
crew: crew cut les cheveux en brosse **1.FP1**

crippled   infirme **1.IC**
crop   une récolte **10.IC**
to cross   traverser **3.IC**; franchir
    5.IM
cross   une croix **7.LC2**
    crossing   une traversée **5.IM**;
        le croisement **8.IM**
crow   un corbeau (les corbeaux)
    3.FP1TA
crowd   la foule **3.IC**
crown   une couronne **2.FP3**
to cry   pleurer **1.L***
curls   les boucles *f* **1.FP1**
    curly   bouclé **1.FP1**
    curly, frizzy   frisé **1.FP1**
curse   une malédiction **8.IC**
    cursed   sacré *(pop.)* **10.IC**
customs (airport)   la douane
    5.FP2
    customs officer   un douanier
        (une douanière) **1.IC**
to cut   couper; découper **9.IM**; (one's
    self) se couper **1.FP2**
    cut my hair short, to cut back,
        clip short   dégagez-les
        4.FP3
    to cut into pieces   découper
        8.L*
    to cut one's hair   se couper les
        cheveux **4.FP3**
    to cut one's hand   se couper à
        la main
    to cut one's nails   se couper
        les ongles **1.FP2**
    to cut the bread   couper le
        pain **2.FP1**
cut   une coupe **1.IM**
    cut out   découpé **1.IC**

D

daily, common   quotidien (quoti-
    dienne) **1.IM**
    daily life   la vie courante **1.IC**,
        la vie quotidienne **4.IM**
damages   les dégâts *m.* **3.LC2**
dance   un bal **8.L***
to dare   oser **5.IC**
dark, *adj.*   foncé; *n.*   l'obscurité
    4.L
    dark blue   le bleu foncé **1.FP1**
    dark green   le vert foncé
        1.FP1
darling   chéri **6.IM2**
to dash   se précipiter **8.L***
    data processor   un(e) spécia-
        liste de données **10.FP1**
day   le jour **4.FP2**
    day after   le lendemain **6.L***
    day before yesterday   avant-
        hier

day off   un jour de congé **4.L***
death   un décès *inv.* **9.IM**
    death, casualty, victim   un
        mort **3.IM**
to debate   *débattre **8.L**
to decorate, embellish   orner **2.IM**
decorator   un décorateur, (une
    décoratrice) **10.FP1TA**
to decrease, to lower   baisser
    6.FP2
decrease   la diminution **5.IMA**
deer   un chevreuil **3.FP1TA**
deferment   un report d'incorpora-
    tion **10.IM**
delighted   ravi **7.LC2**
to deliver   livrer **4.IM**
to demand   exiger **2.LC2**
demonstration   une manifestation
    8.IM
dent, scratch   une éraflure *f.*
    8.LC2
dentist   le/la dentiste **7.FP1**
deodorant   le déodorant **1.FP2**
departure (time)   le départ
    5.FP2
deposit (bank)   un dépôt **4.IM**
depressed   déprimé **7.FP1**
to derive   tirer **6.L**
deserted   désert **8.FP3**
deserved   mérité
design   le dessin **8.FPI**
designer   une marque **1.IA**
to desire   désirer **2.LC2**
to despise, to hate   haïr
    9.FP1TA
destination   l'arrivée *f.* **5.FP2**
to destroy   détruire **3.IM**
to destroy the vegetation   détruire la
    végétation **3.FP1**
detective   un détective **5.L**
detergent   le détergent **4.FP1**
detest   détester **9.FP1TA**
detrimental   maléfique **8.IC**
to develop (photos, personality)
    développer **4.FP2**
    to develop, put into action
        mettre au point **3.IM**
devoted   dévoué **7.L***
diary   un journal **2.LC2**
to die   mourir **9.FP3**
    to die of hunger   mourir de
        faim **3.IC**
    to die, succumb   succomber
        7.IC
diet   un régime **4.LC**
difficult, hard   dur **6.IM**
    difficulty   l'embarras *m.* **5.L**
to dig   creuser
dignified   digne **8.L***
dimensions, size   les dimensions
    f. **2.FP3**

dining car (train)   un wagon-
    restaurant **5.IM**
diplomas   les diplômes *m.*
    10.FP2
diplomat   un(e) diplomate
    10.FP1
direct (flight)   direct
    directly   tout court **7.IC**
director   le metteur en scène
    10.IM; un(e) directeur (direc-
    trice) **10.FP1**
dirty   sale **2.FP1**
disadvantage   un désavantage
    8.FP3TA
to disappear, to go away   *dis-
    paraître **5.L***
    disappeared   disparu **5.LC1**
disappointed, deceived   déçu
    1.FP4
to discover   découvrir **2.IM**
discreet   discrète **R.A**
disgusting   infect **9.LC1**
dishes   la vaisselle
disorder   le désordre **2.FP1**
distance: distance from...   à +
    distance
distant   distant **R.A**; lointain **8.IC**
distribution   la répartition **2.FP2**
division   un découpage **5.IC**
to divorce   divorcer **9.FP2**
dizzy spells, vertigo   les vertiges
    m. **7.FP1**
to do   faire
    to do a favor   rendre service
        2.FP2
    to do housework   faire le
        ménage **2.FP1**
    to do something fast   faire
        qqchose en vitesse **5.L**
    to do something in vain   avoir
        beau (+ *inf*) **4.L**
    to do tricks   faire des tours
        3.L*
    does this hurt you?   est-ce
        que ça vous fait mal?
    don't worry yourself (over it)
        ne t'en fais pas **9.FP2**
dock   le quai **5.FP2**
doctor   un médecin **7.FP1**
    doctor's office   un cabinet de
        médecin
dog   le chien **2.FP1**
door, boarding gate   la porte
    2.LP3TA
    door of a train   la portière
        7.L*
    door mat   un paillasson **1.L***
    doorman   le portier **1.LC1**
downtown   le centre-ville **8.FP2**
    (to go) downtown   (aller) en
        ville

dowry une dot **10.IC**
drawer un tiroir **8.LC3**
drawing le dessin **10.FP1**
to **dream** rêver **6.IC**
    dream un rêve **1.IC**
to **dress** s'habiller **1.IM**; vêtir **5.L**
    dressing room une loge **1.FP2TA**
to **drive** *conduire **6.L***
    driver's license un permis: un permis de conduire **4.IM**
to **drop** laisser tomber **3.IC**
    drops les gouttes *f.* **7.FP1**
    drought une sécheresse **7.IC**
to **drown** se noyer **3.FP1**
    drug une drogue **7.IC**
to **dry** sécher **1.FP2**
    to dry one's self se sécher **1.FP2**
    dry sec (sèche) **2.FP3**
    drycleaner's une teinturerie **2.LC2**
    dryer le séchoir **1.FP2**
dull terne **2.FP3**
duration la durée **3.IM**
during pendant + noun **3.LC2**
    during, in the course of le cours *inv.* au cours (de) **3.LC1**
    during the voyage en cours de route **10.IM**
to **dust** enlever: enlever la poussière **2.FP1TA**; épousseter **2.FP1TA**
    dust la poussière **1.IC**
dye un colorant **5.IMA**
dynamic dynamique **R.A**

E

ear une oreille **1.FP1**
early, in advance en avance
to **earn: to earn one's living** gagner sa vie **R.L***
economics les sciences économiques **10.FP1**
education l'instruction **8.IC**
effort, trouble, work la peine **2.IC**
eggs les oeufs *m.* **R.A**
egotistical égoïste **R.A**
Eiffel Tower la Tour Eiffel **2.FP3**
elderly, old vieux, vieille **8.IC**
    elderly man un vieillard **8.IC**
    elderly years la vieillesse **9.FP2**
    eldest l'aîné **R.L***
to **elect** élire **3.IM**
electric: electric coffee grinder un moulin électrique **1.S1**

electrical plug la prise **4.FP2**
elementary school teacher un instituteur, une institutrice **10.IM**
elevator un ascenseur **6.FP1**
elsewhere ailleurs **7.IM1**
to **embark** embarquer **5.FP2**
embarrassed embarrassé **7.LC2TA**
emblem, logo un emblème **7.IC**
emergency un cas: un cas d'urgence *inv.* **7.IM1**
emotion l'émotion *f.* **7.S2TA**
to **emphasize** mettre en valeur **10.IM**
    to emphasize the value of valoriser **8.IC**
employee un employé **10.FP1**
employment, job un emploi **10.FP1**
emperor's wife une impératrice **8.IC**
to **empty** vider **2.FP1**
    to empty the aquarium vider l'aquarium
    to empty the garbage vider les ordures
    to empty the trash vider la corbeille
    to the end jusqu'au bout **7.L***
enamoured épris **3.IC**
enchanted enchanté **7.S2TA**
end la fin **R.V**; un bout **9.FP2**
to **engage, to take on (a person)** engager **10.FP2**
engagement les fiançailles *f.* **9.IM**
engineer un ingénieur **10.FP1**
    engineering studies les études d'ingénieur **10.FP1**
to **enjoy** jouir **6.IM2**
enormous énorme
to **entrust** confier **2.IM**
envelopes les enveloppes *f.* **4.FP1**
envy, desire l'envie *f.* **7.LC2**
equipped aménagé **6.IM1**
to **erase** effacer **1.IC**
to **escape, to avoid** éviter **3.IM**; s'évader **5.IC**; s'échapper **5.IC**
    to escape narrowly échapper de peu
even même **1.IC**
    even more davantage **9.IC**
event un événement **3.FP2**
ever, yet, already déjà **3.LC1**
every tous les... **1.IM**
    every four hours toutes les 4 heures **7.FP1**
    everyone except tous sauf **1.LC1**

everywhere partout **1.L***
to **examine** examiner **6.FP1**
except sauf **3.IM**
to **excuse oneself, to apologize** s'excuser **1.FP3**; je m'excuse **2.FP2**
executive, frame (picture) un(e) cadre **10.FP1**
exercise gym la salle d'exercices **6.FP1**
exhausted épuisé **1.IM**
to **exhibit** exposer **9.L***
exhibitors les montreurs *m.* **8.IM**
exit la sortie **5.FP2**
exodus, departure l'exode *m.* **6.L**
to **expect** s'attendre à **4.IM**
experience l'expérience *f.*
to **experience, feel** éprouver **1.IM**
to **explain** expliquer **2.L***
exposition une exposition
to **express, emit** émettre **2.L**
exquisite exquis **7.L***
to **extend** s'étendre **8.IM**
    extension le prolongement **9.IC**
eye un oeil (les yeux) **1.FP1**
    eyebrow le sourcil **1.FP2TA**
    eyelash le cil **1.FP2TA**
    eyelid la paupière **1.FP2TA**
    eyeliner l'eye-liner **1.FP2**
    eyeshadow le fard à paupières **1.FP2**

F

fabric l'étoffe *f.* **2.FP3**
face la figure, le visage **1.FP1**
    face to face en tête-à-tête **7.L**
fact un fait **3.FP2**
factory une usine **10.FP2**
to **fail** échouer **10.IM**
failures les échecs *m.* **1.IM**
to **faint** s'évanouir **6.FP2TA**
fair juste **R.L***
to **fall** tomber **3.FP1**
    to fall asleep s'endormir **1.LC1**
    to fall in love with tomber amoureux de **4.IC**
    to fall in love at first sight avoir le coup de foudre **9.FP1**
    to fall in the water tomber dans l'eau **3.FP1**
    to fall sick tomber malade **9.FP2**
fall une chute
false faux (fausse) **8.FP1**
famous célèbre **8.IC**
fans les supporteurs *m.* **7.LC2**
far, far away loin
farm une ferme **6.L***

farmer   un cultivateur 8.L*
to fast   jeûner 7.IC
to fasten one's seatbelt   attacher sa
  ceinture de sécurité
fat, big   gros (grosse) 1.FP1
fate   le sort 7.LC2, 10.IM
faucet   le robinet 3.IM
faults, failings   les défauts m. 2.IC
to fear, to be afraid of   craindre
  7.LC1
fear   la crainte 7.LC2
feature   un trait 1.IM
to feed (pet)   donner à manger à
  2.FP1
to feel   ressentir 1.FP4TA; se sentir
  1.LC4
  to feel sorry for   plaindre
    9.FP2
feelings   les sensations f. 1.IC
fencing hall   la salle d'armes 3.IC
fever   la fièvre 7.FP1
fields   les champs m. 6.L*
to fight   se battre 2.C
fight   une lutte 3.IM
to fill out   remplir 7.IM
  to fill the aquarium   remplir
    l'aquarium 2.FP1
to film   tourner un film 10.IM
film   une pellicule
filter   le filtre 4.FP2
finally   finalement 3.FP2
finance   la finance 10.FP1
to find   dénicher 1.IM; trouver
  9.FP2
  to find a job   trouver un job
    9.FP2
fine   une amende 5.FP2
fire   le feu 3.IM, un incendie
  3.IM
  fire station   une caserne de
    pompiers 8.FP2
  fireplace   la cheminée 6.L*
  fireworks   les feux d'artifice m.
    3.LC1
firm (company)   une firme
  10.FP2
first class   la première classe
  5.FP2
first, at first   d'abord 3.FP2
  first   premier (première)
to fish   pêcher 3.L*
  fish   le poisson R.A
  fisherman   un pêcheur R.V
to fix   arranger 4.L*
  fixing and building things   le
    bricolage 2.IM
  flash is broken   le flash est cassé
    4.FP2
flat   plat 2.FP3
to flee   s'enfuir 5.IC; fuir 9.IC
fleet   une flotte 10.IC

flexible   flexible 2.FP3
flight (airplane)   un vol 5.IMA
to flow   couler 3.IM
flowers   les fleurs 2.FP1
  flower beds   les parterres m.
    de fleurs 8.IM
flu   la grippe 6.FP1
to flunk: flunk an exam   rater un
  examen 2.IM
to fly   voler 9.IC
fog   le brouillard 3.FP2
to fold up   plier 3.L*
to follow   *suivre 4.IM
  to follow on one's heels
    talonner 9.IC
  to follow one another   se
    succéder 8.IC
food   la bouffe (slang) 5.IMA
  food distribution   l'alimenta-
    tion f. 8.L
for, in order to   pour 10.LC1
  for the time being   un instant:
    pour l'instant 2.IM
forbidden   défendu 3.L*
forearm   l'avant-bras m.inv 1.3
forehead   le front 1.FP1
foreign languages   les langues
  étrangères 10.FP1
foreman   un contremaître
  10.FP1TE
to forgive   pardonner 9.FP1
forgotten people   les oubliés
  7.LC2
form (paper), leaf (tree)   une
  feuille 7.IM1
form   la forme 1.FP3
former   ancien 6.L
fortune, wealth   la fortune 7.IC
foundation (makeup)   le fond de
  teint 1.FP2TE
founder   le fondateur 7.LC2
fountain   une fontaine 3.L
to fracture one's shoulder
    se fracturer l'épaule
    7.FP2
frail   grêle 4.IC
frame   le cadre 10.L*
freckles   les taches de rousseur
  1.FP1
free   gratuit 6.IM1
  free   libre 2.FP2
  free of charge   gratuitement
    6.IM1
  free trade   le libre-échange
    7.IC
  freely   librement 1.IC
to freeze   geler 3.FP2
French Riviera (blue coast)   la
  Côte d'Azur R.V
fresh, pure   pur 3.IM
  fresh and rested   frais et

  dispos 5.IMB
friend   un ami (une amie) 9.FP1
  friendship   l'amitié 9.FP1
fright   la peur 6.IC
frog   une grenouille 3.FP1TA
from   de
  from   à partir de 1.IC
  from the other side   de l'autre
    côté 5.L
  from then on   dès lors 3.IC
  from time to time   de temps
    en temps 4.L*
frozen   glacé
  frozen with fear   glacé d'effroi
    9.IC
frustrated   énervé(e) FP4
to fry   faire frire 4.LC3
full   plein 1.IM
  full room & board   la pension
    complète 6.FP1
  full (sold out)   complet (com-
    plète) 5.FP2
  full-time employment   un
    emploi à temps complet
    10.FP2
to function   fonctionner 4.FP2;
    marcher 4.FP2
funeral   un enterrement 4.IC
funny   drôle R.A; marrant (pop.)
  1.IM
fur   la fourrure 10.IC
furious   furieux (furieuse) 1.FP4,
  7.LC2
future   l'avenir m. 3.IM

G

gagner   to win
gala party   la réception 8.L
games   les jeux m. 3.LC1
gang   une bande 5.L*
garbage can   une poubelle 1.L*
garden hose   le tuyau d'arrosage
  2.FP1
garden   un jardin 8.FP2
  gardening   le jardinage 2.IM
  gardener   un jardinier 2.FP1
gasoline   l'essence f. 1.LC1
  gas station   une station-service
    8.FP2
general: general
    appearance   apparence
      générale 1.FP1
  general delivery   la poste
    restante
  general practitioner   un
    médecin généraliste
    7.FP1TA
generous   généreux (généreuse)
  R.A
gentle   douce (doux) 2.I

gently   doucement **1.IC**

German measles   la rubéole **7.FP1**

gesture, movement   un geste **7.L**

to get, obtain   *obtenir **8.L***; recevoir **2.IM**

  to get a haircut   se faire couper les cheveux **4.IM**

  to get a sunburn   attraper un coup de soleil **3.FP1**

  to get along with   s'entendre **9.IM**

  to get angry   se mettre en colère **1.LC4**

  to get back (into shape)   se remettre (en forme) **7.IM**

  to get bored   s'embêter **1.LC4**

  to get calm   se calmer **1.LC4TA**

  to get engaged   se fiancer **9.FP2**

  to get hurt   se faire mal **3.FP1**; se blesser **7.FP1**

  to get impatient   s'impatienter **1.LC4**

  to get married   se marier **9.FP2**

  to get off the train   descendre du train **5.FP2**

  to get on (train, bus)   monter (dans)

  to get rid of   se débarrasser (de) **3.L***

  to get undressed   se déshabiller **1.FP3**

  to get upset   s'énerver **1.LC4**

to give   donner

  give me as well . . . donnez-moi aussi . . . **4.FP1**

  give me ten (of them)   donnez-m'en dix **4.FP1**

  to give a shot, injection   faire une piqûre **7.FP1**

  to give an order   passer une commande **4.IM**

  to give back   redonner **6.LC2**

  to give crutches   donner des béquilles **7.FP2**

  to give, deliver   délivrer **9.IM**

  to give oneself over to   se livrer à **7.L**

  to give rise   donner lieu **10.IM**

  to give stitches   mettre des sutures **7.FP2**

  to give up   renoncer **2.IC**

ghastly   épouvantable **9.IC**

ghost   un fantôme **8.LC2**

gift, present   un cadeau **6.L***

gifted   doué **8.L***

gilded, golden   doré **6.IC**

glass   le verre **2.FP2**

  glass jar   un bocal **3.L***

  glasses   les lunettes *f.* **1.FP1**

glue   la colle **4.FP1**

gnats   les moucherons *m.* **10.IC**

to go   aller **5.FP2**

to go (somewhere)   aller à + *place*

  I'm going (there)   j'y vais **4.LC1**

  to go across, to cross   traverser **8.L***

  to go away   s'éloigner **1.LC4TA**; s'en aller **1.LC4**

  to go back to (in time), to visit   remonter **5.IC**

  to go back to sleep   *se rendormir **10.L***

  to go camping   faire du camping **3.FP1**

  to go down   descendre: être + descendu **3.LC1**

  to go down, to descend   descendre **5.FP2**

  to go fishing   aller à la pêche **3.L***

  to go have something to drink in a café   prendre un pot **8.FP1**

  to go hiking   faire de la randonnée pédestre **3.IM**

  to go into   aller dans

  to go look   aller voir **1.L***

  to go mountain climbing   faire de l'alpinisme **3.FP1**

  to go off to war   s'en aller en guerre

  to go on a trip   faire un voyage **5.FP1**

  to go on holiday   faire un séjour **5.FP1**

  to go out   sortir **2.FP1**

  to go out with   sortir avec **8.FP1**

  to go rock-climbing   faire de l'escalade **3.FP1**

  to go scuba diving   faire de la plongée sous-marine **3.FP1**

  to go skating   faire du patinage **3.FP2**

  to go to sleep   se coucher **1.FP3**

  to go up   monter **5.FP2**

  to go well   marcher bien **10.IM**

  to go windsurfing   faire de la planche à voile **3.FP1**

  to go, to render oneself   se rendre (à) **1.LC1**

  to go, to roll (car, bus, train)   rouler **4.IC**

God   Dieu *m.* **2.IC**

  god, deity   le dieu (les dieux, une déesse) **3.IM**

gold   l'or *m.* **R.L***

  gold coin   une pièce d'or **7.L***

goldfish   un poisson rouge **2.FP1TE**

goldsmith   un orfèvre **9.IC**

good   bon (bonne)

  good deeds   les bonnes actions **10.LC1**

  good general upbringing   une bonne éducation générale **10.FP3**

  good relations   les bons rapports

  good weather   du beau temps

  good-looking, beautiful   beau (belle)

  goodness   la bonté **1.IM**

governess   une gouvernante **8.IC**

grades   les notes *f.* **4.LC2**

grass   l'herbe *f.* **2.FP1**

gratitude   la reconnaissance **10.L***

great, terrific   formidable **R.V**

Greece   la Grèce **5.FP1**

green   vert

  greens, grassy places   les espaces verts **8.FP3TE**

grey   gris **1.FP1**

ground, floor   le sol **2.IC**

to grow   pousser **2.IM**

  to grow larger   grandir **3.L***

  to grow old   vieillir **9.FP2**

grudge, hard feelings   la rancune **9.FP1**

to grunt   grogner **9.IC**

guerilla troops   les maquis *m.* **6.IC**

to guess   deviner **3.FP2**

guest   un invité **3.IM**

  guest room   une chambre d'hôte **6.IM1**

guinea pig   un cochon d'Inde **2.FP1TE**

gun, rifle   un fusil **10.IC**

guy, person   un type *(fam.)* **5.L**

gym, sports center   un centre sportif **8.FP2**

H ━━━━━━━━━━━

hair   les cheveux *m.* (un cheveu) **1.FP1**

  hair conditioner   l'après-shampooing *m.* **1.FP2TA**

 Anglais—Français

hair gel   le gel coiffant **1.FP2TA**

hair perm   une permanente **4.FP3**

hair spray   la laque à cheveux **1.FP2TA**

hairbrush   une brosse à cheveux **1.FP2**

haircut   une coupe de cheveux **4.FP3**

hairstyle   une coiffure **1.IM**

half   la moitié **2.L***

    half man   mi-homme **1.IC**

    half-time employment   un emploi à mi-temps **10.FP3**

hall   une salle **2.IC**

hamster   un hamster **2.FP1TA**

to **hand, give**   tendre **7.L***

handicap access   l'accès pour les individus handicapés

handkerchief   un mouchoir **1.L***

to **hang**   pendre **6.IM2**

hanger   un portemanteau **7.FP2**

to **happen**   se passer **3.FP2**; arriver **6.IM**; se produire **7.IC**; survenir **9.IC**

happy   heureux (heureuse) **1.FP4**; content **1.FP4**

hard-hearted   dur **2.L***

hardly   à peine **2.IC**

hare   un lièvre **8.LC1**

harm   mal **1.FP2**

    harmful   nocif (nocive) **3.IM**

    harmless   inoffensif (inofensive) **8.L***

to **harvest**   faire la récolte **R.V**

hatred   la haine **9.FP1TA**

to **have**   avoir

    to have (a) pain   avoir une douleur **7.FP1**

    to have (at one's disposal)   disposer **2.IM**

    to have (something) done   faire + *infinitive* **4.LC3**

    to have a beard   être barbu

    to have a career   faire carrière **10.FP2**

    to have a cold   avoir un rhume **7.FP1**; être enrhumé **7.FP1**

    to have a date with   avoir un rendez-vous avec **8.FP1**

    to have a picnic on the grass   faire un pique-nique sur l'herbe **3.FP1**

    to have a sore (part of the body)   avoir mal à + *(part of the body)* **7.FP1**

    to have a sprain   avoir une entorse **7.FP2TA**

    to have an argument   se disputer **9.FP2**

    to have feelings   être sensible **2.IM**

    to have fun   s'amuser **1.FP3**; se distraire **8.IM**

    to have priority   être prioritaire **10.IM**

    to have to deal with   avoir affaire à **8.FP2**

hayfever   un rhume des foins **7.FP1**

he: he wouldn't be taken in again on   ne l'y prendrait plus

head, chief, leader   un chef **10.FP1TA**

    head of personnel   un chef de personnel **10.FP1**

to **heal oneself, to take care of oneself**   se soigner **7.FP1**

health   la santé **2.LC2**

to **hear**   entendre **5.IMA**

    to hear of   entendre parler de **3.IM**

heart palpitations   les palpitations *f.*

heating   le chauffage **7.FP2**

heavy   lourd **2.FP3**

hedge   une haie **6.L**

heir   un héritier (une héritière *f.*) **R.L***

to **help**   aider **2.FP2**; **help me to . . .**   m'aider à **2.FP2**

    to help each other out   s'entraider **9.IC**

henceforth   désormais **7.IC**

here is/are ... left   il reste… **8.L***

hero   un héros **6.L**

to **hide**   cacher **5.L***

    hide oneself   se cacher **1.5A**

highway police station   une gendarmerie **8.FP2**

him/her, them   lui, leur *(indirect object)* **4.LC2**

    him again!   encore lui! **5.L**

to **hire**   engager **8.L***; embaucher **10.FP3**

his, her, it   le, la, les *(direct object)* **4.LC2**

history   l'histoire *f.* **10.FP1**

hitchhiking   l'auto-stop *m.* **8.FP2**

to **hold**   *tenir **3.L***

    to hold dear, to cherish   *tenir à **9.L***

hole   un trou **9.IC**

Holy Land   la Terre Sainte **2.IC**

home, at home, at the house of, to the house of   chez

homeless people   les sans-abri *m.* **7.IC**

honey   le miel **7.IC**

hope   l'espoir *m.* **3.IC**

horn   une corne **2.C**

hospital   l'hôpital *m.* **7.FP2**

hot, spicy   pimenté **7.IC**

hot, warm   chaud **2.FP3**

    hot springs resort   une station thermale **R.V**

hotel   un hôtel **6.FP1**

house   une maison

    housecleaning products   les produits de maison *m.* **4.FP1**

    household products   les produits d'entretien *m.* **4.FP1**

    housework   le ménage **2.FP1**; les travaux domestiques **2.FP1**

    housing project   un ensemble: un grand ensemble **8.IM**

how   comment

    how much does that come to?   ça fait combien? **4.FP1**

    how do you feel?   comment vous sentez-vous? **7.FP1**

    how long   combien de temps **6.FP1**

    how long do you count on staying?   combien de temps comptez-vous rester? **6.FP1**

    how much do I owe you?   combien est-ce que je vous dois? **4.FP1**

how many   combien

    how many would you like?   combien en voulez-vous? **4.FP1**

how: how's it going? how are you?   ça va? **1.FP3**

however   cependant **5.IM**

human being   un être **7.L***

humanities   les sciences humaines **10.FP1**

humid, wet   humide **2.FP3**

hunger   la faim **4.IC**

hurricane   un ouragan **3.FP2**

to **hurry (oneself)**   se dépêcher **1.FP3** se précipiter **2.IM**; se presser **3.IC**; faire vite **4.IM**

to **hurt, to inflict**   faire mal (à) **7.FP1**

    to hurt one's head   se blesser à la tête **3.FP1**

I   je

    I (don't) feel well   je (ne) me sens (pas) bien **1.FP3TA**

    I congratulate you   je te (vous) félicite

    I didn't go anywhere   je ne suis allé nulle part **5.LC1**

I don't know anyone   je ne connais personne 5.LC1
I had to   je devais R.V
I have a temperature of 39   j'ai 39 degrés de température 6.FP
I have nothing to say   je n'ai rien à dire 5.LC1
I keep my T-shirt on   je garde mon tee-shirt 3.FP1
I need   il me faut
I pity you   je te (vous) plains
I regret, I'm sorry   je regrette 2.FP2
I speak French only in France   je ne parle français qu'en France 5.LC1
I thank you   je (te) vous remercie
I would like   je veux bien 2.FP2
I'm happy   je me réjouis, je suis content(e)
I'm very sorry for you   je suis désolé(e) pour toi (vous)
ice   la glace 1.FP2
ice cream   la glace 1.FP2
identification card   une carte d'identité 5.FP1
if   si 5.LC2
    if it is so   s'il en est ainsi 9.IC
illuminated, cleared up   élucidé 7.LC2
to imagine   figurer 10.IC
imaginative   imaginatif (imaginative) R.A
immediately   sur le champ 3.IC
impolite   impoli R.A
important: important responsibilities   les responsabilités importantes 10.FP2
    the important thing   l'important m. 8.IM
Impossible!   Pas possible! 3.FP2
impression   l'allure f. 2.IC
to improve   perfectionner 5.IMA
in, by, to   en; in, into, inside   dans
    in a disorder   en désordre
    in a good mood   de bonne humeur 1.FP4
    in a group   en bande R.A
    in a store   dans un magasin 3.FP3
    in a strange manner   de travers 7.IC
    in a while   tout à l'heure 4.L*
    in addition   en outre 7.IM1; en plus 3.IM
    in cash   en espèces 6.FP1
    in common, shared   commun

9.IM
in flight, fleeing   en fuite 9.IC
in front (of)   devant 4.FP3
in front   sur le devant
in memory of   en souvenir de 8.L*
in order to   afin de 10.LC1TA
in pain   peiné 3.IC
in search of   en quête de 8.IC
in shape   en forme 1.FP4
in spite of   malgré 2.IC
in the back   au fond 2.E
in the distance   au loin 6.L*
in the forest   dans la forêt
in the long run   un terme: à long terme 3.IM
in the meantime   en attendant 2.IM
in the past   naguère 9.IC
in two days' time   dans deux jours
inch   un pouce 5.IC
inclination for responsibility   le goût des responsabilités 10.FP2
included   comprendre: compris 4.IM
inconvenience   un inconvénient 8.IM
indifferent   indifférent R.A
indigestion   une indigestion 7.FP1
indiscreet   indiscret (indiscrète) R.A
industry   l'industrie f. 10.FP2
inexpensive hotel   un hôtel bon marché 7.FP1
inexperienced   inexpérimenté
information   les renseignements m. 4.IM
to inherit   hériter de 8.L*
to initiate conversation   lier conversation 5.IMA
injured, hurt   blessé 7.FP2
inn   une auberge 6.FP1
innertube   une chambre à air 6.IM1
innocently   innocemment 3.L
insect   un insecte 3.FP1TA
insensitive   incompréhensif (incompréhensive) R.A; insensible 7.LC2
to insist   exiger 2.L*
    to insist that   insister pour que 2.LC2
inspector   un inspecteur 5.L
instead of   un lieu: au lieu de 1.IC
instinctive liking   la sympathie 9.FP1

insurance   les assurances f. 2.IM
insurance agent   un agent d'assurances 10.FP2
interesting   intéressant R.A
internally, inside   intérieurement 10.IM
internship   un stage 10.IM
to interrogate   interroger 3.IM
to interrupt   interrompre 10.IM
to intervene   intervenir 7.LC2
interview   un entretien 10.FP2
interwoven, linked   lié 8.IC
to invade   envahir 5.IC
invaders   les envahisseurs m. 3.IC
to iron   repasser 2.FP1
    to iron these shirts   repasser ces chemises
    iron (for clothes)   un fer à repasser 2.FP1; (metal) le fer 2.FP1
irritated   irrité 1.FP2TA
is there something else?   autre chose?
it, that   ce
    It was nothing   il n'y a pas de quoi 2.FP2
    it has nothing to do (with)   ça n'a rien à voir (avec) 1.IM
    it is better that   mieux vaut 10.L*
    it is better that...   il vaut mieux que... 2.LC2
    it is enough, sufficient   il suffit 7.LC2
    it is essential that...   essentiel: il est essentiel que 2.LC2
    it is fair that...   il est juste que... 2.LC2
    it is good that...   il est bon que...2.LC2
    it is important that...   il est important que...2.LC2
    it is indispensable that...   indispensable: il est indispensable que...2.LC2
    it is natural that...   naturel: il est naturel que...2.LC2
    it is necessary   il faut que 2.LC1
    it is sufficient to...   il suffit de...1.IM
    it is too bad that...   dommage: il est dommage que 2.LC2
    it is useful that...   utile: il est utile que... 2.LC2
    it was nothing   il n'y a pas de quoi 2.FP2
    it was nothing, you're welcome   de rien 2.FP2
    It's arrived, it's happening, it has happened   C'est arrivé

3.FP2
It's your turn   c'est votre (ton)
tour **4.FP1**
item   un article **4.FP1**

J

jam   la confiture **R.A**
jealousy   la jalousie **9.FP1**
Jewish people   les Juifs **6.IC**
job   un boulot **10.IM**
to **join**   s'engager **7.LC2**
to **joke**   plaisanter **3.FP2**
journalism   le journalisme
10.FP1
joy   la joie **7.LC2**
joyous, happy   joyeux
(joyeuse) **R.A**
to **judge, think**   juger *m.* **8.IM**
judge   un juge **10.FP1**
jugglers   les jongleurs **8.IM**
to **jump**   sauter **1.L***
just: just anyone   importe:
n'importe qui **9.IM**
just as   au moment où
3.LC2

K

to **keep**   garder **2.LC2**
to keep a promise   tenir une
promesse **7.L**
to keep company   *tenir
compagnie **9.L***
key   une clé **R.L***
to **kick: to kick away**   repousser du
pied **9.IC**
kid, child   un gamin **5.IC**
kidneys   les reins *m.* **7.IM**
kill   tuer **2.IC**
killed   décimé **8.IC**
to kill one's self   se tuer
kind   un genre **7.FP1**
kindness   la douceur **1.IM**
king   le roi **4.IC**
King of Heaven   Roi du Ciel
2.IC
kingdom   un royaume **2.IC**
to **kiss**   embrasser **1.L***
kiss   un baiser **7.L***
kitchen sink   l'évier *m.* **1.LC**
kitchen   une cuisine
knee, lap   le genou; les genoux
7.L*
to **kneel**   se mettre à genoux
7.L
knife   le couteau **2.FP1**
knights   les chevaliers *m.*
2.IC
knitting   le tricot **9.L***
to **knock**   frapper **1.L***

to **know**   connaître
known   connu **R.V**

L

lace   la dentelle **9.IM**
to **lack**   manquer **6.IC**
ladder   une échelle **2.IM**
lairs   les tanières *f.* **1.IC**
to **lament**   déplorer **7.LC2**
to **land**   atterrir **5.FP2**; débarquer
5.FP2
land   la terre **3.IM**
landscapes   les paysages *m.*
1.IC
language   une langue
to **last**   durer **2.L***
last: last Monday   lundi dernier
3.FP2
last month   le mois dernier
3.FP2
last night   hier soir
last week   la semaine dernière
3.FP2
late   en retard
latter   celui-ci, celle-ci **2.L***
to **laugh**   *rire **3.L***; ricaner **9.IC**
**to laugh at, to make fun
of**   se moquer de **8.L***
to **launch**   lancer **4.L***
laundry (clothing)   le linge **3.IM**;
(room)   la laverie **4.LC3**
laundromat   une blanchisserie
2.FP1
laundry woman   une lingère
8.IC
law   le droit **1.IC**, la loi **6.IC**
law study   les études juridiques
10.FP1
lawn   la pelouse **2.FP1**
lawnmower   la tondeuse
2.FP1
lawyer   un(e) avocat(e) **10.FP1**
lawyer's office   un cabinet
d'avocat
lazy   paresseux (paresseuse) **R.A**
to **lead**   *conduire **3.L***
lead   le plomb **2.FP3**
to **lean**   appuyer **10.L***
least, smallest   le/la moindre
10.IC
leather   le cuir **2.FP3TE**
to **leave**   laisser **R.L***; partir **5.LC2**;
quitter **5.LC2**
**leave my hair long
(haircut)**   laissez-les-moi
longs **4.FP3**
to leave (a place)   partir de
5.LC2
to leave a person (somewhere)
quitter + quelqu'un **5.LC2**

to **leave a place**   quitter +
quelque part **5.LC2**
to leave for (a destination)
partir à (en, pour)
5.LC2
to leave trash   laisser des
déchets **3.FP1**
leaves   le feuillage **1.IC**
left   laissé **8.IM**
lemonade   la limonade **R.A**
to **lend a hand**   donner un coup de
main **2.FP2**
length: length of time from...   à +
length of time
lens (camera)   la lentille **4.FP2**
less (of)   moins (de) **6.LC1**
less expensive   moins cher
(chère) **6.FP1**
less noisy   moins bruyant
6.FP1
less...than   moins...que **6.LC1**
to **let: let us suppose that**   à supposer que **7.L**
letter   une lettre **4.FP1**
letter of recommendation
une lettre de recommanda-
tion **10.FP2**
letter stationery   le papier à
lettres **4.FP1**
level   un niveau (les niveaux)
10.IC
library, bookcase   une bibliothèque **8.FP2**
license plate   une plaque d'immatriculation **5.L***
lid (pot)   un couvercle
to **lie**   mentir **8.LC2**
lies   les mensonges *m.* **2.LC2**
life   la vie **R.V**
to **light**   allumer **10.L***
to light a fire   allumer un feu
2.L*
light   *(n.)* la lumière **1.IC** léger
(légère)
light blue   le bleu clair **1.FP1**
lighter, more clear   plus clair
7.FP1
lighthouse   un phare **6.IC**
lightening   les éclairs *m.* **3.FP2**
lightening rod   un
paratonnerre **3.FP2TE**
to **like**   aimer **2.LC2**
likeable   aimable **R.A**
to like someone   aimer bien
linked   relié **8.IC**
lips   les lèvres *f.* **1.IM**
lipstick   le rouge à lèvres
1.FP2
to **listen to someone's chest**   ausculter **7.FP1**
liter   le litre **1.LC1**

literary: literary studies (university) les Lettres **10.IM**
literature la littérature **10.FP1**
to litter jeter des vieux papiers
3.FP1
little, small, short petit **1.FP1**
Little Red Riding Hood le
Petit Chaperon Rouge **8.LC3**
to live vivre **7.LC2**
to live, lodge loger **2.L***
lived vécu **1.IC**
living vivant **2.IM**
to live as the French do vivre
à la française **4.IM**
to live together vivre
ensemble **9.FP2**
to load charger **5.IM**
loaded chargé **2.IC**
lobster le•homard **10.LC1**
locksmith la serrurerie **4.LC3**
to lodge, to stay (have a
room) loger **7.FP1**
lonely seul **9.I**
long long (longue) **1.FP1**
long hike une randonnée **R.V**
long past révolu **9.IC**
to look, appear, seem *paraître
9.L*
to look healthy (unhealthy)
avoir bonne (mauvaise) mine
7.FP1
to look for chercher; rechercher
10.FP2
loose, relaxed détendu **1.FP2TE**
looters les pillards (une pillarde)
2.IC
to lose one's self se perdre **3.FP1**
lost (in a strange place) dépaysé
7.IC
lots: lots of interesting
places beaucoup d'endroits
intéressants **8.FP3**
lots of people of diverse origins beaucoup de gens
d'origine diverse **8.FP3**
lots of things to do beaucoup
de choses à faire **8.FP3**
loud (color) criard **10.IM**
loud: loudly fort **6.L***
loudspeaker le•haut parleur
4.FP2
to love someone aimer qq'un
love l'amour *m.* **2.IM**
love at first sight un coup de
foudre **9.FP1**
low bas (basse) **2.FP3**
low, modest modique **5.IM**
low-income housing un HLM
(Habitation à Loyer Modéré)
8.IM
loyal, faithful fidèle **3.IC**

luck la chance **9.FP2**
luggage les bagages *m.* **5.FP1**
luxury hotel un hôtel de luxe
6.FP1

M

madly éperdument **3.IC**
magnifying glass une loupe **5.L***
maid la femme de chambre **2.IC**
mail le courrier **1.LC3**
to make, to do faire
made from glass en verre
2.FP2
made from iron en fer **2.FP2**
to make (for oneself) se faire
to make a bandage faire un
pansement **7.FP2**
to make a cast (broken bone)
faire un plâtre **7.FP2**
to make a living gagner sa vie
9.FP2
to make a mistake se
tromper **1.LC4**
to make an appointment with
donner rendez-vous à **8.FP1**
to make an appointment, date
prendre rendez-vous **6.FP1**
to make friends se faire des
amis **9.FP2**
to make fun of se moquer
de **2.IC**
to make sure s'assurer **8.L***
to make the acquaintance of,
to meet faire la connaissance de **8.FP1**
to make the bed faire le lit
2.FP1
to make up for lost time se
rattraper **R.A**
to make up with se réconcilier avec **9.FP2**
male exchange student au pair:
jeune homme au pair **2.FP2**
mall un grand centre commercial
8.FP2
man-made lakes les plans d'eau
m. **8.IM**
to manage to arriver à **4.L***
management la gestion
10.FP1
manager le/la gérant(e) **7.FP2**
manner, way la façon **1.IM**
many, several maint **3.IC**; tellement **4.L***; beaucoup (de)
map un plan **8.LC3**
marine marin **6.IC**
marketing le marketing **10.FP1**
marketing specialist un(e)
spécialiste de marketing
10.FP1

marriage les noces *f.* **9.IM**
to marry épouser **2.L***
mascara le mascara, le rimmel
1.FP2
to mask, hide masquer **4.L**
mason un maçon **10.FP1TA**
massive massif (massive) **2.FP3**
masterpieces les chefs-d'oeuvre
m. **1.5B**
match une allumette **4.FP1**
material, equipment le matériel
2.IM
mathematics les maths *f.* **10.FP1**
mayor le maire **5.IC**
mayor's office une mairie
8.FP2
me, you, us, you me, te, nous,
vous **4.LC2**
mean méchant **R.A**
to mean vouloir dire **10.L***
meaning le sens **10.IM** la
signification **1.IC**
meanwhile entre-temps **3.IC**
measles la rougeole **7.FP1**
to measure mesurer
Mecca la Mecque **7.IC**
mechanic un mécanicien **10.FP1**
medicine (ie, the practice of) la
médecine **10.FP1**
medical study les études
médicales **10.FP1**
medicated cream la crème de
soin **1.FP2TA**
medicine, drugs les médicaments *m.* **7.IM1**
mediocre médiocre **10.IA**
to meet (each other) se rencontrer
8.FP1; se retrouver **8.FP1**
to meet by chance, run into
(person) rencontrer
to meet the needs subvenir
aux besoins **4.IC**
to mend (sewing) recoudre **4.FP2**
merchant un(e) marchand(e)
2.L*
messenger l'envoyé *m.* **2.IC**
metals le métal (les métaux)
2.FP3
Mexico le Mexique **5.FP1**
microphone le micro **4.FP2**
Middle Ages le Moyen Âge **5.IC**
military banners les étendards
5.IC
milk le lait **R.A**
mine à moi **6.LC2TA**; le/la
mien(ne) **6.LC2**
mineral water l'eau minérale **R.A**
minuscule minuscule **2.FP3**
minor news event un fait divers
3.FP2
mirror la glace **1.FP2**

mishaps les mésaventures *f.* **3.LC2**

to **miss (a bus, a date)** rater **5.FP2**

Mississippi le Mississippi **1.LC1**

mist la brume **3.FP2**

misunderstanding un quiproquo **3.IC**

to **mix** mélanger **1.IM**
> to **mix dyes** mélanger les colorants **5.IMA**

mockery la dérision **1.1**

model un mannequin **4.IC**

moisturizing lotion la crème hydratante **1.FP2TA**

Monday lundi *m.* **3.FP2**

monk un moine **2.C**

monkey un singe **8.IM**

mononucleosis la mononucléose **7.FP1**

month un mois **3.FP2**

mood l'humeur *f.* **1.FP4**

moon la lune **1.IC**

more (of) plus (de) **6.LC1**
> **more and more** de plus en plus **1.IM**
> **more comfortable** plus confortable **6.FP1**
> **more spacious** plus spacieux **6.FP1**
> **more...than** plus...que **6.LC1**

morning and evening le matin et le soir **7.FP1**

Moslem, Hindu musulman **6.IC**

most: the most (majority) of la plupart: la plupart de **4.LC1**
> **the most...(of)** la/le/les plus (de)... **6.LC1**

mountain: mountain climbing l'alpinisme *m.* **3.IM**
> **mountain-climbers** les alpinistes **7.LC2** *m.*

mouse une souris **2.FP1TA**

moustache la moustache **1.FP1**

mouth la bouche **1.FP1**

to **move** se déplacer **1.LC4TA**
> to **move toward** se diriger vers **8.L***
> to **move, budge** bouger **7.L**
> **moved** ému **3.IC**
> **movement** le mouvement **8.FP3**
> **moving, emotional** émouvant **6.IC**

movie director un réalisateur (une réalisatrice) **6.IC**

to **mow** tondre **2.FP**

mud la boue **7.IM1**

multinational multinational, pertaining to all nations

mumps les oreillons *m.pl.* **7.FP1**

museum un musée **8.FP2**

music la musique **10.FP1**

my mon (ma, mes)

My Goodness! Mon Dieu! **3.FP2**

My poor... Mon (Ma) pauvre...**9.FP2**

myself, himself moi-même, lui-même **1.LC1**

N

nail (metal) le clou **2.FP3**

nail polish le vernis à ongles **1.FP2**

naked nu **6.IC**

to **name: to name himself** se faire nommer **2.IC**

napkin une serviette **8.L**

narrow, tight étroit **2.FP3**
> **narrowly** de peu **7.LC2**

native land la patrie **8.IC**

nausea les nausées *f.* **7.FP1**

nearby tout près **8.FP2**

neck le cou **1.FP1**

to **need** avoir besoin de **4.FP1**

needle une aiguille **4.FP1**

to **neglect one's self** se négliger **1.IM**

neighborhood, district le quartier **8.FP2**

neither...nor ni...ni **1.IM**

nephew un neveu **R.L***

nervous nerveux (nerveuse) **7.FP1**

nest un nid **6.IC**

nets les filets *m.* **9.IC**

neurologist le/la neurologue **7.FP1TA**

never ne...jamais **3.LC1**
> **nevertheless** tout de même **5.IMB**; néanmoins **9.IC**

Newfoundland la Terre-Neuve **3.LC2**

next *(adj.)* prochain; *(adv.)* prochainement **7.LC2**
> **next door** d'à côté **6.IM2**
> **the next train** le prochain train **5.FP2**

nice, kind sympathique **R.A**; sympa (*pop.* sympathique) **2.FP2**; gentil (gentille) **2.FP2**
> **nice atmosphere** une bonne ambiance **10.FP2**
> **nice view** une vue: une belle vue **6.FP2**
> **nice weather** du beau temps **3.FP2**

nickel le nickel **2.FP3TA**

no aucun **1.IC**
> **no longer being** n'étant plus **4.IC**

no longer ne...plus **4.IC**

no longer, not anymore ne...plus **1.L***

no one, nobody ne...personne **5.LC1**

no relationship aucun rapport **1.IC**

no sooner pas plus tôt **9.IC**

no, not any ne...aucun(e) **5.LC1**

noble: nobility la noblesse **1.IM**
> **nobleman, lord** un seigneur **2.IC**

noise le bruit **1.LC1**

non-smoking section la section non-fumeur **5.FP2**

Norway la Norvège **2.IC**

nose le nez **1.FP1**

not: not at all clumsy point maladroit
> **not at all** point
> **not that much** tellement: pas tellement **8.IM**
> **not yet** ne...pas encore **3.LC1**

note, word un mot **6.L***
> **notebook** un carnet **4.FP1**

nothing ne...rien **5.LC1**
> **nothing to do (with)** rien: rien à voir (avec) **9.IM**

notice une annonce **2.IM**

to **notice** remarquer **2.L***; s'apercevoir **1.LC4TA**, **9.L**

Nova Scotia la Nouvelle Écosse **10.IC**

novocaine la novocaïne **7.FP2**

nowhere ne...nulle part **5.LC1**

nugget une pépite **9.IC**

numerous nombreux **6.L**

nurse un infirmier (une infirmière) **6.FP1**

O

oar une rame **7.IC**

objective, goal un but **5.IM**

to **oblige, to do a favor** obliger **10.IC**

to **obsess: obsessed** obsédé **5.IM**

to **obtain, to get** obtenir **4.IM**
> to **obtain their boarding pass** obtenir leur carte d'embarquement **5.FP2**

occasion, opportunity une occasion

of, from, away, with de
> **of/to them** eux: à eux **4.LC2**
> **of course** bien sûr **2.FP2**
> **of good health** bien portant **6.FP1**
> **of important value** de grande

valeur **5.LC1**
of medium height   de taille
    moyenne **1.FP1**
of which   ce dont **9.LC2**
of which   duquel, de laquelle,
    desquels, desquelles **9.LC1**,
    6.LC2
to **offer**   offrir **8.IM**
office, bureau   un bureau (les
    bureaux) **10.FP2**
office   un cabinet **10.FP2**
office jobs   les emplois de
    bureau **10.FP1**
official: official announcements
    les bans *m.* **9.IM**
ointment   une pommade **7.IM1**
okay, all right   d'accord **2.FP2**
old   vieux (vieille) **2.FP3**;
    former   ancien (ancienne)
    2.FP3
on, above   sur
    on his own account   à son
        propre compte **10.FP2**
    on sale   en solde **4.IM**
    on the average   en moyenne
        7.IM1
    on the condition that   à
        condition de **10.LC1TA**
    on the ground   par terre **5.L**,
        9.L*
    on the sides   sur les côtés
    on the stage   sur scène **4.IM**
    on the top   sur le dessus
    on the verge, ready to   sur le
        point de **9.IC**
    on the way   en chemin **10.IM**
one: one time, once   une fois
    7.FP1
    one can do it   on y arrive
        9.IM
    one thousand years   millé-
        naire **8.IC**
    one week from now   d'ici une
        semaine **4.FP2**
    one who(m), one that   celui
        qui, que **6.LC2**
    (the) one where   celui où
        6.LC2TA
    the only one   la seule **3.IM**
onlookers   les badauds *inv.* **8.IM**
only   le seul (la seule) **1.IC**;
    ne...que **5.IM**; seulement
    5.FP1
    only one   un seul **1.IC**
to **open**   ouvrir **7.FP1**; s'ouvrir **6. L**
    open, honest   ouvert **1.IC**
    to open one's mouth   ouvrir la
        bouche **6.FP1**
to **operate**   faire marcher **4.LC3**;
    opérer **8.IC**
    opportunity for promotion   la

possibilité de promotion
    10.FP2
opposite   en face **6.L***
oppressed   opprimé
ophthamologist   l'oculiste **7.FP1**
optimistic   optimiste **R.A**
or   ou **5.LC1**
orchard   un verger **8.L***
order   une commande **4.IM**
to **organize: organized**   organisé **R.A**
    organized activities   l'anima-
        tion *f.* **8.FP3**
orphan   un orphelin (une orphe-
    line) **8.IC**
other   autre
    others   les autres **6.LC2TA**
    others, some others   d'autres
        4.LC1
otter   une loutre **3.FP1TA**
ouch!   aïe! **7.FP1**
out: outdoors   en plein air **R.V**
    outside   dehors **3.FP3**
oval   oval **2.FP2**
oven   un four **1.L***
over: overalls   une salopette **7.IC**
    overflowing   débordant **1.3**
    overseas   outre-mer **8.IC**
    overwhelmed   bouleversé
        7.L*
    overworked   débordé **2.IM**
to **owe**   devoir **4.FP1**
to **own, possess**   posséder **9.L***
    (one's) own   propre **1.IC**
owner   un(e) propriétaire **R.L***

P

package   un paquet **4.IM**; un colis
    4.FP1
    package of envelopes   un
        paquet d'enveloppes **4.FP1**
    packaging   les emballages *m*
        3.IM
pad: pad of stationery   un bloc:
    un bloc de papier **4.FP1**
pain, suffering   une douleur
    8.IC
    painful   douloureux **7.L***
to **paint**   peindre **1.IC**
    to have passed by   avoir +
        passé **3.LC1**
    paintbox   une boîte de couleurs
        1.IC
painting   un tableau (les tableaux)
    1.IC; une peinture **1.IC**
palm   la paume **8.IC**
    palm trees   les rôniers *m.*
        9.IC
paper   le papier **2.FP3**
    papers, documents   les docu-
        ments *m.* **10.FP3**

paper clip   un trombone
    4.FP1
paper tissue   un mouchoir en
    papier **4.FP**
paper towels (brand name)
    le Sopalin **4.FP1**
parachute   un parachute **2.FP3**
parade ground   la place d'Armes
    5.IC
parakeet   la perruche **2.FP1**
parasailing   le parapente **3.IM**
park   un parc **8.FP2**
parrot   un perroquet **2.FP1TA**
part (hair)   une raie **4.FP3TA**
part-time employment   un emploi
    à temps partiel **10.FP3**
to **pass: pass the hat**   faire la quête
    8.IM
    pass through customs   passer
        par la douane **5.FP2**
    passerby   un passant **8.LC2**
    passport check   un contrôle
        des passeports **5.FP1**
    passport   un passeport **5.FP1**
to **passion, interest deeply**   se
    passionner **10.IM**
pastry cook   un pâtissier (une
    pâtissière) **10.FP1**
path, way   le chemin
patient   patient **R.A**
to **pay**   payer
    to pay attention   faire attention
        2.FP3
    pay careful attention to it!
        soignez-le (la)! **10.IM**
    paid by check   payé par
        chèque **7.FP1**
peace   la paix **2.D**
    peaceful   paisible **9.IC**
peach   une pêche **8.L***
    peach tree   un pêcher **8.L***
pear   une poire **R.A**
peasant   un paysan (une paysanne)
    2.IC
pedestal   un socle
pediatrician   le/la pédiatre
    6.FP1
pencil   un crayon **4.FP1**
people: people native of
    Burgundy   les
        bourguignons **2.IC**
to **perceive (smell, touch)**   sentir
    1.FP4TA
perfect   parfait **3.L***
performance   une représentation
    1.FP2
to **perfume: to perfume one's**
    self   se parfumer **1.LC1**
perfume   l'eau de toilette *f.* **1.FP2**;
    le parfum **1.FP2**
to **permit**   permettre **3.IM**

perplexed perplexe **1.FP4**

personal: personal ads les annonces *f.* **2.IC**

    personal attributes les signes *(m.)* particuliers **1.FP1**

    personal hygiene section le rayon produits d'hygiène

    personal hygiene products les produits d'hygiène **4.FP1**

pessimistic pessimiste **R.A**

pets, domestic animals les animaux domestiques *m.* **2.FP1**

pharmacy la pharmacie **4.FP1**

    pharmacist le pharmacien (la pharmacienne) **4.FP1**

philosophy la philosophie **10.FP1**

phoenix le phénix **3.IC**

photographer le/la photographe **4.FP1**

photography supply section le rayon photo

physics la physique **10.FP1**

to **pick** *cueillir **3.IM**

to **pick up** recueillir **6.L**; ramasser **7.L***

picnic un pique-nique **3.FP1**

picture slides les diapos *f.* **4.FP1**

piece of chalk piece: un bâton de craie **2.LP3TA**

pieces of jewelry des bijoux **9.L***

pilgrimage un pèlerinage **7.IC**

pillow un oreiller **6.FP2**

pills les pilules *f.* **7.FP1**

pilot le pilote **5.FP2**

pimple un bouton **4.FP1**

pin une épingle **4.FP1**

pitiful pitoyable **4.L***

pity la pitié **9.FP1TA**

to **place** introduire **4.IM**

    to **place oneself** se mettre **5.L**

place, seat, plaza une place **4.IM**

to **plan** planifier **8.IM**

plants les plantes *f.* **2.FP1**

    plantlife la flore **3.IM**

plastic le plastique **2.FP3**

play une pièce de théâtre **7.L**

to **please** faire plaisir à **8.L***; *plaire **8.IM**

    please... s'il vous plaît...

    please give me... s'il vous plaît, donnez-moi...**4.FP1**

to **pledge allegiance** prêter: prêter serment **10.IC**

plot une trame **8.IC**

to **plug in** brancher **1.LC1**

plumber un plombier **10.FP1**

to **plunge** plonger **3.L***

pneumonia une pneumonie **6.FP1**

pocket une poche **1.L***

to **point: point at** montrer du doigt **8.L***

    pointed pointu(e) **2.FP3**

point le point

police: police detective un inspecteur de police **5.L***

    police station un poste de police

to **polish: polish the furniture** astiquer les meubles **2.FP1TA**

    to **polish the silverware** polir: polir l'argenterie **2.FP1TA**

Polish polonais **10.IC**

polite poli **R.A**

political: political parties les partis *m.*: partis politiques **3.IM**

    political science les sciences politiques **10.FP1**

    politically active engagé **8.IC**

to **pollute** polluer **3.FP1**

pollution la pollution **8.FP3**

pond un étang **3.L***

ponytail une queue de cheval **1.FP1**

populated peuplé **1.3**

Portugal le Portugal **5.FP1**

possibility, opportunity une possibilité

post, station un poste **4.FP1**

    post card une carte postale **4.FP1**

    post office, mail la poste **4.FP1**

pot, pan une casserole **1.L***

potato une pomme de terre **R.A**

    potato chips les chips *f.*

pound une livre **5.IC**

to **pour** verser **3.L***

powder la poudre **1.FP2TA**

power le pouvoir **5.IC**

    power failure une panne d'électricité **8.LC3**

powerful puissant **3.IC**

practitioners (religion) les pratiquants **7.IC**

precisely at that moment justement **8.L***

to **predict** prédire **3.FP2**

to **prefer** préférer **2.LC2**

preoccupied préoccupé **1.FP4**

to **prepare oneself** se préparer **1.FP3**

prescription une ordonnance **6.FP1**

to **present** tendre **8.IM**; présenter

    pre-stamped envelope un aérogramme **4.FP1**

pretentious prétentieux (préten-

tieuse) **R.A**

to **prevent** empêcher **3.IC**

    to **prevent something from happening** empêcher la réalisation de quelque chose **5.IMB**

pride l'orgueil *m.* **7.LC2**

priest un prêtre **6.IC**

to **print** imprimer **4.IM**

private: private bath la salle de bains privée **6.FP1**

    private eye un détective privé **5.L***

prize un prix

to **produce** produire **3.IM**

productive, fertile fécond **9.IC**

profession un métier **8.IM**; une profession **9.FP3**

    professional experience l'expérience professionnelle **10.FP3**

to **promise** promettre **9.IM**

promise une promesse **7.L***

prostrate, face to the ground prosterné **9.IC**

to **protect: protect the environment** protéger l'environnement **3.FP1**

    to **protect from** soustraire à **6.IC**

proud altier (altière) **1.IM**; fier (fière) **3.L***

to **prove** faire la preuve **6.IM1**

provided ménagé **9.IC**

to **provoke, to bring about** provoquer

Prussia (northern Germany) la Prusse **5.IC**

psychology la psychologie **10.FP1**

    psychiatrist le psychiatre **6.FP1**

public: public garden un jardin public **8.FP2**

    public relations les relations *(f.)* publiques **10.FP2**

    public service la fonction publique **10.FP1**

to **publish** publier **7.L**

to **pull** tirer **5.L**

    to **pull out** arracher **1.IC**

to **push** appuyer **4.IM**

to **put, to place** mettre; poser **5.L**

    to **put an end** mettre fin à **5.IC**

    to **put away one's clothes** ranger ses vêtements **2.FP1**

    to **put away** ranger **2.FP1**

    to **put away the magazines** ranger les

magazines
to put back *remettre 9.L*
to put in a classified ad mettre une annonce 10.FP3
to put in a hair conditioner mettre un après-shampooing 4.FP3
to put on (clothes) enfiler 1.LC1
to put on braces mettre un appareil 6.FP2TA
to put on make-up se maquiller 1.FP2
to put the dishes away ranger la vaisselle 2.FP1
put-away, clean rangé 2.FP1

Q

quantity, amount une quantité 4.FP1
to quarrel se quereller 9.FP2
queen la reine 2.IC
quill pen une plume 5.IC
quite, very much tout à fait 5.IM

R

rabbit un lapin 2.FP1
racoon un raton-laveur 3.FP1TA
to rage faire rage 10.IC
railroad ferroviaire 5.IMB
railroad track un chemin de fer 6.IM2
rain la pluie 3.FP2
to rain: rain is coming down la pluie tombe 3.FP2
to raise élever 2.L*; lever 5.IC
raised, high, elevated élevé 5.IM
to raise a family élever une famille 9.FP3
rapid pulse les palpitations f. 7.FP1
rash (skin) l'eczéma m. 7.FP1
razor blade la lame de rasoir 1.FP2TA
to reach, attain atteindre 1.IC
to read lire
to read the classifieds lire les annonces
to read: to read the job postings lire les offres d'emploi 10.FP3TA
real véritable 8.IC
real devotees les passionnés m. 2.IM
real estate l'immobilier m. (immobilière f.) 10.FP2

real estate agent un agent immobilier 10.FP1
Really? Truly? Vraiment? 3.FP3
to realize se rendre compte 1.LC4TA
rear guard l'arrière-garde f. 2.IM
to reassure rassurer 4.L
to rebuild reconstruire R.V
recently depuis peu 9.IC
reception: reception desk la réception 7.FP1
receptionist, secretary le/la réceptionniste 7.FP2
to receive: receive a fine recevoir une amende 5.FP2
to receive a promotion obtenir une promotion 9.FP3
to recognize reconnaître 10.IC
to recommend: recommended conseillé 10.IM
recreational récréatif (récréative) 2.IM
recreation center un centre de loisirs 8.FP2
rectangular rectangulaire 1.FP1
red: red ants les magnans m. 9.IC
red light un feu-rouge 1.LC3
red-headed roux (rousse) 1.FP1
to rediscover redécouvrir 7.IM1; retrouver 1.IM
references les références f. 10.FP3
to reflect réfléchir 2.IM
refrigerator le réfrigérateur 2.FP3
refuse, trash les déchets m. 3.IM
to register s'inscrire 7.IM1; to inscribe inscrire 9.IM
to regret regretter 2.FP2
regret le regret 7.LC2
to reheat réchauffer 5.IMA
to reimburse rembourser
reinforcements les renforts m. 10.IC
to reject, to repel repousser 9.IC
to rejoice, to celebrate réjouir 9.FP2
relation un rapport 9.FP2
to relax, to rest se reposer 1.FP3
relaxed décontracté 5.IMA
to release: released relâché 5.IC
to remarry se remarier 9.FP3
to remember se souvenir (de) 1.LC4
to remember, to recall se rappeler 1.LC4
to remind rappeler 1.5B
remote reculé 8.IC
to remove: remove this

tooth enlever cette dent 7.FP2
removable démontable 6.IM1
to render oneself se donner 8.FP1
to repair réparer
to repair my camera réparer mon appareil-photo 4.FP2
to repair these shoes réparer ces chaussures 4.FP2
to repair the zipper réparer la fermeture éclair 4.FP2
repairman un réparateur 10.FP1
to repeat: to repeat a grade redoubler 10.IM
to replace the heels of one's shoes changer les talons 4.FP2
reputed renommé 9.IC
request une requête 8.L*
research la recherche 7.IC
research laboratory un laboratoire de recherches 10.FP2
researcher un chercheur (une chercheuse) 10.FP1
to reserve réserver 7.FP1
to reserve a place réserver une place 5.FP2
to resign démissionner 6.IC
resources les moyens m. 6.IM1
respect le respect 9.FP1
to respect nature respecter la nature 3.FP1
to respond répondre
to respond to an ad répondre à une annonce
restaurant tip un pourboire 2.IC
rested dispos 5.IMB
to retire prendre sa retraite 9.FP3
return un retour 6.LC2
to reward récompenser 4.L*
ribbon un ruban 9.IM
rice le riz R.A
rich, wealthy riche R.A
right: right behind à la suite de 9.IC
right time au bon moment 10.IM
rights les droits m. 5.IC
to ring sonner 1.LC1
ring une bague R.L*
to rinse rincer 2.FP1
to rinse the carrots rincer les carottes
to rise: rising sun le soleil levant 1.IC
river un fleuve 9.IC
to roar mugir 5.IC
roast beef le rosbif R.A
Robin Hood Robin des Bois

8.LC2

rock climbing (*n.*) l'escalade; (*v.*) faire de l'escalade **3.IM**

to **roll (along); to travel** rouler **7.L***

roll (of paper towels, of scotch tape) un rouleau (les rouleaux) **4.FP1**

room une chambre **6.FP1**

room and board (breakfast, dinner) la demi-pension **6.FP1**

room service le service dans les chambres **6.FP1**

room for two une chambre pour deux personnes **6.FP1**

room with a shower avec douche **6.FP1**

room with two beds à deux lits **6.FP1**

roots les racines *f.* **3.IM**

rough, coarse rugueux (rugueuse) **2.FP3**; rude **10.IC**

round rond **1.FP1**

round-trip ticket un aller et retour

rounded, arced courbé **2.FP3**

rubber le caoutchouc **2.FP3**

rubber band, elastic un élastique **4.FP1**

rug un tapis **1.L***

rules les consignes *f.* **3.IM**; les règlements *m.*

to **run** *courir **1.L***

to **run away** *s'enfuir **10.L***

rural champêtre **1.IC**

Russia la Russie **5.FP1**

rustic furniture des meubles *m.* rustiques **6.L***

S

sad, melancholy triste: être triste **R.A**

sadness la tristesse **7.LC2**

safe un coffre **R.L***

safe: safely tranquillement **8.IM**

safety pin une épingle de sûreté

sailboat un bateau à voile **8.LC2**

sailors les marins *m.* **8.IM**

sails les voiles *f.* **7.IC**

salad, lettuce la salade **R.A**

sale un solde **1.IM**

sales: sales representative un(e) représentant(e) de commerce **10.FP1**

salesperson un vendeur (une vendeuse) **10.FP1**

sand le sable **3.IM**

sash une écharpe **9.IM**

to **save** sauver **5.L***

saw la scie **2.FP3TA**

to **say: say aah** faire aah **7.FP1**

scale une bascule **4.IM**

scar une cicatrice **1.FP1**

to **scare** faire peur **3.FP1**

to scare the animals faire peur aux animaux

scared effrayé **9.IC**

to **scatter** s'éparpiller **10.IC**

schedule l'emploi du temps *m.* **2.FP2**; **(of hours)** les horaires *m.* **5.FP2**

scholarship une bourse **7.LC2**

school: school desk un pupitre **6.IC**

school life la vie scolaire

sciences les sciences *f.*

scientist un savant **2.IC**; un(e) scientifique **10.FP1**

scientific and technical studies les études scientifiques et techniques **10.FP1**

scientific research la recherche scientifique

scissors les ciseaux *m.* (un ciseau) **1.FP2**

scorn le mépris **9.FP1TA**

scotch tape le scotch **4.FP1**

Scottish écossais **3.IC**

to **scratch** gratter

to **scream** pousser des cris **3.L***; crier **10.L***

screen l'écran *m.* **3.IC**

scripts les scénarios *m.* **1.IC**

seasonal saisonnier (saisonnière) **8.L**

seat un siège **4.IM**

seat next to the aisle une place près du couloir **5.FP2**

seat next to the window un siège près de la fenêtre **5.FP2**

second deuxième

second class la deuxième classe **5.FP2**

second-hand, used d'occasion **2.FP3**

secret (to confide) une confidence **9.FP1**

secretary un(e) secrétaire **10.FP1**

sections, ailes (as in a store) un rayon **4.FP1**

security check un contrôle de sécurité **5.FP1**

to **see** voir **5.L**

see you (date, time) à + *date, time*

to **seem (person)** avoir l'air **1.FP4**; **(thing)** sembler **1.FP4**

to **seize, take** s'en saisir **3.IC**; saisir

9.L*

seized by pris par

seized, taken saisi **5.IC**

semolina la semoule **7.IC**

to **send** envoyer

to send away, to fire (an employee) renvoyer **3.IC**

to send my resume envoyer mon curriculum vitae **10.FP3**

to send this letter envoyer cette lettre **4.FP1**

sense, direction le sens **5.IM**

sensitive sensible **R.A**

to **separate: to separate (husband & wife)** se séparer **9.FP3**

to separate oneself, move away s'écarter **9.IC**

serious sérieux (sérieuse) **R.A**

servant le serviteur **7.L**

to **serve** servir **7.FP2**

to serve one's self se servir de **10.FP3**

to **service** desservir **5.IMB**

service, favor un service **10.FP1**

sessions les séances *f.* **1.LC3**

set (one's hair) une mise en pli **4.FP3**

to **set: to set fire** mettre le feu **3.FP1**

to set places (at the table) mettre le couvert **2.FP1**

to set the table mettre la table **2.FP1**

to **settle** se fixer **4.IC**; s'installer **8.L***; établir **8.IC**

several plusieurs **4.LC1**

severe sévère **R.A**

to **sew** coudre **4.FP2**

to sew this button coudre ce bouton

sewers les égouts **5.IC**

shadow une ombre **1.IC**

to **shake** secouer **10.L***

shake yourself up! secoue-toi! **1.IM**

shampoo le shampooing **1.FP2**

a shampoo (hair salon) un shampooing **4.FP3**

shampoo-in hair color un shampooing colorant **1.FP2**

to **share** partager **9.IM**

to **shave** se raser **1.FP2**

shaver le rasoir **1.FP2**

shaving cream la crème à raser **1.FP2**

she: she feels at home elle se sent chez elle **4.IC**

to **shear** tondre **5.IMA**

sheep: sheep-shearing la tonte des moutons **5.IMA**

sheet: sheet (bedding) un drap

7.FP2

sheet ice   le verglas 3.FP2
shelf   une étagère 2.IM
shelter   l'abri m. 9.IM
to shine   briller 2.FP3
ship   un navire 7.IC
shipwrecked   naufragé(e) 8.LC2
to shiver, shudder   frissonner 9.L*
shopkeeper, merchant   un commerçant (une commerçante) 10.FP1TA
shopping: shopping bag   un sac à provisions 8.IM
    shopping cart   un chariot 4.IM
    shopping center   une grande surface 1.IM
shore   une rive 9.IC
short   court 1.FP1
    short story   un conte 7.L
to shorten (hair)   dégager 4.FP3
shot, injection   une piqûre 4.LC3
    shot of novocain   une piqûre de novocaïne 7.FP2
shoulder   l'épaule f. 10.L*
to show   faire voir 4.LC3; manifester 8.IC
    to show (someone) the door   mettre à la porte 10.FP3
    to show one's ticket   présenter leur billet
    to show up at the boarding gate   se présenter à la porte de départ
show, exhibition   un salon 2.IA
shower   une douche 1.FP3
shrub: shrub clippers   le sécateur 2.FP1
    shrubbery   les arbustes m. 2.FP1
shutters   les volets m. 8.IC
shuttle train   une navette 5.IMB
sick   malade 1.FP4
    sickness   une maladie 7.FP1
side   un côté 4.FP3
side: sideboard   un buffet 1.L*
    sidewalk   le trottoir 5.L
sigh of relief   un soupir: soupir de soulagement 2.IM
sign   un signe 1.FP1
silent   muet (muette) 7.L*
silly   bête R.A
silver   l'argent R.L*
similar, alike   semblable 4.IM
simple: simple lodging   un gîte 3.IM
since   puisque 3.L*; depuis que 10.LC2
    since then   jusqu'alors
single   célibataire 9.FP3
    single-family house   une maison individuelle 8.FP2

single room   une chambre à un lit 6.FP1
Sir   Messire 2.IC
to sit down   *s'asseoir 1.LC4
to situate   situer 7.L
size (person)   la taille 1.FP1
skin   la peau (les peaux) 1.FP2TA
    skin cancer   le cancer: le cancer cutané 3.IM
sky   le ciel (les cieux) 1.IC
    skyscraper   un gratte-ciel
slaves   les esclaves 8.IC
    slavery   l'esclavage m. 5.IC
sleep   le sommeil 6.IM
    sleeping car (train)   un wagon-lit 5.IM
to slip   glisser 3.FP1; déraper 3.FP1TA
to slit the throats of   égorger 5.IC
to slow down   ralentir 7.L*
    slowness   la lenteur 1.IC
small   menu 5.IC
    small businesses   les commerces m. 8.FP2
    small sofa   un canapé 1.L*
    small theft   un larcin 8.L*
smart   astucieux 2.IC
to smile   *sourire 8.L*
smile   un sourire 1.IM
smoke   la fumée 2.LC2
snake   un serpent 9.IC
to sneeze   éternuer 4.FP1, 6.FP1
snow   la neige 3.FP2
    snowstorm   une tempête de neige 3.FP2
so: so many   tant 8.IM
soaked, wet   mouillé 2.FP3
    soaking wet   trempé 3.L*
soap   le savon 1.FP2
social: social benefits   les avantages sociaux 10.FP2
    social life   la vie sociale
    social worker   un(e) assistant(e) social(e) 10.FP1
society   une société 10.FP2
soft   doux (douce) 2.IM; mou (molle) 2.FP3
software   le logiciel 10.IM
    software specialist   un(e) spécialiste de logiciel 10.FP1
soldier   un guerrier 5.IC; un soldat 6.L
sun: the sun is shining   le soleil brille 3.FP2
to solicit, to ask for   solliciter 10.FP2
solid   solide 2.FP3
    solid ground   la terre ferme 5.IM
to solve   résoudre 6.IM2
somber   sombre 7.IC
some, a few   quelques 4.LC1;

quelques-uns (unes) 4.LC1
some, certain ones   certain(e)s 4.LC1
I would like (some)   j'en veux 4.LC1
someone, somebody   quelqu'un 5.LC1
something   quelque chose 5.LC1
something else   quelque chose d'autre 4.FP1
something else to do   autre chose à faire 2.FP2
somewhere   quelque part 8.FP1
songs (of a bird)   les ramages m. 3.IC
soon   bientôt 4.LC2
sorrows   les peines f. 9.IM
sorry, sad   désolé 2.FP2
sought after   recherché 8.IM
to speak   parler
    to speak French   parler français 10.FP3
    among   parmi 1.IC
    to speak to, to address   s'adresser 2.IM
to specialize, major in   se spécialiser en 10.FP1
specialist   un(e) spécialiste 7.FP1
    specialized worker   un ouvrier spécialisé 10.FP1TA
speech   un discours inv. 8.LC3
speed   la vitesse 1.IC
to spend (time)   se passer 3.LC1
    spend the night   passer la nuit 5.FP2
to spill   répandre 9.IC
spirit   l'esprit 8.IC
to spoil   gâter 7.L*
spokesperson   un porte-parole 3.IC
sponge   une éponge 2.FP1
spontaneous   spontané R.A
spouses   les époux 9.IM
to sprain (part of the body)   se fouler 7.FP2; se tordre 7.FP2TA
    to sprain one's ankle   se fouler la cheville 7.FP2
    to sprain one's wrist   se tordre le poignet
to spread   se répandre 3.IC
    to stay in bed   rester au lit 6.FP1
    to stay single   rester célibataire 9.FP3
spring   le ressort 4.FP2
spy   un espion (une espionne) 5.L*
square   carré 1.FP1
squirrel   un écureuil 3.FP1TA
stamp   un timbre 4.FP1

stamped sticker   une bande timbrée **4.IM**

to **stand (up)**   s'élever **6.L**

   standing   debout **5.L**

standard of living   le niveau de vie **6.IC**

star   une vedette **4IC**

stars   les étoiles **1.IC**

to **start: start one's own business**   créer sa propre entreprise

state, appearance   l'état *m.* **2.FP3**

station   une station

stationery store   la papeterie **4.FP1**

   stationery aisle   le rayon papeterie **4.FP1**

Statue of Liberty   la Statue de la Liberté **2.FP3**

to **stay, lodge**   séjourner **6.FP1**; rester

stay, vacation   un séjour **4.IC**

to **steal**   voler **5.L***

steel   l'acier *m.* **2.FP3**

stele (stone marker with an inscription)   une stèle **6.L**

to **step on**   marcher sur **1.LC3**

step, stage   une étape **5.FP2.IC**

   steps   les pas *m.* **2.IC**

   steps, stairs   les marches *f.* **6.IC**

steward   le steward **5.FP2**

stewardess   l'hôtesse de l'air *f.* **5.FP2**

to **stick, to glue**   coller **4.IM**

   to **stick out one's tongue**   tirer la langue **6.FP1**

still   toujours **3.IC**

stone, gem   une pierre **2.FP2**

to **stoop, bend down**   se baisser **7.L***

to **stop, keep from**   empêcher **1.L***

to **stop, keep oneself from**   s'arrêter **1.FP3**; s'empêcher de **4.L***

stopover, connection   une escale **5.FP2**

store: store fronts   les devantures *f.* **1.IC**

   store window   une vitrine **9.L***

storm   la tempête **3.FP2**; un orage **3.FP2**

story   un récit **5.L**

stove   une cuisinière **8.LC2**

straight (hair), smooth   lisse **1.FP1**

   straight, 90-degree angle   droit **2.FP3**

stranger   l'étranger (étrangère) **5.FP1**; un inconnu **7.L***

straw   la paille **8.IM**

   straw huts   les paillotes *f.* **9.IC**

streak, highlight (hair)   une mèche

street: street sign   un panneau **2.LC2**

strength   la force **2.IC**

strep throat   une angine **7.FP1**

stretched out   tendu **8**

to **strike**   frapper **2.IC**

striped   rayé **8.IM**

   stripes, welts   les zébrures *f.* **9.IC**

stroke, blow   un coup

strong   fort **1.FP1**

   strong, strapping   costaud **1.FP1**

structured according to   réglé par **3.IC**

struggling   en lutte **2.IC**

to **study**   étudier **10.FP1**

study abroad   un stage **10.FP3**

stuntman   le cascadeur **10.IM**

stupid   stupide **R.A**

   stupid person   un sot **3.IC**

subjects   les vassaux *m.* **2.IC**

subsidies   les subventions *f.* **3.IM**

subtitle   le sous-titre **4.L**

suburbs   la banlieue **1.LC1**

subway   le métro **8.FP2**

to **succeed**   réussir **10.IM**

such   tel (telle) **10.L***

suddenly   tout d'un coup **7.L**; subitement **9.IC**

to **suffer**   *souffrir **7.IM1**

sufficient, enough   suffisant

to **suffocate**   (s)'étouffer **9.IC**

summer job   un job d'été **10.FP3**

sun   le soleil **2.IM**

   sunstroke   l'insolation *f.* **3.IM**

to **sunbathe**   prendre un bain de soleil **3.FP1**

superhighway   une autoroute **6.L***

to **support**   soutenir **4.IC**

sure! with pleasure! I'd love to!   volontiers! **2.FP2**

surgeon   un chirurgien (une chirurgienne) **7.FP1**

to **surprise**   *surprendre **9.L***; étonner

   surprised   surpris **7.LC2**

   surprising   surprenant **2.IM**

surprise   la surprise **3.FP3**

to **surround: surrounded**   entouré **8.IM**

survey   une enquête **3.IM**

to **survive**   survivre **10.IC**

suspenders   les bretelles *f.* **1.IM**

to **swallow**   avaler **7.FP1**

swampy   marécageux

(marécageuse) **8.IC**

to **swear**   jurer **3.IC**

sweat   la sueur **9.IC**

to **sweat**   transpirer **7.FP1**

to **sweep**   balayer **2.FP1**

to **swim**   nager **3.FP1**

   swimming pool   une piscine **6.FP1**

switchboard   le standard

switchboard operator   le/la standardiste **6.FP2**

swollen   tuméfié **8.IC**

sword   une épée **2.IC**

synthetic material   la matière synthétique **2.FP3**

T ━━━━━━━━━━━━━━━

table setting   le couvert

tablets (medicine)   les comprimés *m.* **6.FP1**; les cachets *m.* **7.FP1**

tablets (medicine)   les pastilles *f.* **7.IM1**

tadpole   un têtard **3.L***

tail, line (of people)   une queue **1.FP1**

to **take**   prendre

   to **take (medicine), to consume, to drink**   consommer

   to **take a blood sample**   faire une analyse de sang **7.FP1**

   to **take a boat trip**   faire une promenade en bateau **3.FP1**

   to **take a bus**   prendre un bus

   to **take a class**   suivre un cours **R.A**

   to **take a tour of**   faire un tour **3.FP1**

   to **take a walk**   se promener **1.FP3**

   to **take advantage of**   profiter de **1.L***

   to **take along**   emporter **3.IM**

   to **take apart**   démonter **2.IM**

   to **take care not to**   prendre garde **9.IC**

   to **take care of**   entretenir **1.IM**; s'en charger **2.IM**

   to **take lessons (in order to learn a skill)**   faire un stage **R.V**

   to **take off (plane)**   décoller **5.FP2**

   to **take off, remove**   enlever **R.A**

   to **take one's blood pressure**   prendre la tension **7.FP1**

   to **take one's temperature**   prendre la température **7.FP1**

   to **take or carry something**

up monter: avoir + monté **3.LC1**

take out this stain enlever cette tache **4.FP2**

to take place avoir lieu **2.L***; se dérouler **5.IC**

to take (something) out avoir tiré **5.L**

to have taken (something) out avoir + sorti **3.LC1**

to take the Bac again se représenter au bac **10.IM**

to take, to lead mener **5.IC**

to tan: to tan oneself se bronzer **3.FP1**

tapestry la tapisserie **2.IC**

task une tâche **1.IC**

taste la saveur **9.IC**

taste for, liking le goût **2.IM**

taxi un taxi **8.FP2**

to teach enseigner **3.FP1**

teacher un enseignant (une enseignante) **10.IM**

tear une larme **7.L***

teardrop une larme **7.IC**

technical knowledge les connaissances techniques **10.FP3**

technician un technicien (une technicienne) **10.FP1**

technology la technique **10.FP1**

telephone le téléphone **6.FP1**

telephone dial le cadran **7.IM1**

telephoto lens le téléobjectif **4.FP2**

television la télévision **6.FP1**

to tell what happened raconter **3.FP3**

to tell the truth sans mentir **3.IC**; à vrai dire **8.L***

temperature la température **2.FP**

temporary employment un emploi temporaire **10.FP3**

to tempt tenter **9.L***

tenants les locataires **1.LC1**

tense, uptight tendu **1.FP4**

terrorist attack un attentat **7.LC2**

Thai cuisine la cuisine thaïlandaise **R.A**

to thank (polite) remercier **2.FP2**

thank you: thank you very much merci beaucoup **2.FP2**

thanks a million merci mille fois **2.FP2**

thanks to grâce à **1.IC**

that *(direct object)* que **9.LC1**; *(subject)* ce

that doesn't matter ça n'a pas d'importance **10.L***

that of, the one belonging

to celui de **6.LC2**

that one celui-là **6.LC2**

that which cannot be legally taken away imprescriptible **6.IC**

that which ce qui **9.LC2**

that won't matter que cela ne tienne **3.IC**

That's all? C'est tout? **4.FP1**

That's not for real! Ce n'est pas croyable! **3.FP3**

That's unbelieveable! C'est incroyable! **3.FP3**

theft un larcin **5.IC**, un vol **5.IC**

then, after, next ensuite **3.FP3**

there is, there are il y a

there are ten (of them) il y en a dix

there is/are only ... left il ne reste que... **10.L***

therefore donc **3.IM**

thesis, essay une thèse **10.IM**

thick épais (épaisse) **2.FP3**

thief un voleur (une voleuse) **5.L***

thin maigre **1.FP1**; mince

things will take care of themselves ça s'arrangera **9.FP2**

to think, reflect réfléchir **3.L***

third world le tiers-monde **7.LC2**

this, that ça

this, that, these, those ce (cet, cette, ces)

this happened, took place ça a eu lieu **3.FP3**; ça s'est passé...**3.FP3**

this one, that one celui-ci, celui-là **6.LC2**

this one, the one celui, celle, ceux, celles **6.LC2**

this will be ready ce sera prêt

thorn une épine **9.IC**

thread la ficelle, le fil **4.FP1**

to threaten menacer

through, per par

to throw *jeter **10.IC**

to throw up vomir **7.FP1**

thunder le tonnerre **3.FP2**

ticket un billet

ticket window le guichet **5.FP2**

to tie, to link lier **5.IM**

time, hour l'heure *f.* **4.FP2**

time punch le composteur

timid timide **R.A**

tires un pneu (les pneus) **6.IM1**

to, at à

tobacco shop un bureau de tabac **4.IM**

toilet paper le papier hygiénique **4.FP1**

toiletry bag la trousse de toilette

1.FP2TA

tolerant tolérant **R.A**

toll (highway) un péage **5.IM**

tombstone une tombe **7.IC**

tomorrow le lendemain **7.IC**

tons, alot des tas *m.* **10.IM**

too bad! tant pis! **2.LC2**; quel dommage! **9.FP2**

tools les outils *m.* **2.IM**

tooth une dent **7.FP2**

tooth filling un plombage **7.FP2**

toothbrush une brosse à dents **1.FP2**

toothpaste le dentifrice **1.FP2**

tortoise une tortue **3.FP1TA**

total le montant **4.IM**

touchy susceptible **3.IC**

tour une tournée **4.IC**

tourist class la classe touriste **5.FP2**

towards vers **1.IC**

towards the end à la fin **2.IC**

towel une serviette **1.FP2**

tower, high-rise une tour **8.FP2**

toy un jouet **1.FP1**

tracked, hunted traqué **6.IC**

trade un métier **1.IC**

trade study les études commerciales **10.FP1**

traffic la circulation **6.L***

traffic jam un embouteillage **5.IMB**

traffic regulations le code de la route **8.FP2**

trail (hiking) un sentier **3.IM**

train un train **5.FP2**

train conductor un contrôleur **5.FP2**

trained dog un chien savant **8.IC**

training la formation **2.IM**

transportation les transports *m.* **8.L**

travel agency une agence de voyages **10.FP2**

to travel voyager **5.FP1**

to travel through *parcourir **5.IM**

traveler's checks un chèque: les chèques de voyage **6.FP1**

treasure un trésor **8.LC3**

to treat (medical) soigner **7.FP1**

treaty un traité **7.IC**

triangular triangulaire **2.FP2**

trick un tour **2.IC**

true véritable **1.IC**

truly drôlement **4.L***

to trust avoir confiance en **9.FP2**

trusting confiant **R.A**

to try essayer **3.IM**

to try on essayer (+ piece of clothing) **1.IM**

to try to chercher à **10.L***

tube un tube **3.FP1**

tuition la scolarité **10.LC2**

tunafish le thon **R.A**

turbulent, hyper-active turbulent **3.L**

to turn: to turn around se tourner **4.L***

to turn back se retourner **7.L***

to turn off, to extinguish éteindre **2.IM**

to turn on, to light allumer **5.LC1**

turned on allumé **5.LC1**

turn un tour **2.IM**

turnpike une autoroute **5.IM**

TV program une émission **6.LC1**

twice a day deux fois par jour **7.FP1**

to twinkle, to shine étinceler **9.IC**

two deux

two weeks ago il y a quinze jours **3.FP3**

two-thirds deux tiers **7.IM**

U

UFO un OVNI **3.FP3**

ugly laid **3.IC**

umbrella un parapluie **3.FP2TA**

unannounced improviste: à l'improviste **6.IM1**

unbearable insupportable **1.LC4**

unceasingly sans trêve **9.IC**

uncommunicative renfermé(e) **R.A**

understanding compréhensif (compréhensive) **R.A**

understood, agreed entendu **8.FP1**

to undertake entreprendre **3, 10.IM**

undisciplined indiscipliné **R.A**

unexpected inattendu **8.L***

unfair injuste **R.L***

to unite se réunir **4.IC**; unir **7.L**

unhappy malheureux(se) **7.LC2**

United Nations building le bâtiment des Nations unies **2.FP3**

United States les États-Unis **1.LC1**

university, college l'université *f.* **10.FP1**

unknown inconnu **7.LC2**

unknown, unrecognized méconnu **1.3, 8**

ushers (wedding) les garçons d'honneur **9.IM**

unruly mop (of hair) la tignasse

4.L

until jusqu'à **7.FP1**

until now jusqu'ici **4.L***

until when jusqu'à quand **7.FP1**

upset fâché **3.L***

to use utiliser **10.FP3**

V

to vacuum passer l'aspirateur **2.FP1**

vacuum un aspirateur **2.FP1**

vain vaniteux (vaniteuse) **R.A, 2.B**

value la valeur **5.LC 1**

veal chops les côtelettes *f.* de veau **R.A**

very: very loud éclatant **3.TC**

very much, enormously énormément **1.IM**

very seriously, grievously grièvement **9.LC 2**

vest un gilet **8.IM**

veterinary: veterinary doctor un(e) vétérinaire **10.FP1**

veterinary studies les études vétérinaires **10.FP1**

victim, casualty une victime **7.IC**

Virginia la Virginie **1.LC 1**

to visit fréquenter **1.3**

visit une visite **7.FP1**

vitamins les vitamines *f.* **4.FP1**

volume la capacité **2.FP3**

voluminous, large in volume volumineux (volumineuse) **2.FP3**

volunteers les engagés *m.* **5.IC**

to voyage across sillonner **5.IMB**

voyage, trip un voyage

W

to wait for attendre

waiting room la salle d'attente **7.FP1**

to wake (oneself) up se réveiller **1.FP3**; se lever **1.FP3**; éveiller **10.L***

to wake up to music se réveiller en musique **1.LC1**

to wake (something, someone) réveiller **6.FP2**

wakefulness l'éveil *m.* **10.L***

to walk: to walk the dog promener le chien **2.FP1**

walking la marche à pied **3.IM**

wall un mur **R.V**; une paroi **9.IC**

to want, to wish vouloir **2.LC2**

to want (used to accept an offer), to accept, agree vouloir bien **4.FP1**

war une guerre **2.IC**

wardrobe, cabinet une armoire **1.L***

warm tiède **2.FP3**

warmth la chaleur **1.IC**

to warn *prévenir **3.L***

to wash laver **4.FP2**

to wash one's self se laver **1.FP2**

to wash one's hair se laver les cheveux **4.FP2**

to wash the car laver la voiture **2.FP1**

to wash the clothes laver le linge **2.FP1**

to wash the dishes faire la vaisselle **2.FP1**

to wash the shirts laver les chemises **4.FP2**

to wash the vegetables laver les légumes **2.FP1**

to wash the windows nettoyer les vitres

wash cloth le gant de toilette **1.FP2**

wasp une guêpe **3.FP1TA**

to watch observer **3.FP1**

to watch the animals observer les animaux **3.FP1**

watch une montre **2.LP3TA**

to water (plants, flowers) arroser **2.FP1**

water l'eau *f*

watering can l'arrosoir *m.* **2.IM**

waves les flots *m.* **9.IC**

wavy ondulé(e) **2.FP3**

way, mode une mode **5.IMA**; une voie **1.IC**

weak faible **1.FP1**; fragile **2.FP3**

wealth les biens *m.* **2.L***

to wear porter **1.FP1**

to wear eyeglasses porter des lunettes **1.FP1**

weather, time le temps **2.FP2**

weather report la météo **3.FP2**

week une semaine **4.FP2**

wedding rings les alliances *f.* **9.IM**

to weigh peser **1.FP1, 4.IM**

weight le poids **1.FP1**; les haltères *m.* **2.LC2**

to welcome accueillir **6.IM1**

welcoming accueillant **6.LC1**

welcome l'accueil **6.IM2**

well, indeed, very much bien **1.FP4**

well-being le bien-être **10.L***

well-located bien situé **6.FP1**

western occidental **2.IC**

what quoi **3.FP2**; quel (quelle); qu'est-ce que...; ce que **9.LC**

what bad luck quelle malchance **9.FP2**

what counts the most ce qui compte le plus

what doesn't work qu'est-ce qui ne marche pas? **4.FP2**

what good news quelle bonne nouvelle **9.FP2**

what happened? qu'est-ce qu'il y a eu? **3.FP2**; qu'est-ce qui a eu lieu? **3.FP2**; qu'est-ce qui est arrivé? **3.FP2**; qu'est-ce qui s'est passé? **3.FP2**

what is the problem? quel est le problème? **4.FP2**

what is the shape of this object? de quelle forme est cet objet? **2.FP2**

what is...made of? en quoi est... **2.FP2**

what it's all about de quoi il s'agit **8.IM**

what kind quel genre **7.FP1**

what struck me... ce qui m'a frappé... **5.IM**

what would you like? vous désirez? **4.FP1**

what's new? quoi de neuf?

what's wrong? qu'est-ce que tu as? **1.FP2**; qu'est-ce qu'il y a? **4.FP2**; qu'est-ce qui ne va pas? **6.FP1**

whatever it may cost him quoi qu'il lui en coûte **8.IC**

wheat le blé **R.V**

wheel la roue **4.FP2**

when, during lorsque **2. IC**; **when** quand **5.LC**

when I have my passport lorsque j'aurai mon passe-port...

where où

where does it hurt? où avez-vous mal?

whereas alors: alors que **2.IC**

which laquelle **R.A**

to which auquel **6.LC2**

which one lequel, laquelle, lesquels, lesquelles **6.LC2**

while alors que **8.L***; pendant que **2.IC**

while seeing... voyant...**5.L**

whim un caprice **8.L***

to whistle siffler **3.L***

whistle un sifflet à roulette **3.L***; un siffle **5.IC**

who qui **9.LC1**

who, which... qu'est-ce qui...

whooping cough la coqueluche **7.FP1**

whose dont **1.IC**

wide large **2.FP3**

wide open grande ouverte **5.LC**

wild sauvage **7.IM1**

wild beasts les fauves *m.* **1.IC**

wild boar un sanglier **9.IC**

wildlife la faune **R.V**

will la volonté **7.LC**

will un testament **R.L***

to win: to win prizes être primé **3.IM**

wind le vent **3.FP2**

window une fenêtre **2.FP1TA**

window pane une vitre **2.FP1TA**

to wipe essuyer **2.FP1**

to wipe (one's self) dry s'essuyer **1.FP2**

to wipe the glasses essuyer les verres **2.FP1**

to wipe the table essuyer la table **2.FP1**

wisdom la sagesse **8.IC**

wisdom tooth un dent de sagesse

to wish souhaiter **2.LC2**

wishes les souhaits *m.* **2.LC2**

wishes, season's greetings les voeux *m.* (un voeu) **4.LC**

witch: witch doctor un sorcier (une sorcière) **9.IC**

witchcraft la sorcellerie **2.IC**

with avec

with a start sursauter: en sursaut **1.LC1**

with pleasure avec plaisir **2.FP2**

without moving sans bouger **1.5IC**

without sans **10.LC1**

without the knowledge of l'insu *m.:* à l'insu de **3.IC**

to withdraw (money) retirer **4.IM**

to witness témoigner **3.FP2**

witty spirituel (spirituelle) **R.A**

wolf un loup **3.FP1TA**

to wonder se demander **8.L***

wood(s) le bois **1.IM**

woodchuck, groundhog une marmotte **3.FP1TA**

word un mot **6.IC**

to work travailler

work le travail **2.FP1**

worker un ouvrier (une ouvrière) **R.L***; une main-d'oeuvre **6.IM1**

working class les ouvriers **8.IM**

working conditions les conditions de travail

works les oeuvres *f.* **1.IC**

workshop un atelier **1.IC**

worksite un chantier **R.V**

worn usagé **2.FP3**

worn out usé **4.FP2**

to worry s'inquiéter **1.LC4**

worried, concerned inquiet (inquiète) **1.FP2**; soucieux (soucieuse) **1.FP2**

worse pire **7.L***

to wrap envelopper **7.L***

wrist le poignet **7.L***

writer un écrivain **R.A**

wrong: wrong number un faux numéro **8.FP1**

X

to x-ray faire une radio **7.FP1**

x-ray une radio **7.IM**

Y

to yawn bâiller **1.IM**

to yell, shout crier **1.L***

yesterday hier

to yield, to give in céder **9.FP2**

you tu

you are out of luck tu n'as pas de chance **9.FP2**

you're kidding! tu plaisantes! **3.FP2**

you're welcome je t'en prie **2.FP2**

youth la jeunesse **9.FP2**

youth center une Maison des Jeunes **8.FP2**

youth hostel une auberge de la jeunesse **6.FP1**

INDEX

Text Credits

p. 4: source: *Bulletin Pacijou* volume 1, number 4, June 1992. **p. 56:** Eugène Ionesco, "Deuxième conte pour enfants de moins de trois ans," *Présent passé, Passé présent* © 1968 Mercure de France . **p. 67:** Robert Desnos, "La fourmi," from *Chantefables et chantefleurs* ©1944 Librairie Gründ. **p. 68:** Jacques Prévert, "Pour faire le portrait d'un oiseau" from *Paroles* ©1949 Éditions Gallimard Collections Folio. **p. 96:** "Le Partage de la couverture," in Louis Brandin, ed., *Lais et Fabliaux du Treizième siècle.* [Poèmes et récits de la vieille France, tome XV] © 1932 Boccard. **p.100–101:** Excerpt from *Astérix le Gaulois* ©1961 Éditions Albert René/Goscinny–Uderzo. **p. 110:** source; *Journal Français d'Amérique*, May 3, 1993. **p. 111:** source; *Journal Français d'Amérique*, May 26 1992. **p. 123:** Jacques Prévert, "Soyez polis," from *Histoires* ©1963 Gallimard. p. 134: Sempé/Goscinny, "King" in *Les Aventures de Petit Nicolas* © 1966 Macmillan/Glencoe Publishing. **p. 142–145:** *Cyrano de Bergerac*, ©1989 **p. 146:** La Fontaine, "Le corbeau et le renard," from *Fables Choisies*, Livre I. **p. 170:** "Une histoire de cheveux" adapted from "Une bonne coupe," by Christian Grenier, in Michel Barbier, ed., *Onze Nouvelles Inédites.* © Hachette. **p. 183:** Lyrics to "Mon pays" by Gilles Vigneault © Musicor. **p.256:** Paul Éluard, "Liberté," from *Oeuvres complètes* © 1968 Gallimard: Bibliothèque de la Pléiade. Illustrations by Fernand Léger © 1953 Éditions Senghers. **pp. 256–259:** *Au revoir, les enfants* ©1986. **p. 282:** Guy de Maupassant, "En voyage," *Le Gaulois*, May 10 1883. **p. 297:** source: *Quid* 1993. **p. 301:** Lyrics to "Éthiopie" ©1985 EMI Records. **p.326:** "Les pêches," by André Theuriet and adapted by D. C. Heath. **p. 336:** source: Interview with Aimé Césaire in *Les écrivains noirs de langue française: naissance d'une littérature*, Lilyan Kesteloot © 1964 Université de Bruxelles. **p. 337:** "Pour saluer le tiers-monde," from *Ferrements*, Aimé Cesaire © 1960 Éditions Le Seuil. **p. 339:** René Depestre, "Pour Haïti," from *Journal d'un animal marin*, © 1964 Éditions Senghers. **pp. 342–343:** *Rue Cases-nègres*, ©1983. **p. 345:** source: *Francoscopie*, 1993. **p. 359:** source: *Francoscopie*, 1993. **p. 366:** Michelle Maurois, "Le bracelet," *Contes de Michelle Maurois*, © 1966 Meiden, Boston: Houghton Mifflin. **p. 377:** Blaise Cendrars, "La gélinotte et la tortue," from *Anthologie nègre*, © 1921 Éditions la Sirène. **p. 378:** David Diop, "Afrique," from *Coups de Pilon* ©1964 Éditions Senghers. **p. 380–381:** Bernard Dadié, "Légende baoulé," from *Légendes africaines* ©1966, 1973 Éditions Seghers. **p. 387:** source: *Francoscopie*, 1993. **p. 403:** Yves Thériault, "Le Portrait," *L'île introuvable* © 1968 Éditions du jour. **p. 415:** excerpt from LaFayette *In the Age of the American Revolution: Selected Letters and Papers, 1777–1790*, Volume 1 ©1977 Cornell University Press. **p. 419:** Lyrics to "Réveille" by Zachary Richard ©1976–1986 Les Éditions du Marais Bouleur.

Acknowledgements

The editorial staff at D.C. Heath would like to extend special thanks to the following people for their help and support in the production of **Discovering French–*Rouge*:**

William Price, Day Junior High School

Arthur Greenspan, Colby College

Seldan Rodman

The staffs of the French Library and the French Consulate in Boston.

Realia Credits

pp. 33–34: compilation of realia from *La Redoute* spring/summer 1990, *Elle* September 10, 1984, *Madame Figaro* November 26, 1988, *Cosmopolitain* October 1988, *Marie Claire* number 394 June. **p. 72:** realia from *Astrapi* magazine July 1989 and *L'Ami des jardins* magazine April 1986. **pp. 109–110:** Le Ministère de l'environnement, France. **p. 111:** environmental ad campaign from Monoprix stores, June 1989. **p. 121:** environmental ad campaign from Monoprix stores, June 1989 **p. 123:** compilation of realia from *La Redoute* spring/summer 1990, and *Elle* September 10, 1984. **p. 127:** weather map from *Le Figaro* January 27 1994 **p. 159:** Le Ministère du tourisme, Quebec. p. **p. 161:** compilation of realia from France Telecom and Jean Louis David salons. **163:** France Telecom. **p. 181:** compilation of CD and tape jackets from Youssou N'Dour, *The Lion*, Virgin Records ©1989; Souskous Stars, *"Gozando,"* Stern's Records ©1993; Touré Kunda *Dance of the Leaves (The Celluloid Recordings 1983–1987)*, Metrotone Records ©1993; Zap Mama *Adventures in Afropea 1*, Warner Bros. Records ©1993. **p. 190:** Mix of realia from Embassy of Switzerland, Washington, DC; Brittours; Air Canada; Swissair; International Travel Service Tunisia. **p. 194:** Eurail, USA. **p. 199:** compilation of realia from Martinique Tourist Office/IGN Paris; British Airways; and Recta Folder Maps/Cartographia. **p. 203:** Greater Québec Area Tourism and Convention Bureau; Québec Minister of Tourism and International Relations. **p. 206:** Swiss Bank Corporation. **pp. 228–229:** *Le Guide Michelin Rouge*, ©1992 by la Manufacture des pneumatiques Michelin/Michelin et compagnie, propriétaires-éditeurs. **pp. 230–231:** Office du tourisme et des congrès de la Communauté urbaine de Québec. **p. 233:** Syndicat d'Initiative d'Amboise. **pp. 240–241:** compilation of realia from French Office of Tourism and L'Hôtel Saint Germain. **pp. 264–266:** mix of realia from Ministère des Communications/Communication-Québec; France Telecom; Healthwest Consultants, May 1991; Health and Welfare, Canada; Canadian Psychiatric Association; République Rwandaise/Ministère de la santé publique et des affaires sociales; Clinique de traitement de l'asthme; Weber Vitamins; Uniprix; Jean Coutou. **pp. 268–269:** compilation of realia from Clinic Lac-saint-Louis, Pointe-Claire Québec; Centre de Santé, Kirkland, Québec; Clinique de traitement de l'asthme; KiloControl. **p. 277:** compilation of realia from Médecins aux pieds nus, Médecins du monde, Médecins sans frontières. **p. 279:** *Marie Claire* number 394 June. **p. 319:** France Telecom. **p. 383:** Ministère de l'éducation.

Photo Credits

Cover *Photographer:* Nancy Sheehan/© D.C. Heath; *Model Coordinator:* Shawna Johnston

Interior: All photos by Tom Craig /(c) D.C. Heath, except:
i & iii: John Henebry/(c) D.C. Heath; **v & vi:** Giraudon/Art Resource, NY; **vii:** Laurie Platt Winfrey, Inc.; **viii:** Jean-Loup Charmet; **ix:** Giraudon/Art Resource, NY; **x:** Laurie Platt Winfrey, Inc.; **xi** *tr:* Sygma; **xii:** Hector Hyppolite. Courtesy of Selden Rodman. Owned by Patricia & Maurice Thompson, Wilton CT; **xiii:** The Metropolitan Museum of Art, The Michael C. Rockefeller Memorial Collection, Gift of Nelson A. Rockefeller, 1965; **xiv:** Art Resource, NY.; **2** *b:* E. Morelli/Peter Arnold, Inc.; **4** *bkgd:* Y. Levy/(c) D.C. Heath; **6** *bkgd:* O. Franken/(c) D.C. Heath; **6:** Stuart Cohen; **7** *t:* VPG/© D.C. Heath; *b:* Yves Levy/© D.C. Heath; **8** *bkgd:* J. Charlas/(c) D.C. Heath; **10, 11***tl:* M. Heron /© D.C. Heath; **11** *t:* Owen Franken; *bl:* D. Donne Bryant/DDB StockPhoto; *tml:* R. Lucas/Image Works; *tr:* Francois Perri/Cosmos/Woodfin Camp; *tmr:* Melina Freedman; *mbl:* Brian Vikander; *bmr:* Lee Snider/Photo Images; *br:* Tony Freeman/PhotoEdit; **16-17:** O. Franken/(c) D.C. Heath; **19, 20, 21, 22:** (c) D.C. Heath;**26:** Yves Levy/© D.C. Heath; **32:** Stuart Cohen; **34** *r:* Ken O'Donoghue/(c) D.C. Heath; **35** *tl:* Giraudon/Art Resource, NY; *tml & tmr:* Art Resource, NY; *bml:* Erich Lessing/Art Resource, NY; *bl:* The Metropolitan Museum of Art, Gift of Mr. and Mrs. Klaus G. Perls, 1991. (1991.17.146); *tr , bmr & br:* Giraudon/Art Resource, NY; **36-37** *bkgd:* O. Franken/© D.C. Heath; **36-37:** M. Heron/© D.C. Heath; **38** *all:* © D.C. Heath; **38-39** *bkgd:* Henebry Photography© D.C. Heath; **42** *t & b;* © D.C. Heath; **41, 42-43** *bkgd,* **43:** M. Heron/© D.C. Heath; **46-47** *bkgd:* © D.C. Heath; **48-49** *bkgd , 48 mr,tr, 49 mr:* M. Heron/© D.C. Heath; **49** *tl:* Henebry Photography/© D.C. Heath; **49** *tr:* Yves Levy/© D.C. Heath; **49** *b,* **50:** M. Heron/© D.C. Heath; **51:** Liaison International; **52- 53:** M. Heron/© D.C. Heath; **56:** Eva Rudling/Sipa Press; **60:** © Photo R.M.N.; **61** *tr:* Pierre Auguste Renoir (French, l841-1919), *Bal a Bougival,* 1883. Oil on canvas, l81.8 x 98.l cm. Picture Fund, courtesy of Museum of Fine Arts, Boston; *br:* detail, Berthe Morisot (French, 1841–1895) *READING (La Lecture),* 1888, oil on canvas, 29 1/4 x 36 1/2" . Museum of Fine Arts, St. Petersburg, FL. Given in memory of Margaret Acheson Stuart by family and friends; *tl: & bl:* © Photo R.M.N.; **62** *tr:* Musee Marmottan-Claude Monet.; *mr:* Archives Monet-Musee Marmottan/Jean-Loup Charmet; *ml:* Claude Monet (French, 1840–1926), *Arrival of the Normandy Train, Saint-Lazare Station,* oil on canvas, 1877, 59.6 x 80.2 cm, Mr. and Mrs. Martin A. Ryerson Collection, 1933.1158. Photograph © 1994, The Art Institute of Chicago, All Rights Reserved; *br:* Claude Monet, *Rouen Cathedral, West Facade, Sunlight,* l894, oil on canvas, 1.002 x .660 (framed). Chester Dale Collection (c) 1994 National Gallery of Art, Washington; **63** *tl:* De Casseres/Photo Researchers Inc.; *tr: Pierre-Auguste Renoir, Monet Painting in His Garden at Argenteuil, l873.* Wadsworth Atheneum, Hartford. Bequest of Anne Parrish Titzell.; *bl:* Farrell Grehan/Photo Researchers Inc.; *mr:* Claude Monet (French, 1840–1926), *Waterlilies and Japanese Bridge,* 1899, oil on canvas, 90.5 x 89.7 cm. The Art Museum, Princeton University. From the Collection of William Church Osborn, Class of 1883, Trustee of Princeton University(1914–1951), President of the Metropolitan Museum of Art (1941–1947); gift of his family; **64** *tl:* Vincent van Gogh, *The Starry Night.*(1889). Oil on canvas, 29 x 36 1/4". The Museum of Modern Art, New York. Acquired through the Lillie P. Bliss Bequest. Photograph © 1994 The Museum of Modern Art, New York; *bl:* Henri Rousseau, *The Sleeping Gypsy.*

1897. Oil on canvas, 51" x 6'7". The Museum of Modern Art, New York. Gift of Mrs. Simon Guggenheim. Photograph © 1994 The Museum of Modern Art, New York; *r:* Erich Lessing/ Art Resource, NY; **65** *t:* Jean-Loup Charmet; *br & tr:* Giraudon/Art Resource, NY; *bl:* photo © Bruno Jarret/ADGAP and La Petite Chatelaine© Camille Claudel/SPADEM, , #S1007 courtesy of Musee Rodin, Paris.; **66** *tr:* Phototeque Rene Magritte-Giraudon/Art Resource, NY; *m:* Duane Michals; *b:* Rene Magritte, *The Blank Signature,* 1965, oil on canvas, .813 x .65l (framed). Collection of Mr. and Mrs. Paul Mellon, (c) 1994 National Gallery of Art, Washington. Photo by Jose A. Naranjo; **67-68** *bkgd:* Stock Editions;**67-68:** Roger-Viollet; **69** *tl:* © D.C. Heath; *br:* Ted Russell/Image Bank; **74-75:** M. Heron/© D.C. Heath; **77** *b:* Harold V. Green/Valan Photos; **79** *bl,* **84** *bkgd,* **85** *tr, 86, 90-91,91-92:* M. Heron/© D.C. Heath; **99** *tr:* Bibliotheque Nationale, Paris/The Bridgeman Art Library, London; *l:* Mary Evans Picture Library; *br:* Giraudon/Art Resource, NY; **103** *b:* Edimedia; **104** *b:* Musee de Bayeux/Michael Holford; **106** *t:* Lee Snider/Image Works; **109:** DeRichemond/Image Works; **110** *b:* Ginies/Sipa Press; *t:* Jacques Witt/Sipa Press; **111** *b:* Alex Farnsworth/Image Works; **112** *t:* O. Franken/(c) D.C. Heath; *bkgd,tm :* M. Heron/© D.C. Heath; *mb, b:* DeRichemond/The Image Works; **113** *tl:* P. Pipard/© D.C. Heath; *m,tr & bl,* **114, 117:** M. Heron/© D.C. Heath; **115:** O. Franken/(c) D.C. Heath;**120** *t & br:* A.Tannenbaum/Sygma; *bl:* Bebert/Sipa Press; **122** *t:* Bullaty Lomeo/Image Bank; *b:* Alain Choisnet/Image Bank, **124-125** *bkgd,* **125** *b:* M. Heron/© D.C. Heath;**126-127** *bkdg:* O. Franken/© D.C. Heath; **127 &131:** M. Heron/© D.C. Heath; **133:** The Bettmann Archive; **140:** Philippe Chardon/Option Photo; **141** *t:* Photo R.M.N.; *tr:* Giraudon/Art Resource, NY; *br:* Laurie Platt Winfrey, Inc; **142:** Ken O'Donoghue/© D.C. Heath; **143 & 145** *all::* B. Barbier/Sygma; **147** *tr:* David W. Hamilton/Image Bank; *tr, tl:* Nouvel/Option Photo; *tmr:* Weinberg/Clark/Image Bank; *bmr, tml, bml, bl:* Lee Snider/Image Works; *br:* O. Franken;**151** *mr:* M. Heron/(c) D.C. Heath; *bl:* S. Reiter/(c) D.C. Heath; *ml:* O.Franken/(c) D.C. Heath; *tl:* DCH; **152-153:** Palmer/Brilliant/(c) D.C. Heath; **152** *bl:* Henebry Photography/(c) D.C. Heath; **154** *inset,* **155** *m & b:* © D.C. Heath; **157** *t:* M. Heron/© D.C. Heath; **157** *b,* **158** *bl & br:* © D.C. Heath; *tr:* M. Heron/© D.C. Heath; **159** *tl, tr, ml & br:* ©D.C. Heath; **166-67** *bkgd:* Adine Sagalyn/© D.C. Heath; **169** *l, br & tm:* © D.C. Heath; *tr, bl & bm:* M. Heron/© D.C. Heath; **176** *bl:* Giraudon/Art Resource, NY; *br:* Jean-Loup Charmet; **177** *l:* Jean Guichard/Sygma; *ml:* Ledru/Sygma; *mr:* P. Vauthey/Sygma.; *r:* Alain Denize/Liaison International; *b:* Keystone/Sygma; **178** *t:* J. Andanson/Sygma; *b:* UPI/Bettmann Newsphotos; **179** *tl:* Bassignac/Liaison International; *tr:* Allen/Liaison International; *mr:* Steve Allen/Liaison International; *bl:* © D.C. Heath; *br:* Alain Benainous/Liaison International; **180** *l:* F. Camhi/Stills; *r:* Courtesy of the Martinique Development and Promotion Bureau; **181** *t:* Francois Darmigny/Sygma; *b:* Youri Lenquette/Liaison International; *m:* Ken O'Donoghue/(c) D.C. Heath; **182** *m:* D. Doug Bryant/DDB Stock Photo; *t:* Miranda Shen/Keystone Press Ltd; **182** *b:* Kindra Clineff/The Picture Cube; **183:** Jean F. Leblanc/Keystone Press Ltd.; **184** *t:* Laurie Platt Winfrey, Inc.; *b:* Edimedia; **185** *t:* Winnie Klotz. Courtesy of the Metropolitan Opera Association Inc.; *b & m:* Edimedia; **190** *t:* M. Heron/© D.C. Heath; **191** *br:* Henebry Photography/© D.C. Heath; **193:** George S. Zimbel; **194:** Ray Stott/Image Works; **195:** Nicholas Fievez/SIPA; **196-197** *bkgd:* Henebry Photography/(c) D.C. Heath; **197** *tl:* Courtesy of Air France; **198** *tr:* M. Heron/© D.C. Heath; **198-199** *bkgd:* O. Franken/© D.C. Heath; **200, 206:** M.

Heron/© D.C. Heath; **217** *t & bl:* Giraudon/Art Resource, NY; **217** *tl:* Art Resource, NY; **218:** Jean Loup Charmet; **219** *tl:* Edimedia; *tr:* O. Franken; *mr:* Lee Snider/Photo Images; *bl:* Roger-Viollet; *br:* Art Resource, NY.; **220:** Henebry Photography/© D.C. Heath; **221** *tl:* Roger-Viollet; *tr:* © D.C. Heath; ml: George S. Zimbel; *mr:* O. Franken; *b:* Jean-Loup Charmet; **223** *t:* Jean-Loup Charmet; *b:* Edimedia; **224** *b:* Giraudon/Art Resource, NY; **225** *b:* Art Resource, NY; **227** *tr:* O. Franken; *br:* Ray Stott/Image Works; **228** *t:* Ken O'Donoghue/© D.C. Heath; **232-233** *bkgd:* O. Franken/© D.C. Heath; **235 & 243:** M. Heron/© D.C. Heath; **245** *t:* DeRichemond/Image Works; *m:* Ray Stott/Image Works; **252** *t:* Giraudon/Art Resource, NY.; *m:* ND-Roger-Viollet; *b:* John Henebry; **253** *t & m:* Harlingue-Viollet; *b:* M. Pelletier/Sygma; **254** *l:* UPI/Bettmann; *r:* Sygma; **255** *t:* UPI/Bettmann Newsphotos; *m:* Roger-Viollet; *bl:* Roger-Viollet; **256** *tr:* Jean- Loup Charmet; *l:* Roger-Viollet; *b:* Jeanne Louise Bulliard/Sygma; **257:** Laurie Platt Winfrey, Inc.; **258** *t:* © Fabian, Sygma; *b:* Jeanne Louise Bulliard/Sygma; **259** *all:* Jeanne Louise Bulliard/Sygma; **261** *t:* Jose L. Pelaez/The Stock Market; *b:* Tom Stewart/The Stock Market; **267:** M. Heron/© D.C. Heath; **268** *t:* Y. Levy/(c) D.C. Heath; **269:** © D.C. Heath; **276** *tr:* Courtesy of Medecins Sans Frontieres; *bl,* **277***b: Nicolas*/Sipa Press; **281:** A. Sagalyn/© D.C. Heath; **293** *tr:* Pascal la Segretain/Sygma; *tml:* Robert Fried; *bml:* P. Pipard/(c) D.C. Heath; **294** *r:* Sygma; *b:* Micheline Pelletier/Sygma; **295** *tl:* Gerard Schachmes/Sygma; **299** *b:* M. Antman/Image Works; *t:* S. Reiter/(c) D.C. Heath; **300** *tr:* Sygma; *bl:* Reuters/Bettmann; **303** *t:* Roger-Viollet; **305:** Owen Franken; **306-307** *bkgd:* O. Franken/© D.C. Heath; **306** *b,* **307, 309:** © D.C. Heath; **310** *tr:* Owen Franken; *tl, ml & mr:* Lee Snider/Photo Images; **311** *tr:* Lee Snider/Photo Images.; *tl:* David Sailors/Stock Market; **313** *t:* Henebry Photography/© D.C. Heath; *bmr:* Yves Levy/© D.C. Heath; *tl inset, tr, both, l & br,* **314** *br:* Henebry Photography/(c) D.C. Heath; *bl:* O. Franken/(c) D.C. Heath; **318:** © D.C. Heath; **319** *bm:* S. Reiter/(c) D.C. Heath; *br, bl:* M. Heron/(c) D.C. Heath; **321:** K. Preuss/Image Works; **323, 324:** M. Heron/© D.C. Heath; **336** *t:* ND-Viollet; *b:* Courtesy of the Martinique Development and Promotion Bureau; **338:** Harlingue-Viollet; **339:** Alvis Upitis/Image Bank; **340** *l:* H. Obin. Courtesy of Selden Rodman. Owned by William & Denise Feldman, Wayne, NJ; *r:* Salnave Philippe-Auguste. Courtesy of Selden Rodman; **341** *tl:* Prefet Duffaut. Courtesy of Selden Rodman. Owned by Sara Danzig, NY; *tr:* Dieuseul Paul. Courtesy of Selden Rodman. Owned by Reynald Lally, Haiti; *bl:* Hector Hyppolite. Courtesy of Selden Rodman. Owned by Patricia & Maurice Thompson, Wilton, CT; *br:* Pauleus Vital, 1981. Courtesy of Selden Rodman; **342:** D. Fineman/Sygma; **343** *tr:* Francois Lehr/Sipa Press; *bl, mtr; tl:* Photofest; *br:* Courtesy, Unifrance Film, French Film Board; **344:** Stuart Cohen; **348-351** *bkgd:* M. Heron/© D.C. Heath; **358** *all:* O. Franken/© D.C. Heath; **360-361** *bkgd:* O. Franken/© D.C. Heath; **360** *inset;* Julio Donoso/Woodfin Camp & Associates/Contact Press Images; **361** *b: Jean Bruneau/*Valan Photos; **363:** Giraudon/Art Resource, NY; **364:** M. Heron/© D.C. Heath; **372** *t:* © by WARA, Centro Camuno di Studi Preistorici. 25044 Capo di Ponte, Italy; *b:* The Granger Collection, New York; **373** *t:* The Metropolitan Museum of Art, The Michael C. Rockefeller Memorial Collection, Gift of Nelson A. Rockefeller, 1965; **375** *t:* Timothy Beddow/Hutchison Library; *bl:* Maurice Harvey/Hutchison Library; *br:* Nik Wheeler; **376***t:* Hutchison Library; *b:* Margaret Courtney-Clarke; **377:** UPI/Bettmann; **378** *t:* Courtesy of Presence Africaine; *b:* Liba Taylor/Hutchison Library; **379** *mr:* Musee des Arts Africains et Oceaniens, Paris/Giraudon; *r:* Amedo Modigliani, *Head of a Woman,* Chester Dale Collection, © National Gallery of Art, Washington; *l:* © Service Documentation Photographique, Musee National D'Art Moderne, Paris; *mr:* Giraudon/Art Resource, NY.; *br:* Photo R.M.N; **382:** Stuart Cohen; **385** *b:* Jacques Witt, Sipa Press; **386-387** *bkgd:* O.Franken/© D.C. Heath; **387** *t:* Andrew Brilliant/© D.C. Heath; *b:* O. Franken/© D.C. Heath; **388, 389:** M. Heron/© D.C. Heath; **394-395** *bkgd:* P. Pipard/© D.C. Heath; **396-397:** O. Franken/(c) D.C. Heath; **399** *b:* M. Heron/© D.C. Heath; **400:** Lee Snider/Image Works; **401:** (c) D.C. Heath; 402: Canapress Photo Service; **410** *tl:* Richard Pasley; *tmt:* Claudia Dhimitri/ Viesti Associates; tmb: Margaret Flanagan; *b:* National Archives of Canada/Valan Photos; *tr:* Andrew Brilliant; **411:** National Archives of Canada/Valan Photos; **412, 413** *t & m:* The Bettmann Archive; **413** *b:* The Granger Collection, New York; **414:** Art Resource, NY; **415:** Stock Montage, Inc.; **416:** UPI/Bettmann Newsphotos; **418** *r:* Kindra Clineff/The Picture Cube; **419:** Les Riess; **420:** Kennon Cooke/Valan Photos; **R2:** O. Franken/© D.C. Heath; **R3** *tl:* P. Pipard/© D.C. Heath; *bl & tr:* M. Heron/© D.C. Heath; **R6** *t & b:* O. Franken/© D.C. Heath; **R7** *t:* Henebry Photography/© D.C. Heath; *tm & bm:* M. Heron/© D.C. Heath; *b:* Adine Sagalyn/© D.C. Heath.

Illustration Credits

Francis Back: 102–103, 140–141, 183, 326–332, 410, 411, 412, 419

Pierre Ballouhey: 36, 37*t*, 80, 125, 126, 140, 141, 165, 167, 325

Jean-Louis Besson: 54, 57–59, 9*1t*, 129, 130, 273, 303, 317

Dave Clegg: 18*t*, 187, 192, 201

Véronique Deiss: 47, 67, 132, 149, 150, 243, 316, 322, 350*c,b*, R3

Chris Demarest: 135*t*, 136

Patrick Deubelbeiss: 27–30, 93–96, 105*b*, 216, 217

Philippe Dumas: 68, 366–370

Jacques Ferrandez: 209–215

Caroline Finadri: 42*b*, 43, 9*1b*, 119, 126, 152, 154, 160, 263, 264*bl*, 270, 275, 278, 304, 318, 320–321, 359, 401, R11, R13

Michel Garneau: 5, 6, 9, 12, 13, 16–17, 22, 23, 37*c*, 38, 44, 50, 53, 71, 72, 76, 78, 81, 117, 162, 168, 188, 197, 198*t*, 205, 228*b*, 234, 236, 238–239, 244, 267, 272, 274, 346, 349, 350*t*, 351, 355, R4, R5, R9

Paul Giambarba: 15

Laurie Gilburne: 228*c*

Marsha Goldberg: 387

Tama Hochbaum: 337

Carol Inouye: 176, 335

Louise-Andrée Laliberte: 378, 380–381

Diana Maloney: 315

Mapping Specialists, Ltd.: R34, R36–R37

Winslow Pinney Pels: 402–408

Mike Reagan: 92, 104t, 105t, 220, 222, 282, 292, 297, 334, 373, 374b, 412, 417

John Rumery: 14, 195, 262

Lauren Scheuer: 170-174

Élisabeth Schlossberg: R12

Dave Shepherd: 18b, 42t, 90, 104c, 198br, 218, 219, 232t, 254, 335t, 361b, 392–393, 395, 420

Lorraine Silvestri: 283–290

Anna Vojtech: 98, 146, 374t, 377

Laura Wallace: 77

Fabrice Weiss: 106–107, 224–225, 247–250

Yayo: 33, 164, 352, 388, 390